AF524985

KARL MARX · FRIEDRICH ENGELS

WERKE · BAND 19

INSTITUT FÜR MARXISMUS-LENINISMUS BEIM ZK DER SED

KARL MARX
FRIEDRICH ENGELS

WERKE

DIETZ VERLAG BERLIN

1987

INSTITUT FÜR MARXISMUS-LENINISMUS BEIM ZK DER SED

KARL MARX
FRIEDRICH ENGELS

BAND 19

DIETZ VERLAG BERLIN

1987

Die deutsche Ausgabe der Werke von Marx und Engels
fußt auf der vom Institut für Marxismus-Leninismus
beim ZK der KPdSU besorgten zweiten russischen Ausgabe.

Leitung der Editionsarbeiten:
Ludwig Arnold
Editorische Bearbeitung (Text, Anhang und Register):
Käte Schwank
unter Mitarbeit von Christa Müller und Peter Langstein
Verantwortlich für die Redaktion:
Walter Schulz · Richard Sperl

Marx, Karl: Werke / Karl Marx ; Friedrich Engels.
Inst. für Marxismus-Leninismus beim ZK d. SED. – Berlin : Dietz Verl.
[Sammlung].
Bd. 19. [März 1875 – Mai 1883]. – 9. Aufl. – 1987. –
XXVIII, 679 S. : 8 Abb., 2 Kt.

Marx/Engels: Werke ISBN 3-320-00611-8
Bd. 19 ISBN 3-320-00220-1

Mit 8 Abbildungen und 2 Karten

9. Auflage 1987
Unveränderter Nachdruck der 1. Auflage 1962

Lizenznummer 1 · LSV 0046
Printed in the German Democratic Republic
Satz: Offizin Andersen Nexö, Graphischer Großbetrieb Leipzig
Druck und Bindearbeit:
INTERDRUCK, Graphischer Großbetrieb Leipzig
Fotomechanischer Nachdruck
Best.-Nr.: 735 092 1

01150

Vorwort

Der neunzehnte Band der Werke von Karl Marx und Friedrich Engels enthält Schriften, die in der Zeit zwischen März 1875 und Mai 1883 geschrieben wurden.

Lenin charakterisiert die Geschichtsperiode, die nach der Niederlage der Pariser Kommune begann, als „die Epoche der vollen Herrschaft und des Niedergangs der Bourgeoisie, die Epoche des Übergangs von der fortschrittlichen Bourgeoisie zum reaktionären und erzreaktionären Finanzkapital. Es ist dies die Epoche der Vorbereitung und langsamen Kräftesammlung seitens der neuen Klasse, der modernen Demokratie" (W. I. Lenin, Werke, Band 21, Berlin 1960, S. 135). „Marx und Engels", betont Lenin, „beurteilten die Lage richtig, sie verstanden die internationale Situation, sie erkannten die Aufgabe: das *langsame* Vorwärtsschreiten zum Beginn der sozialen Revolution" (W. I. Lenin, Werke, Band 24, Berlin 1959, S. 72).

Als die Internationale Arbeiterassoziation (I. Internationale) ihre Tätigkeit einstellte, nachdem sie ihre große Aufgabe beim Zusammenschluß der proletarischen Kräfte auf internationaler Ebene verwirklicht hatte, betrachteten die Begründer des wissenschaftlichen Kommunismus es als erstrangige historische Aufgabe, in den einzelnen Ländern sozialistische Massenparteien der Arbeiter zu schaffen. Im Kampf um die Formierung und Festigung der ersten proletarischen Parteien in Europa und Amerika stützten sich Marx und Engels hauptsächlich auf die Funktionäre des Bundes der Kommunisten und der Internationalen Arbeiterassoziation. Marx und Engels, die inmitten des Kampfes der internationalen Arbeiterklasse standen, verallgemeinerten und propagierten ständig die Erfahrungen dieses Kampfes, machten sich die konkreten Lehren aller hervorragenden Bewegungen zu eigen und leiteten daraus stets das Wesentlichste und Aktuellste ab. Sie halfen den sozialistischen Arbeitern jedes Landes, die richtige politische Linie einzuschlagen und eine selbständige, den Klasseninteressen des Proletariats entsprechende Politik, unter Berücksichtigung der konkreten Besonderheiten der nationalen Entwicklung, durchzuführen.

Umfangreich und vielseitig ist in dieser Periode Marx' wissenschaftlich-theoretische Arbeit. Er setzt intensiv seine Studien für die Arbeit am zweiten und dritten Band des „Kapitals" fort, studiert alle neuen Erscheinungen in der kapitalistischen Ökonomie, analysiert eine große Anzahl russischer Quellen zur Agrarfrage und viele Materialien über die stürmische Entwicklung des Kapitalismus in den USA und liest eine Fülle von Spezialliteratur über den Geldmarkt und die Banken. Gegenstand seiner systematischen Studien sind auch Agrochemie, Geologie, Physiologie, Physik und insbesondere Mathematik. Viel Zeit widmet er dem Studium der Geschichte aller Länder und Völker.

Gleichzeitig setzt Marx auch seine Arbeit am ersten Band des „Kapitals" fort, und zwar im Zusammenhang mit den Neuauflagen und den von Vertretern der sozialistischen Parteien verschiedener Länder herausgegebenen populären Darlegungen des „Kapitals". Er führt eine Reihe Studien durch, die erforderlich waren, um theoretische und politische Anfragen aus der sich entwickelnden Arbeiterbewegung gründlich beantworten zu können, und unterstützt in kritischen Augenblicken diese oder jene sozialistische Partei in ihrem Kampf gegen den Klassenfeind und gegen die Opportunisten innerhalb der Partei.

Auch Engels betreibt in diesen Jahren umfangreiche Studien. Er setzt die 1873 begonnene Arbeit an einem seiner bedeutendsten theoretischen Werke – „Dialektik der Natur" – fort. In diesem Werk verallgemeinert er die Erkenntnisse der Naturwissenschaften vom dialektisch-materialistischen Standpunkt und unterzieht idealistische, vulgär-materialistische und metaphysische Anschauungen bürgerlicher Gelehrter der Kritik. In den Jahren 1876 bis 1878 schreibt Engels – von Marx mit Hinweisen und Beiträgen unterstützt – den „Anti-Dühring" (siehe Band 20 unserer Ausgabe). Mit dem ihm eignen Talent legt er hier systematisch die drei Bestandteile des Marxismus dar – den dialektischen und historischen Materialismus, die marxistische politische Ökonomie und den wissenschaftlichen Kommunismus. Außerordentlich erfolgreich arbeitete Engels auf dem Gebiete der Geschichte Deutschlands und anderer europäischer Staaten. Unschätzbar sind seine Beiträge zur Ausarbeitung der Grundlagen von Strategie und Taktik der proletarischen Parteien; sie finden sich hauptsächlich in den Briefen, die er an die Führer der sozialistischen Parteien Europas und Amerikas schrieb. Viel Zeit und Aufmerksamkeit widmete er der Popularisierung der Ideen des wissenschaftlichen Kommunismus.

Der Band wird eingeleitet mit zwei Arbeiten der Begründer des wissenschaftlichen Kommunismus, die große prinzipielle Bedeutung für die revolutionäre Theorie und Praxis der gesamten internationalen kommunistischen Bewegung haben: Marx' berühmte „Kritik des Gothaer Programms" und Engels' Brief an Bebel vom 18./28. März 1875, in dem er ebenfalls zum Gothaer Programm Stellung nimmt. Die grundlegenden Ideen dieser programmatischen Schriften, deren Bedeutung von W. I. Lenin in einer Reihe seiner Werke hervorgehoben wird, erhalten besonders jetzt Aktualität, da die Sowjetunion in die Phase des entfalteten Aufbaus des Kommunismus eintritt und andere Länder des sozialistischen Lagers erfolgreich die sozialistische Gesellschaft aufbauen. Aus diesen Werken von Marx und Engels schöpfen die Kommunistische Partei der Sowjetunion und die kommunistischen und Arbeiterparteien der anderen Länder weiterhin reiches ideologisches Material für ihren theoretischen und praktischen Kampf.

In der „Kritik des Gothaer Programms" (1875 unter dem Titel „Randglossen zum Programm der deutschen Arbeiterpartei" geschrieben) formuliert Marx eine ganze Reihe Gedanken zu Grundfragen der Theorie des wissenschaftlichen Kommunismus: über die sozialistische Revolution, die Diktatur des Proletariats, über die Übergangsperiode vom Kapitalismus zum Kommunismus, über die zwei Phasen der kommunistischen Gesellschaft, über Produktion und Verteilung des gesellschaftlichen Gesamtprodukts im Sozialismus und die Grundzüge des entfalteten Kommunismus, über den proletarischen Internationalismus und die Partei der Arbeiterklasse.

Dieses klassische Werk ist, im Vergleich zum „Manifest der Kommunistischen Partei", zum „Achtzehnten Brumaire des Louis Bonaparte" und zum „Bürgerkrieg in Frankreich", ein neuer Schritt in der Entwicklung der marxistischen Lehre vom Staat und von der Diktatur des Proletariats. Marx zieht Bilanz aus den Erfahrungen aller Revolutionen und aller Kämpfe des Proletariats und stellt die außerordentlich wichtige These auf, daß ein besonderes Übergangsstadium vom Kapitalismus zum Kommunismus mit entsprechender Staatsform historisch unvermeidbar ist. „Zwischen der kapitalistischen und der kommunistischen Gesellschaft", schreibt Marx, „liegt die Periode der revolutionären Umwandlung der einen in die andre. Der entspricht auch eine politische Übergangsperiode, deren Staat nichts andres sein kann als *die revolutionäre Diktatur des Proletariats.*" (Siehe vorl. Band, S. 28.)

Marx war ebenso wie Engels der Ansicht, daß der Staat im Kommunismus absterben muß. Wenn er vom „Staatswesen in einer kommunistischen

Gesellschaft" spricht, meint er den absterbenden Staat, d.h. die Frage: „Welche gesellschaftliche Funktionen bleiben dort übrig, die jetzigen Staatsfunktionen analog sind?" (Siehe vorl. Band, S. 28.) W. I. Lenin betont in seiner Arbeit „Staat und Revolution", wo er die von Marx aufgestellte These über das „Staatswesen der kommunistischen Gesellschaft" analysiert, daß in dieser These der langwierige Prozeß enthalten ist, den das allmählich absterbende Staatswesen im Kommunismus durchmachen muß und daß dieser Prozeß abhängig ist von dem Entwicklungstempo, das die höhere Phase des Kommunismus' nimmt. Die Frage, wann und wie das „Staatswesen der kommunistischen Gesellschaft" absterben wird, ließen Marx und Engels offen, da die Erfahrung damals noch keine Unterlagen zu ihrer Beantwortung gab.

In seinen Arbeiten über den Staat vertieft W. I. Lenin auf Grund der neuen historischen Erfahrungen in der Epoche des Imperialismus und des Sieges der proletarischen Revolution in der UdSSR die marxistische Lehre vom Staat, die Lehre von der Übergangsperiode des Kapitalismus zum Kommunismus und von der Entwicklung der kommunistischen Gesellschaft. Die Kommunistische Partei der Sowjetunion, die kommunistischen und Arbeiterparteien der Länder der Volksdemokratie entwickeln die Lehre des Marxismus-Leninismus vom Staat der Arbeiterklasse, von seinen Aufgaben und Funktionen in den besonderen Etappen des Aufbaus des Sozialismus und Kommunismus schöpferisch weiter.

In der „Kritik des Gothaer Programms" gibt Marx eine auf wissenschaftlicher Analyse beruhende Charakterisierung der Grundzüge der kommunistischen Gesellschaft – der Anfangsstufe (der ersten oder niederen Phase, dem Sozialismus) und der Stufe seiner vollen Entfaltung (der höheren Phase, dem Kommunismus). Seine Leitsätze über die beiden Phasen der kommunistischen Gesellschaft waren eine geniale Voraussicht.

Von seiner Theorie der Reproduktion ausgehend, analysiert Marx in der „Kritik des Gothaer Programms" auch die wichtigsten Besonderheiten der Produktion und Verteilung im Sozialismus. Er widerlegt Lassalles „Idee", daß die Arbeiter im Sozialismus den „unverkürzten" oder „vollen Arbeitsertrag" erhalten, und erklärt, daß ökonomische Notwendigkeit dazu zwingt, von dem gesellschaftlichen Gesamtprodukt das abzuziehen, was in den gemeinschaftlichen Fonds geht – für Ersatz der verbrauchten Produktionsmittel, für Ausdehnung der Produktion und für den Reserve- oder Assekuranzfonds usw.

Marx weist nach, welche Vorzüge der Sozialismus im Vergleich zum Kapitalismus besitzt, da die sozialistische Gesellschaftsordnung eine genossenschaftliche ist, die auf Gemeingut an den Produktionsmitteln beruht. Unter den Verhältnissen des Sozialismus, so betont er, wird die Gleichheit der Menschen im Sinne ihres gleichen Verhältnisses zu den Produktionsmitteln verwirklicht; das Privateigentum an den Produktionsmitteln ist aufgehoben, die Ausbeutung des Menschen durch den Menschen beseitigt; für gleiche Arbeit erhalten die Menschen gleichen Lohn. Marx entlarvt die für die vulgäre politische Ökonomie und den kleinbürgerlichen Sozialismus charakteristischen Vorstellungen, im Sozialismus herrsche ein gleichmacherisches Prinzip der Verteilung des gesellschaftlichen Gesamtprodukts. In seiner Kritik an diesen Vorstellungen geht er von der Analyse der gesellschaftlichen Produktion aus und leitet die Verteilung von den Hauptbedingungen und den Gesetzmäßigkeiten der gesellschaftlichen Produktion im Sozialismus ab.

Marx weist darauf hin, daß der Sozialismus noch in jeder Beziehung, ökonomisch, sittlich, geistig, mit den „Muttermalen" der alten kapitalistischen Gesellschaft, aus deren Schoß er herkommt, behaftet ist, und daß er dabei alle Qualen der Geburtswehen erleidet. Marx hält daher die Ungleichheit der Menschen im Sozialismus noch solange für unvermeidlich, solange die Verteilung des gesellschaftlichen Gesamtprodukts nach Quantum der von jedem Gesellschaftsmitglied dafür aufgewandten Arbeit fortbestehen wird, die Verteilung nach den Bedürfnissen also noch nicht möglich ist. „Gleich viel Arbeit in einer Form gegen gleich viel Arbeit in einer andern" (siehe vorl. Band, S. 20) lautet das sozialistische Verteilungsprinzip, das auf dem erreichten Niveau der ökonomischen Entwicklung beruht und berücksichtigt, daß die Menschen es erst lernen müssen, ohne alle Rechtsnormen für die Gesellschaft zu arbeiten.

Dann formuliert Marx seine geniale Charakteristik der kommunistischen Gesellschaft: „In einer höheren Phase der kommunistischen Gesellschaft, nachdem die knechtende Unterordnung der Individuen unter die Teilung der Arbeit, damit auch der Gegensatz geistiger und körperlicher Arbeit verschwunden ist; nachdem die Arbeit nicht nur Mittel zum Leben, sondern selbst das erste Lebensbedürfnis geworden; nachdem mit der allseitigen Entwicklung der Individuen auch ihre Produktivkräfte gewachsen und alle Springquellen des genossenschaftlichen Reichtums voller fließen – erst dann kann der enge bürgerliche Rechtshorizont ganz überschritten werden und die Gesellschaft auf ihre Fahne schreiben: Jeder nach seinen Fähigkeiten, jedem nach seinen Bedürfnissen!" (Siehe vorl. Band, S. 21.)

Die „Kritik des Gothaer Programms", mit der sich Marx unmittelbar an die deutsche Arbeiterpartei wendet, ist faktisch ein Kampfprogramm für die ganze internationale Arbeiterbewegung. „Die große Bedeutung der Erörterungen von Marx“, schrieb W. I. Lenin über die „Kritik des Gothaer Programms“, „besteht darin, daß er auch hier konsequent die materialistische Dialektik, die Entwicklungslehre, anwendet, indem er den Kommunismus als etwas betrachtet, das sich *aus* dem Kapitalismus entwickelt. An Stelle scholastisch ausgeklügelter, ‚erdachter‘ Definitionen und fruchtloser Wortklaubereien (was Sozialismus, was Kommunismus sei) gibt Marx eine Analyse dessen, was man als Stufen der ökonomischen Reife des Kommunismus bezeichnen könnte.“ (W. I. Lenin, Werke, Band 25, Berlin 1960, S. 485.)

Ebenso wie die „Kritik des Gothaer Programms“ war Engels' Brief an August Bebel vom 18./28. März 1875 für die gesamte Führung der sozialdemokratischen Arbeiterpartei bestimmt. Dieser Brief enthält den gemeinsamen Standpunkt der beiden Führer des Proletariats zur Vereinigung der damals in Deutschland existierenden Arbeiterorganisationen (der Eisenacher und der Lassalleaner) und ihren Protest gegen die Kompromisse, die die Eisenacher in theoretischen und politischen Fragen mit ihren ideologischen Gegnern – den Lassalleanern – eingegangen sind. Marx und Engels werteten die Tatsache, daß eine einheitliche deutsche Arbeiterpartei geschaffen werden soll, durchaus positiv. Aber sie setzten dabei voraus, daß die Vereinigung sich auf einer bestimmten prinzipiellen Grundlage vollziehen müsse, und zwar unter der Bedingung, daß die Lassalleaner ihre kleinbürgerliche Ideologie und ihre sektiererischen Dogmen aufgeben und als Grundlage des gemeinsamen Programms der geeinten Arbeiterpartei die Prinzipien des wissenschaftlichen Sozialismus angenommen würden. Als sie erfuhren, daß diese Hauptbedingung nicht beachtet und in der Jagd nach „Einheit um jeden Preis“ ein durch und durch opportunistisches Programm entworfen worden war, unterzogen sie diesen Entwurf einer scharfen Kritik und einer gründlichen, wissenschaftlichen Untersuchung.

Großen Raum widmet Engels in seinem Brief der Kritik an solchen Leitsätzen des Programmentwurfs wie der von Lassalle entlehnten Phrase, im Verhältnis zur Arbeiterklasse seien alle übrigen Klassen, darunter folglich auch die Bauernschaft, nur eine „reaktionäre Masse“, oder dem Lassalleschen „ehernen Lohngesetz“, das auf der Malthusschen Bevölkerungstheorie basiert. Als einzige soziale Forderung ist im Programmentwurf die Lassallesche „Staatshilfe“ für „Produktivgenossenschaften“ enthalten. Damit wird die Illusion erzeugt, das Proletariat könne seine Befreiung nicht durch Klassenkampf, sondern mit Hilfe des reaktionären deutschen, junkerlich-bourgeoisen Staates erreichen. Der Programmentwurf für den Gothaer Parteitag ignorierte vollständig solche für den Erfolg des proletarischen Kampfes lebenswichtigen Fragen wie die internationale proletarische Solidarität, ihre Unterstützung und Entwicklung; die Rolle der Gewerkschaften, ihre Beziehung zur Partei der Arbeiterklasse, die Einstellung zum Streikkampf usw.

Engels kritisiert sehr scharf die dem wissenschaftlichen Sozialismus widersprechende vulgär-idealistische These vom „freien Staat", die Idee von dem angeblich über den Klassen stehenden Staat. Er unterstreicht in diesem Zusammenhang den Gedanken, daß das Proletariat, nachdem es die Macht erobert hat, den von ihm geschaffenen Staat gebrauchen muß, zur „Niederhaltung seiner Gegner, und sobald von Freiheit die Rede sein kann", d.h. wenn die kommunistische Gesellschaft gesiegt hat, „hört der Staat als solcher auf zu bestehen" (siehe vorl. Band, S. 7).

Schon die Pariser Kommune, die den bürgerlichen Staatsapparat zerschlagen hatte, war, wie Engels bestätigt, kein Staat im eigentlichen Sinne mehr, da sie nicht die Mehrheit, sondern nur die Minderheit (die Ausbeuter) niederhalten mußte und ihr dabei die ganze Bevölkerung half. Engels' Ansichten über Fragen des Staates, die er in seinem Brief an Bebel darlegt, werden von W.I.Lenin in „Staat und Revolution" hoch eingeschätzt (W.I.Lenin, Werke, Band 25, Berlin 1960, S. 453–455).

In den siebziger und achtziger Jahren verfolgten Marx und Engels besonders aufmerksam die Arbeiterbewegung in Deutschland, wohin sich nach der gewaltsamen Niederwerfung der Pariser Kommune das Zentrum der proletarischen Bewegung verlagert hatte. Sie halfen der deutschen sozialdemokratischen Partei systematisch, gaben in ihren Briefen den führenden Funktionären wichtige praktische Ratschläge und Hinweise und lenkten deren Aufmerksamkeit auf Gefahren, die einer gesunden Entwicklung der Partei drohten.

Der im Band aufgenommene Zirkularbrief an Bebel, Liebknecht, Bracke u.a. ist ein weiteres wichtiges Dokument und ein Beweis dafür, wie Marx und Engels den Kampf um die richtige politische Linie in der deutschen sozialdemokratischen Partei führten. Im Zirkularbrief brachten sie ihre unversöhnliche Haltung gegen den Opportunismus unmißverständlich zum Ausdruck.

Die rasche Entwicklung der deutschen sozialdemokratischen Partei und ihr wachsender Einfluß unter den Arbeitern wurden ein ernstes Hindernis für die junkerlich-bourgeoise Regierung Deutschlands. Um dieses zu beseitigen, ließ Bismarck Ende 1878 mit Unterstützung der Junker und der Bourgeoisie im Reichstag das Ausnahmegesetz gegen die Sozialisten annehmen. Mit einem Schlage wurde jede legale Tätigkeit der sozialdemokratischen Partei gewaltsam unterbrochen und die Partei faktisch für außerhalb des Gesetzes stehend erklärt. Die Parteiführung zeigte sich diesem Schlag gegenüber völlig unvorbereitet. Sie verlor so sehr die Fassung, daß sie beschloß, Parteiorganisation und Vorstand aufzulösen, statt sich sofort umzubilden und in die Illegalität zu gehen, um als Antwort auf das Ausnahmegesetz den Kampf aufzunehmen. Unter den Bedingungen des Sozialistengesetzes und der Desorganisation in der Leitung, die nicht die notwendige Standhaftigkeit und revolutionäre Entschlossenheit zeigte, wuchs der Opportunismus zusehends. Ein Teil der labilen Elemente bezog eine anarchistische Position. Ein anderer Teil, der in der Partei, besonders in der Parlamentsfraktion, eine angesehene Stellung innehatte, vertrat bedenkenlos die Linie der Liquidation und erhob Opportunisten, wie Höchberg, Bernstein und Schramm, zu Ideologen dieser Linie.

Im „Zirkularbrief" enthüllen die Führer des Proletariats vor allem das kapitulantenhafte Wesen der Anführer des rechten Flügels, die in Zürich das „Jahrbuch für Sozialwissenschaft und Socialpolitik", ein Sprachrohr des Opportunismus, herausgaben. „Statt entschiedner politischer Opposition", schreiben Marx und Engels, „allgemeine Vermittlung; statt des Kampfs gegen Regierung und Bourgeoisie – der Versuch, sie zu gewinnen und zu überreden; statt trotzigen Widerstands gegen Mißhandlungen von oben – demütige Unterwerfung und das Zugeständnis, man habe die Strafe verdient." (Siehe vorl. Band, S. 163.) Mit aller Schärfe verurteilen sie diese Ansichten und weisen darauf hin, daß ein solches Verhalten in einer proletarischen Partei unzulässig ist. „Meinen sie, was sie schreiben, so müssen sie aus der Partei austreten, mindestens Amt und Würden niederlegen" (siehe vorl. Band, S. 160), erklären Marx und Engels und versuchen alles, um die Opportunisten vom Parteivorstand zu isolieren.

In ihrer Kritik an der versöhnlerischen Haltung der sozialdemokratischen Parteiführung enthüllen Marx und Engels im „Zirkularbrief" klar und überzeugend die klassenpolitischen und ideologischen Wurzeln des Opportunismus und begründen prinzipiell die Linie der Partei. Im „Zirkularbrief" kommt besonders eindrucksvoll ihre konsequente, parteiliche Haltung und ihre revolutionäre Überzeugung zum Ausdruck. „Was uns betrifft", schreiben sie, „so steht uns nach unsrer ganzen Vergangenheit nur ein Weg offen. Wir haben seit fast 40 Jahren den Klassenkampf als nächste treibende Macht der Geschichte und speziell den Klassenkampf zwischen Bourgeoisie und Proletariat als den großen Hebel der modernen sozialen Umwälzung hervorgehoben; wir können also unmöglich mit Leuten zusammengehn, die diesen Klassenkampf aus der Bewegung streichen wollen." (Siehe vorl. Band, S. 165.)

Durch das energische Auftreten von Marx und Engels zogen sich die Opportunisten zurück. Der Klasseninstinkt der Arbeitermassen, die Kritik, die Ratschläge und die Hilfe der beiden Führer des internationalen Proletariats verbesserten die Situation in der deutschen Partei. Es gelang ihr in der Zeit des Sozialistengesetzes, trotz Verfolgungen aller Art, ihre Reihen zu festigen, die Parteiorganisation umzugestalten, den richtigen Weg zu den Massen zu finden, weil sie es verstand, die legalen und illegalen Formen des Kampfes auszunutzen und miteinander zu verbinden.

Der im Band veröffentlichte Aufsatz „Karl Marx" von Engels ist ein populärer Lebensabriß, eine Skizze über die wissenschaftliche und politische Tätigkeit des großen Begründers der Theorie des wissenschaftlichen Kommunismus und Führers des internationalen Proletariats. Dieser Aufsatz unterstützte die Propagierung der Ideen des wissenschaftlichen Sozialismus unter den deutschen Arbeitern.

Mit seiner Schrift über Wilhelm Wolff, den bedeutenden Funktionär der deutschen Arbeiterbewegung, den treuen Mitkämpfer und Freund von Marx und Engels, verfolgte Engels das Ziel, in den deutschen Arbeitern und Bauern Erinnerungen an die revolutionären Traditionen von 1848/49 wachzurufen und das Bemühen der „Neuen Rheinischen Zeitung", die ausgebeuteten Massen der Bauernschaft auf die Seite der Arbeiterklasse zu ziehen, zu popularisieren. In dieser Arbeit werden von Engels eine Reihe wichtiger Verallgemeinerungen über die sozialökonomische Entwicklung Deutschlands formuliert.

Auch Engels' Artikel „Preußischer Schnaps im deutschen Reichstag" trug dazu bei, die junge deutsche Arbeiterpartei ideologisch zu festigen. Deutschland war damals eben erst vereinigt, war einheitlicher Nationalstaat geworden, aber nicht auf dem von Marx und Engels erstrebten Weg, nicht von unten, nicht als Ergebnis einer erfolgreichen demokratischen Revolution, sondern von oben – durch „Blut und Eisen", unter der Hegemonie des preußischen Staates der Junker, der Bourgeoisie und der Militaristen. Unter diesen Verhältnissen hielt es Engels für seine Pflicht, den deutschen Arbeitern den reaktionären Klassencharakter des Deutschen Reichs und seiner Regierung klarzumachen, deren Vertreter Junker, „Meister in Schnapsgeschäften", Börsenjobber und Großunternehmer waren.

Die in diesem Band enthaltenen Aufsätze von Engels „Das Ausnahmegesetz gegen die Sozialisten in Deutschland – Die Lage in Rußland" (für das italienische sozialistische Organ „La Plebe" geschrieben) und „Bismarck und die deutsche Arbeiterpartei" (in der englischen Zeitung „The Labour Standard" erschienen) lassen erkennen, daß er großen Wert darauf legte, den Arbeitern das wahre Wesen des bürgerlichen Staates zu enthüllen, ihnen den Haß der Vertreter dieses Staates gegen die proletarische Partei vor Augen zu führen, den erfolgreichen Kampf und die Erfahrungen der Partei zu propagieren und im Proletariat die internationale Klassensolidarität zu wecken und zu festigen.

Im Bestreben, die Arbeiter aller Länder zur unverbrüchlichen Treue zum proletarischen Internationalismus zu erziehen, informierten Marx und Engels ständig die leitenden Funktionäre der deutschen sozialdemokratischen Partei über die Ereignisse in anderen Ländern, sammelten Material darüber, schrieben Aufsätze über die Arbeiter- und die sozialistische Bewegung und veröffentlichten sie in den Publikationsorganen der verschiedenen Arbeiterparteien. Engels, der in ständiger Verbindung mit den italienischen Sozialisten stand, schrieb für den „Vorwärts" den Artikel „Aus Italien" (siehe vorl. Band, S. 91–95), in dem er den deutschen Arbeitern von der Entwicklung der sozialistischen Bewegung unter den italienischen Arbeitern berichtet und schildert, wie dort der Einfluß der Anarchisten zurückgedrängt wird. Vorher setzte Engels die italienischen Sozialisten von den Erfolgen der deutschen Partei in Kenntnis. Der in diesem Band veröffentlichte Brief von Engels an den angesehenen Funktionär der italienischen sozialistischen Bewegung Enrico Bignami über die deutschen Wahlen von 1877 wurde auf dem Kongreß der Arbeiter der Oberitalienischen Föderation verlesen und erschien dann in der Zeitung „La Plebe". Im Januar 1878 schrieb Engels für diese Zeitung den Artikel „Die Arbeiterbewegung in Deutschland, Frankreich, den Vereinigten Staaten und Rußland".

Im Zentralorgan der deutschen sozialdemokratischen Partei „Der Sozialdemokrat" erschien Engels' Schrift über „Bruno Bauer und das Urchristentum", in der Engels vom Standpunkt des dialektischen Materialismus und des proletarischen Atheismus Fragen über Herkunft und Wesen des Christentums wissenschaftlich klärt.

In den 1878 entstandenen Aufsätzen – „Die europäischen Arbeiter im Jahre 1877" von Friedrich Engels und „Herrn George Howells Geschichte der Internationalen Arbeiterassoziation" von Karl Marx – wird die Situation in der internationalen Arbeiterbewegung eingeschätzt, der Kampf um die Schaffung von Arbeiterparteien in Europa und in den USA analysiert und werden die Traditionen der Internationalen Arbeiterassoziation propagiert.

Engels weist in seinem Aufsatz auf wesentliche Fakten hin, die für die Arbeiterbewegung einer ganzen Reihe von Ländern charakteristisch sind, und stellt fest, daß sich überall die Arbeiterbewegung nicht nur erfolgreich, sondern auch schnell und, was besonders wichtig ist, in ein und derselben Richtung entwickelte: Überall zeichnete sich das Bemühen der Arbeiter ab, eigene Parteien zu schaffen. Es wurde offensichtlich, daß die Anarchisten mit ihrem Dogma, die Arbeiter vom politischen Kampf fernzuhalten, bei den Wahlen in die bürgerlichen Parlamente eine Abfuhr erhielten. Es fanden sich Mittel und Wege, um die Verbindung zwischen den Arbeiterorganisationen und den Sozialisten der verschiedenen Länder aufrechtzuerhalten.

Engels analysiert außerdem gründlich die Lage der Arbeiterklasse in Frankreich, wobei er ihre Rolle bei der Entwicklung der Geschicke des Landes und ihr politisches Bewußtsein, vor allem im Hinblick auf die aktive Verteidigung der Republik gegen die Anschläge monarchistischer Elemente, sehr hoch einschätzt. Für sehr bedeutend hält Engels die Tatsache, daß die französische Bauernschaft ihre politische Haltung zu ändern begann, von den bonapartistischen Illusionen abging und für die Verteidigung der Republik eintrat. Engels gibt den französischen Arbeitern den Rat, unverzüglich eine eigene, unabhängige Klassenorganisation zu schaffen, und ruft die französischen Bauern auf, sich mit den Arbeitern der Städte zu verbünden.

Engels gibt ferner eine klare Charakteristik von der Situation in Rußland nach der Reform von 1861. Dabei stellt er fest, daß die inneren und äußeren Umstände des Landes „von ganz besonderer Art sind und in ihrem Schoß Ereignisse von höchster Bedeutung hinsichtlich der Zukunft nicht nur der Arbeiter Rußlands, sondern der Arbeiter ganz Europas tragen". Mit dem Sturz des Absolutismus und dem Sieg der Revolution in Rußland verbanden Marx und Engels die Hoffnung auf eine unvermeidliche Veränderung der ganzen gesellschaftspolitischen Situation in Europa. Sie riefen die Arbeiter aller Länder auf, den künftigen Sieg des russischen Volkes „als einen Riesenschritt zu dem gemeinsamen Ziel – der allgemeinen Befreiung der Arbeit" zu begrüßen. (Siehe vorl. Band, S. 133 und S. 137.)

Engels betont, daß die Parteien der Arbeiterklasse – dort, wo sie entstanden waren – bei ihrer Tätigkeit in der Regel dem gemeinsamen Aktionsplan folgten, der von der Internationalen Arbeiterassoziation aufgestellt worden war und der den realen Erfordernissen der proletarischen Bewegung Rechnung trug. Dieser Plan, schrieb Engels, paßt „sich den verschiedenartigen Bedingungen jeder Nation ... frei an, ist dennoch überall in seinen Grundzügen derselbe und gibt so Gewähr für einheitliche Absichten und allgemeine Übereinstimmung in den Mitteln, die man anwendet, um das gemeinsame Ziel – die Emanzipation der Arbeiterklasse durch die Arbeiterklasse selbst – zu erreichen" (siehe vorl. Band, S. 124).

In seinem Aufsatz „Herrn George Howells Geschichte der Internationalen Arbeiterassoziation" weist Marx vor allem darauf hin, daß die Arbeiterbewegung in Europa und Amerika in der zweiten Hälfte der siebziger Jahre anwächst und die Formierung sozialistischer Parteien durch die Arbeiter selbst beschleunigt wird. Als sehr wichtiges Moment hebt Marx die Rolle der französischen Arbeiterklasse hervor, die nach der blutigen Unterdrückung und Verfolgung durch die Bourgeoisie im Jahre 1871 wieder zum aktiven politischen Leben zurückkehrt. Als nächste bedeutende Tatsache unterstreicht er die aktive Beteiligung der Slawen, insbesondere Polens, Böhmens und Rußlands, an der internationalen Arbeiterbewegung. Für besonders wertvoll hält Marx in der genannten Periode die ständige, wirksame, unmittelbare Information und den Erfahrungs- und Ideenaustausch zwischen den Arbeitern der verschiedenen Länder, der vorbereitet worden war durch die Tätigkeit der Internationalen Arbeiterassoziation, indem sie die Proletarier aller Länder gelehrt hatte, wie notwendig und wichtig die gegenseitige Hilfe und Solidarität im Kampfe ist.

Vom Standpunkt des „insularen Philisters" George Howell (Funktionär der englischen Trade-Unions, Renegat) war die Tätigkeit der Internationalen Arbeiterassoziation ein Fehlschlag, hatte sich die Internationale gewissermaßen „überlebt". Marx weist die falschen Behauptungen Howells entschieden zurück und schreibt am Schluß seines Artikels: „So ist die Internationale, anstatt abzusterben, bloß aus ihrer ersten Inkubationsperiode in eine höhere Phase getreten, in der bereits ihre ursprünglichen Bestrebungen zum Teil Wirklichkeit geworden sind. Im Laufe dieser fortschreitenden Entwicklung wird sie noch manche Veränderungen durchzumachen haben, bevor das letzte Kapitel ihrer Geschichte geschrieben werden kann." (Siehe vorl. Band, S. 147.)

Viel Aufmerksamkeit widmen Marx und Engels der französischen Arbeiterbewegung und den französischen Sozialisten. Sie beteiligen sich unmittelbar an der Ausarbeitung programmatischer Dokumente und an der Festlegung der politischen Linie der Partei. Als die Führer der soeben erst gebildeten französischen Arbeiterpartei 1880 nach London kamen, um Marx' und Engels' Hilfe bei der Abfassung des Programms zu erbitten, waren Marx und Engels bereit, mit ihnen alle Programmpunkte bis ins einzelne zu erörtern. Sie erhielten von Marx Vorschläge für den theoretischen Teil (siehe vorl. Band, S. 238) oder, wie Engels sich ausdrückte, „die kommunistische Begründung" des Programms. Das Programm der französischen Arbeiterpartei war frei von den opportunistischen Fehlern des Gothaer Programms und spielte eine positive Rolle in der Entwicklung der sozialistischen Bewegung Frankreichs.

Um bei der Schaffung und Festigung der marxistischen Arbeiterpartei Frankreichs, ihrer ideologischen Abgrenzung vom Anarchismus, vom kleinbürgerlichen Sozialismus und von dem in Sektierertum ausgearteten Sozialismus der Utopisten zu helfen, schrieb Engels „Die Entwicklung des Sozialismus von der Utopie zur Wissenschaft" (1880). In dieser bedeutenden Schrift sind die theoretischen Grundlagen der proletarischen Weltanschauung, die Hauptthesen des wissenschaftlichen Sozialismus dargelegt. Indem Engels die Hauptetappen der Entwicklung der Philosophie verfolgt, zeigt er, wie der dialektische und historische Materialismus vorbereitet worden war, wie – dank der zwei großen Entdeckungen von Marx: der materialistischen Geschichtsauffassung und der Enthüllung des Geheimnisses der kapitalistischen Produktion vermittelst des Mehrwerts – der Sozialismus zur Wissenschaft wurde.

Nachdem Engels den grundsätzlichen Unterschied zwischen dem wissenschaftlichen und dem utopischen Sozialismus aufgedeckt, die historische Rolle des utopischen Sozialismus und dessen Schwächen nachgewiesen hat, erklärt er die Voraussetzungen für die Entstehung des wissenschaftlichen Sozialismus.

Im Schlußkapitel seiner Schrift weist Engels nach, daß der Hauptwiderspruch des Kapitalismus – der Widerspruch zwischen dem gesellschaftlichen Charakter der Produktion und der kapitalistischen Aneignung – nur durch die proletarische Revolution gelöst werden kann und erklärt: „Das Proletariat ergreift die Staatsgewalt und verwandelt die Produktionsmittel zunächst in Staatseigentum", es schafft damit der Entfaltung ihrer gesellschaftlichen Natur volle Freiheit, es ermöglicht die Entwicklung der gesellschaftlichen Produktion nach einem vorher festgelegten Plan. Die Menschen beherrschen die objektiven Gesetze der gesellschaftlichen Entwicklung und wenden sie bewußt im Interesse aller Mitglieder der Gesellschaft an. Engels sagt dazu: „Es ist der Sprung der Menschheit aus dem Reich der Notwendigkeit in das Reich der Freiheit... Diese weltbefreiende Tat durchzuführen, ist der geschichtliche Beruf des modernen Proletariats." (Siehe vorl. Band, S. 226 und S. 228.)

„Die Entwicklung des Sozialismus von der Utopie zur Wissenschaft" war ein sehr wichtiger Beitrag von Engels zur Verbreitung des Marxismus unter den Arbeitern und der sozialistisch gesinnten Intelligenz.

Für die französische Ausgabe der „Entwicklung des Sozialismus von der Utopie zur Wissenschaft" schrieb Marx eine besondere Einführung. Er charakterisiert darin Engels als einen der „hervorragendsten Vertreter des modernen Sozialismus" und teilt die wesentlichsten Tatsachen aus Engels' Leben und seiner revolutionären Tätigkeit mit. Marx nennt „Die Entwicklung des Sozialismus von der Utopie zur Wissenschaft" eine *„Einführung in den wissenschaftlichen Sozialismus"* (siehe vorl. Band, S. 185).

Im vorliegenden Band wird auch der 100 Fragen enthaltende „Fragebogen für Arbeiter" veröffentlicht, den Marx für die französischen Sozialisten verfaßt hatte. Dieser Fragenkomplex diente der allseitigen Erforschung der ökonomischen, physischen, geistigen und moralischen Lebens- und Kampfbedingungen des städtischen und ländlichen Proletariats. Eine derartige Befragung hätte dazu beitragen können, die mannigfaltigen Formen und Methoden, mit denen die Arbeiterklasse ausgebeutet wurde, genau festzustellen und zu entlarven, sowie der proletarischen Partei die Möglichkeit zu geben, in ihrer ganzen Tätigkeit bei der Leitung der Arbeiterbewegung von präzisen statistischen Angaben auszugehen.

Marx, der die Einwilligung gegeben hatte, in der „Égalité" (Organ der französischen Arbeiterpartei) sein Werk „Misère de la philosophie" zu veröffentlichen, schreibt dazu einige einführende Worte, in denen er erklärt, diese Arbeit und das „Manifest der Kommunistischen Partei" können „zur Einführung... in das Studium des ‚Kapitals'" dienen. (Siehe vorl. Band, S. 229.)

Von der aktiven Teilnahme der Begründer des Marxismus an der französischen Arbeiterbewegung zeugen auch Engels' Veröffentlichungen in verschiedenen sozialistischen Presseorganen Frankreichs, insbesondere in der Zeitung „L'Égalité", die große Popularität unter den französischen Arbeitern besaß und eine wichtige Rolle bei der Verbreitung der Ideen des wissenschaftlichen Sozialismus spielte. In der „Égalité" erschien z.B. Engels' Artikel „Der Sozialismus des Herrn Bismarck", worin Bismarcks Demagogie entlarvt wird. Die Einführung der Zolltarife, die Umwandlung der wichtigsten Eisenbahnlinien in Staatseigentum bezeichnete Bismarck als „soziale Maßnahme", in Wirklichkeit dienten diese Maßnahmen ausschließlich dem Interesse der herrschenden Klassen. Diese Entlarvung Bismarcks durch Engels war vortrefflich dazu geeignet, den Stand der politischen Bildung in der jungen französischen Arbeiterpartei zu heben. Sein Artikel war gegen jene gerichtet, die von einer Bewegung zum Sozialismus unter Beibehaltung der Klassenherrschaft der Kapitalisten und Großgrundbesitzer faselten.

Marx und Engels kämpften gegen die Erscheinungen des rechten Opportunismus, der als Folge direkter Einwirkungen der Bourgeoisie und ihrer Ideologie auf die Arbeiterklasse entstanden war. Sie traten dabei leidenschaftlich gegen die Versuche auf, die revolutionären Prinzipien der proletarischen Lehre zu entstellen. Sie kämpften aber auch gegen die andere Gefahr, die der internationalen Arbeiterbewegung drohte: gegen das Sektierertum und den damit verbundenen Doktrinarismus und Dogmatismus, die schon immer die schöpferische Anwendung und Weiterentwicklung der revolutionären Theorie und die erfolgreiche Entwicklung der Arbeiterbewegung gehemmt haben. Es waren besonders die englischen und amerikanischen Sozialisten, die wegen ihrer sektiererischen und dogmatischen Haltung häufig von Marx und Engels kritisiert und beharrlich aufgefordert wurden, sich eng mit den Massen, mit der Arbeiterbewegung zu verbinden und den sektiererischen Geist aus ihren Organisationen zu verbannen.

Ein glänzendes Beispiel dafür, wie ein proletarischer Führer über die Köpfe opportunistischer Führer hinweg unmittelbar an die Masse der Arbeiter appelliert, sind die im vorliegenden Band enthaltenen elf Artikel von Engels („Ein gerechter Tagelohn für ein gerechtes Tagewerk", „Das Lohnsystem", „Die Trade-Unions", „Eine Arbeiterpartei" u.a.), die im Organ der englischen Trade-Unions „The Labour Standard" erschienen.

Der hohe theoretische Inhalt dieser Artikel ist einfach und allgemeinverständlich dargelegt. Engels erklärt darin den englischen Arbeitern, daß eine rein gewerkschaftliche Organisation, die nur den ökonomischen Kampf um die Erhöhung des Arbeitslohnes und die Verkürzung des Arbeitstages führt, unzulänglich ist. Er erläutert das Wesen der von Marx geschaffenen proletarischen politischen Ökonomie und die Notwendigkeit des politischen Kampfes für die Beseitigung des kapitalistischen Systems und für die Eroberung der Macht durch das Proletariat. Er ruft die Arbeiter auf, die Gewerkschaften in Kampforganisationen der Massen umzuwandeln, sie mit neuem, politischem Leben zu erfüllen und außerdem eine selbständige politische Organisation der Arbeiterklasse – eine proletarische Partei – zu schaffen, die diese Gewerkschaften leitet.

In dem Artikel „Notwendige und überflüssige Gesellschaftsklassen" richtet Engels an die englischen Arbeiter den Aufruf, sich ihrer großen historischen Mission bewußt zu werden und sich darauf vorzubereiten, Herren der von ihnen geschaffenen Reichtümer zu werden und den ganzen Ablauf der gesellschaftlichen Produktion materieller Güter in ihre eigenen Hände zu nehmen. „Die ökonomische Entwicklung unserer modernen Gesellschaft", schreibt Engels, „hat mehr und mehr die Tendenz zur

Konzentration, zur Vergesellschaftung der Produktion in Riesenunternehmen, die nicht mehr von einzelnen Kapitalisten geleitet werden können... Was aber der Herr nicht zu tun vermag – die Arbeiter... *können* es tun und tun es mit Erfolg... So finden wir nicht nur", schließt er, „daß wir ohne die Einmischung der Kapitalistenklasse in die großen Industrien des Landes sehr gut fertig werden können, sondern wir finden auch, daß ihre Einmischung sich mehr und mehr zu einer Plage auswächst." (Siehe vorl. Band, S.290.)

In den siebziger und achtziger Jahren verfolgen Marx und Engels mit besonderem Interesse die Entwicklung der Vereinigten Staaten von Amerika. Marx widmet besondere Aufmerksamkeit dem ungewöhnlich raschen Tempo der ökonomischen Entwicklung in den USA, dem außergewöhnlichen Konzentrationsprozeß des Kapitals und der wachsenden Macht großer Gesellschaften, die Industrie, Handel, Grund und Boden, Eisenbahnen und Finanzen in ihren Händen halten. Engels lenkt in einem speziellen Artikel, der im „Sozialdemokrat" erscheint, die Aufmerksamkeit der europäischen Sozialisten auf den Konzentrationsprozeß des Kapitals in den USA (siehe vorl. Band, S.306–308).

Die ungeheure Geschwindigkeit, mit der sich dieser Prozeß vollzog, die zunehmende Monopolisierung und der steigende Einfluß großer Gesellschaften ließen in Marx und Engels die Überzeugung reifen, daß die Arbeiterklasse in den USA unvermeidlich mit dieser zusammengeballten erbarmungslosen Macht in Konflikt geraten und erkennen wird, daß es aussichtslos ist, auf Verbesserung ihrer Lage zu hoffen, solange die Macht des Großkapitals nicht vernichtet ist. In der Vorrede zur zweiten russischen Ausgabe des „Manifests der Kommunistischen Partei" zeigen Marx und Engels die Ursachen der raschen ökonomischen Entwicklung in den USA und folgern, daß auch in den USA die Zukunft dem Proletariat gehören wird, das im gleichen Maße wächst, wie die schier unvorstellbare Konzentration des Kapitals voranschreitet.

Neben ihrer ununterbrochenen aktiven Hilfe für die internationale Arbeiterbewegung und die sozialistischen Parteien setzen Marx und Engels gleichzeitig ihre wissenschaftliche Arbeit fort. Die im Abschnitt „Aus dem handschriftlichen Nachlaß" veröffentlichten „Randglossen zu Adolph Wagners ‚Lehrbuch der politischen Ökonomie'" sind von großem theoretischen Interesse. Wagner, der mit pseudo-sozialistischen Phrasen spekulierte, war ein Vertreter der sog. sozialrechtlichen Schule der bürgerlichen politischen Ökonomie und ein treuer Diener der deutschen Bourgeoisie und des Junkertums. Marx kritisiert Wagners Behauptungen und Schlußfolgerungen, formuliert wichtige Thesen der Werttheorie und kommentiert und vertieft die im ersten Band des „Kapitals“ enthaltenen entsprechenden Gedanken.

In seinen „Randglossen“ verallgemeinert Marx eine ganze Reihe von Erkenntnissen hinsichtlich seiner Analyse der Ware, der Grundlage ihres „Doppelseins“, das sich darstellt im zwiefachen Charakter der Arbeit, deren Produkt die Ware ist: der *„nützlichen* Arbeit, i.e. den konkreten Modi der Arbeiten, die Gebrauchswerte schaffen, und der abstrakten *Arbeit*, der *Arbeit als Verausgabung der Arbeitskraft*, gleichgültig in welcher ‚nützlichen‘ Weise sie verausgabt werde“ (siehe vorl. Band, S. 370). Marx weist darauf hin, welche Rolle in seiner Analyse der Gebrauchswert im Vergleich zur bürgerlichen politischen Ökonomie spielt; er betont, daß bei ihm der Gebrauchswert „immer nur in Betracht kommt, wo solche Betrachtung aus der Analyse gegebner ökonomischer Gestaltungen entspringt, nicht aus Hin- und Herräsonieren über die Begriffe oder Worte ‚Gebrauchswert‘ und ‚Wert‘“ (siehe vorl. Band, S. 371).

Mit diesen Worten gibt Marx eine treffende Antwort den bürgerlichen und revisionistischen Verfälschern der marxistischen politischen Ökonomie, die hartnäckig ihre alte „These“ wiederholen, Marx habe angeblich ein „abstraktes“ System geschaffen, das im Widerspruch zur kapitalistischen Wirklichkeit stehe. In den „Randglossen“ zu Adolph Wagners Buch liefert Marx den unwiderlegbaren Beweis, daß in seiner Forschung nicht von irgendeinem rein abstrakten, ausschließlich logischen Prozeß die Rede ist, sondern von der realen ökonomischen Wirklichkeit und ihrer Widerspiegelung im Denken.

In den vorliegenden Band sind drei Manuskripte von Engels aufgenommen worden. Eines von ihnen („Bemerkung zu Seite 29 der ‚Histoire de la commune‘“) ist der Geschichte Frankreichs am Vorabend der Pariser Kommune gewidmet. Engels analysiert hier glänzend die Ereignisse des Deutsch-Französischen Krieges und die verräterischen Waffenstillstandsverhandlungen zwischen Thiers und den Preußen im Herbst 1870.

Die Manuskripte „Zur Urgeschichte der Deutschen“ und „Fränkische Zeit“ zeugen von Engels' umfassendem Fachwissen und davon, wie gründlich er bei seiner wissenschaftlichen Arbeit die historischen Quellen erforschte und analysierte.

In der Arbeit „Fränkische Zeit“ legt Engels dar, wie sich die Voraussetzungen für das Entstehen des Privateigentums an Grund und Boden herausbildeten, wie der Konzentrationsprozeß des Grundeigentums verlief, die Klasse der feudalen Großgrundbesitzer und die Klasse der von ihnen abhängigen Bauern entstanden, wie sich die Staatsmacht bildete und was das Fränkische Reich darstellte.

Engels widmete der Linguistik und der Philologie viel Aufmerksamkeit. Äußerst bewandert in den Hauptproblemen der Sprachwissenschaft und ausgezeichneter Kenner der linguistischen Richtungen seiner Zeit, verfolgte Engels interessiert die Literatur auf diesem Gebiet, insbesondere Fragen der vergleichenden Grammatik der deutschen, romanischen und slawischen Sprachen, und beschäftigte sich mit speziellen sprachwissenschaftlichen Untersuchungen. Seine Arbeit über den fränkischen Dialekt ist ein Musterbeispiel für die Anwendung des historischen Materialismus auf die Sprachwissenschaft.

In direkter Beziehung zu Engels' Forschungen über die Urgeschichte der Deutschen steht die von ihm 1882 veröffentlichte Arbeit „Die Mark". Über diese Abhandlung schreibt Engels am 22. Dezember 1882 an Bebel folgendes: „Es ist die Erstlingsfrucht meiner seit einigen Jahren betriebenen Studien über deutsche Geschichte, und es freut mich sehr, daß ich sie nicht zuerst den Schulmeistern und sonstigen ‚Jebildeten', sondern den Arbeitern vorlegen kann." Er analysiert in dieser Arbeit kurz aber außerordentlich inhaltsreich die allgemeinen Entwicklungswege der Agrarverhältnisse und die historischen Geschicke der Bauern in Deutschland.

Engels bekräftigt noch einmal die von Marx und ihm aufgestellte These, daß für die erfolgreiche Entwicklung und für den Sieg der proletarischen Revolution ein Bündnis zwischen Arbeiterklasse und Bauernschaft notwendig ist. Er bekräftigt ferner die grundlegende These des wissenschaftlichen Sozialismus über die Unvermeidlichkeit und Notwendigkeit des Übergangs zum gemeinschaftlichen Eigentum und zur gemeinschaftlichen Produktion nicht nur in der Industrie, sondern auch in der Landwirtschaft. Nur der Übergang zum gemeinschaftlichen Eigentum, betont Engels in der „Mark", wird den landwirtschaftlichen Produzenten die Möglichkeit sichern, einen Großbetrieb zu organisieren und erfolgreich zu entwickeln, alle seine Vorteile auszunutzen (Anwendung von Maschinen, Erkenntnissen der Wissenschaft, Errungenschaften der Technik usw.) und damit ihren schöpferischen Beitrag zum Aufbau der neuen, kommunistischen Gesellschaft zu leisten.

In vielen Werken, die in diesem Band enthalten sind, ist auf die eine oder andere Art Rußland erwähnt, wird die Rolle Rußlands, seine innere und äußere Lage und die sich im Lande entfaltende revolutionäre Bewegung behandelt. Rußland tritt als integrierendes Glied in der Kette gesamteuropäischer Ereignisse in Erscheinung, als ein Land, das sich am Vorabend großer revolutionärer Veränderungen befindet. Im Januar 1878 schrieb Engels an die italienischen Sozialisten (in dem Artikel „Die Arbeiterbewegung in Deutschland, Frankreich, den Vereinigten Staaten und Rußland"): „Rußland ist jenes Land, ... das in naher Zukunft die bedeutendste Rolle spielen wird." (Siehe vorl. Band, S. 114.) Ein Jahr später erklärt er: „Seit einigen Jahren lenke ich die Aufmerksamkeit der europäischen Sozialisten auf den Zustand Rußlands, wo sich eine entscheidende Bewegung vorbereitet." (Siehe vorl. Band, S. 149.)

In den speziell Rußland gewidmeten und an den russischen Leser gerichteten Arbeiten von Marx und Engels beeindruckt die Fülle theoretischer und politischer Einschätzungen – ein Ergebnis ausgezeichneter Kenntnis der konkreten sozialökonomischen und politischen Verhältnisse Rußlands.

In den siebziger Jahren erlebte Rußland eine umwälzende Epoche – den Übergang vom rückständigen, halbfeudalen System zum sich rasch entfaltenden Kapitalismus; eine Epoche, die von einer stürmischen Entwicklung der gesellschaftlichen Antagonismen und dem Anwachsen der revolutionären Kräfte begleitet war. Das Land befand sich, wie Marx und Engels mehrfach betonten, am Vorabend einer gewaltigen Revolution, deren Ergebnisse unweigerlich große internationale Bedeutung haben müßten, in erster Linie in dem Sinne, daß dadurch günstige Voraussetzungen für die Entwicklung der proletarischen Befreiungsbewegung geschaffen würden.

Mit Beginn der siebziger Jahre unternimmt Marx ein intensives Studium russischer Originalquellen über den Grundbesitz bzw. die Agrarverhältnisse allgemein. Die Analyse der russischen Wirtschaft, insbesondere der landwirtschaftlichen Produktion, nahm in Marx' Vorbereitungsarbeiten für den dritten Band des „Kapitals" einen sehr bedeutenden Platz ein. „Bei der Mannigfaltigkeit der Formen sowohl des Grundbesitzes wie der Ausbeutung der ackerbauenden Produzenten in Rußland", schrieb Engels im Vorwort zum dritten Band des „Kapitals", „sollte im Abschnitt über Grundrente Rußland dieselbe Rolle spielen wie im Buch I, bei der industriellen Lohnarbeit, England." (Karl Marx, „Das Kapital", Band 3, Berlin 1959, S. 8.)

Dank der vielen gesellschaftlichen, literarischen und freundschaftlichen Beziehungen zu Vertretern des gesellschaftlichen Lebens in Rußland erhielt Marx zahlreiche russische Bücher, verschiedene Dokumente, Zeitschriften usw. Viele sehr wertvolle und mannigfaltige Informationen verdankten Marx und Engels auch ihren direkten Verbindungen zu russischen Revolutionären, zu Vertretern der russischen Wissenschaft und Kultur. Ein umfangreicher Briefwechsel mit russischen Korrespondenten trug gleichfalls zur Vertiefung ihrer Kenntnisse über Rußland bei; so z. B. der Briefwechsel mit Lopatin, Lawrow, Dmitrijewa-Tomanowskaja, Danielson, Kablukowa, Kowalewski, Plechanow, Vera Sassulitsch u.a.

Marx' Studium der Probleme des Grundeigentums und der Grundrente an Hand russischer Materialien ermöglichte es ihm, rasch einen Einblick in das Leben des russischen Volkes und in die Entwicklung Rußlands zu gewinnen. Durch das systematische Studium der russischen Probleme, das Marx und Engels bis an ihr Lebensende an Hand der besten Werke der sozialökonomischen und schöngeistigen Literatur Rußlands betrieben, konnten sie auch gut beobachten, in welchem Maße das revolutionäre Bewußtsein des russischen Volkes und der Protest gegen die Ausbeuter wuchs, wie sich der Volkskampf gegen den Zarismus, gegen die politische und soziale Unterjochung entfaltete. Mit vollem Recht erklärt Engels in einem Brief an Bebel vom 13. September 1886, daß er niemanden kenne, der „Rußland so gut verstand..., nach innen wie nach außen", wie Marx.

In seinem Brief an die Redaktion der Zeitschrift „Otetschestwennyje Sapiski" (November 1877) schreibt Marx zu der Entwicklungstendenz Rußlands, „eine kapitalistische Nation zu werden", daß Rußland sich seit 1861 in dieser Richtung entwickle. Gleichzeitig verwahrt sich Marx ganz entschieden gegen die Behauptung, die der Volkstümler Michailowski in dem Artikel „Karl Marx vor dem Tribunal des Herrn Shukowski" aufstellt, daß er – Marx – gleich den russischen Liberalen die Vernichtung der russischen bäuerlichen Dorfgemeinde für dringend nötig halte, um zur kapitalistischen Gesellschaftsordnung überzugehen.

Marx protestiert energisch dagegen, seine Theorie von der kapitalistischen Produktionsweise als einen Schlüssel zu betrachten, mit dessen Hilfe man den Entwicklungsgang jedes beliebigen Landes bestimmen könne, unabhängig von den historischen Gegebenheiten. Als Antwort auf die Frage, ob Rußland der kapitalistischen Entwicklung entgehen könne, empfiehlt Marx vor allem, die russischen Materialien über die sozialökonomische Entwicklung des Landes allseitig zu studieren und zu analysieren sowie das historische Milieu zu beachten, in dem sich Rußland befindet. Der Sturz des Zarismus schien Marx im Jahre 1877 nahe bevorzustehen. Er war der Meinung, daß die russische Revolution günstige Voraussetzungen für den Sieg des westeuropäischen Proletariats schaffen wird, während das westeuropäische Proletariat seinerseits helfen kann, Rußland den kapitalistischen Entwicklungsweg zu ersparen. Diese Konzeption von Marx hatte nichts mit dem Traum der Volkstümler gemeinsam, ohne Entwicklung der Großindustrie, nur mit Hilfe der russischen Dorfgemeinde zur sozialistischen Gesellschaftsordnung zu gelangen.

Mit dieser letzten Frage beschäftigt sich auch ein anderer Brief von Marx, der 1881 geschrieben wurde und an V. I. Sassulitsch gerichtet ist. „Die zerstörenden Einflüsse", die von allen Seiten auf die russische Dorfgemeinde einstürmten, konnte nach Marx' Ansicht nur die russische Volksrevolution beseitigen, unterstützt durch eine proletarische Revolution in Westeuropa. Die theoretische Bedeutung und die große historische Aktualität der in den beiden genannten Dokumenten enthaltenen marxistischen These von der Möglichkeit, daß einige Völker unter gewissen entsprechenden historischen Umständen den kapitalistischen Entwicklungsweg vermeiden können, wurde durch das Leben, durch die revolutionäre Praxis in der UdSSR und im sozialistischen Lager vollauf bestätigt.

In ihrem Brief vom 16. Februar 1881 teilte Vera Sassulitsch Marx mit, welche Rolle das „Kapital" in den Auseinandersetzungen der russischen Sozialisten über die Geschicke des Kapitalismus in Rußland spielte, und bat ihn im Namen ihrer Mitkämpfer, der russischen „revolutionären Sozialisten", seine Ansichten zu dieser Frage und insbesondere zu Problemen der russischen Dorfgemeinde zu äußern. Zum Zeitpunkt des Empfangs dieses Briefes (sowie eines Schreibens aus Petersburg vom Exekutivkomitee der Narodnaja Wolja mit gleichlautender Bitte) hatte Marx bereits viel Mühe verwandt auf das Studium sowohl der sozialökonomischen Verhältnisse Rußlands, als auch der inneren Struktur und des Zustandes der russischen Dorfgemeinde. Im Zusammenhang mit den erwähnten Schreiben leistete Marx eine umfangreiche zusätzliche wissenschaftliche Arbeit zur Verallgemeinerung der vorher studierten Quellen.

Wie aus den im Abschnitt „Aus dem handschriftlichen Nachlaß" veröffentlichten Entwürfen von Marx für einen Antwortbrief an Vera Sassulitsch zu ersehen ist, wägte Marx auf das sorgfältigste jede Formulierung ab, bevor er seine endgültige, verhältnismäßig kurze Antwort abfaßte. In den Briefentwürfen formulierte er eine ganze Reihe von Thesen, die folgende Probleme betreffen: den Urtyp der kollektiven Produktion und dessen Charakter; Möglichkeit und Voraussetzungen zur Vermeidung des qualvollen kapitalistischen Entwicklungsweges; Ursachen des Verfalls und Bedingungen für die Erhaltung der Dorfgemeinde in Rußland; die Krise der kapitalistischen Produktionsweise; Formen der Expropriation der Bauernschaft; Ursachen der Erschöpfung des Bodens und der Verringerung der Fruchtbarkeit der Felder; Notwendigkeit und Unvermeidbarkeit der kooperativen Arbeit in der Landwirtschaft, die im großen Maßstab organisiert werden muß; Umstände, die eine mechanisierte Bearbeitung des Bodens und kooperative Arbeitsformen in Rußland begünstigen.

Die in den Briefentwürfen enthaltenen Gedanken von Marx sind sowohl in wissenschaftlicher als auch in politischer Hinsicht von großem aktuellen Interesse für den Leser, für die kommunistischen Parteien aller Länder.

Unter der Vielzahl der von Marx hinterlassenen Manuskripte über Rußland sind die in diesem Band veröffentlichten „Notizen zur Reform von 1861 und der damit verbundenen Entwicklung Rußlands" besonders wichtig. Zur Zeit, da Marx diese „Notizen" abfaßte (1881/1882), schickte er sich – wie aus dem Inhalt ersichtlich – bereits an, Bilanz aus seinem Studium der sozialökonomischen Entwicklung Rußlands zu ziehen, die studierten Materialien zu systematisieren und auszuwerten. Im Unterschied zur Auswertung anderer russischer Materialien, die Marx bis dahin in seinen Aufzeichnungsheften vornahm und die in ihrer Mehrzahl mit kritischem Kommentar versehene Auszüge aus Quellen darstellen oder Konspekte von Büchern sind, die Marx gelesen und zu denen er Bemerkungen gemacht hat, sind die „Notizen zur Reform" größtenteils eine Darlegung des Problems durch Marx selbst.

Diese Notizen sind ein Ergebnis tiefschürfender Forschungsarbeit zu Problemen Rußlands und ergänzen das Bild über Marx' schöpferische wissenschaftliche Leistungen während der letzten Periode seines Lebens; sie zeigen das Verhältnis des großen Führers des internationalen Proletariats zum Leben und Kampf des russischen Volkes.

In ihrer Adresse an das Slawische Meeting, das im März 1881 stattfand, bezeichnen Marx und Engels die Ermordung Alexanders II. als ein Symptom einer heranreifenden russischen Revolution. Schon damals sahen sie voraus, daß die nahende Revolution in Rußland die Sache der Pariser Kommune fortsetzen wird und begrüßten die künftige „russische Kommune" (siehe vorl. Band, S. 244).

In der Vorrede zur zweiten russischen Ausgabe des „Manifests der Kommunistischen Partei", das von beiden Begründern des wissenschaftlichen Kommunismus am 21. Januar 1882 unterzeichnet worden ist, nennen Marx und Engels Rußland die „Vorhut der revolutionären Aktion in Europa". Marx und Engels waren, nach den Worten Lenins, „vom freudigsten Glauben an die russische Revolution und ihre gewaltige Bedeutung für die ganze Welt erfüllt" (W. I. Lenin, Werke, Band 12, Berlin 1959, S. 374).

Auch die polnische Frage betrachteten Marx und Engels vom Gesichtspunkt einer erfolgreichen Entwicklung der internationalen revolutionären Bewegung. Im vorliegenden Band sind der polnischen Frage ebenfalls einige Schriften der Begründer des Marxismus gewidmet (siehe insbesondere die Adresse „An das Meeting in Genf, einberufen zur Erinnerung an den 50. Jahrestag der polnischen Revolution von 1830").

Am 14. März 1883 starb Karl Marx. Die in diesen Band aufgenommenen Nekrologe von Engels – „Entwurf zur Grabrede für Karl Marx", „Das Begräbnis von Karl Marx" und „Zum Tode von Karl Marx" – sind dem Gedenken des großen Lehrers und Führers des internationalen Proletariats gewidmet. Sie enthalten eine klassische Beurteilung der welthistorischen Bedeutung seiner theoretischen und praktischen revolutionären Tätigkeit und legen Zeugnis ab über die Trauer und Anteilnahme, die Marx' Tod in der ganzen Welt hervorgerufen hat. Engels teilt ferner Einzelheiten mit über den Umfang des von seinem großen Mitkämpfer und Freund hinterlassenen handschriftlichen Erbes.

Das welthistorische Verdienst von Marx besteht darin, daß er zum erstenmal in der Geschichte eine wirklich wissenschaftliche Theorie der Entwicklung der Gesellschaft schuf und durch eine wissenschaftliche Analyse nachwies, daß der Sturz des Kapitalismus und der Sieg des Kommunismus notwendig und unausbleiblich sind. Marx und Engels legten das theoretische Fundament des Kommunismus, den dialektischen und historischen Materialismus – die wissenschaftliche Weltanschauung des Proletariats. Marx betrachtete die Wissenschaft, wie Engels betont, als „einen großen Hebel der Geschichte, eine revolutionäre Kraft im wahrsten Sinn des Wortes" (siehe vorl. Band, S. 333).

Marx und Engels vereinigten den von ihnen geschaffenen wissenschaftlichen Kommunismus mit dem Befreiungskampf des Proletariats und verwandelten dadurch die Theorie in eine mächtige Waffe zur revolutionären Umgestaltung der Gesellschaft.

Institut für Marxismus-Leninismus
beim ZK der KPdSU

Abweichend vom neunzehnten Band der Ausgabe in russischer Sprache enthält der neunzehnte Band der deutschen Ausgabe als Beilagen zusätzlich noch folgende Arbeiten von Friedrich Engels: „Vorwort zur ‚Kritik des Gothaer Programms' von Karl Marx" (1891), „Vorwort zur vierten Auflage (1891) ‚Die Entwicklung des Sozialismus von der Utopie zur Wissenschaft'" und die „Einleitung zur englischen Ausgabe (1892) ‚Die Entwicklung des Sozialismus von der Utopie zur Wissenschaft'".

Der Text des vorliegenden Bandes wurde an Hand von Originalen bzw. Fotokopien überprüft. Bei jeder Arbeit ist die für den Abdruck oder die

Übersetzung herangezogene Quelle vermerkt. Ein Teil der fremdsprachigen Arbeiten wurde neu übersetzt, bereits vorhandene Übersetzungen wurden nochmals sorgfältig mit dem Originaltext verglichen.

Die von Marx und Engels angeführten Zitate sind – soweit die Quellen zur Verfügung standen – ebenfalls überprüft worden. Längere Zitate werden zur besseren Übersicht in kleinerem Druck gebracht. Fremdsprachige Zitate und im Text vorkommende fremdsprachige Wörter oder Satzteile sind in Fußnoten übersetzt.

In den deutschsprachigen Texten sind Rechtschreibung und Zeichensetzung, soweit vertretbar, modernisiert; der Lautstand der Wörter blieb unverändert. Alle in eckigen Klammern stehende Titel, Wörter und Wortteile stammen von der Redaktion. Offensichtliche Druck- bzw. Schreibfehler wurden stillschweigend korrigiert. Die Wiedergabe russischer Personennamen erfolgt nach der Duden-Transkription.

Fußnoten von Marx und Engels sind durch Sternchen gekennzeichnet und mit einer kurzen Linie vom Text getrennt; Fußnoten der Redaktion sind mit einer durchgehenden Linie vom Text getrennt und durch hochgestellte Ziffern gekennzeichnet.

Zur Erläuterung ist der Band mit Anmerkungen versehen, auf die im Text durch hochgestellte und in eckige Klammern gesetzte Zahlen hingewiesen wird; außerdem wird im Anhang beigefügt: ein Literaturverzeichnis, Daten über das Leben und die Tätigkeit von Marx und Engels, ein Personenverzeichnis, ein Verzeichnis der literarischen, biblischen und mythologischen Namen, eine Liste der geographischen Namen, eine Erklärung der Fremdwörter bzw. der fremdsprachigen oder seltenen Ausdrücke und Abkürzungen sowie ein Verzeichnis der Gewichte, Maße und Münzen.

Institut für Marxismus-Leninismus
beim ZK der SED

KARL MARX
und
FRIEDRICH ENGELS
März 1875 – Mai 1883

Friedrich Engels

[Brief an Bebel[1]]

London, 18./28. März 1875

Lieber Bebel!

Ich habe Ihren Brief vom 23. Februar erhalten und freue mich, daß es Ihnen körperlich so gut geht.

Sie fragen mich, was wir von der Einigungsgeschichte halten? Leider ist es uns ganz gegangen wie Ihnen. Weder Liebknecht noch sonst jemand hat uns irgendwelche Mitteilung gemacht, und auch wir wissen daher nur, was in den Blättern steht, und da stand nichts, bis vor zirka acht Tagen der Programmentwurf kam. Der hat uns allerdings nicht wenig in Erstaunen gesetzt.

Unsere Partei hatte so oft den Lassalleanern die Hand zur Versöhnung oder doch wenigstens zum Kartell geboten und war von den Hasenclever, Hasselmann und Tölckes so oft und so schnöde zurückgewiesen worden, daß daraus jedes Kind den Schluß ziehn mußte: Wenn diese Herren jetzt selbst kommen und Versöhnung bieten, so müssen sie in einer verdammten Klemme sein. Bei dem wohlbekannten Charakter dieser Leute ist es aber unsere Schuldigkeit, diese Klemme zu benutzen, um uns alle und jede mögliche Garantien auszubedingen, damit nicht jene Leute auf Kosten unserer Partei in der öffentlichen Arbeitermeinung ihre erschütterte Stellung wieder befestigen. Man mußte sie äußerst kühl und mißtrauisch empfangen, die Vereinigung abhängig machen von dem Grade ihrer Bereitwilligkeit, ihre Sektenstichworte und ihre Staatshilfe fallenzulassen und im wesentlichen das Eisenacher Programm von 1869[2] oder eine für den heutigen Zeitpunkt angemessene verbesserte Ausgabe desselben anzunehmen. Unsere Partei hätte von den Lassalleanern in theoretischer Beziehung, also in dem, was fürs Programm entscheidend ist, *absolut nichts zu lernen*, die Lassalleaner aber wohl von ihr; die erste Bedingung der Vereinigung war, daß sie aufhörten, Sektierer, Lassalleaner zu sein, daß sie also vor allem das Allerweltsheilmittel der Staatshilfe wo nicht ganz aufgaben, doch als eine untergeordnete Übergangsmaßregel unter und neben vielen möglichen anderen anerkannten. Der Programmentwurf beweist, daß unsere Leute theoretisch den Lassalleanerführern hundertmal überlegen – ihnen an politischer Schlauheit ebensowenig gewachsen sind; die „Ehrlichen" sind einmal wieder von den Nichtehrlichen grausam über den Löffel barbiert.

Zuerst nimmt man die großtönende, aber historisch falsche Lassallesche Phrase an: Gegenüber der Arbeiterklasse seien alle anderen Klassen nur eine reaktionäre Masse. Dieser Satz ist nur in einzelnen Ausnahmefällen wahr, z. B. in einer Revolution des Proletariats, wie die Kommune, oder in einem Land, wo nicht nur die Bourgeoisie Staat und Gesellschaft nach ihrem Bilde gestaltet hat, sondern auch schon nach ihr das demokratische Kleinbürgertum diese Umbildung bis auf ihre letzten Konsequenzen durchgeführt hat. Wenn z.B. in Deutschland das demokratische Kleinbürgertum zu dieser reaktionären Masse gehörte, wie konnte da die Sozialdemokratische Arbeiterpartei jahrelang mit ihm, mit der Volkspartei [3] Hand in Hand gehen? Wie kann der „Volksstaat" [4] fast seinen ganzen politischen Inhalt aus der kleinbürgerlich-demokratischen „Frankfurter Zeitung" [5] nehmen? Und wie kann man nicht weniger als sieben Forderungen in dies selbe Programm aufnehmen, die direkt und wörtlich übereinstimmen mit dem Programm der Volkspartei und kleinbürgerlichen Demokratie? Ich meine die sieben politischen Forderungen 1 bis 5 und 1 bis 2 [6], von denen keine einzige, die nicht *bürgerlich*-demokratisch.

Zweitens wird das Prinzip der Internationalität der Arbeiterbewegung praktisch für die Gegenwart vollständig verleugnet, und das von den Leuten, die fünf Jahre lang und unter den schwierigsten Umständen dies Prinzip auf die ruhmvollste Weise hochgehalten. Die Stellung der deutschen Arbeiter an der Spitze der europäischen Bewegung beruht *wesentlich* auf ihrer echt internationalen Haltung während des Kriegs; kein anderes Proletariat hätte sich so gut benommen. Und jetzt soll dieses Prinzip von ihnen verleugnet werden im Moment, wo überall im Ausland die Arbeiter es in demselben Maß betonen, in dem die Regierungen jeden Versuch seiner Betätigung in einer Organisation zu unterdrücken streben! Und was bleibt allein vom Internationalismus der Arbeiterbewegung übrig? Die blasse Aussicht – nicht einmal auf ein späteres Zusammenwirken der europäischen Arbeiter zu ihrer Befreiung – nein, auf eine künftige „internationale Völkerverbrüderung" – auf die „Vereinigten Staaten von Europa" der Bourgeois von der Friedensliga [7]!

Es war natürlich gar nicht nötig, von der Internationale als solche zu sprechen. Aber das mindeste war doch, keinen Rückschritt gegen das Programm von 1869 zu tun und etwa zu sagen: *obgleich* die deutsche Arbeiterpartei *zunächst* innerhalb der ihr gesetzten Staatsgrenzen wirkt (sie hat kein Recht, im Namen des europäischen Proletariats zu sprechen, besonders nicht, etwas Falsches zu sagen), so ist sie sich ihrer Solidarität bewußt mit den Arbeitern aller Länder und wird stets bereit sein, wie bisher auch fernerhin die ihr durch diese Solidarität auferlegten Verpflichtungen zu erfüllen. Derartige Verpflichtungen bestehen, auch ohne daß man gerade sich als Teil der „Internationale" proklamiert oder ansieht, z.B. Hilfe, Abhalten von Zuzug bei Streiks, Sorge dafür, daß die Parteiorgane die deutschen Arbeiter von der ausländischen Bewegung unterrichtet halten, Agitation gegen drohende oder ausbrechende Kabinettskriege, Verhalten während solcher, wie 1870 und 1871 mustergültig durchgeführt, usw.

Drittens haben sich unsere Leute das Lassallesche „eherne Lohngesetz" aufoktroyieren lassen, das auf einer ganz veralteten ökonomischen Ansicht beruht, nämlich daß der Arbeiter im Durchschnitt nur das *Minimum* des Arbeitslohnes erhält, und zwar deshalb, weil nach Malthusscher Bevölkerungstheorie immer zuviel Arbeiter da sind (dies war Lassalles Beweisführung). Nun hat Marx im „Kapital" ausführlich nachgewiesen, daß die Gesetze, die den Arbeitslohn regulieren, sehr kompliziert sind, daß je nach den Verhältnissen bald dieses, bald jenes vorwiegt, daß sie also keineswegs ehern, sondern im Gegenteil sehr elastisch sind und daß die Sache gar nicht so mit ein paar Worten abzumachen ist, wie Lassalle sich einbildete. Die Malthussche Begründung des von Lassalle ihm und Ricardo (unter Verfälschung des letzteren) abgeschriebenen Gesetzes, wie sie sich z.B. „Arbeiterlesebuch", Seite 5, aus einer andern Broschüre Lassalles[8] zitiert findet, ist von Marx in dem Abschnitt über „Akkumulationsprozeß des Kapitals"[1] ausführlich widerlegt. Man bekennt sich also durch Adoptierung des Lassalleschen „ehernen Gesetzes" zu einem falschen Satz und einer falschen Begründung desselben.

Viertens stellt das Programm als *einzige soziale* Forderung auf – die Lassallesche Staatshilfe in ihrer nacktesten Gestalt, wie Lassalle sie von Buchez gestohlen hatte. Und das, nachdem Bracke diese Forderung sehr gut in ihrer ganzen Nichtigkeit aufgewiesen[9]; nachdem fast alle, wo nicht alle Redner unserer Partei im Kampf mit den Lassalleanern genötigt gewesen sind, gegen diese „Staatshilfe" aufzutreten! Tiefer konnte unsere

[1] Siehe Band 23 unserer Ausgabe, S. 589–802

Partei sich nicht demütigen. Der Internationalismus heruntergekommen auf Amand Goegg, der Sozialismus auf den Bourgeoisrepublikaner Buchez, der diese Forderung *gegenüber den Sozialisten* stellte, um sie auszustechen!

Im besten Falle aber ist die „Staatshilfe" im Lassalleschen Sinne doch nur eine *einzige* Maßregel unter vielen anderen, um das Ziel zu erreichen, was hier mit den lahmen Worten bezeichnet wird: „um die Lösung der sozialen Frage anzubahnen", als ob es für uns noch eine theoretisch *ungelöste* soziale *Frage* gäbe! Wenn man also sagt: Die deutsche Arbeiterpartei erstrebt die Abschaffung der Lohnarbeit und damit der Klassenunterschiede vermittelst Durchführung der genossenschaftlichen Produktion in Industrie und Ackerbau und auf nationalem Maßstab; sie tritt ein für jede Maßregel, welche geeignet ist, dieses Ziel zu erreichen! – so kann kein Lassalleaner etwas dagegen haben.

Fünftens ist von der Organisation der Arbeiterklasse als Klasse vermittelst der Gewerksgenossenschaften gar keine Rede. Und das ist ein sehr wesentlicher Punkt, denn dies ist die eigentliche Klassenorganisation des Proletariats, in der es seine täglichen Kämpfe mit dem Kapital durchficht, in der es sich schult und die heutzutage bei der schlimmsten Reaktion (wie jetzt in Paris) platterdings nicht mehr kaputtzumachen ist. Bei der Wichtigkeit, die diese Organisation auch in Deutschland erreicht, wäre es unserer Ansicht nach unbedingt notwendig, ihrer im Programm zu gedenken und ihr womöglich einen Platz in der Organisation der Partei offenzulassen.

Das alles haben unsere Leute den Lassalleanern zu Gefallen getan. Und was haben die anderen nachgegeben? Daß ein Haufen ziemlich verworrener *rein demokratischer Forderungen* im Programm figurieren, von denen manche reine Modesache sind, wie z.B. die „Gesetzgebung durch das Volk", die in der Schweiz besteht und mehr Schaden als Nutzen anrichtet, wenn sie überhaupt was anrichtet. *Verwaltung* durch das Volk, das wäre noch etwas. Ebenso fehlt die erste Bedingung aller Freiheit: daß alle Beamte für alle ihre Amtshandlungen jedem Bürger gegenüber vor den gewöhnlichen Gerichten und nach gemeinem Recht verantwortlich sind. Davon, daß solche Forderungen wie: Freiheit der Wissenschaft – Gewissensfreiheit in jedem liberalen Bourgeoisprogramm figurieren und sich hier etwas befremdend ausnehmen, davon will ich weiter nicht sprechen.

Der freie Volksstaat ist in den freien Staat verwandelt. Grammatikalisch genommen ist ein freier Staat ein solcher, wo der Staat frei gegenüber seinen Bürgern ist, also ein Staat mit despotischer Regierung. Man sollte das ganze Gerede vom Staat fallenlassen, besonders seit der Kommune, die schon kein Staat im eigentlichen Sinne mehr war. Der *Volksstaat* ist uns von den

Anarchisten bis zum Überdruß in die Zähne geworfen worden, obwohl schon die Schrift Marx' gegen Proudhon[1] und nachher das „Kommunistische Manifest"[2] direkt sagen, daß mit Einführung der sozialistischen Gesellschaftsordnung der Staat sich von selbst auflöst und verschwindet. Da nun der Staat doch nur eine vorübergehende Einrichtung ist, deren man sich im Kampf, in der Revolution bedient, um seine Gegner gewaltsam niederzuhalten, so ist es purer Unsinn, vom freien Volksstaat zu sprechen: solange das Proletariat den Staat noch *gebraucht*, gebraucht es ihn nicht im Interesse der Freiheit, sondern der Niederhaltung seiner Gegner, und sobald von Freiheit die Rede sein kann, hört der Staat als solcher auf zu bestehen. Wir würden daher vorschlagen, überall statt *Staat* „Gemeinwesen" zu setzen, ein gutes altes deutsches Wort, das das französische „Kommune" sehr gut vertreten kann.

„Beseitigung aller sozialen und politischen Ungleichheit" ist auch eine sehr bedenkliche Phrase statt: „Aufhebung aller Klassenunterschiede". Von Land zu Land, von Provinz zu Provinz, von Ort zu Ort sogar wird immer eine *gewisse* Ungleichheit der Lebensbedingungen bestehen, die man auf ein Minimum reduzieren, aber nie ganz beseitigen können wird. Alpenbewohner werden immer andere Lebensbedingungen haben als Leute des flachen Landes. Die Vorstellung der sozialistischen Gesellschaft als des Reiches der *Gleichheit* ist eine einseitige französische Vorstellung, anlehnend an das alte „Freiheit, Gleichheit, Brüderlichkeit", eine Vorstellung, die *als Entwicklungsstufe* ihrer Zeit und ihres Ortes berechtigt war, die aber, wie alle die Einseitigkeiten der früheren sozialistischen Schulen, jetzt überwunden sein sollten, da sie nur Verwirrung in den Köpfen anrichten und präzisere Darstellungsweisen der Sache gefunden sind.

Ich höre auf, obwohl fast jedes Wort in diesem dabei saft- und kraftlos redigierten Programm zu kritisieren wäre. Es ist derart, daß, falls es angenommen wird, Marx und ich uns *nie* zu der auf dieser Grundlage errichteten *neuen* Partei bekennen können und uns sehr ernstlich werden überlegen müssen, welche Stellung wir – auch öffentlich – ihr gegenüber zu nehmen haben. Bedenken Sie, daß man *uns* im Auslande für alle und jede Äußerungen und Handlungen der deutschen Sozialdemokratischen Arbeiterpartei verantwortlich macht. So Bakunin in seiner Schrift „Politik und Anarchie"[10], wo wir einstehen müssen für jedes unüberlegte Wort, das Liebknecht seit Stiftung des „Demokratischen Wochenblattes"[11] gesagt und geschrieben. Die Leute bilden sich eben ein, wir kommandierten von

[1] Siehe Band 4 unserer Ausgabe, S. 63–182 – [2] ebenda, S. 459–493

hier aus die ganze Geschichte, während Sie so gut wie ich wissen, daß wir uns fast nie im geringsten in die inneren Parteiangelegenheiten gemischt, und auch dann nur, um Böcke, die nach unserer Ansicht geschossen worden, und zwar *nur theoretische*, wieder nach Möglichkeit gutzumachen. Sie werden aber selbst einsehen,daß dies Programm einen Wendepunkt bildet, der uns sehr leicht zwingen könnte, alle und jede Verantwortlichkeit mit der Partei, die es anerkennt, abzulehnen.

Im allgemeinen kommt es weniger auf das offizielle Programm einer Partei an, als auf das, was sie tut. Aber ein *neues* Programm ist doch immer eine öffentlich aufgepflanzte Fahne, und die Außenwelt beurteilt danach die Partei. Es sollte daher keinenfalls einen Rückschritt enthalten, wie dies gegenüber dem Eisenacher. Man sollte doch auch bedenken, was die Arbeiter anderer Länder zu diesem Programm sagen werden; welchen Eindruck diese Kniebeugung des gesamten deutschen sozialistischen Proletariats vor dem Lassalleanismus machen wird.

Dabei bin ich überzeugt, daß eine Einigung auf *dieser* Basis kein Jahr dauern wird. Die besten Köpfe unserer Partei sollten sich dazu hergeben, auswendig gelernte Lassallesche Sätze vom ehernen Lohngesetz und der Staatshilfe abzuleiern? Ich möchte z.B. Sie dabei sehen! Und täten sie es, ihre Zuhörer würden sie auszischen. Und ich bin sicher, die Lassalleaner bestehen gerade auf *diesen* Stücken des Programms wie der Jude Shylock auf seinem Pfund Fleisch. Die Trennung wird kommen; aber wir werden Hasselmann, Hasenclever und Tölcke und Konsorten wieder „ehrlich gemacht" haben; wir werden schwächer und die Lassalleaner stärker aus der Trennung hervorgehen; unsere Partei wird ihre politische Jungferschaft verloren haben und wird nie wieder gegen Lassalle-Phrasen, die sie eine Zeitlang selbst auf die Fahne geschrieben, herzhaft auftreten können; und wenn die Lassalleaner dann wieder sagen: sie seien die eigentlichste und einzige Arbeiterpartei, unsere Leute seien Bourgeois, so ist das Programm da, um es zu beweisen. Alle sozialistischen Maßregeln darin sind *ihre*, und *unsere* Partei hat nichts hineingesetzt als Forderungen der kleinbürgerlichen Demokratie, die doch *auch von ihr* in demselben Programm als Teil der „reaktionären Masse" bezeichnet ist!

Ich hatte diesen Brief liegenlassen, da Sie doch erst am 1. April zu Ehren von Bismarcks Geburtstag freikommen und ich ihn nicht der Chance des Abfassens bei einem Schmuggelversuch aussetzen wollte. Da kommt nun gerade ein Brief von Bracke, der auch wegen des Programms seine schweren Bedenken hat und unsere Meinung wissen will. Ich schicke ihn daher zur Beförderung an ihn, damit er ihn lese und ich den ganzen Kram nicht noch einmal zu schreiben brauche. Übrigens habe ich Ramm ebenfalls klaren Wein eingeschenkt, an Liebknecht schrieb ich nur kurz. Ich verzeihe ihm nicht, daß er uns von der ganzen Sache *kein Wort* mitgeteilt (während Ramm und andere glaubten, er habe uns genau unterrichtet), bis es sozusagen zu spät war. Das hat er zwar von jeher so gemacht – und daher die viele unangenehme Korrespondenz, die wir, Marx sowohl wie ich, mit ihm hatten –, aber diesmal ist es doch zu arg, und *wir gehen entschieden nicht mit*.

Sehen Sie, daß Sie es einrichten, im Sommer herzukommen, Sie wohnen natürlich bei mir, und wenn das Wetter gut, können wir ein paar Tage seebaden gehen, das wird Ihnen nach dem langen Brummen recht nützlich sein.

Freundlichst Ihr

F. E.

Marx ist eben ausgezogen, er wohnt 41, Maitland Park Crescent, NW, London.

Nach: August Bebel,
„Aus meinem Leben",
2. Teil, Stuttgart 1911.

KARL MARX

Kritik des Gothaer Programms[12]

Geschrieben von April bis Anfang Mai 1875.

Erstmalig veröffentlicht in: „Die Neue Zeit", Nr. 18, 9. Jahrgang, 1. Band, 1890–1891.

Der vorliegende Abdruck erfolgt nach der Handschrift von Marx.
Inhaltliche Abweichungen in der Veröffentlichung von 1891 werden in Fußnoten vermerkt.
Stellen, die 1891 ausgelassen und durch Punkte ersetzt wurden,
sind in spitze Klammern gesetzt.

[Brief an Wilhelm Bracke[13]]

London, 5. Mai 75

Lieber Bracke,

Nachstehende kritische Randglossen zu dem Koalitionsprogramm sind Sie wohl so gut, nach Durchlesung, zur Einsicht an Geib und Auer, Bebel und Liebknecht mitzuteilen. Ich bin überbeschäftigt und muß schon weit über das Arbeitsmaß hinausschießen, das mir ärztlich vorgeschrieben ist. Es war mir daher keineswegs ein „Genuß", solch langen Wisch zu schreiben. Doch war es notwendig, damit später meinerseits zu tuende Schritte von den Parteifreunden, für welche diese Mitteilung bestimmt ist, nicht mißdeutet werden.

⟨Nach abgehaltnem Koalitionskongreß werden Engels und ich nämlich eine kurze Erklärung veröffentlichen, des Inhalts, daß wir besagtem Prinzipienprogramm durchaus fernstehn und nichts damit zu tun haben.⟩

Es ist dies unerläßlich, da man im Ausland die von Parteifeinden sorgsamst genährte Ansicht – die durchaus irrige Ansicht – hegt, daß wir die Bewegung der sog. Eisenacher Partei insgeheim von hier aus lenken. Noch in einer jüngst erschienenen russischen Schrift[10] macht Bakunin mich z.B. ⟨nicht nur⟩ für alle Programme etc. jener Partei verantwortlich ⟨, sondern sogar für jeden Schritt, den Liebknecht, vom Tag seiner Kooperation mit der Volkspartei[3] an, getan hat⟩.

Abgesehn davon ist es meine Pflicht, ein nach meiner Überzeugung durchaus verwerfliches und die Partei demoralisierendes Programm auch nicht durch diplomatisches Stillschweigen anzuerkennen.

Jeder Schritt wirklicher Bewegung ist wichtiger als ein Dutzend Programme. Konnte man also nicht – und die Zeitumstände ließen das nicht zu – *über* das Eisenacher Programm[2] hinausgehn, so hätte man einfach eine Übereinkunft für Aktion gegen den gemeinsamen Feind abschließen sollen. Macht man aber Prinzipienprogramme (statt dies bis zur Zeit aufzuschieben, wo dergleichen durch längere gemeinsame Tätigkeit vorbereitet war), so errichtet man vor aller Welt Marksteine, an denen sie die Höhe der Parteibewegung mißt.

Die Chefs der Lassalleaner kamen, weil die Verhältnisse sie dazu zwangen. Hätte man ihnen von vornherein erklärt, man lasse sich auf keinen Prinzipienschacher ein, so hätten sie sich mit einem Aktionsprogramm oder Organisationsplan zu gemeinschaftlicher Aktion begnügen *müssen*. Statt dessen erlaubt man ihnen, sich mit Mandaten bewaffnet einzustellen, und erkennt diese Mandate seinerseits als bindend an, ergibt sich also den Hilfsbedürftigen auf Gnade und Ungnade. Um der Sache die Krone aufzusetzen, halten sie wieder einen Kongreß *vor* dem *Kompromißkongreß*, während die eigne Partei ihren Kongreß *post festum* hält. ‹Man wollte offenbar alle Kritik eskamotieren und die eigne Partei nicht zum Nachdenken kommen lassen.› Man weiß, wie die bloße Tatsache der Vereinigung die Arbeiter befriedigt, aber man irrt sich, wenn man glaubt, dieser augenblickliche Erfolg sei nicht zu teuer erkauft.

Übrigens taugt das Programm nichts, auch abgesehn von der Heiligsprechung der Lassalleschen Glaubensartikel.

‹Ich werde Ihnen in der nächsten Zeit die Schlußlieferungen der französischen Ausgabe des „Kapitals“[14] schicken. Der Fortgang des Drucks war auf längere Zeit durch Verbot der französischen Regierung gehemmt. Diese Woche oder Anfang der nächsten wird die Sache fertig. Haben Sie die früheren 6 Lieferungen erhalten? Schreiben Sie mir gefälligst auch die *Adresse* von Bernhard Becker, dem ich ebenfalls die Schlußlieferungen schicken muß.›

Die *„Volksstaats“-Buchhandlung* hat eigne Manieren. So hat man mir bis zu diesem Augenblick z.B. auch nicht ein einziges Exemplar des Abdrucks des „Kölner Kommunistenprozesses“[15] zukommen lassen.

Mit bestem Gruß.

Ihr *Karl Marx*

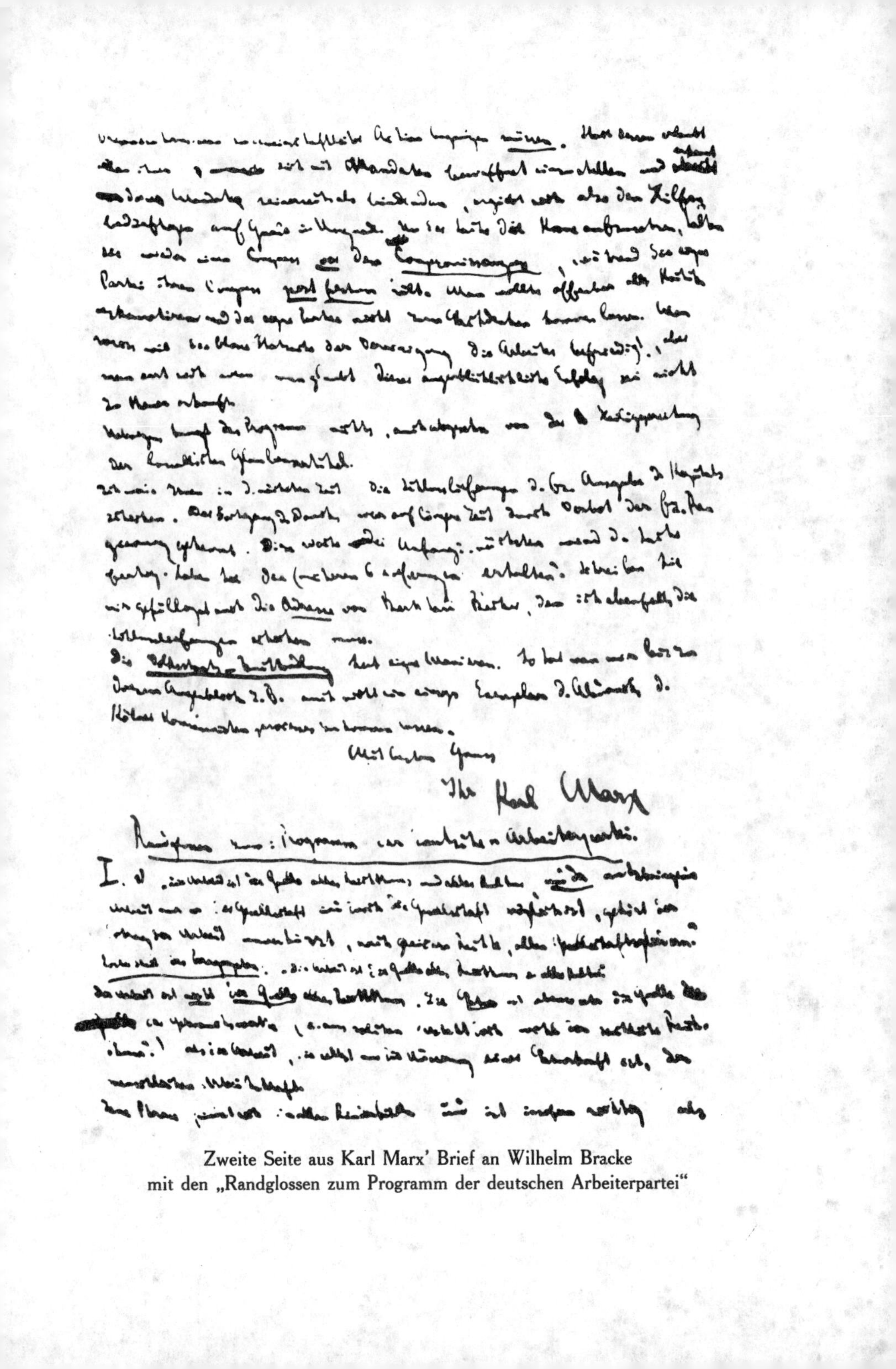

Zweite Seite aus Karl Marx' Brief an Wilhelm Bracke
mit den „Randglossen zum Programm der deutschen Arbeiterpartei"

Randglossen zum Programm der deutschen Arbeiterpartei

I

1. „Die Arbeit ist die Quelle alles Reichtums und aller Kultur, *und da* nutzbringende Arbeit nur in der Gesellschaft und durch die Gesellschaft möglich ist, gehört der Ertrag der Arbeit unverkürzt, nach gleichem Rechte, allen Gesellschaftsgliedern."

Erster Teil des Paragraphen: „Die Arbeit ist die Quelle alles Reichtums und aller Kultur."

Die Arbeit ist *nicht die Quelle* alles Reichtums. Die *Natur* ist ebensosehr die Quelle der Gebrauchswerte (und aus solchen besteht doch wohl der sachliche Reichtum!) als die Arbeit, die selbst nur die Äußerung einer Naturkraft ist, der menschlichen Arbeitskraft. Jene Phrase findet sich in allen Kinderfibeln und ist insofern richtig, als *unterstellt* wird, daß die Arbeit mit den dazugehörigen Gegenständen und Mitteln vorgeht. Ein sozialistisches Programm darf aber solchen bürgerlichen Redensarten nicht erlauben, die *Bedingungen* zu verschweigen, die ihnen allein einen Sinn geben. Nur[1] soweit der Mensch sich von vornherein als Eigentümer zur Natur, der ersten Quelle aller Arbeitsmittel und -gegenstände, verhält, sie als ihm gehörig behandelt, wird seine Arbeit Quelle von Gebrauchswerten, also auch von Reichtum. Die Bürger haben sehr gute Gründe, der Arbeit *übernatürliche Schöpfungskraft* anzudichten; denn grade aus der Naturbedingtheit der Arbeit folgt, daß der Mensch, der kein andres Eigentum besitzt als seine Arbeitskraft, in allen Gesellschafts- und Kulturzuständen der Sklave der andern Menschen sein muß, die sich zu Eigentümern der gegenständlichen Arbeitsbedingungen gemacht haben. Er kann nur mit ihrer Erlaubnis arbeiten, also nur mit ihrer Erlaubnis leben.

[1] *(1891)* Und

Lassen wir jetzt den Satz, wie er geht und steht, oder vielmehr hinkt. Was hätte man als Schlußfolgerung erwartet? Offenbar dies:

„Da die Arbeit die Quelle alles Reichtums ist, kann auch in der Gesellschaft sich niemand Reichtum aneignen, außer als Produkt der Arbeit. Wenn er also nicht selber arbeitet, lebt er von fremder Arbeit und eignet sich auch seine Kultur auf Kosten fremder Arbeit an."

Statt dessen wird durch die Wortschraube *„und da"* ein zweiter Satz angefügt, um aus ihm, nicht aus dem ersten, eine Schlußfolgerung zu ziehn.

Zweiter Teil des Paragraphen: „Nutzbringende Arbeit ist nur in der Gesellschaft und durch die Gesellschaft möglich."

Nach dem ersten Satz war die Arbeit die Quelle alles Reichtums und aller Kultur, also auch keine Gesellschaft ohne Arbeit möglich. Jetzt erfahren wir umgekehrt, daß keine „nutzbringende" Arbeit ohne Gesellschaft möglich ist.

Man hätte ebensogut sagen können, daß nur in der Gesellschaft nutzlose und selbst gemeinschädliche Arbeit ein Erwerbszweig werden kann, daß man nur in der Gesellschaft vom Müßiggang leben kann etc. etc. – kurz, den ganzen Rousseau abschreiben können.

Und was ist „nutzbringende" Arbeit? Doch nur die Arbeit, die den bezweckten Nutzeffekt hervorbringt. Ein Wilder – und der Mensch ist Wilder, nachdem er aufgehört hat, Affe zu sein –, der ein Tier mit einem Stein erlegt, der Früchte sammelt etc., verrichtet „nutzbringende" Arbeit.

Drittens: Die Schlußfolgerung: „Und da nutzbringende Arbeit nur in der Gesellschaft und durch die Gesellschaft möglich ist – gehört der Ertrag der Arbeit unverkürzt, nach[1] gleichem Rechte, allen Gesellschaftsgliedern."

Schöner Schluß! Wenn die nutzbringende Arbeit nur in der Gesellschaft und durch die Gesellschaft möglich ist, gehört der Arbeitsertrag der Gesellschaft – und kommt dem einzelnen Arbeiter davon nur soviel zu, als nicht nötig ist, um die „Bedingung" der Arbeit, die Gesellschaft, zu erhalten.

In der Tat ist dieser Satz auch zu allen Zeiten *von den Vorfechtern[2] des jedesmaligen Gesellschaftszustands* geltend gemacht worden. Erst kommen die Ansprüche der Regierung mit allem, was daran klebt, denn sie ist das gesellschaftliche Organ zur Erhaltung der gesellschaftlichen Ordnung; dann kommen die Ansprüche der verschiednen Sorten von Privateigentümern[3], denn die verschiednen Sorten Privateigentum sind die Grundlagen der Gesellschaft etc. Man sieht, man kann solche hohlen Phrasen drehn und wenden, wie man will.

[1] *(1891)* mit – [2] *(1891)* Verfechtern – [3] *(1891)* Privateigentum

Irgendwelchen verständigen Zusammenhang haben der erste und zweite Teil des Paragraphen nur in dieser Fassung:

„Quelle des Reichtums und der Kultur wird die Arbeit nur als gesellschaftliche Arbeit" oder, was dasselbe ist, „in und durch die Gesellschaft".

Dieser Satz ist unstreitig richtig, denn wenn die vereinzelte Arbeit (ihre sachlichen Bedingungen vorausgesetzt) auch Gebrauchswerte schaffen kann, kann sie weder Reichtum noch Kultur schaffen.

Aber ebenso unstreitig ist der andre Satz:

„Im Maße, wie die Arbeit sich gesellschaftlich entwickelt und dadurch Quelle von Reichtum und Kultur wird, entwickeln sich Armut und Verwahrlosung auf seiten des Arbeiters, Reichtum und Kultur auf seiten des Nichtarbeiters."

Dies ist das Gesetz der ganzen bisherigen Geschichte. Es war also, statt allgemeine Redensarten über „*die* Arbeit" und „*die* Gesellschaft" zu machen, hier bestimmt nachzuweisen, wie in der jetzigen kapitalistischen Gesellschaft endlich die materiellen etc. Bedingungen geschaffen sind, welche die Arbeiter befähigen und zwingen, jenen geschichtlichen[1] Fluch zu brechen.

In der Tat aber ist der ganze, stilistisch und inhaltlich verfehlte Paragraph nur da, um das Lassallesche Stichwort vom „unverkürzten Arbeitsertrag" als Losungswort auf die Spitze der Parteifahne zu schreiben. Ich komme später zurück auf den „Arbeitsertrag", „das gleiche Recht" etc., da dieselbe Sache in etwas andrer Form wiederkehrt.

2. „In der heutigen Gesellschaft sind die Arbeitsmittel Monopol der Kapitalistenklasse; die hierdurch bedingte Abhängigkeit der Arbeiterklasse ist die Ursache des Elends und der Knechtschaft in allen Formen."

Der dem internationalen Statut [16] entlehnte Satz ist in dieser „verbesserten" Ausgabe falsch.

In der heutigen Gesellschaft sind die Arbeitsmittel Monopol der Grundeigentümer (das Monopol des Grundeigentums ist sogar Basis des Kapitalmonopols) *und* der Kapitalisten. Das internationale Statut nennt im betreffenden Passus weder die eine noch die andere Klasse der Monopolisten. Es spricht vom „*Monopol der Arbeitsmittel, d.h. der Lebensquellen*"; der Zusatz „Lebensquellen" zeigt hinreichend, daß der Grund und Boden in den Arbeitsmitteln einbegriffen ist.

Die Verbesserung wurde angebracht, weil Lassalle, aus jetzt allgemein bekannten Gründen, *nur* die Kapitalistenklasse angriff, nicht die Grund-

[1] *(1891)* gesellschaftlichen

eigentümer. In England ist der Kapitalist meistens nicht einmal der Eigentümer des Grund und Bodens, auf dem seine Fabrik steht.

3. „Die Befreiung der Arbeit erfordert die Erhebung der Arbeitsmittel zu Gemeingut der Gesellschaft und die genossenschaftliche Regelung der Gesamtarbeit mit gerechter Verteilung des Arbeitsertrags."

„Erhebung der Arbeitsmittel zu Gemeingut"! Soll wohl heißen ihre „Verwandlung in Gemeingut". Doch dies nur nebenbei.

Was ist *„Arbeitsertrag"*? Das Produkt der Arbeit oder sein Wert? Und im letzteren Fall, der Gesamtwert des Produkts oder nur der Wertteil, den die Arbeit dem Wert der aufgezehrten Produktionsmittel neu zugesetzt hat?

„Arbeitsertrag" ist eine lose Vorstellung, die Lassalle an die Stelle bestimmter ökonomischer Begriffe gesetzt hat.

Was ist „gerechte" Verteilung?

Behaupten die Bourgeois nicht, daß die heutige Verteilung „gerecht" ist? Und ist sie in der Tat nicht die einzige „gerechte" Verteilung auf Grundlage der heutigen Produktionsweise? Werden die ökonomischen Verhältnisse durch Rechtsbegriffe geregelt, oder entspringen nicht umgekehrt die Rechtsverhältnisse aus den ökonomischen? Haben nicht auch die sozialistischen Sektierer die verschiedensten Vorstellungen über „gerechte" Verteilung?

Um zu wissen, was man sich bei dieser Gelegenheit unter der Phrase „gerechte Verteilung" vorzustellen hat, müssen wir den ersten Paragraphen mit diesem zusammenhalten. Letzterer unterstellt eine Gesellschaft, worin „die Arbeitsmittel Gemeingut sind und die Gesamtarbeit genossenschaftlich geregelt ist", und aus dem ersten Paragraphen ersehn wir, daß „der Ertrag der Arbeit unverkürzt, nach gleichem Rechte, allen Gesellschaftsgliedern gehört".

„Allen Gesellschaftsgliedern"? Auch den nicht arbeitenden? Wo bleibt da „der unverkürzte Arbeitsertrag"? Nur den arbeitenden Gesellschaftsgliedern? Wo bleibt da „das gleiche Recht" aller Gesellschaftsglieder?

Doch „alle Gesellschaftsglieder" und „das gleiche Recht" sind offenbar nur Redensarten. Der Kern besteht darin, daß in dieser kommunistischen Gesellschaft jeder Arbeiter seinen[1] „unverkürzten" Lassalleschen „Arbeitsertrag" erhalten muß.

Nehmen wir zunächst das Wort „Arbeitsertrag" im Sinne des Produkts der Arbeit, so ist der genossenschaftliche Arbeitsertrag das *gesellschaftliche Gesamtprodukt*.

---

[1] *(1891)* einen

Davon ist nun abzuziehen:

Erstens: Deckung zum Ersatz der verbrauchten Produktionsmittel.

Zweitens: zusätzlicher Teil für Ausdehnung der Produktion.

Drittens: Reserve- oder Assekuranzfonds gegen Mißfälle, Störungen durch Naturereignisse etc.

Diese Abzüge vom „unverkürzten Arbeitsertrag" sind eine ökonomische Notwendigkeit, und ihre Größe ist zu bestimmen nach vorhandenen Mitteln und Kräften, zum Teil durch Wahrscheinlichkeitsrechnung, aber sie sind in keiner Weise aus der Gerechtigkeit kalkulierbar.

Bleibt der andere Teil des Gesamtprodukts, bestimmt, als Konsumtionsmittel zu dienen.

Bevor es zur individuellen Teilung kommt, geht hiervon wieder ab:

Erstens: die allgemeinen, nicht direkt[1] *zur Produktion gehörigen Verwaltungskosten.*

Dieser Teil wird von vornherein aufs bedeutendste beschränkt im Vergleich zur jetzigen Gesellschaft und vermindert sich im selben Maß, als die neue Gesellschaft sich entwickelt.

Zweitens: was zur gemeinschaftlichen Befriedigung von Bedürfnissen bestimmt ist, wie Schulen, Gesundheitsvorrichtungen etc.

Dieser Teil wächst von vornherein bedeutend im Vergleich zur jetzigen Gesellschaft und nimmt im selben Maß zu, wie die neue Gesellschaft sich entwickelt.

Drittens: Fonds für Arbeitsunfähige etc., kurz, für, was heute zur sog. offiziellen Armenpflege gehört.

Erst jetzt kommen wir zu der „Verteilung", die das Programm, unter Lassalleschem Einfluß, bornierterweise allein ins Auge faßt, nämlich an den Teil der Konsumtionsmittel, der unter die individuellen Produzenten der Genossenschaft verteilt wird.

Der „unverkürzte Arbeitsertrag" hat sich unterderhand bereits in den „verkürzten" verwandelt, obgleich, was dem Produzenten in seiner Eigenschaft als Privatindividuum entgeht, ihm direkt oder indirekt in seiner Eigenschaft als Gesellschaftsglied zugut kommt.

Wie die Phrase des „unverkürzten Arbeitsertrags" verschwunden ist, verschwindet jetzt die Phrase des „Arbeitsertrags" überhaupt.

Innerhalb der genossenschaftlichen, auf Gemeingut an den Produktionsmitteln gegründeten Gesellschaft tauschen die Produzenten ihre Produkte nicht aus; ebensowenig erscheint hier die auf Produkte verwandte Arbeit

---

[1] *(1891)* fehlt: *direkt*

als Wert dieser Produkte, als eine von ihnen besessene sachliche Eigenschaft, da jetzt, im Gegensatz zur kapitalistischen Gesellschaft, die individuellen Arbeiten nicht mehr auf einem Umweg, sondern unmittelbar als Bestandteile der Gesamtarbeit existieren. Das Wort „Arbeitsertrag“, auch heutzutage wegen seiner Zweideutigkeit verwerflich, verliert so allen Sinn.

Womit wir es hier zu tun haben, ist eine kommunistische Gesellschaft, nicht wie sie sich auf ihrer eignen Grundlage *entwickelt* hat, sondern umgekehrt, wie sie eben aus der kapitalistischen Gesellschaft *hervorgeht*, also in jeder Beziehung, ökonomisch, sittlich, geistig, noch behaftet ist mit den Muttermalen der alten Gesellschaft, aus deren Schoß sie herkommt. Demgemäß erhält der einzelne Produzent – nach den Abzügen – exakt zurück, was er ihr gibt. Was er ihr gegeben hat, ist sein individuelles Arbeitsquantum. Z.B. der gesellschaftliche Arbeitstag besteht aus der Summe der individuellen Arbeitsstunden. Die individuelle Arbeitszeit des einzelnen Produzenten ist der von ihm gelieferte Teil des gesellschaftlichen Arbeitstags, sein Anteil daran. Er erhält von der Gesellschaft einen Schein, daß er soundso viel Arbeit geliefert (nach Abzug seiner Arbeit für die gemeinschaftlichen Fonds), und zieht mit diesem Schein aus dem gesellschaftlichen Vorrat von Konsumtionsmitteln soviel heraus, als gleich viel Arbeit kostet. Dasselbe Quantum Arbeit, das er der Gesellschaft in einer Form gegeben hat, erhält er in der andern zurück.

Es herrscht hier offenbar dasselbe Prinzip, das den Warenaustausch regelt, soweit er Austausch Gleichwertiger ist. Inhalt und Form sind verändert, weil unter den veränderten Umständen niemand etwas geben kann außer seiner Arbeit und weil andrerseits nichts in das Eigentum der einzelnen übergehn kann außer individuellen Konsumtionsmitteln. Was aber die Verteilung der letzteren unter die einzelnen Produzenten betrifft, herrscht dasselbe Prinzip wie beim Austausch von Warenäquivalenten, es wird gleich viel Arbeit in einer Form gegen gleich viel Arbeit in einer andern ausgetauscht.

Das *gleiche Recht* ist hier daher immer noch – dem Prinzip nach – das *bürgerliche Recht*, obgleich Prinzip und Praxis sich nicht mehr in den Haaren liegen, während der Austausch von Äquivalenten beim Warenaustausch nur *im Durchschnitt*, nicht für den einzelnen Fall existiert.

Trotz dieses Fortschritts ist dieses *gleiche Recht* stets noch mit einer bürgerlichen Schranke behaftet. Das Recht der Produzenten ist ihren Arbeitslieferungen *proportionell;* die Gleichheit besteht darin, daß an *gleichem Maßstab*, der Arbeit, gemessen wird. Der eine ist aber physisch oder geistig dem andern überlegen, liefert also in derselben Zeit mehr Arbeit oder kann während mehr Zeit arbeiten; und die Arbeit, um als Maß zu dienen, muß der Ausdehnung oder der Intensität nach bestimmt werden, sonst hörte sie auf, Maßstab zu sein. Dies *gleiche* Recht ist ungleiches Recht für ungleiche Arbeit. Es erkennt keine Klassenunterschiede an, weil jeder nur Arbeiter ist wie der andre; aber es erkennt stillschweigend die ungleiche individuelle Begabung und daher Leistungsfähigkeit der Arbeiter[1] als natürliche Privilegien an. *Es ist daher ein Recht der Ungleichheit, seinem Inhalt nach, wie alles Recht.* Das Recht kann seiner Natur nach nur in Anwendung von gleichem Maßstab bestehn; aber die ungleichen Individuen (und sie wären nicht verschiedne Individuen, wenn sie nicht ungleiche wären) sind nur an gleichem Maßstab meßbar, soweit man sie unter einen gleichen Gesichtspunkt bringt, sie nur von einer *bestimmten* Seite faßt, z.B. im gegebnen Fall sie *nur als Arbeiter* betrachtet und weiter nichts in ihnen sieht, von allem andern absieht. Ferner: Ein Arbeiter ist verheiratet, der andre nicht; einer hat mehr Kinder als der andre etc. etc. Bei gleicher Arbeitsleistung und daher gleichem Anteil an dem gesellschaftlichen Konsumtionsfonds erhält also der eine faktisch mehr als der andre, ist der eine reicher als der andre etc. Um alle diese Mißstände zu vermeiden, müßte das Recht, statt gleich, vielmehr[2] ungleich sein.

Aber diese Mißstände sind unvermeidbar in der ersten Phase der kommunistischen Gesellschaft, wie sie eben aus der kapitalistischen Gesellschaft nach langen Geburtswehen hervorgegangen ist. Das Recht kann nie höher sein als die ökonomische Gestaltung und dadurch bedingte Kulturentwicklung der Gesellschaft.

In einer höheren Phase der kommunistischen Gesellschaft, nachdem die knechtende Unterordnung der Individuen unter die Teilung der Arbeit, damit auch der Gegensatz geistiger und körperlicher Arbeit verschwunden ist; nachdem die Arbeit nicht nur Mittel zum Leben, sondern selbst das erste Lebensbedürfnis geworden; nachdem mit der allseitigen Entwicklung der Individuen auch ihre Produktivkräfte[3] gewachsen und alle Springquellen des genossenschaftlichen Reichtums voller fließen – erst dann kann der enge bürgerliche Rechtshorizont ganz überschritten werden und die Gesellschaft auf ihre Fahne schreiben: Jeder nach seinen Fähigkeiten, jedem nach seinen Bedürfnissen!

Ich bin weitläufiger auf den „unverkürzten Arbeitsertrag" einerseits, „das gleiche Recht", „die gerechte Verteilung" andrerseits eingegangen, um zu zeigen, wie sehr man frevelt, wenn man einerseits Vorstellungen, die zu einer

[1] *(1891)* fehlt: der Arbeiter – [2] *(1891)* fehlt: vielmehr – [3] *(1891)* die Produktionskräfte

gewissen Zeit einen Sinn hatten, jetzt aber zu veraltetem Phrasenkram geworden, unsrer Partei wieder als Dogmen aufdrängen will, andrerseits aber die realistische Auffassung, die der Partei so mühvoll beigebracht worden, aber Wurzeln in ihr geschlagen, wieder durch ideologische Rechts- und andre, den Demokraten und französischen Sozialisten so geläufige Flausen verdreht.

Abgesehn von dem bisher Entwickelten war es überhaupt fehlerhaft, von der sog. *Verteilung* Wesens zu machen und den Hauptakzent auf sie zu legen.

Die jedesmalige Verteilung der Konsumtionsmittel ist nur Folge der Verteilung der Produktionsbedingungen selbst; letztere Verteilung aber ist ein Charakter der Produktionsweise selbst. Die kapitalistische Produktionsweise z.B. beruht darauf, daß die sachlichen Produktionsbedingungen Nichtarbeitern zugeteilt sind unter der Form von Kapitaleigentum und Grundeigentum, während die Masse nur Eigentümer der persönlichen Produktionsbedingung, der Arbeitskraft, ist. Sind die Elemente der Produktion derart verteilt, so ergibt sich von selbst die heutige Verteilung der Konsumtionsmittel. Sind die sachlichen Produktionsbedingungen genossenschaftliches Eigentum der Arbeiter selbst, so ergibt sich ebenso eine von der heutigen verschiedne Verteilung der Konsumtionsmittel. Der Vulgärsozialismus (und von ihm wieder ein Teil der Demokratie) hat es von den bürgerlichen Ökonomen überkommen, die Distribution als von der Produktionsweise unabhängig zu betrachten und zu behandeln, daher den Sozialismus hauptsächlich als um die Distribution sich drehend darzustellen. Nachdem das wirkliche Verhältnis längst klargelegt, warum wieder rückwärtsgehn?

4. „Die Befreiung der Arbeit muß das Werk der Arbeiterklasse sein, der gegenüber alle andren Klassen *nur eine reaktionäre Masse* sind."

Die erste Strophe ist aus den Eingangsworten der internationalen Statuten, aber „verbessert". Dort heißt es: „Die Befreiung der Arbeiterklasse muß die Tat der Arbeiter selbst sein"; hier hat dagegen „die Arbeiterklasse" zu befreien – was? „die Arbeit". Begreife, wer kann.

Zum Schadenersatz ist dagegen die Gegenstrophe Lassallesches Zitat vom reinsten Wasser: „der (der Arbeiterklasse) gegenüber alle andern Klassen *nur eine reaktionäre Masse* bilden".

Im „Kommunistischen Manifest" heißt es: „Von allen Klassen, welche heutzutage der Bourgeoisie gegenüberstehn, ist nur das Proletariat eine *wirklich revolutionäre Klasse*. Die übrigen Klassen verkommen und gehn unter mit der großen Industrie, das Proletariat ist ihr eigenstes Produkt."[1]

[1] Siehe Band 4 unserer Ausgabe, S. 472

Die Bourgeoisie ist hier als revolutionäre Klasse aufgefaßt – als Trägerin der großen Industrie – gegenüber Feudalen und Mittelständen, welche alle gesellschaftlichen Positionen behaupten wollen, die das Gebilde veralteter Produktionsweisen. Sie bilden also nicht *zusammen mit der Bourgeoisie* nur eine reaktionäre Masse.

Andrerseits ist das Proletariat der Bourgeoisie gegenüber revolutionär, weil es, selbst erwachsen auf dem Boden der großen Industrie, der Produktion den kapitalistischen Charakter abzustreifen strebt, den die Bourgeoisie zu verewigen sucht. Aber das Manifest setzt hinzu: daß die „Mittelstände... revolutionär (werden)... im Hinblick auf ihren bevorstehenden Übergang ins Proletariat".

Von diesem Gesichtspunkt ist es also wieder Unsinn, daß sie, „zusammen mit der Bourgeoisie" und obendrein den Feudalen, gegenüber der Arbeiterklasse „nur eine reaktionäre Masse bilden".

Hat man bei den letzten Wahlen Handwerkern, kleinen Industriellen etc. und *Bauern* zugerufen: Uns gegenüber bildet ihr mit Bourgeois und Feudalen nur eine reaktionäre Masse?

Lassalle wußte das „Kommunistische Manifest" auswendig wie seine Gläubigen die von ihm verfaßten Heilsschriften. Wenn er es also so grob verfälschte, geschah es nur, um seine Allianz mit den absolutistischen und feudalen Gegnern wider die Bourgeoisie zu beschönigen.

Im obigen Paragraph wird nun zudem sein Weisheitsspruch an den Haaren herbeigezogen, ohne allen Zusammenhang mit dem verballhornten Zitat aus dem Statut der Internationalen. Es ist also hier einfach eine Impertinenz, und zwar keineswegs Herrn Bismarck mißfällige, eine jener wohlfeilen Flegeleien, worin der Berliner Marat [17] macht.

5. „Die Arbeiterklasse wirkt für ihre Befreiung zunächst *im Rahmen des heutigen nationalen Staats*, sich bewußt, daß das notwendige Ergebnis ihres Strebens, welches den Arbeitern aller Kulturländer gemeinsam ist, die internationale Völkerverbrüderung sein wird."

Lassalle hatte, im Gegensatz zum „Kommunistischen Manifest" und zu allem früheren Sozialismus, die Arbeiterbewegung vom engsten nationalen Standpunkt gefaßt. Man folgt ihm darin – und dies nach dem Wirken der Internationalen!

Es versteht sich ganz von selbst, daß, um überhaupt kämpfen zu können, die Arbeiterklasse sich bei sich zu Haus organisieren muß *als Klasse*, und daß das Inland der unmittelbare Schauplatz ihres Kampfs. Insofern ist ihr Klassenkampf, nicht dem Inhalt, sondern, wie das „Kommunistische Manifest" sagt, „der Form nach" national. Aber der „Rahmen des heutigen nationalen Staats", z.B. des Deutschen Reichs, steht selbst wieder ökonomisch „im Rahmen des Weltmarkts", politisch „im Rahmen des Staatensystems". Der erste beste Kaufmann weiß, daß der deutsche Handel zugleich ausländischer Handel ist, und die Größe des Herrn Bismarck besteht ja eben in seiner[1] Art *internationaler* Politik.

Und worauf reduziert die deutsche Arbeiterpartei ihren Internationalismus? Auf das Bewußtsein, daß das Ergebnis ihres Strebens „die *internationale Völkerverbrüderung* sein wird" – eine dem bürgerlichen Freiheits- und Friedensbund [7] entlehnte Phrase, die als Äquivalent passieren soll für die internationale Verbrüderung der Arbeiterklassen im gemeinschaftlichen Kampf gegen die herrschenden Klassen und ihre Regierungen. *Von internationalen Funktionen* der deutschen Arbeiterklasse also kein Wort! Und so soll sie ihrer eignen, mit den Bourgeois aller andern Länder bereits gegen sie verbrüderten Bourgeoisie und Herrn Bismarcks internationaler Verschwörungspolitik das Paroli bieten!

In der Tat steht das internationale Bekenntnis des Programms *noch unendlich tief* unter dem der Freihandelspartei. Auch sie behauptet, das Ergebnis ihres Strebens sei „die internationale Völkerverbrüderung". Sie *tut* aber auch etwas, um den Handel international zu machen, und begnügt sich keineswegs bei dem Bewußtsein – daß alle Völker bei sich zu Haus Handel treiben.

Die internationale Tätigkeit der Arbeiterklassen hängt in keiner Art von der Existenz der „*Internationalen Arbeiterassoziation*" ab. Diese war nur der erste Versuch, jener Tätigkeit ein Zentralorgan zu schaffen; ein Versuch, der durch den Anstoß, welchen er gab, von bleibendem Erfolg, aber in *seiner ersten historischen Form* nach dem Fall der Pariser Kommune nicht länger durchführbar war.

Bismarcks „Norddeutsche" war vollständig im Recht, wenn sie zur Zufriedenheit ihres Meisters verkündete, die deutsche Arbeiterpartei habe in dem neuen Programm dem Internationalismus abgeschworen.[18]

II

„Von diesen Grundsätzen ausgehend, erstrebt die deutsche Arbeiterpartei mit allen gesetzlichen Mitteln den *freien Staat – und* – die sozialistische Gesellschaft; die Aufhebung des Lohnsystems *mit* dem *ehernen Lohngesetz* – und – der Ausbeutung in jeder Gestalt; die Beseitigung aller sozialen und politischen Ungleichheit."

Auf den „freien" Staat komme ich später zurück.

Also in Zukunft hat die deutsche Arbeiterpartei an Lassalles „ehernes

[1] *(1891)* einer

Lohngesetz" zu glauben! Damit es nicht verlorengeht, begeht man den Unsinn, von „Aufhebung des Lohnsystems" (sollte heißen: System der Lohnarbeit) „*mit* dem ehernen Lohngesetz" zu sprechen. Hebe ich die Lohnarbeit auf, so hebe ich natürlich auch ihre Gesetze auf, seien sie „ehern" oder schwammig. Aber Lassalles Bekämpfung der Lohnarbeit dreht sich fast nur um dies sog. Gesetz. Um daher zu beweisen, daß die Lassallesche Sekte gesiegt hat, muß das „Lohnsystem *mit* dem ehernen Lohngesetz" aufgehoben werden und nicht ohne dasselbe.

Von dem „ehernen Lohngesetz" gehört Lassalle bekanntlich nichts als das den Goetheschen „ewigen, ehernen, großen Gesetzen" entlehnte Wort „ehern". Das Wort *ehern* ist eine Signatur, woran sich die Rechtgläubigen erkennen. Nehme ich aber das Gesetz mit Lassalles Stempel und daher in seinem Sinn, so muß ich es auch mit seiner Begründung nehmen. Und was ist sie? Wie Lange schon kurz nach Lassalles Tod zeigte: die (von Lange selbst gepredigte) Malthussche Bevölkerungstheorie[19]. Ist diese aber richtig, so kann ich wieder das Gesetz *nicht* aufheben, und wenn ich hundertmal die Lohnarbeit aufhebe, weil das Gesetz dann nicht nur das System der Lohnarbeit, sondern *jedes* gesellschaftliche System beherrscht. Grade hierauf fußend, haben seit fünfzig Jahren und länger die Ökonomisten bewiesen, daß der Sozialismus das *naturbegründete* Elend nicht aufheben, sondern nur *verallgemeinern*, gleichzeitig über die ganze Oberfläche der Gesellschaft verteilen könne!

Aber all das ist nicht die Hauptsache. *Ganz abgesehn* von der *falschen* Lassalleschen Fassung des Gesetzes, besteht der wahrhaft empörende Rückschritt darin:

Seit Lassalles Tode hat sich die wissenschaftliche Einsicht in *unsrer* Partei Bahn gebrochen, daß der *Arbeitslohn* nicht das ist, was er zu sein *scheint*, nämlich der *Wert* respektive *Preis der Arbeit*, sondern nur eine maskierte Form für den *Wert resp. Preis der Arbeitskraft*. Damit war die ganze bisherige bürgerliche Auffassung des Arbeitslohns sowie die ganze bisher gegen selbe gerichtete Kritik ein für allemal über den Haufen geworfen und klargestellt, daß der Lohnarbeiter nur die Erlaubnis hat, für sein eignes Leben zu arbeiten, d.h. *zu leben*, soweit er gewisse Zeit umsonst für den Kapitalisten (daher auch für dessen Mitzehrer am Mehrwert) arbeitet; daß das ganze kapitalistische Produktionssystem sich darum dreht, diese Gratisarbeit zu verlängern durch Ausdehnung des Arbeitstags oder durch Entwicklung der Produktivität,[1] größere Spannung der Arbeitskraft

[1] *(1891)* eingefügt: resp.

etc.; daß also das System der Lohnarbeit ein System der Sklaverei, und zwar einer Sklaverei ist, die im selben Maß härter wird, wie sich die gesellschaftlichen Produktivkräfte der Arbeit entwickeln, ob nun der Arbeiter bessere oder schlechtere Zahlung empfange. Und nachdem diese Einsicht unter unsrer Partei sich mehr und mehr Bahn gebrochen, kehrt man zu Lassalles Dogmen zurück, obgleich man nun wissen mußte, daß Lassalle *nicht wußte*, was der Arbeitslohn war, sondern, im Gefolg der bürgerlichen Ökonomen, den Schein für das Wesen der Sache nahm.

Es ist, als ob unter Sklaven, die endlich hinter das Geheimnis der Sklaverei gekommen und in Rebellion ausgebrochen, ein in veralteten Vorstellungen befangener Sklave auf das Programm der Rebellion schriebe: Die Sklaverei muß abgeschafft werden, weil die Beköstigung der Sklaven im System der Sklaverei ein gewisses niedriges Maximum nicht überschreiten kann!

Die bloße Tatsache, daß die Vertreter unsrer Partei fähig waren, ein so ungeheuerliches Attentat auf die in der Parteimasse verbreitete Einsicht zu begehn – beweist sie nicht allein, mit welchem ⟨frevelhaften⟩ Leichtsinn, ⟨mit welcher Gewissenlosigkeit⟩ sie bei Abfassung des Kompromißprogramms zu Werke gingen!

Anstatt der unbestimmten Schlußphrase des Paragraphen, „die Beseitigung aller sozialen und politischen Ungleichheit", war zu sagen, daß mit der Abschaffung der Klassenunterschiede von selbst alle aus ihnen entspringende soziale und politische Ungleichheit verschwindet.

III

„Die deutsche Arbeiterpartei verlangt, um *die Lösung der sozialen Frage anzubahnen*, die Errichtung von Produktivgenossenschaften mit *Staatshilfe unter der demokratischen Kontrolle des arbeitenden Volks*. Die Produktivgenossenschaften *sind* für Industrie und Ackerbau in solchem Umfang *ins Leben zu rufen, daß aus ihnen die sozialistische Organisation der Gesamtarbeit entsteht*."

Nach dem Lassalleschen „ehernen Lohngesetz" das Heilsmittel des Propheten! Es wird in würdiger Weise „angebahnt"! An die Stelle des existierenden Klassenkampfs tritt eine Zeitungsschreiberphrase – „*die* soziale *Frage*", deren „*Lösung*" man „anbahnt". Statt aus dem revolutionären Umwandlungsprozesse der Gesellschaft „entsteht" die „sozialistische Organisation der Gesamtarbeit" aus der „Staatshilfe", die der Staat Produktivgenossenschaften gibt, die *er*, nicht der Arbeiter, „*ins Leben ruft*". Es ist dies würdig der Einbildung Lassalles, daß man mit Staatsanlehn ebensogut eine neue Gesellschaft bauen kann wie eine neue Eisenbahn!

Aus ⟨einem Rest von⟩ Scham stellt man „die Staatshilfe" – „unter die demokratische Kontrolle des arbeitenden Volks".

Erstens besteht „das arbeitende Volk" in Deutschland zur Majorität aus Bauern und nicht aus Proletariern.

Zweitens heißt „demokratisch" zu deutsch „volksherrschaftlich". Was heißt aber „die volksherrschaftliche Kontrolle des arbeitenden Volkes"? Und nun gar bei einem Arbeitervolk, das durch diese Forderungen, die es an den Staat stellt, sein volles Bewußtsein ausspricht, daß es weder an der Herrschaft ist, noch zur Herrschaft reif ist!

Auf die Kritik des von Buchez unter Louis-Philippe im *Gegensatz* gegen die französischen Sozialisten verschriebnen und von den reaktionären Arbeitern des „Atelier" [20] angenommenen Rezepts ist es überflüssig, hier einzugehn. Es liegt auch der Hauptanstoß nicht darin, daß man diese spezifische Wunderkur ins Programm geschrieben, sondern daß man überhaupt vom Standpunkt der Klassenbewegung zu dem der Sektenbewegung zurückgeht.

Daß die Arbeiter die Bedingungen der genossenschaftlichen Produktion auf sozialem und zunächst bei sich, also [auf] nationalem Maßstab herstellen wollen, heißt nur, daß sie an der Umwälzung der jetzigen Produktionsbedingungen arbeiten, und hat nichts gemein mit der Stiftung von Kooperativgesellschaften mit Staatshilfe! Was aber die jetzigen Kooperativgesellschaften betrifft, so haben sie *nur* Wert, soweit sie unabhängige, weder von den Regierungen noch von den Bourgeois protegierte Arbeiterschöpfungen sind.

[IV]

Ich komme jetzt zum demokratischen Abschnitt.

A. *„Freiheitliche Grundlage des Staats."*

Zunächst nach II erstrebt die deutsche Arbeiterpartei „den freien Staat".

Freier Staat – was ist das?

Es ist keineswegs Zweck der Arbeiter, die den beschränkten Untertanenverstand losgeworden, den Staat „frei" zu machen. Im Deutschen Reich ist der „Staat" fast so „frei" als in Rußland. Die Freiheit besteht darin, den Staat aus einem der Gesellschaft übergeordneten in ein ihr durchaus untergeordnetes Organ zu verwandeln, und auch heutig sind die Staatsformen freier oder unfreier im Maß, worin sie die „Freiheit des Staats" beschränken.

Die deutsche Arbeiterpartei – wenigstens, wenn sie das Programm zu dem ihrigen macht – zeigt, wie ihr die sozialistischen Ideen nicht einmal hauttief sitzen, indem sie, statt die bestehende Gesellschaft (und das gilt von jeder künftigen) als *Grundlage* des bestehenden *Staats* (oder künftigen, für künftige Gesellschaft) zu behandeln, den Staat vielmehr als ein selbständiges Wesen behandelt, das seine eignen *„geistigen, sittlichen, freiheitlichen Grundlagen"* besitzt.

Und nun gar der wüste Mißbrauch, den das Programm mit den Worten *„heutiger Staat"*, *„heutige Gesellschaft"* treibt, und den noch wüsteren Mißverstand, den es über den Staat anrichtet, an den es seine Forderungen richtet!

Die „heutige Gesellschaft" ist die kapitalistische Gesellschaft, die in allen Kulturländern existiert, mehr oder weniger frei von mittelaltrigem Beisatz, mehr oder weniger durch die besondre geschichtliche Entwicklung jedes Landes modifiziert, mehr oder weniger entwickelt. Dagegen der „heutige Staat" wechselt mit der Landesgrenze. Er ist ein andrer im preußisch-deutschen Reich als in der Schweiz, ein andrer in England als in den Vereinigten Staaten. *„Der* heutige Staat" ist also eine Fiktion.

Jedoch haben die verschiednen Staaten der verschiednen Kulturländer, trotz ihrer bunten Formverschiedenheit, alle das gemein, daß sie auf dem Boden der modernen bürgerlichen Gesellschaft stehn, nur einer mehr oder minder kapitalistisch entwickelten. Sie haben daher auch gewisse wesentliche Charaktere gemein. In diesem Sinn kann man von „heutigem Staatswesen" sprechen, im Gegensatz zur Zukunft, worin seine jetzige Wurzel, die bürgerliche Gesellschaft, abgestorben ist.

Es fragt sich dann: Welche Umwandlung wird das Staatswesen in einer kommunistischen Gesellschaft untergehn[1]? In andern Worten, welche gesellschaftliche Funktionen bleiben dort übrig, die jetzigen Staatsfunktionen analog sind? Diese Frage ist nur wissenschaftlich zu beantworten, und man kommt dem Problem durch tausendfache Zusammensetzung des Worts Volk mit dem Wort Staat auch nicht um einen Flohsprung näher.

Zwischen der kapitalistischen und der kommunistischen Gesellschaft liegt die Periode der revolutionären Umwandlung der einen in die andre. Der entspricht auch eine politische Übergangsperiode, deren Staat nichts andres sein kann als *die revolutionäre Diktatur des Proletariats.*

Das Programm nun hat es weder mit letzterer zu tun, noch mit dem zukünftigen Staatswesen der kommunistischen Gesellschaft.

[1] *(1891)* erleiden

Seine politischen Forderungen enthalten nichts außer der aller Welt bekannten demokratischen Litanei: allgemeines Wahlrecht, direkte Gesetzgebung, Volksrecht, Volkswehr etc. Sie sind bloßes Echo der bürgerlichen Volkspartei, des Friedens- und Freiheitsbundes. Es sind lauter Forderungen, die, soweit nicht in phantastischer Vorstellung übertrieben, bereits *realisiert* sind. Nur liegt der Staat, dem sie angehören, nicht innerhalb der deutschen Reichsgrenze, sondern in der Schweiz, den Vereinigten Staaten etc. Diese Sorte „Zukunftsstaat" ist *heutiger Staat*, obgleich außerhalb „des Rahmens" des Deutschen Reichs existierend.

Aber man hat eins vergessen. Da die deutsche Arbeiterpartei ausdrücklich erklärt, sich innerhalb „des heutigen nationalen Staats", also ihres Staats, des preußisch-deutschen Reichs, zu bewegen – ihre Forderungen wären ja sonst auch großenteils sinnlos, da man nur fordert, was man noch[1] nicht hat –, so durfte sie die Hauptsache nicht vergessen, nämlich daß alle jene schönen Sächelchen auf der Anerkennung der sog. Volkssouveränität beruhn, daß sie daher nur in einer *demokratischen Republik* am Platze sind.

Da man nicht den Mut hat[2] – und weislich, denn die Verhältnisse gebieten Vorsicht –, die demokratische Republik zu verlangen, wie es die französischen Arbeiterprogramme unter Louis-Philippe und unter Louis-Napoleon taten – so hätte man auch nicht zu der ⟨weder „ehrlichen" noch würdigen⟩ Finte flüchten sollen, Dinge, die nur in einer demokratischen Republik Sinn haben, von einem Staat zu verlangen, der nichts andres als ein mit parlamentarischen Formen verbrämter, mit feudalem Beisatz vermischter und zugleich[3] schon von der Bourgeoisie beeinflußter, bürokratisch gezimmerter, polizeilich gehüteter Militärdespotismus ist, ⟨und diesem Staat obendrein noch zu beteuern, daß man ihm dergleichen „mit gesetzlichen Mitteln" aufdringen zu können wähnt!⟩

Selbst die vulgäre Demokratie, die in der demokratischen Republik das Tausendjährige Reich sieht und keine Ahnung davon hat, daß grade in dieser letzten Staatsform der bürgerlichen Gesellschaft der Klassenkampf definitiv auszufechten ist – selbst sie steht noch berghoch über solcherart Demokratentum innerhalb der Grenzen des polizeilich Erlaubten und logisch Unerlaubten.

Daß man in der Tat unter „Staat" die Regierungsmaschine versteht oder den Staat, soweit er einen durch Teilung der Arbeit von der Gesellschaft besonderten, eignen Organismus bildet, zeigen schon die Worte: „Die deutsche Arbeiterpartei verlangt *als wirtschaftliche Grundlage des Staats:*

---

[1] *(1891)* fehlt: noch – [2] *(1891)* Da man nicht in der Lage ist – [3] *(1891)* fehlt: und zugleich

eine einzige progressive Einkommensteuer etc." Die Steuern sind die wirtschaftliche Grundlage der Regierungsmaschinerie und von sonst nichts. In dem in der Schweiz existierenden Zukunftsstaat ist diese Forderung ziemlich erfüllt. Einkommensteuer setzt die verschiednen Einkommenquellen der verschiednen gesellschaftlichen Klassen voraus, also die kapitalistische Gesellschaft. Es ist also nichts Auffälliges, daß die Financial Reformers von Liverpool – Bourgeois mit Gladstones Bruder an der Spitze – dieselbe Forderung stellen wie das Programm.

B. „Die deutsche Arbeiterpartei verlangt als geistige und sittliche Grundlage des Staats:

1. Allgemeine und *gleiche Volkserziehung* durch den Staat. Allgemeine Schulpflicht. Unentgeltlichen Unterricht."

Gleiche Volkserziehung? Was bildet man sich unter diesen Worten ein? Glaubt man, daß in der heutigen Gesellschaft (und man hat nur mit der zu tun) die Erziehung für alle Klassen *gleich* sein kann? Oder verlangt man, daß auch die höheren Klassen zwangsweise auf das Modikum Erziehung – der Volksschule – reduziert werden sollen, das allein mit den ökonomischen Verhältnissen nicht nur der Lohnarbeiter, sondern auch der Bauern verträglich ist?

„Allgemeine Schulpflicht. Unentgeltlicher Unterricht." Die erste existiert selbst in Deutschland, das zweite in der Schweiz [und] den Vereinigten Staaten für Volksschulen. Wenn in einigen Staaten der letzteren auch „höhere" Unterrichtsanstalten „unentgeltlich" sind, so heißt das faktisch nur, den höheren Klassen ihre Erziehungskosten aus dem allgemeinen Steuersäckel bestreiten. Nebenbei gilt dasselbe von der unter A. 5 verlangten „unentgeltlichen Rechtspflege". Die Kriminaljustiz ist überall unentgeltlich zu haben; die Ziviljustiz dreht sich fast nur um Eigentumskonflikte, berührt also fast nur die besitzenden Klassen. Sollen sie auf Kosten des Volkssäckels ihre Prozesse führen?

Der Paragraph über die Schulen hätte wenigstens technische Schulen (theoretische und praktische) in Verbindung mit der Volksschule verlangen sollen.

Ganz verwerflich ist eine *„Volkserziehung durch den Staat"*. Durch ein allgemeines Gesetz die Mittel der Volksschulen bestimmen, die Qualifizierung des Lehrerpersonals, die Unterrichtszweige etc., und, wie es in den Vereinigten Staaten geschieht, durch Staatsinspektoren die Erfüllung dieser gesetzlichen Vorschriften überwachen, ist etwas ganz andres, als den Staat zum Volkserzieher zu ernennen! Vielmehr sind Regierung und Kirche gleichmäßig von jedem Einfluß auf die Schule auszuschließen. Im preußisch-deutschen Reich nun gar (und man helfe sich nicht mit der faulen Ausflucht, daß man von einem „Zukunftsstaat" spricht; wir haben gesehn, welche Bewandtnis es damit hat) bedarf umgekehrt der Staat einer sehr rauhen Erziehung durch das Volk.

Doch das ganze Programm, trotz alles demokratischen Geklingels, ist durch und durch vom Untertanenglauben der Lassalleschen Sekte an den Staat verpestet oder, was nicht besser, vom demokratischen Wunderglauben, oder vielmehr ist es ein Kompromiß zwischen diesen zwei Sorten, dem Sozialismus gleich fernen, Wunderglauben.

„Freiheit der Wissenschaft" lautet ein Paragraph der preußischen Verfassung. Warum also hier?

„Gewissensfreiheit"! Wollte man zu dieser Zeit des Kulturkampfes[21] dem Liberalismus seine alten Stichworte zu Gemüt führen, so konnte es doch nur in dieser Form geschehen: Jeder muß seine religiöse wie seine leibliche Notdurft[1] verrichten können, ohne daß die Polizei ihre Nase hineinsteckt. Aber die Arbeiterpartei mußte doch bei dieser Gelegenheit ihr Bewußtsein darüber aussprechen, daß die bürgerliche „Gewissensfreiheit" nichts ist außer der Duldung aller möglichen Sorten *religiöser Gewissensfreiheit*, und daß sie vielmehr die Gewissen vom religiösen Spuk zu befreien strebt. Man beliebt aber das „bürgerliche" Niveau nicht zu überschreiten.

Ich bin jetzt zu Ende gelangt, denn der nun im Programm folgende Anhang bildet keinen *charakteristischen* Bestandteil desselben. Ich habe mich daher hier ganz kurz zu fassen.

„2. Normalarbeitstag."

Die Arbeiterpartei keines andern Landes hat sich auf solch unbestimmte Forderung beschränkt, sondern stets die Länge des Arbeitstags fixiert, die sie unter den gegebnen Umständen für normal hält.

„3. Beschränkung der Frauen- und Verbot der Kinderarbeit."

Die Normierung des Arbeitstags muß die Beschränkung der Frauenarbeit schon einschließen, soweit sie sich auf Dauer, Pausen etc. des Arbeitstags bezieht; sonst kann sie nur Ausschluß der Frauenarbeit aus Arbeitszweigen bedeuten, die speziell gesundheitswidrig für den weiblichen Körper oder die für das weibliche Geschlecht sittenwidrig sind. Meinte man das, so mußte es gesagt werden.

„Verbot der Kinderarbeit"! Hier war absolut nötig, die *Altersgrenze* anzugeben.

---

[1] *(1891)* seine religiösen… Bedürfnisse

Allgemeines Verbot der Kinderarbeit ist unverträglich mit der Existenz der großen Industrie und daher leerer frommer Wunsch.

Durchführung desselben – wenn möglich – wäre reaktionär, da, bei strenger Reglung der Arbeitszeit nach den verschiednen Altersstufen und sonstigen Vorsichtsmaßregeln zum Schutz der Kinder, frühzeitige Verbindung produktiver Arbeit mit Unterricht eines der mächtigsten Umwandlungsmittel der heutigen Gesellschaft ist.

„4. Staatliche Überwachung der Fabrik-, Werkstatt- und Hausindustrie."

Gegenüber dem preußisch-deutschen Staat war bestimmt zu verlangen, daß die Inspektoren nur gerichtlich absetzbar sind; daß jeder Arbeiter sie wegen Pflichtverletzung den Gerichten denunzieren kann; daß sie dem ärztlichen Stand angehören müssen.

„5. Regelung der Gefängnisarbeit."

Kleinliche Forderung in einem allgemeinen Arbeiterprogramm. Jedenfalls mußte man klar aussprechen, daß man aus Konkurrenzneid die gemeinen Verbrecher nicht wie Vieh behandelt wissen und ihnen namentlich ihr einziges Besserungsmittel, produktive Arbeit, nicht abschneiden will. Das war doch das Geringste, was man von Sozialisten erwarten durfte.

„6. Ein wirksames Haftgesetz."

Es war zu sagen, was man unter „wirksamem" Haftgesetz versteht.

Nebenbei bemerkt, hat man beim Normalarbeitstag den Teil der Fabrikgesetzgebung übersehn, der Gesundheitsmaßregeln und Schutzmittel gegen Gefahr etc. betrifft. Das Haftgesetz tritt erst in Wirkung, sobald diese Vorschriften verletzt werden.

⟨Kurz, auch dieser Anhang zeichnet sich durch schlottrige Redaktion aus.⟩

Dixi et salvavi animam meam.[1]

[1] Ich habe gesprochen und meine Seele gerettet.

Friedrich Engels

[Brief an den Generalrat der Internationalen Arbeiterassoziation in New York[22]]

London, 122 Regents Park Road, NW,
13. August 1875

An den Generalrat der Internationalen Arbeiterassoziation

Bürger!

Die mit Brief des Sekretärs Speyer mir zugesandten (4. Juni, empfangen 21.) Zirkulare [23] sind nach Instruktion in Zirkulation versetzt, und zwar habe ich folgendes im Interesse der Sache tun können:

1. Da der hiesige Arbeiter-Verein (deutsche Sektion) [24] durch Verschmelzung mit den Lassalleanern und übergroße Liberalität in der Aufnahme von Mitgliedern – zirka 120 – sich für *vertrauliche* Mitteilungen nur dann eignen würde, wenn man solche *sofort veröffentlicht* wünscht, so habe ich Zirkulare an Leßner und Frankel gegeben, die mit mir einig waren, daß der Inhalt sich nicht zu offizieller Mitteilung im Verein eigne und man sich auf Mitteilung an geeignete Personen beschränken müsse, und sonst im stillen im Interesse der angeregten Angelegenheit zu wirken habe. Da von hier aus sicher keine *deutschen* Arbeiter nach Philadelphia geschickt werden, so wird das an den praktischen Folgen nichts ändern.

2. Unser Freund Mesa aus Madrid, der jetzt in Paris wohnt, war gerade hier, als das Zirkular ankam. Er nahm die Sache sehr lebhaft auf, ich übersetzte ihm das Zirkular, und da er Mitglieder des Komitees kennt, das in Paris die Subskriptionen zum Zweck der Arbeitersendung nach Philadelphia verwaltet, so wird er bei seiner bekannten Tätigkeit wohl etwas ausrichten können. Er schickt es auch nach Spanien.

3. Nach Belgien konnte ich's nicht schicken, weil ja die ganze belgische Internationale zu den Allianzisten [25] hält und es doch nicht in unserm Interesse liegt, *diesen* den Plan mitzuteilen. In Portugal und Italien habe

ich keine Adressen. Die „Plebe“ [26] von Lodi hat sich so ziemlich den Allianzisten angeschlossen und wäre imstande, die Geschichte sofort zu veröffentlichen.

4. Da in der Instruktion Deutschland, Österreich und die Schweiz nicht erwähnt sind, auch der Generalrat dort reichliche direkte Verbindung hat, so habe ich dort *keine* Schritte getan, um nicht die etwa direkt von dort aus getanen zu durchkreuzen.

5. Das Zirkular hat bei allen, die es gesehn, großen Anklang gefunden und wird der gerechte Vorschlag einer Konferenz allgemein als der einzig praktische angesehn. Aber eine Abstimmung darüber zustande zu bringen, erscheint uns hier unmöglich. Der hiesige Verein ist schon erwähnt. Andre Sektionen in England sind alle eingeschlafen, die besten Leute meist fort. In Dänemark, Frankreich, Spanien, wo die Internationale direkt verboten ist, kann von Abstimmung keine Rede sein. In Deutschland hat man nie über so etwas abgestimmt und nach der Vereinigung mit den Lassalleanern die ohnehin lose Verbindung mit der Internationale ganz abgesagt. Unter diesen Umständen sollten die amerikanischen Stimmen hinreichen, den Generalrat zu decken, wenn er den Vorschlag zum Beschluß erhebt, um so mehr, als wir durch gute Quelle wissen, daß die Allianzisten ebenfalls dies Jahr (und auch wohl nie wieder) keinen Kongreß abhalten.

6. Wäre es nicht gut, wenn um die Zeit der Ausstellungseröffnung in den europäischen Parteiblättern eine kurze Notiz eingerückt würde, etwa der Art: „Sozialistische Arbeiter, welche die Ausstellung in Philadelphia besuchen, werden gebeten, sich... (Adresse) zu begeben, wo sie mit den Philadelphiaer Parteigenossen in Verbindung gesetzt werden“ oder wenn man ein „Komitee zur Unterbringung sozialistischer Arbeiter resp. deren Beschützung vor Prellerei“ stiftete und dessen Adresse veröffentlichte? Letzteres besonders würde sehr unschuldig aussehn, aber ein paar Privatbriefe würden hinreichen, den Sachverhalt genügend zu verbreiten.

Brüderlichen Gruß

F. Engels

Nach der Handschrift.

Friedrich Engels

Rede auf der Versammlung zum Jahrestag des polnischen Aufstands 1863[27]

Bürger!

Polen spielt in der Geschichte der europäischen Revolutionen eine ganz besondere Rolle. Jede Revolution des Westens, der es nicht gelang, Polen mit einzubeziehen und ihm Unabhängigkeit und Freiheit zu sichern, war zum Scheitern verurteilt. Nehmen wir zum Beispiel die Revolution von 1848. Sie ergriff ein weit ausgedehnteres Gebiet als jede vorangegangene Revolution; sie zog in ihren Strudel Österreich, Ungarn und Preußen hinein. Aber an den Grenzen Polens, das von den Armeen Rußlands besetzt war, machte sie halt. Als Zar Nikolaus die Nachricht von der Februarrevolution erhielt, sagte er zu seiner Umgebung: „Auf die Pferde, meine Herren!" Alsbald mobilisierte er seine Truppen und konzentrierte sie in Polen, bereit, sie im geeigneten Augenblick die Grenzen überschreiten zu lassen gegen das aufständische Europa. Die Revolutionäre wußten ihrerseits genau, daß das Feld, wo die entscheidende Schlacht geliefert werden müßte, Polen war. Am 15. Mai drang die Bevölkerung von Paris mit dem Ruf *„Es lebe Polen!"* in die Nationalversammlung ein, um sie zum Kriege für die polnische Unabhängigkeit zu zwingen. Zur gleichen Zeit forderten Marx und ich in der „Neuen Rheinischen Zeitung" [28], daß Preußen sofort Rußland den Krieg erkläre, um Polen zu befreien[1], und wir wurden von der ganzen fortschrittlichen Demokratie Deutschlands unterstützt. In Frankreich und in Deutschland wußte man also genau, wo der entscheidende Punkt war: mit Polen war die Revolution gesichert, ohne Polen mußte sie verlorengehen. Jedoch hatten in Frankreich Herr Lamartine, in Preußen Friedrich Wilhelm IV., der Schwager des Zaren, und sein bürgerlicher Minister, Herr Camphausen, überhaupt nicht die Absicht, die Streitkräfte

[1] Siehe Band 5 unserer Ausgabe, S. 334/335

Rußlands zu zerschlagen, in denen sie mit Recht ihren letzten Schutzwall gegen die revolutionäre Flut sahen. Nikolaus brauchte sein Pferd nicht zu besteigen, seine Truppen konnten sich für den Augenblick damit begnügen, Polen niederzuhalten und Preußen, Österreich und Ungarn zu drohen bis zu dem Augenblick, wo die Fortschritte der aufständischen Ungarn die in Wien siegreiche österreichische Reaktion bedrohten. Erst dann überschwemmten die russischen Armeen Ungarn und sicherten, indem sie die ungarische Revolution zerschlugen, den Sieg der Reaktion im gesamten Westen. Europa lag dem Zaren zu Füßen, weil Europa Polen aufgegeben hatte. Fürwahr, Polen ist kein Land wie jedes andere. In Sachen der Revolution ist es der Schlußstein des europäischen Gebäudes; wer von beiden, Revolution oder Reaktion, sich in Polen zu halten vermag, der wird schließlich in ganz Europa herrschen. Und dieser ganz besondere Charakter verleiht Polen die Bedeutung, die es für alle Revolutionäre hat und die uns heute noch ausrufen läßt: *Es lebe Polen!*

Nach der Handschrift.
Aus dem Französischen.

Friedrich Engels

Preußischer Schnaps im deutschen Reichstag[29]

[„Der Volksstaat" Nr. 23
vom 25. Februar 1876]

I

Am 4. Februar interpellierte Herr von Kardorff die Reichsregierung wegen der hohen Besteuerung des deutschen „Sprits" in England und Italien. Er machte die Herren darauf aufmerksam, daß (Referat der „Kölnischen Zeitung"[30])

„in unseren östlichen und nördlichen Provinzen weite Länderstrecken, Hunderte von Quadratmeilen eines ziemlich unfruchtbaren, sterilen Bodens, zu einer verhältnismäßig hohen Ertragsfähigkeit und Kultur gediehen sind durch einen sehr ausgedehnten Kartoffelbau, und daß dieser Kartoffelbau wieder zur Grundlage die Tatsache hat, daß über diese Länder zahlreiche Brennereien zerstreut liegen, in welchen die Spritfabrikation als landwirtschaftliches Nebengewerbe betrieben wird. Während früher in jenen Ländern auf der Quadratmeile etwa tausend Menschen lebten, ernährt das Land jetzt infolge der Spritfabrikation etwa dreitausend Menschen pro Quadratmeile, denn die Brennereien sind für die Kartoffel deshalb ein notwendiger Absatzmarkt, weil sie ihrem Volumen nach schwierig zu transportieren ist und im Winter wegen des Frostes gar nicht transportiert werden kann. Zweitens wandeln die Brennereien die Kartoffel in den wertvollen und leicht transportabeln Alkohol um und machen endlich den Boden fruchtbarer durch zahlreiche Futterrückstände. Wie bedeutend die hierbei in Frage kommenden Interessen sind, das kann sich jeder klarmachen, der überlegt, daß wir aus der Spiritussteuer für unsere Staatseinnahmen etwa 36 Millionen Mark entnehmen, trotzdem Deutschland von allen Ländern der Welt die niedrigste Spiritussteuer besitzt, z.B. eine fünfmal niedrigere als Rußland."

Den preußischen Junkern muß in der letzten Zeit der Kamm sehr geschwollen sein, daß sie den Mut haben, die Augen der Welt auf ihre „Spritindustrie", vulgo Schnapsbrennerei zu ziehn.

Im vorigen Jahrhundert wurde in Deutschland nur wenig Branntwein destilliert, und dieser nur aus Korn. Man verstand zwar nicht, das auch in diesem Branntwein enthaltene Fuselöl (wir kommen auf diesen Punkt zurück) auszuscheiden, da man dies Fuselöl selbst noch gar nicht kannte; aber man wußte aus Erfahrung, daß die Qualität des Branntweins durch längeres Aufbewahren sich wesentlich verbesserte, daß der brennende Geschmack sich verlor und daß sein Genuß weniger berauschend und weniger störend auf die Gesundheit wirkte. Die kleinbürgerlichen Bedingungen, unter denen damals gebrannt wurde, und die noch unentwickelte, mehr auf Qualität als auf Quantität sehende Nachfrage erlaubten fast überall, das Produkt im Keller jahrelang aufzubewahren und ihm so durch allmähliche chemische Umwandlung der schädlicheren Bestandteile einen weniger verderblichen Charakter zu geben. So finden wir am Ende des vorigen Jahrhunderts eine ausgedehntere Brennerei meist auf wenige städtische Orte beschränkt, Münster, Ulrichstein, Nordhausen u.a., und deren Produkt gewöhnlich mit dem Beiwort „alt" ausgestattet.

Gegen Anfang dieses Jahrhunderts vermehrten sich die Brennereien auf dem Lande als Nebengewerbe der größeren Gutsbesitzer und Pächter, besonders in Hannover und Braunschweig. Sie fanden Abnehmer, einerseits durch den sich stets weiter verbreitenden Branntweingenuß, andrerseits durch die Bedürfnisse der stets wachsenden und stets kriegführenden Armeen, die ihrerseits wieder den Geschmack am Branntwein in immer weitere Kreise trugen. So konnte denn nach dem Frieden von 1814 die Brennerei sich weiter und weiter ausdehnen, und in der beschriebenen, von der alten städtischen Brennerei ganz verschiedenen Art, als Nebengewerbe großer Gutsbewirtschafter, am Niederrhein, in Preußisch-Sachsen, Brandenburg und der Lausitz festen Fuß fassen.

Der Wendepunkt für die Brennerei war aber die Entdeckung, daß man Branntwein nicht nur aus Korn lohnend herstellen könne, sondern auch aus *Kartoffeln*. Damit wurde das ganze Gewerbe revolutioniert. Einerseits wurde damit der Schwerpunkt der Brennerei endgültig von den Städten aufs Land verlegt und die kleinbürgerlichen Produzenten von gutem altem Getränk mehr und mehr durch die infamen Kartoffelfusel produzierenden Großgrundbesitzer verdrängt. Andrerseits aber, und dies ist geschichtlich viel wichtiger, wurde der kornbrennende Großgrundbesitzer vom kartoffelbrennenden Großgrundbesitzer verdrängt; die Brennerei verzog sich mehr und mehr vom fruchtbaren Kornland aufs unfruchtbare Kartoffelland, d.h. von Nordwestdeutschland nach Nordostdeutschland – nach *Altpreußen* östlich der Elbe.

Dieser Wendepunkt trat ein mit der Mißernte und Hungersnot von 1816. Trotz der besseren Ernten der beiden folgenden Jahre blieben infolge der anhaltenden Kornausfuhr nach England und andern Ländern die Kornpreise so hoch, daß es fast unmöglich wurde, Korn zur Brennerei zu verwenden. Das Oxhoft Schnaps, das 1813 nur 39 Taler gegolten, wurde 1817 zu 70 Taler verkauft. Da trat die Kartoffel an die Stelle des Korns, und 1823 war das Oxhoft bereits zu 14 bis 17 Taler zu haben!

Wie aber kamen die armen, durch den Krieg und ihre dem Vaterland gebrachten Opfer angeblich total ruinierten ostelbischen Junker zu den Mitteln, vermöge deren sie ihre drückenden Hypothekenschulden in einträgliche Schnapsbrennereien verwandelten? Die günstigen Konjunkturen der Jahre 1816 bis 1819 lieferten ihnen zwar sehr vorteilhafte Erträge und vermehrten ihren Kredit durch die allgemein steigenden Bodenpreise; das reichte jedoch lange nicht hin. Unsre patriotischen Junker erhielten aber außerdem: erstens Staatshülfe in verschiedenen direkten und indirekten Formen, und zweitens kam ein Umstand hinzu, den wir besonders ins Auge fassen müssen. Bekanntlich war in Preußen 1811 die Ablösung der bäuerlichen Frondienste und überhaupt die Auseinandersetzung zwischen Bauern und Gutsherrn gesetzlich derart geregelt worden, daß die Naturalleistungen in Geldleistungen umgewandelt, diese kapitalisiert und entweder in barem Geld in bestimmten Ratenzahlungen oder aber durch Abtretung eines Stücks bäuerlichen Landes an den Gutsherrn oder auch teilweise in Geld, teilweise in Boden abgelöst werden konnten. Dies Gesetz blieb ein toter Buchstabe, bis die hohen Kornpreise 1816 bis 1819 die Bauern in den Stand setzten, mit der Ablösung voranzugehen. Von 1819 an nahmen die Ablösungen in Brandenburg raschen Fortgang, langsamer in Pommern, noch langsamer in Posen und Preußen. Das auf diese Weise den Bauern zwar gesetzlich aber widerrechtlich (denn die Fronlasten waren ihnen widerrechtlich aufgezwungen worden) abgenommene Geld, soweit es nicht in altadliger Weise sofort verjubelt wurde, diente hauptsächlich zur Anlage von Brennereien. Auch in den übrigen drei genannten Provinzen breitete sich die Brennerei in demselben Maße aus, in dem die bäuerlichen Ablösungen die Mittel dazu lieferten. Die Schnapsindustrie der preußischen Junker ist also buchstäblich mit dem den Bauern abgenommenen Gelde gegründet worden. Und sie ging flott voran, besonders seit 1825. Schon zwei Jahre später, 1827, wurden in Preußen 125 Millionen Quart Schnaps gebrannt, also $10^1/_2$ Quart für jeden Kopf der Bevölkerung, im Gesamtwert von 15 Millionen Taler; Hannover dagegen, fünfzehn Jahre vorher der erste Schnapsstaat Deutschlands, produzierte nur 18 Millionen Quart.

Man begreift, daß nunmehr ganz Deutschland, soweit sich die Einzelstaaten oder Zollverbände von Einzelstaaten nicht durch Zollschranken dagegen eindämmten, von einer wahren Sturmflut von preußischem Kartoffelfusel überströmt wurde. 14 Taler das Ohm zu 180 Quart, also das Quart 2 Groschen 4 Pfennig im Großhandel! Die Besoffenheit, die früher das Drei- und Vierfache gekostet hatte, war jetzt auch den Unbemitteltsten tagtäglich zugänglich gemacht, seit der Mann für 15 Silbergroschen die ganze Woche lang im höchsten Tran bleiben konnte.

Die Wirkung dieser an verschiedenen Orten zu verschiedenen Zeiten, aber stets fast urplötzlich sich fühlbar machenden, beispiellos wohlfeilen Branntweinpreise war unerhört. Ich erinnere mich noch sehr gut, wie Ende der zwanziger Jahre die Schnapswohlfeilheit plötzlich über den niederrheinisch-märkischen Industriebezirk hereinbrach. Namentlich im Bergischen, und ganz besonders in Elberfeld-Barmen, verfiel die Masse der arbeitenden Bevölkerung dem Trunk. Scharenweise Arm in Arm, die ganze Breite der Straße einnehmend, schwankten von 9 Uhr abends an die „besoffenen Männer" unter disharmonischem Gejohle von Wirtshaus zu Wirtshaus und endlich nach Hause. Bei dem damaligen Bildungszustand der Arbeiter, bei der vollständigen Auswegslosigkeit ihrer Lage war das kein Wunder. Namentlich nicht im gesegneten Wuppertal, wo seit sechzig Jahren immer eine Industrie die andre ablöst, wo also fortwährend ein Teil der Arbeiter gedrückt, wo nicht brotlos war, während ein andrer (damals die Färber) für jene Zeit gut bezahlt wurde. Und wenn, wie damals, den Wuppertaler Arbeitern keine andre Wahl blieb als die zwischen dem irdischen Schnaps der Kneipen und dem himmlischen Schnaps der pietistischen Pfaffen – was Wunder, daß sie den ersteren vorzogen, so schlecht er war.

Und er war sehr schlecht. Wie er aus dem Kühlapparat kam, ohne weitere Reinigung, mit all seinem Gehalt an Fuselöl, wurde er verschickt und frisch getrunken. Alle aus Weintrebern, Runkelrüben, Korn oder Kartoffeln destillierten Branntweine enthalten dieses Fuselöl, ein Gemisch von höheren Alkoholen, d.h. von dem gewöhnlichen Alkohol analog zusammengesetzten, jedoch mehr Kohlenstoff und Wasserstoff enthaltenden Flüssigkeiten (u.a. primärer Propylalkohol, Isobutylalkohol, bei weitem vorwiegend aber Amylalkohol). Alle diese Alkohole sind schädlicher als der gewöhnliche Weingeist (Äthylalkohol), und die Dosis, in der sie giftig wirken, ist viel geringer als bei diesem. Professor Binz in Bonn hat neuerdings durch zahlreiche Versuche nachgewiesen, daß die berauschenden Wirkungen unsrer geistigen Getränke, ebensosehr wie deren unangenehme Nachwirkungen im wohllöblichen Katzenjammer respektive in ernsthafteren Krankheits- und Vergiftungserscheinungen, weit weniger dem gewöhnlichen Weingeist oder

Äthylalkohol als vielmehr den höheren Alkoholen, also dem Fuselöl, zuzuschreiben sind. Nicht allein aber wirken sie berauschender und zerstörender, sie bestimmen auch den Charakter des Rausches. Jedermann weiß aus eigner Anschauung, wo nicht Erfahrung, wie verschieden Weinrausch (ja selbst die Räusche der verschiedenen Weinsorten), Bierrausch, Schnapsrausch in ihrer Wirkung auf das Gehirn sind. Je mehr Fuselöl im Getränk und je ungesunder dies Fuselöl in seiner Zusammensetzung, desto wüster und wilder wird der Rausch. Junger, ungereinigter Kartoffelschnaps enthält aber bekanntlich von allen gebrannten Getränken das meiste und das am ungünstigsten zusammengesetzte Fuselöl. Die Wirkung ungewöhnlich starker Quantitäten dieses Getränks auf eine so erregbare, leidenschaftliche Bevölkerung wie die des Bergischen Landes war denn auch ganz dementsprechend. Der Charakter des Rausches hatte sich total verändert. Jede Lustbarkeit, die früher mit gemütlicher Anheiterung und nur selten mit Exzessen endigte, bei welchen letzteren dann freilich der Kneif (das Messer, englisch knife) nicht selten seine Rolle spielte, jede solche Lustbarkeit artete nun aus in ein wüstes Gelage und endigte mit unfehlbarer Keilerei, wobei Messerverwundungen nie fehlten und die tödlichen Messerstiche immer häufiger wurden. Die Pfaffen schoben das auf die zunehmende Gottlosigkeit, die Juristen und andren Philister auf die Kneipenbälle. Die wahre Ursache war die plötzliche Überflutung mit preußischem Fuselöl, das eben seine normale physiologische Wirkung ausübte und Hunderte armer Teufel in die Festungsbaugefangenschaft ablieferte.

Diese akute Wirkung des wohlfeilen Schnapses dauerte jahrelang, bis sie allmählich sich mehr oder weniger verlor. Aber die Einwirkung auf die Sitten verschwand nicht ganz; der Branntwein blieb für die Arbeiterklasse ein Lebensbedürfnis in höherem Grade als vorher, und die Qualität, wenn sie sich auch etwas besserte, blieb weit unter der des früheren alten Kornbranntweins.

[„Der Volksstaat" Nr. 24
vom 27. Februar 1876]

Und wie im Bergischen, so ging es anderswo. Zu keiner Zeit waren die Wehklagen des Philisteriums über Zunahme des übermäßigen Branntweintrinkens unter den Arbeitern allgemeiner, einstimmiger und lauter als von 1825 bis 1835. Es ist sogar fraglich, ob nicht die Dumpfheit, in der speziell die norddeutschen Arbeiter die Ereignisse von 1830[31] über sich ergehen ließen, ohne davon berührt zu werden, großenteils dem Schnaps zu danken ist, der sie damals mehr als je beherrschte. Ernstliche und besonders erfolgreiche Aufstände kamen nur in Weinländern oder in solchen deutschen Staaten vor, die sich durch Zölle vor preußischem Schnaps mehr oder weniger geschützt hatten. Es wäre nicht das einzige Mal, daß der Schnaps den preußischen Staat gerettet hätte.

Die einzige Industrie, die es zu noch verheerenderen direkten Wirkungen – und dies doch nicht gegen das eigene Volk, sondern gegen Fremde – gebracht hat, ist die englisch-indische Opiumindustrie zur Vergiftung von China.

Indessen ging die Schnapsfabrikation lustig ihren Gang fort, dehnte sich mehr und mehr nach Osten zu aus und brachte einen Morgen nach dem andern von der nordostdeutschen Sand- und Sumpfwüste unter die Kartoffel. Nicht zufrieden damit, das Vaterland zu beglücken, strebte sie darnach, dem Ausland die Segnungen des altpreußischen Fuselöls zugänglich zu machen. Man destillierte den gewöhnlichen Schnaps nochmals, um einen Teil des darin enthaltenen Wassers zu entfernen, und nannte den so erhaltenen wasserhaltigen und unreinen Weingeist „Sprit", welches die Übersetzung von Spiritus ins Preußische ist. Die höheren Alkohole haben sämtlich höhere Siedepunkte als der Äthylalkohol. Während dieser bei $78^1/_2$ Grad des hundertteiligen Thermometers siedet, ist der Siedepunkt des primären Propylalkohols 97 Grad, der des Isobutylalkohols 109 Grad, der des Amylalkohols 132 Grad. Nun sollte man glauben, bei vorsichtiger Destillation müsse mindestens der größte Teil des letzteren, des Hauptbestandteils des Fuselöls, sowie ein Teil des Isobutylalkohols zurückbleiben, und es werde höchstens ein Teil von diesem mit überdestillieren sowie der meiste primäre Propylalkohol, der indes nur sehr schwach im Fuselöl vertreten ist. Aber selbst die wissenschaftliche Chemie verzichtet auf Trennung der drei niedrigeren hier in Frage kommenden Alkohole durch die Destillation und kann den Amylalkohol nur durch die in der Brennerei unanwendbare fraktionierte Destillation aus dem Fuselöl absondern. Dabei geht es bei Destillationen in ländlichen Schnapsfabriken rauh genug her. Kein Wunder also, wenn der anfangs der vierziger Jahre ausgeführte Sprit noch bedeutend mit Fuselöl versetzt war, wie man das am Geruch leicht erkennen konnte; der reine oder nur wasserhaltige Weingeist ist fast geruchlos.

Dieser Sprit ging vorzugsweise nach Hamburg. Was geschah damit? Ein Teil wurde in solche Länder verschickt, wo die Eingangszölle ihm nicht Tor und Tür versperrten – an diesem Export nahm auch Stettin teil; die Hauptmasse aber wurde in Hamburg und Bremen zur Fälschung von Rum benutzt. Dieser in Westindien teilweise aus dem Zuckerrohr selbst, größtenteils aber aus den bei der Zuckerbereitung bleibenden Abfällen des Rohrs destillierte Schnaps war der einzige, der infolge seiner wohlfeilen Herstellungskosten als eine Art Luxusgetränk der Massen noch mit dem Kartoffelschnaps konkurrieren konnte. Um nun einen „feinen" aber dennoch wohlfeilen Rum herzustellen, nahm man z.B. ein Faß wirklich feinen Jamaikarum, drei bis vier Fässer wohlfeilen schlechten Berbicerum und zwei bis drei Fässer preußischen Kartoffelsprit – und dies oder ein ähnliches Gemisch durcheinander ergab denn das Gewünschte. Dieses „Gift", wie es bei der Fälschung beteiligte Kaufleute selbst in meiner Gegenwart nannten, wurde verschifft nach Dänemark, Schweden, Norwegen und Rußland, sehr bedeutenden Teils aber auch ging es wieder elbaufwärts oder über Stettin in die Länder, woher der edle Sprit gekommen war, und wurde dort teils für Rum getrunken, teils nach Österreich und Polen eingeschmuggelt.

Die Hamburger Kaufleute blieben nicht bei der Rumfälschung stehen. Mit der ihnen eigenen Genialität sahen sie zuerst, welche welterschütternde Zukunftsrolle dem preußischen Kartoffelschnaps vorbehalten war. Sie hatten sich schon an allerlei andern Getränken versucht, und bereits Ende der dreißiger Jahre wollte niemand im außerpreußischen Norddeutschland, der von Wein etwas verstand, weiße französische Weine aus Hamburg beziehen, da es allgemein hieß, diese würden dort mit Bleizucker süß gemacht und damit gleichzeitig vergiftet. Wie dem aber auch sei, der Kartoffelsprit wurde bald die Grundlage einer immer wachsenden Getränkefälschung. Dem Rum folgte der Kognak, der schon mehr Kunst in der Behandlung erforderte. Bald fing man an, Wein mit Sprit zu behandeln, und endlich kam man dahin, Portwein und spanische Weine ganz ohne Wein zu bereiten aus Sprit, Wasser und Pflanzensäften, die mehrfach durch Chemikalien versetzt wurden. Das Geschäft florierte um so mehr, als in vielen Ländern dergleichen Praktiken entweder direkt verboten waren oder doch so nahe an das Strafgesetz anstreiften, daß man es noch nicht für geraten hielt, sich daranzuwagen. Aber Hamburg war der Sitz des unbeschränkten Freihandels, und so wurde „auf Hamburgs Wohlergehen" flott drauflos gefälscht.

Indes das Monopol der Fälschung dauerte nicht lange. Nach der Revolution von 1848, als in Frankreich die ausschließliche Herrschaft der großen Finanz und einiger weniger hervorragender Großindustrieller durch die momentane Herrschaft der gesamten Bourgeoisie ersetzt worden, fingen die französischen Produzenten und Händler an einzusehen, welche Wunderkräfte in so einem Faß preußischen Kartoffelsprits schlummerten. Man begann seinen Kognak schon zu Hause zu versetzen, statt ihn unverfälscht ins Ausland zu senden, und noch mehr den für die inländische Konsumtion bestimmten Kognak (ich nenne so der Kürze halber allen aus Weintrebern destillierten Schnaps) durch kräftigen Zusatz von preußischem Kartoffelsprit zu veredeln. Dadurch wurde der Kognak – der einzige Schnaps, der in Frankreich in die Massenkonsumtion eingeht – bedeutend wohlfeiler. Das Zweite Kaiserreich begünstigte diese Manöver natürlich im Interesse der leidenden Massen, und so finden wir beim Sturze der napoleonischen Dynastie, daß dank den Gnadenwirkungen des altpreußischen Schnapses die Trunkenheit, früher dort fast unbekannt, in Frankreich eine bedeutende Ausdehnung erlangt hat.

Eine unerhörte Reihe schlechter Weinernten und schließlich der Handelsvertrag von 1860, der England dem französischen Weinhandel öffnete, gaben den Anlaß zu einem neuen Fortschritt. Die schwachen Weine schlechter Jahrgänge, deren Säure durch Zuckerzusatz nicht zu beseitigen war, bedurften eines Alkoholbeisatzes, um haltbar zu werden. Man mischte sie also mit preußischem Sprit. Ferner war der englische Geschmack an starke Weine gewöhnt – die natürlichen französischen Landweine, die jetzt massenhaft zum Export kamen, waren den Engländern zu dünn und zu kalt. Was in der Welt konnte man Besseres finden, um sie kräftig und warm zu machen, als den preußischen Sprit? Bordeaux wurde mehr und mehr der Hauptplatz für die Fälschung französischer, spanischer und italienischer Weine, die dort in „feinen Bordeaux" umgewandelt wurden, und – für die Vernutzung von preußischem Sprit.

Jawohl, spanische und italienische Weine. Seitdem der Konsum französischer Rotweine – und andere will kein Bourgeois trinken – so enorm in England, Nord- und Südamerika und den Kolonien zugenommen hat, reicht selbst der fast unerschöpfliche Weinreichtum Frankreichs nicht mehr aus. Fast die ganze brauchbare Weinernte von Nordspanien, u. a. die ganze Ernte der weinreichen Rioja im Ebrotal, geht nach Bordeaux. Ebendahin schicken Genua, Livorno, Neapel ganze Schiffsladungen von Wein. Während diese Weine mit Hilfe des preußischen Sprits fähig gemacht werden, den Seetransport auszuhalten, steigert diese Weinausfuhr die Weinpreise in Spanien und Italien derart, daß der Wein ganz unerschwinglich wird für die Masse der arbeitenden Bevölkerung, die ihn früher täglich trank. Statt dessen trinkt sie Schnaps, und der Hauptbestandteil dieses Schnapses ist wieder – preußischer Kartoffelsprit. Ja, Herr von Kardorff beklagt sich im Reichstag darüber, daß dies in Italien noch nicht in hinreichendem Maß der Fall sei.

Wohin wir uns wenden, überall finden wir preußischen Sprit. Der preußische Sprit reicht unvergleichlich weiter als der Arm der deutschen Reichsregierung. Und wo wir diesen Sprit finden, dient er vor allem – der Fälschung. Er wird das Mittel, wodurch südeuropäische Weine verschiffbar und damit der inländischen arbeitenden Bevölkerung entzogen werden. Und wie die Lanze des Achilles die Wunden heilt, die sie geschlagen[32], so bietet der preußische Sprit den des Weins beraubten Arbeiterklassen gleichzeitig den Ersatz in verfälschtem Branntwein! Kartoffelsprit ist für Preußen das, was Eisen und Baumwollenwaren für England sind, der Artikel, der es auf dem Weltmarkt repräsentiert. Wohl mag daher der neueste Adept und zugleich Regenerator des Sozialismus, Herr Eugen Dühring, die Brennerei „in erster Linie... als natürlichen Anschluß (der Industrie) an die landwirtschaftlichen Tätigkeiten" feiern und triumphierend ausrufen:

„Die Spirituserzeugung ist von einer solchen Bedeutung, daß man sie eher unterschätzen als überschätzen wird!"

Aber freilich, das „Anch'io son pittore" (Auch ich bin Maler, wie Correggio sagte[33]) heißt auf preußisch: „Auch ich bin Schnapsbrenner."

Damit aber sind die Wundertaten des preußischen Kartoffelschnapses noch lange nicht erschöpft.

„Während früher in jenen Ländern", sagt Herr von Kardorff, „auf der Quadratmeile etwa tausend Menschen wohnten, ernährt das Land jetzt *infolge der Spritfabrikation etwa dreitausend Menschen pro Quadratmeile.*"

Und das ist im ganzen richtig. Ich weiß nicht, von welcher Zeit Herr von Kardorff spricht, wenn er die Bevölkerung auf tausend Köpfe pro Quadratmeile angibt. So eine Zeit hat sicher einmal existiert. Wenn wir aber die Provinzen Sachsen und Schlesien ausschließen, in denen die Brennerei neben den andern Industrien eine weniger hervorragende Rolle spielt, ferner Posen, dessen größter Teil trotz aller Anstrengungen der Regierung noch immer keine Lust bezeigt, etwas andres zu sein als polnisch, so bleiben uns die drei Provinzen Brandenburg, Pommern und Preußen. Diese drei Provinzen haben eine Oberfläche von zusammen 2415 Quadratmeilen. Sie hatten eine Gesamtbevölkerung 1817 von 3 479 825 Köpfen oder 1441 auf die Quadratmeile; 1871 von 7 432 407 Köpfen oder 3078 auf die Quadratmeile. Wir stimmen ganz mit Herrn von Kardorff überein, wenn er diesen Zuwachs der Bevölkerung wesentlich als direkte oder indirekte Folge der Schnapsbrennerei ansieht. Rechnen wir hierzu die Altmark, das nördliche, ackerbautreibende Niederschlesien und den überwiegend deutschen Teil von Posen, wo die Bevölkerungsverhältnisse sich ähnlich gestaltet haben werden, so haben wir das eigentliche Schnapsgebiet, aber auch gleichzeitig den *Kern der preußischen Monarchie*. Und hiermit eröffnet sich eine ganz andere Perspektive. Die Brennerei zeigt sich jetzt als die eigentliche materielle Grundlage des gegenwärtigen Preußens. Ohne sie mußte das preußische Junkertum zugrunde gehen; seine Güter wären zum Teil von großen Landmagnaten aufgekauft worden, die eine wenig zahlreiche Aristokratie im russischen Sinn gebildet hätten; zum Teil wären sie zerschlagen worden und hätten die Grundlage zu einem selbständigen Bauernstand gebildet. Ohne sie wäre der Kern Preußens ein Land von etwa 2000 Köpfen auf die Quadratmeile geblieben, unfähig, in der Geschichte weiterhin eine Rolle zu spielen, weder im guten noch im schlechten, bis die bürgerliche Industrie sich hinreichend entwickelt, um auch hier die gesellschaftliche und vielleicht politische Leitung zu übernehmen. Die Brennerei hat der Entwicklung eine andere Wendung gegeben. Auf einem Boden, der fast nichts hervorbringt als Kartoffeln und Krautjunker, aber diese auch massenhaft, konnte sie der Konkurrenz einer Welt Trotz bieten. Mehr und mehr begünstigt von der Nachfrage – aus schon erklärten Umständen –, konnte sie sich zur Zentralschnapsfabrik der Welt erheben. Unter den vorgefundenen gesellschaftlichen Verhältnissen hieß dies nichts anderes als die Ausbildung einerseits einer Klasse mittelgroßer Grundbesitzer, deren jüngere Söhne das Hauptmaterial lieferten für die Offiziere der Armee und für die Bürokratie, d.h. eine neue Lebensfrist für das Junkertum, andererseits einer sich verhältnismäßig rasch vermehrenden Klasse von Halbhörigen, aus denen sich die Masse der „Kernregimenter" der Armee rekrutiert. Was die Lage dieser nominell Freien, aber meist durch Jahreskontrakte, durch Naturalempfänge, durch die Wohnungsverhältnisse, schließlich durch die gutsherrliche Polizei, die mit der neuen Kreisordnung [34] nur eine veränderte Form angenommen hat, dem Gutsherrn praktisch vollständig hörig gemachten Arbeitermasse ist, darüber kann man in den Schriften von Professor von der Goltz sich Rats erholen. Kurz, wenn Preußen in den Stand gesetzt wurde, die 1815 verschluckten westelbischen Brocken [35] einigermaßen zu verdauen, 1848 die Revolution in Berlin zu erdrücken, 1849 trotz der rheinisch-westfälischen Aufstände an die Spitze der deutschen Reaktion zu treten, 1866 den Krieg mit Österreich durchzuführen und 1871 ganz Kleindeutschland unter die Führung dieses zurückgebliebensten, stabilsten, ungebildetsten, noch halbfeudalen Teils von Deutschland zu bringen, wem verdankt es das? Der Schnapsbrennerei.

[„Der Volksstaat" Nr. 25
vom 1. März 1876]

II

Kehren wir indes zum Reichstag zurück. An der Debatte beteiligen sich vorwiegend Herr von Kardorff, Herr von Delbrück und der hamburgische Bundesbevollmächtigte Krüger. Nach dieser Debatte scheint es fast, als täten wir dem preußischen Kartoffelspiritus ein himmelschreiendes Unrecht. Nicht der preußische, sondern der russische Sprit ist vom Übel. Herr von Kardorff beklagt sich, daß Hamburger Industrielle russischen Schnaps (und dieser ist, wie Herr Krüger ausdrücklich hervorhebt, aus *Korn*, nicht aus Kartoffeln gebrannt) zu Sprit verarbeiten, „als deutschen Sprit versenden und damit dem Renommee des deutschen Sprits Abbruch tun". Herrn Delbrück „ist gesagt worden, daß eine solche Unterschiebung dadurch große Schwierigkeiten finden würde, daß es bis jetzt noch nicht gelungen sei, aus russischem Branntwein *geruchlosen* Sprit herzustellen wie aus deutschem", er fügte aber vorsichtig hinzu: „Meine Herren, das kann ich natürlich nicht wissen."

Also nicht der preußische Kartoffelspiritus, sondern der russische Kornspiritus ist vom Übel. Der preußische Kartoffelsprit ist „geruchlos", d.h. fuselfrei; der russische Kornsprit ist bis jetzt noch nicht geruchlos herzustellen, enthält also Fuselöl, und wenn er als preußischer verkauft wird, so bringt er diesen um sein fuselfreies Renommee. Hiernach hätten wir den preußischen „Fuselfreien" allerdings in bübischer Weise und in durchaus reichsfeindlicher Absicht verleumdet. Sehen wir zu, wie es in der Wirklichkeit sich verhält.

Man hat allerdings ein Verfahren, um Branntwein zu entfuseln, indem man ihn mit frisch geglühter Holzkohle behandelt. Infolgedessen ist der in den Handel kommende Sprit überhaupt in letzter Zeit weniger mit Fuselöl versetzt gewesen. Nun aber ist zwischen den beiden Spritsorten, die uns hier angehen, folgender Unterschied: Der Kornspiritus kann ohne große Mühe *vollständig* entfuselt werden, während die Entfuselung des Kartoffelsprits viel schwieriger und in der Großproduktion praktisch so sehr unmöglich ist, daß selbst der reinste aus Kartoffelschnaps hergestellte Spiritus beim Zerreiben auf der Hand stets Fuselgeruch zurückläßt. Daher ist es Regel, daß für Verwendung in Apotheken und zu feinen Likören nur Kornspiritus, nie aber Kartoffelsprit genommen wird oder doch genommen werden soll (denn auch hier wird ja gefälscht!).

Und ein paar Tage nachdem die „Kölnische Zeitung" obige Schnapsdebatte gebracht, bringt sie (8. Februar, erstes Blatt) in den Vermischten Nachrichten folgenden Stoßseufzer eines rheinischen Schoppenstechers:

„Äußerst wünschenswert wäre es nun, auch den *Zusatz* von *Kartoffelsprit zum dünnen Wein* darzutun. *Wüste Eingenommenheit des Kopfes* hinterher weist allerdings, aber zu spät, darauf hin. Der Kartoffelsprit *enthält noch Fuselöl,* dessen sonst unangenehmer Geruch durch den eigentümlichen des Weins verdeckt wird. *Diese Verfälschung gehört zu den häufigsten.*"

Endlich, um die altpreußischen Schnapsbrenner zu beruhigen, läßt Herr Krüger das bedenkliche Faktum ans Tageslicht, daß der russische Kornspiritus im Hamburger Markt *vier Mark teurer* bezahlt wird als der preußische Kartoffelsprit. Letzterer wurde am 7. Februar in Hamburg mit 35 Mark pro 100 Liter notiert; der russische holt also einen um 12 Prozent besseren Preis als der preußische, dessen Renommee er angeblich Abbruch tut!

Und nun sehe man sich nach allen diesen Tatsachen die verletzte Unschuldsmiene des verleumdeten, „geruchlosen", auf sein Renommee eifersüchtigen, tugendhaften preußischen „Fuselfreien" an, der im Großhandel nur 35 Markpfennige das Liter kostet, wohlfeiler als Bier! Wenn man jene Debatte und diese Tatsachen zusammenhält, kommt man da nicht in Versuchung zu fragen: Wer wird hier zum Narren gehalten?

Weltumfassend ist der gesegnete Einfluß des preußischen Fuselöls, denn mit dem Kartoffelsprit fließt es in jedes Getränk ein. Von dem sauren dünnen Mosel- und Rheinwein schlechter Lagen, der mit Kartoffelzucker und Kartoffelsprit in Brauneberger und Niersteiner umgezaubert wird, von dem schlechten Rotwein, der seit Gladstones Handelsvertrag England überschwemmt und dort „Gladstone" genannt wird, bis zum Château Lafitte und Champagner, Portwein und Madeira, den die Bourgeois in Indien, China, Australien und Amerika trinken, ist kein Getränk, in dessen Zusammensetzung nicht preußisches Fuselöl einträte. Die Produktion dieser Getränke floriert überall, wo Wein wächst und wo Wein in großen Massen lagert, und sie jubelt dem Kartoffelsprit Dithyramben entgegen. Aber die Konsumtion? Ja, die Konsumtion wird es inne, vermittelst der „wüsten Eingenommenheit des Kopfes", worin die Segnungen des preußischen Fuselöls bestehen, und versucht sich diese Segnungen vom Leibe zu halten. In Italien, sagt Herr von Kardorff, wendet man den Handelsvertrag so an, daß der preußische Sprit einen viel zu hohen Zoll zahlt. Belgien, Amerika, England machen durch hohe Zölle die Spritausfuhr dorthin unmöglich. In Frankreich kleben die Zollbeamten rote Zettel auf die Spritfässer, um sie als preußische zu kennzeichnen – wirklich das erste Mal, daß die französischen Zollbeamten irgend etwas Gemeinnütziges getan haben! Kurz, es ist so weit gekommen, daß Herr von Kardorff verzweiflungsvoll ausruft: „Meine Herren, wenn Sie sich die Lage der deutschen Spritindustrie vergegenwärtigen, werden Sie finden, *daß sich alle Länder aufs ängstlichste gegen unsere Sprits verschließen!*" Natürlich genug! Die Gnadenwirkungen dieser Sprits sind allgemach weltbekannt geworden, und die einzige Manier, sich die „wüste Eingenommenheit des Kopfes" vom Leibe zu halten, ist die, das Fuselzeug überhaupt nicht ins Land zu lassen.

Und nun zieht noch gar, schwer und dumpfig, eine Wetterwolke von Osten über die bedrängten Schnapsjunker empor. Der große Bruder in Rußland, der letzte Hort und Schirm aller altehrwürdigen Einrichtungen gegen moderne Zerstörungswut, fängt nun auch an, Schnaps zu brennen und auszuführen, und zwar Kornschnaps, und diesen liefert er obendrein ebenso wohlfeil wie die preußischen Junker ihren Kartoffelschnaps. Von Jahr zu Jahr mehrt sich die Produktion und die Ausfuhr dieses russischen Schnapses, und wenn er bisher in Hamburg zu Sprit rektifiziert wurde, so erzählt uns Herr Delbrück, daß „in den russischen Häfen... jetzt schon in der Anlage befindlich sind eine Anzahl mit vorzüglichsten Apparaten ausgestatteter Anstalten zur Rektifikation von russischem Branntwein", und bereitet die Herren Junker darauf vor, daß die russische Konkurrenz mit jedem Jahre ihnen mehr über den Kopf wachsen wird. Herr von Kardorff fühlt das sehr gut und verlangt, die Regierung solle die Durchfuhr von russischem Spiritus durch Deutschland kurzerhand verbieten.

Herr von Kardorff sollte doch als freikonservativer Abgeordneter in der Lage sein, die Stellung der deutschen Reichsregierung zu Rußland besser zu würdigen. Nach der Annexion von Elsaß-Lothringen und der unerhörten Kriegsentschädigung der fünf Milliarden, wodurch man Frankreich zum notwendigen Bundesgenossen *jedes* Feindes von Deutschland gemacht hatte, und bei der Politik, sich überall geachtet oder vielmehr gefürchtet, aber nirgends geliebt zu machen, blieb nur *eine* Wahl: entweder nun auch rasch Rußland niederzuschlagen oder aber – sich die russische Allianz zu sichern (soweit auf Rußland Verlaß ist), indem man der gehorsame Diener der russischen Diplomatie wurde. Da man sich zur ersten Alternative nicht entschließen konnte, verfiel man rettungslos der zweiten. Preußen, und mit ihm das Reich, ist wieder in derselben Abhängigkeit von Rußland wie nach 1815 und nach 1850; und gerade wie nach 1815 dient die „Heilige Allianz" zum Deckmantel dieser Abhängigkeit. Das Resultat aller glorreichen Siege ist, daß man nach wie vor das fünfte Rad am europäischen Wagen bleibt. Und da wundert sich Bismarck, daß das deutsche Publikum nach wie vor sich um die Angelegenheiten des Auslandes kümmert, wo die wirklichen Schwerpunkte der Entscheidung liegen, statt um die Taten der Reichsregierung, die in Europa, und um die Reden des Reichstags, der in Deutschland nichts zu sagen hat! Die Durchfuhr russischen Sprits verbieten! Ich möchte den Reichskanzler sehen, der das wagte, ohne gleichzeitig die Kriegserklärung gegen Rußland im Sack zu haben! Und wenn Herr von Kardorff ein so sonderbares Verlangen an die Reichsregierung stellt, so sollte man fast glauben, nicht nur das Schnaps*trinken*, sondern schon das Schnaps*brennen* wirke benebelnd auf den Verstand. Haben doch auch berühmtere Schnapsbrenner als Herr von Kardorff in der letzten Zeit Dinge vorgenommen, für die sich, von ihrem eigenen Standpunkte aus, absolut keine rationelle Erklärung finden läßt.

Im übrigen ist nichts begreiflicher, als daß die russische Konkurrenz unsern Schnapsjunkern ein unheimliches Grauen einflößt. Im Innern von Rußland gibt es große Landstriche, wo Korn ebenso wohlfeil zu haben ist wie Kartoffeln in Preußen. Brennmaterial ist zudem in Rußland meistens wohlfeiler als in unsern Brennereidistrikten. Alle materiellen Vorbedingungen sind da. Was Wunder, daß ein Teil des russischen Adels, ganz wie die preußischen Junker, das vom Staat bei der Frondenablösung für Rechnung der Bauern vorgeschossene Geld in Brennereien anlegt? Daß diese Brennereien, bei dem stets wachsenden Markt und bei dem Vorzug, den Kornbranntwein bei gleichem oder wenig höherem Preis stets vor Kartoffelbranntwein haben wird, sich rasch ausdehnen und daß schon jetzt die Zeit abzusehen ist, wo ihr Produkt den preußischen Kartoffelsprit gänzlich vom Markte verdrängt? Da hilft kein Klagen und kein Jammern. Die Gesetze der kapitalistischen Produktion, solange diese dauert, sind ebenso unerbittlich für Junker wie für Juden. Dank der russischen Konkurrenz rückt der Tag heran, wo die heilige Ilios hinsinkt, wo die herrliche preußische Schnapsindustrie vom Weltmarkt verschwindet und höchstens noch den innern Markt befuselt. Aber an dem Tage, wo den preußischen Junkern der Destillierhelm entwunden wird und ihnen nur noch der Wappenhelm oder höchstens der Armeehelm bleibt – an dem Tage ist es aus mit Preußen. Sehen wir ganz ab vom übrigen Gang der Weltgeschichte, von der Möglichkeit, Wahrscheinlichkeit oder Unvermeidlichkeit neuer Kriege oder Umwälzungen – die russische Schnapskonkurrenz allein muß Preußen ruinieren, indem sie die Industrie vernichtet, die den Ackerbau der östlichen Provinzen auf seiner jetzigen Entwickelungsstufe erhält. Damit vernichtet sie aber auch die Lebensbedingungen der ostelbischen Junker und ihrer 3000 Hörigen auf die Quadratmeile; und damit vernichtet sie die Grundlage des preußischen Staats: das Material der Offiziere wie der Unteroffiziere und der unbedingt Ordre parierenden Soldaten, dazu das Material des Kerns der Bürokratie, das Material, das dem jetzigen Preußen seinen spezifischen Charakter aufdrückt. Mit dem Sturz der Branntweinbrennerei stürzt der preußische Militarismus, und ohne ihn ist Preußen nichts. Dann werden diese Ostprovinzen in den Rang zurücksinken, der ihnen nach ihrer dünnen Bevölkerung, ihrer unter dem Ackerbau geknechteten Industrie, ihren halbfeudalen Zuständen, ihrem Mangel an bürgerlicher Entwickelung und allgemeiner Bildung in Deutschland zukommt. Dann werden die übrigen Länder des Deutschen Reichs, befreit von dem Druck dieser halbmittelalterlichen Herrschaft, aufatmen und die ihnen nach ihrer industriellen Entwickelung und fortgeschritteneren Bildung zukommende Stellung einnehmen. Die Ostprovinzen selbst werden sich andere, weniger vom Ackerbau abhängige und weniger feudalen Betrieb zulassende Industrien aussuchen und in der Zwischenzeit, statt dem preußischen Staat, der Sozialdemokratie ihre Armee zuführen. Die ganze übrige Welt wird jubeln, daß es mit der preußischen Fuselölvergiftung endlich einmal zu Ende ist; die preußischen Junker und der dann endlich „in Deutschland aufgegangene" preußische Staat aber werden sich trösten müssen mit den Worten des Dichters:

Was unsterblich im Gesang soll leben,
Muß im Leben untergehn.[36]

Geschrieben im Februar 1876.

FRIEDRICH ENGELS

Wilhelm Wolff[37]

Geschrieben zwischen Juni und Ende November 1876
als Artikelserie.
Die Artikel erschienen in „Die Neue Welt", Leipzig, wie folgt:
I in Nr. 27 vom 1. Juli 1876
II in Nr. 28 vom 8. Juli 1876
III in Nr. 30 vom 22. Juli 1876
IV in Nr. 31 vom 29. Juli 1876
V in Nr. 40 vom 30. September 1876
VI in Nr. 41 vom 7. Oktober 1876
VII in Nr. 42 vom 14. Oktober 1876
VIII in Nr. 43 vom 21. Oktober 1876
IX in Nr. 44 vom 28. Oktober 1876
X in Nr. 45 vom 4. November 1876
XI in Nr. 47 vom 25. November 1876
Der biographische Teil dieser Artikel erschien außerdem 1886 als erster Teil der Einleitung zu Wilhelm Wolffs Arbeit „Die schlesische Milliarde", die als broschierter Neuabdruck in Hottingen-Zürich herausgegeben wurde.

Es war, wenn ich nicht irre, gegen Ende April 1846. Marx und ich wohnten damals in einer Vorstadt von Brüssel; wir waren grade bei einer gemeinschaftlichen Arbeit beschäftigt [38], als man uns mitteilte, ein Herr aus Deutschland wünsche uns zu sprechen. Wir fanden einen kleinen, aber stark gedrungen gebauten Mann; der Gesichtsausdruck ebensosehr Wohlwollen wie ruhige Entschiedenheit verkündend; die Gestalt eines ostdeutschen Bauern in der Tracht eines ostdeutschen kleinstädtischen Bürgers. Das war Wilhelm Wolff. Wegen Preßvergehens verfolgt, war er den preußischen Gefängnissen glücklich entgangen. Wir ahnten nicht bei seinem ersten Anblick, welch einen seltnen Mann diese unscheinbare Äußerlichkeit barg. Wenige Tage genügten, um uns mit dem neuen Exilsgenossen auf herzlichen Freundesfuß zu stellen und uns zu überzeugen, daß wir es mit keinem gewöhnlichen Menschen zu tun hatten. Sein in der Schule des klassischen Altertums feingebildeter Geist, sein reicher Humor, sein klares Verständnis schwieriger theoretischer Fragen, sein lohender Haß gegen alle Unterdrücker der Volksmassen, sein energisches und doch ruhiges Wesen enthüllten sich bald; aber es brauchte lange Jahre des Zusammenwirkens und des Freundesverkehrs in Kampf, Sieg und Niederlage, in guten und schlechten Zeiten, um seine unerschütterliche Charakterstärke, seine absolute, keinen Zweifel zulassende Zuverlässigkeit, sein gegen Feind, Freund und sich selbst gleich strenges, unentwegbares Pflichtgefühl in ihrer ganzen Fülle zu erproben.

I

Wilhelm Wolff wurde geboren am 21. Juni 1809 in Tarnau, in der Gegend von Frankenstein in Schlesien [39]. Sein Vater war erbuntertäniger Bauer und hielt zugleich den Gerichtskretscham (das Wirtshaus – polnisch karczma –, wo die Dorfgerichtssitzungen stattfanden), was ihn nicht verhinderte, mit Frau und Kindern für den gnädigen Herrn Frondienste verrichten zu müssen. Wilhelm lernte somit die scheußliche Lage der ostdeutschen hörigen Bauern von Kindesbeinen an nicht nur kennen, sondern auch persönlich erdulden. Aber er lernte auch mehr. Seine Mutter, von der er immer mit besonderer Anhänglichkeit sprach und die eine über ihren Stand hinausgehende Bildung besaß, weckte und nährte in ihm den Zorn über die schamlose Ausbeutung und niederträchtige Behandlung der Bauern durch die Feudalherren. Und wie dieser Zorn in ihm lebenslang gärte und kochte, das werden wir sehen, wenn wir zu dem Zeitabschnitt seines Lebens kommen, wo er ihn endlich einmal öffentlich ausschütten konnte. Die Talente und die Lernlust des Bauernjungen machten sich bald bemerklich; er sollte womöglich aufs Gymnasium, aber welche Hindernisse waren nicht zu überwinden, bis das fertiggebracht wurde! Von den Geldschwierigkeiten abgesehen, war da der gnädige Herr und sein Verwalter, und ohne die konnte nichts geschehen. Die Erbuntertänigkeit war zwar 1810 dem Namen nach aufgehoben, aber Feudallieferungen, Frondienste, Patrimonialgericht, gutsherrliche Polizei dauerten fort und ließen auch die Erbuntertänigkeit der Sache nach fortbestehen. Und der gnädige Herr und seine Beamten machten aus den Bauernjungen viel lieber Sauhirten als Studenten. Indes, alle Hindernisse wurden überwunden. Wolff kam aufs Gymnasium nach Schweidnitz und dann auf die Universität nach Breslau. Auf beiden Anstalten hatte er sich den größeren Teil seines Unterhalts durch Privatstunden selbst zu erwerben. Auf der Universität warf er sich mit Vorliebe auf die klassische Philologie; aber er war kein silbenstechender Philolog der alten Schule; die großen Dichter und Prosaiker der Griechen und Römer fanden volles Verständnis bei ihm und blieben seine Lieblingslektüre solange er lebte.

Er war mit seinem Universitätsstudium beinah zu Ende, als die in den zwanziger Jahren endlich eingeschlafene Demagogenhetze [40] des Bundestags [41] und der österreichischen und preußischen Regierung von neuem begann. Mitglied der Burschenschaft, wurde auch er 1834 verhaftet, jahrelang in Untersuchung von Gefängnis zu Gefängnis geschleppt, endlich verurteilt. Wozu? Ich glaube nicht, daß er je der Mühe wert fand, es zu sagen. Genug, er kam nach Silberberg auf die Festung. Dort fand er Leidensgenossen, unter anderen auch Fritz Reuter. Wenige Monate vor Wolffs Tode fielen ihm des letzteren „Ut mine Festungstid" in die Hände, und kaum hatte er im Verfasser seinen alten Leidensgefährten entdeckt, als er ihm durch die Verlagshandlung Nachricht zukommen ließ.[42] Reuter antwortete ihm sogleich in einem langen und sehr herzlichen Briefe, der mir vorliegt und der beweist, daß wenigstens am 12. Januar 1864 der alte Demagog alles war, nur kein zahmer Zukreuzkriecher.

„Da sitze ich nun", schreibt er, „schon an die dreißig Jahr, bis mir das Haar grau geworden ist, und warte auf eine tüchtige Revolution, in der sich der Volkswille einmal energisch dokumentieren soll, aber was hilft's? ... Wenn doch das preußische Volk wenigstens zur Steuerverweigerung griffe, es ist das einzige Mittel, den Bismarck et Comp. loszuwerden und den alten König totzuärgern."

Auf Silberberg machte Wolff alle die vielen Leiden und wenigen Freuden festungsgefangener Demagogen durch, die Fritz Reuter in dem obigen Buch so lebhaft und mit so vielem Humor geschildert hat. Für die feuchten Kasematten und bitterkalten Winter war es eine ärmliche Entschädigung, daß das alte Felsennest eine Besatzung von alten Invaliden hatte, sogenannten Garnisönern, die sich aber nicht durch Strenge auszeichneten und einem Schnaps oder einem Viergroschenstück manchmal zugänglich waren. Genug, 1839 hatte Wolff so sehr an seiner Gesundheit gelitten, daß er begnadigt wurde.

Er ging nach Breslau und suchte als Lehrer fortzukommen. Aber er hatte die Rechnung ohne den Wirt gemacht, und der Wirt war die preußische Regierung. Mitten in seinen Studien durch die Haft unterbrochen, hatte er die vorgeschriebenen drei Universitätsjahre nicht absolvieren können, noch weniger das Examen gemacht. Und in dem preußischen China galt ja nur der als zünftiger Gelehrter, der alles das vorschriftsmäßig abgewickelt hatte. Jeder andere, mochte er auch in seinem Fach so gelehrt sein, wie Wolff dies in der klassischen Philologie war, stand außerhalb der Zunft, war von der öffentlichen Verwertung seiner Kenntnisse ausgeschlossen. Blieb die Aussicht, sich als Privatlehrer durchzuschlagen. Aber dazu gehörte eine Konzession der Regierung, und als Wolff darum einkam, wurde sie ihm *verweigert*. Der Demagog hätte verhungern oder wieder im heimatlichen Dorf Frondienste tun müssen, wenn es in Preußen keine Polen gegeben hätte. Ein posenscher Gutsbesitzer nahm ihn als Hauslehrer an; bei ihm verlebte er mehrere Jahre, von denen er immer mit besonderem Vergnügen sprach.

Nach Breslau zurückgekehrt, erlangte er endlich nach vielem Tribulieren und Querulieren die Erlaubnis einer hochpreislichen königlichen Regierung, Privatstunden geben zu dürfen, und konnte sich nun wenigstens eine bescheidene Existenz gründen. Mehr verlangte der fast bedürfnislose Mann nicht. Zugleich nahm er den Kampf gegen die bestehende Unterdrückung wieder auf, soweit dies unter den damaligen jammervollen Verhältnissen möglich war. Er mußte sich darauf beschränken, einzelne Tatsachen von Beamten-, Gutsherren- oder Fabrikantenwillkür an die Öffentlichkeit zu bringen, und fand auch da noch Hindernisse an der Zensur. Aber er ließ sich nicht irremachen. Das damals neueingesetzte Oberzensurgericht hatte keinen hartnäckigeren, immer wiederkehrenden Stammgast als den Privatlehrer Wolff in Breslau. Nichts machte ihm mehr Spaß, als die Zensur zu prellen, was bei der Dummheit der meisten Zensoren nicht sehr schwer war, sobald man ihre schwachen Seiten einigermaßen kannte. So war er es, der die frommen Gemüter aufs äußerste skandalisierte, indem er in einem alten Kirchengesangbuch, das noch in einigen Orten in Gebrauch war, das folgende „Kernlied" des bußfertigen Sünders entdeckte und in den schlesischen Provinzialblättern zur Öffentlichkeit brachte:

Ich bin ein rechtes Rabenaas,
Ein wahrer Sündenkrüppel,
Der seine Sünden in sich fraß,
Als wie der Russ' die Zwippel.
Herr Jesu, nimm mich Hund beim Ohr,
Wirf mir den Gnadenknochen vor,
Und schmeiß mich Sündenlümmel
In deinen Gnadenhimmel.

Wie ein Lauffeuer ging das Lied durch ganz Deutschland, das schallende Gelächter der Gottlosen, die Entrüstung der „Stillen im Lande" hervorrufend. Der Zensor bezog einen derben Rüffel, und die Regierung begann mit der Zeit wieder ein wachsames Auge auf diesen Privatlehrer Wolff, diesen unruhigen Schwindelkopf, zu werfen, den fünf Jahre Festung nicht hatten zähmen können. Es dauerte auch nicht lange, so fand man wieder einen Vorwand, ihm den Prozeß zu machen. Die altpreußische Gesetzgebung war ja über das Land ausgebreitet wie ein kunstreich angelegtes System von Fallen, Schlingen, Wolfsgruben und Fangnetzen, denen selbst die getreuen Untertanen nicht immer entgehen konnten, denen aber die ungetreuen um so sicherer verfielen.

Das Preßvergehen, wegen dessen Wolff Ende 1845 oder Anfang 1846 in Anklagezustand versetzt wurde, war so unbedeutend, daß jetzt keiner von uns sich mehr auf die näheren Umstände besinnen kann.[43] Die Verfolgung nahm aber solche Dimensionen an, daß Wolff, der die preußischen Gefängnisse und Festungen satt hatte, sich der drohenden Verhaftung entzog und nach Mecklenburg ging.* Hier fand er bei Freunden sicheres Unter-

* Nach Wermuth-Stieber: „Die Communisten-Verschwörungen des 19. Jahrhunderts", II, S. 141, wurde Wolff 1846 vom Breslauer Oberlandgericht wegen „Preßvergehen" zu drei Monaten Festungshaft verurteilt. *[1886 von Engels eingefügt.]*

kommen, bis seine unbehinderte Einschiffung nach London in Hamburg arrangiert werden konnte. In London, wo er zum ersten Male in einem öffentlichen Verein – dem noch bestehenden deutschen kommunistischen Arbeiterbildungsverein[24] – auftrat, blieb er nicht lange und kam dann, wie schon erzählt, nach Brüssel.

II

In Brüssel fand er bald Beschäftigung in einem dort gegründeten Korrespondenzbüro, das deutsche Blätter mit französischen, englischen und belgischen Nachrichten versah und das, soweit die Umstände dies zuließen, in sozialdemokratischem Geiste redigiert wurde. Als die „Deutsche-Brüsseler-Zeitung" [44] sich unsrer Partei zur Verfügung stellte, arbeitete auch Wolff daran mit. Im Brüsseler deutschen Arbeiterverein[45], der von uns um diese Zeit gestiftet wurde, war Wolff bald einer der beliebtesten Redner. Er gab dort wöchentlich eine Übersicht der Tagesereignisse, die jedesmal ein Meisterstück volkstümlicher, ebenso humoristischer wie kräftiger Darstellung war und namentlich die Kleinlichkeiten und Gemeinheiten der Herren wie der Untertanen in Deutschland gebührend züchtigte. Diese politischen Übersichten wurden für ihn so sehr ein Lieblingsthema, daß er sie in jedem Verein abhandelte, an dem er sich beteiligte, und immer mit derselben Meisterschaft populärer Darstellung.

Die Februarrevolution brach los und fand sofortigen Widerhall in Brüssel. Scharen von Menschen versammelten sich jeden Abend auf dem Großen Markt vor dem Rathause, das von der Bürgerwehr und Gensdarmerie besetzt war; die vielen Bier- und Schnapswirtschaften um den Markt waren gedrängt voll. Man schrie „Vive la République!", man sang die Marseillaise, man drängte, schob und wurde geschoben. Die Regierung hielt sich scheinbar mäuschenstill, berief aber in den Provinzen die Reserven und Beurlaubten zur Armee ein. Sie ließ dem angesehensten belgischen Republikaner Herrn Jottrand unterderhand mitteilen, der König sei bereit, abzudanken, falls das Volk es wünsche, und er könne das vom König selber hören, sobald er wolle. Jottrand ließ sich in der Tat von Leopold erklären, er selbst sei in seinem Herzen Republikaner und werde nie im Wege stehen, falls Belgien sich als Republik zu konstituieren wünsche; er wünsche nur, daß alles ordentlich und ohne Blutvergießen abgehe und hoffe übrigens auf eine anständige Pension. Die Nachricht wurde unterderhand rasch verbreitet und wiegelte so weit ab, daß kein Erhebungsversuch gemacht wurde. Aber kaum waren die Reserven beisammen und die Mehrzahl der Truppen um Brüssel konzentriert – drei bis vier Tage genügten in dem kleinen Ländchen –, so war von der Abdankung keine Rede mehr, die Gensdarmerie schritt plötzlich abends mit flacher Klinge gegen die Menschenhaufen auf dem Markte ein, und man verhaftete rechts und links. Unter den ersten der so Gemißhandelten und Verhafteten war auch Wolff, der ruhig seines Weges nach Hause ging. Ins Rathaus geschleppt, wurde er von den wütenden und angetrunkenen Bürgergardisten noch nachträglich gemißhandelt und nach mehrtägiger Haft über die Grenze nach Frankreich spediert.

In Paris hielt er sich nicht lange auf. Die Berliner Märzrevolution und die Vorbereitungen zum Frankfurter Parlament und zur Berliner Versammlung veranlaßten ihn, zunächst nach Schlesien zu gehen, um dort für radikale Wahlen zu wirken. Sobald wir, sei es in Köln, sei es in Berlin, eine Zeitung gegründet, wollte er dann zu uns kommen. Seiner allgemeinen Beliebtheit und seiner populär-kräftigen Beredsamkeit gelang es, namentlich in ländlichen Wählerkreisen, radikale Kandidaturen durchzusetzen, die ohne ihn aussichtslos waren.

Inzwischen erschien am 1. Juni in Köln die „Neue Rheinische Zeitung" mit Marx als Redakteur en Chef, und bald kam Wolff, seinen Posten auf der Redaktion zu übernehmen. Sein unermüdlicher Fleiß, seine peinliche, durch nichts zu beirrende Gewissenhaftigkeit hatten in der aus lauter jungen Leuten bestehenden Redaktion den Nachteil für ihn, daß die andern sich manchmal eine Extra-Freistunde nahmen, in der Gewißheit, „Lupus werde schon dafür sorgen, daß die Zeitung zustande komme", und will ich mich selbst durchaus nicht davon freisprechen. Daher kam es, daß Wolff in der ersten Zeit des Blattes sich weniger mit Leitartikeln, als mit den laufenden Arbeiten beschäftigte. Bald fand er jedoch einen Weg, auch diese zu selbständiger Tätigkeit zu verwenden. Unter der laufenden Rubrik „Aus dem Reich" wurden die Nachrichten aus den deutschen Kleinstaaten zusammengestellt, die kleinstaatlichen und kleinstädtischen Beschränktheiten und Philistereien der Regenten wie der Regierten mit unvergleichlichem Humor behandelt. Gleichzeitig gab er in der Demokratischen Gesellschaft[46] allwöchentlich die Übersicht der Tagesereignisse, die ihn auch hier bald zu einem der beliebtesten und wirkungsvollsten Redner machte.

Die Dummheit und Feigheit des Bürgertums, die seit der Pariser Junischlacht sich immer höher steigerte, hatte der Reaktion wieder erlaubt, zu Kräften zu kommen. Die Kamarillen von Wien, Berlin, München usw. arbeiteten Hand in Hand mit dem edlen Reichsverweser[1] und hinter den Kulissen stand die russische Diplomatie und lenkte die Drähte, an denen

[1] Erzherzog Johann

jene Marionetten tanzten. Jetzt, im September 1848, rückte für diese Herren der Augenblick zum Handeln heran. Unter direktem und indirektem (durch Lord Palmerston besorgtem) russischen Druck war der erste schleswig-holsteinsche Feldzug durch den schmählichen Waffenstillstand von Malmö[47] beschlossen worden. Das Frankfurter Parlament erniedrigte sich dazu, ihn zu bestätigen und damit offenbar und unzweifelhaft sich von der Revolution loszusagen. Der Frankfurter Aufstand vom 18. September war die Antwort; er wurde niedergeschlagen. Fast gleichzeitig war in Berlin die Krisis zwischen der Verfassungs-Vereinbarungs-Versammlung[48] und der Krone ausgebrochen. Am 9. August hatte die Versammlung durch einen höchst zahmen, ja schüchternen Beschluß die Regierung gebeten, doch etwas zu tun, damit das schamlose Gebaren der reaktionären Offiziere nicht mehr so offenbar und anstößig betrieben werde. Als sie im September Ausführung dieses Beschlusses verlangte, war die Antwort die Einsetzung des direkt reaktionären Ministeriums Pfuel mit einem General an der Spitze (19. Sept.) und die Ernennung des bekannten Wrangel zum Obergeneral in den Marken: zwei Winke mit dem Zaunpfahl für die Berliner Vereinbarer, entweder zu Kreuz zu kriechen oder Auseinanderjagung zu gewärtigen. Die Aufregung wurde allgemein. Auch in Köln wurden Volksversammlungen gehalten und ein Sicherheitsausschuß ernannt. Die Regierung beschloß, den ersten Streich in Köln zu führen. Demgemäß wurden am Morgen des 25. September eine Anzahl Demokraten verhaftet, darunter auch der jetzige Oberbürgermeister, damals als „der rote Becker" allgemein bekannt. Die Aufregung stieg. Nachmittags wurde auf dem alten Markt eine Volksversammlung gehalten. Wolff präsidierte. Die Bürgerwehr stand ringsumher aufgestellt, der demokratischen Bewegung nicht abgeneigt, jedoch das eigne Heil in erster Linie vertretend. Auf eine Anfrage erklärte sie, sie sei da, das Volk zu schützen. Plötzlich dringen Leute auf den Markt mit dem Ruf: „Die Preußen kommen!" Joseph Moll, der des Morgens auch verhaftet, aber vom Volk befreit worden war, und der grade das Wort führte, rief: „Bürger, wollt ihr vor den Preußen auseinandergehen?" – „Nein, nein!" war die Antwort. – „Dann müssen wir Barrikaden bauen!" und sofort ging's ans Werk. – Der Ausgang des Kölner Barrikadentages ist bekannt. Durch einen blinden Lärm hervorgerufen, ohne Widerstand zu finden, ohne Waffen – die Bürgerwehr ging vorsichtig nach Hause – verlief die ganze Bewegung blutlos im Sande; die Regierung erreichte ihren Zweck: Köln wurde in Belagerungszustand erklärt, die Bürgerwehr entwaffnet, die „Neue Rheinische Zeitung" suspendiert, ihre Redakteure genötigt, ins Ausland zu gehen.

III

Der Kölner Belagerungszustand war nicht von langer Dauer. Er verschwand am 4. Oktober. Am 12. erschien die „Neue Rheinische Zeitung" wieder. Wolff war nach Dürkheim in der Pfalz gegangen, wo man ihn ruhig gewähren ließ. Er sowohl wie mehrere andere Redakteure wurden wegen Komplotts usw. steckbrieflich verfolgt. Aber es litt unsern Wolff nicht lange in der Pfalz, und als die Weinlese abgemacht, erschien er plötzlich wieder in dem Redaktionszimmer, Unter Hutmacher 17[49]. Es gelang ihm, nebenan eine Wohnung zu finden, von der er über den Hof in das Redaktionszimmer kommen konnte, ohne die Straße zu betreten. Indes wurde er die Gefangenschaft bald müde; in einem langen Paletot und mit langschirmiger Mütze verkleidet, ging er bald fast jeden Abend in der Dunkelheit aus, unter dem Vorwande, Tabak zu kaufen. Er glaubte sich unerkannt, obwohl die eigentümlich knorrige Gestalt und der determinierte Gang absolut unverbergbar waren; jedenfalls wurde er nicht verraten. So lebte er mehrere Monate, während wir andern nach und nach außer Verfolgung gesetzt wurden. Endlich, am 1. März 1849, wurden wir benachrichtigt, daß keine Gefahr mehr vorhanden sei, und nun stellte sich Wolff dem Untersuchungsrichter, der auch erklärte, der ganze Prozeß sei, als auf übertriebenen Polizeiberichten beruhend, fallengelassen.

Indessen war Anfang Dezember die Berliner Versammlung auseinandergejagt und die Manteuffelsche Reaktionsperiode eröffnet worden. Eine der ersten Maßregeln der neuen Regierung war, die Feudalherren der Ostprovinzen wegen ihres bestrittenen Rechts auf unbezahlte Bauernarbeit zu beruhigen. Nach den Märztagen hatten die Bauern der Ostprovinzen überall die Fronarbeit eingestellt, ja hier und da von den gnädigen Herren schriftliche Verzichtleistung auf solche Arbeit erzwungen. Es handelte sich also nur darum, diesen bestehenden Zustand für gesetzlich zu erklären und der lange genug geschundene ostelbische Bauer war ein freier Mann. Aber die Berliner Versammlung, volle 59 Jahre nach dem 4. August 1789, wo die französische Nationalversammlung *alle* Feudallasten unentgeltlich aufgehoben, hatte sich noch immer nicht zu einem gleichen Schritt zu ermannen vermocht. Man erleichterte in etwas die Bedingungen der Fronden-Ablösung; aber nur einige der skandalösesten und empörendsten Feudalrechte sollten unentgeltlich abgeschafft werden; jedoch ehe dieser Gesetzentwurf endgiltig angenommen, erfolgte die Sprengung, und Herr Manteuffel erklärte, *diesen* Entwurf werde die Regierung nicht zum Gesetz erheben. Damit waren die Hoffnungen der altpreußischen fronpflichtigen

Bauern vernichtet, und es galt, auf diese zu wirken, indem man ihnen ihre Lage klarmachte. Und hierzu war Wolff der Mann. Nicht nur, daß er selbst ursprünglich höriger Bauernsohn war und in seiner Kindheit selbst Hofedienste hatte tun müssen; nicht nur, daß er sich die volle Glut des Hasses gegen die feudalen Unterdrücker bewahrt hatte, die eine solche Kindheit in ihm erzeugt; niemand kannte die feudale Knechtungsweise so sehr in allen ihren Einzelheiten wie er, und das grade in der Provinz, die eine vollständige Musterkarte aller ihrer mannigfaltigen Formen lieferte – in Schlesien.[1]

In der Nummer vom 17. Dezember 1848 eröffnete er den Feldzug in einem Artikel über die erwähnte Erklärung des Ministeriums. Am 29. Dezember folgte ein zweiter, derberer, über die oktroyierte „Verordnung wegen interimistischer Regelung der gutsherrlich-bäuerlichen Verhältnisse in Schlesien".

Diese Verordnung, sagt Wolff,

„ist eine Aufforderung an die Herren Fürsten, Standesherren, Grafen, Barone etc., sich zu sputen und ‚interimistisch' das Landvolk unter dem Anschein des Gesetzes noch

---

[1] An Stelle des hier folgenden Textes bis zu dem Satz: „Doch zurück zu unserm Wolff." (siehe vorl. Band, S. 83) schrieb Engels 1886:

„So eröffnete Wolff die Kampagne gegen die Feudalherren, die in der ‚Schlesischen Milliarde' gipfelte und auf die ich weiter unten zurückkomme. Es war eine Kampagne, die zu führen die Bourgeoisie von Rechts wegen verpflichtet war. Der Kampf gegen den Feudalismus war ja grade die weltgeschichtliche Aufgabe dieser Klasse. Aber wie wir sahen, sie führte ihn nicht oder nur zum Schein. Dank der gesellschaftlichen und politischen Zurückgebliebenheit Deutschlands ließ die deutsche Bourgeoisie überall ihre eigensten politischen Interessen im Stich, weil sich hinter ihr bereits das Proletariat drohend erhob. Die unklaren Hoffnungen und Wünsche der Pariser Arbeiter im Februar, noch mehr aber ihr viertägiger Verzweiflungskampf im Juni 1848 erschreckten die Bourgeoisie nicht nur Frankreichs, sondern ganz Europas. Und in Deutschland kamen den angstmeiernden Bürgern sogar einfach demokratische Forderungen, wie sie selbst in der Schweiz längst gesetzlich durchgeführt, als Angriffe auf ihr Eigentum, ihre Sicherheit, ihr Leben vor. Wie immer feig, opferten die deutschen Bourgeois ihre gemeinsamen, d.h. politischen Interessen, damit jeder sein Privatinteresse, sein Kapital rette. Lieber Rückkehr zum alten bürokratisch-feudalen Absolutismus als ein Sieg der Bourgeoisie als Klasse, als ein moderner Bourgeoisiestaat, erkämpft auf revolutionärem Weg, unter Stärkung der revolutionären Klasse, des Proletariats! Das war der Angstruf der deutschen Bourgeoisie, unter dem die Reaktion auf der ganzen Linie siegte.

So mußte die Partei des Proletariats den Kampf da aufnehmen, wo die Bourgeoisie vom Schlachtfeld ausgerissen war. Und so nahm Wolff in der ‚Neuen Rheinischen Zeitung' den Kampf gegen den Feudalismus auf. Aber nicht so, daß die Bourgeois Freude daran erleben konnten; nein, in echt revolutionärer Weise, dergestalt, daß die Bourgeoisie sich über diese den Geist der großen französischen Revolution atmenden Artikel ebenso entsetzte wie die Feudalherren und die Regierung selbst."

so auszusäckeln und auszuplündern, daß sie nach dem fetten Jahre die mageren desto leichter überdauern können. Vor dem März war Schlesien das gelobte Land der gnädigen Gutsherren. Durch die Ablösungsgesetze seit dem Jahre 1821 hatte sich das feudale Junkertum so warm gebettet als nur immer möglich. Infolge der Ablösungen, die stets und überall zum Vorteil der Privilegierten und zum Ruin des Landvolks betrieben und durchgeführt wurden, hatte das schlesische Junkertum nicht weniger als zirka 80 Milliönchen an barem Gelde, an Ackerland und Renten aus den Händen des Landvolks erhalten. Und noch waren die Ablösungen noch lange nicht zu Ende. Daher die Wut über die gottlose Revolution des Jahres 1848. Die Landleute weigerten sich, dem gnädigen Herrn fernerhin wie das liebe Vieh Hofedienste zu tun und die bisherigen furchtbaren Lasten, Zinsen und Abgaben aller Art weiter zu entrichten. In den Geldkästen der Gutsherren trat eine bedenkliche Ebbe ein."

Die Berliner Versammlung nahm die Regelung dieser Verhältnisse in die Hand.

„Es war Gefahr im Verzuge. Das begriff die Kamarilla zu Potsdam, deren Säckel sich ebenfalls aus dem Schweiß und Blut des Landvolks zu füllen versteht. Also fort mit der Versammlung! Machen wir selbst die Gesetze, wie sie uns am einträglichsten erscheinen! – Und so geschah es. Die für Schlesien im ‚Staats-Anzeiger' [50] erschienene Verordnung ist nichts als ein Verhau mit Wolfsgruben und allem Zubehör, in welchem das Landvolk, wenn es sich einmal hineinbegibt, unrettbar verloren ist."

Wolff weist nun nach, daß im wesentlichen mit der Verordnung die vormärzlichen Zustände wiederhergestellt werden und schließt:

„Allein was hilft's? Die gnädigen Herren brauchen Geld. Der Winter ist da mit seinen Bällen, Maskeraden, lockenden Spieltischen etc. Die Bauern, die bisher die Vergnügungsmittel geliefert, müssen sie auch ferner schaffen. Das Junkertum will sich wenigstens noch einmal einen vergnügten Karneval bereiten und die November-Errungenschaften des Absolutismus möglichst ausbeuten. Es tut recht daran, sich zu beeilen, zu tanzen und zu jubeln in herausforderndem Übermut. Denn bald dürften galizische Wutszenen [51] in die gottbegnadete Adels-Orgie hineinspielen."

Am 20. Januar erfolgte ein neuer Artikel Wolffs, der in dies Gebiet einschlug. Die Reaktionspartei hatte einen Schulzen Krengel in Nessin bei Kolberg nebst mehreren Tagelöhnern dahin gebracht, eine Anfrage an den König zu unterschreiben, ob es wahr sei, daß Se. Majestät wirklich beabsichtigten, das *Grundeigentum zu teilen* und den *Besitzlosen zuzuwenden?*

„Man kann sich", sagt Wolff, „den Todesschrecken und die schlaflosen Nächte der Tagelöhner von Nessin vorstellen, als sie von solchen Absichten hörten. Wie? Der König will den Grundbesitz teilen? Wir Tagelöhner, die wir bisher für 5 Silbergroschen täglich mit solcher Wollust den Acker des gnädigen Herrn bestellten, wir sollten aufhören zu tagelöhnern und unser eignes Feld bearbeiten? Der gnädige Herr, der 80 bis 90 Dominien besitzt und bloß einige hunderttausend Morgen, von dem sollen soundso viele Morgen an uns ausgegeben werden? – Nein, bei dem bloßen Gedanken an so schreckliches Unheil zitterten unsere Tagelöhner an allen Gliedern. Sie hatten keine ruhige Stunde mehr, bis sie die Versicherung hatten, daß man sie wirklich nicht in dieses bodenlose Elend stürzen, die drohenden Morgen Landes fernhalten und den gnädigen Herren nach wie vor belassen wollte."

IV

Alles das war indes nur noch Geplänkel. Um den Anfang 1849 kam bei den französischen Sozialdemokraten der schon früher gemachte Vorschlag mehr und mehr auf, man solle die im Jahre 1825 den aus der Emigration zurückgekehrten Adligen, als Ersatz für ihre in der großen Revolution verlorenen Güter, von Staats wegen geschenkte Milliarde Franken zurückverlangen und im Interesse der arbeitenden Massen verwenden. Am 16. März brachte die „Neue Rheinische Zeitung" einen Leitartikel über diese Frage und am folgenden Tage schon brachte Wolff eine Arbeit: „Die preußische Milliarde".

„Ritter Schnapphanski" (Lichnowski) „ist tot. Aber Schnapphähne haben wir noch in großer Menge. Die Junker in Pommerland und der Mark haben sich mit den übrigen preußischen Junkern vereinigt. Sie haben den heiligen Rock des biedern Bourgeois angezogen und nennen sich ‚Verein zum Schutz des Eigentums in allen Volksklassen', natürlich des *feudalen* Eigentums... Sie haben nichts Geringeres vor, als unter andern auch die Rheinprovinz um etwa 20 Mill. Tlr. zu prellen und dies Geld in ihre Tasche zu stecken. Der Plan ist nicht übel. Die Rheinländer mögen es sich zur besondern Ehre anrechnen, daß die Junker von Thadden-Trieglaff in Hinterpommern, die v. Arnim und v. Manteuffel nebst einigen tausend Krautjunkern ihnen die Ehre antun wollen, von rheinischem Gelde ihre Schulden zu bezahlen."

Nämlich Herr v. Bülow-Cummerow, damals als Bülow-Kummervoll bekannt, hatte ein Plänchen ersonnen und von obigem Junkerverein, oder wie Wolff ihn nannte: Junkerparlament, annehmen und als Petition der Regierung und den Kammern zuschicken lassen – ein Plänchen zur Regulierung der Grundsteuer in Preußen. Einerseits klagten die bäuerlichen Grundbesitzer, besonders der Westprovinzen, daß sie *zuviel* Grundsteuer zu zahlen hätten; andererseits zahlten die adligen Großgrundbesitzer der Ostprovinzen *gar keine* Grundsteuer, obwohl schon das Gesetz vom 27. Oktober 1810 diese ihnen wie allen andern Grundbesitzern auflegt. Das Junkerparlament hatte einen Weg gefunden, *beiden* Übelständen abzuhelfen. Hören wir Wolff:

„Die Junker wollen ‚Opfer bringen, um die jetzt herrschende Mißstimmung zu beseitigen'. Das sagen sie. Wer hätte solche Großmut von ihnen erwartet! Worin bestehen indessen die Opfer? Sie tragen darauf an, daß der Ertrag aller Grundstücke durch eine ungefähre Schätzung festgestellt und sodann die Grundsteuer nach gleichem Prozentsatze des Ertrags im ganzen Staat verteilt werde. Nun, dieser Edelmut ist nicht groß, da sie jetzt nur das tun wollen, wozu sie gesetzlich schon seit 38 Jahren verpflichtet waren. Aber weiter! Sie fordern, daß die Junker und Rittergutsbesitzer, welche sich bisher der Steuerzahlung widerrechtlich entzogen haben – etwa die Steuern nachzahlen? – nein: dafür, daß sie von jetzt die Gnade haben wollen, Steuern zu entrichten, *durch ein entsprechendes Kapital entschädigt werden*" – nämlich durch Auszahlung des 25fachen Betrags der künftig zu zahlenden Steuer. „Diejenigen dagegen, welchen man bisher ungerechterweise zu hohe Grundsteuern abgenommen hatte, sollen – nicht etwa das Zuvielbezahlte zurückerstattet erhalten – sondern im Gegenteil, sie sollen befugt sein, *den Mehrbetrag abzulösen*", indem sie je nach Umständen sich durch einmalige Zahlung des 18–20fachen Betrags loskaufen. – „Die höheren Steuern werden jetzt in den östlichen Provinzen von den Bauern und außerdem namentlich von der Rheinprovinz entrichtet. Die altländischen Bauern und die Rheinländer sollen also jetzt dafür auch noch Kapitalien herauszahlen. Gar keine oder nur geringe Grundabgaben zahlten bisher die Rittergutsbesitzer in den östlichen Provinzen... Diese also erhalten das Geld, welches die Rheinländer und die Bauern aufbringen sollen."

Folgt eine Übersicht der von den verschiedenen Provinzen 1848 gezahlten Grundsteuer und ihrer Bodenfläche, woraus hervorgeht:

„Das Rheinland entrichtet im Durchschnitt für jede Quadratmeile ungefähr fünfmal soviel Grundsteuer wie Preußen, Posen und Pommern, viermal soviel als die Mark Brandenburg."

Allerdings ist der Boden besser, indes,

„wenn wir es gering veranschlagen, so mag die Rheinprovinz jetzt etwa eine Million Taler mehr an Grundsteuer zu bezahlen haben, als nach dem Durchschnittsanschlage auf sie kommen würde. Nach dem Gesetzesvorschlag des Junkerparlaments müßten also die Rheinländer zur Strafe dafür noch 18 bis 22 Millionen Taler bar bezahlen, die in die Taschen der Junker in den östlichen Provinzen fließen würden! Der Staat wäre dabei nur der Bankier. Das sind die großartigen Opfer, die die Herren Krautjunker und Mistfinken zu bringen geneigt sind, das ist der Schutz, den sie dem Eigentum wollen angedeihen lassen. So schützt jeder Taschendieb das Eigentum...

Die Rheinländer, namentlich die rheinischen Bauern, nicht minder die westfälischen und schlesischen, mögen sich beizeiten umsehen, wo sie das Geld zur Bezahlung der Junker auftreiben können. Hundert Millionen Taler sind in jetziger Zeit nicht so bald angeschafft.

Während also in Frankreich die Bauern eine Milliarde Francs vom Adel verlangen, verlangt in Preußen der Adel eine halbe Milliarde Francs von den Bauern!

Hoch, dreimal Hoch der Berliner Märzrevolution!"

Indes genügte diese bloße Abwehr nicht gegenüber der Unverschämtheit der preußischen Junker. Die „Neue Rheinische Zeitung" suchte und fand ihre Stärke im Angriff, und so eröffnete Wolff in der Nummer vom 22. März 1849 eine Reihe von Artikeln: „Die schlesische Milliarde", worin er nachrechnete, welche Beträge in Geld, Geldeswert und Grundbesitz allein der *schlesische* Adel seit Beginn der Fronden-Ablösung den Bauern widerrechtlich entzogen. Wenige der vielen zündenden Artikel der „Neuen Rheinischen Zeitung" hatten eine solche Wirkung wie diese acht, in der Zeit vom 22. März bis 25. April erschienenen. Die Bestellungen auf die Zeitung aus Schlesien und den anderen Ostprovinzen nahmen reißend zu; man verlangte die einzelnen Nummern nach, und endlich, da die ausnahmsweise Preßfreiheit, die uns das rheinische Gesetz zusicherte, in den übrigen Provinzen fehlte und an einen Wiederabdruck unter dem edlen Landrecht nicht zu denken war, kam man auf den Einfall, diese acht ganzen Nummern, dem Original in äußerer Ausstattung so ähnlich wie möglich, in Schlesien heimlich nachzudrucken und in Tausenden von Exemplaren zu verbreiten – ein Verfahren, wogegen natürlich niemand weniger etwas einzuwenden hatte als die Redaktion.

V

In der „Neuen Rheinischen Zeitung" vom 22. März 1849 eröffnete Wolff seinen Angriff gegen die schlesischen Junker wie folgt:

„Kaum war die Hof- und Krautjunkerkammer" (die auf Grund der oktroyierten Verfassung und des oktroyierten Wahlgesetzes am 26. Februar 1849 zusammentrat) „konstituiert, als auch sofort ein Antrag auf Regulierung, d. h. Ablösung der Feudallasten gestellt wurde. Die gnädigen Herren haben's eilig. Sie wünschen aus der ländlichen Bevölkerung noch vor Torschluß so viel herauszupressen, daß sie einen hübschen Sparpfennig für etwaige schlimme Tage beiseite legen und ihren Personen voraus ins Ausland senden können.

Für den Schreck, für die namenlose Angst, die sie in der ersten Zeit nach dem ‚Mißverständnis' des Berliner März und seinen nächsten Folgen erduldet, suchen sie jetzt aus den Taschen der geliebten Dorfuntertanen einen doppelt lieblichen Balsam zu gewinnen.

Schlesien insbesondere, das bisherige Goldland der Feudal- und Industriebarone, soll noch einmal gründlich ausgebeutelt werden, damit der Glanz seiner gutsherrlichen Ritterschaft, vermehrt und verstärkt, fortstrahle.

Wir haben gleich nach Erscheinen des im Dezember vorigen Jahres oktroyierten provisorischen Ablösungsgesetzes nachgewiesen, daß es lediglich auf den Vorteil der gnäd'gen Gutsherren berechnet, daß der sogenannte kleine Mann der reinen Willkür der Großen, schon bei der Zusammensetzung des Schiedsgerichts, preisgegeben ist. Trotzdem ist die noble Ritterschaft nicht mit ihm zufrieden. Sie verlangt ein Gesetz, das dem ritterlichen Beutel noch einige Annehmlichkeiten mehr zuwenden soll.

Im März und April 1848 stellten eine Menge hoher Herren in Schlesien ihren Bauern schriftliche Urkunden aus, worin sie auf alle bisherigen gutsuntertänigen Abgaben und Leistungen verzichteten. Um ihre Schlösser vor dem Niederbrennen und sich selbst vor einer eigentümlichen Verzierung mancher Schloßlinde oder Hofpappel zu sichern, gaben sie ihre sogenannten wohlerworbenen Rechte mit einem Federzuge dahin. Zum Glück für sie war das Papier auch damals sehr geduldig.

Als daher die Revolution, statt vorwärts zu marschieren, im Sumpf der Philisterei und des gemütlichen Abwartens steckenblieb, da langten die Herren ihre Entsagungsurkunde hervor, nicht um sie zu erfüllen, sondern um sie als Beweisstücke zur Untersuchung gegen die rebellische Bauernkanaille dem Kriminalgericht einzusenden."

Wolff erzählt nun, wie die Bürokratie, unter Leitung des Oberpräsidenten Pinder und mit Hülfe mobiler Militärkolonnen, die Bauern zur Erfüllung der alten Leistungen nötigte, wie den Bauern nur die Hoffnung auf die Berliner Vereinbarungsversammlung blieb, wie die Herren Vereinbarer, statt vor allen Dingen alle Feudalabgaben für unentgeltlich aufgehoben zu erklären, die Zeit mit Untersuchungen über Natur, Ursprung etc. der prächtigen Feudaldienste und Abgaben vertrödelten, bis die Reaktion hinreichend erstarkt war, um die ganze Versammlung auseinanderzujagen, ehe sie über die Abschaffung der Feudallasten irgendwelchen Beschluß gefaßt; wie dann das neue Ablösungsgesetz oktroyiert worden, wie aber sogar dies erzreaktionäre Gesetz den gnädigen Herren nicht genüge und sie jetzt noch weitergehende Forderungen stellten.

Aber die Herren Ritter hätten ihre Rechnung ohne den Wirt gemacht, dieser Wirt sei

„der schlesische Bauer, nicht der Bourgeoisbauer mit 3,4 und mehr Hufen Landes, sondern jene Masse von kleineren Bauern, von Hof- und Freigärtnern, Häuslern und ‚Zuhausinnewohnern', welche bisher die eigentlichen Lasttiere der großen Grundbesitzer gewesen sind und nach dem Plane der letzteren unter einer andern Form fernerhin bleiben sollen.

Im Jahre 1848 hätte sich jene Masse mit unentgeltlicher Aufhebung der Feudallasten begnügt... Nach der bitteren Lehrzeit in den letzten Monaten des Jahres 1848 und der bisherigen im Jahr 1849 ist das schlesische Landvolk, der ‚kleine Mann', immer mehr und mehr zu der Einsicht gekommen, daß die Herren Rittergutsbesitzer, statt sich durch ein feinersonnenes Ablösungsgesetz neue Reichtümer zu oktroyieren, von Rechts wegen mindestens denjenigen Teil ihres Raubes zurückgeben müssen, den sie mit Hülfe der früheren Ablösungsgesetze ins trockne gebracht haben... Von Dorf zu Dorf beschäftigt man sich jetzt mit der Frage, wieviel die Herren Raubritter bloß seit den letzten dreißig Jahren dem Landvolke gestohlen haben."

Man hat's nicht so leicht wie in Frankreich, wo die Entschädigung der Nation in einer runden Summe von 1000 Millionen Franken, beinahe 300 Millionen Taler, abgepreßt wurde, so daß „der französische Bauer weiß, wieviel er an Kapital und Zinsen zurückerhalten muß". In Preußen geschah die Ausbeutung jahraus, jahrein, und bisher wußte nur der einzelne Bauer, was er und sein Dorf gezahlt haben.

„Jetzt hat man aber den Überschlag für die ganze Provinz gemacht und gefunden, daß das Landvolk auf dem Wege der Ablösung an die gnädigen Herren[1] teils in Grundstücken, teils in barem Kapital und in Renten mehr als 80 Millionen Taler gezahlt hat[2]. Dazu kommen die jährlichen Abgaben und Leistungen der bisher Nicht-Abgelösten. Diese Summe beträgt für die letzten dreißig Jahre mindestens 160 Millionen Taler, macht mit den obigen zusammen ca. 240 Millionen Taler.

Dem Landvolk ist mit diesen erst jetzt zu seiner Kunde gelangten Berechnungen ein Licht aufgegangen, vor dessen Helle die feudalen Spießgesellen... in sich zusammenschrecken. Sie haben 240 Millionen aus den Taschen des Landvolks geschluckt, und ‚unsere 240 Millionen müssen wir bei der nächsten Gelegenheit zurückhaben' – das ist der nunmehr im schlesischen Landvolk umherwandelnde Gedanke, das ist die Forderung, die bereits in tausenden von Dörfern laut ausgesprochen wird.

Das mehr und mehr sich ausbreitende Bewußtsein, daß, *wenn* überhaupt von Entschädigung wegen der Feudallasten die Rede sein soll, die *Bauern* für den an ihnen begangenen ritterschaftlichen Raub entschädigt werden müssen – das ist eine ‚Errungenschaft', die bald ihre Früchte tragen wird. Sie läßt sich durch keinerlei Oktroyierungskünste umstoßen. Die nächste Revolution wird ihr zur praktischen Geltung verhelfen, und die schlesischen Bauern werden dann wahrscheinlich ein ‚Entschädigungsgesetz' auszuarbeiten wissen, durch das nicht bloß das geraubte Kapital, sondern auch die ‚landesüblichen Interessen' den Rückweg in die Taschen des Volks finden."

Auf welchen „Rechtstitel" hin die Herren Junker sich diese Summe angeeignet, lehrt der zweite Artikel, in der Nummer vom 25. März 1849.

„Wie's mit Erwerbung dieser raubritterlichen ‚Rechte' beschaffen ist, davon legt nicht bloß jede Seite der mittelalterlichen Geschichte, sondern jedes Jahr bis auf die allerneueste Zeit das lauteste Zeugnis ab. Das mittelalterliche Ritterschwert wußte sich später ganz herrlich mit dem Gänsekiel des Juristen und der Beamtenhorde zu verbünden. Aus der Gewalt wurde mittels einer Kartenschläger-Volte das ‚Recht', das ‚wohlerworbene Recht' fabriziert. Ein Beispiel aus dem vorigen Jahrhundert. In den achtziger Jahren wurden in Schlesien, auf Veranlassung des Adels, Kommissionen zur Feststellung der Urbarien, der gutsherrlich-bäuerlichen Leistungen und Gegenleistungen, niedergesetzt... Die Kommissionen, aus Adligen und ihren Kreaturen zusammengesetzt, arbeiteten vortrefflich – im Interesse der Aristokratie. Gleichwohl gelang es den

[1] In der „N. Rh. Z.": an die schlesischen Raubritter – [2] in der „N. Rh. Z.": um mehr als 80 Millionen Taler geprellt worden ist

hohen Herren bei weitem nicht überall, sogenannte ‚konfirmierte'" (von den Bauern anerkannte) „Urbarien zustande zu bringen. Wo es aber gelang, geschah es nur durch Gewalt oder Betrug... Ganz naiv wird in der Einleitung zu einer Anzahl solcher Schriftstücke angeführt, daß die Bauern nicht unterkreuzen gewollt (schreiben konnten damals nur äußerst wenige) und daß sie teils durch Androhung, teils durch wirkliche Anwendung von Waffengewalt zur Unterschrift der sie und ihre Nachkommen übervorteilenden Urkunde gezwungen wurden. Auf Grund solcher ‚wohlerworbener Rechte' haben die Herren Ritter in Schlesien während der letzten dreißig Jahre jenes artige Sümmchen von 240 Millionen Talern aus dem Schweiß und Blut des Bauernstandes in ihre ahnenstolzen Geldkisten hinüberzudestillieren gewußt."

VI

Von der direkten Ausbeutung der Bauern durch den Adel geht Wolff auf die verschiedenen Formen der indirekten über, wobei die Mitwirkung des Staats eine Hauptrolle spielt.

Zuerst die *Grundsteuer*, die in Schlesien noch 1849 nach einem 1749 angelegten Kataster erhoben wurde. In diesem Kataster war von vornherein das Adelsland mit geringerer, das Bauernland mit größerer als der wirklichen Morgenzahl eingetragen, der Ertrag eines Morgens Wiesen- oder Ackerland zu 1 Tlr. veranschlagt und darnach die Grundsteuer erhoben. Wälder und Weiden waren frei. Die Adeligen hatten seitdem ganze Striche Waldungen ausgerodet und bedeutende Flächen Ödland urbar gemacht. Die Steuer wurde immer nach der im Kataster von 1749 aufgeführten Morgenzahl urbaren Landes fortentrichtet! Der Bauer, der kein Ödland urbar zu machen hatte, wurde also bei beiderseits gleichbleibender Steuer bedeutend überlastet, vulgo geprellt. Noch mehr:

„Ein großer Teil der Ritterschaft, gerade derjenige Teil, der die *größten* und *einträglichsten Güterkomplexe besitzt*, hat unter dem Titel von ‚wohlerworbenen Rechten' als mediatisierte Standesherren[52] bis jetzt noch *nicht einen Deut Grundsteuer gezahlt*.

Rechnen wir das, was die Herren Ritter in den letzten 30 Jahren bloß an Grundsteuer zu wenig oder gar nicht gezahlt, auf 40 Millionen Taler – und das ist doch wahrlich noch eine Rechnung unter Brüdern –, so macht dies mit den auf direkte Weise aus den Taschen des schlesischen Landvolkes geraubten 240 Millionen eine Summe von 280 Millionen." („Neue Rheinische Zeitung" vom 25. März 1849.)

Folgt die Klassensteuer. Ein schlesischer Bauer, den Wolff aus der Masse herausnimmt,

„besitzt 8 Morgen Landes von mittlerer Qualität, entrichtet jährlich eine Masse Abgaben an den ‚gnädigen' Herrn, muß ihm jährlich eine Menge Frondienste tun und zahlt dabei an Klassensteuer monatlich 7 Sgr. 6 Pf, macht jährlich 3 Taler. Ihm gegenüber steht ein gnädiger Herr mit ausgedehntestem Grundbesitz, mit Wäldern und Wiesen, mit Eisenhütten, Galmeigruben, Kohlenbergwerken etc., z.B. der Erzheuler[53], Russenfreund, Demokratenfresser und Deputierte zur Zweiten Kammer, Graf Renard. Dieser Mann hat ein jährliches Einkommen von 240 000 Talern. Er entrichtet auf der höchsten Stufe jährlich 144 Taler Klassensteuer. Im Verhältnis zu jenem Rustikalbesitzer mit 8 Morgen hätte er jährlich mindestens 7000 Taler Klassensteuer zu zahlen, macht in 20 Jahren 140 000 Taler. Er hat also in 20 Jahren zu wenig eingezahlt 137 120 Taler."

Wolff vergleicht nun den Klassensteuer-Betrag, den derselbe Graf Renard zahlt, mit der Steuerzahlung eines Hofeknechts mit 10 Talern jährlichem Lohn, der $^1/_2$ Tlr. oder 5 Prozent seines baren Einkommens, und mit derjenigen einer Hofgärtnersmagd, die bei 6 Talern Jahreslohn ebenfalls $^1/_2$ Tlr. oder $8^1/_3$ Prozent ihres Einkommens an Klassensteuer zahlt. Hiernach hat der edle Graf in 20 Jahren gegenüber dem Knecht 237 120 Tlr., gegenüber der Magd sogar 397 120 Tlr. zu wenig Klassensteuer gezahlt.

„Nach dem landesväterlichen Willen von Friedrich Wilhelm IV., Eichhorn-Ladenberg und der übrigen christlich-germanischen Genossenschaft sollte die Volksschule (man vergleiche die Eichhornschen Reskripte bis Anfang 1848) sich lediglich auf Lesen, Schreiben und das notdürftigste Rechnen beschränken. Die 4 Spezies wären also dem Landvolk immerhin erlaubt geblieben. Es bedurfte indessen der Volksschule nicht, um dem Landmann die verschiedenen Spezies, namentlich das Subtrahieren oder Ab- und Entziehen, beizubringen. In Schlesien wenigstens hat die gottbegnadete Raubritterschaft so viel an ihm herum und von ihm heraus subtrahiert, daß er nun seinerseits bei der ersten besten Gelegenheit in dieser Spezies des Subtrahierens, auf die hohen Herren angewandt, ganz famos bestehen dürfte."

Von dieser Subtraktions-Praxis des schlesischen Adels gibt Wolff dann wieder ein Beispiel: Die wüsten Huben.

„Überall, wo im vorigen Jahrhundert durch Krieg, Epidemien, Feuersbrünste und andere Unfälle Rustikalwirte" (d.h. Bauern) „zugrunde gingen, da war der Patrimonialherr schleunig bei der Hand, um den Acker der betreffenden Rustikalstelle entweder ganz oder teilweise als ‚wüste Hube' seinem Dominium einzuverleiben. Grundsteuer, Haussteuer und die übrigen Lasten hütetet Ihr Herren Euch wohl mit hinüber zu nehmen. Diese mußten fort und fort entweder die ganze Gemeinde oder der nachfolgende Besitzer tragen, der oft nur den dritten, den sechsten, den achten Teil der früheren Bodenfläche, aber alle früheren Steuern, Abgaben und Leistungen mit in den Kaufbrief gesetzt erhielt. Ähnlich machtet Ihr's mit Gemeindeweiden und -äckern, wenn z.B. die oben erwähnten Ursachen eine mehr oder weniger vollständige Entvölkerung des Dorfs herbeigeführt hatten. Diese und noch andere Gelegenheiten benutztet Ihr, um soviel Ländereien wie möglich zusammenzuschlagen. Die Gemeinden aber und die einzelnen Bauern mußten die Gemeinde-, Schul-, Kirchen-, Kreis- und andere Lasten unvermindert tragen, als wenn ihnen nicht das mindeste abhanden gekommen wäre... Mit dem Maß, womit Ihr messen wollt, wollen wir Euch auch messen, wird Euch der Landmann antworten.

In Eurem wütigen Entschädigungs-Appetit seid Ihr blindlings an ein wahres Hornissennest von Volksentschädigungen angerannt; fliegen diese, gereizt wie sie sind, eines Tages hervor, dann könnte Euch leicht, außer genauester *Entschädigung*, noch eine gute Portion *Beschädigung* zuteil werden!" („Neue Rheinische Zeitung" vom 27. März.)

Im nächsten Artikel (Nummer vom 29. März) beschreibt Wolff das Verfahren bei der Ablösung der Feudallasten selbst. Unter den berüchtigten General-Kommissionen, welche die Angelegenheit für die ganze Provinz zu ordnen hatten, standen die kgl. Ökonomie-Kommissarien und ihre Gehülfen, die kgl. Vermessungs-Kondukteure und Aktuare. Sowie der Ablösungsantrag vom Gutsherrn oder Bauern gestellt war, erschienen diese Beamte im Dorf, wo sie vom gnädigen Herrn sofort im Schloß aufs flotteste bewirtet und bearbeitet wurden.

„Oft hatte diese Bearbeitung auch schon vorher stattgefunden, und da die Herren Ritter den Champagner nicht sparen, wenn etwas dadurch erreicht werden kann, so waren die patrimonialvergnüglichen Bemühungen meist erfolgreich."

Allerdings gab es hie und da auch unbestechliche Beamte, allein sie waren die Ausnahmen, und selbst dann war den Bauern nicht geholfen.

„In Fällen, wo der Ökonomie-Kommissarius seinerseits sich genau ans Gesetz hielt, nutzte es den Bauern wenig, sobald z.B. der Kondukteur vom Dominialherrn oder dessen Beamten gewonnen war. Noch schlimmer für die Bauern, wenn, wie es in der Regel der Fall war, zwischen Ökonomie-Kommissarius, Kondukteur und Patrimonialherrn das herzlichste Einverständnis herrschte. Dann war das ritterliche Herz fröhlich und guter Dinge.

In seiner ganzen Machtfülle, womit namentlich das altpreußische Beamtentum seine Angehörigen zu umkleiden wußte, trat jetzt der kgl. Kommissarius unter die im Gerichtskretscham versammelten Bauern. Er verfehlte nicht, die Bauern zu erinnern, daß er ‚im Namen des Königs' hier sei und mit ihnen verhandele.

‚Im Namen des Königs!' Bei dieser Phrase treten dem Bauer alle düsteren Gestalten, wie Gensdarmen, Exekutoren, Patrimonialrichter, Landräte etc., gleichzeitig vor Augen. War er doch von ihnen allen stets in jenem Namen bedrückt oder ausgesaugt worden! ‚Im Namen des Königs!' Das klang ihm gleich Stock oder Zuchthaus, es klang wie Steuern, Zehnten, Fronden und Sportelgelder. Das alles mußte er ja auch ‚im Namen des Königs' zahlen. Schlug diese kommissarische Einleitung nicht vollständig an, zeigte sich die Gemeinde oder einzelne Bauern in ihr bei diesem oder jenem Punkt gegen die dominial-kommissarischen Pläne widerspenstig, so verwandelte sich der Kommissarius in den olympischen Donnerer, der ein heiliges Tausendsackerment nach dem andern in die verdutzte Bauernschar hineinschleuderte und dann sanfter hinzusetzte: Macht Ihr noch ferner solche dumme Weitläuftigkeiten, so sage ich Euch, daß Ihr noch ganz gehörig dafür *blechen* sollt. Dies symbolische Anfassen des bäuerlichen Geldbeutels gab dann meist den Ausschlag: die Leistungen und Gegenleistungen konnten nun den gutsherrlichen Wünschen bequem angepaßt werden."

Jetzt ging's ans Vermessen, und hierbei prellte dann der bestochene Kondukteur seinerseits die Bauern zugunsten des Gutsherrn. Zur Abschätzung von Nutznießungen, Bodenbeschaffenheit etc. zog man die Kreisschulzen als Sachverständige zu, und diese gaben ihr Gutachten meistenteils ebenfalls zugunsten des Gutsherrn ab. Nachdem dies alles geordnet und das nach Abzug des als Schadenersatz für die wegfallenden Feudaldienste an den gnädigen Herrn abzutretenden Bodenteils den Bauern noch verbleibende Morgenmaß Landes endlich festgestellt war, bestimmten die Herren Ritter meist den Ökonomie-Kommissarius, den Acker der kleinen Leute, wenn's irgend ging, auf die schlechteste Seite hin zu verlegen. Der gute Boden wurde zum herrschaftlichen geschlagen und dafür den Bauern herrschaftlicher Acker zugemessen, der in nassen Jahren regelmäßig ersäuft. Andernteils wurde dann noch den Bauern ein Teil ihres Ackers bei der Rückvermessung vom Kondukteur wegeskamotiert. In der ungeheuren Mehrzahl der Fälle waren die Bauern wehrlos; wer einen Prozeß anfing, wurde in der Regel dadurch ruiniert, und nur unter ganz ausnahmsweise günstigen Umständen kam ein Bauer zu seinem Recht.

Den Schluß des Geschäfts bildete die Ausfertigung und Unterzeichnung der sämtlichen Rezesse oder Auseinandersetzungs-Urkunden durch die Generalkommission und – die Generalkostennote, und mit ihr begann erst recht der Jammer des Landmanns.

„Zur Charakterisierung dieser Rechnungen gibt es keinen andern Ausdruck als: unverschämt. Der Bauer mochte protestieren, sich die Haare raufen: half alles nichts. Auf seinen Geldbeutel war's ja eben abgesehen; der Fiskus nahm seinen Teil Stempelsteuer vorweg und das übrige diente zur Besoldung der General-Kommission, der Ökonomie-Kommission etc. Dieser ganze Beamtenschwarm lebte herrlich und in Freuden. Pauvre Burschen haben sich in ihrer Stellung als Ökonomie-Kommissarien mit Hülfe des raubritterlichen Nefas sehr bald ebenfalls zu Rittergutsbesitzern heraufgeschwungen. Daß die Entscheidung bei den General-Kommissionen in den Händen von Adligen lag, bedarf kaum der Bemerkung. Ohne sie wäre es um die Geschäftchen der Herren Ritter nicht so gut bestellt gewesen."

Eine Abrechnung über sämtliche Kosten dieser General-Kommissionen ist auf gut altpreußisch nie veröffentlicht worden, also weiß das Volk gar nicht, was ihm die Ablösung der Feudallasten, soweit sie bis 1848 bewerkstelligt, eigentlich gekostet hat. Aber die einzelnen Gemeinden und Bauern werden nie vergessen, was sie damals haben „blechen" müssen.

„Ein kleines Dorf z.B., dessen Bauern zusammen noch nicht 30 Morgen besaßen, mußte an Rezeßkosten ca. 137 Taler bezahlen; in einem andern kommen auf einen Stellenbesitzer mit 7 Morgen Acker nicht weniger als 29 Taler Kosten... Das raubritterliche Entschädigungsgericht war so köstlich, daß es, mit einigen christlich-germanischen Ingredienzen gewürzt, auch ferner auf der Tafel der hohen und noblen Herren nicht fehlen soll. Es schmeckt nach mehr! – spricht die schlesische Raubritterschaft, streicht sich schmunzelnd den Schnauzbart und schnalzt mit der Zunge, wie die Krautjunker pflegen."

Wolff schrieb dies vor siebenundzwanzig Jahren, und die geschilderten Ereignisse gehören der Zeit von 1820 bis 1848 an; aber wenn man sie heute liest, so glaubt man, eine Beschreibung des Verfahrens zu lesen, nachdem seit 1861 die Leibeigenen Rußlands in sogenannte freie Bauern verwandelt wurden. Es stimmt aufs Haar. Zug für Zug ist die Bauernprellerei zugunsten der gnädigen Herren in beiden Fällen dieselbe. Und wie in allen offiziellen und liberalen Darstellungen die russische Ablösung als eine enorme Wohlfahrt für die Bauern, als der größte Fortschritt in der russischen Geschichte geschildert wird, geradeso stellt die offizielle und nationalservile Geschichtsschreibung uns jene altpreußische Bauernbeschwindelung als ein weltbefreiendes Ereignis dar, wogegen die große Französische Revolution – die doch die Ursache der ganzen Ablösung war – in den Schatten tritt!

VII

Das Sündenregister des schlesischen Adels ist noch immer nicht erschöpft. In der „Neuen Rheinischen Zeitung" vom 5. April erzählt Wolff, wie die Einführung der Gewerbefreiheit in Preußen den Raubrittern eine neue Gelegenheit zur Prellerei des Landvolks geboten.

„Solange der Zunftzwang dauerte, zahlte der ländliche Handwerker und Gewerbtreibende für sein Handwerk oder Geschäft eine jährliche, der Regel nach ziemlich hohe Abgabe an den gnädigen Gutsherrn. Dafür genoß er den Vorteil, daß ihn der Gutsherr gegen die Konkurrenz anderer durch Versagung der Betriebserlaubnis schützte, und daß der Gutsherr außerdem bei ihm arbeiten lassen mußte. So verhielt es sich namentlich bei den Müllern, Brauern, Fleischern, Schmieden, Bäckern, Kretscham- oder Wirtshaus-Besitzern, Krämern etc."

Als die Gewerbefreiheit eingeführt wurde, hörte der den privilegierten Handwerkern gewährte Schutz auf und überall erstand ihnen Konkurrenz.

Trotzdem erhoben die Gutsherren die bisher gezahlte Abgabe weiter, unter dem Vorwande, sie hafte nicht am Handwerk, sondern am Grund und Boden, und die Gerichte, ebenfalls vorwiegend im Interesse des Adels, erkannten diesen widersinnigen Anspruch in der großen Mehrzahl der Fälle an. Damit nicht genug. Mit der Zeit legten die gnädigen Herren selbst Wasser- und Windmühlen und später Dampfmühlen an, machten also selbst dem früher privilegierten Müller eine überlegene Konkurrenz, ließen sich aber trotzdem von diesem die alte, für das frühere Monopol gezahlte Abgabe ruhig weiterzahlen, unter dem Vorwande, es sei entweder Grundzins oder Entschädigung für gewisse unbedeutende, vom Gutsherrn zu leistende Reparaturen am Wasserlauf und mehr. So zitiert Wolff eine Wassermühle mit zwei Gängen, ohne allen Acker, die 40 Taler jährlich an den Gutsherrn zu zahlen hatte, trotzdem daß dieser eine Konkurrenzmühle errichtet, so daß ein Müller nach dem andern auf der ersten Mühle bankerott machte. Um so besser für den Gutsherrn: die Mühle mußte dann verkauft werden und von der Kaufsumme bei jedem Besitzwechsel erhob der gnädige Herr vorab 10 Prozent Laudemien für sich selbst! Ebenso mußte eine Windmühle, zu der nur der Boden gehörte, worauf sie stand, dem Gutsherrn 53 Taler jährlich entrichten. Genauso ging es den Schmieden, die den alten Monopolzins fortzahlen oder ablösen mußten, trotzdem daß nicht nur das Monopol abgeschafft war, sondern derselbe Gutsherr, der den Zins einstrich, ihnen durch seine eigene Schmiede Konkurrenz machte – ebenso den übrigen Handwerkern und Gewerbtreibenden: der Zins wurde entweder per „Rezeß" abgelöst oder weitergezahlt, obwohl die Gegenleistung, der Schutz gegen fremde Konkurrenz, längst weggefallen war.

Bis jetzt sind bloß die verschiedenen Formen der Ausbeutung betrachtet worden, deren der Feudaladel sich bediente gegenüber den besitzenden Landleuten, Bauern mit zwei und mehr Hufen bis herab zum Freigärtner, Frei- und Auenhäusler und wie die Leute alle heißen mögen, die wenigstens ein Hüttchen und meist auch ein Gärtchen besitzen. Blieb die zahlreiche Klasse, die weder bei dem gnädigen Herrn in Dienst steht, noch ein Häuschen oder einen Quadratfuß Landes besitzt.

„Es ist dies die Klasse der Inlieger, der Zuhause-Innewohner, der *Inwohner* kurzweg, Leute, die bei Bauern, Gärtnern, Häuslern eine Stube, meist ein Hundeloch, für 4–8 Taler jährlich gemietet haben. Entweder sind's Auszügler, d.h. Personen, welche die Wirtschaft an Verwandte übergeben oder an Fremde verkauft und sich in das darin befindliche Stübchen mit oder ohne ‚Ausgedinge' zur Ruhe gesetzt haben, oder – und diese bilden die Mehrzahl – es sind arme Tagelöhner, Dorfhandwerker, Weber, Grubenarbeiter etc."

Wie diesen beikommen? Die Patrimonialgerichtsbarkeit, jener schöne, jetzt erst durch die Kreisordnung zu beseitigende Zustand, bei dem der Gutsherr die Gerichtsbarkeit über seine Ex-Untertanen besitzt, mußte den Vorwand dazu hergeben. Sie brachte es mit sich, daß, wenn der gnädige Herr einen seiner Gerichtsangehörigen ins Gefängnis ablieferte, er auch die Kosten der Unterhaltung wie der Untersuchung tragen mußte. Dafür erhielt derselbe gnädige Herr auch alle Sporteln, die bei der Patrimonialgerichtsbarkeit abfielen. War der Verhaftete ein Bauer, so trieb der gnädige Herr die Kosten von ihm wieder ein und ließ im äußersten Falle Haus und Hof verkaufen. Damit er aber auch für die Kosten gedeckt sei, die ihm etwaige verhaftete Inlieger verursachen, erhob der Gutsherr von den sämtlichen seiner Gerichtsbarkeit unterstehenden Leuten dieser Klasse ein jährliches *Schutzgeld*, mit seinem vornehmen Namen Jurisdiktionsgeld getauft.

„Einige der gnädigen Herren", sagt Wolff („Neue Rheinische Zeitung" vom 12. April), „begnügten sich mit einem Taler jährlich; andere erhoben $1^1/_2$ Taler und noch andere trieben die Unverschämtheit so weit, 2 Taler jährlich diesem Teil des ländlichen Proletariats abzuverlangen. Mit diesem Blutgeld spielte und hurte es sich dann um so besser in der Hauptstadt und in den Bädern.

Wo durchaus kein bares Geld herauszupressen war, da verwandelte der gnädige Herr oder sein Amtmann das Schutzgeld in 6, 10 bis 12 unentgeltliche Hofetage" (die der Inlieger dem gnädigen Herrn unentgeltlich abarbeiten mußte). „Bar Geld lacht! Wenn daher der Inlieger nicht zahlen konnte, so wurde ihm gewöhnlich der Exekutor auf den Hals geschickt, der ihm die letzten Lumpen, das letzte Stück Bett, Tisch und Stuhl wegnehmen mußte. Einige wenige unter den gnädigen Herren enthielten sich der Barbarei und forderten kein Schutzgeld, aber nicht weil es ein angemaßtes Recht war, sondern weil sie in patriarchalischer Milde keinen Gebrauch von diesem angeblichen Recht machen wollten.

So ist denn, bis auf wenige Ausnahmen, der Inlieger zugunsten des gutsherrlichen Beutels jahraus, jahrein schändlich geplündert worden. Der arme Weber z.B., den der Fabrikant auf der einen Seite aussaugte, mußte auf der anderen, bei einem Verdienst von 3–4 Silbergroschen täglich, bei $^1/_2$ Taler Klassensteuer an den Staat, bei Abgaben an Schule, Kirche und Gemeinde, auch noch dem gnädigen Herrn 1 bis 2 Taler Schutzgeld, das recht eigentlich Blutgeld zu nennen ist, entrichten. So der Bergmann, so alle übrigen Inlieger.

Welchen Vorteil hat er, der Inlieger, davon? Daß, wenn er durch Not, Elend und Roheit zum Stehlen oder anderen Verbrechen getrieben und zur Strafe gezogen wird, er mit dem frohen Bewußtsein im Zucht- oder Korrektionshaus sitzen kann, daß er und die Klasse der Inlieger, der er angehört, die Gefängniskosten dem gutsherrlichen Beutel schon hundertfach vorausbezahlt hat... Der Inlieger, der das Schutzgeld – nehmen wir es durchschnittlich zu $1^1/_3$ Taler jährlich – 30 Jahre lang gezahlt und *nicht* ins Zuchthaus kommt, hat dem gutsherrlichen Beutel, von Zins und Zinseszinsen abgesehen, 40 Taler bar hinwerfen müssen. Dafür verzinst der Herr ein bei der Landschaft" (dem Kreditverein der Rittergutsbesitzer) „aufgenommenes Kapital von mehr als 1000 Talern.

Welch ergiebige Quelle die Herren Raubritter im Schutzgelde fanden, ergibt sich aus der Tatsache, daß in den meisten Dörfern ebensoviel, oft noch mehr, Inlieger als Wirte sind. Wir erinnern uns eines der kleinsten Raubritter, der 3 Dominien besaß und von den in seinen 3 Dörfern befindlichen Inliegern jährlich 240 Taler Schutzgeld erpreßte, womit er ein landschaftliches" (auf sein Gut aufgenommenes) „Kapital von 6000 Talern verzinste...

Naive Leute werden nach alledem vielleicht glauben, daß die Herren Ritter nun auch wirklich etwa entstehende Kriminalkosten aus ihren pränumerando (durch Vorausbezahlung) gefüllten Beuteln bezahlen? Solch naiver Glaube wird an der ritterlichen Spekulation völlig zuschanden. Es sind uns aus den zwanziger wie aus späteren Jahren her eine Menge Fälle bekannt, wo die ritterliche Unverschämtheit nicht bloß von den Inliegern das Schutzgeld erhob, sondern bei entstehenden Untersuchungs- und Gefängniskosten die geliebten Dorfuntertanen zur Tragung teils von $^1/_3$, teils von $^1/_2$, ja in mehreren Dörfern von $^2/_3$ der Kosten zu zwingen wußte."[1]

VIII

In der „Neuen Rheinischen Zeitung" vom 14. April kommt Wolff auf das *Jagdrecht* zu sprechen, das 1848 unentgeltlich aufgehoben worden war, dessen Wiederherstellung oder Abkaufung durch eine „Entschädigung" die Herren Junker damals mit lauter Stimme verlangten.

„Die *Heiligsprechung des Wildes* brachte es mit sich, daß man lieber eine Kanaille von Bauer erschoß als einen Hasen, ein Rebhuhn oder ähnliche eximierte Geschöpfe. Beim Jagen mit Treibern, aus den lieben Dorfuntertanen genommen, genierte man sich nicht sehr; wurde auch einer der Treiber angeschossen oder tot hingestreckt, so gab's höchstens eine Untersuchung und damit basta. Außerdem sind uns aus jener dominialen Glanzperiode mehrere Fälle bekannt, wo der noble Ritter dem oder jenem Treiber eine Ladung Schrot in die Beine oder in den Hintern schoß – zum reinen ritterlichen Privatvergnügen. Auch außerhalb der eigentlichen Jagd trieben die Herren Ritter solche Kurzweil mit Passion. Wir erinnern uns bei solcher Gelegenheit stets des Herrn Barons, der einem Weibe, das gegen sein Verbot auf dem abgeernteten herrschaftlichen Acker Ähren las, eine Portion Schrot in die Schenkel jagte und dann beim Mittagsmahl in einer auserlesenen raubritterlichen Gesellschaft seine Heldentat mit unverkennbarer Selbstbefriedigung erzählte... Dagegen hatten die geliebten Dorfuntertanen bei den großherrschaftlichen Treibjagden die Freude, als Treiber roboten

[1] Der letzte Absatz ist aus der „N. Rh. Z." vom 13. April 1849 zitiert

(Dienst tun) zu müssen. Jeder Wirt, d.h. jeder Ackerbesitzer und jeder Häusler, wurde angewiesen, ‚morgen in aller Frühe' einen Treiber zur großen herrschaftlichen Jagd auf soundso viele Tage zu stellen. Es mußte freilich den Herren Rittern das Herz vor Wonne klopfen, wenn an kalten, nassen Oktober- und Novembertagen eine Hetze schlechtgekleideter, oft barfüßiger, hungernder Dorfinsassen neben ihnen hertrabten. Die Karbatsche hing an der Jagdtasche zu Nutz und Frommen für Hund und Treiber. Die beste Portion pflegte letzterer davon zu tragen... Andere Ritter legten sich große Fasanerien an... Wehe der Frau oder der Magd, die unvorsichtig oder aus Mangel an Spürkraft beim Grafen einem Fasanennest zu nahe kam und die Henne störte... Wir sind selbst in unserer Jugend Augenzeuge gewesen, wie eine Bauersfrau aus besagtem Grunde von einem jungen Raubritter aufs barbarischste, aufs viehischste mißhandelt und zum Krüppel geschlagen wurde, ohne daß ein Hahn danach gekräht. Es waren arme Leute, und zum Klagen, d.h. zum Prozessieren, gehört Geld und dann auch einiges Vertrauen zur Justiz, Dinge, die bei der Mehrzahl des schlesischen Landvolks teils spärlich, teils gar nicht anzutreffen.

Knirschend vor Wut hat es der Landmann ansehen müssen, wie die ritterlichen Herren mit oder ohne ihre Jäger, oder wie diese allein über sein mit Mühe und Not angebautes Feld zertretend und verwüstend einherjagten, wie sie keine Feldfrucht schonten, ob hoch oder niedrig, ob dick oder dünn. Mitten durch oder drüber hinweg ging's mit Jägern und Hunden. Wagte der Bauer Einsprache, so war im mildesten Falle Hohnlachen die Antwort; den schlimmeren hat so mancher an seinem mißhandelten Körper erfahren. Den Kohl auf dem Felde des Bauern suchte sich der gottbegnadete eximierte Hase zu seiner Atzung aus, und seine Bäume pflanzte der Landmann, damit der Hase im Winter seinen Hunger stillen konnte... Aber dieser Schaden steht noch in gar keinem Verhältnis zu dem, welchen ihm Rot- und Schwarzwild angerichtet, das... im größten Teile Schlesiens gehegt wurde. Wildschweine, Hirsche und Rehe durchwühlten, fraßen, zertraten oft in einer Nacht, was dem Bauer oder dem ‚kleinen Mann' fürs ganze Jahr zum Unterhalt und zur Bezahlung der Steuern und Abgaben dienen sollte. Allerdings stand es dem Beschädigten frei, auf Ersatz zu klagen. Es haben's auch einzelne und ganze Gemeinden versucht. Das Ergebnis solcher Prozesse wird sich jeder selbst sagen, der in seinem Leben von dem altpreußischen Beamtenwesen und Richterstande und dem Prozeßverfahren auch nur eine entfernte Idee erlangt hat... Nach unendlichem Schreiben und Terminieren erlangte der Bauer, wenns Glück günstig war, in ein paar Jahren ein Urteil gegen den Gnädigen, und wenn er sich das bei Lichte besah und alles nachrechnete, so stand er erst recht als der Geprellte da... Die Zahl der Dörfer aber, auf deren Rustikaläckern seit 30 Jahren, und von Jahr zu Jahr ärger, die gottbegnadeten Wildschweine, Hirsche und Rehe verwüstend gehaust, beträgt über 1000. Wir kennen mehrere derselben, die lange nicht zu den größten gehören, denen bloß das eximierte Hochwild ein Jahr ums andere jährlich 200–300 Tlr. Schaden verursacht hat."

Und wenn nun der Adel eine Entschädigung fordert für Abschaffung dieses Jagdrechts, so stellt Wolff dieser Forderung die andere gegenüber:

„Volle Entschädigung für allen Wildschaden, für alle Verwüstungen, die seit 30 Jahren von gottbegnadeten Rehen, Hirschen, Wildschweinen und von den Herren Rittern selbst auf unsern Fluren angerichtet worden, das heißt in runder Zahl:

Eine Entschädigung von mindestens 20 Millionen Taler!"

Den Schluß des Ganzen („Neue Rheinische Zeitung" vom 25. April 1849) bildet ein Artikel über den polnischen Teil der Provinz, Oberschlesien, das im Herbst 1847 von einer Hungersnot betroffen wurde, so schlimm, wie sie gleichzeitig Irland entvölkerte. Wie in Irland, brach der Hungertyphus auch in Oberschlesien aus und verbreitete sich pestartig. Im folgenden Winter brach er hier aufs neue aus, und zwar ohne daß eine Mißernte, Überschwemmung oder sonstige Kalamität eingetreten wäre. Wie erklärt sich dies? Wolff antwortet:

„Zur größeren Hälfte ist der Grund und Boden in den Händen großer Grundbesitzer, des Fiskus" (Staats) „und der toten Hand. Nur $^{2}/_{5}$ der gesamten Ländereien sind in den Händen der Bauern und mit Fronden und Abgaben an die Gutsherren wie mit Steuern an den Staat, an Kirche, Schule, Kreis und Gemeinde aufs unglaublichste und schamloseste überlastet, während die gnädigen Herren, im Verhältnis zu den Bauern, höchstens eine wahre Lumperei an den Staat entrichten... Wenn der Tag der Rente kommt, werden die Silberzinse mittelst der Knute vom Bauern eingetrieben, wenn er sie nicht freiwillig zahlen will. Und so zwangen Mangel an Kapital und Kredit und Überfluß an Abgaben und Leistungen an die Raubritter wie an Staat und Kirche den Bauer, sich dem Juden in die Arme zu werfen und in den Schlingen des pfiffigen Wucherers ohnmächtig zappelnd zu verenden.

In der langen Erniedrigung und Knechtschaft, worin das oberschlesische Landvolk durch die christlich-germanische Regierung und ihre Raubritterschaft darnieder gehalten worden, hat der Bauer seinen einzigen Trost wie seine Stärkung und halbe Nahrung im *Branntwein* gefunden. Man muß es den gnädigen Herren lassen, daß sie den Bauern diesen Artikel aus ihren Brennereien reichlich zu immer billigerem Preise verschafften... Neben den Lehmhütten der wasserpolakischen Bauern, wo Hunger, Typhus und Vertierung ihre Stätten aufgeschlagen, nehmen sich die prachtvollen Schlösser, Burgen und übrigen Besitztümer der oberschlesischen Magnaten nur desto romantischer aus... Auf der einen Seite unglaublich schnelle Anhäufung von Reichtümern, kolossale Jahresrevenuen der ‚Gnädigen'. Auf der andern Seite fortschreitende Massenverarmung.

Der Taglohn für ländliche Arbeiter ist äußerst niedrig; für den Mann 5–6 Sgr., für die Frau $2^{1}/_{2}$–3 Sgr. ist schon als ein hoher Satz zu betrachten. Viele arbeiten notgedrungen um einen Tagelohn von resp. 4 und 2 Sgr. und sogar darunter. Die Nahrung besteht fast einzig und allein aus Kartoffeln und Schnaps. Hätte der Arbeiter noch diese beiden Gegenstände in hinreichender Menge gehabt, so wäre wenigstens Hungertod und Typhus von Oberschlesien ferngeblieben. Als aber infolge der Kartoffelkrankheit das Hauptnahrungsmittel immer teurer und seltener wurde, der Tagelohn aber nicht bloß nicht stieg, sondern noch fiel – da griffen die Menschen nach Kräutern, die sie auf Feldern und in den Wäldern pflückten, nach Quecken und Wurzeln, und kochten sich Suppen aus gestohlenem Heu und aßen krepiertes Vieh. Ihre Kräfte schwanden. Der Schnaps wurde teurer und – noch schlechter als zuvor. ‚Schenker' heißen die meistenteils jüdischen Personen, welche gegen einen enormen Pacht an den gnädigen Herrn den Schnaps an das Volk verkaufen. Der Schenker war schon früher gewohnt, den Schnaps, den er durch gehörige Portionen Wassers verdünnte, durch allerlei Ingredienzen, wobei *Vitriolöl* eine Hauptrolle spielte, zu kräftigen. Diese Giftmischerei nahm von Jahr zu Jahr zu und wurde nach dem Auftreten der Kartoffelkrankheit auf die höchste Spitze getrieben. Der durch Heu- und Queckensuppen und durch den Genuß roher Wurzeln geschwächte Magen des Landmannes konnte solche Medizin nicht mehr überwinden. Bedenkt man ferner die schlechte Kleidung, die schmutzigen, ungesunden Wohnungen, die Kälte im Winter, Mangel entweder an Arbeit oder an Kraft zur Arbeit, so wird man begreifen, wie aus den Hungerzuständen sich sehr bald, nicht mehr und nicht minder als in Irland, der Typhus entwickelte. ‚Die Leute hatten nichts zum Zusetzen!' Damit ist alles erklärt. Sie waren fortwährend vom Staat und von den Raubrittern so ausgesaugt und ausgepumpt worden, daß sie bei der geringsten Steigerung ihres Elends zugrund gehen mußten... Die Raubritter, die Beamtenkaste und die ganze gottbegnädete königlich-preußische Regierungsschar machte Geschäfte, bezog Gehälter, verteilte Gratifikationen, während da unten, in den gemeinen Schichten des Volks, die von Hunger und Typhus Gepeitschten hundertweise gleich dem Vieh zu krepieren anfingen und zu krepieren fortfuhren.

Nicht viel besser als mit den Tagelöhnern steht's mit den Wirten oder denjenigen, die ein Haus und ein größeres oder kleineres Stück Land dazu besitzen. Auch ihre Hauptnahrung ist Kartoffeln und Schnaps. Was sie produzieren, müssen sie verkaufen, um die Abgaben an den Gutsherrn, den Staat etc. aufzubringen... Und noch Hofedienste" (für den gnädigen Herrn) „tun zu müssen, hier vom Gnädigen oder dessen Beamten mit dem Kantschu barbarisch malträtiert zu werden, arbeitend, hungernd und geprügelt den Luxus und den Übermut der Raubritter und einer anschnauzenden Beamtenkaste mit ansehen und ertragen zu müssen – das war und das ist das Los eines großen Teils der wasserpolnischen Bevölkerung...

Welche Behandlung dem Hofgesinde, den Knechten und Mägden der Gnädigen zuteil wird, läßt sich schon aus derjenigen ermessen, welche die arbeitspflichtigen Dorfuntertanen und die sogenannten Lohnarbeiter zu erdulden haben. Der Kantschu ist auch hier das Alpha und das Omega des raubritterlichen Evangeliums...

Die Raubritterschaft schaltet und waltet nach Belieben. Aus ihren Reihen wurden die Landräte genommen; sie übt die Dominial- und Distriktspolizei, und die ganze Bürokratie arbeitet in ihrem Interesse. Dazu kommt, daß dem wasserpolnischen Bauer nicht ein deutsches – das wäre vielleicht zu human – sondern ein altpreußisches Beamtentum mit seiner preußischen Sprache und seinem Landrecht gegenübersteht. Von allen Seiten ausgesaugt, malträtiert, verhöhnt, gekantschut und in Fesseln geschlagen, mußte das oberschlesische Landvolk endlich auf dem Punkte ankommen, wo es angekommen ist. Hungertod und Pest mußten notwendig als letzte Frucht auf diesem echt christlich-germanischen Boden heranreifen. Wer noch zum Stehlen die Fähigkeit hat, der stiehlt. Das ist die einzige Form, in welcher der verirländerte Oberschlesier gegen das christliche Germanen- und Raubrittertum tatsächlich Opposition macht. Auf der nächsten Stufe wird gebettelt; scharenweise sieht man die verelendeten Gestalten von einem Ort zum andern ziehen. In dritter Reihe erblicken wir die, welche weder zum Stehlen noch zum Betteln Kraft und Geschick haben. Auf ihren Lagern von vermodertem Stroh hält der epidemische Würgengel seine ergiebigste Rundschau. Das sind die Früchte einer hundertjährigen gottbegnadeten monarchischen Regierung und der mit ihr verbündeten Raubritterschaft und Bürokratie."

Und wie vorher, fordert Wolff nun, daß die Ritterschaft die Bauern entschädige, daß alle Fronden und Geldzinsen unentgeltlich abgeschafft und schließlich, daß die großen Güter der oberschlesischen Magnaten zerschlagen werden. Das werde freilich unter der Brandenburg-Manteuffelschen Regierung nicht geschehen, und somit würden „die Oberschlesier nach wie vor dem Hunger und dem Hungertyphus scharenweise zum Opfer fallen", was sich buchstäblich bewährt hat, bis der enorme Aufschwung der oberschlesischen Industrie in den fünfziger und sechziger Jahren die ganzen Lebensverhältnisse der Gegend revolutionierte und an die Stelle der brutalfeudalen Ausbeutung mehr und mehr die zivilisiertere, aber noch gründlichere moderne bürgerliche Ausbeutung setzte.

IX

Wir haben absichtlich die „Schlesische Milliarde" in größeren Auszügen mitgeteilt, nicht nur weil darin der Charakter Wolffs am deutlichsten sich zeigt, sondern auch weil sie ein treues Bild der Zustände gibt, die bis 1848 auf dem Lande in ganz Preußen, mit Ausnahme der Rheinprovinz, in Mecklenburg, Hannover und einigen anderen Kleinstaaten, sodann in ganz Österreich herrschten. Wo Ablösungen stattgefunden hatten, war der Bauer übervorteilt worden; aber für die Hälfte bis Zweidrittel der Bauernbevölkerung – je nach der Lokalität – bestanden die Feudaldienste und Abgaben an den Gutsherrn noch fort, mit wenig Aussicht auf ein beschleunigteres Tempo der Ablösung, bis das Donnerwetter von 1848 und die ihm folgende Periode industrieller Entwicklung auch mit diesen Resten des Mittelalters so ziemlich aufräumte. Wir sagen so ziemlich, denn in Mecklenburg besteht der Feudalismus noch in ungeschwächter Kraft fort und auch in anderen zurückgebliebenen Teilen von Norddeutschland dürften sich hie und da noch Gegenden finden, wo die Ablösung noch nicht erledigt ist. 1849 wurden in Preußen das Schutzgeld und einige andere weniger bedeutende Feudalabgaben unentgeltlich aufgehoben, die andern Lasten wurden rascher als vorher abgelöst, da der Adel, nach den Erfahrungen von 1848 und bei der anhaltenden Schwierigkeit, aus den widerspenstigen Bauern eine profitliche Arbeit herauszuschlagen, jetzt selbst auf Ablösung drang. Endlich, mit der Kreisordnung, fiel auch die Patrimonialgerichtsbarkeit der Gutsherren, und wenigstens der Form nach ist damit der Feudalismus in Preußen beseitigt.

Aber auch nur der Form nach. Überall, wo großer Grundbesitz vorherrscht, erhält sich eine halbfeudale Herrschaftsstellung der großen Grundeigentümer, auch unter sonst modern-bürgerlichen Bewirtschaftungsverhältnissen. Nur die Formen dieser herrschenden Stellung ändern sich. Sie sind andere in Irland, wo der Boden von kleinen Pächtern bewirtschaftet wird, andere in England und Schottland, wo kapitalbesitzende Pächter mit Lohnarbeitern große Pachtungen bebauen. An diese letztere Form schließt sich die in Norddeutschland, besonders im Osten, vorwiegende Adelsherrschaft an. Die großen Güter werden meist für Rechnung des Besitzers, seltener für Rechnung von Großpächtern bewirtschaftet, mit Hülfe von Hofgesinde und Tagelöhnern. Das Hofgesinde steht unter der Gesindeordnung, die in Preußen von 1810 datiert und so sehr für feudale Verhältnisse eingerichtet ist, daß sie „geringe Tätlichkeiten" der Herrschaft gegen das Gesinde *ausdrücklich erlaubt*, dem Gesinde aber tätliche Widersetzlichkeit gegen Mißhandlung der Herrschaft, außer in Lebens- oder Gesundheitsgefahr, bei Kriminalstrafe *ausdrücklich verbietet!* (Allg. Gesinde-Ordnung, §§ 77, 79.) Die Tagelöhner sind teils durch Kontrakte, teils aber durch die vorwiegende Ablohnung in Naturalien – wozu auch die Wohnung gehört – in eine faktische Abhängigkeit vom Gutsherrn gebracht, die der des Gesindes nichts nachgibt, und so floriert auch heute noch östlich der Elbe jene patriarchalische Behandlung der Landarbeiter und des Hausgesindes mit Maulschellen, Stock- und Kantschuhieben, die uns Wolff in Schlesien geschildert. Leider wird indes das gemeine Volk immer rebellischer und will sich diese väterlichen Besserungsmaßregeln hier und da schon nicht mehr gefallen lassen.

Da nun Deutschland immer noch ein vorwiegend ackerbautreibendes Land ist, und daher die Masse der Bevölkerung sich vom Ackerbau ernährt und auf dem Lande lebt, bleibt es die hauptsächlichste, aber auch schwierigste Aufgabe der Arbeiterpartei, die Landarbeiter über ihre Interessen und ihre Lage aufzuklären. Der erste Schritt hierzu ist, daß man diese Interessen und diese Lage der Landarbeiter selbst kennenlernt. Die Parteigenossen, denen die Umstände dies erlauben, würden der Sache einen großen Dienst tun, wenn sie die Darstellungen Wolffs mit den jetzigen Zuständen vergleichen, die eingetretenen Veränderungen zusammenstellen, die jetzige Lage der Landarbeiter schildern wollten. Neben dem eigentlichen Tagelöhner wäre der kleine Bauer ebenfalls nicht aus dem Auge zu lassen. Wie verhält es sich mit den Ablösungen seit 1848? Ist dabei der Bauer ebenso übers Ohr gehauen worden wie vorher? Solche und andere Fragen ergeben sich von selbst aus der Durchlesung der „Schlesischen Milliarde", und wenn deren Beantwortung ernsthaft in die Hand genommen und das gewonnene Material im Parteiorgan veröffentlicht würde, so geschähe damit der Arbeitersache ein größerer Dienst, als mit noch so vielen Artikeln über die Organisation der zukünftigen Gesellschaft im einzelnen.

Noch einen andern Punkt regt der Schluß der Wolffschen Artikel an. Oberschlesien ist seit 1849 zu einem der wichtigsten Mittelpunkte der deutschen Industrie geworden. Diese Industrie wird, wie überhaupt in Schlesien, vorwiegend auf dem Lande, in großen Dörfern oder neu entstehenden Städten, fern von großstädtischen Zentren, betrieben. Wenn es sich darum handelt, die Sozialdemokratie auf dem Lande zu verbreiten, so bietet also Schlesien, und namentlich Oberschlesien, den geeignetsten Ort, um den Hebel anzusetzen. Trotzdem scheint wenigstens Oberschlesien bis jetzt für die sozialistische Propaganda noch jungfräulicher Boden zu sein. Die Sprache kann kein Hindernis abgeben; einerseits hat mit der Industrie der Gebrauch des Deutschen dort sehr zugenommen, andrerseits gibt es doch gewiß genug Sozialisten, die polnisch sprechen.

Doch zurück zu unserm Wolff. Am 19. Mai wurde die „Neue Rheinische Zeitung" unterdrückt, nachdem die letzte, rotgedruckte Nummer erschienen war. Die preußische Polizei hatte, außer 23 noch schwebenden Preßprozessen, so viel andere Angriffsvorwände gegen jeden einzelnen Redakteur, daß sie alle Köln und Preußen sofort verließen. Die meisten von uns gingen nach Frankfurt, wo die Entscheidung sich vorzubereiten schien. Die Siege der Ungarn riefen den Einmarsch der Russen hervor; der Konflikt zwischen den Regierungen und dem Frankfurter Parlament wegen der Reichsverfassung hatte verschiedene Aufstände erzeugt, von denen die in Dresden, Iserlohn und Elberfeld niedergeschlagen, die in der Pfalz und Baden aber noch im Fortschreiten waren. Wolff hatte ein altes Breslauer Mandat als Stellvertreter des Geschichtsverdrehers Stenzel in der Tasche; man hatte den Heuler Stenzel nur dadurch durchgebracht, daß man den Wühler [54] Wolff als Stellvertreter mitnahm. Stenzel war natürlich, wie alle guten Preußen, dem Befehl der preußischen Regierung auf Abberufung von Frankfurt gefolgt. Wolff trat nun an seine Stelle.

Das Frankfurter Parlament, durch eigne Trägheit und Dummheit von der Stellung der mächtigsten Versammlung, die je in Deutschland zusammentrat, hinabgesunken zu der äußersten, allen Regierungen, sogar der von ihm selbst eingesetzten Reichsregierung und ihm, dem Parlamente selbst, jetzt offenkundigen Ohnmacht, stand ratlos da zwischen den ihre Streitkräfte sammelnden Regierungen und dem für die Reichsverfassung aufgestandenen Volk. Noch war alles zu gewinnen, wenn das Parlament und die Führer der süddeutschen Bewegung nur Mut und Entschlossenheit hatten. Ein Parlamentsbeschluß, der die badische und Pfälzer Armee zum Schutz der Versammlung nach Frankfurt rief, hätte genügt. Die Versammlung eroberte sich dadurch mit einem Schlag wieder das Vertrauen des Volks. Der Abfall der hessen-darmstädtischen Truppen, der Anschluß Württembergs und Bayerns an die Bewegung konnte dann mit Sicherheit erwartet werden; die mitteldeutschen Kleinstaaten wurden ebenfalls hineingerissen; Preußen bekam genug bei sich zu tun, und gegenüber einer so gewaltigen Bewegung in Deutschland war Rußland genötigt, einen Teil der seitdem in Ungarn erfolgreich verwandten Truppen in Polen zurückzubehalten. Ungarn konnte also in Frankfurt gerettet werden, und andrerseits ist alle Wahrscheinlichkeit vorhanden, daß angesichts einer siegreich fortschreitenden Revolution in Deutschland der in Paris täglich zu erwartende Ausbruch nicht auf die kampflose Niederlage der radikalen Spießbürger hinausgelaufen wäre, die am 13. Juni 1849 sich zutrug.

Die Chancen waren so günstig, wie sie nur sein konnten. Der Rat zum Herbeirufen des badisch-pfälzischen Schutzes wurde[1] in Frankfurt, der zum Marsch auf Frankfurt auch ohne Ruf in Mannheim[2] gegeben. Aber weder die badischen Führer noch die Frankfurter Parlamentler hatten Mut, Energie, Verstand oder Initiative.

X

Statt zu handeln, beschloß das Parlament, als ob es nicht schon viel zuviel geredet, noch einmal zu reden, und zwar in einer „Proklamation an das deutsche Volk“. Eine Kommission wurde niedergesetzt, und diese brachte zwei Entwürfe ein, wovon der der Majorität von Uhland redigiert war. Beide waren matt, saft- und kraftlos und drückten nur die eigne Rat- und Mutlosigkeit und das böse Gewissen der Versammlung selbst aus. Am 26. Mai zur Debatte gestellt, gaben sie unserm Wolff den Anlaß, den Herrn Parlamentlern ein für allemal seine Meinung zu sagen. Der stenographische Bericht über diese Rede lautet:

[1] *(1886)* eingefügt: von uns allen – [2] *(1886)* eingefügt: von Marx und mir

„Wolff von Breslau:

‚Meine Herren! Ich habe mich gegen die Proklamation an das Volk einschreiben lassen, die von der Majorität verfaßt und hier verlesen worden ist, weil ich sie für durchaus unangemessen den jetzigen Zuständen halte, weil ich sie viel zu schwach finde – geeignet, bloß als Journalartikel in denjenigen Tagesblättern zu erscheinen, welche die Partei vertreten, von der diese Proklamation ausgegangen ist, aber nicht für eine Proklamation an das deutsche Volk. Da nun jetzt noch eine zweite verlesen ist, so will ich nur so beiläufig bemerken, daß ich mich gegen diese noch viel mehr erklären würde, aus Gründen, die ich nicht anzuführen brauche.' (Stimme im Zentrum: ‚Warum nicht?') ‚Ich spreche nur von der Majoritätsproklamation; sie ist allerdings so mäßig gehalten, daß selbst Herr Buß nicht viel dagegen sagen könnte, und das ist doch gewiß die schlimmste Empfehlung für eine Proklamation. Nein, meine Herren, wenn Sie irgend und überhaupt noch einen Einfluß auf das Volk haben wollen, müssen Sie nicht zum Volke sprechen in der Weise, wie in der Proklamation geschieht; Sie dürfen da nicht von Gesetzlichkeit, von gesetzlichem Boden und dergleichen sprechen, sondern von Ungesetzlichkeit in derselben Weise wie die Regierungen, wie die *Russen*, und ich verstehe unter Russen die Preußen, die Österreicher, Bayern, Hannoveraner.' (Unruhe und Gelächter.) ‚Diese sind alle unter dem gemeinsamen Namen Russen zusammengefaßt.' (Große Heiterkeit.) ‚Ja, meine Herren, auch in dieser Versammlung sind die Russen vertreten. Sie müssen ihnen sagen: So, wie ihr euch auf den gesetzlichen Standpunkt stellt, so stellen wir uns auch darauf. Es ist der Standpunkt der *Gewalt*, und erklären Sie in Parenthese die Gesetzlichkeit dahin, daß Sie den Kanonen der Russen die Gewalt entgegenstellen, wohlorganisierte Sturmkolonnen. Wenn überhaupt eine Proklamation zu erlassen ist, so erlassen Sie eine, in welcher Sie von vornherein *den ersten Volksverräter, den Reichsverweser*, für *vogelfrei* erklären.' (‚Zur Ordnung!' Lebhafter Beifall von den Galerien.) ‚*Ebenso alle Minister!*' (Erneuerte Unruhe.) ‚Oh, ich lasse mich nicht stören. Er *ist* der erste Volksverräter.'

Präsident Reh: ‚Ich glaube, daß Herr Wolff jede Rücksicht überschritten. Er kann den Erzherzog Reichsverweser nicht vor diesem Hause einen Volksverräter nennen, und ich muß ihn deshalb zur Ordnung rufen...'

Wolff: ‚Ich für meinen Teil nehme den Ordnungsruf an und erkläre, daß ich die Ordnung habe überschreiten *wollen*, daß er und seine Minister *Verräter sind*.' (Von allen Seiten des Hauses: ‚Zur Ordnung, das ist pöbelhaft!')

Präsident: ‚Ich muß Ihnen das Wort entziehen.'

Wolff: ‚Gut, ich *protestiere;* ich habe im Namen des Volks hier sprechen wollen und sagen wollen, wie man im Volke denkt. Ich protestiere gegen jede Proklamation, die in diesem Sinne abgefaßt ist.'"

Wie ein Donnerschlag fielen diese wenigen Worte in die erschrockene Versammlung. Zum ersten Mal war die wirkliche Sachlage den Herren klar und unverhohlen ausgesprochen worden. Der Verrat des Reichsverwesers und seiner Minister war ein öffentliches Geheimnis; jeder der Anwesenden sah ihn sich vor seinen Augen vollziehen; aber keiner wagte das, was er sah, auszusprechen. Und nun kommt dieser rücksichtslose kleine Schlesier und wirft ihnen ihr ganzes konventionelles Kartenhaus mit einem Mal über den Haufen! Sogar die „entschiedene Linke" konnte nicht umhin, gegen diese durch einfache Konstatierung der Wahrheit begangene unverzeihliche Verletzung alles parlamentarischen Anstands sich energisch zu verwahren, durch den Mund ihres würdigen Vertreters, des Herrn Karl Vogt (Vogt – man hat ihm im August 1859 Frs. 40 000 übermacht, sagen die 1870 veröffentlichten Listen der von Louis-Napoleon an seine Agenten gezahlten Summen [55]). Herr Vogt bereicherte die Debatte mit folgendem, ebenso lumpig verlegnen wie infam verlognen Protest:

„Meine Herren, ich habe mich zum Worte gemeldet, um den kristallhellen Strom, der aus einer Dichterseele in diese Proklamation geflossen ist, zu verteidigen gegen den unwürdigen Schmutz, welcher in denselben geworfen oder (!) gegen denselben (!) geschleudert worden ist, um diese Worte zu verteidigen gegen den Kot, der aufgehäuft worden ist in dieser letzten Bewegung und dort alles zu überfluten und zu beschmutzen droht. Ja, meine Herren! Das ist ein Kot und ein Schmutz, den man auf diese (!) Weise an alles, was nur Reines gedacht werden kann, heranwirft, und ich spreche meine tiefste Entrüstung darüber aus, daß so etwas (!) geschehen konnte."

Da Wolff von Uhlands *Redaktion* der Proklamation gar nicht gesprochen, sondern nur ihren Inhalt zu schwach befunden, so begreift man gar nicht, woher Herr Vogt seine Entrüstung und seinen „Schmutz" und „Kot" eigentlich bezieht. Aber einerseits war es die Erinnerung an die rücksichtslose Weise, mit der die „Neue Rheinische Zeitung" die falschen Brüder von der Sorte Vogts stets behandelt, andererseits Wut über die grade Sprache Wolffs, die diesen selben falschen Brüdern das bisherige achselträgerische Spiel fernerhin unmöglich machte. Zwischen der wirklichen Revolution und der Reaktion zur Wahl genötigt, erklärt sich Herr Vogt für die letztere und den Reichsverweser und seine Minister – für „alles, was Reines gedacht werden kann". Leider wollte die Reaktion von Herrn Vogt nichts wissen.

Noch denselben Tag ließ Wolff Herrn Vogt durch den Abgeordneten Würth von Sigmaringen auf Pistolen fordern, und als Herr Vogt es ablehnte, sich zu schießen, ihm körperliche Züchtigung androhen. Herr Vogt, obwohl körperlich ein Riese gegenüber Wolff, flüchtete sich nun unter den Schutz seiner Schwester, ohne deren Begleitung er sich nirgends mehr sehen ließ. Wolff ließ den Maulhelden laufen.

Jedermann weiß, wie, wenige Tage nach der Szene, die Versammlung selbst die Richtigkeit von Wolffs Äußerungen anerkannte, indem sie sich vor ihrem eignen Reichsverweser und seiner Regierung durch die Flucht nach Stuttgart rettete.

XI

Wir kommen zu Ende. Wolff blieb in Stuttgart auf seinem Posten, auch bei Sprengung der Nationalversammlung durch die württembergischen Truppen, kam dann nach Baden und endlich mit den übrigen Flüchtlingen nach der Schweiz. Er wählte Zürich zu seinem Aufenthaltsorte, wo er sich alsbald wieder als Privatlehrer konstituierte, aber natürlicherweise bei den vielen dort anwesenden studierten Flüchtlingen starke Konkurrenz fand. Trotz der hieraus sich ergebenden kümmerlichen Lebensstellung wäre Wolff doch in der Schweiz geblieben. Aber es trat immer deutlicher hervor, daß der Schweizer Bundesrat, gehorsam dem Gebot der europäischen Reaktion, entschlossen war, die sämtlichen Flüchtlinge nach und nach aus der Schweiz hinauszudrangsalieren, wie Wolff dies nannte. Für die große Mehrzahl bedeutete dies Auswanderung nach Amerika, und das war es, was die Regierungen wollten. Waren die Flüchtlinge jenseits des Ozeans, so hatte man Ruhe vor ihnen.

Auch Wolff trug sich häufig mit dem Gedanken einer Auswanderung nach Amerika, zu der ihn seine vielen schon dorthin gegangenen Freunde aufforderten. Halb entschlossen kam er, als die „Drangsalierung" auch ihm zu arg wurde, im Juni 1851 nach London, wo wir ihn einstweilen festhielten. Auch hier war die Konkurrenz der Privatlehrer eine sehr starke. Wolff konnte trotz der größten Mühe kaum den dürftigsten Lebensunterhalt gewinnen. Seinen Freunden verheimlichte er seine Lage möglichst, wie immer, wenn es ihm schlecht ging. Trotzdem war er genötigt, bis Ende 1853 ca. 37 Pfund Sterling (750 Mark) Schulden zu machen, die ihn schwer drückten; und schrieb im Sommer desselben Jahres in sein Tagebuch:

„Am 21. Juni 1853 hatte ich meinen Geburtstag in nahezu schrecklichem distress (Hülflosigkeit) zu verleben."

Die Absicht, nach Amerika zu gehen, wäre diesmal wohl in Erfüllung gegangen, wenn nicht ein ebenfalls flüchtiger deutscher Arzt in Manchester, der mit Wolff von Breslau her befreundet war, ihm durch seine Verbindungen soviel Privatstunden in Manchester verschafft hätte, daß er wenigstens davon leben konnte. So kam er denn Anfang Januar 1854 herüber.[56] Anfangs ging's freilich knapp genug. Aber die Existenz war doch gesichert, und dann konnte Wolff, bei seinem außerordentlichen Geschick, mit Kindern umzugehen und ihre Zuneigung zu gewinnen, auf allmähliche Ausbreitung seines Wirkungskreises rechnen, sobald er einmal unter den dortigen Deutschen bekannt war. Dies blieb denn auch nicht aus. Nach einigen Jahren fand er sich in einer für seine Ansprüche ganz behaglichen materiellen Lage, von seinen Schülern vergöttert, bei alt und jung, Engländern wie Deutschen allgemein geachtet und beliebt wegen seiner Gradheit, Pflichttreue und heitern Liebenswürdigkeit. Die Natur der Sache brachte es mit sich, daß er vorwiegend mit bürgerlichen, also mehr oder weniger politisch gegnerischen Elementen in Berührung kam; allein obwohl er weder seinem Charakter, noch seiner Überzeugung je das mindeste vergab, hatte er doch nur äußerst selten Konflikte zu bestehen, und bestand sie ehrenvoll. Eine öffentliche politische Tätigkeit war damals für uns alle abgeschnitten; wir wurden von der Reaktionsgesetzgebung mundtot gemacht, von der Tagespresse totgeschwiegen, von den Verlegern kaum einer ablehnenden Antwort unserer etwaigen Offerten gewürdigt; der Bonapartismus schien endgiltig über den Sozialismus gesiegt zu haben. Mehrere Jahre lang war Wolff der einzige Gesinnungsgenosse, den ich in Manchester hatte; kein Wunder, daß wir uns fast täglich sahen und daß ich auch da noch oft genug Gelegenheit hatte, sein fast instinktiv richtiges Urteil über die Tagesvorgänge zu bewundern.

Von welcher Gewissenhaftigkeit Wolff war, davon nur einen Beweis. Einem seiner Schüler gab er ein Rechenexempel aus einem Schulbuch auf. Er verglich die Auflösung mit der in dem sogenannten Schlüssel gegebenen und erklärte sie für falsch. Als der Junge aber nach mehrmaligem Rechnen immer dieselbe Lösung bekam, rechnete Wolff selbst nach und fand, daß der Junge recht hatte; der Schlüssel enthielt hier einen Druckfehler. Sogleich setzte sich Wolff hin und rechnete sämtliche Exempel des Buches nach, um zu sehen, ob nicht noch mehr solcher Fehler im Schlüssel seien: „Das soll mir nicht wieder passieren!"

An dieser Gewissenhaftigkeit ist er auch, noch nicht 55 Jahre alt, gestorben. Im Frühjahr 1864 stellten sich, infolge von Überarbeitung, heftige Kopfschmerzen ein, die nach und nach eine fast gänzliche Schlaflosigkeit zur Folge hatten. Sein Arzt war grade abwesend; einen andern wollte er nicht konsultieren. Alle Bitten, er möge doch seine Stunden für einige Zeit einstellen oder beschränken, waren vergebens; was er einmal übernommen, wollte er auch durchführen. Erst als er absolut nicht mehr konnte, setzte er den Unterricht dann und wann aus. Aber es war zu spät. Die durch Überfüllung des Gehirns mit Blut erzeugten Kopfschmerzen wurden immer schlimmer, die Schlaflosigkeit immer ununterbrochener. Ein Blutgefäß im großen Gehirn sprang, und nach mehrmaligen Blutergüssen auf die Gehirnmasse trat der Tod am 9. Mai 1864 ein. Mit ihm verloren Marx und ich den treuesten Freund, die deutsche Revolution einen Mann von unersetzlichem Wert.

Friedrich Engels

[Brief an Bignami über die deutschen Wahlen von 1877]

[„La Plebe" Nr. 7
vom 26. Februar 1877]

Mein lieber Bignami!

Ihr Berliner Korrespondent wird Ihnen alle Einzelheiten über die Wahlen in Deutschland mitgeteilt haben. Unser Triumph war so groß, daß er die deutsche und die ausländische Bourgeoisie in Schrecken versetzt hat; hier in London hat sich die Rückwirkung in der ganzen Presse bemerkbar gemacht. Das bemerkenswerteste ist nicht die Anzahl der neuen Wahlkreise, die von uns gewonnen wurden, wobei es wert ist, zu erfahren, daß Kaiser Wilhelm, der König von Sachsen und das kleinste Fürstlein Deutschlands (der Fürst von Reuß) alle drei in Wahlkreisen wohnen, die von sozialistischen Arbeitern vertreten werden, daß sie infolgedessen selber von Sozialisten vertreten werden. Wichtig ist, daß wir neben den Mehrheiten starke Minderheiten sowohl in den großen Städten als auch auf dem flachen Lande erlangt haben: in Berlin 31 500, in Hamburg, Barmen-Elberfeld, Nürnberg, Dresden je 11 000 Stimmen. Nicht nur in den ländlichen Gebieten Schleswig-Holsteins, Sachsens, Braunschweigs, sondern sogar in der Hochburg des Feudalismus, in Mecklenburg, gewannen wir eine starke Minderheit bei den Landarbeitern. Am 10. Januar 1874 erhielten wir 350 000 Stimmen, am 10. Januar 1877 mindestens 600 000. Die Wahl gibt uns die Möglichkeit, unsere Kräfte einzuschätzen; jetzt können Ihnen die Bataillone sagen, wie groß die Armeekorps des deutschen Sozialismus sind, die in den Wahltagen Revue passieren. Die moralische Wirkung, sowohl auf die sozialistische Partei, die mit Freude ihre Fortschritte feststellt, als auch auf die Arbeiter, die noch indifferent sind, und auf unsere Feinde ist gewaltig; und es ist gut, daß man einmal in drei Jahren die Todsünde begeht, zur Wahl zu gehen. Die Herren Abstentionisten können sagen, was sie wollen; eine einzige Tatsache wie die Wahlen vom 10. Januar ist mehr wert als alle ihre „revolutionären" Phrasen. Und wenn ich sage *Bataillone und Armeekorps*, so spreche ich nicht in übertragenem Sinne. Mindestens die Hälfte – vielleicht sogar mehr – dieser fünfundzwanzigjährigen Männer (das ist das Mindestalter), die für uns gestimmt haben, haben zwei oder drei Jahre unter den Waffen gestanden, verstehen sehr gut mit Zündnadelgewehr und gezogener Kanone umzugehen und gehören der Heeresreserve an. Noch einige Jahre solcher Fortschritte, und die Reserve und die Landwehr [57] (drei Viertel des Kriegsheeres) werden so weit mit uns gehen, daß das Ganze desorganisiert und jeder Offensivkrieg unmöglich gemacht werden kann.

Doch es werden sich Leute finden und sagen: Aber warum macht ihr mit solchen Kräften nicht gleich die Revolution? Aus folgendem Grunde: Da wir noch nicht mehr als 600000 von $5^1/_2$ Millionen Stimmen haben und diese Stimmen da und dort in soundso viel Ländern verstreut sind, würden wir sicher besiegt werden und mit unüberlegten Aufständen und Torheiten eine Bewegung vernichten, die nur ein wenig Zeit braucht, um uns zu einem sicheren Triumph zu führen. Es ist klar, daß man uns den Sieg nicht einfach überlassen wird, daß die Preußen nicht tatenlos zusehen werden, wie ihr ganzes Kriegsheer sozialistisch infiziert wird, ohne Gegenmaßnahmen zu treffen; aber je mehr Reaktion und Unterdrückung es geben wird, desto höher werden die Fluten steigen und schließlich die Deiche hinwegschwemmen. Wissen Sie, was in Berlin vorgefallen ist? Am Abend des 10. des vergangenen Monats versperrte eine Ansammlung, die von der Polizei selbst auf 22000 Menschen geschätzt wurde, alle Straßen in der Nähe des Sozialistischen Komitees. Dank der vollendeten Organisation und Disziplin unserer Partei hatte dieses Komitee die endgültigen Wahlresultate zuerst erhalten. Als das Resultat bekanntgegeben wurde, brachte die Menge einen begeisterten Hochruf aus – auf wen? – auf die Gewählten? – nein – *„auf unseren aktivsten Agitator, auf den königlichen Staatsanwalt Tessendorf!"* Er hat sich immer durch seine Gerichtsverfahren gegen die Sozialisten hervorgetan, und durch seine Gewalttätigkeiten hat er unsere Zahl verdoppelt.

So antworteten also die Unsrigen auf die Gewaltmaßnahmen: Sie lassen sich nicht nur nicht davon beeindrucken, sondern sie fordern sie sogar noch als das beste Mittel zur Agitation heraus.

Brüderlicher Gruß von Ihrem

F. Engels

Geschrieben am 13. Februar 1877.

Aus dem Italienischen.

Vorwärts

Central-Organ der Sozialdemokratie Deutschlands.

Nr. 32. Freitag, 16. März 1877.

Friedrich Engels

Aus Italien

[„Vorwärts" Nr. 32
vom 16. März 1877]

Endlich ist auch in Italien die sozialistische Bewegung auf einen festen Boden gestellt und verspricht eine rasche und siegreiche Entwicklung. Damit aber die Leser den vorgegangenen Umschwung vollständig verstehen, müssen wir auf die Entstehungsgeschichte des italienischen Sozialismus zurückgreifen.

Die Anfänge der Bewegung in Italien führen auf bakunistische Einflüsse zurück. Während bei den arbeitenden Massen ein leidenschaftlicher, aber höchst unklarer Klassenhaß gegen ihre Ausbeuter vorherrschte, bemächtigte sich eine Schar junger Advokaten, Doktoren, Literaten, Kommis usw., unter Bakunins persönlichem Kommando, der Leitung an allen Orten, wo ein revolutionäres Arbeiterelement hervortrat. Sie alle waren Mitglieder, in verschiedenen Graden der Weihe, der geheimen bakunistischen „Allianz", die den Zweck hatte, die gesamte europäische Arbeiterbewegung ihrer Führung zu unterwerfen und der bakunistischen Sekte somit in der kommenden sozialen Revolution die Herrschaft zu erschwindeln. Das Nähere darüber findet sich ausführlich dargestellt in der Schrift: „Ein Complot gegen die Internationale" (Braunschweig, bei Bracke).

Solange die Bewegung unter den Arbeitern selbst noch im Entstehen war, ging dies vortrefflich. Die tollen bakunistischen Revolutionsphrasen erweckten überall den gewünschten Applaus; selbst die aus den früheren politisch-revolutionären Bewegungen herstammenden Elemente wurden vom Strom fortgeschwemmt, und neben Spanien wurde Italien, nach Bakunins eigenem Ausdruck, „das revolutionärste Land Europas" [58]. Revolutionär im Sinne des vielen Geschreies und der wenigen Wolle. Im Gegensatz zu dem wesentlich politischen Kampf, wodurch die englische, nach ihr die französische und zuletzt die deutsche Arbeiterbewegung groß und mächtig geworden war, wurde hier jede politische Tätigkeit verdammt, weil sie die Anerkennung des „Staats" in sich schließe, und „der Staat" der Inbegriff alles Bösen sei. Also: Verbot der Bildung einer Arbeiter*partei;* Verbot der Erkämpfung jeder Schutzmaßregel gegen die Ausbeutung, z.B. des Normalarbeitstags, der Beschränkung der Weiber- und Kinderarbeit; Verbote, vor allem der Beteiligung an allen *Wahlen*. Dagegen Gebot der Agitation, Organisation und Konspiration für die zukünftige Revolution, die dann, sobald sie vom Himmel herabgeschneit kam, durchgeführt werden sollte, ohne irgendwelche provisorische Regierung, unter vollständiger Vernichtung aller staatlichen und an den Staat erinnernden Einrichtungen, durch die bloße (im geheimen von der Allianz dirigierte) Initiative der arbeitenden Massen – „aber fragt mich nur nicht wie!"[59]

Solange die Bewegung, wie gesagt, in ihrer Kindheit war, zog dies alles vortrefflich. Die große Mehrzahl der italienischen Städte steht noch immer so ziemlich außerhalb des Weltverkehrs, den sie nur in der Gestalt des Fremdenverkehrs kennt. Diese Städte versorgen die umliegenden Bauern mit Handwerkserzeugnissen und vermitteln den Verkauf der Ackerbauprodukte in größeren Kreisen; außerdem lebt der grundbesitzende Adel in ihnen und verzehrt dort seine Renten; endlich bringen die vielen Fremden ihr Geld dorthin. In diesen Städten sind die proletarischen Elemente wenig zahlreich und noch weniger entwickelt, dazu stark durchsetzt von Leuten ohne regelmäßige oder ständige Beschäftigung, wie sie der Fremdenverkehr und das milde Klima begünstigen. Hier fand die hochrevolutionäre Phrase, die im stillen auch wohl von Dolch und Gift munkelte, zunächst einen fruchtbaren Boden. Aber Italien hat auch Industriestädte, namentlich im Norden, und sobald die Bewegung unter den echt proletarischen Massen *dieser* Städte Fuß gefaßt, konnte eine so dunstige Nahrung nicht mehr genügen, und ebensowenig konnten *diese* Arbeiter sich auf die Dauer bevormunden lassen durch jene gescheiterten jungen Bourgeois, die sich auf den Sozialismus geworfen, weil sie, in Bakunins Worten, sich in einer „Karriere ohne Ausweg" befanden.

So geschah es. Die Unzufriedenheit der oberitalienischen Arbeiter mit dem Verbot jeder politischen, d.h. jeder über leeres Geschwätz und über Verschwörungsschwindel hinausgehenden *wirklichen* Tätigkeit wuchs von Tage zu Tage. Die deutschen Wahlsiege von 1874 und ihre die Vereinigung der deutschen Sozialisten erzielende Nachwirkung blieb auch in Italien nicht unbekannt. Die aus der alten republikanischen Bewegung hervorgegangenen Elemente, die sich nur mit Widerwillen dem „anarchischen"

Geschrei gefügt hatten, fanden mehr und mehr Gelegenheit, die Notwendigkeit des politischen Kampfes zu betonen und gaben der erwachenden Opposition Ausdruck in dem Journal „La Plebe". Dies Wochenblatt, in den ersten Jahren seines Bestehens republikanisch, hatte sich bald der sozialistischen Bewegung angeschlossen und sich von aller „anarchischen" Sektiererei solange wie möglich ferngehalten. Als endlich in Oberitalien die Arbeitermassen ihren zudringlichen Führern über den Kopf wuchsen und eine wirkliche Bewegung an die Stelle einer phantastischen setzten, bot sich ihnen in der „Plebe" ein williges Organ, das von Zeit zu Zeit ketzerische Andeutungen über die Notwendigkeit des politischen Kampfes verlauten ließ.

Wäre Bakunin am Leben geblieben, er hätte diese Ketzerei in seiner gewohnten Weise bekämpft. Er hätte den Leuten von der „Plebe" „Autoritarismus", Herrschsucht, Ehrgeiz usw. angedichtet, allerhand kleinliche persönliche Klagen gegen sie erhoben und dies durch sämtliche Organe der „Allianz" in der Schweiz, in Italien, in Spanien aber- und abermals wiederholen lassen. Erst in zweiter Linie hätte er dann nachgewiesen, daß alle diese Verbrechen nichts anderes seien als unvermeidliche Folgen jener Urtodsünde, der Ketzerei der Anerkennung der politischen Aktion; denn politische Aktion, das sei Anerkennung des Staates, der Staat aber die Verkörperung des Autoritarismus, der Herrschaft, und folglich müsse jeder, der politische Aktion der Arbeiterklasse wolle, konsequenterweise die politische Herrschaft für sich selbst wollen, sei also ein Feind der Arbeiterklasse – steiniget ihn! In dieser dem seligen Maximilien Robespierre abgelernten Methode besaß Bakunin eine große Gewandtheit, nur daß er sie allzu regelmäßig und allzu einförmig anwandte. Und dennoch war diese Methode noch die einzige, die wenigstens augenblicklichen Erfolg versprach.

Aber Bakunin war gestorben, und damit war die geheime Weltregierung in die Hände des Herrn James Guillaume von Neuchâtel in der Schweiz übergegangen. An die Stelle des in vielen Wassern gewaschenen Weltmannes trat ein engherziger Pedant, der den Fanatismus des Schweizer Kalvinisten auf die Lehre von der Anarchie anwandte. Der wahre Glaube sollte um jeden Preis durchgesetzt und der beschränkte Schulmeister von Neuchâtel unbedingt als der Papst dieses wahren Glaubens anerkannt werden. Das „Bulletin der jurassischen Föderation" [60] – die eingestandenermaßen kaum 200 Mitglieder zählt gegenüber den 5000 des schweizerischen Arbeiterbundes – wurde zum Staatsanzeiger der Sekte ernannt und fing an, die im Glauben Wankenden einfach zu „rüffeln". Aber die lombardischen Arbeiter, die sich als „oberitalische Föderation" konstituiert hatten, waren nicht mehr gewillt, sich diese Vermahnungen gefallen zu lassen. Und als gar vorigen Herbst das jurassische Bulletin sich unterstand, der „Plebe" *befehlen* zu wollen, einen dem Herrn Guillaume mißliebigen Pariser Korrespondent abzuschaffen, da war es mit der Freundschaft am Ende. Das Bulletin fuhr in seinen Verketzerungen der „Plebe" und der Oberitaliener fort. Aber diese wußten jetzt, woran sie waren; sie wußten, daß hinter der Predigt von der Anarchie und Selbstherrschaft der Anspruch einiger weniger Intriganten steckte, die ganze Arbeiterbewegung diktatorisch zu kommandieren.

„Vier kleine, sehr ruhige Zeilen Anmerkung haben dem Jura-Bulletin den Senf in die Nase steigen lassen, und es tut, als wären wir wütend über es, da es uns doch bloß *erbaut* hat. Wahrhaftig, man müßte sehr kindlich sein, um auf den Köder von Leuten anzubeißen, die, krank vor Mißgunst, an alle Türen klopfen, um mittelst der Verleumdung ein bißchen Bosheit gegen uns und die Unsern zu erbetteln. Die Hand, die seit langer Zeit umgeht, *Unkraut und Streit säend*, ist bekannt genug, als daß ihre jesuitischen (loyolasche) Umtriebe noch täuschen könnten." („Plebe", 21. Januar 1877.)

Und in der Nummer vom 26. Februar werden eben diese Leute bezeichnet als „einige beschränkte *anarchische* und – ungeheuerlicher Widerspruch – zugleich *diktatorische* Köpfe"; der beste Beweis, daß diese Herren in Mailand vollkommen durchschaut sind und dort kein ferneres Unheil mehr anrichten werden.

Die deutschen Wahlen vom 10. Januar und der damit zusammenhängende Umschwung in der belgischen Bewegung – die Beseitigung der bisherigen politischen Enthaltungspolitik und deren Ersetzung durch die Agitation für allgemeines Stimmrecht und ein Fabrikgesetz – taten den Rest. Am 17. und 18. Februar hielt die oberitalische Föderation in Mailand ihren Kongreß ab. Die Beschlüsse enthalten sich jeder unnötigen und unangebrachten Feindseligkeiten gegen die bakunistischen Gruppen der italienischen Internationalen. Sie erklären auch die Bereitwilligkeit, den nach Brüssel berufenen Kongreß zu beschicken, der eine Vereinigung der verschiedenen Fraktionen der europäischen Arbeiterbewegung versuchen soll. Aber sie sprechen gleichzeitig mit der größten Bestimmtheit drei Punkte aus, die für die italienische Bewegung von der entschiedensten Wichtigkeit sind:

1. daß zur Förderung der Bewegung *alle* sich darbietenden Mittel angewandt werden müssen – also auch die politischen;

2. daß die sozialistischen Arbeiter sich als eine sozialistische *Partei* zu konstituieren haben, unabhängig von jeder anderen politischen oder religiösen Partei, und

3. daß der oberitalische Bund, unter Vorbehalt seiner eigenen Auto-

nomie und auf Grundlage der *ursprünglichen* Statuten der Internationale[1], sich als Glied dieser großen Verbindung betrachtet, und zwar *unabhängig* von allen anderen italienischen Verbindungen, denen er indes wie bisher auch fernerhin Beweise seiner Solidarität geben wird.

Also: politischer Kampf, Organisation als politische Partei und Trennung von den Anarchisten. Mit diesen Beschlüssen hat sich der oberitalische Bund endgültig von der bakunistischen Sekte losgesagt und sich auf den gemeinsamen Boden der großen europäischen Arbeiterbewegung gestellt. Und da er den industriellsten Teil Italiens umfaßt – Lombardei, Piemont, Venetien – so können ihm die Erfolge nicht ausbleiben. Gegenüber der Anwendung derselben rationellen Agitationsmittel, die durch die Erfahrung aller andern Länder bewährt sind, wird die Klüngelei der bakunistischen Wunderdoktoren rasch genug ihre Ohnmacht offenbaren, das italienische Proletariat aber auch im Süden des Landes bald das Joch von Leuten abschütteln, die ihren Beruf zur Führung der Arbeiterbewegung herleiten aus ihrer Stellung als verkommene Bourgeois.

Geschrieben zwischen dem
6. und 14. März 1877.

[1] Siehe Band 16 unserer Ausgabe, S. 14–16

Friedrich Engels

Karl Marx

Der Mann, der dem Sozialismus und damit der ganzen Arbeiterbewegung unsrer Tage zuerst eine wissenschaftliche Grundlage gegeben hat, Karl Marx, wurde geboren zu Trier 1818. Er studierte in Bonn und Berlin zuerst Rechtswissenschaft, warf sich aber bald ausschließlich auf das Studium der Geschichte und Philosophie und war 1842 im Begriff, sich als Dozent der Philosophie zu habilitieren, als die seit dem Tode Friedrich Wilhelms III. entstandene politische Bewegung ihn in eine andere Laufbahn warf. Unter seiner Mitwirkung hatten die Häupter der rheinischen liberalen Bourgeoisie, die Camphausen, Hansemann etc. in Köln die „Rheinische Zeitung“ [61] gegründet, und Marx, dessen Kritik der Verhandlungen des rheinischen Provinziallandtags das größte Aufsehen erregt hatte, wurde Herbst 1842 an die Spitze des Blattes berufen. Die „Rheinische Zeitung“ erschien natürlich unter der Zensur, aber die Zensur wurde mit ihr nicht fertig.* Die „Rheinische Zeitung“ brachte fast immer die Artikel durch, auf die es ankam; man warf dem Zensor zuerst geringeres Futter zum Streichen vor, bis er entweder von selbst nachgab oder durch die Drohung: dann erscheint morgen die Zeitung nicht, zum Nachgeben genötigt wurde. Zehn Zeitungen, die denselben Mut hatten wie die „Rheinische“, und deren Verleger ein paar Hundert Taler mehr an Satzkosten draufgehen ließen – und die Zensur war schon 1843 in Deutschland unmöglich gemacht. Aber die deutschen Zeitungsbesitzer waren kleinliche, ängstliche Spießbürger, und die „Rheinische Zeitung“ führte den Kampf allein. Sie verbrauchte Zensor auf Zensor; endlich wurde sie doppelt zensiert, so daß nach der ersten

* Der erste Zensor der „Rh. Ztg.“ war der Polizeirat Dolleschall, derselbe, der einst in der „Kölnischen Zeitung“ die Annonce der Übersetzung von Dantes „Goettlicher Comoedie“ von Philalethes (dem späteren König Johann von Sachsen) strich, mit dem Bemerken: Mit göttlichen Dingen soll man keine Komödie treiben.

Zensur der Regierungspräsident sie nochmals und endgültig zu zensieren hatte. Auch das half nichts. Anfangs 1843 erklärte die Regierung, mit dieser Zeitung sei nicht fertig zu werden und unterdrückte sie ohne weiteres.

Marx, der inzwischen die Schwester des späteren Reaktionsministers v. Westphalen geheiratet, siedelte nach Paris über und gab dort mit A. Ruge die „Deutsch-Französischen Jahrbücher“ [62] heraus, in denen er die Reihe seiner sozialistischen Schriften mit einer „Kritik der Hegelschen Rechtsphilosophie“[1] eröffnete. Ferner mit F. Engels: „Die heilige Familie. Gegen Bruno Bauer und Consorten“[2], eine satirische Kritik einer der letzten Formen, in die sich der damalige deutsche philosophische Idealismus verlaufen hatte.

Das Studium der politischen Ökonomie und der Geschichte der großen Französischen Revolution ließ Marx immer noch Zeit zu gelegentlichen Angriffen auf die preußische Regierung; diese rächte sich, indem sie im Frühjahr 1845 bei dem Ministerium Guizot – Herr Alexander von Humboldt soll den Vermittler gespielt haben – seine Ausweisung aus Frankreich durchsetzte.[63] Marx verlegte seinen Wohnsitz nach Brüssel und veröffentlichte dort in französischer Sprache 1848 einen „Discours sur le libre échange“[3] (Abhandlung über den Freihandel) und 1847: „Misère de la philosophie“[4], eine Kritik der „Philosophie de la misère“ (Philosophie des Elends) von Proudhon. Gleichzeitig fand er Gelegenheit, in Brüssel einen deutschen Arbeiterverein [45] zu stiften und trat damit in die praktische Agitation ein. Noch wichtiger wurde diese für ihn, seitdem er und seine politischen Freunde 1847 in den seit längeren Jahren bestehenden geheimen Bund der Kommunisten eingetreten waren. Die ganze Einrichtung wurde nun umgewälzt; die bisher mehr oder weniger konspiratorische Verbindung verwandelte sich in eine einfache, nur notgedrungen geheime Organisation der kommunistischen Propaganda, die *erste* Organisation der deutschen sozialdemokratischen Partei. Der Bund bestand überall, wo deutsche Arbeitervereine bestanden; fast in allen diesen Vereinen Englands, Belgiens, Frankreichs und der Schweiz und in sehr vielen Vereinen Deutschlands waren die leitenden Mitglieder Bundesangehörige, und der Anteil des Bundes an der entstehenden deutschen Arbeiterbewegung war sehr bedeutend. Dabei aber war unser Bund der erste, der den internationalen Charakter der gesamten Arbeiterbewegung hervorhob und auch praktisch betätigte, Engländer,

[1] Siehe Band 1 unserer Ausgabe, S.201–333 und S.378–391 – [2] siehe Band 2 unserer Ausgabe, S.3–223 – [3] siehe Band 4 unserer Ausgabe, S.444–458 – [4] ebenda, S.63–182

Belgier, Ungarn, Polen etc. zu Mitgliedern hatte und namentlich in London internationale Arbeiterversammlungen veranstaltete.

Die Umgestaltung des Bundes vollzog sich auf zwei im Jahre 1847 abgehaltenen Kongressen, deren zweiter die Zusammenstellung und Veröffentlichung der Parteigrundsätze in einem von Marx und Engels zu redigierenden Manifest beschloß. So entstand das „Manifest der Kommunistischen Partei"[1], das 1848 kurz vor der Februarrevolution zuerst erschien und seitdem in fast alle europäischen Sprachen übersetzt wurde.

Die „Deutsche-Brüsseler-Zeitung"[44], an der Marx sich beteiligte und worin die vaterländische Polizeiglückseligkeit schonungslos bloßgelegt wurde, hatte die preußische Regierung wiederum veranlaßt, auf Marx' Ausweisung hinzuwirken, jedoch vergebens. Als aber die Februarrevolution auch in Brüssel Volksbewegungen zur Folge hatte und ein Umschwung in Belgien bevorzustehen schien, verhaftete die belgische Regierung Marx ohne Umstände und wies ihn aus. Inzwischen hatte ihn die provisorische Regierung Frankreichs durch Flocon einladen lassen, wieder nach Paris zu kommen, und er folgte diesem Ruf.

In Paris trat er vor allem dem unter den dortigen Deutschen eingerissenen Schwindel entgegen, der in Frankreich die deutschen Arbeiter in bewaffnete Legionen formieren wollte, um damit in Deutschland Revolution und Republik einzuführen. Einerseits mußte Deutschland seine Revolution selbst machen, und andererseits war jede in Frankreich sich bildende fremde Revolutionslegion durch die Lamartines der provisorischen Regierung von vornherein an die zu stürzende Regierung verraten, wie auch in Belgien und Baden geschah.

Nach der Märzrevolution ging Marx nach Köln und gründete dort die „Neue Rheinische Zeitung", die vom 1. Juni 1848 bis zum 19. Mai 1849 bestand – das einzige Blatt, das innerhalb der damaligen demokratischen Bewegung den Standpunkt des Proletariats vertrat, und zwar schon durch seine rückhaltlose Parteinahme für die Pariser Juni-Insurgenten von 1848, die dem Blatt fast seine sämtlichen Aktionäre abtrünnig machte. Vergebens wies die „Kreuz-Zeitung"[64] auf die „Chimborasso-Frechheit" hin, mit der die „N. Rh. Ztg." alles Heilige angreife, vom König und Reichsverweser bis zum Gensdarmen, und das in einer preußischen Festung mit damals 8000 Mann Besatzung; vergebens eiferte das liberale, plötzlich reaktionär gewordene rheinische Philisterium; vergebens suspendierte der Kölner Belagerungszustand im Herbst 1848 das Blatt auf längere Zeit; vergebens

[1] Siehe Band 4 unserer Ausgabe, S. 459–493

denunzierte das Frankfurter Reichsjustizministerium dem Kölner Staatsanwalt Artikel auf Artikel zur gerichtlichen Verfolgung; das Blatt wurde, angesichts der Hauptwache, ruhig weiter redigiert und gedruckt, die Verbreitung und der Ruf der Zeitung wuchs mit der Heftigkeit der Angriffe auf Regierung und Bourgeoisie. Als der preußische Staatsstreich im November 1848 erfolgte, forderte die „N. Rh. Ztg." an der Spitze jeder Nummer das Volk auf, die Steuern zu verweigern und der Gewalt mit Gewalt zu begegnen. Im Frühling 1849 deswegen sowie wegen eines andern Artikels vor die Geschwornen gestellt, wurde sie beidemal freigesprochen.[1] Endlich, als die Maiaufstände 1849 in Dresden und der Rheinprovinz niedergeschlagen und der preußische Feldzug gegen den badisch-pfälzischen Aufstand durch Konzentration und Mobilmachung bedeutender Truppenmassen eingeleitet wurde, glaubte die Regierung sich stark genug, die „N. Rh. Ztg." mit Gewalt zu unterdrücken. Die letzte – rotgedruckte – Nummer erschien am 19. Mai.

Marx ging wieder nach Paris, wurde aber schon wenige Wochen nach der Demonstration vom 13. Juni 1849 von der französischen Regierung vor die Wahl gestellt, entweder seinen Wohnsitz in die Bretagne zu verlegen oder Frankreich zu verlassen. Er zog letzteres vor und siedelte nach London über, wo er seitdem ununterbrochen gewohnt hat.

Ein Versuch, die „N. Rh. Ztg." in der Form einer Revue (in Hamburg)[65] weitererscheinen zu lassen (1850), mußte nach einiger Zeit gegenüber der immer heftiger auftretenden Reaktion aufgegeben werden. Gleich nach dem Staatsstreich in Frankreich im Dezember 1851 veröffentlichte Marx: „Der 18. Brumaire des Louis Bonaparte"[2] (New York 1852; zweite Auflage Hamburg 1869, kurz vor dem Krieg). 1853 schrieb er: „Enthüllungen über den Kölner Kommunisten-Prozeß"[3] (zuerst gedruckt in Basel, später in Boston, neuerdings wieder in Leipzig).

Nach der Verurteilung der Mitglieder des Kommunistenbundes in Köln zog Marx sich von der politischen Agitation zurück und widmete sich einerseits während zehn Jahren der Durchforschung der reichen Schätze, welche die Bibliothek des Britischen Museums auf dem Gebiete der politischen Ökonomie darbot, andrerseits der Mitarbeiterschaft an der „New-York Tribune"[66], welche bis zum Ausbruch des Amerikanischen Bürgerkriegs nicht nur die von ihm gezeichneten Korrespondenzen, sondern auch zahlreiche Leitartikel über europäische und asiatische Verhältnisse aus

[1] Siehe Band 6 unserer Ausgabe, S. 223–239 – [2] siehe Band 8 unserer Ausgabe, S. 111 bis 207 – [3] ebenda, S. 405–470

seiner Feder brachte. Seine auf eingehende Studien der englischen offiziellen Aktenstücke gegründeten Angriffe gegen Lord Palmerston wurden in London als Pamphlets wieder abgedruckt.[1]

Als erste Frucht seiner langjährigen ökonomischen Studien erschien 1859: „Zur Kritik der Politischen Oekonomie", erstes Heft (Berlin, Duncker)[2]. Diese Schrift enthält die erste zusammenhängende Darstellung der Marxschen Werttheorie einschließlich der Lehre vom Gelde. Während des italienischen Krieges bekämpfte Marx in der zu London erscheinenden deutschen Zeitung „Das Volk"[67] den damals sich liberal färbenden und den Befreier der unterdrückten Nationalitäten spielenden Bonapartismus, sowie die damalige preußische Politik, die unter dem Deckmantel der Neutralität im trüben zu fischen suchte. Bei dieser Gelegenheit mußte auch Herr Karl Vogt angegriffen werden, der damals im Auftrag des Prinzen Napoleon (Plon-Plon) und im Solde Louis-Napoleons für die Neutralität, ja die Sympathie Deutschlands agitierte. Von Vogt mit den infamsten, wissentlich erlogenen Verleumdungen überhäuft, antwortete Marx im: „Herr Vogt"[3], London 1860, worin Vogt und die übrigen Herren von der imperialistischen falschen Demokratenbande enthüllt und Vogt aus äußeren wie inneren Gründen der Bestechung durch das Dezemberkaisertum überführt wurde. Genau zehn Jahre später kam die Bestätigung: In der in den Tuilerien 1870 gefundenen und von der Septemberregierung veröffentlichten Liste der bonapartistischen Mietlinge fand sich unter dem Buchstaben V: „Vogt – im August 1859 wurden ihm übermacht... Fr. 40000."[55]

Endlich 1867 erschien in Hamburg: „Das Kapital. Kritik der politischen Oekonomie. Erster Band" – das Hauptwerk von Marx, das die Grundlagen seiner ökonomisch-sozialistischen Anschauungen und die Hauptzüge seiner Kritik der bestehenden Gesellschaft, der kapitalistischen Produktionsweise und ihrer Folgen darlegt. Die zweite Auflage dieses epochemachenden Werkes erschien 1872; mit der Ausarbeitung des zweiten Bandes ist der Verfasser beschäftigt.

Inzwischen war in verschiedenen Ländern Europas die Arbeiterbewegung wieder soweit erstarkt, daß Marx daran denken konnte, einen langgehegten Wunsch zur Ausführung zu bringen: die Gründung einer die fortgeschrittensten Länder Europas und Amerikas umfassenden Arbeiter-Assoziation, die den internationalen Charakter der sozialistischen Bewegung sowohl den Arbeitern selbst wie den Bourgeois und den Regierungen so-

[1] Siehe Band 9 unserer Ausgabe, S. 353–418 – [2] siehe Band 13 unserer Ausgabe – [3] siehe Band 14 unserer Ausgabe

zusagen leiblich vorführen sollte – dem Proletariat zur Ermutigung und Stärkung, seinen Feinden zum Schrecken. Eine Volksversammlung zugunsten des eben von Rußland wieder erdrückten Polens am 28. September 1864 in St. Martin's Hall in London gab den Anlaß, die Sache vorzubringen, die mit Begeisterung aufgenommen wurde. Die *Internationale Arbeiter-Assoziation* war gestiftet; ein provisorischer Generalrat mit dem Sitz in London wurde auf der Versammlung gewählt, und die Seele dieses sowie aller folgenden Generalräte bis zum Haager Kongreß war Marx. Von ihm sind fast sämtliche vom Generalrat der Internationale erlassenen Schriftstücke redigiert, von der Inauguraladresse 1864[1] bis zur Adresse über den Bürgerkrieg in Frankreich 1871[2]. Marx' Tätigkeit in der Internationale schildern, hieße die Geschichte dieser Assoziation selbst schreiben, die übrigens noch im Gedächtnis der europäischen Arbeiter lebt.

Der Fall der Pariser Kommune brachte die Internationale in eine unmögliche Lage. Sie wurde in den Vordergrund der europäischen Geschichte gedrängt, in einem Augenblick, wo ihr die Möglichkeit aller erfolgreichen, praktischen Aktion überall abgeschnitten war. Die Ereignisse, die sie zur siebenten Großmacht erhoben, verboten ihr gleichzeitig, ihre Streitkräfte mobil zu machen und tätig zu verwenden, bei Strafe der unfehlbaren Niederlage und Zurückdämmung der Arbeiterbewegung auf Jahrzehnte. Dazu drängten sich von verschiedenen Seiten Elemente vor, die den so plötzlich gewachsenen Ruf der Assoziation zu Zwecken persönlicher Eitelkeit oder persönlichen Ehrgeizes auszubeuten versuchten, ohne Einsicht in die wirkliche Lage der Internationale oder ohne Rücksicht darauf. Es mußte ein heroischer Entschluß gefaßt werden, und es war wieder Marx, der ihn faßte und auf dem Haager Kongreß durchführte. Die Internationale sagte sich durch einen feierlichen Beschluß von jeder Verantwortlichkeit los für das Treiben der Bakunisten, die den Mittelpunkt jener unverständigen und unsaubern Elemente bildeten; dann, angesichts der Unmöglichkeit, gegenüber der allgemeinen Reaktion auch den an sie gestellten, gesteigerten Forderungen zu entsprechen und ihre volle Wirksamkeit anders aufrechtzuerhalten als durch eine Reihe von Opfern, an denen die Arbeiterbewegung hätte verbluten müssen – angesichts dieser Lage zog sich die Internationale vorläufig von der Bühne zurück, indem sie den Generalrat nach Amerika verlegte. Die Folge hat bewiesen, wie richtig dieser – damals und seitdem oft getadelte – Beschluß war. Einerseits war und blieb allen Versuchen die Spitze abgebrochen, auf den Namen der Internationale hin nutzlose Putsche

---

[1] Siehe Band 16 unserer Ausgabe, S. 5–13 – [2] siehe Band 17 unserer Ausgabe, S. 319–362

zu machen, und andrerseits aber bewies der fortdauernde innige Verkehr zwischen den sozialistischen Arbeiterparteien der verschiedenen Länder, daß das durch die Internationale geweckte Bewußtsein der Interessengleichheit und der Solidarität des Proletariats aller Länder sich zur Geltung zu bringen weiß auch ohne das für den Augenblick zur Fessel gewordene Band einer förmlichen internationalen Assoziation.

Nach dem Haager Kongreß fand Marx endlich wieder Ruhe und Muße, seine theoretischen Arbeiten wieder aufzunehmen, und wird er hoffentlich in nicht gar zu langer Zeit den zweiten Band des „Kapitals" dem Druck übergeben können.

Von den vielen wichtigen Entdeckungen, mit denen Marx seinen Namen in die Geschichte der Wissenschaft eingeschrieben hat, können wir hier nur zwei hervorheben.

Die erste ist die durch ihn vollzogene Umwälzung in der gesamten Auffassung der Weltgeschichte. Die ganze bisherige Geschichtsanschauung beruhte auf der Vorstellung, daß die letzten Gründe aller geschichtlichen Veränderungen zu suchen sind in den sich verändernden Ideen der Menschen, und daß von allen geschichtlichen Veränderungen wieder die politischen die wichtigsten, die ganze Geschichte beherrschenden sind. Woher aber den Menschen die Ideen kommen und welches die treibenden Ursachen der politischen Veränderungen sind, danach hatte man nicht gefragt. Nur der neueren Schule der französischen und teilweise auch der englischen Geschichtsschreiber hatte sich die Überzeugung aufgedrängt, wenigstens seit dem Mittelalter sei die treibende Kraft in der europäischen Geschichte der Kampf des sich entwickelnden Bürgertums mit dem Feudaladel um die gesellschaftliche und politische Herrschaft. Marx wies nun nach, daß die ganze bisherige Geschichte eine Geschichte von Klassenkämpfen ist, daß es sich in all den vielfachen und verwickelten politischen Kämpfen nur um die gesellschaftliche und politische Herrschaft von Gesellschaftsklassen handelt, um die Behauptung der Herrschaft seitens älterer, um die Erringung der Herrschaft seitens neu emporkommender Klassen. Wodurch aber entstehen und bestehen wieder diese Klassen? Durch die jedesmaligen materiellen, grobsinnlichen Bedingungen, unter denen die Gesellschaft zu einer gegebenen Zeit ihren Lebensunterhalt produziert und austauscht. Die Feudalherrschaft des Mittelalters beruhte auf der selbstgenügsamen, fast alle ihre Bedürfnisse selbst erzeugenden, fast austauschlosen Wirtschaft kleiner Bauerngemeinden, denen der streitbare Adel Schutz nach außen und nationalen oder doch politischen Zusammenhang verlieh; als die Städte und mit ihnen eine gesonderte Handwerksindustrie und ein erst binnenländischer, später internationaler Handelsverkehr aufkamen, entwickelte sich das städtische Bürgertum und eroberte sich, im Kampf mit dem Adel, noch im Mittelalter seine Einfügung als ebenfalls bevorrechteter Stand in die feudale Ordnung. Aber mit der Entdeckung der außereuropäischen Erde von der Mitte des fünfzehnten Jahrhunderts an erhielt dies Bürgertum ein weit umfassenderes Handelsgebiet und damit einen neuen Sporn für seine Industrie; das Handwerk wurde in den wichtigsten Zweigen verdrängt durch die schon fabrikmäßige Manufaktur und diese wieder durch die mit den Erfindungen des vorigen Jahrhunderts, namentlich der Dampfmaschine, möglich gewordene große Industrie, die wieder auf den Handel zurückwirkte, indem sie in zurückgebliebenen Ländern die alte Handarbeit verdrängte und in den weiter entwickelten die gegenwärtigen neuen Verkehrsmittel, Dampfmaschinen, Eisenbahnen, elektrische Telegraphen schuf. So vereinigte das Bürgertum mehr und mehr die gesellschaftlichen Reichtümer und die gesellschaftliche Macht in seiner Hand, während es noch lange Zeit von der in den Händen des Adels und des auf den Adel gestützten Königtums befindlichen politischen Macht ausgeschlossen blieb. Aber auf gewisser Stufe – in Frankreich seit der großen Revolution – eroberte es auch diese und wurde nun seinerseits herrschende Klasse gegenüber dem Proletariat und den Kleinbauern. Von diesem Gesichtspunkte aus erklären sich alle geschichtlichen Erscheinungen – bei genügender Kenntnis der jedesmaligen ökonomischen Gesellschaftslage, die freilich unsern Geschichtsschreibern von Fach total abgeht – aufs einfachste, und ebenso erklären sich höchst einfach die Vorstellungen und Ideen einer jeden Geschichtsperiode aus den wirtschaftlichen Lebensbedingungen und den, von diesen wieder bedingten, gesellschaftlichen und politischen Verhältnissen dieser Periode. Die Geschichte war zum ersten Mal auf ihre wirkliche Grundlage gestellt; die handgreifliche, aber bisher total übersehene Tatsache, daß die Menschen vor allem essen, trinken, wohnen und sich kleiden, also *arbeiten* müssen, ehe sie um die Herrschaft streiten, Politik, Religion, Philosophie usw. treiben können – diese handgreifliche Tatsache kam jetzt endlich zu ihrem geschichtlichen Recht.

Für die sozialistische Anschauung aber war diese neue Auffassung der Geschichte von der höchsten Bedeutung. Sie wies nach, daß alle bisherige Geschichte sich in Klassengegensätzen und Klassenkämpfen bewegt, daß es immer herrschende und beherrschte, ausbeutende und ausgebeutete Klassen gegeben hat und die große Mehrzahl der Menschen stets zu harter Arbeit und wenig Genuß verurteilt war. Warum dies? Einfach deshalb, weil auf allen früheren Entwicklungsstufen der Menschheit die Produktion noch so wenig entwickelt war, daß die geschichtliche Entwicklung nur in dieser gegensätzlichen Form vor sich gehen konnte, daß der geschichtliche Fortschritt im ganzen und großen der Tätigkeit einer kleinen, bevorrechteten Minderheit überwiesen war, während die große Masse dazu verdammt blieb, den kärglichen Lebensunterhalt für sich und dazu noch den immer reichlicher werdenden der Bevorrechteten zu erarbeiten. Aber dieselbe Untersuchung der Geschichte, die auf diese Weise die bisherige, sonst nur aus der Bosheit der Menschen zu erklärende Klassenherrschaft natürlich und vernünftig erklärt, führt auch zu der Einsicht, daß infolge der so kolossal gesteigerten Produktionskräfte der Gegenwart auch der letzte Vorwand einer Scheidung der Menschen in Herrschende und Beherrschte, Ausbeuter und Ausgebeutete wenigstens in den fortgeschrittensten Ländern verschwunden ist; daß das herrschende Großbürgertum seinen geschichtlichen Beruf erfüllt hat, daß es der Leitung der Gesellschaft nicht mehr gewachsen und sogar ein Hindernis der Entwicklung der Produktion geworden ist, wie die Handelskrisen und namentlich der letzte große Krach[68] und die gedrückte Lage der Industrie in allen Ländern beweisen; daß die geschichtliche Leitung übergegangen ist auf das Proletariat, eine Klasse, die sich nach ihrer ganzen Gesellschaftslage nur dadurch befreien kann, daß sie alle Klassenherrschaft, alle Knechtschaft und alle Ausbeutung überhaupt beseitigt; und daß die den Händen der Bourgeoisie entwachsenen gesellschaftlichen Produktivkräfte nur der Besitzergreifung durch das assoziierte Proletariat harren, um einen Zustand herzustellen, der jedem Gesellschaftsmitglied die Teilnahme nicht nur an der Erzeugung, sondern auch an der Verteilung und Verwaltung der gesellschaftlichen Reichtümer ermöglicht und durch planmäßigen Betrieb der gesamten Produktion die gesellschaftlichen Produktivkräfte und deren Erträge derart steigert, daß die Befriedigung aller rationellen Bedürfnisse einem jeden in stets wachsendem Maße gesichert bleibt.

Die zweite wichtige Entdeckung von Marx ist die endliche Aufklärung des Verhältnisses von Kapital und Arbeit, in andern Worten der Nachweis, wie innerhalb der jetzigen Gesellschaft, in der bestehenden kapitalistischen Produktionsweise, die Ausbeutung des Arbeiters durch den Kapitalisten sich vollzieht. Seitdem die politische Ökonomie den Satz aufgestellt hatte, daß die Arbeit die Quelle alles Reichtums und alles Werts sei, war die Frage unvermeidlich geworden: Wie es denn damit vereinbar sei, daß der Lohnarbeiter nicht die ganze, durch seine Arbeit erzeugte Wertsumme erhalte, sondern einen Teil davon an den Kapitalisten abgeben müsse? Sowohl die bürgerlichen Ökonomen wie die Sozialisten mühten sich ab, auf die

Frage eine wissenschaftlich stichhaltige Antwort zu geben, aber vergebens, bis endlich Marx mit der Lösung hervortrat. Diese Lösung ist die folgende: Die heutige kapitalistische Produktionsweise hat zur Voraussetzung das Dasein zweier Gesellschaftsklassen; einerseits der Kapitalisten, die sich im Besitz der Produktions- und Lebensmittel befinden, und andrerseits der Proletarier, die, von diesem Besitz ausgeschlossen, nur eine einzige Ware zu verkaufen haben: ihre Arbeitskraft; und die diese ihre Arbeitskraft daher verkaufen müssen, um in den Besitz von Lebensmitteln zu gelangen. Der Wert einer Ware wird aber bestimmt durch die in ihrer Erzeugung, also auch in ihrer Wiedererzeugung verkörperte gesellschaftlich notwendige Arbeitsmenge, der Wert der Arbeitskraft eines durchschnittlichen Menschen während eines Tages, Monates, Jahres also durch die Menge von Arbeit, die in der zur Erhaltung dieser Arbeitskraft während eines Tages, Monates, Jahres notwendigen Menge von Lebensmitteln verkörpert ist. Nehmen wir an, die Lebensmittel des Arbeiters für einen Tag erforderten sechs Arbeitsstunden zu ihrer Erzeugung oder, was dasselbe ist, die in ihnen enthaltene Arbeit repräsentiere eine Arbeitsmenge von sechs Stunden; dann wird der Wert der Arbeitskraft für einen Tag sich ausdrücken in einer Geldsumme, die ebenfalls sechs Arbeitsstunden in sich verkörpert. Nehmen wir ferner an, der Kapitalist, der unsern Arbeiter beschäftigt, zahle ihm dafür diese Summe, also den vollen Wert seiner Arbeitskraft. Wenn nun der Arbeiter sechs Stunden des Tages für den Kapitalisten arbeitet, so hat er diesem seine Auslagen vollständig wieder ersetzt – sechs Stunden Arbeit für sechs Stunden Arbeit. Dabei fiele freilich nichts ab für den Kapitalisten, und dieser faßt deshalb auch die Sache ganz anders auf: Ich habe, sagt er, die Arbeitskraft dieses Arbeiters nicht für sechs Stunden, sondern für einen ganzen Tag gekauft, und demgemäß läßt er den Arbeiter je nach Umständen 8, 10, 12, 14 und mehr Stunden arbeiten, so daß das Produkt der siebenten, achten und folgenden Stunden ein Produkt unbezahlter Arbeit ist und zunächst in die Tasche des Kapitalisten wandert. So erzeugt der Arbeiter im Dienste des Kapitalisten nicht nur den Wert seiner Arbeitskraft wieder, den er bezahlt erhält, sondern er erzeugt auch darüber hinaus einen *Mehrwert*, der, zunächst vom Kapitalisten angeeignet, im weiteren Verlauf nach bestimmten ökonomischen Gesetzen auf die gesamte Kapitalistenklasse sich verteilt und den Grundstock bildet, aus dem Bodenrente, Profit, Kapitalanhäufung, kurz, alle von den nichtarbeitenden Klassen verzehrte oder aufgehäufte Reichtümer entspringen. Hiermit war aber nachgewiesen, daß die Reichtumserwerbung der heutigen Kapitalisten ebensogut in der Aneignung von fremder, unbezahlter Arbeit besteht, wie die der Sklavenbesitzer oder

der die Fronarbeit ausbeutenden Feudalherren, und daß sich alle diese Formen der Ausbeutung nur unterscheiden durch die verschiedene Art und Weise, in der die unbezahlte Arbeit angeeignet wird. Damit war aber auch allen heuchlerischen Redensarten der besitzenden Klassen, als herrsche in der jetzigen Gesellschaftsordnung Recht und Gerechtigkeit, Gleichheit der Rechte und Pflichten und allgemeine Harmonie der Interessen, der letzte Boden unter den Füßen weggezogen, und die heutige bürgerliche Gesellschaft nicht minder als ihre Vorgängerinnen enthüllt als eine großartige Anstalt zur Ausbeutung der ungeheuren Mehrzahl des Volks durch eine geringe und immer kleiner werdende Minderzahl.

Auf diese beiden wichtigen Tatsachen gründet sich der moderne, wissenschaftliche Sozialismus. Im zweiten Band des „Kapitals" werden diese und andere kaum minder wichtige wissenschaftliche Entdeckungen des kapitalistischen Gesellschaftssystems weiterentwickelt und damit auch die im ersten Bande noch nicht berührten Seiten der politischen Ökonomie einer Umwälzung unterworfen. Möge es Marx gestattet sein, ihn bald dem Druck übergeben zu können.

Geschrieben Mitte Juni 1877.
Nach: „Volks-Kalender",
Braunschweig 1878.

Karl Marx

[Brief an die Redaktion der „Otetschestwennyje Sapiski“ [69]]

Sehr geehrter Herr Redakteur!

Der Verfasser[1] des Artikels „Karl Marx vor dem Tribunal des Herrn Shukowski“ ist augenscheinlich ein Mann von Geist, und wenn er in meiner Darstellung der ursprünglichen Akkumulation eine einzige Stelle gefunden hätte, die ihm zur Unterstützung seiner Schlußfolgerungen dienen könnte, hätte er sie angeführt. In Ermanglung einer solchen Stelle sieht er sich gezwungen, sich einer Nebenbemerkung zu bemächtigen, einer Art Polemik gegen einen russischen „Belletristen“[2], die im Nachtrag zur ersten deutschen Ausgabe des „Kapitals“ abgedruckt ist. Was werfe ich dort diesem Schriftsteller vor? Daß er die russische Dorfgemeinde nicht in Rußland, sondern in dem Buch von Haxthausen, einem preußischen Regierungsrat, entdeckt hat und daß in seinen Händen die russische Dorfgemeinde nur als Argument dafür dient, daß das verfaulte alte Europa durch den Sieg des Panslawismus erneuert werden müsse. Meine Einschätzung dieses Schriftstellers kann richtig oder falsch sein, aber sie kann in keinem Fall den Schlüssel liefern zu meiner Ansicht über die Bemühungen „русских людей найти для своего отечества путь развития, отличный от того, которым шла и идет Западная Европа“[3] etc.

Im Nachwort zur zweiten deutschen Auflage des „Kapitals“[4] – das der Verfasser des Artikels über Herrn Shukowski kennt, da er es zitiert – spreche ich von „einem großen russischen Gelehrten und Kritiker“[5] mit der Hochachtung, die er verdient: Dieser hat in bemerkenswerten Artikeln die Frage behandelt, ob Rußland, wie die liberalen Ökonomen verlangen, mit der Zerstörung der Bauerngemeinde anfangen und dann zum kapitalistischen

---

[1] N. K. Michailowski – [2] A. I. Herzen – [3] „russischer Männer, für ihr Vaterland einen Entwicklungsgang zu finden, verschieden von dem, den das westliche Europa gegangen ist und geht“ (zitiert aus Michailowskis Artikel in „Otetschestwennyje Sapiski“ Nr. 10, 1877, S. 326) – [4] siehe Band 23 unserer Ausgabe, S. 21 – [5] N. G. Tschernyschewski

Regime übergehn muß, oder ob es im Gegenteil, ohne die Qualen dieses Systems durchzumachen, sich alle Früchte desselben aneignen kann, indem es seine eignen geschichtlich gegebnen Voraussetzungen weiter entwickelt. Er spricht sich in diesem letztern Sinn aus. Und mein verehrter Kritiker hätte zumindest ebensoviel Grund, aus meiner Hochachtung für diesen „großen russischen Gelehrten und Kritiker" zu folgern, daß ich seine Ansichten über diese Frage teile, wie aus meiner Polemik gegen den „Belletristen" und Panslawisten zu schließen, daß ich sie ablehne.

Kurzum, da ich nicht gern „etwas zu erraten" lassen möchte, will ich ohne Rückhalt sprechen. Um die ökonomische Entwicklung Rußlands in voller Sachkenntnis beurteilen zu können, habe ich Russisch gelernt und dann lange Jahre hindurch die darauf bezüglichen offiziellen und sonstigen Druckschriften studiert. Das Resultat, wobei ich angekommen bin, ist dies: Fährt Rußland fort, den Weg zu verfolgen, den es seit 1861 eingeschlagen hat, so wird es die schönste Chance verlieren, die die Geschichte jemals einem Volk dargeboten hat, um dafür alle verhängnisvollen Wechselfälle des kapitalistischen Systems durchzumachen.

II

Das Kapitel über die ursprüngliche Akkumulation will nur den Weg schildern, auf dem im westlichen Europa die kapitalistische Wirtschaftsordnung aus dem Schoß der feudalen Wirtschaftsordnung hervorgegangen ist. Es stellt also die geschichtliche Bewegung dar, die, indem sie die Produzenten von ihren Produktionsmitteln trennte, die ersteren in Lohnarbeiter (Proletarier im modernen Sinne des Wortes) und die Besitzer der letzteren in Kapitalisten verwandelte. In dieser Geschichte „machen alle Umwälzungen Epoche, die der sich bildenden Kapitalistenklasse als Hebel dienen, vor allem aber die Momente, worin große Menschenmassen von ihren traditionellen Produktions- und Subsistenzmitteln losgerissen und plötzlich auf den Arbeitsmarkt geworfen werden. Aber die Grundlage dieser ganzen Entwicklung ist die Expropriation der Ackerbauern. Sie ist bisher radikal erst in England durchgeführt... Aber alle Länder Westeuropas durchlaufen die gleiche Bewegung" etc. („Capital", ed. française, p. 315 [70]). Am Schluß des Kapitels wird die geschichtliche Tendenz der Produktion auf folgendes zurückgeführt: daß sie „mit der Notwendigkeit eines Naturprozesses ihre eigne Negation erzeugt", daß sie selbst die Elemente einer neuen Wirtschaftsordnung geschaffen hat, indem sie gleichzeitig den Produktivkräften der gesellschaftlichen Arbeit und der allseitigen Entwicklung jedes

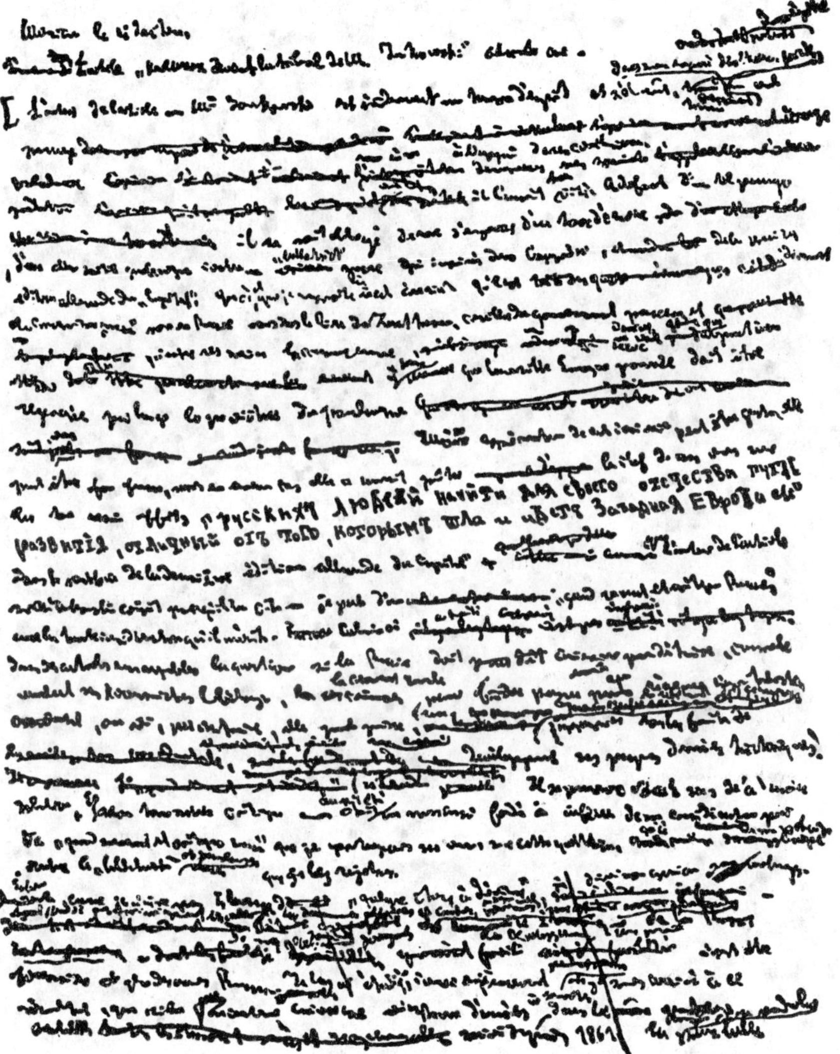

Erste Seite von Karl Marx' Brief an die Redaktion der „Otetschestwennyje Sapiski"

individuellen Produzenten den größten Aufschwung gibt, daß das kapitalistische Eigentum, das in der Tat schon auf einer Art kollektiver Produktion beruht, sich nur in gesellschaftliches Eigentum verwandeln kann. An dieser Stelle liefere ich hierfür keinen Beweis, aus dem guten Grunde, daß diese Behauptung selbst nichts anderes ist als die summarische Zusammenfassung langer Entwicklungen, die vorher in den Kapiteln über die kapitalistische Produktion gegeben worden sind.

Welche Anwendung auf Rußland konnte nun mein Kritiker machen von dieser geschichtlichen Skizze? Einfach nur diese: Strebt Rußland dahin, eine kapitalistische Nation nach westeuropäischem Vorbild zu werden – und in den letzten Jahren hat es sich in dieser Richtung sehr viel Mühe kosten lassen –, so wird es dies nicht fertig bringen, ohne vorher einen guten Teil seiner Bauern in Proletarier verwandelt zu haben; und dann, einmal hineingerissen in den Wirbel der kapitalistischen Wirtschaft, wird es die unerbittlichen Gesetze dieses Systems zu ertragen haben, genauso wie die andern profanen Völker. Das ist alles. Aber das ist meinem Kritiker zu wenig. Er muß durchaus meine historische Skizze von der Entstehung des Kapitalismus in Westeuropa in eine geschichtsphilosophische Theorie des allgemeinen Entwicklungsganges verwandeln, der allen Völkern schicksalsmäßig vorgeschrieben ist, was immer die geschichtlichen Umstände sein mögen, in denen sie sich befinden, um schließlich zu jener ökonomischen Formation zu gelangen, die mit dem größten Aufschwung der Produktivkräfte der gesellschaftlichen Arbeit die allseitigste Entwicklung des Menschen sichert. Aber ich bitte ihn um Verzeihung. (Das heißt mir zugleich zu viel Ehre und zu viel Schimpf antun.) Nehmen wir ein Beispiel.

An mehreren Stellen im „Kapital" spiele ich auf das Schicksal an, das die Plebejer des alten Roms ereilte. Das waren ursprünglich freie Bauern, die, jeder auf eigne Rechnung, ihr eignes Stück Land bebauten. Im Verlauf der römischen Geschichte wurden sie expropriiert. Die gleiche Entwicklung, die sie von ihren Produktions- und Subsistenzmitteln trennte, schloß nicht nur die Bildung des Großgrundbesitzes, sondern auch die großer Geldkapitalien ein. So gab es eines schönen Tages auf der einen Seite freie Menschen, die von allem, außer ihrer Arbeitskraft, entblößt waren, und auf der andern, zur Ausbeutung dieser Arbeit, die Besitzer all der erworbenen Reichtümer. Was geschah? Die römischen Proletarier wurden nicht Lohnarbeiter, sondern ein faulenzender *Mob*, noch verächtlicher als die sog. „poor whites"[1] der Südstaaten der Vereinigten Staaten, und an

[1] „armen Weißen"

ihrer Seite entwickelte sich keine kapitalistische, sondern eine auf Sklavenarbeit beruhende Produktionsweise. Ereignisse von einer schlagenden Analogie, die sich aber in einem unterschiedlichen historischen Milieu abspielten, führten also zu ganz verschiedenen Ergebnissen. Wenn man jede dieser Entwicklungen für sich studiert und sie dann miteinander vergleicht, wird man leicht den Schlüssel zu dieser Erscheinung finden, aber man wird niemals dahin gelangen mit dem Universalschlüssel einer allgemeinen geschichtsphilosophischen Theorie, deren größter Vorzug darin besteht, übergeschichtlich zu sein.

Geschrieben etwa November 1877.
Nach der Handschrift.
Aus dem Französischen.

Friedrich Engels

[Die Arbeiterbewegung in Deutschland, Frankreich, den Vereinigten Staaten und Rußland]

[„La Plebe" Nr. 3
vom 22. Januar 1878]

Die sozialistische Bewegung in Deutschland geht bewundernswert voran. Es gibt gegenwärtig 62 sozialistische Periodica, davon sind 46 Zeitungen im eigentlichen Sinne, 1 ist eine Zeitschrift und 15 sind Organe von *Gewerkschaftsverbänden*. Außerdem werden in deutscher Sprache in der Schweiz 4 Zeitungen und 1 Zeitschrift, in Österreich 3, in Ungarn 1 und in Amerika 6 Zeitungen veröffentlicht. Die Gesamtzahl der sozialistischen periodischen Veröffentlichungen in deutscher Sprache beträgt:

Deutschland	62	
Österreich	3	
Ungarn	1	75
Schweiz	3	
Amerika	6	

Somit weist die periodische Literatur des Sozialismus in deutscher Sprache eine größere Zahl von Organen auf als in allen anderen Sprachen zusammengenommen. Zu dieser Anzahl rechne ich nicht die mehr oder weniger sozialistischen Zeitungen der *Universitätsprofessoren* (Kathedersozialisten[1]), sondern nur die von der Partei anerkannten Organe.

Als das Attentat auf Bismarck stattfand [71], schrieb mir ein Bourgeois: „Ganz Deutschland (das bürgerliche) ist voller Freude, weil Bismarck nicht getötet wurde", und ich antwortete ihm: „Auch wir sind zufrieden, denn er arbeitet für uns, als ob er dafür bezahlt bekäme." Ihr wißt, wie recht ich hatte, denn ohne die Verfolgungen und Leiden, ohne den Militarismus und die ständig anwachsenden Steuern, hätten wir es nicht so weit gebracht.

Obgleich die Krise in Frankreich [72] ein recht wenig befriedigendes Ergebnis gezeitigt hat, so wird, wie mir scheint, sich daraus ein Zustand

[1] Kathedersozialisten: in „La Plebe" deutsch

ergeben, der es den französischen Sozialisten möglich machen wird, mittels Presse, öffentlicher Versammlungen und durch Vereinigungen zu wirken und sich als *Arbeiterpartei* zu organisieren, das ist alles, was wir jetzt – nach dem Blutbad von 1871 – erreichen können. Außerdem ist es eine feststehende Tatsache, daß Frankreich zwei große Fortschritte gemacht hat: der Übergang der Bauern auf die Seite der Republik und die Bildung einer republikanischen Armee. Der Staatsstreich von Ducrot, Batbie und Co. ist gescheitert, weil die Soldaten sich entschieden geweigert haben, gegen das Volk zu marschieren.

In Amerika wurde die Arbeiterfrage durch den blutigen Streik des Personals der großen Eisenbahnlinien[73] auf die Tagesordnung gesetzt. Es ist ein Ereignis, das in der amerikanischen Geschichte Epoche machen wird; auf diese Weise geht die Bildung einer *Arbeiterpartei* in den Vereinigten Staaten mit großen Schritten voran. In jenem Lande geht es rasch vorwärts, und wir müssen die Bewegung verfolgen, um nicht von irgendeinem großen Erfolg überrascht zu werden, der bald zustande kommen wird.

Rußland ist jenes Land, glaube ich, das in naher Zukunft die bedeutendste Rolle spielen wird. Die durch die sogenannte Befreiung der Leibeignen geschaffene Lage war schon vor dem Kriege unerträglich. Diese große Reform ist so gut durchgeführt worden, daß sie schließlich Adelige und Bauern ruiniert hat. Ihr folgte eine weitere Reform – angeblich mit dem Ziel, den Gouvernements oder Kreisen eine Verwaltung zu geben, die verhältnismäßig frei von der Einmischung der Zentralregierung gewählt werden sollte –, die aber weiter nichts brachte als die Erhöhung der ohnehin unerträglichen Steuern.

Den Gouvernements wurden einfach die Kosten ihrer Verwaltung auferlegt, so daß der Staat weniger zahlte, jedoch weiter dieselben Steuern eintrieb; daher gab es neue Steuern für Begleichung der Ausgaben der Gouvernements und Gemeinden. Dann kam noch die allgemeine Wehrpflicht hinzu, was einer neuen Steuer gleichzusetzen ist, die drückender ist als die anderen, und einer neuen, zahlenmäßig stärkeren Armee gleichkommt.

So näherte sich der Zusammenbruch der Finanzen mit großen Schritten. Das Land befand sich schon vor dem Kriege im Zustande des Bankrotts. Die russische Hochfinanz, die in großem Maße an den betrügerischen Spekulationen zwischen 1871 und 1873 teilgenommen hatte, verwickelte das Land in die Finanzkrise, die 1874 in Wien und Berlin ausbrach und auf Jahre hinaus Industrie und Handel in Rußland ruinierte. Bei dieser Lage der Dinge begann der heilige Krieg gegen die Türken[74], und da man keine

Anleihe im Ausland erhalten konnte und die inneren Anleihen nicht das ergaben, was man benötigte, mußte zu den Millionen der Bank (den Reservefonds) und der Ausgabe von Assignaten Zuflucht genommen werden; infolgedessen vermindert sich der Wert des Papiergeldes von Tag zu Tag, er wird bald, schon in ein oder zwei Jahren, seinen Tiefpunkt erreicht haben. Schließlich haben wir alle Elemente eines russischen 1789, dem notwendigerweise ein 1793 folgen wird. Was immer der Ausgang des Krieges sein wird, die russische Revolution steht vor der Tür, sie wird bald, vielleicht dieses Jahr ausbrechen; sie wird, entgegen den Annahmen von Bakunin, von oben, im Palast, im Schoße des verarmten und frondierenden Adels beginnen. Doch einmal in Bewegung, wird sie die Bauern mitreißen, und ihr werdet dann Szenen sehen, denen gegenüber jene von 1793 verblassen werden. Ist einmal Rußland zur Revolution getrieben, dann wird sich das Antlitz ganz Europas verändern. Das alte Rußland war bisher die große Reservearmee der europäischen Reaktion, so hat es 1789, 1805, 1815, 1830 und 1848 gehandelt. Wenn einmal diese Reservearmee vernichtet sein wird, – dann werden wir sehen!

Geschrieben am 12. Januar 1878.
Aus dem Italienischen.

FRIEDRICH ENGELS

Die europäischen Arbeiter im Jahre 1877[75]

Geschrieben Mitte Februar bis Mitte März 1878.
Veröffentlicht in „The Labor Standard", New York, wie folgt:

I – 3. März 1878 III – 17. März 1878
II – 10. März 1878 IV – 24. März 1878
V – 31. März 1878

Aus dem Englischen.

THE LABOR STANDARD.

Devoted to the Organization and Emancipation of the Working People.

The Emancipation of the Working Classes must be achieved by the Working Classes themselves.

VOL.III.—No. 43. NEW YORK, SUNDAY, MARCH 3rd, 1878. Price 5 Cents

I

Das abgelaufene Jahr war für die europäische Arbeiterklasse reich an Ereignissen und Erfolgen. Große Fortschritte wurden in fast allen Ländern hinsichtlich der Organisation und Ausbreitung einer Arbeiterpartei gemacht; die Einigkeit, die eine Zeitlang durch eine kleine, aber aktive Sekte[76] bedroht war, ist im wesentlichen wiederhergestellt; die Arbeiterbewegung ist mehr und mehr in den Vordergrund aller Tagespolitik getreten, und – ein sicheres Zeichen des nahendes Sieges – gleichgültig welche Wendung die politischen Ereignisse nahmen, erwiesen sie sich auf diese oder jene Weise als günstig für das Vorwärtsschreiten dieser Bewegung.

Gleich zu Anfang wurde das Jahr 1877 eingeleitet von einem der größten Siege, der je von Arbeitern errungen wurde. Am 10. Januar fanden die alle drei Jahre auf Grund des allgemeinen Wahlrechts sich wiederholenden Wahlen für das deutsche Parlament (Reichstag[1]) statt; Wahlen, die schon seit 1867 der deutschen Arbeiterpartei Gelegenheit gegeben haben, ihre Kräfte zu messen und vor der Welt Heerschau zu halten über ihre gut organisierten und stets wachsenden Bataillone. Im Jahre 1874 erhielten die Kandidaten der Arbeiterpartei 400 000 Stimmen. 1877 mehr als 600 000. Zehn Abgeordnete wurden am 10. Januar gewählt, während über weitere 24 bei den Stichwahlen abgestimmt wurde, welche 14 Tage später stattfanden. Von diesen 24 wurden tatsächlich nur einige gewählt, da alle anderen Parteien sich gegen sie zusammengeschlossen hatten. Aber die bedeutungsvolle Tatsache blieb bestehen, daß in allen großen Städten und Industriezentren des Reichs die Arbeiterbewegung mit Riesenschritten vorwärts gekommen war, und daß ihr alle diese Wahlkreise mit Sicherheit bei den nächsten Wahlen 1880 zufallen werden. Berlin, Dresden, die

---

[1] Reichstag: in „The Labor Standard" deutsch

gesamten sächsischen Industriebezirke und Solingen waren erobert worden; in Hamburg, Breslau, Nürnberg, Leipzig, Braunschweig, in Schleswig-Holstein und den Industriebezirken Westfalens und des Niederrheins hatte eine Koalition aller anderen Parteien mit Müh und Not ausgereicht, die Arbeiterkandidaten mit knapper Mehrheit zu schlagen. Die deutsche Sozialdemokratie erwies sich als eine Macht, und als eine schnell wachsende Macht, mit der künftig alle anderen Mächte des Landes, die regierenden oder die sonstigen, zu rechnen haben würden. Die Wirkung dieser Wahlen war gewaltig. Die Bourgeoisie wurde von einer schrecklichen Panik ergriffen, um so mehr, als ihre Presse beständig die Sozialdemokratie so hingestellt hatte, als schrumpfe sie zur Bedeutungslosigkeit zusammen. Die Arbeiterklasse, stolz auf ihren Sieg, setzte den Kampf mit erneuter Kraft und auf jedem sich bietenden Schlachtfeld fort, während die Arbeiter der anderen Länder, wie wir sehen werden, den Sieg der Deutschen nicht nur als ihren eigenen Sieg feierten, sondern sich durch ihn auch zu frischen Anstrengungen anspornen ließen, um in dem Wettlauf für die Emanzipation der Arbeit nicht zurückzubleiben.

Der rasche Fortschritt der Arbeiterpartei in Deutschland wird nicht erkauft ohne beträchtliche Opfer auf seiten derer, die dabei eine recht aktive Rolle spielen. Verfolgungen durch die Regierung, Geld- und noch öfter Gefängnisstrafen hageln auf sie nieder, und sie haben sich schon längst dazu entschließen müssen, den größeren Teil ihres Lebens im Gefängnis zu verbringen. Obgleich es sich meistens um kürzere Gefängnisstrafen handelt, von ein paar Wochen bis zu drei Monaten, so sind doch lange Haftzeiten keineswegs eine Seltenheit. So wurden kürzlich, um das wichtige Bergbau- und Industriegebiet von Saarbrücken vor der Ansteckung mit dem sozialdemokratischen Gift zu bewahren, zwei Agitatoren zu je zweieinhalb Jahren verurteilt, weil sie sich auf dieses verbotene Gebiet gewagt hatten. Die elastischen Reichsgesetze bieten für solche Maßregelungen eine Fülle von Vorwänden, und wo sie nicht ausreichen, sind die Richter meist gern bereit, sie bis zu dem Punkt auszudehnen, der für eine Verurteilung erforderlich ist.

Ein großer Vorteil für die deutsche Bewegung ist, daß die Gewerkschaftsorganisation mit der politischen Organisation Hand in Hand arbeitet. Die unmittelbaren Vorteile, die die Gewerkschaften gewähren, ziehen viele sonst Gleichgültige in die politische Bewegung hinein, während die Gemeinsamkeit der politischen Aktion die sonst isolierten Gewerkschaften zusammenhält und ihnen gegenseitige Unterstützung gewährleistet.

Der Erfolg, den unsere deutschen Freunde bei den Reichstagswahlen erzielten, hat sie ermutigt, ihr Glück auch auf anderen Wahlebenen zu versuchen. So ist es ihnen in zwei Landtagen der kleineren Staaten des Reichs geglückt, die Wahl von Arbeitern durchzusetzen, und auch in zahlreiche Stadtparlamente sind sie eingedrungen; in den sächsischen Industriegebieten wird so manche Stadt von einem sozialdemokratischen Gemeinderat geleitet. Da das Wahlrecht bei diesen Wahlen beschränkt ist, so darf kein großer Erfolg erwartet werden; aber jedes errungene Mandat hilft, den Regierungen und der Bourgeoisie zu beweisen, daß sie künftig mit den Arbeitern zu rechnen haben.

Jedoch der beste Beweis für den raschen Fortschritt der Organisation klassenbewußter Arbeiter ist die wachsende Zahl ihrer periodischen Presseorgane. Und hierbei müssen wir die Grenzen von Bismarcks „Reich" überschreiten, denn Einfluß und Aktion der deutschen Sozialdemokratie wird durch diese keineswegs begrenzt. Am 31. Dezember 1877 wurden in deutscher Sprache nicht weniger als 75 Zeitungen und Zeitschriften im Dienst der Arbeiterpartei veröffentlicht. Davon im Deutschen Reich 62 (darunter 15 Organe von ebenso vielen Gewerkschaften), in der Schweiz 3, in Österreich 3, in Ungarn 1, in Amerika 6, insgesamt 75, das sind mehr als sämtliche Arbeiterblätter in allen anderen Sprachen zusammen.

Nach der Schlacht bei Sedan im September 1870 erklärte der Vorstand der deutschen Arbeiterpartei seinen Wählern, daß durch das Kriegsergebnis der Schwerpunkt der europäischen Arbeiterbewegung von Frankreich nach Deutschland verlegt worden und daß den deutschen Arbeitern dadurch eine höhere Aufgabe und neue Verantwortung zugefallen sei, die von ihnen weitere Anstrengungen fordere. Das Jahr 1877 war Beweis dafür und bestätigte zugleich, daß das deutsche Proletariat durchaus fähig ist, die ihm auferlegte zeitweilige Führerschaft zu übernehmen. Welche Fehler einige ihrer Führer auch immer begangen haben mögen – und sie sind zahlreich und mannigfach –, die Massen selbst sind entschlossen, ohne Zögern und auf dem richtigen Wege vorwärtsmarschiert. Ihre Haltung, ihre Organisation und Disziplin bilden einen merklichen Gegensatz zu der Schwäche, Unentschlossenheit, Unterwürfigkeit und Feigheit, die in Deutschland für alle Bewegungen der Bourgeoisie so charakteristisch sind. Aber während die deutsche Bourgeoisie ihre Laufbahn damit beschloß, in eine mehr als byzantinische Verherrlichung „Wilhelms des Siegreichen" hinabzusinken und, an Händen und Füßen gebunden, sich dem eigensinnigen Willen des einen Bismarck auslieferte, marschiert die Arbeiterklasse von Sieg zu Sieg, gefördert und gestärkt gerade durch die Maßnahmen, welche Regierung und Bourgeoisie ersinnen, um sie zu unterdrücken.

II

So groß auch die Wirkung der deutschen Wahlen im Lande selbst war, weit größer war sie noch im Ausland. Und vor allem stellte sie in der europäischen Arbeiterbewegung jene Harmonie wieder her, die während der letzten sechs Jahre gestört worden war durch die Anmaßungen einer kleinen, aber äußerst geschäftigen Sekte.

Diejenigen unserer Leser, die die Geschichte der Internationalen Arbeiterassoziation verfolgt haben, werden sich erinnern, daß unmittelbar nach dem Fall der Pariser Kommune innerhalb der großen Arbeiterorganisation Meinungsverschiedenheiten auftraten, die auf dem Haager Kongreß 1872 zu offener Spaltung und darauf folgender Auflösung führten. Diese Meinungsverschiedenheiten wurden von einem Russen, Bakunin, und seinem Anhang verursacht, die mit sauberen und unsauberen Mitteln die Herrschaft über eine Körperschaft erlangen wollten, von der sie nur eine kleine Minderheit ausmachten. Ihre Universalmedizin war eine prinzipielle Ablehnung *jeglicher* politischen Aktion der Arbeiterklasse; dies ging so weit, daß in ihren Augen die Teilnahme an einer Wahl einem Verrat an den Interessen des Proletariats gleichkam. Nichts als handgreifliche, gewaltsame Revolution wollten sie als Mittel der Aktion zulassen. Von der Schweiz aus, wo diese „Anarchisten", wie sie sich selbst nannten, zuerst Wurzel geschlagen hatten, verbreiteten sie sich nach Italien und Spanien, wo sie eine Zeitlang tatsächlich die Arbeiterbewegung beherrschten. Innerhalb der Internationale wurden sie mehr oder weniger von den Belgiern unterstützt, die sich, obgleich aus andern Gründen, ebenfalls für politische Abstention aussprachen. Nach der Spaltung hielten sie einen Schein von Organisation aufrecht und veranstalteten Kongresse, auf denen ein paar Dutzend Menschen, immer die gleichen, als angebliche Vertreter der Arbeiterklasse ganz Europas in deren Namen ihre Dogmen verkündigten. Doch schon die deutschen Wahlen von 1874 und der große Vorteil, den die deutsche Bewegung durch die Anwesenheit von neun ihrer aktivsten Mitglieder im Parlament erfuhr, hatten Elemente des Zweifels unter die „Anarchisten" geworfen. Politische Ereignisse hatten die Bewegung in Spanien unterdrückt, sie verschwand dort, fast ohne eine Spur zurückzulassen. In der Schweiz wurde die Partei, die für politische Aktion eintrat und mit den Deutschen Hand in Hand arbeitete, mit jedem Tag stärker und übertraf bald die wenigen Anarchisten im Verhältnis von 300 zu 1. Nach einem kindischen Versuch der Anarchisten, eine „soziale Revolution" durchzuführen (Bologna 1874), wobei sich weder ihr Verstand noch ihr Mut von einer vorteilhaften Seite zeigte, begann das wirkliche Arbeiterelement in Italien sich nach vernünftigeren Mitteln der Aktion umzuschauen. In Belgien war die Bewegung durch die Abstentionspolitik ihrer Führer, die die Arbeiterklasse ohne jedes wirkliche Betätigungsfeld ließen, auf einem toten Punkt angelangt. Während die Deutschen ihre politische Aktion von Erfolg zu Erfolg führte, erlitt die Arbeiterklasse der Länder, wo Abstention die Losung des Tages war, tatsächlich Niederlage auf Niederlage und wurde einer Bewegung überdrüssig, die keine Erfolge aufweisen konnte; ihre Organisationen fielen in Vergessenheit, ihre Presseorgane verschwanden eins nach dem anderen. Der vernünftigere Teil dieser Arbeiter konnte nicht umhin, von diesem Kontrast beeindruckt zu werden; die Empörung gegen die „anarchistische" und abstentionistische Lehre brach in Italien sowohl wie in Belgien aus, und man begann sich selbst und anderen die Frage zu stellen, weshalb man einem sinnlosen Dogmatismus zuliebe der Anwendung gerade der Aktionsmittel beraubt sein sollte, die sich als die wirksamsten von allen erwiesen hatten.

So war der Stand der Dinge, als der große Wahlsieg der Deutschen allen Zweifeln ein Ende machte, alles Zögern überwand. Kein Widerstand war möglich gegen eine solche hartnäckige Tatsache. Italien und Belgien sprachen sich für politische Aktion aus; die Überreste der italienischen Abstentionisten, zur Verzweiflung getrieben, versuchten noch einen Aufstand in der Nähe von Neapel [77]; einige dreißig Anarchisten proklamierten die „soziale Revolution", wurden aber schleunigst von der Polizei in Gewahrsam genommen. Alles was sie erreichten, war der völlige Zusammenbruch ihrer eigenen sektiererischen Bewegung in Italien. So war die anarchistische Organisation, die den Anspruch auf die Leitung der Arbeiterbewegung von einem Ende Europas bis zum andern erhoben hatte, wieder auf ihren ursprünglichen Kern reduziert, etwa 200 Leute im Schweizer Jura, wo sie aus der Einsamkeit ihrer Bergabgeschiedenheit zu protestieren fortfahren gegen die siegreiche Ketzerei der übrigen Welt und die wahre Orthodoxie hochhalten, wie sie von dem jetzt verstorbenen Kaiser Bakunin niedergelegt wurde. Und als im letzten September der Sozialistische Weltkongreß in Gent in Belgien zusammentrat – ein Kongreß, den sie selbst einberufen hatten –, bildeten sie dort eine unbedeutende Minderheit gegenüber den Delegierten der vereinigten und einmütigen großen Organisationen der Arbeiterklasse Europas. Obwohl der Kongreß energisch ihre lächerlichen Lehren und ihre vermessenen Anmaßungen zurückwies und keinen Zweifel daran ließ, daß er bloß eine kleine Sekte zurückwies, gewährte er ihnen am Ende großmütige Duldung.

So wurde nach vier Jahren innerer Kämpfe die völlige Einigkeit der Aktion der Arbeiterklasse Europas wiederhergestellt, und die Politik, die von der Mehrheit des letzten Kongresses der Internationale proklamiert worden war, wurde völlig gerechtfertigt durch die Ereignisse. Nun hatte man wieder eine Grundlage gewonnen, auf der die Arbeiter der verschiedenen europäischen Länder aufs neue entschlossen zusammen vorgehen und einander jene gegenseitige Unterstützung gewähren konnten, die die Hauptstärke der Bewegung ausmacht. Die Existenz der Internationalen Arbeiterassoziation war unmöglich gemacht worden [...][1] die den Arbeitern dieser Länder verboten, in irgendeinen derartigen internationalen Bund einzutreten. Die Regierungen hätten sich alle diese Mühe ersparen können. Die Arbciterbewegung war nicht bloß über die Notwendigkeit, sondern sogar über die Möglichkeit irgendeines derartigen formellen Bundes hinausgewachsen; aber das Werk jener großen proletarischen Organisation ist nicht nur völlig erfüllt, sie selbst setzt ihr Leben fort, mächtiger als je in dem weit stärkeren Bund der Einigkeit und Solidarität, in der Gemeinsamkeit der Aktion und der Politik, die jetzt die Arbeiterklasse ganz Europas beseelt und die unbestreitbar ihre eigene und größte Leistung ist. Es gibt eine Fülle verschiedener Auffassungen bei den Arbeitern der einzelnen Länder und sogar innerhalb der einzelnen Länder selbst, aber es gibt keine Sekten mehr, keine Ansprüche auf dogmatische Orthodoxie und doktrinäre Obergewalt, und es gibt einen gemeinsamen Aktionsplan, der ursprünglich von der Internationale entworfen, heute jedoch allgemeine Annahme gefunden hat, weil er überall, bewußt oder sporadisch, aus dem Kampf, aus den Erfordernissen der Bewegung herausgewachsen ist; ein Plan, der, obwohl er sich den verschiedenartigen Bedingungen jeder Nation und jedes Ortes frei anpaßt, dennoch überall in seinen Grundzügen derselbe ist und so Gewähr gibt für einheitliche Absichten und allgemeine Übereinstimmung in den Mitteln, die man anwendet, um das gemeinsame Ziel – die Emanzipation der Arbeiterklasse durch die Arbeiterklasse selbst – zu erreichen.

III

In dem vorhergehenden Artikel haben wir schon die wichtigsten Tatsachen erwähnt, die im Zusammenhang mit der Geschichte der Arbeiterbewegung in Italien, Spanien, der Schweiz und Belgien von Interesse sind. Doch bleibt noch einiges, das berichtet werden muß.

---

[1] In „The Labor Standard" fehlen hier ein oder zwei Zeilen

In Spanien hatte sich die Bewegung zwischen 1868 und 1872, als die Internationale sich mehr als 30 000 zahlender Mitglieder rühmte, rasch ausgedehnt. Aber all das war mehr Schein als Wirklichkeit, mehr das Ergebnis momentaner Erregung, verursacht durch den unsicheren politischen Zustand des Landes als von einem wirklich geistigen Fortschritt. Die spanische Internationale, die in den kantonalistischen (föderalistisch-republikanischen) Aufstand verwickelt war, wurde zusammen mit diesem unterdrückt. Eine Zeitlang bestand sie noch fort in Gestalt einer Geheimgesellschaft, von der ohne Zweifel ein Kern immer noch vorhanden ist. Da sie aber niemals ein Lebenszeichen von sich gegeben hat, außer der Entsendung von drei Delegierten zum Genter Kongreß, so sind wir zu der Folgerung genötigt, daß diese drei Delegierten die spanische Arbeiterklasse ungefähr auf dieselbe Weise vertreten wie weiland die drei Schneider von Tooley-Street das Volk von England vertraten[78]. Und wenn einmal eine politische Erschütterung den Arbeitern Spaniens wieder die Möglichkeit zu aktivem Auftreten geben wird, so können wir mit Sicherheit voraussagen, daß der neue Aufbruch nicht von diesen „anarchistischen“ Schwätzern ausgehen wird, sondern von der kleinen Schar intelligenter und energischer Arbeiter, die 1872 der Internationale treu blieben[79] und die jetzt ihre Zeit abwarten, statt geheime Verschwörungen zu betreiben.

In Portugal blieb die Bewegung immer frei von der „anarchistischen“ Ansteckung und schritt auf derselben vernünftigen Bahn vorwärts wie in den meisten anderen Ländern. Die portugiesischen Arbeiter besaßen zahlreiche Sektionen der Internationale und Gewerkschaften; sie hielten im Januar 1877 einen sehr erfolgreichen Kongreß ab und hatten ein ausgezeichnetes Wochenblatt, „O Protesto“ (Der Protest)[80]. Doch waren auch sie gefesselt durch ungünstige Gesetze, die die Presse und die Vereins- und Versammlungsfreiheit beschränkten. Sie setzten den Kampf trotz alledem fort und halten jetzt in Oporto einen neuen Kongreß ab, der ihnen Gelegenheit geben wird, der Welt zu zeigen, daß die Arbeiterklasse Portugals ihren gebührenden Anteil nimmt an dem großen weltweiten Kampf für die Befreiung der Arbeit.

Auch die Arbeiter Italiens sind in ihrer Aktion sehr behindert durch die bürgerliche Klassengesetzgebung. Eine Anzahl von Sondergesetzen, die eingeführt wurden unter dem Vorwand, das Räuberunwesen und weit verbreitete geheime Räuberorganisationen zu unterdrücken, Gesetze, die der Regierung ungeheure willkürliche Befugnisse geben, werden skrupellos angewandt gegen die Arbeitervereine; ihre hervorragenden Mitglieder werden gleich Räubern ohne Richter oder Geschworene unter polizeiliche

Bewachung gestellt und verbannt. Dennoch geht die Bewegung vorwärts und – das beste Lebenszeichen – ihr Schwerpunkt hat sich aus den ehrwürdigen und halbverödeten Städten der Romagna in die lebhaften Industrie- und Fabrikstädte des Nordens verlagert, eine Änderung, die den echten Arbeiterelementen den Vorrang sicherte vor dem Haufen „anarchistischer" Eindringlinge bürgerlichen Ursprungs, der vorher die Führung innehatte. So oft die Arbeiterklubs und Gewerkschaften auch von der Regierung zerschlagen und aufgelöst werden, sie bilden sich immer wieder unter neuen Namen. Die proletarische Presse, obgleich viele ihrer Organe nur kurzlebig sind wegen der Verfolgungen, Geld- und Gefängnisstrafen, welche über die Herausgeber verhängt werden, entsteht immer wieder neu nach jeder Niederlage, und allen Hindernissen zum Trotz bestehen mehrere Zeitungen schon verhältnismäßig lange. Einige dieser Organe, meist solche von nur kurzer Lebensdauer, bekennen sich noch zu „anarchistischen" Lehren, aber diese Fraktion hat alle Ansprüche aufgegeben, die Bewegung zu beherrschen und stirbt allmählich ab ebenso wie die Mazzinische oder bürgerlich-republikanische Partei, und jeder Zoll an Boden, den diese beiden Fraktionen verlieren, bedeutet ebensoviel Bodengewinn für die echte und intelligente Arbeiterbewegung.

Auch in Belgien hat sich der Schwerpunkt der Aktion der Arbeiterklasse verlagert, und diese Aktion selbst hat infolgedessen eine wichtige Veränderung erfahren. Bis 1875 lag der Schwerpunkt in dem französisch sprechenden Teil des Landes einschließlich des halb französischen und halb flämischen Brüssel; während dieser Periode wurde die Bewegung stark von proudhonistischen Doktrinen beeinflußt, die ebenfalls die Abstention von politischer Einmischung, namentlich bei Wahlen, vorschreiben. Es blieben also nichts als Streiks übrig, die in der Regel durch blutiges Einschreiten des Militärs unterdrückt wurden, und Versammlungen, in denen der alte Phrasenvorrat ständig wiederholt wurde. Die Arbeiter wurden dessen überdrüssig, und die ganze Bewegung schlief nach und nach ein. Aber seit 1875 nahmen die Fabrikstädte des flämisch sprechenden Teils den Kampf auf mit einem entschlosseneren und, wie sich bald zeigen sollte, neuen Geist. In Belgien gibt es überhaupt keine Fabrikgesetze, die die Arbeitszeit der Frauen oder Kinder beschränken; und so forderten die Arbeiterwähler von Gent und Umgegend als erstes Schutz für ihre Frauen und Kinder, die fünfzehn und mehr Stunden täglich in den Baumwollfabriken fronden mußten. Die Opposition der proudhonistischen Doktrinäre, die solche Nichtigkeiten der Aufmerksamkeit von Männern, die sich mit transzendentem Revolutionarismus beschäftigten, nicht für wert hielten, war wirkungslos und wurde schrittweise überwunden. Die Forderung nach gesetzlichem Schutz für die in Fabriken beschäftigten Kinder wurde einer der Punkte im Programm der belgischen Arbeiterklasse, und damit war der Zauber gebrochen, der bis dahin die politische Aktion in die Acht getan hatte. Das Beispiel der Deutschen tat ein übriges, und wie die Arbeiter Deutschlands, der Schweiz, Dänemarks, Portugals, Ungarns, Österreichs und eines Teiles von Italien, schließen sich die belgischen Arbeiter jetzt zu einer politischen Partei zusammen – die sich von allen anderen politischen Parteien unterscheidet und in Opposition zu ihnen steht – mit dem Ziel, ihre Emanzipation durch jede politische Aktion, die die jeweilige Lage erfordern mag, zu erringen.

Die große Masse der Schweizer Arbeiter – der deutsch sprechende Teil von ihnen – hatte sich seit einigen Jahren in einem „Arbeiterbund" zusammengeschlossen, dem Ende 1876 über 5000 zahlende Mitglieder angehörten. Neben ihm gab es noch eine andere Organisation, den Grütlibund, der ursprünglich von den bürgerlichen Radikalen geschaffen wurde für die Ausbreitung des Radikalismus unter Arbeitern und Bauern; aber allmählich drangen sozialdemokratische Gedanken in diese weitverzweigte Vereinigung ein und eroberten sie schließlich. 1877 schlossen diese beiden Gesellschaften ein Bündnis, das beinahe einer Verschmelzung gleichkam, zum Zweck der Organisierung einer schweizerischen politischen Arbeiterpartei, und sie gingen mit solcher Energie vor, daß sie bei der Volksabstimmung das neue Schweizer Fabrikgesetz durchbrachten, das von allen existierenden Fabrikgesetzen das für die Arbeiter günstigste ist. Jetzt sind sie dabei, eine sorgfältige Überwachung zu organisieren, um seine genaue Durchführung gegen den laut verkündeten Unwillen der Fabrikanten zu sichern. Die „Anarchisten" sind von ihrem überlegenen revolutionären Standpunkt aus natürlich heftige Gegner all dieser Aktionen und erklären sie für ein Stück direkten Hochverrats gegen das, was sie die „Revolution" nennen – aber da ihre Anzahl höchstens 200 beträgt, und sie hier wie anderwärts nur ein Generalstab von Offizieren ohne Heer sind, war dies von keiner Bedeutung.

Das Programm der Schweizer Arbeiterpartei ist fast identisch mit dem der deutschen, ja, eigentlich zu identisch, da es sogar einige seiner unvollkommenen und verwirrten Stellen übernommen hat. Aber der bloße Wortlaut des Programms bedeutet wenig, solange der Geist, der die Bewegung beherrscht, von der richtigen Art ist.

Die dänischen Arbeiter traten um 1870 in die Schranken und machten zuerst sehr rasche Fortschritte. Durch ein Bündnis mit der Partei der Kleinbauern, unter denen sie mit Erfolg ihre Ansichten verbreiteten, erreichten sie so beträchtlichen politischen Einfluß, daß die „Vereinigte Linke“, deren Kern die Bauernpartei ausmachte, für eine Reihe von Jahren die Mehrheit im Parlament besaß. Aber dieses schnelle Wachstum der Bewegung war mehr Schein als Wirklichkeit. Eines Tages wurde entdeckt, daß zwei der Führer verschwunden waren, nachdem sie das Geld durchgebracht hatten, das für Parteizwecke unter den Arbeitern gesammelt worden war. Der Skandal, der dadurch hervorgerufen wurde, war sehr groß, und die dänische Bewegung hat sich von der darauf folgenden Entmutigung noch nicht erholt. Immerhin, wenn die dänische Arbeiterpartei jetzt zurückhaltender vorgeht als zuvor, so besteht doch jeder Grund zu der Annahme, daß sie nach und nach die kurzlebige und scheinbare Herrschaft über die Massen, die sie jetzt verloren hat, durch einen realeren und dauernderen Einfluß ersetzt.

In Österreich und Ungarn hat die Arbeiterklasse mit den größten Schwierigkeiten zu kämpfen. Hier steht die politische Freiheit, soweit sie Presse, Versammlungen und Vereine betrifft, auf der niedrigsten Stufe, die mit einer scheinkonstitutionellen Monarchie überhaupt vereinbar ist. Eine Gesetzgebung von unerhörter Dehnbarkeit setzt die Regierung in die Lage, selbst gegen die zahmste Äußerung von Forderungen und Interessen der Arbeiterklasse Verurteilungen zu erzielen. Und dennoch geht die Bewegung hier ebenso wie anderswo unaufhaltsam vorwärts. Die Hauptzentren sind die Fabrikdistrikte von Böhmen, Wien und Pest. Arbeiterzeitungen werden in deutscher, tschechischer und ungarischer Sprache veröffentlicht. Von Ungarn hat die Bewegung sich nach Serbien ausgedehnt, wo vor dem Kriege eine Wochenschrift in serbischer Sprache erschien, die aber bei Kriegsausbruch einfach unterdrückt wurde [81].

So ist überall, wohin wir in Europa blicken, nicht nur ein günstiges, sondern sogar ein schnelles Vorwärtsschreiten der Arbeiterbewegung zu bemerken und, was mehr bedeutet, überall in demselben Geist. Eine vollständige Übereinstimmung ist wiederhergestellt und dadurch auf die eine oder andere Weise eine ständige und regelmäßige Verbindung zwischen den Arbeitern der verschiedenen Länder. Die Männer, die 1864 die Internationale Arbeiterassoziation gründeten, die ihr Banner hoch hielten während der Jahre des Kampfes, zuerst gegen äußere, dann gegen innere Feinde, bis politische Notwendigkeiten mehr noch als innere Streitigkeiten zum Bruch und zum scheinbaren Rückzug führten – diese Männer können jetzt stolz ausrufen: „Die Internationale hat ihr Werk vollbracht, sie hat ihr großes Ziel völlig erreicht – den Zusammenschluß des Proletariats der ganzen Welt zum Kampf gegen seine Unterdrücker.“

IV

Unsere Leser werden bemerkt haben, daß in den drei vorangegangenen Artikeln eines der wichtigsten Länder Europas kaum erwähnt wurde, nämlich Frankreich, und zwar aus folgendem Grunde: In den Ländern, mit denen wir uns bisher beschäftigten, ist die Aktion der Arbeiterklasse, obgleich sie ihrem Wesen nach eine politische ist, nicht eng verflochten mit der allgemeinen oder sozusagen offiziellen Politik. Die Arbeiterklasse Deutschlands, Italiens, Belgiens etc. ist noch keine politische Macht im Staate; sie ist eine politische Macht nur im Hinblick auf die Zukunft, und wenn die offiziellen Parteien in einigen dieser Länder, Konservative, Liberale oder Radikale, mit ihr zu rechnen haben, so bloß darum, weil ihr schneller Aufstieg es offensichtlich macht, daß in sehr kurzer Zeit die proletarische Partei stark genug sein wird, um ihren Einfluß fühlbar zu machen. Aber in Frankreich liegt es anders. Die Arbeiter von Paris, unterstützt von denen der großen Provinzialstädte, sind immer seit der großen Revolution eine Macht im Staate gewesen. Sie haben seit beinahe neunzig Jahren das kämpfende Heer des Fortschritts gebildet; bei jeder großen Krisis der französischen Geschichte gingen sie auf die Straßen, bewaffneten sich so gut sie konnten, errichteten Barrikaden und forderten zum Kampf heraus, und ihr Sieg oder ihre Niederlage entschied über Frankreichs Zukunft auf Jahre hinaus. Von 1789 bis 1830 wurden die Revolutionen der Bourgeoisie von den Pariser Arbeitern ausgefochten; sie waren es, die 1848 die Republik erkämpften. Nachdem sie irrtümlich geglaubt hatten, daß diese Republik Befreiung der Arbeit bedeute, wurden sie grausam enttäuscht durch die Niederlage, die ihnen im Juni desselben Jahres beigebracht wurde; sie leisteten auf den Barrikaden dem Staatsstreich Louis-Napoleons 1851 Widerstand und wurden wiederum besiegt; sie fegten im September 1870 das überlebte Kaiserreich hinweg, das die bürgerlichen Radikalen anzurühren zu feige waren. Thiers' Versuch im März 1871, ihnen die Waffen wegzunehmen, mit denen sie Paris gegen die feindliche Invasion verteidigt hatten, zwang sie in die Revolution der Kommune und den langen Kampf hinein, der mit ihrer blutigen Ausrottung endete.

Eine nationale Arbeiterklasse, die so seit fast einem Jahrhundert nicht nur bei jeder Krisis in der Geschichte des eigenen Landes eine entscheidende Rolle gespielt, sondern gleichzeitig immer die Vorhut der europäischen Revolution gebildet hat, solch eine Arbeiterklasse kann nicht das verhältnismäßig abgeschiedene Leben führen, das noch das eigentliche Aktionsgebiet der übrigen Arbeiter auf dem Kontinent ausmacht. Eine

Arbeiterklasse wie die französische, ist an und durch ihre Geschichte gebunden. Ihre Geschichte, nicht weniger als ihre bewährte entscheidende Kampfkraft hat sie in unlöslicher Weise mit der allgemeinen politischen Entwicklung des Landes verknüpft. Und so können wir keinen Rückblick auf die Aktion der französischen Arbeiterklasse geben, ohne auf die französische Politik im allgemeinen einzugehen.

Ob die französische Arbeiterklasse ihren eigenen Kampf oder den der liberalen, radikalen oder republikanischen Bourgeoisie ausfocht, auf jede Niederlage, die sie erlitt, folgte bisher eine drückende politische Reaktion, die ebenso gewaltsam war wie sie lange andauerte. So schlossen sich an die Niederlagen des Juni 1848 und Dezember 1851 die achtzehn Jahre des bonapartistischen Kaiserreichs; in dieser Zeit war die Presse geknebelt, das Vereins- und Versammlungsrecht unterdrückt und folglich die Arbeiterklasse aller Mittel beraubt, um miteinander Verbindung aufrechtzuhalten und sich zu organisieren. Das unvermeidliche Ergebnis war, daß, als die Revolution im September 1870 ausbrach, die Arbeiter keine anderen Männer in die Ämter einsetzen konnten als jene bürgerlichen Radikalen, die unter dem Kaiserreich die offizielle parlamentarische Opposition gebildet hatten, und die selbstverständlicherweise die Arbeiter und ihr Land verrieten. Nach der Zerschlagung der Kommune hatte die Arbeiterklasse – in ihrer Kampfkraft auf Jahre hinaus geschwächt – nur das eine unmittelbare Interesse: Die Wiederkehr solch einer erneuten Unterdrückungsperiode zu verhindern, damit sie nicht wieder gezwungen ist, anstatt für ihre eigene unmittelbare Befreiung, erst für eine Ordnung zu kämpfen, die ihr ermöglicht, sich für den endgültigen Befreiungskampf zu rüsten. Jetzt gibt es in Frankreich vier große Parteien: drei monarchistische, die Legitimisten, Orleanisten und Bonapartisten, jede mit ihrem eigenen Kronprätendenten, und die republikanische Partei. Wer von den drei Prätendenten auch auf den Thron steigen würde, er würde in jedem Fall nur die Unterstützung einer kleinen Minderheit des Volkes finden, er würde infolgedessen sich nur auf die Gewalt verlassen können. Daher wäre die Herrschaft der Gewalt, die Unterdrückung aller öffentlichen Freiheiten und persönlichen Rechte, die die Arbeiterklasse zu vermeiden suchen muß, die notwendige Begleiterscheinung jeder monarchistischen Restauration. Auf der anderen Seite ließe die Aufrechterhaltung der bestehenden republikanischen Regierung ihr wenigstens die Aussicht, einen solchen Grad persönlicher und öffentlicher Freiheit zu erlangen, der ihr erlauben würde, eine Arbeiterpresse, eine Agitation durch Versammlungen und eine Organisation als unabhängige politische Partei zu begründen; darüber hinaus würde der

Arbeiterklasse die Erhaltung der Republik die Notwendigkeit ersparen, eine besondere Schlacht für ihre künftige Wiedereroberung schlagen zu müssen.

Es war also ein neuer Beweis der hohen instinktiven politischen Intelligenz der französischen Arbeiterklasse, daß, sobald am letzten 16. Mai die große Verschwörung der drei monarchistischen Fraktionen der Republik den Krieg erklärte, die Arbeiter wie ein Mann die Aufrechterhaltung der Republik zu ihrer wichtigsten unmittelbaren Aufgabe machten. Zweifellos handelten sie dabei als der Schwanz der bürgerlichen Republikaner und Radikalen, aber eine Arbeiterklasse, die weder über eine Presse noch über Versammlungsmöglichkeiten, noch über Klubs oder politische Verbände verfügt, was kann sie anderes sein als der Schwanz der bürgerlich-radikalen Partei? Was kann sie anderes tun, um ihre politische Unabhängigkeit zu erlangen, als die einzige Partei zu unterstützen, die verpflichtet ist, dem Volk im allgemeinen und damit auch den Arbeitern solche Freiheiten zu sichern, die ihnen eine unabhängige Organisation gestatten? Manche behaupten, die Arbeiter hätten bei den letzten Wahlen ihre eigenen Kandidaten aufstellen sollen. Aber selbst an solchen Orten, wo sie das mit Erfolg hätten tun können, wo gab es Arbeiterkandidaten, die in ihrer eigenen Klasse bekannt genug waren, um die notwendige Unterstützung zu finden? Nicht umsonst hat die Regierung seit der Kommune so gut Sorge dafür getragen, jeden Arbeiter, der sich auch nur durch private Agitation in seinem eigenen Pariser Bezirk bekannt machte, als Teilnehmer an jenem Aufstand zu verhaften.

Der Sieg der Republikaner bei den Wahlen im letzten November war bezeichnend. Auf ihn folgten noch bezeichnendere Siege bei den nachfolgenden Departements-, Munizipal- und Ergänzungswahlen. Die monarchistische Verschwörung hätte das alles vielleicht nicht durchgehen lassen, aber ihre Hand war gelähmt durch die nicht mißzuverstehende Haltung der Armee. Es gab nicht nur zahlreiche republikanische Offiziere, besonders unter den Subalternoffizieren, sondern, was entscheidender war, die Masse der Soldaten weigerte sich, gegen die Republik zu marschieren. Das war das erste Ergebnis der Heeresreorganisation, durch die die bezahlten Ersatzleute abgeschafft und das Heer in eine wahre Vertretung der jungen Männer aus allen Klassen verwandelt wurde. So brach die Verschwörung in sich zusammen, ohne daß man Gewalt gegen sie hätte anwenden müssen. Und auch das lag sehr im Interesse der Arbeiterklasse, die, noch zu schwach nach dem Aderlaß von 1871, nicht den Wunsch hegen kann, aufs neue ihr Größtes, ihre Kampfkraft zu verschwenden in Kämpfen zugunsten anderer oder verwickelt zu werden in eine Reihe gewaltsamer Zusammenstöße, bevor sie ihre volle Stärke wiedererlangt hat.

Aber dieser republikanische Sieg hat noch eine andere Bedeutung. Er beweist, daß seit 1870 die ländliche Bevölkerung einen großen Schritt vorwärts getan hat. Bisher wurde jeder Sieg, den die Arbeiterklasse in Paris erzielte, kurze Zeit danach zunichte gemacht durch den reaktionären Geist des Kleinbauerntums, das die große Masse der französischen Bevölkerung bildet. Seit dem Anfang dieses Jahrhunderts war das französische Bauerntum bonapartistisch gewesen. Die Zweite Republik, von den Pariser Arbeitern im Februar 1848 eingesetzt, war kassiert worden durch die sechs Millionen bäuerlicher Stimmen, die Louis-Napoleon im folgenden Dezember erhielt. Aber die preußische Invasion von 1870 hat den Glauben an das Kaisertum bei der Bauernschaft erschüttert, und die Wahlen im vergangenen November beweisen, daß die Masse der Landbevölkerung republikanisch geworden ist. Das aber ist eine Veränderung von höchster Wichtigkeit. Es bedeutet nicht nur, daß von nun an jede monarchistische Restauration in Frankreich aussichtslos geworden ist. Es bedeutet auch das Herannahen des Bündnisses zwischen den Arbeitern in den Städten und den Bauern auf dem Lande. Die Kleinbauern, die die große Revolution hervorbrachte, sind nur dem Namen nach Eigentümer des Bodens. Ihre Höfe sind Wucherern verpfändet, ihre Ernte geht hin für die Bezahlung von Zinsen und Rechtsgebühren; der Notar, der Anwalt, der Gerichtsvollzieher, der Auktionator stehen dauernd drohend vor ihren Türen. Ihre Lage ist genauso schlecht wie die der Arbeiter und fast ebenso unsicher. Und wenn diese Bauern sich jetzt vom Bonapartismus der Republik zuwenden, so zeigen sie damit, daß sie eine Besserung ihrer Lage nicht länger von jenen kaiserlichen Wundern erhoffen, wie sie Louis-Napoleon immer versprach und niemals vollbrachte. Thiers' Glaube an die mystischen Heilsmächte, über die ein „Bauernkaiser" verfügte, ist vom Zweiten Kaiserreich grausam zerstört worden. Der Zauber ist gebrochen. Die französische Bauernschaft ist schließlich vernünftig genug gesonnen, um sich nach den wirklichen Gründen der chronischen Not und nach den praktischen Mitteln, sie zu beseitigen, umzuschauen, und wenn sie einmal zu denken anfängt, muß sie bald herausfinden, daß das einzige Heilmittel für sie in einem Bündnis mit der einzigen Klasse liegt, die aus ihrer gegenwärtigen erbärmlichen Lage keinen Nutzen zieht; das ist die Arbeiterklasse in den Städten.

So verächtlich demnach die gegenwärtige republikanische Regierung Frankreichs sein mag, die endgültige Festigung der Republik hat den französischen Arbeitern wenigstens den Boden geschaffen, auf dem sie sich als unabhängige politische Partei organisieren und ihre künftigen Schlachten, nicht zum Vorteil anderer, sondern zu ihrem eigenen, ausfechten können; zugleich den Boden, auf dem sie sich mit der ihnen bisher feindlichen Masse der Bauern verbünden und so künftige Siege nicht bloß wie bisher zu kurzfristigen Triumphen von Paris über Frankreich machen, sondern zu endgültigen Triumphen aller unterdrückten Klassen Frankreichs unter Führung der Arbeiter von Paris und der großen Provinzstädte.

V

Es ist noch ein anderes wichtiges europäisches Land zu betrachten – Rußland. Nicht, daß es in Rußland eine erwähnenswerte Arbeiterbewegung gibt. Aber die inneren und äußeren Umstände, in denen Rußland sich befindet, sind von ganz besonderer Art und tragen in ihrem Schoß Ereignisse von höchster Bedeutung hinsichtlich der Zukunft nicht nur der Arbeiter Rußlands, sondern der Arbeiter ganz Europas.

Im Jahre 1861 führte die Regierung Alexanders II. die Befreiung der Leibeigenen durch, die Verwandlung der ungeheuren Mehrheit des russischen Volkes aus Leibeigenen, die an die Scholle gebunden und der Zwangsarbeit für den Gutsbesitzer unterworfen waren, in freie Bauern. Diese Veränderung, deren Notwendigkeit seit langem klar war, wurde auf solche Weise durchgeführt, daß weder die früheren Gutsbesitzer noch die früheren Leibeigenen Nutzen daraus zogen. Die Bauerndörfer empfingen Bodenanteile, die künftig ihr Eigentum sein sollten, während die Gutsbesitzer entschädigt werden sollten für den Wert des Landes, das sie so an die Dörfer abtraten, und in einem gewissen Ausmaß auch für den Anspruch, den sie bis dahin auf die Arbeitskraft des Bauern besessen hatten. Da die Bauern offensichtlich nicht das Geld besaßen, die Gutsbesitzer zu bezahlen, schaltete sich der Staat ein. Ein Teil dieser Bezahlung erfolgte dadurch, daß den Gutsbesitzern ein Teil des Landes übertragen wurde, das die Bauern bis dahin auf eigene Rechnung bestellt hatten; der Rest wurde in Gestalt von öffentlichen Schuldverschreibungen bezahlt, die der Staat vorschoß und die ihm von den Bauern mit Zinsen in jährlichen Raten zurückgezahlt werden sollten. Die Mehrheit der Gutsbesitzer verkaufte diese Schuldscheine und verausgabte das Geld; sie sind so nicht bloß ärmer als früher, sondern sie können auch keine Landarbeiter finden, um ihre Grundstücke zu bestellen, da die Bauern es jetzt ablehnen, dort zu arbeiten und ihre eigenen Felder unbebaut zu lassen. Was die Bauern betrifft, so waren ihre Landanteile nicht nur im Verhältnis zu ihrem früheren Ausmaß verkleinert worden, und sehr oft so weitgehend, daß sie unter russischen Verhältnissen nicht mehr ausreichten, eine Familie zu unterhalten; diese Anteile bestanden in den meisten Fällen aus den allerschlechtesten Teilen der Gutsländereien, aus Sümpfen oder anderem unfruchtbaren Boden, während das gute Land, das bis dahin den Bauern gehört hatte und durch ihre Arbeit verbessert worden war, auf die Gutsbesitzer übertragen worden war. Unter diesen Umständen waren auch die Bauern beträchtlich schlechter dran als zuvor; aber außerdem erwartete man von ihnen, daß sie der Regierung jedes Jahr die Zinsen und einen Teil des Kapitals zurückzahlten, das der Staat ihnen vorgestreckt hatte, um sie loszukaufen, und darüber hinaus wuchsen die ihnen auferlegten Steuern von Jahr zu Jahr. Sodann hatten die Bauern vor der Befreiung gewisse gemeine Rechte an dem Gutsland gehabt, Weiderechte für ihr Vieh, Recht zum Hauen von Holz für Bauten und andere Zwecke etc. Diese Rechte wurden ihnen ausdrücklich durch die Neuordnung genommen; wenn sie sie wieder ausüben wollten, so mußten sie mit ihrem früheren Gutsherrn darüber verhandeln.

Während so die Mehrheit der Gutsbesitzer infolge der Veränderung noch mehr verschuldete als es vorher der Fall gewesen war, so wurde die Bauernschaft in eine Lage heruntergedrückt, in der sie weder leben noch sterben konnte. Die große Tat der Emanzipation, die von der liberalen Presse Europas so allgemein gerühmt und gepriesen wurde, hatte nichts geschaffen als die Grundlage und die absolute Notwendigkeit einer künftigen Revolution.

Die Regierung tat alles, was in ihrer Macht lag, um diese Revolution zu beschleunigen: Die Bestechlichkeit, die alle offiziellen Kreise durchdringt und alle guten Vorsätze, die sie noch haben könnten, lähmt – diese traditionelle Bestechlichkeit blieb so schlimm wie nur je und trat grell in jedem öffentlichen Bereich ans Licht beim Ausbruch des türkischen Krieges. Man ließ die Finanzen des Reiches, die beim Ende des Krimkrieges völlig in Unordnung waren, sich immer mehr verschlechtern. Eine Anleihe nach der anderen wurde aufgenommen, bis es keine anderen Mittel mehr gab, die Zinsen der alten Schulden zu bezahlen, als neue Schulden auf sich zu laden. Während der ersten Jahre von Alexanders Herrschaft hatte der alte kaiserliche Despotismus sich ein wenig gelockert; man hatte der Presse mehr Freiheit gelassen, Geschworenengerichte eingeführt und Vertretungskörperschaften, die vom Adel, von den Bürgern der Städte und von den Bauern gewählt wurden, die Erlaubnis gegeben, an der örtlichen und provinziellen Verwaltung einigen Anteil zu nehmen. Sogar mit den

Polen hatte ein gewisses Kokettieren stattgefunden. Aber die Öffentlichkeit hatte die wohlwollenden Absichten der Regierung mißverstanden. Die Presse wurde zu deutlich. Die Geschworenen sprachen politische Gefangene tatsächlich frei, während die Regierung erwartet hatte, daß sie sie ohne Beweise verurteilen würden. Die lokalen und provinziellen Körperschaften erklärten insgesamt, daß die Regierung durch ihr Emanzipationsgesetz das Land ruiniert hätte und daß die Dinge auf diesem Wege nicht länger fortgehen könnten. Es wurde sogar auf eine Nationalversammlung als auf das einzige Mittel angespielt, um aus den Schwierigkeiten herauszukommen, die fast unerträglich geworden waren. Und schließlich weigerten sich die Polen, sich mit schönen Worten abspeisen zu lassen und erhoben sich zu einem Aufstand, der alle Kräfte des Reiches und alle Brutalität der russischen Generale erforderte, um ihn in Strömen von Blut zu ersticken. Darauf machte die Regierung kehrt. Wiederum stand die strenge Unterdrückung auf der Tagesordnung. Die Presse wurde geknebelt, die politischen Gefangenen wurden Sondergerichten überantwortet, die sich aus Richtern zusammensetzten, die man für diesen Zweck parteiisch ausgewählt hatte, die lokalen und provinziellen Körperschaften wurden ignoriert. Aber es war zu spät. Nachdem die Regierung einmal Furcht gezeigt hatte, hatte sie ihr Prestige verloren. Mit dem Glauben an ihre Beständigkeit und an ihre Macht, jeden inneren Widerstand gänzlich niederzuschlagen, war es vorbei. Die Keime einer künftigen öffentlichen Meinung waren aufgegangen. Die Kräfte der Gesellschaft konnten nicht zu der früheren gänzlichen Unterwürfigkeit gegenüber dem Diktat der Regierung zurückgeführt werden. Das Diskutieren über öffentliche Angelegenheiten, wenn auch nur in privaten Kreisen, war unter den gebildeten Klassen zur Gewohnheit geworden. Und schließlich wollte die Regierung bei all ihrem Verlangen, zu dem ungezügelten Despotismus der Regierung Nikolaus' zurückzukehren, vor den Augen Europas noch weiter den Schein des Liberalismus aufrechterhalten, den Alexander eingeführt hatte. Die Folge war ein System des Schwankens und Zögerns, von Zugeständnissen, die heute gemacht und morgen zurückgezogen, dann abwechselnd wieder halb gemacht und halb zurückgezogen wurden, eine Politik, die von Stunde zu Stunde wechselte, die für jedermann die innere Schwäche, den Mangel an Einsicht und Willen offenbar werden ließ bei einer Regierung, die nichts war, wenn sie nicht einen Willen hatte und die Mittel, ihn durchzusetzen. Was war natürlicher, als daß mit jedem Tage die Verachtung wachsen mußte, die man für eine Regierung empfand, von der man seit langem wußte, daß sie zum Guten machtlos war und der man nur aus Furcht gehorchte, und die nun bewies, daß sie an ihrer Macht, die eigene Existenz aufrechtzuerhalten, zweifelte, und daß sie zum mindesten ebensoviel Furcht vor dem Volke hatte wie das Volk vor ihr? Es gab für die russische Regierung nur einen Weg der Rettung, den Weg, der sich allen Regierungen anbietet, die sich einem überwältigenden Widerstand des Volkes gegenüber befinden – den Krieg nach außen. Und man entschloß sich zu einem auswärtigen Krieg, zu einem Krieg, von dem man Europa erklärte, daß man ihn unternehme, um die Christen von der langen türkischen Mißherrschaft zu befreien, dem russischen Volk aber sagte man, er würde geführt, um die stammverwandten slawischen Brüder aus der türkischen Knechtschaft in die Gemeinschaft des heiligen russischen Reiches zu bringen.

Nach Monaten ruhmloser Niederlagen ist dieser Krieg jetzt zu einem Abschluß gekommen durch die ebenso ruhmlose Vernichtung des türkischen Widerstandes teils durch Verrat, teils durch ungeheure zahlenmäßige Überlegenheit. Aber die Eroberung des größten Teils der europäischen Türkei durch die Russen ist selbst nur das Vorspiel zu einem allgemeinen europäischen Krieg. Entweder wird Rußland auf der bevorstehenden europäischen Konferenz (wenn diese Konferenz jemals zusammentritt) von seiner jetzt gewonnenen Stellung soweit zurückweichen müssen, daß das Mißverhältnis zwischen den ungeheuren Opfern und den jämmerlichen Ergebnissen die Unzufriedenheit im Volk zum gewaltigen revolutionären Ausbruch bringen muß, oder Rußland wird seine neu eroberte Stellung in einem europäischen Krieg zu behaupten haben. Mehr als zur Hälfte erschöpft, wie das Land jetzt schon ist, kann seine Regierung es ohne bedeutende Zugeständnisse an das Volk nicht durch einen solchen Krieg hindurchbringen – wie immer auch das Endergebnis sein wird. Solche Zugeständnisse angesichts einer Lage wie der hier beschriebenen, das bedeutet den Beginn einer Revolution. Dieser Revolution kann die russische Regierung unmöglich entrinnen, selbst wenn es ihr glücken sollte, ihren Ausbruch ein oder zwei Jahre hinauszuschieben. Aber eine russische Revolution bedeutet mehr als einen bloßen Regierungswechsel in Rußland selbst. Sie bedeutet das Verschwinden einer gewaltigen, aber schwerfälligen Militärmacht, die seit der Französischen Revolution stets das Rückgrat des verbündeten europäischen Despotismus gebildet hat. Sie bedeutet die Befreiung Deutschlands von Preußen, denn Preußen war bisher die Kreatur Rußlands gewesen und hat nur dadurch existiert, daß es sich auf dieses stützte. Sie bedeutet die Befreiung Polens. Sie bedeutet das Erwachen der kleineren slawischen Nationalitäten Osteuropas aus den panslawistischen Träumen, die von der gegenwärtigen russischen Regierung bei ihnen großgezogen werden. Und sie bedeutet den Anfang eines aktiven nationalen Lebens innerhalb des russischen Volkes selbst und damit zugleich den Beginn einer wirklichen Arbeiterbewegung in Rußland. Zusammengefaßt bedeutet sie eine solche Veränderung der ganzen Lage Europas, die von den Arbeitern jedes Landes mit Freuden begrüßt werden muß als ein Riesenschritt zu dem gemeinsamen Ziel – der allgemeinen Befreiung der Arbeit.

Karl Marx

Herr Bucher[82]

[„The Daily News“ Nr. 10030
vom 13. Juni 1878]

An den Redakteur der „Daily News“

Sir,

einem Telegramm von Reuters Büro zufolge ist

„Herr Legationsrat Bucher designiert zum ‚secretaire archiviste‘ des Kongresses“.

Sollte dieser „Herr Bucher“ etwa der gleiche Lothar Bucher sein, der während seines langen Londoner Exils als ein begeisterter Parteigänger des verstorbenen Herrn David Urquhart glänzte, dessen antirussische Doktrinen er Woche für Woche in seinen Korrespondenzen an die Berliner „National-Zeitung“[83] zum Ausdruck brachte; derselbe Lothar Bucher, der nach seiner Rückkehr nach Berlin ein so glühender Verehrer Ferdinand Lassalles wurde, daß dieser ihn zu seinem Testamentsvollstrecker ernannte, ihm ein jährliches Einkommen vermachte und ihm das Herausgaberecht seiner Werke übertrug? Bald nach Lassalles Tod trat Lothar Bucher in das preußische Auswärtige Amt, wurde zum „Legationsrat“ ernannt, er wurde Bismarcks Vertrauter und rechte Hand.

Er hatte die Naivität, an mich einen Brief zu richten, worin er mich einlud, natürlich mit der Billigung seines Chefs, die Finanzartikel für den preußischen amtlichen „Staats-Anzeiger“[84] zu schreiben.

Die pekuniären Bedingungen dieser Stellung zu bestimmen, wurde mir überlassen, indem mir ausdrücklich versichert wurde, daß ich volle Freiheit genießen sollte, die vorkommenden finanziellen Operationen und diejenigen, die sie ausführten, von meinem eigenen „wissenschaftlichen“ Standpunkt aus zu behandeln. Nach diesem seltsamen Vorkommnis amüsierte es mich nicht wenig, als ich die Beiträge des Herrn Lothar Bucher, Mitglieds der Internationalen Arbeiterassoziation, fortwährend in den Spalten des von

Johann Philipp Becker in Genf herausgegebenen Organs der Internationale, „Der Vorbote“ [85], fand. Wenn hier keine Verwechslung der Personen vorliegt, und wenn die Berichte stimmen, daß die russische und die deutsche Regierung dem Kongreß anläßlich der Attentate von Hödel und Nobiling internationale Maßregeln gegen die Ausbreitung des Sozialismus vorlegen wollen, so ist Herr Bucher der rechte Mann, dem Kongreß mit aller Autorität zu sagen, daß die Organisation, die Tätigkeit und die Lehren der deutschen sozialistischen Partei mit diesen Attentaten nicht mehr zu tun haben als mit dem Untergang des „Großen Kurfürsten“ [86] oder mit dem Zusammentritt des Kongresses in Berlin; so ist Herr Bucher der rechte Mann, zu sagen, daß die auf Panik abzielenden Verhaftungen in ganz Deutschland und der von den Pressereptilien aufgewirbelte Staub ausschließlich dem Zweck dienen, Forderungen nach Wahl eines Reichstags auszulösen, der bereit ist, endlich die schon seit langem von Fürst Bismarck ausgearbeitete Lösung des paradoxen Problems zum Gesetz zu erheben, nämlich die deutsche Regierung mit all den finanziellen Mitteln eines modernen Staates auszustatten und dabei zur gleichen Zeit dem deutschen Volk wieder das alte politische Regime aufzuzwingen, das der Orkan von 1848 zerfetzte.

Ich verbleibe, Sir, Ihr ergebener Diener

Karl Marx

London, 12. Juni [1878]

Aus dem Englischen.

Karl Marx

[Erwiderung auf die „Erklärung" Buchers[87]]

Herr Lothar Bucher hat eine „Erklärung" in der „Norddeutschen Allgemeinen" vom 21. Juni veröffentlicht, welche zunächst den unangenehmen Umstand konstatiert, daß mein Brief an die „Daily News" von den nationalliberalen und fortschrittlichen Blättern reproduziert worden sei. Herr Bucher erklärt, 3000 Zeilen seien erforderlich, um die von mir zusammengedrängten Schiefheiten gerade zu renken. Dreißig Zeilen sind mehr als genug, um den Wahrheitswert Bucherscher „Berichtigungen" und „Ergänzungen" ein für allemal festzusetzen.

Der Brief, worin mich Herr Bucher für den „Staats-Anzeiger" zu kirren suchte, datiert vom 8. Oktober 1865, also aus der Periode des Konflikts der preußischen liberalen und fortschrittlichen Bourgeoisie mit Herrn von Bismarck. Es heißt darin u.a.:

„In betreff des Inhalts versteht es sich von selbst, daß Sie *nur Ihrer wissenschaftlichen Überzeugung folgen;* jedoch wird die Rücksicht auf den Leserkreis – haute finance –, nicht auf die Redaktion, es ratsam machen, daß Sie den *innersten Kern* nur eben für die Sachverständigen durchscheinen lassen."

Dagegen besagt die „Berichtigung" des Herrn Bucher, daß er bei

„Herrn Marx anfrug, ob er die gewünschten Artikel liefern wolle, in denen es auf eine objektive Behandlung ankäme. Von des Herrn Marx ‚eigenem wissenschaftlichen Standpunkte' steht nichts in meinem Briefe."

Ferner heißt's im selbigen Brief:

„Der ‚Staats-Anzeiger' wünscht monatlich einen Bericht über die Bewegungen des Geldmarktes (und natürlich auch des Warenmarktes, soweit beide nicht zu trennen). Ich wurde gefragt, ob ich nicht jemanden empfehlen könnte und erwiderte, niemand würde das besser machen als Sie. Ich bin infolgedessen ersucht worden, mich an Sie zu wenden."

Also eröffnete Herr Bucher, nach seinen eignen unzweideutigen Worten, seine „Korrespondenz" mit mir auf das Gesuch von irgend *jemand*. Dagegen beteuert seine „Berichtigung":

„*Niemand*, nicht einmal der Redakteur des ‚Staats-Anzeigers', hat von dieser Korrespondenz gewußt oder erfahren."

Soviel über Herrn Buchers Berichtigungsmethode. Nun noch ein Muster seiner Ergänzungsmethode!

Mein Brief an die „Daily News" spricht nur von der „naiven" Anfrage des Herrn Bucher bei mir, verliert aber kein Wort über meine Antwort an ihn. Er jedoch, im Drang, dem „sonderbaren Vorfall" den Charakter der Trivialität aufzustempeln, muß mich „ergänzen", und dichtet daher:

„Herr Marx habe ihm geantwortet, er schreibe nicht für ein reaktionäres Blatt."

Wie sollte ich dergleichen Gemeinplatz antworten auf einen Brief, dessen „innerster Kern" nicht „nur eben" durchscheint, sondern augenblendend durchblitzt in folgendem Schlußpassus:

„Der Fortschritt" (er meint die liberale oder Fortschrittsbourgeoisie) „wird sich noch oft häuten, ehe er stirbt; wer also während seines Lebens noch innerhalb des Staates wirken will, *der muß sich ralliieren um die Regierung*."

Karl Marx

London, 27. Juni [1878]

Nach der Handschrift.

Karl Marx

Herrn George Howells Geschichte der Internationalen Arbeiterassoziation[88]

[„The Secular Chronicle"
Nr. 5 vom 4. August 1878]

Ich halte es für angebracht, mit einigen Bemerkungen den neuesten Beitrag zu den massenweisen Fälschungen über die Geschichte der Internationale – siehe das „Nineteenth Century" [89] vom vergangenen Juli – zu illustrieren, denn man mag irrtümlicherweise glauben, ihr jüngster Exponent, Herr George Howell, Ex-Arbeiter und Ex-Mitglied des Generalrats jener Assoziation, habe seine Weisheit aus Quellen geschöpft, die nicht allgemein zugänglich sind.

Herr Howell beginnt seine „Geschichte" mit dem Übergehen der Tatsache, daß ich an der Gründungsversammlung der Internationale am 28. September 1864 teilgenommen habe, dort zum Mitglied des provisorischen Generalrats gewählt wurde und bald danach die Inauguraladresse und die Allgemeinen Statuten der Assoziation entworfen habe, die zuerst 1864 in London veröffentlicht und 1866 auf dem Genfer Kongreß bestätigt wurden.

Herr Howell weiß das alles, zieht es aber für seine Zwecke vor, „einen deutschen Doktor namens Karl Marx" zuerst auf dem in London „am 25. September 1865 eröffneten Kongreß" [90] erscheinen zu lassen. Besagter „Doktor" habe dann, behauptet er, bei dieser Gelegenheit „die Saat der Zwietracht und des Verfalls durch das Hineintragen der *religiösen Idee* gesät".

Erstens fand im September 1865 kein „Kongreß" der Internationale statt. Einige wenige Delegierte der hauptsächlichsten europäischen Sektionen der Assoziation kamen zu dem einzigen Zweck nach London, um mit dem Generalrat über das Programm des „Ersten Kongresses" zu beraten, der im September 1866 in Genf stattfinden sollte. Die eigentliche Arbeit der Konferenz fand in geschlossenen Sitzungen statt und nicht auf den allein von dem exakten Historiker Howell erwähnten halböffentlichen Versammlungen in Adelphi Terrace.

Wie die übrigen Vertreter des Generalrats hatte ich bei der Konferenz die Annahme unseres Programms durchzusetzen, das bei seiner Veröffentlichung von dem französischen Historiker Henri Martin in einem Briefe an die Zeitung „Siècle“ [91] folgendermaßen charakterisiert wurde:

„Die Großzügigkeit und die hohe moralische, politische und ökonomische Konzeption, die entscheidend war für die Auswahl der Punkte des Programms für den Kongreß der Internationalen Arbeiterassoziation, der nächstes Jahr stattfinden soll, wird alle Freunde des Fortschritts, der Gerechtigkeit und Freiheit in Europa gleichermaßen mit Sympathie erfüllen.“

Nebenbei lautet ein Abschnitt des Programms, das für den Generalrat zu entwerfen ich die Ehre hatte:

„Die Notwendigkeit der Beseitigung des moskowitischen Einflusses in Europa durch Verwirklichung des Rechts der Nationen auf Selbstbestimmung und die Wiederherstellung Polens auf demokratischer und sozialistischer Grundlage[1].“

Hierüber machte Henri Martin die Bemerkung:

„Wir gestatten uns, zu bemerken, daß der Ausdruck ‚demokratische und sozialistische Grundlage‘ sehr einfach ist in Hinblick auf Polen, wo die *soziale* Struktur der Wiederherstellung ebenso bedarf wie die politische, und wo diese Grundlage in den Dekreten der anonymen Regierung von 1863 gegeben und von allen Klassen der Nation akzeptiert worden ist. Dies also ist die Antwort des wirklichen Sozialismus, des sozialen Fortschritts in Harmonie mit Gerechtigkeit und Freiheit, auf das Vorrücken des auf der Dorfgemeinschaft beruhenden Despotismus Moskowiens. Dies Geheimnis des Volkes von Paris wird nunmehr das gemeinsame Geheimnis der Völker Europas.“

Unglücklicherweise hatte „das Volk von Paris“ sein „Geheimnis“ so gründlich gewahrt, daß zwei der Pariser Delegierten zur Konferenz, Tolain, nunmehr ein Senator der französischen Republik, und Fribourg, nun ein einfacher Renegat, davon gar nichts wußten und gerade über den Progammpunkt herzogen, der die begeisterte Bemerkung des französischen Historikers hervorrief.

Das Programm des Generalrats enthielt nicht eine Silbe über „Religion“, aber auf das Drängen der Pariser Delegierten gelangte die verbotene Speise in folgender Garnierung in das Menü für den kommenden Kongreß:

„Religiöse Ideen“ (und nicht „die religiöse Idee“, wie Howells falsche Darstellung sagt) „und ihr Einfluß auf die soziale, politische und geistige Bewegung.“

---

[1] Im französischen Text des Protokolls und in Henri Martins Artikel heißt es: auf demokratischer und sozialer Grundlage

Dieses Diskussionsthema, von den französischen Delegierten eingebracht, wurde ihrer Obhut überlassen. Tatsächlich ließen sie es auf dem Genfer Kongreß fallen und niemand griff es wieder auf.

Der Londoner „Kongreß" von 1865, das „Hineintragen" der „religiösen Idee" von einem „deutschen Doktor namens Karl Marx" und der erbitterte Kampf, der daraus innerhalb der Internationale erwuchs – diesen dreifachen Mythus krönt Herr George Howell mit einer Legende. Er sagt:

„Im Entwurf der Adresse an das amerikanische Volk mit Bezug auf die Abschaffung der Sklaverei wurde der Satz ‚Gott hat gemacht von einem Blut aller Menschen Geschlechter'[92] gestrichen etc."

Nun richtete der Generalrat seine Adresse nicht an das amerikanische Volk, sondern an dessen Präsidenten, Abraham Lincoln, der sie auch gebührend bestätigte[93]. Die Adresse, von mir verfaßt, erlitt keinerlei Veränderung. Da die Worte „Gott hat gemacht von einem Blut aller Menschen Geschlechter" niemals darin gestanden hatten, konnten sie auch nicht „gestrichen" werden.

Die Stellung des Generalrats zu der „religiösen Idee" zeigt am besten folgender Fall: Eine der Schweizer Sektionen der von Michail Bakunin begründeten *Allianz*[25], die sich als *Section des athées socialistes* bezeichnete, verlangte vom Generalrat die Aufnahme in die Internationale, erhielt aber den Bescheid:

„Der Generalrat hat bereits im Falle der Young Men's Christian Association erklärt, daß er *theologische Sektionen nicht* anerkenne" (vgl. S. 13 der *„Les prétendues scissions dans l'internationale. Circulaire du conseil général. Genève"*).[1]

Selbst Herr George Howell, damals noch nicht durch eingehendes Studium des „Christian Reader" bekehrt, vollzog seine Scheidung von der Internationale, nicht auf das Gebot der „religiösen Idee" hin, sondern aus Gründen höchst weltlicher Natur. Als das „Commonwealth"[94] als „spezielles Organ" des Generalrats gegründet wurde, bewarb er sich eifrig um die „stolze Stellung" des Redakteurs. Nachdem dieser „ehrgeizige" Versuch mißlungen war, begann er zu schmollen, sein Eifer ließ immer mehr nach und bald darauf ließ er nichts mehr von sich hören. Während der ereignisreichsten Zeit der Internationale stand er ihr daher fern.

Seiner vollständigen Unfähigkeit bewußt, die Geschichte der Assoziation zu skizzieren, gleichzeitig aber eifrig auf der Suche nach geheimnisvollen Enthüllungen, um seinen Artikel zu würzen, greift er das Erscheinen

[1] Siehe Band 18 unserer Ausgabe, S. 19

von General Cluseret in London während der Fenier-Unruhen[95] auf, und wie man uns erzählt, kam im Black Horse, Rathbone Place, Oxford Street, der General mit „einigen wenigen Leuten – glücklicherweise Engländern" – zusammen, um sie in seinen „Plan" einer „allgemeinen Insurrektion" einzuweihen. Ich habe Gründe, die Wahrheit der Anekdote anzuzweifeln; aber angenommen, sie stimmt, was anderes beweist sie, als daß Cluseret nicht so beschränkt war, seine Person oder seinen „Plan" dem Generalrat aufzudrängen, sondern beides klüglich für „einige wenige Engländer" aus Howells Bekanntschaft aufhob. Oder war Howell selbst einer von den vierschrötigen Blusenmännern, die es durch ihr „glückliches" Dazwischentreten verstanden, das Britische Reich und Europa von allgemeiner Erschütterung zu retten?

Herr George Howell hat noch ein anderes düsteres Geheimnis zu enthüllen. Anfang Juni 1871 erließ der Generalrat eine „Adresse über den Bürgerkrieg in Frankreich"[1], die seitens der Londoner Presse mit einem Schrei der Verwünschung begrüßt wurde. Ein Wochenblatt beschimpfte den „infamen Verfasser", der sich feige hinter dem Generalrat verstecke. Daraufhin bekannte ich mich in der „Daily News" als Verfasser[2]. Dieses altbackene Geheimnis enthüllt Herr George Howell im Juli 1878 mit all der Gewichtigkeit des Mannes hinter den Kulissen.

„Der Verfasser dieser Adresse war Dr. Karl Marx... Herr George Odger und Herr Lucraft, beide Mitglieder des Generalrats, als sie (sic!) angenommen wurde, wiesen sie zurück, als sie veröffentlicht wurde."

Nur vergißt er hinzuzufügen, daß die anderen neunzehn anwesenden britischen Mitglieder der „Adresse" zustimmten.

Seit dieser Zeit haben die Feststellungen dieser Adresse ihre volle Bestätigung erhalten durch die Enqueten der französischen Krautjunkerversammlung[96], durch die Beweisaufnahme vor dem Kriegsgericht in Versailles, durch den Prozeß Jules Favre und durch die Memoiren von Leuten, die den Siegern keineswegs feindlich gesinnt waren.

Es ist ganz natürlich, wenn ein englischer Historiker mit der gründlichen Gelehrsamkeit des Herrn George Howell französische Schriften, offizielle und nicht offizielle, hochmütig ignoriert. Aber ich gestehe, der Abscheu erfaßt mich bei solchen Anlässen, wie zum Beispiel den Attentaten von Hödel und Nobiling, wenn ich sehe, wie die großen Londoner Blätter dieselben schmutzigen Verleumdungen wiederkäuen, die ihre eigenen Korrespondenten, die selbst Augenzeugen waren, als erste zurückgewiesen hatten.

---

[1] Siehe Band 17 unserer Ausgabe, S.319–362 – [2] ebenda, S.375/376

Herr Howell erreicht den Gipfel des Snobismus bei seiner Darstellung der Finanzen des Generalrats.

Der Generalrat macht sich in seinem veröffentlichten *Bericht an den Kongreß von Basel* (1869)[1] über den gewaltigen Schatz lustig, den die geschäftige Zunge der europäischen Polizei und die wilde Phantasie der Kapitalisten ihm angedichtet hatte. Es heißt darin:

„Obwohl diese Leute gute Christen sind, wären sie, wenn sie in der ersten Zeit des Christentums gelebt hätten, nach einer römischen Bank geeilt, um da des Apostels Paulus Bankkredit nachzuspähen."

Herr Ernest Renan, der zwar nicht an Herrn George Howells orthodoxe Maßstäbe heranreicht, meint sogar, an Hand der Sektionen der Internationale könne am besten illustriert werden, wie die christlichen Urgemeinden das Römische Reich untergruben.

Herr George Howell ist auf seine Art als Schriftsteller das, was man in der Kristallographie „pseudomorph" nennt. Die äußere Form seines Stils ist bloß eine Nachahmung der Art des Denkens und des Stils, die dem wohlhabenden Engländer von satter Tugend und zahlungsfähiger Moral „eigen" ist. Obwohl er seine „Ziffern" über die Einnahmen des Generalrats den Kassenberichten eben desselben Generalrats entnimmt, die dieser jährlich einem öffentlichen „Internationalen Kongreß" vorlegte, darf Herr George Howell seiner „imitierten" Würde nichts dadurch vergeben, daß er sich herabläßt, die naheliegende Frage zu berühren: Wie kam es, daß anstatt sich mit den mageren Budgets des Generalrats zu beruhigen, alle Regierungen des kontinentalen Europas erschraken vor „der mächtigen und furchtbaren Organisation der Internationalen Arbeiterassoziation und der rapiden Entwicklung, die sie in wenigen Jahren erreicht hatte"? (Siehe *Rundschreiben des spanischen Ministers des Auswärtigen an die Repräsentanten Spaniens im Ausland.*) Anstatt das rote Gespenst einfach dadurch zu beschwören, indem man ihm die traurigen Budgets des Generalrats vor Augen hielt, warum, so muß der gesunde Menschenverstand fragen, exorzierten der Papst[2] und seine Bischöfe die Internationale, stellte die französische Krautjunkerversammlung sie außerhalb des Gesetzes, bedrohte Bismarck sie – bei der Zusammenkunft der Kaiser von Deutschland und Österreich[3] in Salzburg – mit einem Kreuzzug der Heiligen Allianz und übergab der weiße Zar[4] sie seiner schrecklichen „dritten Abteilung", die damals von dem Gemütsmenschen Schuwalow geleitet wurde?

---

[1] Siehe Band 16 unserer Ausgabe, S.370–382 – [2] Pius IX. – [3] Wilhelm I. und Franz Joseph I. – [4] Alexander II.

Herr George Howell räumt herablassend ein: „Armut ist kein Verbrechen, aber furchtbar lästig." Ich gebe zu, er spricht die Wahrheit. Aber um so stolzer sollte er an seine frühere Verbindung mit der Arbeiterassoziation gedacht haben, die Weltruf und einen Platz in der Geschichte der Menschheit gewann, nicht durch eine wohlgefüllte Kasse, sondern durch ihre geistige Kraft und ihre selbstlose Energie.

Von dem erhabenen Standpunkt eines insularen „Philisters" herab enthüllt Herr George Howell dagegen den „gebildeten Lesern" des „Nineteenth Century", daß die Internationale ein „Fehlschlag" war und dahingeschwunden ist. In Wirklichkeit bilden die sozialdemokratischen Arbeiterparteien in Deutschland, der Schweiz, in Dänemark, Portugal, Italien, Belgien, Holland und den Vereinigten Staaten von Nordamerika, mehr oder weniger in nationalem Umfang organisiert, ebenso viele internationale Gruppen; nicht mehr vereinzelte Sektionen, spärlich verstreut über die verschiedenen Länder und von einem vom Zentrum entfernten Generalrat zusammengehalten, vielmehr stehen die Arbeitermassen selbst im stetigen, aktiven, direkten Verkehr, zusammengeschmiedet durch den Austausch von Ideen, gegenseitige Hilfeleistungen und gemeinsame Ziele.

Nach dem Fall der Pariser Kommune war natürlich jegliche Organisation der Arbeiterklasse Frankreichs zeitweilig zerbrochen, sie beginnt sich aber jetzt wieder zu entwickeln. Andererseits beteiligen sich gegenwärtig die Slawen, namentlich in Polen, Böhmen und Rußland, trotz aller politischen und sozialen Hindernisse an der internationalen Bewegung in einem Umfang, der 1872 von dem größten Optimisten nicht vorauszusehen war. So ist die Internationale, anstatt abzusterben, bloß aus ihrer ersten Inkubationsperiode in eine höhere Phase getreten, in der bereits ihre ursprünglichen Bestrebungen zum Teil Wirklichkeit geworden sind. Im Laufe dieser fortschreitenden Entwicklung wird sie noch manche Veränderungen durchzumachen haben, bevor das letzte Kapitel ihrer Geschichte geschrieben werden kann.

Geschrieben Anfang Juli 1878.
Aus dem Englischen.

Friedrich Engels

[Das Ausnahmegesetz gegen die Sozialisten in Deutschland – Die Lage in Rußland]

[„La Plebe" Nr. 12
vom 30. März 1879]

London, 21. März

...Die letzten sozialistischen Wahlsiege in Deutschland beweisen, daß die sozialistische Bewegung nicht abgewürgt werden kann, indem man ihr den Mund knebelt. Vielmehr wird das Sozialistengesetz für uns ein ausgezeichnetes Ergebnis haben. Es wird die revolutionäre Erziehung der deutschen Arbeiter vollenden...

Sie erfreuten sich jenes Grades von Presse-, Assoziations- und Versammlungsfreiheit, den sie mit großen Anstrengungen und mit großen Opfern errungen hatten; es war ein ständiger Kampf, aber schließlich blieb der Sieg immer auf seiten der Arbeiter. Sie konnten sich organisieren und jedesmal, wenn es allgemeine Wahlen gab, war dies für sie ein neuer Triumph.

Diese legale Agitation führte jedoch dazu, daß einige glaubten, mehr brauche man nicht zu tun, um den Endsieg des Proletariats zu erringen. Das konnte in einem Lande, das so arm an revolutionären Traditionen ist wie Deutschland, gefährlich werden. Glücklicherweise haben die brutale Aktion Bismarcks und die Feigheit der deutschen Bourgeoisie, die ihn stützt, die Dinge verändert. Die deutschen Arbeiter haben erfahren, was konstitutionelle Freiheiten wert sind, sobald das Proletariat sich erlaubt, sie ernst zu nehmen und davon Gebrauch zu machen, um die kapitalistische Herrschaft zu bekämpfen. Wenn es diesbezüglich noch Illusionen gab, Freund Bismarck hat sie rücksichtslos zerstreut. Ich sage, *Freund* Bismarck, weil niemand zuvor der sozialistischen Bewegung in Deutschland solche Dienste geleistet hat wie er. Nachdem er die Revolution durch den raffiniertesten und unerträglichsten Militarismus, durch ständig wachsende Steuern, durch das Bündnis des Staates mit dem unverschämtesten Börsenwucher, durch die Rückkehr zu den Traditionen des ärgsten Feudalismus und der Polizeiherrschaft des alten Preußens, durch die ebenso zahlreichen wie kleinlichen Verfolgungen und durch die Herabwürdigung und öffentliche Erniedrigung einer Bourgeoisie, die übrigens keine bessere Behandlung verdiente, nachdem er also dadurch die Revolution vorbereitet hatte, krönte er sein Werk, indem er das deutsche Proletariat zwang, den revolutionären Weg einzuschlagen.

Freund Bismarck mag ruhig sein. Die Revolution, die er so gut vorbereitet hat, werden die deutschen Arbeiter schon machen. Wenn das Signal von Rußland gegeben werden wird, werden sie bereit sein.

Seit einigen Jahren lenke ich die Aufmerksamkeit der europäischen Sozialisten auf den Zustand Rußlands, wo sich eine entscheidende Bewegung vorbereitet. Der Kampf zwischen der Regierung und den Geheimgesellschaften hat dort einen so gewalttätigen Charakter angenommen, daß er nicht lange andauern kann. Es scheint, daß die Bewegung von einem Tage zum anderen ausbrechen kann. Die Agenten der Regierung begehen dort unglaubliche Grausamkeiten. Gegen solche wilden Bestien muß man sich verteidigen, so gut es geht, mit Pulver und Blei. In Rußland ist der politische Mord das einzige Mittel, das intelligente, anständige und charakterfeste Menschen haben, um sich gegen die Agenten eines unerhörten Despotismus zu verteidigen.

Die mächtige Verschwörung im Heer und sogar am kaiserlichen Hofe, das durch die diplomatischen Niederlagen nach dem Kriege gedemütigte nationale Bewußtsein, die leere Staatskasse, der erschütterte Kredit, die Bankiers, die sich weigern, Anleihen zu geben, wenn sie nicht von einer Nationalversammlung garantiert werden, und schließlich das Elend. Das ist die Bilanz Rußlands.

F. Engels

Aus dem Italienischen.

Karl Marx/Friedrich Engels

[Zirkularbrief an Bebel, Liebknecht, Bracke u.a.[97]]

Lieber Bebel!

Die Beantwortung Ihres Briefes vom 29. August hat sich verzögert, einerseits durch die verlängerte Abwesenheit von Marx, dann durch einige Zwischenfälle: erst die Ankunft des „Richterschen Jahrbuchs"[98], dann die von H[irsch] selbst.

Ich muß schließen, daß Liebkn[echt] Ihnen meinen letzten Brief an ihn nicht vorgelegt hat, obgleich ich ihm dies gradezu auftrug. Andernfalls würden Sie mir sicher nicht dieselben Gründe vorgeführt haben, die Liebknecht geltend gemacht und auf die ich in jenem Brief bereits *geantwortet*.

Gehn wir nun die einzelnen Punkte durch, auf die es hier ankommt.

I. Die Verhandlungen mit K[arl] Hirsch

Liebknecht fragt bei Hirsch an, ob dieser die Redaktion des in Zürich neuzugründenden Parteiorgans[99] übernehmen will. Hirsch wünscht Auskunft über die Fundierung des Blatts: welche Fonds zur Verfügung stehn und wer sie liefert. Ersteres, um zu wissen, ob das Blatt nicht schon nach ein paar Monaten erlöschen muß. Das andre, um sich zu vergewissern, wer den Knopf auf dem Beutel und damit die schließliche Herrschaft über die Haltung des Blatts behält. Liebknechts Antwort an Hirsch: „alles in Ordnung, wirst von Zürich das Weitere erfahren" (Liebknecht an H[irsch], 28. Juli) kommt nicht an. Von Zürich aber kommt ein Brief Bernsteins an Hirsch (24. Juli), worin B[ernstein] mitteilt, daß „man mit der Inszenierung und *Beaufsichtigung* (des Blattes) *uns* beauftragt hat". Es habe eine Besprechung „zwischen Vier[eck] und *uns*" stattgefunden, worin man fand,

„daß Ihre Stellung durch die Differenzen, welche Sie als Laternenmann[100] mit einzelnen Genossen gehabt, etwas erschwert werden würde, doch halte *ich* dies Bedenken für nicht sehr gewichtig".

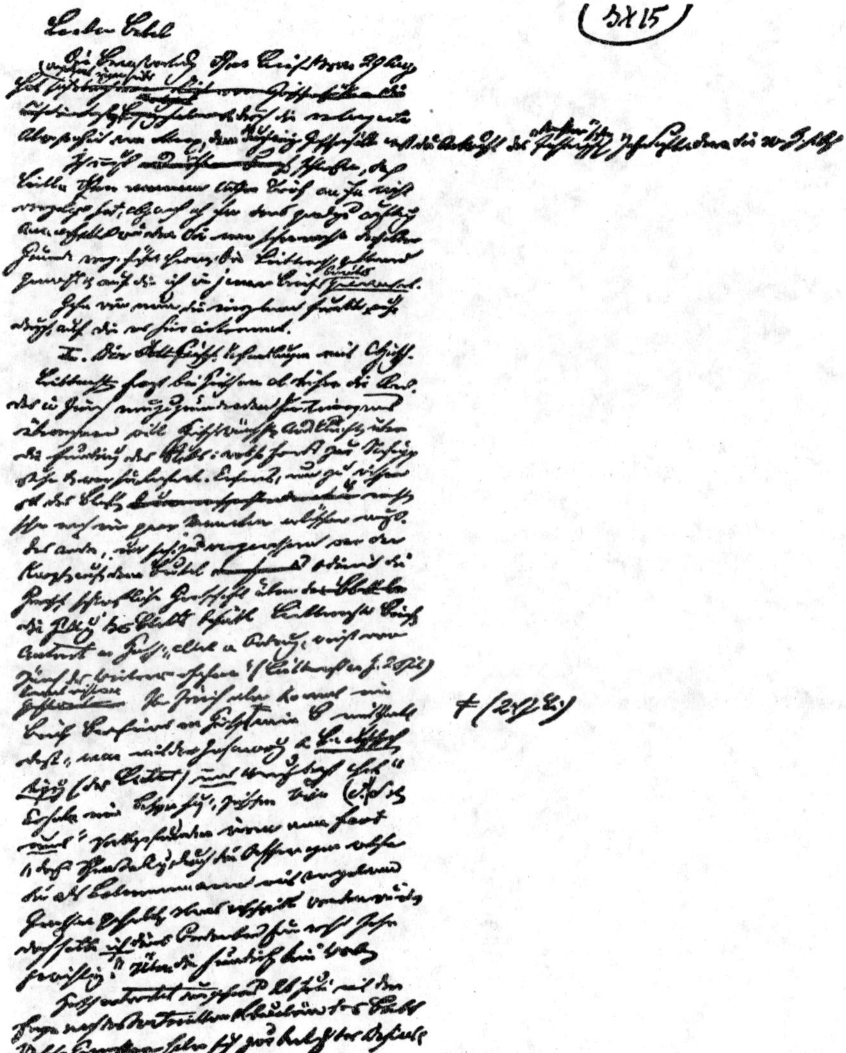

Erste Seite des Zirkularbriefs

Über die Fundierung kein Wort.

Hirsch antwortet umgehend 26. Juli mit der Frage nach der materiellen Situation des Blatts. Welche Genossen haben sich zur Deckung des Defizits verpflichtet? Bis zu welchem Betrag und für wie lange Zeit? – Die Gehaltsfrage des Redakteurs spielt hierbei absolut keine Rolle, Hirsch will lediglich wissen, ob „die Mittel gesichert sind, das Blatt mindestens ein Jahr lang zu sichern".

Bernstein antwortet 31. Juli: Ein etwaiges Defizit wird durch freiwillige Beiträge gedeckt, deren *einige* (!) schon gezeichnet sind. Auf Hirschs Bemerkungen über die Haltung, die er dem Blatt zu geben denke, worüber unten, erfolgen mißbilligende Bemerkungen und *Vorschriften:*

„Darauf muß die *Aufsichtskommission* um so mehr bestehn, als sie selbst wiederum unter Kontrolle steht, d.h. verantwortlich ist. Über diese Punkte müßten Sie sich also mit der Aufsichtskommission verständigen."

Umgehende, womöglich telegraphische Antwort erwünscht.

Also, statt aller Antwort auf seine berechtigten Fragen, erhält Hirsch die Nachricht, daß er unter einer in Zürich sitzenden *Aufsichts*kommission redigieren soll, deren Ansichten von den seinigen sehr wesentlich abweichen und deren Mitglieder ihm nicht einmal genannt werden!

Hirsch, mit vollem Recht entrüstet über diese Behandlung, zieht es vor, sich mit den Leipzigern zu verständigen. Sein Brief vom 2. August an Liebk[necht] muß Ihnen bekannt sein, da H[irsch] *ausdrücklich* Mitteilung an Sie und Viereck *verlangte*. Hirsch will sogar sich einer Züricher Aufsichtskommission insoweit unterwerfen, als diese der Redaktion soll schriftliche Bemerkungen machen und die Entscheidung der Leipziger Kontrollkommission anrufen dürfen.

Liebkn[echt] inzwischen schreibt 28. Juli an Hirsch:

„*Natürlich* ist das Unternehmen fundiert, da die ganze Partei + (inklusiv) Höchberg dahinter steht. Um die Details kümmere ich mich aber nicht."

Auch der nächste Brief L[iebknecht]s enthält über die Fundierung wieder nichts, dagegen die Versicherung, daß die Züricher Kommission keine Redaktionskommission sei, sondern nur mit der *Verwaltung* und dem Finanziellen betraut. Noch am 14. August schreibt L[iebknecht] dasselbe an mich und verlangt, wir sollen H[irsch] zureden, daß er annimmt. Sie selbst sind noch am 29. August so wenig vom wahren Sachverhalt in Kenntnis gesetzt, daß Sie mir schreiben:

„Er (Höchberg) hat bei der Redaktion des Blattes nicht mehr Stimme als *jeder andre bekannte Parteigenosse*."

Endlich erhält Hirsch einen Brief von V[iereck], 11. August, worin zugegeben wird, daß

„die 3 in *Zürich* Domizilierten als *Redaktionskommission* die Gründung des Blattes in Angriff nehmen und unter Zustimmung der 3 Leipziger einen Redakteur auswählen sollten ... *soviel mir erinnerlich*, war in den mitgeteilten Beschlüssen auch ausgesprochen, daß das zu 2 erwähnte (Züricher) Gründungskomitee *sowohl die politische* wie die finanzielle Verantwortlichkeit der Partei gegenüber übernehmen sollten ... Aus diesem Sachverhalt scheint sich nun für mich zu ergeben, daß ... ohne Mitwirkung der 3 in Zürich Domizilierten und von der Partei mit der Begründung Beauftragten an eine Übernahme der Redaktion nicht gedacht werden kann".

Hier hätte nun Hirsch endlich wenigstens *etwas* Bestimmtes, wenn auch nur über die Stellung des Redakteurs zu den Zürichern. Sie sind eine *Redaktions*kommission; sie haben auch die *politische* Verantwortlichkeit; ohne ihre Mitwirkung kann keine Redaktion übernommen werden. Kurz, Hirsch wird einfach darauf hingewiesen, sich mit den 3 Leuten in Zürich zu verständigen, deren Namen ihm noch immer nicht angegeben sind.

Damit aber die Konfusion vollständig werde, schreibt Liebkn[echt] eine Nachschrift unter den Brief Vierecks:

„Soeben war S[inger] aus B[erlin] hier und *berichtete*: Die Aufsichtskommission in Zürich ist *nicht*, wie V[iereck] meint, eine *Redaktions*kommission, sondern wesentlich Verwaltungskommission, die der Partei, d.i. uns gegenüber für das Blatt finanziell verantwortlich ist; natürlich haben die Mitglieder auch das Recht und die Pflicht, sich mit Dir über die Redaktion zu besprechen (ein Recht und eine Pflicht, die beiläufig *jeder* Parteigenosse hat); Dich *unter Kuratel* zu stellen, sind sie *nicht* befugt."

Die drei Züricher und ein Leipziger Ausschußmitglied – das *einzige*, das bei den Verhandlungen zugegen gewesen – bestehn darauf, daß H[irsch] unter amtlicher Direktion der Züricher stehn soll, ein zweites Leipziger Mitglied leugnet dies gradezu. Und da soll Hirsch sich entscheiden, ehe die Herren unter sich einig sind? Daß Hirsch berechtigt war, Kenntnis zu nehmen von den gefaßten Beschlüssen, die die Bedingungen enthielten, denen zu unterwerfen ihm zugemutet wurde, daran wurde um so weniger gedacht, als es den Leipzigern nicht einmal einzufallen schien, *selbst* von jenen Beschlüssen authentische Kenntnis zu nehmen. Wie war sonst obiger Widerspruch möglich?

Wenn die Leipziger nicht einig werden können über die den Zürichern übertragenen Befugnisse, so sind die Züricher darüber vollständig im klaren.

Schramm an Hirsch, 14. August:

„Hätten Sie nun nicht seiner Zeit geschrieben, Sie würden im gleichen Falle" (wie der Kaysersche) „wieder ebenso vorgehn und damit eine gleiche Schreibweise in Aussicht gestellt, dann würden wir kein Wort darüber verlieren. So aber müssen wir uns dieser Ihrer Erklärung gegenüber das Recht vorbehalten, über Aufnahme von Artikeln in das neue Blatt ein entscheidendes Votum abzugeben."

Der Brief an Bernstein, in dem Hirsch dies gesagt haben soll, ist vom 26. Juli, *lange* nach der Konferenz in Zürich, auf der die Vollmachten der 3 Züricher festgestellt worden waren. Man schwelgt aber in Zürich schon so sehr im Gefühl seiner bürokratischen Machtvollkommenheit, daß man auf diesen späteren Brief Hirschs bereits die neue Befugnis beansprucht, über die Aufnahme der Artikel zu *entscheiden*. Die Redaktionskommission ist bereits eine *Zensur*kommission.

Erst als Höchberg nach Paris kam, erfuhr Hirsch von ihm die *Namen* der Mitglieder der beiden Kommissionen.

Wenn also die Unterhandlungen mit Hirsch sich zerschlugen, woran lag es?

1. an der hartnäckigen Weigerung sowohl der Leipziger wie der Züricher, ihm irgend etwas Tatsächliches mitzuteilen über die finanziellen Grundlagen und damit über die Möglichkeit, das Blatt am Leben zu erhalten, wenn auch nur für ein Jahr. Die gezeichnete Summe hat er erst von mir hier (nach Ihrer Mitteilung an mich) erfahren. Es war also kaum möglich, aus den früher gemachten Mitteilungen (die Partei + H[öchberg]) einen andern Schluß zu ziehn als den, daß das Blatt entweder schon jetzt vorwiegend von Höchberg fundiert sei oder doch bald ganz von seinen Zuschüssen abhängen werde. Und diese letztere Möglichkeit ist auch jetzt lange nicht ausgeschlossen. Die Summe von – wenn ich recht lese – 800 Mark ist *genau* dieselbe (40 Pfd. St.), die der hiesige Verein der „Freiheit" [101] im *ersten Halbjahr* hat zusetzen müssen.

2. die wiederholte, seitdem als total unrichtig erwiesene Versicherung Liebkn[echt]s, die Züricher hätten die Redaktion gar nicht amtlich zu kontrollieren und die daraus erwachsene Komödie der Irrungen;

3. die endlich erlangte Gewißheit, daß die Züricher die Redaktion nicht nur zu kontrollieren, sondern selbst zu zensieren hätten, und daß ihm (Hirsch) dabei nur die Rolle des Strohmanns zufalle.

Daß er daraufhin ablehnte, darin können wir ihm nur recht geben. Die Leipziger Kommission, wie wir hören von H[öch]b[er]g[1], ist noch durch 2 nicht am Ort wohnende Mitglieder verstärkt worden, kann also nur dann rasch einschreiten, wenn die 3 Leipziger einig sind. Dadurch wird der wirkliche Schwerpunkt vollends nach Zürich verlegt, und mit den dortigen würde

[1] „von Hbg." mit Bleistift zugefügt

Hirsch ebensowenig wie irgendein andrer wirklich revolutionär und proletarisch gesinnter Redakteur auf die Dauer haben arbeiten können. Darüber später.

II. Die beabsichtigte Haltung des Blattes

Gleich am 24. Juli benachrichtigt Bernstein den Hirsch, die Differenzen, die er als Laternenmann mit einzelnen Genossen gehabt, würden seine Stellung erschweren.

Hirsch antwortet, die Haltung des Blattes werde seines Erachtens im allgemeinen dieselbe sein müssen wie die der „Laterne", d.h. eine solche, die in der Schweiz Prozesse vermeidet und in Deutschland nicht unnötig erschreckt. Er fragt, wer jene Genossen seien und fährt fort:

„Ich kenne nur einen und ich verspreche Ihnen, daß ich diesen, im gleichen Fall *disziplinwidrigen Benehmens*, genau wieder so behandeln werde."

Darauf antwortet Bernstein im Gefühl seiner neuen amtlichen Zensorwürde:

„Was nun die Haltung des Blatts betrifft, so ist die Ansicht der Aufsichtskommission allerdings die, daß die ‚Laterne' nicht als Vorbild gelten soll, das Blatt soll unsrer Ansicht nach weniger in politischem Radikalismus aufgehn, als prinzipiell sozialistisch gehalten sein. Fälle wie die Attacke gegen Kayser, die von allen Genossen ohne Ausnahme (!) gemißbilligt wurde, müssen unter allen Umständen vermieden werden."

Und so weiter, und so weiter. Liebknecht nennt den Angriff gegen Kayser „einen Bock", und Schramm hält ihn für so gefährlich, daß er daraufhin die Zensur über Hirsch verhängt.

Hirsch schreibt nochmals an Höchberg, ein Fall wie der Kaysersche

„kann nicht vorkommen, wenn ein offizielles Parteiorgan existiert, dessen klare Darlegungen und wohlmeinende Winke ein Abgeordneter nicht so dreist in den Wind schlagen *kann*".

Auch Viereck schreibt, dem neuen Blatt sei

„leidenschaftslose Haltung und tunlichstes Ignorieren aller vorgekommenen Differenzen... vorgeschrieben", es solle keine „vergrößerte ‚Laterne'" sein, und Bernstein „könnte man höchstens vorwerfen, daß er zu gemäßigter Richtung ist, wenn das in einer Zeit, wo wir doch nicht mit voller Flagge segeln können, ein Vorwurf ist".

Was ist nun dieser Fall Kayser, dies unverzeihliche Verbrechen, das Hirsch begangen haben soll? Kayser spricht und stimmt im Reichstag, der einzige unter den sozialdemokratischen Abgeordneten, für Schutzzölle. Hirsch klagt ihn an, die Parteidisziplin verletzt zu haben, indem K[ayser]

1. für indirekte Steuern stimmt, deren Abschaffung das Parteiprogramm ausdrücklich verlangt;

2. dem Bismarck Geld bewilligt und damit die erste Grundregel aller unsrer Parteitaktik verletzt: Dieser Regierung keinen Heller.

In beiden Punkten hat Hirsch unleugbar recht. Und nachdem Kayser einerseits das Parteiprogramm, auf das ja die Abgeordneten durch Kongreßbeschluß sozusagen vereidigt worden, und andrerseits die unabweisbarste, allererste Grundregel der Parteitaktik mit Füßen getreten, Bismarck *zum Dank für das Sozialistengesetz Geld votiert*, hatte Hirsch ebenfalls, unsrer Ansicht nach, vollkommen recht, so derb auf ihn loszuschlagen, wie er tat.

Wir haben nie begreifen können, wieso man sich in Deutschland so gewaltig über diesen Angriff auf Kayser hat erbosen können. Jetzt erzählt mir Höchberg, die „Fraktion" habe Kayser die *Erlaubnis* zu seinem Auftreten erteilt, und durch diese Erlaubnis halte man K[ayser] für gedeckt.

Wenn sich das so verhält, so ist das doch etwas stark. Zunächst konnte Hirsch von diesem geheimen Beschluß ebensowenig etwas wissen wie die übrige Welt.[1] Sodann wird die Blamage für die Partei, die früher auf K[ayser] allein abgewälzt werden konnte, durch diese Geschichte nur noch größer, und ebenso das Verdienst Hirschs, offen und vor aller Welt diese abgeschmackten Redensarten und noch abgeschmacktere Abstimmung Kaysers bloßgelegt und damit die Parteiehre gerettet zu haben. Oder ist die deutsche Sozialdemokratie in der Tat von der parlamentarischen Krankheit angesteckt und glaubt, mit der Volkswahl werde der heilige Geist über die Gewählten ausgegossen, die Fraktionssitzungen in unfehlbare Konzilien, Fraktionsbeschlüsse in unantastbare Dogmen verwandelt?

Ein Bock ist allerdings geschossen, nicht aber von Hirsch, sondern von den Abgeordneten, die den Kayser mit ihrem Beschluß deckten. Und wenn diejenigen, die vor allem auf Aufrechterhaltung der Parteidisziplin zu achten berufen sind, diese Parteidisziplin selbst durch einen solchen Beschluß so eklatant brechen, so ist das um so schlimmer. Noch schlimmer aber, wenn man sich bis zu dem Glauben versteigt, nicht Kayser, durch seine Rede und Abstimmung, und die andern Abgeordneten, durch ihren Beschluß, hätten

[1] In der Handschrift gestrichen: „Gesetzt auch, zwei oder drei andre sozialdemokratische Abgeordnete (denn mehr waren schwerlich da) hätten sich verleiten lassen, dem K[ayser] zu erlauben, seine Abgeschmacktheiten vor aller Welt herzusagen und Bismarck Geld zu bewilligen; so waren sie verpflichtet, die Verantwortlichkeit dafür öffentlich auf sich zu nehmen und abzuwarten, was Hirsch davon sagen würde."

die Parteidisziplin verletzt, sondern Hirsch, indem er trotz dieses ihm noch dazu unbekannten Beschlusses den Kayser angriff.

Es ist übrigens sicher, daß die Partei in der Schutzzollfrage dieselbe unklare und unentschiedene Haltung eingenommen hat wie bisher in fast allen praktisch gewordenen ökonomischen Fragen, z.B. bei den Reichseisenbahnen. Das kommt daher, daß die Parteiorgane, namentlich der „Vorwärts“ [102], statt diese Frage gründlich zu diskutieren, sich mit Vorliebe auf die Konstruktion der zukünftigen Gesellschaftsordnung gelegt haben. Als die Schutzzollfrage *nach* dem Sozialistengesetz plötzlich praktisch wurde, gingen die Ansichten in den verschiedensten Schattierungen auseinander, und es war nicht ein einziger am Platz, der zur Bildung eines klaren und richtigen Urteils die Vorbedingung besaß: Kenntnis der Verhältnisse der deutschen Industrie und ihrer Stellung auf dem Weltmarkt. Bei den Wählern konnten dann hie und da schutzzöllnerische Strömungen auch nicht ausbleiben, diese wollte man doch auch berücksichtigen. Der einzige Weg, aus dieser Verwirrung herauszukommen, indem man die Frage rein politisch auffaßte (wie in der „Laterne“ geschah), wurde nicht entschieden eingeschlagen. So konnte es nicht fehlen, daß die Partei in dieser Debatte zum erstenmal zaudernd, unsicher und unklar auftrat und schließlich durch und mit Kayser sich gründlich blamierte.

Der Angriff auf Kayser wird nun zum Anlaß genommen, um Hirsch in allen Tonarten vorzupredigen, das neue Blatt solle die Exzesse der „Laterne“ keineswegs nachahmen, solle weniger in politischem Radikalismus aufgehn, als prinzipiell sozialistisch und leidenschaftslos gehalten werden. Und zwar von Viereck nicht weniger als von Bernstein, der jenem grade deshalb, weil er zu gemäßigt ist, als der rechte Mann erscheint, weil man doch jetzt nicht mit voller Flagge segeln kann.

Aber warum geht man denn überhaupt ins Ausland, als um mit voller Flagge zu segeln? Im Ausland steht dem nichts entgegen. In der Schweiz existieren die deutschen Preß-, Vereins- und Strafgesetze nicht. Man kann dort also nicht nur diejenigen Dinge sagen, die man zu Hause schon vor dem Sozialistengesetz wegen der gewöhnlichen deutschen Gesetze nicht sagen konnte, man ist auch *verpflichtet* dazu. Denn hier steht man nicht bloß vor Deutschland, sondern vor Europa, und hat die Pflicht, soweit die *Schweizer* Gesetze erlauben, Europa gegenüber die Wege und Ziele der deutschen Partei unverhohlen darzulegen. Wer sich in der Schweiz an *deutsche* Gesetze binden wollte, bewiese eben nur, daß er dieser deutschen Gesetze würdig ist und in der Tat nichts zu sagen hat als was in Deutschland vor dem Ausnahmegesetz zu sagen erlaubt war. Auch auf die Möglichkeit, der Redaktion die Rückkehr nach Deutschland temporär abzuschneiden, darf keine Rücksicht genommen werden. Wer nicht bereit ist, das zu riskieren, gehört nicht auf einen so exponierten Ehrenposten.

Noch mehr. Die deutsche Partei ist mit dem Ausnahmegesetz in Bann und Acht getan worden, grade *weil* sie die einzige ernsthafte Oppositionspartei in Deutschland war. Wenn sie in einem auswärtigen Organ Bismarck ihren Dank damit abstattet, daß sie diese Rolle der einzigen ernsthaften Oppositionspartei aufgibt, daß sie hübsch zahm auftritt, den Fußtritt mit leidenschaftsloser Haltung hinnimmt, so beweist sie nur, daß sie des Fußtritts wert war. Von allen deutschen Emigrationsblättern, die seit 1830 im Ausland erschienen, ist die „Laterne" sicher eins der gemäßigsten. Wenn aber die „Laterne" schon zu frech war – dann kann das neue Organ die Partei vor den Gesinnungsgenossen der nichtdeutschen Länder nur kompromittieren.

III. Das Manifest der drei Züricher

Inzwischen ist uns das Höchbergsche „Jahrbuch" zugekommen und enthält einen Artikel: „Rückblicke auf die sozialistische Bewegung in Deutschland" [103], der, wie Höchberg selbst mir gesagt, verfaßt ist grade von den drei Mitgliedern der Züricher Kommission. Hier haben wir ihre authentische Kritik der bisherigen Bewegung und damit ihr authentisches Programm für die Haltung des neuen Organs, soweit diese von ihnen abhängt.

Gleich von vornherein heißt es:

„Die Bewegung, welche Lassalle als eine eminent politische ansah, zu welcher er nicht nur die Arbeiter, sondern alle ehrlichen Demokraten aufrief, *an deren Spitze* die unabhängigen Vertreter der Wissenschaft und *alle von wahrer Menschenliebe erfüllten* Männer marschieren sollten, verflachte sich unter dem Präsidium J. B. v. Schweitzers zu einem *einseitigen Interessenkampf der Industriearbeiter.*"

Ich untersuche nicht, ob und inwieweit dies geschichtlich sich so verhält. Der spezielle Vorwurf, der Schweitzer hier gemacht wird, besteht darin, daß Schweitzer den Lassalleanismus, der hier als eine bürgerlich demokratisch-philanthropische Bewegung aufgefaßt wird, zu einem einseitigen Interessenkampf der Industriearbeiter *verflacht* habe, indem er ihren Charakter als Klassenkampf der Industriearbeiter gegen die Bourgeoisie *vertiefte.*[1] Ferner wird ihm vorgeworfen seine „Zurückweisung der

[1] An Stelle dieser beiden Sätze stand ursprünglich der folgende, in der Handschrift gestrichene Passus: „Schweitzer war ein großer Lump, aber ein sehr talentvoller Kopf. Sein

bürgerlichen Demokratie". Was denn hat die bürgerliche Demokratie in der sozialdemokratischen Partei zu schaffen? Wenn sie aus „ehrlichen Männern" besteht, kann sie gar nicht eintreten wollen, und wenn sie dennoch eintreten will, dann doch nur, um zu stänkern.

Die Lassallesche Partei „zog vor, sich in *einseitigster* Weise als *Arbeiterpartei* zu gerieren". Die Herren, die das schreiben, sind selbst Mitglieder einer Partei, die sich in einseitigster Weise als Arbeiterpartei geriert, sie bekleiden jetzt Amt und Würden in ihr. Es liegt hier eine absolute Unverträglichkeit vor. Meinen sie, was sie schreiben, so müssen sie aus der Partei austreten, mindestens Amt und Würden niederlegen. Tun sie es nicht, so gestehn sie damit ein, daß sie ihre amtliche Stellung zu benutzen gedenken, um den proletarischen Charakter der Partei zu bekämpfen. Die Partei also verrät sich selbst, wenn sie sie in Amt und Würden läßt.

Die sozialdemokratische Partei soll also nach Ansicht dieser Herren *keine* einseitige Arbeiterpartei sein, sondern eine allseitige Partei „aller von wahrer Menschenliebe erfüllten Männer". Vor allem soll sie dies beweisen, indem sie die rohen Proletarierleidenschaften ablegt und sich „zur Bildung eines guten Geschmacks" und „zur Erlernung des guten Tons" (S.85) unter die Leitung von gebildeten philanthropischen Bourgeois stellt. Dann wird auch das „verlumpte Auftreten" mancher Führer einem wohlehrbaren „bürgerlichen Auftreten" weichen. (Als ob das äußerlich verlumpte Auftreten der hier Gemeinten nicht noch das Geringste wäre, das man ihnen vorwerfen kann!) Dann auch werden sich

„*zahlreiche* Anhänger aus den Kreisen der *gebildeten* und *besitzenden* Klassen einfinden. *Diese* aber müssen erst gewonnen werden, wenn die... betriebne Agitation *greifbare*

Verdienst bestand grade darin, daß er den ursprünglichen engen Lassalleanismus mit seiner beschränkten Staatshülfe-Panacee durchbrach... Was er auch aus korrupten Motiven verschuldet hat und wie sehr er auch zur Erhaltung seiner Herrschaft an der Lassalleschen Panacee von der Staatshülfe festhielt, so hat er doch das Verdienst, den ursprünglichen engen Lassalleanismus durchbrochen, den ökonomischen Gesichtskreis der Partei erweitert und damit ihr späteres Aufgehn in die deutsche Gesamtpartei vorbereitet zu haben. Der Klassenkampf zwischen Proletariat und Bourgeoisie, dieser Angelpunkt alles revolutionären Sozialismus, war schon von Lassalle gepredigt worden. Wenn Schweitzer diesen Punkt noch schärfer betonte, so war das in der Sache selbst jedenfalls ein Fortschritt, wie sehr er auch sich daraus einen Vorwand geschmiedet haben mag, seiner Diktatur gefährliche Personen zu verdächtigen. Ganz richtig ist, daß er den Lassalleanismus zu einem *einseitigen* Interessenkampf der *Industrie*arbeiter machte. Aber nur darum einseitig, weil er aus Gründen politischer Korruption von dem Interessenkampf der Landarbeiter gegen den großen Grundbesitz nichts wissen wollte. Nicht das ist es, was ihm hier vorgeworfen wird, die ‚Verflachung' besteht darin, daß er ihren Charakter als Klassenkampf der Industriearbeiter gegen die Bourgeoisie *vertiefte*."

Erfolge erreichen soll". Der deutsche Sozialismus hat „zuviel Wert auf die Gewinnung der *Massen* gelegt und dabei versäumt, in den sog. oberen Schichten der Gesellschaft energische (!) Propaganda zu machen". Denn „noch fehlt es der Partei an Männern, welche dieselbe im Reichstag zu vertreten geeignet sind". Es ist aber „wünschenswert und notwendig, die Mandate Männern anzuvertrauen, die Gelegenheit und Zeit genug gehabt haben, sich mit den einschlagenden Materien gründlich vertraut zu machen. Der einfache Arbeiter und Kleinmeister... hat dazu nur in seltenen Ausnahmsfällen die nötige Muße."

Wählt also Bourgeois!

Kurz, die Arbeiterklasse aus sich selbst ist unfähig, sich zu befreien. Dazu muß sie unter die Leitung „gebildeter und besitzender" Bourgeois treten, die allein „Gelegenheit und Zeit haben", sich mit dem vertraut zu machen, was den Arbeitern frommt. Und zweitens ist die Bourgeoisie beileibe nicht zu bekämpfen, sondern durch energische Propaganda – zu *gewinnen*.

Wenn man aber die oberen Schichten der Gesellschaft oder nur ihre wohlmeinenden Elemente gewinnen will, so darf man sie beileibe nicht erschrecken. Und da glauben die drei Züricher, eine beruhigende Entdeckung gemacht zu haben:

„Die Partei zeigt grade jetzt unter dem Druck des Sozialistengesetzes, daß sie *nicht gewillt ist*, den Weg der gewaltsamen, blutigen Revolution zu gehn, sondern entschlossen ist..., den Weg der Gesetzlichkeit, d.h. der *Reform* zu beschreiten."

Also, wenn die 500 000–600 000 sozialdemokratischen Wähler, $^1/_{10}$ bis $^1/_8$ der gesamten Wählerschaft, dazu zerstreut über das ganze weite Land, so vernünftig sind, nicht mit dem Kopf gegen die Wand zu rennen, und einer gegen zehn eine „blutige Revolution" zu versuchen, so beweist das, daß sie sich auch für alle Zukunft *verbieten*, ein gewaltiges auswärtiges Ereignis, eine dadurch hervorgerufene plötzliche revolutionäre Aufwallung, ja einen in daraus entstandner Kollission erfochtnen *Sieg* des Volks zu benutzen! Wenn Berlin wieder einmal so ungebildet sein sollte, einen 18. März zu machen[104], so müssen die Sozialdemokraten, statt als „barrikadensüchtige Lumpe" (S.88) am Kampf teilzunehmen, vielmehr den „Weg der Gesetzlichkeit beschreiten", abwiegeln, die Barrikaden wegräumen und nötigenfalls mit dem herrlichen Kriegsheer gegen die einseitigen, rohen, ungebildeten Massen marschieren. Oder wenn die Herren behaupten, das hätten sie nicht so gemeint, was haben sie dann gemeint?

Es kommt noch besser.

„Je ruhiger, sachlicher, überlegter sie" (die Partei) „also in ihrer Kritik der bestehenden Zustände und in ihren Vorschlägen zur Abänderung derselben auftritt, um so weniger kann der jetzt" (bei Einführung des Sozialistengesetzes) „gelungene Schachzug wiederholt werden, mit dem die bewußte Reaktion das Bürgertum durch die Furcht vor dem roten Gespenst ins Bockshorn gejagt hat." (S.88.)

Um der Bourgeoisie die letzte Spur von Angst zu benehmen, soll ihr klar und bündig bewiesen werden, daß das rote Gespenst wirklich nur ein Gespenst ist, nicht existiert. Was aber ist das Geheimnis des roten Gespensts, wenn nicht die Angst der Bourgeoisie vor dem unausbleiblichen Kampf auf Tod und Leben zwischen ihr und dem Proletariat? Die Angst vor der unabwendbaren Entscheidung des modernen Klassenkampfs? Man schaffe den Klassenkampf ab, und die Bourgeoisie und „alle unabhängigen Menschen" werden „sich nicht scheuen, mit den Proletariern Hand in Hand zu gehn"! Und wer dann geprellt, wären eben die Proletarier.

Möge also die Partei durch de- und wehmütiges Auftreten beweisen, daß sie die „Ungehörigkeiten und Ausschreitungen" ein für allemal abgelegt hat, die den Anlaß zum Sozialistengesetz gaben. Wenn sie freiwillig verspricht, sich nur innerhalb der Schranken des Sozialistengesetzes bewegen zu wollen, werden Bismarck und die Bourgeois dies dann überflüssige Gesetz aufzuheben doch wohl die Güte haben!

„Man verstehe uns wohl", wir wollen nicht „ein Aufgeben unsrer Partei und unsres Programms, wir meinen aber, daß wir auf Jahre hinaus genug zu tun haben, wenn wir unsre ganze Kraft, unsre ganze Energie auf Erreichung gewisser naheliegender Ziele richten, welche unter allen Umständen errungen sein müssen, bevor an eine Realisierung der weitergehenden Bestrebungen gedacht werden kann."

Dann werden auch Bourgeois, Kleinbürger und Arbeiter sich massenweise an uns anschließen, die „jetzt durch die weitgehenden Forderungen... abgeschreckt werden".

Das Programm soll nicht *aufgegeben*, sondern nur *aufgeschoben* werden – bis auf unbestimmte Zeit. Man nimmt es an, aber eigentlich nicht für sich selbst und für seine Lebzeiten, sondern posthum, als Erbstück für Kinder und Kindeskinder. Inzwischen wendet man seine „ganze Kraft und Energie" auf allerhand Kleinkram und Herumflickerei an der kapitalistischen Gesellschaftsordnung, damit es doch aussieht, als geschehe etwas und gleichzeitig die Bourgeoisie nicht erschreckt werde. Da lobe ich mir doch den Kommunisten Miquel, der seine unerschütterliche Überzeugung von dem in einigen hundert Jahren unvermeidlichen Sturz der kapitalistischen Gesellschaft dadurch bewährt, daß er tüchtig drauflosschwindelt, sein Redliches zum Krach von 1873 [105] beiträgt und damit für den Zusammenbruch der bestehenden Ordnung *wirklich* etwas tut.

Ein andres Vergehen gegen den guten Ton waren auch die „übertriebnen Angriffe auf die Gründer", die ja „nur Kinder der Zeit" waren; „das Schimpfen auf Strousberg und dgl. Leute... wäre daher besser unterblieben". Leider sind alle Menschen „nur Kinder der Zeit", und wenn dies hinlänglicher Entschuldigungsgrund, so darf man niemand mehr angreifen, alle Polemik, aller Kampf unsrerseits hört auf; wir nehmen alle Fußtritte unsrer Gegner ruhig hin, weil wir, die Weisen, ja wissen, daß jene „nur Kinder der Zeit" sind und nicht anders handeln können als sie tun. Statt ihnen die Fußtritte mit Zinsen zurückzuzahlen, sollten wir die Armen vielmehr bedauern.

Ebenso hatte die Parteinahme für die Kommune immerhin den Nachteil, „daß uns sonst zugeneigte Leute zurückgestoßen und überhaupt der *Haß der Bourgeoisie* gegen uns vergrößert wurde". Und ferner ist die Partei „nicht ganz ohne Schuld an dem Zustandekommen des Oktobergesetzes [106], denn sie hat den *Haß der Bourgeoisie* in unnötiger Weise vermehrt".

Da haben Sie das Programm der drei Zensoren von Zürich. Es läßt an Deutlichkeit nichts zu wünschen übrig. Am allerwenigsten für uns, da wir diese sämtlichen Redensarten von 1848 her noch sehr gut kennen. Es sind die Repräsentanten des Kleinbürgertums, die sich anmelden, voll Angst, das Proletariat, durch seine revolutionäre Lage gedrängt, möge „zu weit gehn". Statt entschiedner politischer Opposition – allgemeine Vermittlung; statt des Kampfs gegen Regierung und Bourgeoisie – der Versuch, sie zu gewinnen und zu überreden; statt trotzigen Widerstands gegen Mißhandlungen von oben – demütige Unterwerfung und das Zugeständnis, man habe die Strafe verdient. Alle historisch notwendigen Konflikte werden umgedeutet in Mißverständnisse und alle Diskussion beendigt mit der Beteuerung: in der Hauptsache sind wir ja alle einig. Die Leute, die 1848 als bürgerliche Demokraten auftraten, können sich jetzt ebensogut Sozialdemokraten nennen. Wie jenen die demokratische Republik, so liegt diesen der Sturz der kapitalistischen Ordnung in unerreichbarer Ferne, hat also absolut keine Bedeutung für die politische Praxis der Gegenwart; man kann vermitteln, kompromisseln, philanthropisieren nach Herzenslust. Ebenso geht's mit dem Klassenkampf zwischen Proletariat und Bourgeoisie. Auf dem Papier erkennt man ihn an, weil man ihn doch nicht mehr wegleugnen kann, in der Praxis aber wird er vertuscht, verwaschen, abgeschwächt. Die sozialdemokratische Partei *soll* keine Arbeiterpartei sein, sie soll nicht den Haß der Bourgeoisie oder überhaupt irgend jemandes auf sich laden; sie soll vor allem unter der Bourgeoisie energische Propaganda machen; statt auf weitgehende, die Bourgeois abschreckende und doch in unsrer Generation unerreichbare Ziele Gewicht zu legen, soll sie lieber ihre ganze Kraft und Energie auf diejenigen kleinbürgerlichen Flickreformen verwenden, die der alten Gesellschaftsordnung neue Stützen verleihen und dadurch die endliche Katastrophe vielleicht in einen allmählichen, stückweisen und möglichst friedfertigen Auflösungsprozeß verwandeln könnten. Es sind dieselben Leute, die unter dem Schein rastloser Geschäftigkeit nicht nur selbst nichts tun, sondern auch zu hindern suchen, daß überhaupt etwas geschieht als – schwatzen; dieselben Leute, deren Furcht vor jeder Tat 1848 und 1849 die Bewegung bei jedem Schritt hemmte und endlich zu Fall brachte; dieselben Leute, die nie Reaktion sehn und dann ganz erstaunt sind, sich endlich in einer Sackgasse zu finden, wo weder Widerstand noch Flucht möglich ist; dieselben Leute, die die Geschichte in ihren engen Spießbürgerhorizont bannen wollen und über die die Geschichte jedesmal zur Tagesordnung übergeht.

Was ihren sozialistischen Gehalt angeht, so ist dieser bereits hinreichend kritisiert im „Manifest", Kapitel: „Der deutsche oder ‚wahre' Sozialismus"[1]. Wo der Klassenkampf als unliebsame „rohe" Erscheinung auf die Seite geschoben wird, da bleibt als Basis des Sozialismus nichts als „wahre Menschenliebe" und leere Redensarten von „Gerechtigkeit".

Es ist eine im Gang der Entwicklung begründete, unvermeidliche Erscheinung, daß auch Leute aus der bisher herrschenden Klasse sich dem kämpfenden Proletariat anschließen und ihm Bildungselemente zuführen. Das haben wir schon im „Manifest" klar ausgesprochen.[2] Es ist aber hierbei zweierlei zu bemerken:

Erstens müssen diese Leute, um der proletarischen Bewegung zu nutzen, auch wirkliche Bildungselemente mitbringen. Dies ist aber bei der großen Mehrzahl der deutschen bürgerlichen Konvertiten nicht der Fall. Weder die „Zukunft" noch die „Neue Gesellschaft" [107] haben irgend etwas gebracht, wodurch die Bewegung um einen Schritt weitergekommen wäre. An wirklichem, tatsächlichem oder theoretischem Bildungsstoff ist da absoluter Mangel. Statt dessen Versuche, die sozialistischen oberflächlich angeeigneten Gedanken in Einklang zu bringen mit den verschiedensten theoretischen Standpunkten, die die Herren von der Universität oder sonstwoher mitgebracht und von denen einer noch verworrener war als der andre, dank dem Verwesungsprozeß, in dem sich die Reste der deutschen Philosophie heute befinden. Statt die neue Wissenschaft vorerst selbst gründlich zu studieren, stutzte sich jeder sie vielmehr nach dem mitgebrachten Standpunkt

[1] Siehe Band 4 unserer Ausgabe, S. 485–488 – [2] ebenda, S. 471/472

zurecht, machte sich kurzerhand eine eigne Privatwissenschaft und trat gleich mit der Prätension auf, sie lehren zu wollen. Daher gibt es unter diesen Herren ungefähr soviel Standpunkte wie Köpfe; statt in irgend etwas Klarheit zu bringen, haben sie nur eine arge Konfusion angerichtet – glücklicherweise fast nur unter sich selbst. Solche Bildungselemente, deren erstes Prinzip ist, zu lehren. was sie nicht gelernt haben, kann die Partei gut entbehren.

Zweitens. Wenn solche Leute aus andern Klassen sich der proletarischen Bewegung anschließen, so ist die erste Forderung, daß sie keine Reste von bürgerlichen, kleinbürgerlichen etc. Vorurteilen mitbringen, sondern sich die proletarische Anschauungsweise unumwunden aneignen. Jene Herren aber, wie nachgewiesen, stecken über und über voll bürgerlicher und kleinbürgerlicher Vorstellungen. In einem so kleinbürgerlichen Land wie Deutschland haben diese Vorstellungen sicher ihre Berechtigung. Aber nur *außerhalb* der sozialdemokratischen Arbeiterpartei. Wenn die Herren sich als sozialdemokratische Kleinbürgerpartei konstituieren, so sind sie in ihrem vollen Recht; man könnte dann mit ihnen verhandeln, je nach Umständen Kartell schließen etc. Aber in einer Arbeiterpartei sind sie ein fälschendes Element. Sind Gründe da, sie vorderhand darin zu dulden, so besteht die Verpflichtung, sie *nur* zu dulden, ihnen keinen Einfluß auf Parteileitung zu gestatten, sich bewußt zu bleiben, daß der Bruch mit ihnen nur eine Frage der Zeit ist. Diese Zeit scheint übrigens gekommen. Wie die Partei die Verfasser dieses Artikels noch länger in ihrer Mitte dulden kann, erscheint uns unbegreiflich. Gerät aber solchen Leuten gar die Parteileitung mehr oder weniger in die Hand, so wird die Partei einfach entmannt, und mit der proletarischen Schneid ist's am End.

Was uns betrifft, so steht uns nach unsrer ganzen Vergangenheit nur ein Weg offen. Wir haben seit fast 40 Jahren den Klassenkampf als nächste treibende Macht der Geschichte und speziell den Klassenkampf zwischen Bourgeoisie und Proletariat als den großen Hebel der modernen sozialen Umwälzung hervorgehoben; wir können also unmöglich mit Leuten zusammengehn, die diesen Klassenkampf aus der Bewegung streichen wollen. Wir haben bei Gründung der Internationalen ausdrücklich den Schlachtruf formuliert: Die Befreiung der Arbeiterklasse muß das Werk der Arbeiterklasse selbst sein. Wir können also nicht zusammengehn mit Leuten, die es offen aussprechen, daß die Arbeiter zu ungebildet sind, sich selbst zu befreien, und erst von oben herab befreit werden müssen, durch philanthropische Groß- und Kleinbürger. Wird das neue Parteiorgan eine Haltung annehmen, die den Gesinnungen jener Herren entspricht, bürgerlich ist und nicht proletarisch, so bleibt uns nichts übrig, so leid es uns tun würde, als uns öffentlich dagegen zu erklären und die Solidarität zu lösen, mit der wir bisher die deutsche Partei dem Ausland gegenüber vertreten haben. Doch *dahin* kommt's hoffentlich nicht.

Dieser Brief ist bestimmt zur Mitteilung an alle 5 Mitglieder der Kommission in Deutschland sowie an Bracke...

Der Mitteilung an die Züricher steht ebenfalls unsrerseits nichts im Wege.

Geschrieben am 17./18. September 1879.
Nach der Handschrift.

Nº 7. — 2ᵉ Série. LIBERTÉ — SOLIDARITÉ — JUSTICE 3 Mars 1880.

L'ÉGALITÉ

ORGANE COLLECTIVISTE RÉVOLUTIONNAIRE

PARAISSANT LE MERCREDI

ABONNEMENTS :	BUREAUX 28, RUE ROYALE	PRIX DU NUMERO :
1 an 6 fr | 6 mois 3 fr | 3 mois 1 fr.50	A SAINT-CLOUD	10 centimes
Pour l'étranger le port en sus	Bureaux de vente · 11, rue du Croissant	pour toute la France

Friedrich Engels

Der Sozialismus des Herrn Bismarck[108]

[„L'Égalité" Nr. 7
vom 3. März 1880]

I. Der Zolltarif

In der Debatte über das berüchtigte Gesetz, daß die deutschen Sozialisten außerhalb des Gesetzes stellte, erklärte Herr Bismarck, daß Unterdrückungsmaßnahmen allein nicht genügen, um den Sozialismus zu zermalmen; man müsse außerdem noch Maßnahmen treffen, um die unbestreitbaren sozialen Übelstände zu beseitigen, um eine regelmäßige Beschäftigung zu sichern und Industriekrisen vorzubeugen und was nicht noch alles. Diese „positiven" Maßnahmen für das soziale Wohl versprach er vorzuschlagen. Denn, so sagte er, wenn man so wie ich die Geschäfte seines Landes siebzehn Jahre lang geführt hat, dann ist man berechtigt, sich als Sachverständigen auf dem Gebiet der politischen Ökonomie zu betrachten; das ist so, als wenn jemand behauptete, es genüge, siebzehn Jahre lang Kartoffeln gegessen zu haben, um die Agronomie gründlich zu kennen.

Auf jeden Fall hat Herr Bismarck diesmal Wort gehalten. Er hat Deutschland mit zwei großen „sozialen Maßnahmen" bedacht und ist noch nicht am Ende.

Die erste war ein Zolltarif, der der deutschen Industrie die ausschließliche Exploitation des inneren Marktes sichern sollte.

Bis 1848 hatte Deutschland keine eigentliche Großindustrie besessen. Die Handarbeit herrschte vor; Dampf und Maschinerie bildeten nur Ausnahmen. Nachdem die deutsche Bourgeoisie dank ihrer Feigheit in den Jahren 1848 und 1849 eine schmähliche Niederlage auf politischem Gebiet erlitten hatte, tröstete sie sich, indem sie sich mit Feuereifer auf die Großindustrie warf. Das Bild des Landes verwandelte sich schnell. Wer Rheinpreußen, Westfalen, das Königreich Sachsen, Oberschlesien, Berlin und die Seestädte 1849 zum letztenmal gesehen hatte, erkannte sie im Jahre 1864 nicht wieder. Überall waren Maschinen und Dampfkraft eingedrungen. Große Fabriken waren größtenteils an die Stelle der kleinen Werkstätten getreten. Dampfschiffe ersetzten nach und nach die Segelschiffe, zunächst in der Küstenschiffahrt und dann im Überseehandel. Die Eisenbahnlinien vervielfachten sich, auf den Werften, in den Kohlen- und Eisenerzgruben herrschte eine Aktivität, zu der sich die schwerfälligen Deutschen bis dahin für völlig unfähig gehalten hatten. Gegenüber der Entwicklung der großen Industrie in England und auch in Frankreich war das alles noch herzlich wenig; aber es war immerhin ein Anfang. Und dann war dies alles ohne jegliche Unterstützung von seiten der Regierungen, ohne Subventionen oder Exportprämien geschehen, und bei einem Zolltarif, der, im Vergleich zu den Tarifen anderer Länder des Kontinents, als stark freihändlerisch bezeichnet werden konnte.

Nebenbei gesagt blieben die sozialen Folgen einer solchen industriellen Bewegung, wie überall, so auch hier nicht aus. Bis dahin hatten die deutschen Industriearbeiter in Verhältnissen vegetiert, die noch aus dem Mittelalter stammten. Im allgemeinen war ihnen gerade noch die Möglichkeit geblieben, nach und nach zu Kleinbürgern zu werden, zu Handwerksmeistern, zu Besitzern mehrerer Handwebstühle etc. Das verschwand jetzt alles. Die Arbeiter, die Lohnarbeiter der großen Kapitalisten wurden, begannen eine beständige Klasse, ein wirkliches Proletariat zu bilden. Aber wer Proletariat sagt, sagt Sozialismus. Außerdem waren noch Spuren jener Freiheiten vorhanden, die die Arbeiter im Jahre 1848 auf den Barrikaden erkämpft hatten. Dank diesen beiden Umständen konnte sich der Sozialismus in Deutschland jetzt am hellichten Tage entfalten und die Massen ergreifen, während der Sozialismus sich vor 1848 auf illegale Propaganda und eine geheime Organisation mit wenigen Mitgliedern hatte beschränken müssen. So datiert die Wiederaufnahme der sozialistischen Agitation durch Lassalle vom Jahre 1863.

Es folgten der Krieg von 1870, der Frieden von 1871 und die Milliarden. Während sich Frankreich durch Zahlung der Milliarden keineswegs ruinierte, brachten sie Deutschland durch ihre Einnahme an den Rand des Verderbens. Von einer Regierung von Emporkömmlingen in einem emporgekommenen Reich mit vollen Händen verschwendet, fielen die Milliarden der Hochfinanz in die Hände, die sich beeilte, sie gewinnbringend an der Börse anzulegen. In Berlin feierten die schönsten Tage des Crédit mobilier [109] ihre Auferstehung. Um die Wette gründete man Aktien- und Kommanditgesellschaften, Banken, Effekten- und Bodenkreditanstalten, Gesellschaften zum Bau von Eisenbahnen, Fabriken aller Art, Werften, Gesellschaften zur Spekulation mit Immobilien und andere Unternehmen, deren industrielles Äußere nur den Vorwand für schamloseste Börsenspekulation abgab. Der angebliche öffentliche Bedarf des Handels, des Verkehrs, des Konsums etc. diente nur zur Bemäntelung des zügellosen Drangs der Börsenhyänen, die Milliarden arbeiten zu lassen, solange man sie in Händen hielt. Übrigens hat man dies alles in Paris in den glorreichen Tagen der Péreire und Fould erlebte; es waren die gleichen Börsenspekulanten, die in Berlin unter dem Namen Bleichröder und Hansemann wiedererstanden.

Was 1867 in Paris geschehen war, was des öfteren in London und New York geschehen war, blieb 1873 auch in Berlin nicht aus: Die maßlose Spekulation endete mit einem allgemeinen Krach [105]. Die Gesellschaften machten zu Hunderten bankrott; die Aktien der Gesellschaften, die sich hielten, wurden unverkäuflich; es war ein vollständiger Zusammenbruch auf der ganzen Linie. Um aber spekulieren zu können, hatte man Produktions- und Verkehrsmittel, Fabriken, Eisenbahnen etc. schaffen müssen, deren Aktien zum Gegenstand der Spekulation wurden. Als die Katastrophe hereinbrach, stellte sich jedoch heraus, daß der öffentliche Bedarf, den man zum Vorwand genommen hatte, bei weitem überschritten worden war, daß im Laufe von vier Jahren mehr Eisenbahnen, Fabriken, Bergwerke etc. errichtet worden waren, als bei normaler Entwicklung der Industrie in einem Vierteljahrhundert geschaffen worden wären.

Außer auf Eisenbahnen, von denen wir später sprechen werden, hatte sich die Spekulation besonders auf die Eisenindustrie gestürzt. Große Fabriken schossen wie Pilze aus dem Boden, es waren sogar etliche Werke gegründet worden, die Creusot in den Schatten stellten. Leider stellte sich am Tage der Krise heraus, daß es für diese riesige Produktion keine Verbraucher gab. Große Industriegesellschaften standen vor dem Bankrott. Als gute deutsche Patrioten ersuchten ihre Direktoren die Regierung um Hilfe; um Einfuhrschutzzölle, die sie bei der Ausbeutung des inneren Marktes vor der Konkurrenz des englischen Eisens schützen sollten. Wenn man jedoch Schutzzölle für Eisen forderte, so konnte man sie den anderen Industrien und auch der Landwirtschaft nicht verweigern. So wurde also in ganz Deutschland eine lärmende Agitation für den Schutzzoll organisiert, eine Agitation, die es Herrn Bismarck ermöglichte, einen Zolltarif einzuführen, der diesen Zweck erfüllen sollte. Dieser Tarif, der im Sommer 1879 zum Gesetz erhoben wurde, ist jetzt in Kraft.

Aber die deutsche Industrie hatte immer in der frischen Luft der freien Konkurrenz gelebt. Da sie als letzte nach der Industrie Englands und Frankreichs entstanden war, mußte sie sich darauf beschränken, die kleinen Lükken auszufüllen, die ihr ihre Vorgängerinnen offengelassen hatten, und Artikel liefern, die den Engländern zu kleinlich, den Franzosen zu schäbig waren; es war eine auf niedriger Stufe stehende Fabrikation von ständig wechselnden Produkten, *billige und schlechte Waren*. Man glaube nicht, daß das unsere Worte sind; das sind wortwörtlich die Ausdrücke, die bei der Einschätzung der in Philadelphia (1876) ausgestellten deutschen Waren von dem offiziellen Kommissar der deutschen Regierung, Herrn Reuleaux, einem Wissenschaftler von europäischem Ruf, offiziell gebraucht wurden.[110]

Eine solche Industrie kann sich auf den neutralen Märkten nur halten, solange in ihrem Lande der Freihandel herrscht. Wenn man verlangt, daß die deutschen Stoffe, Metallwaren, Maschinen der Konkurrenz im Ausland standhalten, dann muß alles, was zur Herstellung dieser Waren als Rohstoff dient, Baumwoll-, Leinen- oder Seidengarn, Roheisen und Draht, zu denselben niedrigen Preisen erhältlich sein, zu denen es die ausländischen Konkurrenten kaufen. Also eins von beiden: Entweder man will weiterhin Stoffe und Produkte der Metallindustrie ausführen, dann braucht man den Freihandel und läuft Gefahr, daß diese Industrien aus dem Ausland kommende Rohstoffe verarbeiten; oder man will die Spinnerei und die Rohmetallproduktion Deutschlands durch Zölle schützen, dann wird es bald mit der Möglichkeit zu Ende sein, Produkte auszuführen, deren Rohstoffgrundlage Garn und Rohmetalle sind.

Durch seinen famosen Tarif, der die Spinnereien und die Metallindustrie schützt, vernichtet Herr Bismarck die letzte Chance, einen Markt im Ausland zu finden, wie er bisher noch für deutsche Stoffe, Metallwaren, Nadeln und Maschinen bestand. Aber Deutschland, dessen Landwirtschaft in der ersten Hälfte des Jahrhunderts einen Exportüberschuß produzierte, kommt jetzt nicht mehr ohne einen Zuschuß landwirtschaftlicher Produkte aus dem Ausland aus. Wenn Herr Bismarck seiner Industrie verwehrt, für den Export zu produzieren, womit wird man dann diesen und viele andere Importe bezahlen, die trotz aller Tarife der Welt nun einmal nötig sind.

Um diese Frage zu lösen, bedurfte man keines Geringeren, als des Genies eines Herrn Bismarck, im Verein mit dem seiner Freunde und Börsenberater. Das wird folgendermaßen gemacht:

Nehmen wir das Eisen. Die Periode der Spekulation und der fieberhaften Produktion hat Deutschland zwei Werke beschert (die Dortmunder Union und die Laura-Hütte), die jedes für sich allein soviel produzieren können, wie der gesamte Konsum des Landes durchschnittlich erfordert. Dann gibt es die riesigen Krupp-Werke in Essen, ein ähnliches Werk in Bochum und zahllose kleinere. Somit ist der Eisenverbrauch im Innern mindestens drei- oder vierfach gedeckt. Man sollte meinen, daß eine solche Lage gebieterisch den schrankenlosesten Freihandel erfordere, der allein imstande wäre, diesem riesigen Produktionsüberschuß einen Absatzmarkt zu sichern. Man sollte es meinen, aber das ist nicht die Ansicht der daran Interessierten. Da es höchstens ein Dutzend Unternehmen gibt, die wirklich ins Gewicht fallen und die anderen beherrschen, so bildet man das, was die Amerikaner einen *Ring* nennen: eine Gesellschaft zur Aufrechterhaltung der Preise im Innern und zur Regelung des Exports.

Sobald eine Ausschreibung für Schienen oder andere Produkte ihrer Fabriken angesetzt ist, bestimmt das Komitee reihum, welchem Mitglied der Auftrag zufallen soll und zu welchem Preise es ihn akzeptieren muß. Die anderen Beteiligten machen Angebote zu einem höheren Preis, der ebenfalls im voraus abgesprochen worden ist. Dadurch, daß jede Konkurrenz aufhört, besteht ein absolutes Monopol. Das gleiche gilt für den Export. Um die Durchführung dieses Planes zu sichern, deponiert jedes Mitglied des *Ringes* zu Händen des Komitees einen Blankowechsel über 125 000 Francs, der in Umlauf gebracht und präsentiert wird, sobald der Unterzeichnete seinen Vertrag bricht. Der aus den deutschen Verbrauchern auf diese Weise herausgepreßte Monopolpreis ermöglicht es den Fabriken, ihren Produktionsüberschuß im Ausland zu Preisen abzusetzen, zu denen sich sogar die Engländer weigern, zu verkaufen – und der deutsche Philister (der es nebenbei gesagt verdient) muß die Zeche bezahlen. So wird der deutsche Export wieder möglich, dank der gleichen Schutzzölle, die ihn nach Meinung des breiten Publikums scheinbar zugrunde richten.

Wollen Sie Beispiele? Im vorigen Jahr brauchte eine italienische Eisenbahngesellschaft, deren Namen wir nennen könnten, 30 000 oder 40 000 Tonnen (zu 1000 Kilogramm) Schienen. Nach langen Verhandlungen übernimmt ein englisches Werk 10 000; das übrige wird von der Dortmunder Union zu einem Preis in Auftrag genommen, der in England abgelehnt worden ist. Ein englischer Konkurrent, den man fragte, warum er das deutsche Unternehmen nicht ausstechen könne, antwortete: Wer in aller Welt kann die Konkurrenz mit einem Bankrotteur aushalten?

In Schottland soll eine Eisenbahnbrücke über eine Meerenge in der Nähe von Edinburgh gebaut werden. Dazu werden 10 000 Tonnen Bessemerstahl benötigt. Wer akzeptiert den niedrigsten Preis, wer schlägt alle seine Konkurrenten, und das auf dem heimatlichen Boden der Eisengroßindustrie, in England? Ein Deutscher, ein Günstling Bismarcks in mehr als einer Beziehung, Herr Krupp aus Essen, der „Kanonenkönig".

So steht es mit dem Eisen. Es versteht sich von selbst, daß dieses schöne System den unvermeidlichen Bankrott dieser miteinander verschworenen großen Unternehmen nur einige Jahre hinauszögern kann. Solange, bis die anderen Industrien es ebenso machen; und dann werden sie nicht die ausländische Konkurrenz, sondern ihr eigenes Land ruinieren. Man kommt sich vor, als lebe man in einem Narrenlande; und doch sind alle oben angeführten Tatsachen deutschen, bürgerlich-freihändlerischen Zeitungen entnommen. Die Zerstörung der deutschen Industrie organisieren unter dem Vorwand, sie zu schützen – sind die deutschen Sozialisten denn im Unrecht, wenn sie seit Jahren wiederholen, Herr Bismarck wirke für den Sozialismus, als werde er dafür bezahlt?

[„L'Égalité" Nr. 10
vom 24. März 1880]

II. Die Staatseisenbahnen

Von 1869 bis 1873, während der steigenden Flut der Berliner Spekulation, teilten sich zwei bald einander feindliche, bald verbündete Unternehmen die Herrschaft über die Börse; die Disconto-Gesellschaft und das Bankhaus Bleichröder. Das waren sozusagen die Berliner Péreire und Mirès. Da die Spekulation sich in der Hauptsache auf die Eisenbahnen erstreckte, kamen diese beiden Banken auf den Gedanken, sich zu indirekten Herren der meisten großen, schon bestehenden oder noch zu bauenden Eisenbahnlinien zu machen. Durch den Ankauf und das Zurückhalten einer gewissen Anzahl Aktien einer jeden Linie könnte man ihre Vorstände beherrschen; die Aktien selbst würden als Garantie für Anleihen dienen, mit denen man neue Aktien kaufen könnte, und so weiter. Wie man sieht: eine bloße Wiederholung der findigen kleinen Operation, die den beiden Péreire zunächst den höchsten Erfolg brachte und dann mit der bekannten Krise des Crédit mobilier endete. Die Berliner Péreire waren anfänglich von gleichem Erfolg gekrönt.

Im Jahre 1873 kam die Krise. Unsere beiden Banken gerieten arg in die Klemme mit ihrem Berg von Eisenbahnaktien, aus denen man die Millionen, die sie verschlungen hatten, nicht mehr herausholen konnte. Das Projekt, sich die Eisenbahngesellschaften zu unterwerfen, war gescheitert. Man wechselte also die Stellung und versuchte, die Aktien an den Staat zu verkaufen. Das Projekt, alle Eisenbahnen in den Händen der Reichsregierung zu konzentrieren, hat zum Ausgangspunkt nicht das soziale Wohl des Landes, sondern das individuelle Wohl zweier zahlungsunfähiger Banken.

Die Ausführung des Projekts war nicht allzu schwer. Man hatte an den neuen Gesellschaften eine beträchtliche Anzahl von Reichstagsabgeordneten „interessiert", so daß man die nationalliberale und die freikonservative Partei, das heißt die Mehrheit, beherrschte. Hohe Beamte des Reiches, preußische Minister hatten ihre Finger in dem Börsenschwindel gehabt, vermittels dessen diese Gesellschaften gegründet worden waren. In letzter Instanz war Bleichröder der Bankier und das Finanzfaktotum des Herrn Bismarck. Daher fehlte es nicht an Mitteln.

Vorerst mußte man jedoch, damit der Verkauf der Eisenbahnen an das Reich sich auch lohne, die Aktienpreise wieder hochtreiben. Deshalb schuf man 1873 das „Kaiserliche Eisenbahnamt"; sein Leiter, ein bekannter Börsenschwindler, erhöhte mit einem Schlag die Tarife aller deutschen Eisenbahnen um 20 Prozent; dadurch sollten die Reineinnahmen und demzufolge der Wert der Aktien um ungefähr 35 Prozent steigen. Das war die einzige Maßnahme, die dieser Herr durchführte; die einzige, derentwegen er das Amt übernommen hatte; kurz danach legte er es auch wieder nieder.

Unterdessen war es gelungen, Bismarck das Projekt schmackhaft zu machen. Aber die kleinen Königreiche leisteten Widerstand; der Bundesrat lehnte es rundweg ab. Neuer Stellungswechsel – man beschloß, daß erst einmal Preußen alle preußischen Eisenbahnen aufkaufen sollte, um sie gegebenenfalls dem Reich abzutreten.

Im übrigen gab es für die Reichsregierung noch ein verborgenes Motiv, das ihr den Ankauf der Eisenbahnen wünschenswert machte. Und das hängt mit den französischen Milliarden zusammen.

Von diesen Milliarden hatte man beträchtliche Summen zurückbehalten zur Bildung dreier „Reichsfonds": den ersten zum Bau des Reichstagsgebäudes, den zweiten für Festungen, den dritten schließlich für die Invaliden der drei letzten Kriege. Die Gesamtsumme belief sich auf 926 Millionen Francs.

Von diesen drei Fonds war der bedeutendste und zugleich der sonderbarste der für die Invaliden. Er war dazu bestimmt, sich selbst zu verzehren, das heißt zu der Zeit, da der letzte Invalide gestorben wäre, würde auch der Fonds, sowohl das Kapital als auch die Einkünfte daraus, verschwunden sein. Einen Fonds, der sich selber verzehrt, sollte man wiederum meinen, könnten nur Narren erfinden. Aber keine Narren, sondern Börsenschwindler der Disconto-Gesellschaft hatten ihn erfunden, und aus gutem Grund. Daher war fast ein Jahr erforderlich, um die Regierung zur Übernahme dieser Idee zu bewegen.

Es schien jedoch unseren Börsenspekulanten, daß dieser Fonds sich nicht schnell genug verzehren werde. Sie glaubten zudem, die beiden anderen Fonds mit der gleichen schönen Eigenschaft, sich selbst zu verzehren, versehen zu müssen. Das Mittel war einfach. Noch bevor das Gesetz die Art der Werte festgelegt hatte, worin diese Fonds angelegt werden sollten, beauftragte man ein kommerzielles Unternehmen der preußischen Regierung, geeignete Wertpapiere zu kaufen. Dieses Unternehmen wandte sich an die Disconto-Gesellschaft, die ihm für die drei Reichsfonds Eisenbahnaktien im Werte von 300 Millionen Francs verkaufte, die damals nicht absetzbar waren und die wir im einzelnen aufführen könnten.

Unter diesen Aktien befanden sich Aktien der Eisenbahnlinie Magdeburg-Halberstadt und der mit ihr fusionierten Linien im Werte von 120 Millionen, einer Eisenbahn, die so gut wie bankrott war, die zwar den Börsenschwindlern große Gewinne verschafft hatte, jedoch kaum eine Aussicht bot, den Aktionären auch nur das Geringste einzubringen. Das wird verständlich, wenn man erfährt, daß der Vorstand Aktien im Werte von 16 Millionen ausgegeben hatte, um die Baukosten dreier Zweiglinien zu decken, und daß dieses Geld vollständig verschwunden war, bevor man mit dem Bau dieser Linien auch nur begonnen hatte. Und der Invalidenfonds ist stolz darauf, daß er eine beträchtliche Anzahl Aktien dieser nicht existierenden Eisenbahnen besitzt.

Der Erwerb dieser Linien seitens des preußischen Staates würde mit einem Schlage den Ankauf ihrer Aktien durch das Reich legalisieren; er würde ihnen einen gewissen realen Wert geben. Daher rührt das Interesse, das die Reichsregierung an diesem Geschäft hatte. Daher war die Linie, um die es sich hier handelt, eine der ersten, deren Ankauf von der preußischen Regierung vorgeschlagen und von den Kammern bestätigt wurde.

Die den Aktionären vom Staat zugestandenen Preise waren bedeutend höher als der reale Wert sogar guter Eisenbahnlinien. Das zeigt sich in dem ständigen Steigen der Aktienkurse, seit der Beschluß, sie anzukaufen, und besonders seit die Ankaufsbedingungen bekanntgeworden waren. Zwei große Linien, deren Aktien im Dezember 1878 auf 103 respektive 108 standen, sind inzwischen vom Staat angekauft worden; heute werden sie mit 148 und 158 notiert. Deshalb hatten die Aktionäre die größte Mühe, ihre Freude während des Handels zu verbergen.

Es braucht nicht betont zu werden, daß diese Kurssteigerung vor allem den großen Berliner Börsenspekulanten zugute kam, die in die Absichten der Regierung eingeweiht waren. Die Börse, die im Frühjahr 1879 noch ziemlich gedrückt war, erwachte zu neuem Leben. Bevor die Spekulanten sich endgültig von ihren teuren Aktien trennten, benutzten sie diese, um einen neuen Spekulationstaumel zu veranstalten.

Man sieht: das deutsche Kaiserreich steht ebenso vollständig unter dem Einfluß der Börse wie seinerzeit das französische Kaiserreich. Die Börsianer bereiten die Projekte vor, welche – zugunsten ihrer Geldbeutel – von der Regierung ausgeführt werden müssen. Dabei haben sie in Deutschland noch einen Vorteil, der dem bonapartistischen Kaiserreich fehlte: Wenn die Reichsregierung auf Widerstand seitens der kleinen Fürsten stößt, verwandelt sie sich in die preußische Regierung, die bestimmt keinen Widerstand in ihren Kammern finden wird, die ja wahre Filialen der Börse sind.

Na also! Hat der Generalrat der Internationale nicht bereits unmittelbar nach dem Kriege von 1870 gesagt[111]: Sie, Herr Bismarck, haben das bonapartistische Regime in Frankreich nur gestürzt, *um es bei sich wieder aufzurichten!*

Geschrieben Ende Februar 1880.
Aus dem Französischen.

FRIEDRICH ENGELS

Die Entwicklung des Sozialismus von der Utopie zur Wissenschaft[112]

Geschrieben von Januar bis Mitte März 1880.
Erschien zuerst in französischer Sprache in der Zeitschrift
„La Revue socialiste", Nr. 3, 4 und 5 vom 20. März, 20. April und 5. Mai 1880,
und im gleichen Jahr als Broschüre unter dem Titel
„Socialisme utopique et socialisme scientifique".
Die erste Ausgabe in deutscher Sprache erschien 1882
in Hottingen-Zürich.
Nach der vierten, vervollständigten Ausgabe, Berlin 1891.

Bibliothèque de la REVUE SOCIALISTE

I.

SOCIALISME UTOPIQUE

ET

SOCIALISME SCIENTIFIQUE

PAR

FRÉDÉRIC ENGELS

Traduction française par

PAUL LAFARGUE

Prix: 50 centimes

PARIS

DERVEAUX LIBRAIRE-ÉDITEUR

32, Rue d'Angoulême, 32

1880

Titelblatt der ersten französischen Ausgabe von Friedrich Engels' Schrift „Die Entwicklung des Sozialismus von der Utopie zur Wissenschaft"

Karl Marx

[Vorbemerkung zur französischen Ausgabe (1880)[113]]

Die Seiten, die den Inhalt der vorliegenden Broschüre umfassen, wurden zuerst in drei Artikeln in der „Revue socialiste" [114] veröffentlicht als Übersetzung aus Friedrich Engels' neuester Arbeit „Die Umwälzung der Wissenschaft" [115].[1]

Friedrich Engels, einer der hervorragendsten Vertreter des modernen Sozialismus, wurde 1844 durch seine „Umrisse zu einer Kritik der Nationalökonomie"[2] bekannt, die zuerst in den von Marx und Ruge in Paris herausgegebenen „Deutsch-Französischen Jahrbüchern" erschienen. In den „Umrissen" sind bereits einige allgemeine Prinzipien des wissenschaftlichen Sozialismus formuliert. In Manchester, wo Engels dann lebte, schrieb er (in deutscher Sprache) „Die Lage der arbeitenden Klasse in England" (1845)[3], ein bedeutendes Werk, das Marx im „Kapital" gebührend würdigte. Während seines ersten Aufenthalts in England – wie auch später in Brüssel – war er Mitarbeiter an dem „Northern Star", dem offiziellen Organ der sozialistischen Bewegung, und an der „New Moral World" [116] von Robert Owen.

Während seines Aufenthalts in Brüssel gründeten er und Marx den kommunistischen Deutschen Arbeiterverein [45], der mit den flämischen und wallonischen Arbeiterklubs in Verbindung stand; und beide gaben gemeinsam mit Bornstedt die „Deutsche-Brüsseler-Zeitung" heraus. Auf Einladung des deutschen Komitees des *Bundes der Gerechten* (in London) wurden sie Mitglieder dieses Bundes, den Karl Schapper gegründet hatte, nachdem er als Teilnehmer an der Verschwörung Blanquis 1839 aus Frank-

[1] In der von Lafargue unterzeichneten Veröffentlichung folgt der Zusatz: „Sie sind vom Verfasser durchgesehen, der im dritten Teil verschiedene Zusätze gemacht hat, um dem französischen Leser die dialektische Entwicklung der ökonomischen Kräfte der kapitalistischen Produktion verständlich zu machen." – [2] siehe Band 1 unserer Ausgabe, S. 499–524 – [3] siehe Band 2 unserer Ausgabe, S. 229–506

reich geflohen war. Nachdem die in Geheimbünden üblichen Formen beseitigt worden waren, wurde der Bund in den internationalen *Bund der Kommunisten* umgebildet. Nichtsdestoweniger mußte der Bund unter den gegebenen Umständen vor den Regierungen geheimgehalten werden. 1847 wurden Marx und Engels auf dem internationalen Kongreß des Bundes in London beauftragt, das „Manifest der Kommunistischen Partei"[1] abzufassen, das unmittelbar vor der Februarrevolution veröffentlicht und in fast alle europäischen Sprachen übersetzt wurde.[2] Im gleichen Jahr wirkten sie mit an der Gründung der *Brüsseler Demokratischen Gesellschaft*, einer öffentlichen und internationalen Vereinigung, in der Vertreter der bürgerlichen Radikalen und der sozialistischen Arbeiter zusammentrafen.

Nach der Februarrevolution wurde Engels einer der Redakteure der „Neuen Rheinischen Zeitung", die 1848 von Marx in Köln gegründet und im Mai 1849 durch einen preußischen coup d'état unterdrückt wurde. Nachdem Engels an dem Elberfelder Aufstand teilgenommen hatte, machte er die Badener Kampagne gegen die Preußen (Juni und Juli 1849) als Adjutant Willichs mit, der damals Oberst eines Bataillons Freischärler war.[117]

In London war er 1850 Mitarbeiter der „Neuen Rheinischen Zeitung. Politisch-ökonomische Revue", die von Marx herausgegeben und in Hamburg gedruckt wurde. In ihr veröffentlichte Engels zum erstenmal die Arbeit „Der deutsche Bauernkrieg"[3], die 19 Jahre später in Leipzig als Broschüre erschien und drei Ausgaben erlebte.

Nach dem Wiederaufkommen der sozialistischen Bewegung in Deutschland schrieb Engels die bedeutendsten der im „Volksstaat" und im „Vorwärts" veröffentlichten Artikel, von denen die meisten als Flugschriften nachgedruckt worden sind, wie „Soziales aus Rußland"[4], „Preußischer Schnaps im deutschen Reichstag"[5], „Zur Wohnungsfrage"[6], „Die Bakunisten an der Arbeit"[7] etc.

Nachdem Engels 1870 von Manchester nach London gezogen war, wurde er Mitglied des Generalrats der Internationale, von dem er mit der Korrespondenz für Spanien, Portugal und Italien beauftragt war.

---

[1] Siehe Band 4 unserer Ausgabe, S. 459–493 – [2] in der von Lafargue unterzeichneten Veröffentlichung folgt der Zusatz: „‚Das Kommunistische Manifest' ist eines der wertvollsten Dokumente des modernen Sozialismus. Es bleibt auch heute noch eine der stärksten und klarsten Darlegungen von der Entwicklung der bürgerlichen Gesellschaft und der Herausbildung des Proletariats, das der kapitalistischen Gesellschaft ein Ende machen muß; hier, wie auch in ‚Misère de la philosophie' von Marx, ein Jahr zuvor veröffentlicht, findet man zum erstenmal die Theorie des Klassenkampfs klar formuliert." – [3] siehe Band 7 unserer Ausgabe, S. 327–413 – [4] siehe Band 18 unserer Ausgabe, S. 556–567 – [5] siehe vorl. Band, S. 37–51 – [6] siehe Band 18 unserer Ausgabe, S. 209–287 – [7] ebenda, S. 476–493

avec La Guerre des paysans allemands, qui fut, 20 ans après, reparut à Leipzig comme brochure et passa par trois éditions.
Après la reprise du mouvement socialiste en Allemagne, Engels contribua au Volksstaat et au Vorwärts des articles les plus importants, dont la plupart a été réimprimée sous forme de pamphlets, tels que le mouvement social en Russie, l'eau-de-vie dans le Reichstag allemand, la question des habitations, l'insurrection cantonaliste en Espagne etc.
En 1870, après avoir quitté Manchester pour Londres, Engels entra dans le Conseil Général de l'Internationale, où il fut chargé de la correspondance avec l'Espagne, le Portugal et l'Italie.
La série des derniers articles qu'il contribuait au Vorwärts, sous le titre ironique Bouleversement Dühringien de la science, en réponse aux prétendues théories nouvelles de Mr E. Dühring sur les sciences en général et le socialisme en particulier, furent réunis en volume et eurent un grand succès parmi les socialistes allemands. Nous donnons dans la présente brochure l'extrait le plus topique de la partie théorique de ce livre, qui forme ce qu'on pourrait appeler une introduction au socialisme scientifique.

Cher Lafargue
Voilà le fruit de ma consultation (d'hier soir) avec Engels. Nettoyez les phrases, laissez les choses intactes.

Tout à vous

Karl Marx.

Letzte Seite von Karl Marx' Vorbemerkung zur französischen Ausgabe der Schrift „Die Entwicklung des Sozialismus von der Utopie zur Wissenschaft" von Friedrich Engels

Die jüngste Artikelreihe, die er ironisch „Herrn Eugen Dührings Umwälzung der Wissenschaft" betitelte (in Erwiderung auf die angeblich neuen Theorien von Herrn Eugen Dühring über die Wissenschaft im allgemeinen und den Sozialismus im besonderen), sandte er an den „Vorwärts". Diese Reihe wurde zu einem Band vereinigt und hatte bei den deutschen Sozialisten großen Erfolg. Wir bringen in der vorliegenden Broschüre die treffendsten Auszüge aus dem theoretischen Teil dieses Buchs, die gewissermaßen eine *Einführung in den wissenschaftlichen Sozialismus* bilden.

Geschrieben um den 4./5. Mai 1880.
Nach der Handschrift.
Aus dem Französischen.

Friedrich Engels

Vorwort zur ersten Auflage [in deutscher Sprache (1882)]

Die nachfolgende Schrift ist entstanden aus drei Kapiteln meiner Arbeit: „Herrn E. Dührings Umwälzung der Wissenschaft", Leipzig 1878. Ich stellte sie für meinen Freund Paul Lafargue zusammen zur Übersetzung ins Französische und fügte einige weitre Ausführungen hinzu. Die von mir durchgesehene französische Übersetzung erschien zuerst in der „Revue socialiste" und sodann selbständig unter dem Titel: „Socialisme utopique et socialisme scientifique", Paris 1880. Eine nach der französischen Übersetzung ausgeführte Übertragung ins Polnische ist soeben in Genf erschienen und führt den Titel: „Socyjalizm utopijny a naukowy". Imprimerie de l'Aurore, Genève 1882.

Der überraschende Erfolg der Lafargueschen Übersetzung in den Ländern französischer Zunge und namentlich in Frankreich selbst mußte mir die Frage aufdrängen, ob nicht eine deutsche Separatausgabe dieser drei Kapitel ebenfalls von Nutzen sein werde. Da teilte mir die Redaktion des Züricher „Sozialdemokrat" [118] mit, daß innerhalb der deutschen sozialdemokratischen Partei allgemein das Verlangen nach Herausgabe neuer Propagandabroschüren erhoben werde, und frug mich, ob ich nicht jene drei Kapitel dazu bestimmen wolle. Ich war damit selbstredend einverstanden und stellte meine Arbeit zur Verfügung.

Aber sie war ursprünglich gar nicht für die unmittelbare Volkspropaganda geschrieben. Wie sollte eine zunächst rein wissenschaftliche Arbeit sich dazu eignen? Welche Änderungen in Form und Inhalt waren nötig?

Was die Form angeht, so konnten nur die vielen Fremdwörter Bedenken erregen. Aber schon Lassalle war in seinen Reden und Propagandaschriften durchaus nicht sparsam mit Fremdwörtern, und man hat sich meines Wissens nicht darüber beklagt. Seit jener Zeit haben unsre Arbeiter weit mehr und weit regelmäßiger Zeitungen gelesen und sind dadurch im selben Grad mehr mit Fremdwörtern vertraut worden. Ich habe mich darauf beschränkt, alle unnötigen Fremdwörter zu entfernen. Bei den unvermeidlichen habe ich auf Beifügung sogenannter erklärender Übersetzungen verzichtet. Die unvermeidlichen Fremdwörter, meist allgemein angenommene wissenschaftlich-technische Ausdrücke, wären eben nicht unvermeidlich, wenn sie übersetzbar wären. Die Übersetzung verfälscht also den Sinn; statt zu erklären, verwirrt sie. Mündliche Auskunft hilft da weit mehr.

Der Inhalt dagegen, glaube ich behaupten zu können, wird den deutschen Arbeitern wenig Schwierigkeiten machen. Schwierig ist überhaupt nur der dritte Abschnitt, aber den Arbeitern, deren allgemeine Lebensbedingungen er zusammenfaßt, weit weniger als den „gebildeten" Bourgeois. Bei den zahlreichen erläuternden Zusätzen, die ich hier gemacht, habe ich in der Tat weniger an die Arbeiter gedacht als an „gebildete" Leser; Leute etwa, wie der Herr Abgeordnete von Eynern, der Herr Geheimrat Heinrich von Sybel und andere Treitschkes, beherrscht von dem unwiderstehlichen Drang, ihre grauenhafte Unkenntnis und ihren daraus begreiflichen kolossalen Mißverstand des Sozialismus immer aufs neue schwarz auf weiß zum besten zu geben. Wenn Don Quijote seine Lanze gegen Windmühlen einlegt, so ist das seines Amtes und in seiner Rolle; dem Sancho Pansa aber können wir so etwas unmöglich erlauben.

Solche Leser werden sich auch wundern, in einer skizzierten Entwicklungsgeschichte des Sozialismus auf die Kant-Laplacesche Kosmogonie, auf die moderne Naturwissenschaft und Darwin, auf die klassische deutsche Philosophie und Hegel zu stoßen. Aber der wissenschaftliche Sozialismus ist nun einmal ein wesentlich deutsches Produkt und konnte nur bei der Nation entstehn, deren klassische Philosophie die Tradition der bewußten Dialektik lebendig erhalten hatte: in Deutschland *. Die materialistische

* „In Deutschland" ist ein Schreibfehler. Es muß heißen: „bei Deutschen". Denn so unumgänglich einerseits die deutsche Dialektik war bei der Genesis des wissenschaftlichen Sozialismus, ebenso unumgänglich dabei waren die entwickelten ökonomischen und politischen Verhältnisse Englands und Frankreichs. Die, anfangs der vierziger Jahre noch weit mehr als heute, zurückgebliebne ökonomische und politische Entwicklungsstufe Deutschlands konnte höchstens sozialistische Karikaturen erzeugen (vgl. „Kommun. Manifest", III, 1, c: „Der deutsche oder ‚wahre' Sozialismus"[1]). Erst indem die in England und Frankreich erzeugten ökonomischen und politischen Zustände der deutsch-dialektischen Kritik unterworfen wurden, erst da konnte ein wirkliches Resultat gewonnen werden. Nach dieser Seite hin ist also der wissenschaftliche Sozialismus kein *ausschließlich* deutsches, sondern ebensosehr ein internationales Produkt. *[Diese Fußnote wurde von Engels in der dritten deutschen Auflage von 1883 eingefügt.]*

[1] Siehe Band 4 unserer Ausgabe, S. 485–488

Geschichtsanschauung und ihre spezielle Anwendung auf den modernen Klassenkampf zwischen Proletariat und Bourgeoisie war nur möglich vermittelst der Dialektik. Und wenn die Schulmeister der deutschen Bourgeoisie die Erinnerung an die großen deutschen Philosophen und die von ihnen getragne Dialektik ertränkt haben im Sumpf eines öden Eklektizismus, so sehr, daß wir die moderne Naturwissenschaft anzurufen genötigt sind als Zeugin für die Bewährung der Dialektik in der Wirklichkeit – wir deutschen Sozialisten sind stolz darauf, daß wir abstammen nicht nur von Saint-Simon, Fourier und Owen, sondern auch von Kant, Fichte und Hegel.

London, 21. September 1882

Friedrich Engels

Friedrich Engels

Die Entwicklung des Sozialismus von der Utopie zur Wissenschaft

I

Der moderne Sozialismus ist seinem Inhalte nach zunächst das Erzeugnis der Anschauung, einerseits der in der heutigen Gesellschaft herrschenden Klassengegensätze von Besitzenden und Besitzlosen, Kapitalisten und Lohnarbeitern, andrerseits der in der Produktion herrschenden Anarchie. Aber seiner theoretischen Form nach erscheint er anfänglich als eine weitergetriebne, angeblich konsequentere Fortführung der von den großen französischen Aufklärern des 18. Jahrhunderts aufgestellten Grundsätze. Wie jede neue Theorie, mußte er zunächst anknüpfen an das vorgefundne Gedankenmaterial, so sehr auch seine Wurzel in den materiellen ökonomischen Tatsachen lag.

Die großen Männer, die in Frankreich die Köpfe für die kommende Revolution klärten, traten selbst äußerst revolutionär auf. Sie erkannten keine äußere Autorität an, welcher Art sie auch sei. Religion, Naturanschauung, Gesellschaft, Staatsordnung, alles wurde der schonungslosesten Kritik unterworfen; alles sollte sein Dasein vor dem Richterstuhl der Vernunft rechtfertigen oder aufs Dasein verzichten. Der denkende Verstand wurde als alleiniger Maßstab an alles angelegt. Es war die Zeit, wo, wie Hegel sagt, die Welt auf den Kopf gestellt wurde*, zuerst in dem Sinn,

---

* Folgendes ist die Stelle über die französische Revolution: „Der Gedanke, der Begriff des Rechts machte sich mit *einem Male* geltend, und dagegen konnte das alte Gerüst des Unrechts keinen Widerstand leisten. Im Gedanken des Rechts ist also jetzt eine Verfassung errichtet worden, und auf diesem Grunde sollte nunmehr alles basiert sein. Solange die Sonne am Firmament steht und die Planeten um sie kreisen, war das noch nicht gesehen worden, daß der Mensch sich auf den Kopf, das ist auf den Gedanken stellt und die Wirklichkeit nach diesem erbaut. Anaxagoras hatte zuerst gesagt, daß

daß der menschliche Kopf und die durch sein Denken gefundnen Sätze den Anspruch machten, als Grundlage aller menschlichen Handlung und Vergesellschaftung zu gelten; dann aber später auch in dem weitern Sinn, daß die Wirklichkeit, die diesen Sätzen widersprach, in der Tat von oben bis unten umgekehrt wurde. Alle bisherigen Gesellschafts- und Staatsformen, alle altüberlieferten Vorstellungen wurden als unvernünftig in die Rumpelkammer geworfen; die Welt hatte sich bisher lediglich von Vorurteilen leiten lassen; alles Vergangne verdiente nur Mitleid und Verachtung. Jetzt erst brach das Tageslicht, das Reich der Vernunft an; von nun an sollte der Aberglaube, das Unrecht, das Privilegium und die Unterdrückung verdrängt werden durch die ewige Wahrheit, die ewige Gerechtigkeit, die in der Natur begründete Gleichheit und die unveräußerlichen Menschenrechte.

Wir wissen jetzt, daß dies Reich der Vernunft weiter nichts war als das idealisierte Reich der Bourgeoisie; daß die ewige Gerechtigkeit ihre Verwirklichung fand in der Bourgeoisjustiz; daß die Gleichheit hinauslief auf die bürgerliche Gleichheit vor dem Gesetz; daß als eines der wesentlichsten Menschenrechte proklamiert wurde – das bürgerliche Eigentum; und daß der Vernunftstaat, der Rousseausche Gesellschaftsvertrag[119] ins Leben trat und nur ins Leben treten konnte als bürgerliche, demokratische Republik. So wenig wie alle ihre Vorgänger konnten die großen Denker des 18. Jahrhunderts hinaus über die Schranken, die ihnen ihre eigne Epoche gesetzt hatte.

Aber neben dem Gegensatz von Feudaladel und dem als Vertreterin der gesamten übrigen Gesellschaft auftretenden Bürgertum bestand der allgemeine Gegensatz von Ausbeutern und Ausgebeuteten, von reichen Müßiggängern und arbeitenden Armen. War es doch gerade dieser Umstand, der es den Vertretern der Bourgeoisie möglich machte, sich als Vertreter nicht einer besondern Klasse, sondern der ganzen leidenden Menschheit hinzustellen. Noch mehr. Von seinem Ursprung an war das Bürgertum behaftet mit seinem Gegensatz: Kapitalisten können nicht bestehn ohne Lohnarbeiter, und im selben Verhältnis wie der mittelalterliche Zunftbürger sich

---

der Nûs, die Vernunft, die Welt regiert; nun aber erst ist der Mensch dazugekommen, zu erkennen, daß der Gedanke die geistige Wirklichkeit regieren solle. Es war dieses somit ein *herrlicher Sonnenaufgang. Alle denkenden Wesen haben diese Epoche mitgefeiert.* Eine *erhabene Rührung* hat in jener Zeit geherrscht, *ein Enthusiasmus des Geistes hat die Welt durchschauert,* als sei es zur Versöhnung des Göttlichen mit der Welt nun erst gekommen." (Hegel, „Philosophie der Geschichte", 1840, S. 535.) – Sollte es nicht hohe Zeit sein, gegen solche gemeingefährliche Umsturzlehren des weiland Professor Hegel das Sozialistengesetz in Bewegung zu setzen?

zum modernen Bourgeois, im selben Verhältnis entwickelte sich auch der Zunftgeselle und nichtzünftige Taglöhner zum Proletarier. Und wenn auch im ganzen und großen das Bürgertum beanspruchen durfte, *im Kampf mit dem Adel* gleichzeitig die Interessen der verschiednen arbeitenden Klassen jener Zeit mit zu vertreten, so brachen doch, bei jeder großen bürgerlichen Bewegung, selbständige Regungen derjenigen Klasse hervor, die die mehr oder weniger entwickelte Vorgängerin des modernen Proletariats war. So in der deutschen Reformations- und der Bauernkriegszeit die Wiedertäufer und Thomas Münzer; in der großen englischen Revolution die Levellers [120]; in der großen französischen Revolution Babeuf. Neben diesen revolutionären Schilderhebungen einer noch unfertigen Klasse gingen entsprechende theoretische Kundgebungen; im 16. und 17. Jahrhundert utopische Schilderungen idealer Gesellschaftszustände [121]; im 18. schon direkt kommunistische Theorien (Morelly und Mably). Die Forderung der Gleichheit wurde nicht mehr auf die politischen Rechte beschränkt, sie sollte sich auch auf die gesellschaftliche Lage der einzelnen erstrecken; nicht bloß die Klassenvorrechte sollten aufgehoben werden, sondern die Klassenunterschiede selbst. Ein asketischer, allen Lebensgenuß verpönender, an Sparta anknüpfender Kommunismus war so die erste Erscheinungsform der neuen Lehre. Dann folgten die drei großen Utopisten: Saint-Simon, bei dem die bürgerliche Richtung noch neben der proletarischen eine gewisse Geltung behielt; Fourier, und Owen, der, im Lande der entwickeltsten kapitalistischen Produktion und unter dem Eindruck der durch diese erzeugten Gegensätze, seine Vorschläge zur Beseitigung der Klassenunterschiede in direkter Anknüpfung an den französischen Materialismus systematisch entwickelte.

Allen dreien ist gemeinsam, daß sie nicht als Vertreter der Interessen des inzwischen historisch erzeugten Proletariats auftreten. Wie die Aufklärer, wollen sie nicht zunächst eine bestimmte Klasse, sondern sogleich die ganze Menschheit befreien. Wie jene wollen sie das Reich der Vernunft und der ewigen Gerechtigkeit einführen; aber ihr Reich ist himmelweit verschieden von dem der Aufklärer. Auch die nach den Grundsätzen dieser Aufklärer eingerichtete bürgerliche Welt ist unvernünftig und ungerecht und wandert daher ebensogut in den Topf des Verwerflichen wie der Feudalismus und alle früheren Gesellschaftszustände. Daß die wirkliche Vernunft und Gerechtigkeit bisher nicht in der Welt geherrscht haben, kommt nur daher, daß man sie nicht richtig erkannt hatte. Es fehlte eben der geniale einzelne Mann, der jetzt aufgetreten und der die Wahrheit erkannt hat; daß er jetzt aufgetreten, daß die Wahrheit grade jetzt erkannt worden ist, ist nicht ein aus dem Zusammenhang der geschichtlichen Entwicklung mit

Notwendigkeit folgendes, unvermeidliches Ereignis, sondern ein reiner Glücksfall. Er hätte ebensogut 500 Jahre früher geboren werden können und hätte dann der Menschheit 500 Jahre Irrtum, Kämpfe und Leiden erspart.

Wir sahen, wie die französischen Philosophen des achtzehnten Jahrhunderts, die Vorbereiter der Revolution, an die Vernunft appellierten als einzige Richterin über alles, was bestand. Ein vernünftiger Staat, eine vernünftige Gesellschaft sollten hergestellt, alles, was der ewigen Vernunft widersprach, sollte ohne Barmherzigkeit beseitigt werden. Wir sahen ebenfalls, daß diese ewige Vernunft in Wirklichkeit nichts andres war als der idealisierte Verstand des eben damals zum Bourgeois sich fortentwickelnden Mittelbürgers. Als nun die französische Revolution diese Vernunftgesellschaft und diesen Vernunftstaat verwirklicht hatte, stellten sich daher die neuen Einrichtungen, so rationell sie auch waren gegenüber den früheren Zuständen, keineswegs als absolut vernünftige heraus. Der Vernunftstaat war vollständig in die Brüche gegangen. Der Rousseausche Gesellschaftsvertrag hatte seine Verwirklichung gefunden in der Schreckenszeit, aus der das an seiner eignen politischen Befähigung irre gewordne Bürgertum sich geflüchtet hatte zuerst in die Korruption des Direktoriums [122] und schließlich unter den Schutz des napoleonischen Despotismus. Der verheißne ewige Friede war umgeschlagen in einen endlosen Eroberungskrieg. Die Vernunftgesellschaft war nicht besser gefahren. Der Gegensatz von reich und arm, statt sich aufzulösen im allgemeinen Wohlergehn, war verschärft worden durch die Beseitigung der ihn überbrückenden zünftigen und andren Privilegien und der ihn mildernden kirchlichen Wohltätigkeitsanstalten; die jetzt zur Wahrheit gewordne „Freiheit des Eigentums" von feudalen Fesseln stellte sich heraus für den Kleinbürger und Kleinbauern als die Freiheit, dies von der übermächtigen Konkurrenz des Großkapitals und des Großgrundbesitzes erdrückte kleine Eigentum an eben diese großen Herren zu verkaufen und so für den Kleinbürger und Kleinbauern sich zu verwandeln in die Freiheit *vom* Eigentum; der Aufschwung der Industrie auf kapitalistischer Grundlage erhob Armut und Elend der arbeitenden Massen zu einer Lebensbedingung der Gesellschaft. Die bare Zahlung wurde mehr und mehr, nach Carlyles Ausdruck, das einzige Bindeglied der Gesellschaft. Die Zahl der Verbrechen nahm zu von Jahr zu Jahr. Waren die früher am hellen Tage sich ungescheut ergehenden feudalen Laster zwar nicht vernichtet, so doch vorläufig in den Hintergrund gedrängt, so schossen dafür die, bisher nur in der Stille gehegten, bürgerlichen Laster um so üppiger in die Blüte. Der Handel entwickelte sich mehr und mehr zur Prellerei. Die „Brüderlichkeit" der revolutionären Devise [123] verwirklichte sich in den Schikanen und dem Neid des Konkurrenzkampfs. An die Stelle der gewaltsamen Unterdrückung trat die Korruption, an die Stelle des Degens, als des ersten gesellschaftlichen Machthebels, das Geld. Das Recht der ersten Nacht ging über von den Feudalherren auf die bürgerlichen Fabrikanten. Die Prostitution breitete sich aus in bisher unerhörtem Maß. Die Ehe selbst blieb nach wie vor gesetzlich anerkannte Form, offizieller Deckmantel der Prostitution, und ergänzte sich zudem durch reichlichen Ehebruch. Kurzum, verglichen mit den prunkhaften Verheißungen der Aufklärer, erwiesen sich die durch den „Sieg der Vernunft" hergestellten gesellschaftlichen und politischen Einrichtungen als bitter enttäuschende Zerrbilder. Es fehlten nur noch die Leute, die diese Enttäuschung konstatierten, und diese kamen mit der Wende des Jahrhunderts. 1802 erschienen Saint-Simons Genfer Briefe; 1808 erschien Fouriers erstes Werk, obwohl die Grundlage seiner Theorie schon von 1799 datierte; am 1. Januar 1800 übernahm Robert Owen die Leitung von New Lanark.[124]

Um diese Zeit aber war die kapitalistische Produktionsweise, und mit ihr der Gegensatz von Bourgeoisie und Proletariat, noch sehr unentwickelt. Die große Industrie, in England eben erst entstanden, war in Frankreich noch unbekannt. Aber erst die große Industrie entwickelt einerseits die Konflikte, die eine Umwälzung der Produktionsweise, eine Beseitigung ihres kapitalistischen Charakters, zur zwingenden Notwendigkeit erheben – Konflikte nicht nur der von ihr erzeugten Klassen, sondern auch der von ihr geschaffnen Produktivkräfte und Austauschformen selbst –; und sie entwickelt andrerseits in eben diesen riesigen Produktivkräften auch die Mittel, diese Konflikte zu lösen. Waren also um 1800 die der neuen Gesellschaftsordnung entspringenden Konflikte erst im Werden begriffen, so gilt dies noch weit mehr von den Mitteln ihrer Lösung. Hatten die besitzlosen Massen von Paris während der Schreckenszeit einen Augenblick die Herrschaft erobern und dadurch die bürgerliche Revolution, selbst *gegen* das Bürgertum, zum Siege führen können, so hatten sie damit nur bewiesen, wie unmöglich ihre Herrschaft unter den damaligen Verhältnissen auf die Dauer war. Das sich aus diesen besitzlosen Massen eben erst als Stamm einer neuen Klasse absondernde Proletariat, noch ganz unfähig zu selbständiger politischer Aktion, stellte sich dar als unterdrückter, leidender Stand, dem in seiner Unfähigkeit, sich selbst zu helfen, höchstens von außen her, von oben herab Hülfe zu bringen war.

Diese geschichtliche Lage beherrschte auch die Stifter des Sozialismus. Dem unreifen Stand der kapitalistischen Produktion, der unreifen Klassenlage, entsprachen unreife Theorien. Die Lösung der gesellschaftlichen Aufgaben, die in den unentwickelten ökonomischen Verhältnissen noch verborgen lag, sollte aus dem Kopfe erzeugt werden. Die Gesellschaft bot nur Mißstände; diese zu beseitigen war Aufgabe der denkenden Vernunft. Es handelte sich darum, ein neues, vollkommneres System der gesellschaftlichen Ordnung zu erfinden und dies der Gesellschaft von außen her, durch Propaganda, womöglich durch das Beispiel von Musterexperimenten aufzuoktroyieren. Diese neuen sozialen Systeme waren von vornherein zur Utopie verdammt; je weiter sie in ihren Einzelnheiten ausgearbeitet wurden, desto mehr mußten sie in reine Phantasterei verlaufen.

Dies einmal festgestellt, halten wir uns bei dieser, jetzt ganz der Vergangenheit angehörigen Seite keinen Augenblick länger auf. Wir können es literarischen Kleinkrämern überlassen, an diesen, heute nur noch erheiternden Phantastereien feierlich herumzuklauben und die Überlegenheit ihrer eignen nüchternen Denkungsart geltend zu machen gegenüber solchem „Wahnwitz". Wir freuen uns lieber der genialen Gedankenkeime und Gedanken, die unter der phantastischen Hülle überall hervorbrechen und für die jene Philister blind sind.

Saint-Simon war ein Sohn der großen französischen Revolution, bei deren Ausbruch er noch nicht dreißig Jahre alt war. Die Revolution war der Sieg des dritten Standes, d.h. der großen, in der Produktion und im Handel *tätigen* Masse der Nation, über die bis dahin bevorrechteten *müßigen* Stände, Adel und Geistlichkeit. Aber der Sieg des dritten Standes hatte sich bald enthüllt als der ausschließliche Sieg eines kleinen Teils dieses Standes, als die Eroberung der politischen Macht durch die gesellschaftlich bevorrechtete Schicht desselben, die besitzende Bourgeoisie. Und zwar hatte sich diese Bourgeoisie noch während der Revolution rasch entwickelt vermittelst der Spekulation in dem konfiszierten und dann *verkauften* Grundbesitz des Adels und der Kirche sowie vermittelst des Betrugs an der Nation durch die Armeelieferanten. Es war gerade die Herrschaft dieser Schwindler, die unter dem Direktorium Frankreich und die Revolution an den Rand des Untergangs brachte und damit Napoleon den Vorwand gab zu seinem Staatsstreich. So nahm im Kopf Saint-Simons der Gegensatz von drittem Stand und bevorrechteten Ständen die Form an des Gegensatzes von „Arbeitern" und „Müßigen". Die Müßigen, das waren nicht nur die alten Bevorrechteten, sondern auch alle, die ohne Beteiligung an Produktion und Handel von Renten lebten. Und die „Arbeiter", das waren nicht nur die Lohnarbeiter, sondern auch die Fabrikanten, die Kaufleute, die Bankiers. Daß die Müßigen die Fähigkeit zur geistigen Leitung und politischen Herrschaft verloren, stand fest und war durch die Revolution endgültig besiegelt. Daß die Besitzlosen diese Fähigkeit nicht besaßen, das schien Saint-Simon bewiesen durch die Erfahrungen der Schreckenszeit. Wer aber sollte leiten und herrschen? Nach Saint-Simon die Wissenschaft und die Industrie, beide zusammengehalten durch ein neues religiöses Band, bestimmt, die seit der Reformation gesprengte Einheit der religiösen Anschauungen wiederherzustellen, ein notwendig mystisches und streng hierarchisches „neues Christentum". Aber die Wissenschaft, das waren die Schulgelehrten, und die Industrie, das waren in erster Linie die aktiven Bourgeois, Fabrikanten, Kaufleute, Bankiers. Diese Bourgeois sollten sich zwar in eine Art öffentlicher Beamten, gesellschaftlicher Vertrauensleute, verwandeln, aber doch gegenüber den Arbeitern eine gebietende und auch ökonomisch bevorzugte Stellung behalten. Namentlich sollten die Bankiers durch Regulierung des Kredits die gesamte gesellschaftliche Produktion zu regeln berufen sein. Diese Auffassung entsprach ganz einer Zeit, wo in Frankreich die große Industrie und mit ihr der Gegensatz von Bourgeoisie und Proletariat eben erst im Entstehn war. Aber was Saint-Simon besonders betont, ist dies: Es sei ihm überall und immer zuerst zu tun um das Geschick „der zahlreichsten und ärmsten Klasse" (la classe la plus nombreuse et la plus pauvre).

Saint-Simon stellt bereits in seinen Genfer Briefen den Satz auf, daß

„alle Menschen arbeiten sollen".

In derselben Schrift weiß er schon, daß die Schreckensherrschaft die Herrschaft der besitzlosen Massen war.

„Seht an", ruft er ihnen zu, „was sich in Frankreich ereignet hat zu der Zeit, als eure Kameraden dort geherrscht, sie haben die Hungersnot erzeugt."[125]

Die französische Revolution aber als einen Klassenkampf, und zwar nicht bloß zwischen Adel und Bürgertum, sondern zwischen Adel, Bürgertum *und Besitzlosen* aufzufassen, war im Jahr 1802 eine höchst geniale Entdeckung. 1816 erklärt er die Politik für die Wissenschaft von der Produktion und sagt voraus das gänzliche Aufgehn der Politik in der Ökonomie.[126] Wenn hierin die Erkenntnis, daß die ökonomische Lage die Basis der politischen Einrichtungen ist, nur erst im Keime sich zeigt, so ist doch die Überführung der politischen Regierung über Menschen in eine Verwaltung von Dingen und eine Leitung von Produktionsprozessen, also die neuerdings mit so viel Lärm breitgetretne „Abschaffung des Staates" hier schon klar ausgesprochen. Mit gleicher Überlegenheit über seine Zeitgenossen proklamiert er 1814, unmittelbar nach dem Einzug der Verbündeten in

Paris, und noch 1815, während des Kriegs der hundert Tage, die Allianz Frankreichs mit England und in zweiter Linie beider Länder mit Deutschland als einzige Gewähr für die gedeihliche Entwicklung und den Frieden Europas.[127] Allianz den Franzosen von 1815 predigen mit den Siegern von Waterloo[128], dazu gehörte in der Tat ebensoviel Mut wie geschichtlicher Fernblick.

Wenn wir bei Saint-Simon eine geniale Weite des Blicks entdecken, vermöge deren fast alle nicht streng ökonomischen Gedanken der späteren Sozialisten bei ihm im Keime enthalten sind, so finden wir bei Fourier eine echt französisch-geistreiche, aber darum nicht minder tief eindringende Kritik der bestehenden Gesellschaftszustände. Fourier nimmt die Bourgeoisie, ihre begeisterten Propheten von vor und ihre interessierten Lobhudler von nach der Revolution beim Wort. Er deckt die materielle und moralische Misère der bürgerlichen Welt unbarmherzig auf; er hält daneben sowohl die gleißenden Versprechungen der frühern Aufklärer von der Gesellschaft, in der nur die Vernunft herrschen werde, von der alles beglückenden Zivilisation, von der grenzenlosen menschlichen Vervollkommnungsfähigkeit, wie auch die schönfärbenden Redensarten der gleichzeitigen Bourgeois-Ideologen; er weist nach, wie der hochtönendsten Phrase überall die erbärmlichste Wirklichkeit entspricht, und überschüttet dies rettungslose Fiasko der Phrase mit beißendem Spott. Fourier ist nicht nur Kritiker, seine ewig heitre Natur macht ihn zum Satiriker, und zwar zu einem der größten Satiriker aller Zeiten. Die mit dem Niedergang der Revolution emporblühende Schwindelspekulation ebenso wie die allgemeine Krämerhaftigkeit des damaligen französischen Handels schildert er ebenso meisterhaft wie ergötzlich. Noch meisterhafter ist seine Kritik der bürgerlichen Gestaltung der Geschlechtsverhältnisse und der Stellung des Weibes in der bürgerlichen Gesellschaft. Er spricht es zuerst aus, daß in einer gegebnen Gesellschaft der Grad der weiblichen Emanzipation das natürliche Maß der allgemeinen Emanzipation ist.[129] Am großartigsten aber erscheint Fourier in seiner Auffassung der Geschichte der Gesellschaft. Er teilt ihren ganzen bisherigen Verlauf in vier Entwicklungsstufen: Wildheit, Patriarchat, Barbarei, Zivilisation, welch letztere mit der jetzt sogenannten bürgerlichen Gesellschaft, also mit der seit dem 16. Jahrhundert eingeführten Gesellschaftsordnung zusammenfällt, und weist nach,

„daß die zivilisierte Ordnung jedes Laster, welches die Barbarei auf eine einfache Weise ausübt, zu einer zusammengesetzten, doppelsinnigen, zweideutigen, heuchlerischen Daseinsweise erhebt",

daß die Zivilisation sich in einem „fehlerhaften Kreislauf" bewegt, in

Widersprüchen, die sie stets neu erzeugt, ohne sie überwinden zu können, so daß sie stets das Gegenteil erreicht von dem, was sie erreichen will oder erlangen zu wollen vorgibt.[130] So daß z.B.

„in der Zivilisation *die Armut aus dem Überfluß selbst entspringt*".[131]

Fourier, wie man sieht, handhabt die Dialektik mit derselben Meisterschaft wie sein Zeitgenosse Hegel. Mit gleicher Dialektik hebt er hervor, gegenüber dem Gerede von der unbegrenzten menschlichen Vervollkommnungsfähigkeit, daß jede geschichtliche Phase ihren aufsteigenden, aber auch ihren absteigenden Ast hat[132], und wendet diese Anschauungsweise auch auf die Zukunft der gesamten Menschheit an. Wie Kant den künftigen Untergang der Erde in die Naturwissenschaft, führt Fourier den künftigen Untergang der Menschheit in die Geschichtsbetrachtung ein.

Während in Frankreich der Orkan der Revolution das Land ausfegte, ging in England eine stillere, aber darum nicht minder gewaltige Umwälzung vor sich. Der Dampf und die neue Werkzeugmaschinerie verwandelten die Manufaktur in die moderne große Industrie und revolutionierten damit die ganze Grundlage der bürgerlichen Gesellschaft. Der schläfrige Entwicklungsgang der Manufakturzeit verwandelte sich in eine wahre Sturm- und Drangperiode der Produktion. Mit stets wachsender Schnelligkeit vollzog sich die Scheidung der Gesellschaft in große Kapitalisten und besitzlose Proletarier, zwischen denen, statt des frühern stabilen Mittelstandes, jetzt eine unstete Masse von Handwerkern und Kleinhändlern eine schwankende Existenz führte, der fluktuierendste Teil der Bevölkerung. Noch war die neue Produktionsweise erst im Anfang ihres aufsteigenden Asts; noch war sie die normale, regelrechte, die unter den Umständen einzig mögliche Produktionsweise. Aber schon damals erzeugte sie schreiende soziale Mißstände: Zusammendrängung einer heimatlosen Bevölkerung in den schlechtesten Wohnstätten großer Städte – Lösung aller hergebrachten Bande des Herkommens, der patriarchalischen Unterordnung, der Familie – Überarbeit besonders der Weiber und Kinder in schreckenerregendem Maß – massenhafte Entsittlichung der plötzlich in ganz neue Verhältnisse, vom Land in die Stadt, vom Ackerbau in die Industrie, aus stabilen in täglich wechselnde unsichere Lebensbedingungen geworfnen arbeitenden Klasse. Da trat ein neunundzwanzigjähriger Fabrikant als Reformator auf, ein Mann von bis zur Erhabenheit kindlicher Einfachheit des Charakters und zugleich ein geborner Lenker von Menschen wie wenige. Robert Owen hatte sich die Lehre der materialistischen Aufklärer angeeignet, daß der Charakter des Menschen das Produkt sei einerseits der angebornen

Organisation und andrerseits der den Menschen während seiner Lebenszeit, besonders aber während der Entwicklungsperiode umgebenden Umstände. In der industriellen Revolution sahen die meisten seiner Standesgenossen nur Verwirrung und Chaos, gut im trüben zu fischen und sich rasch zu bereichern. Er sah in ihr die Gelegenheit, seinen Lieblingssatz in Anwendung und damit Ordnung in das Chaos zu bringen. Er hatte es schon in Manchester als Dirigent über fünfhundert Arbeiter einer Fabrik erfolgreich versucht, von 1800 bis 1829 leitete er die große Baumwollspinnerei von New Lanark in Schottland als dirigierender Associé in demselben Sinn, nur mit größrer Freiheit des Handelns und mit einem Erfolg, der ihm europäischen Ruf eintrug. Eine allmählich auf 2500 Köpfe anwachsende, ursprünglich aus den gemischtesten und größtenteils stark demoralisierten Elementen sich zusammensetzende Bevölkerung wandelte er um in eine vollständige Musterkolonie, in der Trunkenheit, Polizei, Strafrichter, Prozesse, Armenpflege, Wohltätigkeitsbedürfnis unbekannte Dinge waren. Und zwar einfach dadurch, daß er die Leute in menschenwürdigere Umstände versetzte und namentlich die heranwachsende Generation sorgfältig erziehen ließ. Er war der Erfinder der Kleinkinderschulen und führte sie hier zuerst ein. Vom zweiten Lebensjahre an kamen die Kinder in die Schule, wo sie sich so gut unterhielten, daß sie kaum wieder heimzubringen waren. Während seine Konkurrenten 13–14 Stunden täglich arbeiten ließen, wurde in New Lanark nur $10^1/_2$ Stunden gearbeitet. Als eine Baumwollkrisis zu viermonatlichem Stillstand zwang, wurde den feiernden Arbeitern der volle Lohn fortbezahlt. Und dabei hatte das Etablissement seinen Wert mehr als verdoppelt und bis zuletzt den Eigentümern reichlichen Gewinn abgeworfen.

Mit alledem war Owen nicht zufrieden. Die Existenz, die er seinen Arbeitern geschaffen, war in seinen Augen noch lange keine menschenwürdige;

„die Leute waren meine Sklaven";

die verhältnismäßig günstigen Umstände, in die er sie versetzt, waren noch weit entfernt davon, eine allseitige rationelle Entwicklung des Charakters und des Verstandes, geschweige eine freie Lebenstätigkeit zu gestatten.

> „Und doch produzierte der arbeitende Teil dieser 2500 Menschen ebensoviel wirklichen Reichtum für die Gesellschaft, wie kaum ein halbes Jahrhundert vorher eine Bevölkerung von 600 000 erzeugen konnte. Ich frug mich: Was wird aus der Differenz zwischen dem von 2500 Personen verzehrten Reichtum und demjenigen, den die 600 000 hätten verzehren müssen?"

Die Antwort war klar. Er war verwandt worden, um den Besitzern des

Etablissements 5% Zinsen vom Anlagekapital und außerdem noch mehr als 300 000 Pfd. St. (6 000 000 M.) Gewinn abzuwerfen. Und was von New Lanark, galt in noch höherem Maß von allen Fabriken Englands.

„Ohne diesen neuen, durch die Maschinen geschaffnen Reichtum hätten die Kriege zum Sturz Napoleons und zur Aufrechterhaltung der aristokratischen Gesellschaftsprinzipien nicht durchgeführt werden können. Und doch war diese neue Macht die Schöpfung der arbeitenden Klasse." *

Ihr gehörten daher auch die Früchte. Die neuen gewaltigen Produktivkräfte, bisher nur der Bereicherung einzelner und der Knechtung der Massen dienend, boten für Owen die Grundlage zu einer gesellschaftlichen Neubildung und waren dazu bestimmt, als gemeinsames Eigentum aller nur für die gemeinsame Wohlfahrt aller zu arbeiten.

Auf solche rein geschäftsmäßige Weise, als Frucht sozusagen der kaufmännischen Berechnung, entstand der Owensche Kommunismus. Denselben auf das Praktische gerichteten Charakter behält er durchweg. So schlug Owen 1823 Hebung des irischen Elends durch kommunistische Kolonien vor und legte vollständige Berechnungen über Anlagekosten, jährliche Auslagen und voraussichtliche Erträge bei.[133] So ist in seinem definitiven Zukunftsplan[134] die technische Ausarbeitung der Einzelnheiten, einschließlich Grundriß, Aufriß und Ansicht aus der Vogelperspektive, mit solcher Sachkenntnis durchgeführt, daß, die Owensche Methode der Gesellschaftsreform einmal zugegeben, sich gegen die Detaileinrichtung selbst vom fachmännischen Standpunkt nur wenig sagen läßt.

Der Fortschritt zum Kommunismus war der Wendepunkt in Owens Leben. Solange er als bloßer Philanthrop aufgetreten, hatte er nichts geerntet als Reichtum, Beifall, Ehre und Ruhm. Er war der populärste Mann in Europa. Nicht nur seine Standesgenossen, auch Staatsmänner und Fürsten hörten ihm beifällig zu. Als er aber mit seinen kommunistischen Theorien hervortrat, wendete sich das Blatt. Drei große Hindernisse waren es, die ihm vor allem den Weg zur gesellschaftlichen Reform zu versperren schienen: das Privateigentum, die Religion und die gegenwärtige Form der Ehe. Er wußte, was ihm bevorstand, wenn er sie angriff: die allgemeine Ächtung durch die offizielle Gesellschaft, der Verlust seiner ganzen sozialen Stellung. Aber er ließ sich nicht abhalten, sie rücksichtslos anzugreifen,

* Aus: „The Revolution in Mind and Practice", einer an alle „roten Republikaner, Kommunisten und Sozialisten Europas" gerichteten und der französischen provisorischen Regierung 1848, aber auch „der Königin Viktoria und ihren verantwortlichen Ratgebern" zugesandten Denkschrift.

und es geschah, wie er vorhergesehn. Verbannt aus der offiziellen Gesellschaft, totgeschwiegen von der Presse, verarmt durch fehlgeschlagne kommunistische Versuche in Amerika, in denen er sein ganzes Vermögen geopfert, wandte er sich direkt an die Arbeiterklasse und blieb in ihrer Mitte noch dreißig Jahre tätig. Alle gesellschaftlichen Bewegungen, alle wirklichen Fortschritte, die in England im Interesse der Arbeiter zustande gekommen, knüpfen sich an den Namen Owen. So setzte er 1819, nach fünfjähriger Anstrengung, das erste Gesetz zur Beschränkung der Weiber- und Kinderarbeit in den Fabriken durch.[135] So präsidierte er dem ersten Kongreß, auf dem die Trades Unions von ganz England sich in eine einzige große Gewerksgenossenschaft vereinigten.[136] So führte er als Übergangsmaßregeln zur vollständig kommunistischen Einrichtung der Gesellschaft einerseits die Kooperativgesellschaften ein (Konsum- und Produktivgenossenschaften), die seitdem wenigstens den praktischen Beweis geliefert haben, daß sowohl der Kaufmann wie der Fabrikant sehr entbehrliche Personen sind; andrerseits die Arbeitsbasars[137], Anstalten zum Austausch von Arbeitsprodukten vermittelst eines Arbeitspapiergelds, dessen Einheit die Arbeitsstunde bildete; Anstalten, die notwendig scheitern mußten, die aber die weit spätere Proudhonsche Tauschbank[138] vollständig antizipierten, sich indes grade dadurch von dieser unterschieden, daß sie nicht das Universalheilmittel aller gesellschaftlichen Übel, sondern nur einen ersten Schritt zu einer weit radikalern Umgestaltung der Gesellschaft darstellten.

Die Anschauungsweise der Utopisten hat die sozialistischen Vorstellungen des 19. Jahrhunderts lange beherrscht und beherrscht sie zum Teil noch. Ihr huldigten noch bis vor ganz kurzer Zeit alle französischen und englischen Sozialisten, ihr gehört auch der frühere deutsche Kommunismus mit Einschluß Weitlings an. Der Sozialismus ist ihnen allen der Ausdruck der absoluten Wahrheit, Vernunft und Gerechtigkeit und braucht nur entdeckt zu werden, um durch eigne Kraft die Welt zu erobern; da die absolute Wahrheit unabhängig ist von Zeit, Raum und menschlicher geschichtlicher Entwicklung, so ist es bloßer Zufall, wann und wo sie entdeckt wird. Dabei ist dann die absolute Wahrheit, Vernunft und Gerechtigkeit wieder bei jedem Schulstifter verschieden; und da bei jedem die besondre Art der absoluten Wahrheit, Vernunft und Gerechtigkeit wieder bedingt ist durch seinen subjektiven Verstand, seine Lebensbedingungen, sein Maß von Kenntnissen und Denkschulung, so ist in diesem Konflikt absoluter Wahrheiten keine andre Lösung möglich, als daß sie sich aneinander abschleißen. Dabei konnte dann nichts andres herauskommen als eine Art von eklektischem Durchschnitts-Sozialismus, wie er in der Tat bis heute in den Köpfen der meisten sozialistischen Arbeiter in Frankreich und England herrscht, eine äußerst mannigfaltige Schattierungen zulassende Mischung aus den weniger Anstoß erregenden kritischen Auslassungen, ökonomischen Lehrsätzen und gesellschaftlichen Zukunftsvorstellungen der verschiednen Sektenstifter, eine Mischung, die sich um so leichter bewerkstelligt, je mehr den einzelnen Bestandteilen im Strom der Debatte die scharfen Ecken der Bestimmtheit abgeschliffen sind wie runden Kieseln im Bach. Um aus dem Sozialismus eine Wissenschaft zu machen, mußte er erst auf einen realen Boden gestellt werden.

II

Inzwischen war neben und nach der französischen Philosophie des 18. Jahrhunderts die neuere deutsche Philosophie entstanden und hatte in Hegel ihren Abschluß gefunden. Ihr größtes Verdienst war die Wiederaufnahme der Dialektik als der höchsten Form des Denkens. Die alten griechischen Philosophen waren alle geborne, naturwüchsige Dialektiker, und der universellste Kopf unter ihnen, Aristoteles, hat auch bereits die wesentlichsten Formen des dialektischen Denkens untersucht. Die neuere Philosophie dagegen, obwohl auch in ihr die Dialektik glänzende Vertreter hatte (z.B. Descartes und Spinoza), war besonders durch englischen Einfluß mehr und mehr in der sog. metaphysischen Denkweise festgefahren, von der auch die Franzosen des 18. Jahrhunderts, wenigstens in ihren speziell philosophischen Arbeiten, fast ausschließlich beherrscht wurden. Außerhalb der eigentlichen Philosophie waren sie ebenfalls imstande, Meisterwerke der Dialektik zu liefern; wir erinnern nur an „Rameaus Neffen" von Diderot[139] und die „Abhandlung über den Ursprung der Ungleichheit unter den Menschen" von Rousseau. – Wir geben hier kurz das Wesentliche beider Denkmethoden an.

Wenn wir die Natur oder die Menschengeschichte oder unsre geistige Tätigkeit der denkenden Betrachtung unterwerfen, so bietet sich uns zunächst dar das Bild einer unendlichen Verschlingung von Zusammenhängen und Wechselwirkungen, in der nichts bleibt, was, wo und wie es war, sondern alles sich bewegt, sich verändert, wird und vergeht. Wir sehen zunächst also das Gesamtbild, in dem die Einzelheiten noch mehr oder weniger zurücktreten, wir achten mehr auf die Bewegung, die Übergänge, die Zusammenhänge, als auf das, *was* sich bewegt, übergeht und zusammenhängt. Diese ursprüngliche, naive, aber der Sache nach richtige Anschauung von der Welt ist die der alten griechischen Philosophie und ist zuerst klar ausgesprochen von Heraklit: Alles ist und ist auch nicht, denn alles *fließt*, ist in steter Veränderung, in stetem Werden und Vergehen begriffen. Aber diese Anschauung, so richtig sie auch den allgemeinen Charakter des Gesamtbildes der Erscheinungen erfaßt, genügt doch nicht, die Einzelheiten zu erklären, aus denen sich dies Gesamtbild zusammensetzt; und solange wir diese nicht kennen, sind wir auch über das Gesamtbild nicht klar. Um diese Einzelheiten zu erkennen, müssen wir sie aus ihrem natürlichen oder geschichtlichen Zusammenhang herausnehmen und sie, jede für sich, nach ihrer Beschaffenheit, ihren besondren Ursachen und Wirkungen etc. untersuchen. Dies ist zunächst die Aufgabe der Naturwissenschaft und Geschichtsforschung; Untersuchungszweige, die aus sehr guten Gründen bei den Griechen der klassischen Zeit einen nur untergeordneten Rang einnahmen, weil diese vor allem erst das Material dafür zusammenschleppen mußten. Erst nachdem der natürliche und geschichtliche Stoff bis auf einen gewissen Grad angesammelt ist, kann die kritische Sichtung, die Vergleichung beziehungsweise die Einteilung in Klassen, Ordnungen und Arten in Angriff genommen werden. Die Anfänge der exakten Naturforschung werden daher erst bei den Griechen der alexandrinischen Periode [140] und später, im Mittelalter, von den Arabern weiterentwickelt; eine wirkliche Naturwissenschaft datiert indes erst von der zweiten Hälfte des 15. Jahrhunderts, und von da an hat sie mit stets wachsender Geschwindigkeit Fortschritte gemacht. Die Zerlegung der Natur in ihre einzelnen Teile, die Sonderung der verschiednen Naturvorgänge und Naturgegenstände in bestimmte Klassen, die Untersuchung des Innern der organischen Körper nach ihren mannigfachen anatomischen Gestaltungen war die Grundbedingung der Riesenfortschritte, die die letzten vierhundert Jahre uns in der Erkenntnis der Natur gebracht. Aber sie hat uns ebenfalls die Gewohnheit hinterlassen, die Naturdinge und Naturvorgänge in ihrer Vereinzelung, außerhalb des großen Gesamtzusammenhangs aufzufassen; daher nicht in ihrer Bewegung, sondern in ihrem Stillstand; nicht als wesentlich veränderliche, sondern als feste Bestände; nicht in ihrem Leben, sondern in ihrem Tod. Und indem, wie dies durch Bacon und Locke geschah, diese Anschauungsweise aus der Naturwissenschaft sich in die Philosophie übertrug, schuf sie die spezifische Borniertheit der letzten Jahrhunderte, die metaphysische Denkweise.

Für den Metaphysiker sind die Dinge und ihre Gedankenabbilder, die Begriffe, vereinzelte, eins nach dem andern und ohne das andre zu betrachtende, feste, starre, ein für allemal gegebne Gegenstände der Untersuchung. Er denkt in lauter unvermittelten Gegensätzen; seine Rede ist ja, ja, nein, nein, was darüber ist, das ist vom Übel. Für ihn existiert ein Ding entweder, oder es existiert nicht: Ein Ding kann ebensowenig zugleich es selbst und ein andres sein. Positiv und negativ schließen einander absolut aus; Ursache und Wirkung stehn ebenso in starrem Gegensatz zueinander. Diese Denkweise erscheint uns auf den ersten Blick deswegen äußerst einleuchtend, weil sie diejenige des sogenannten gesunden Menschenverstands ist. Allein der gesunde Menschenverstand, ein so respektabler Geselle er auch in dem hausbacknen Gebiet seiner vier Wände ist, erlebt ganz wunderbare Abenteuer, sobald er sich in die weite Welt der Forschung wagt; und die metaphysische Anschauungsweise, auf so weiten, je nach der Natur des Gegenstands ausgedehnten Gebieten sie auch berechtigt und sogar notwendig ist, stößt doch jedesmal früher oder später auf eine Schranke, jenseits welcher sie einseitig, borniert, abstrakt wird und sich in unlösliche Widersprüche verirrt, weil sie über den einzelnen Dingen deren Zusammenhang, über ihrem Sein ihr Werden und Vergehn, über ihrer Ruhe ihre Bewegung vergißt, weil sie vor lauter Bäumen den Wald nicht sieht. Für alltägliche Fälle wissen wir z.B. und können mit Bestimmtheit sagen, ob ein Tier existiert oder nicht; bei genauerer Untersuchung finden wir aber, daß dies manchmal eine höchst verwickelte Sache ist, wie das die Juristen sehr gut wissen, die sich umsonst abgeplagt haben, eine rationelle Grenze zu entdecken, von der an die Tötung des Kindes im Mutterleibe Mord ist; und ebenso unmöglich ist es, den Moment des Todes festzustellen, indem die Physiologie nachweist, daß der Tod nicht ein einmaliges, augenblickliches Ereignis, sondern ein sehr langwieriger Vorgang ist. Ebenso ist jedes organische Wesen in jedem Augenblick dasselbe und nicht dasselbe; in jedem Augenblick verarbeitet es von außen zugeführte Stoffe und scheidet andre aus, in jedem Augenblick sterben Zellen seines Körpers ab und bilden sich neue; je nach einer längern oder kürzern Zeit ist der Stoff dieses Körpers vollständig erneuert, durch andre Stoffatome ersetzt worden, so daß jedes organisierte[1] Wesen stets dasselbe und doch ein andres ist. Auch finden wir bei genaurer Betrachtung, daß die beiden Pole eines Gegensatzes, wie positiv und negativ, ebenso untrennbar voneinander wie entgegengesetzt sind, und daß sie trotz *aller* Gegensätzlichkeit sich gegenseitig durchdringen; ebenso, daß Ursache und Wirkung Vorstellungen sind, die nur in der Anwendung auf den einzelnen Fall als solche Gültigkeit haben, daß sie aber, sowie wir den einzelnen Fall in seinem allgemeinen Zusammenhang mit dem Weltganzen betrachten, zusammengehn, sich auflösen in der Anschauung der universellen Wechselwirkung, wo Ursachen und Wirkungen

[1] In der französischen Ausgabe: organische

fortwährend ihre Stelle wechseln, das, was jetzt oder hier Wirkung, dort oder dann Ursache wird und umgekehrt.

Alle diese Vorgänge und Denkmethoden passen nicht in den Rahmen des metaphysischen Denkens hinein. Für die Dialektik dagegen, die die Dinge und ihre begrifflichen Abbilder wesentlich in ihrem Zusammenhang, ihrer Verkettung, ihrer Bewegung, ihrem Entstehn und Vergehn auffaßt, sind Vorgänge wie die obigen ebensoviel Bestätigungen ihrer eignen Verfahrungsweise. Die Natur ist die Probe auf die Dialektik, und wir müssen es der modernen Naturwissenschaft nachsagen, daß sie für diese Probe ein äußerst reichliches, sich täglich häufendes Material geliefert und damit bewiesen hat, daß es in der Natur, in letzter Instanz, dialektisch und nicht metaphysisch hergeht, daß sie sich nicht im ewigen Einerlei eines stets wiederholten Kreises bewegt, sondern eine wirkliche Geschichte durchmacht. Hier ist vor allen Darwin zu nennen, der der metaphysischen Naturauffassung den gewaltigsten Stoß versetzt hat durch seinen Nachweis, daß die ganze heutige organische Natur, Pflanzen und Tiere und damit auch der Mensch, das Produkt eines durch Millionen Jahre fortgesetzten Entwicklungsprozesses ist. Da aber die Naturforscher bis jetzt zu zählen sind, die dialektisch zu denken gelernt haben, so erklärt sich aus diesem Konflikt der entdeckten Resultate mit der hergebrachten Denkweise die grenzenlose Verwirrung, die jetzt in der theoretischen Naturwissenschaft herrscht und die Lehrer wie Schüler, Schriftsteller wie Leser zur Verzweiflung bringt.

Eine exakte Darstellung des Weltganzen, seiner Entwicklung und der der Menschheit sowie des Spiegelbildes dieser Entwicklung in den Köpfen der Menschen, kann also nur auf dialektischem Wege, mit steter Beachtung der allgemeinen Wechselwirkungen des Werdens und Vergehens, der fort- oder rückschreitenden Änderungen zustande kommen. Und in diesem Sinne trat die neuere deutsche Philosophie auch sofort auf. Kant eröffnete seine Laufbahn damit, daß er das stabile Newtonsche Sonnensystem und seine – nachdem der famose erste Anstoß einmal gegeben – ewige Dauer auflöste in einen geschichtlichen Vorgang: in die Entstehung der Sonne und aller Planeten aus einer rotierenden Nebelmasse. Dabei zog er bereits die Folgerung, daß mit dieser Entstehung ebenfalls der künftige Untergang des Sonnensystems notwendig gegeben sei. Seine Ansicht wurde ein halbes Jahrhundert später durch Laplace mathematisch begründet und noch ein halbes Jahrhundert später wies das Spektroskop die Existenz solcher glühenden Gasmassen, in verschiednen Stufen der Verdichtung, im Weltraum nach.[141]

Ihren Abschluß fand diese neuere deutsche Philosophie im Hegelschen System, worin zum erstenmal – und das ist sein großes Verdienst – die ganze natürliche, geschichtliche und geistige Welt als ein Prozeß, d.h. als in steter Bewegung, Veränderung, Umbildung und Entwicklung begriffen, dargestellt und der Versuch gemacht wurde, den innern Zusammenhang in dieser Bewegung und Entwicklung nachzuweisen. Von diesem Gesichtspunkt aus erschien die Geschichte der Menschheit nicht mehr als ein wüstes Gewirr sinnloser Gewalttätigkeiten, die vor dem Richterstuhl der jetzt gereiften Philosophenvernunft alle gleich verwerflich sind und die man am besten so rasch wie möglich vergißt, sondern als der Entwicklungsprozeß der Menschheit selbst, dessen allmählichen Stufengang durch alle Irrwege zu verfolgen und dessen innere Gesetzmäßigkeit durch alle scheinbaren Zufälligkeiten hindurch nachzuweisen jetzt die Aufgabe des Denkens wurde.

Daß das Hegelsche System die Aufgabe nicht löste, die es sich gestellt, ist hier gleichgültig. Sein epochemachendes Verdienst war, sie gestellt zu haben. Es ist eben eine Aufgabe, die kein einzelner je wird lösen können. Obwohl Hegel – neben Saint-Simon – der universellste Kopf seiner Zeit war, so war er doch beschränkt erstens durch den notwendig begrenzten Umfang seiner eignen Kenntnisse und zweitens durch die ebenfalls nach Umfang und Tiefe begrenzten Kenntnisse und Anschauungen seiner Epoche. Dazu aber kam noch ein Drittes. Hegel war Idealist, d.h. ihm galten die Gedanken seines Kopfs nicht als die mehr oder weniger abstrakten Abbilder der wirklichen Dinge und Vorgänge, sondern umgekehrt galten ihm die Dinge und ihre Entwicklung nur als die verwirklichten Abbilder der irgendwie schon vor der Welt existierenden „Idee". Damit war alles auf den Kopf gestellt und der wirkliche Zusammenhang der Welt vollständig umgekehrt. Und so richtig und genial daher auch manche Einzelzusammenhänge von Hegel aufgefaßt wurden, so mußte doch aus den angegebnen Gründen auch im Detail vieles geflickt, gekünstelt, konstruiert, kurz, verkehrt ausfallen. Das Hegelsche System als solches war eine kolossale Fehlgeburt – aber auch die letzte ihrer Art. Es litt nämlich noch an einem innern unheilbaren Widerspruch: einerseits hatte es zur wesentlichen Voraussetzung die historische Anschauung, wonach die menschliche Geschichte ein Entwicklungsprozeß ist, der seiner Natur nach nicht durch die Entdeckung einer sogenannten absoluten Wahrheit seinen intellektuellen Abschluß finden kann; andrerseits aber behauptet es, der Inbegriff eben dieser absoluten Wahrheit zu sein. Ein allumfassendes, ein für allemal abschließendes System der Erkenntnis von Natur und Geschichte steht im Widerspruch mit den Grundgesetzen des dialektischen Denkens; was indes keineswegs ausschließt, sondern im Gegenteil einschließt, daß die systematische Erkenntnis der gesamten äußern Welt von Geschlecht zu Geschlecht Riesenfortschritte machen kann.

Die Einsicht in die totale Verkehrtheit des bisherigen deutschen Idealismus führte notwendig zum Materialismus, aber wohlgemerkt, nicht zum bloß metaphysischen, ausschließlich mechanischen Materialismus des 18. Jahrhunderts. Gegenüber der naiv-revolutionären, einfachen Verwerfung aller frühern Geschichte sieht der moderne Materialismus in der Geschichte den Entwicklungsprozeß der Menschheit, dessen Bewegungsgesetze zu entdecken seine Aufgabe ist. Gegenüber der sowohl bei den Franzosen des 18. Jahrhunderts wie noch bei Hegel herrschenden Vorstellung von der Natur als eines sich in engen Kreisläufen bewegenden, sich stets gleichbleibenden Ganzen mit ewigen Weltkörpern, wie sie Newton, und unveränderlichen Arten von organischen Wesen, wie sie Linné gelehrt hatte, faßt er die neueren Fortschritte der Naturwissenschaft zusammen, wonach die Natur ebenfalls ihre Geschichte in der Zeit hat, die Weltkörper wie die Artungen der Organismen, von denen sie unter günstigen Umständen bewohnt werden, entstehn und vergehn, und die Kreisläufe, soweit sie überhaupt zulässig bleiben, unendlich großartigere Dimensionen annehmen. In beiden Fällen ist er wesentlich dialektisch und braucht keine über den andern Wissenschaften stehende Philosophie mehr. Sobald an jede einzelne Wissenschaft die Forderung herantritt, über ihre Stellung im Gesamtzusammenhang der Dinge und der Kenntnis von den Dingen sich klarzuwerden, ist jede besondre Wissenschaft vom Gesamtzusammenhang überflüssig. Was von der ganzen bisherigen Philosophie dann noch selbständig bestehen bleibt, ist die Lehre vom Denken und seinen Gesetzen – die formelle Logik und die Dialektik. Alles andre geht auf in die positive Wissenschaft von Natur und Geschichte.

Während jedoch der Umschwung in der Naturanschauung nur in dem Maß sich vollziehn konnte, als die Forschung den entsprechenden positiven Erkenntnisstoff lieferte, hatten sich schon viel früher historische Tatsachen geltend gemacht, die für die Geschichtsauffassung eine entscheidende Wendung herbeiführten. 1831 hatte in Lyon der erste Arbeiteraufstand stattgefunden; 1838 bis 1842 erreichte die erste nationale Arbeiterbewegung, die der englischen Chartisten, ihren Höhepunkt. Der Klassenkampf zwischen Proletariat und Bourgeoisie trat in den Vordergrund der Geschichte der fortgeschrittensten Länder Europas, in demselben Maß, wie sich dort einerseits die große Industrie, andrerseits die neueroberte politische Herrschaft der Bourgeoisie entwickelte. Die Lehren der bürgerlichen Ökonomie von der Identität der Interessen von Kapital und Arbeit, von der allgemeinen Harmonie und dem allgemeinen Volkswohlstand als Folge der freien Konkurrenz wurden immer schlagender von den Tatsachen Lügen gestraft. Alle diese Dinge waren nicht mehr abzuweisen, ebensowenig wie der französische und englische Sozialismus, der ihr theoretischer, wenn auch höchst unvollkommner Ausdruck war. Aber die alte idealistische Geschichtsauffassung, die noch nicht verdrängt war, kannte keine auf materiellen Interessen beruhenden Klassenkämpfe, überhaupt keine materiellen Interessen; die Produktion wie alle ökonomischen Verhältnisse kamen in ihr nur so nebenbei, als untergeordnete Elemente der „Kulturgeschichte" vor.

Die neuen Tatsachen zwangen dazu, die ganze bisherige Geschichte einer neuen Untersuchung zu unterwerfen, und da zeigte sich, daß *alle* bisherige Geschichte, mit Ausnahme der Urzustände, die Geschichte von Klassenkämpfen war, daß diese einander bekämpfenden Klassen der Gesellschaft jedesmal Erzeugnisse sind der Produktions- und Verkehrsverhältnisse, mit einem Wort, der *ökonomischen* Verhältnisse ihrer Epoche; daß also die jedesmalige ökonomische Struktur der Gesellschaft die reale Grundlage bildet, aus der der gesamte Überbau der rechtlichen und politischen Einrichtungen sowie der religiösen, philosophischen und sonstigen Vorstellungsweise eines jeden geschichtlichen Zeitabschnitts in letzter Instanz zu erklären sind. Hegel hatte die Geschichtsauffassung von der Metaphysik befreit, er hatte sie dialektisch gemacht – aber seine Auffassung der Geschichte war wesentlich idealistisch. Jetzt war der Idealismus aus seinem letzten Zufluchtsort, aus der Geschichtsauffassung, vertrieben, eine materialistische Geschichtsauffassung gegeben und der Weg gefunden, um das Bewußtsein der Menschen aus ihrem Sein, statt wie bisher ihr Sein aus ihrem Bewußtsein zu erklären.

Hiernach erschien jetzt der Sozialismus nicht mehr als zufällige Entdeckung dieses oder jenes genialen Kopfs, sondern als das notwendige Erzeugnis des Kampfes zweier geschichtlich entstandnen Klassen, des Proletariats und der Bourgeoisie. Seine Aufgabe war nicht mehr, ein möglichst vollkommnes System der Gesellschaft zu verfertigen, sondern den geschichtlichen ökonomischen Verlauf zu untersuchen, dem diese Klassen und ihr Widerstreit mit Notwendigkeit entsprungen, und in der dadurch geschaffnen ökonomischen Lage die Mittel zur Lösung des Konflikts zu entdecken. Mit dieser materialistischen Auffassung war aber der bisherige Sozialismus ebenso unverträglich wie die Naturauffassung des französischen Materialismus mit der Dialektik und der neueren Naturwissenschaft. Der bisherige Sozialismus kritisierte zwar die bestehende kapitalistische Produktionsweise und ihre Folgen, konnte sie aber nicht erklären, also auch nicht mit ihr fertig werden; er konnte sie nur einfach als schlecht verwerfen. Je heftiger er gegen die von ihr unzertrennliche Ausbeutung der Arbeiterklasse eiferte, desto weniger war er imstand, deutlich anzugeben, worin diese Ausbeutung bestehe und wie sie entstehe. Es handelte sich aber darum, die kapitalistische Produktionsweise einerseits in ihrem geschichtlichen Zusammenhang und ihrer Notwendigkeit für einen bestimmten geschichtlichen Zeitabschnitt, also auch die Notwendigkeit ihres Untergangs, darzustellen, andrerseits aber auch ihren innern Charakter bloßzulegen, der noch immer verborgen war. Dies geschah durch die Enthüllung des *Mehrwerts*. Es wurde bewiesen, daß die Aneignung unbezahlter Arbeit die Grundform der kapitalistischen Produktionsweise und der durch sie vollzognen Ausbeutung des Arbeiters ist; daß der Kapitalist, selbst wenn er die Arbeitskraft seines Arbeiters zum vollen Wert kauft, den sie als Ware auf dem Warenmarkt hat, dennoch mehr Wert aus ihr herausschlägt, als er für sie bezahlt hat; und daß dieser Mehrwert in letzter Instanz die Wertsumme bildet, aus der sich die stets wachsende Kapitalmasse in den Händen der besitzenden Klassen anhäuft. Der Hergang sowohl der kapitalistischen Produktion wie der Produktion von Kapital war erklärt.

Diese beiden großen Entdeckungen: die materialistische Geschichtsauffassung und die Enthüllung des Geheimnisses der kapitalistischen Produktion vermittelst des Mehrwerts verdanken wir *Marx*. Mit ihnen wurde der Sozialismus eine Wissenschaft, die es sich nun zunächst darum handelt, in allen ihren Einzelnheiten und Zusammenhängen weiter auszuarbeiten.

III

Die materialistische Anschauung der Geschichte geht von dem Satz aus, daß die Produktion, und nächst der Produktion der Austausch ihrer Produkte, die Grundlage aller Gesellschaftsordnung ist; daß in jeder geschichtlich auftretenden Gesellschaft die Verteilung der Produkte, und mit ihr die soziale Gliederung in Klassen oder Stände, sich danach richtet, was und wie produziert und wie das Produzierte ausgetauscht wird. Hiernach sind die letzten Ursachen aller gesellschaftlichen Veränderungen und politischen Umwälzungen zu suchen nicht in den Köpfen der Menschen, in ihrer zunehmenden Einsicht in die ewige Wahrheit und Gerechtigkeit, sondern in Veränderungen der Produktions- und Austauschweise; sie sind zu suchen nicht in der *Philosophie*, sondern in der *Ökonomie* der betreffenden Epoche. Die erwachende Einsicht, daß die bestehenden gesellschaftlichen Einrichtungen unvernünftig und ungerecht sind, daß Vernunft Unsinn, Wohltat Plage geworden, ist nur ein Anzeichen davon, daß in den Produktionsmethoden und Austauschformen in aller Stille Veränderungen vor sich gegangen sind, zu denen die auf frühere ökonomische Bedingungen zugeschnittne gesellschaftliche Ordnung nicht mehr stimmt. Damit ist zugleich gesagt, daß die Mittel zur Beseitigung der entdeckten Mißstände ebenfalls in den veränderten Produktionsverhältnissen selbst – mehr oder minder entwickelt – vorhanden sein müssen. Diese Mittel sind nicht etwa aus dem Kopfe zu *erfinden*, sondern vermittelst des Kopfes in den vorliegenden materiellen Tatsachen der Produktion zu *entdecken*.

Wie steht es nun hiernach mit dem modernen Sozialismus?

Die bestehende Gesellschaftsordnung – das ist nun so ziemlich allgemein zugegeben – ist geschaffen worden von der jetzt herrschenden Klasse, der Bourgeoisie. Die der Bourgeoisie eigentümliche Produktionsweise, seit

Marx mit dem Namen kapitalistische Produktionsweise bezeichnet, war unverträglich mit den lokalen und ständischen Privilegien wie mit den gegenseitigen persönlichen Banden der feudalen Ordnung; die Bourgeoisie zerschlug die feudale Ordnung und stellte auf ihren Trümmern die bürgerliche Gesellschaftsverfassung her, das Reich der freien Konkurrenz, der Freizügigkeit, der Gleichberechtigung der Warenbesitzer und wie die bürgerlichen Herrlichkeiten alle heißen. Die kapitalistische Produktionsweise konnte sich jetzt frei entfalten. Die unter der Leitung der Bourgeoisie herausgearbeiteten Produktionsverhältnisse[1] entwickelten sich, seit der Dampf und die neue Werkzeugmaschinerie die alte Manufaktur in die große Industrie umgewandelt, mit bisher unerhörter Schnelligkeit und in bisher unerhörtem Maße. Aber wie ihrerzeit die Manufaktur und das unter ihrer Einwirkung weiterentwickelte Handwerk mit den feudalen Fesseln der Zünfte in Konflikt kam, so kommt die große Industrie in ihrer volleren Ausbildung in Konflikt mit den Schranken, in denen die kapitalistische Produktionsweise sie eingeengt hält. Die neuen Produktionskräfte sind der bürgerlichen Form ihrer Ausnutzung bereits über den Kopf gewachsen; und dieser Konflikt zwischen Produktivkräften und Produktionsweise ist nicht ein in den Köpfen der Menschen entstandner Konflikt, wie etwa der der menschlichen Erbsünde mit der göttlichen Gerechtigkeit, sondern er besteht in den Tatsachen, objektiv, außer uns, unabhängig vom Wollen oder Laufen selbst derjenigen Menschen, die ihn herbeigeführt. Der moderne Sozialismus ist weiter nichts als der Gedankenreflex dieses tatsächlichen Konflikts, seine ideelle Rückspiegelung in den Köpfen zunächst der Klasse, die direkt unter ihm leidet, der Arbeiterklasse.

Worin besteht nun dieser Konflikt?

Vor der kapitalistischen Produktion, also im Mittelalter, bestand allgemeiner Kleinbetrieb auf Grundlage des Privateigentums der Arbeiter an ihren Produktionsmitteln: der Ackerbau der kleinen, freien oder hörigen Bauern, das Handwerk der Städte. Die Arbeitsmittel – Land, Ackergerät, Werkstatt, Handwerkszeug – waren Arbeitsmittel des einzelnen, nur für den Einzelgebrauch berechnet, also notwendig kleinlich, zwerghaft, beschränkt. Aber sie gehörten eben deshalb auch in der Regel dem Produzenten selbst. Diese zersplitterten, engen Produktionsmittel zu konzentrieren, auszuweiten, sie in die mächtig wirkenden Produktionshebel der Gegenwart umzuwandeln, war gerade die historische Rolle der kapitalistischen Produktionsweise und ihrer Trägerin, der Bourgeoisie. Wie sie dies seit dem 15. Jahr-

[1] Im „Anti-Dühring": Produktivkräfte

hundert auf den drei Stufen: der einfachen Kooperation, der Manufaktur und der großen Industrie, geschichtlich durchgeführt, hat Marx im vierten Abschnitt des „Kapital" ausführlich geschildert.[1] Aber die Bourgeoisie, wie dort ebenfalls nachgewiesen, konnte jene beschränkten Produktionsmittel nicht in gewaltige Produktionskräfte verwandeln, ohne sie aus Produktionsmitteln des einzelnen in *gesellschaftliche*, nur von einer *Gesamtheit von Menschen* anwendbare Produktionsmittel zu verwandeln. An die Stelle des Spinnrads, des Handwebestuhls, des Schmiedehammers trat die Spinnmaschine, der mechanische Webstuhl, der Dampfhammer; an die Stelle der Einzelwerkstatt die das Zusammenwirken von Hunderten und Tausenden gebietende Fabrik. Und wie die Produktionsmittel, so verwandelte sich die Produktion selbst aus einer Reihe von Einzelhandlungen in eine Reihe gesellschaftlicher Akte und die Produkte aus Produkten einzelner in gesellschaftliche Produkte. Das Garn, das Gewebe, die Metallwaren, die jetzt aus der Fabrik kamen, waren das gemeinsame Produkt vieler Arbeiter, durch deren Hände sie der Reihe nach gehn mußten, ehe sie fertig wurden. Kein einzelner konnte von ihnen sagen: Das habe *ich* gemacht, das ist *mein* Produkt.

Wo aber die naturwüchsige, planlos allmählich entstandne Teilung der Arbeit innerhalb der Gesellschaft Grundform der Produktion ist, da drückt sie den Produkten die Form von *Waren* auf, deren gegenseitiger Austausch, Kauf und Verkauf, die einzelnen Produzenten in den Stand setzt, ihre mannigfachen Bedürfnisse zu befriedigen. Und dies war im Mittelalter der Fall. Der Bauer z. B. verkaufte Ackerbauprodukte an den Handwerker und kaufte dafür von diesem Handwerkserzeugnisse. In diese Gesellschaft von Einzelproduzenten, Warenproduzenten, schob sich nun die neue Produktionsweise ein. Mitten in die naturwüchsige, *planlose* Teilung der Arbeit, wie sie in der ganzen Gesellschaft herrschte, stellte sie die *planmäßige* Teilung der Arbeit, wie sie in der einzelnen Fabrik organisiert war; neben die *Einzel*produktion trat die *gesellschaftliche* Produktion. Die Produkte beider wurden auf demselben Markt verkauft, also zu wenigstens annähernd gleichen Preisen. Aber die planmäßige Organisation war mächtiger als die naturwüchsige Arbeitsteilung; die gesellschaftlich arbeitenden Fabriken stellten ihre Erzeugnisse wohlfeiler her als die vereinzelten Kleinproduzenten. Die Einzelproduktion erlag auf einem Gebiet nach dem andern, die gesellschaftliche Produktion revolutionierte die ganze alte Produktionsweise. Aber dieser ihr revolutionärer Charakter wurde so wenig erkannt, daß sie im Gegenteil eingeführt wurde als Mittel zur Hebung und Förde-

[1] Siehe Band 23 unserer Ausgabe, S. 331–530

rung der Warenproduktion. Sie entstand in direkter Anknüpfung an bestimmte, bereits vorgefundne Hebel der Warenproduktion und des Warenaustausches: Kaufmannskapital, Handwerk, Lohnarbeit. Indem sie selbst auftrat als eine neue Form der Warenproduktion, blieben die Aneignungsformen der Warenproduktion auch für sie in voller Geltung.

In der Warenproduktion, wie sie sich im Mittelalter entwickelt hatte, konnte die Frage gar nicht entstehn, wem das Erzeugnis der Arbeit gehören solle. Der einzelne Produzent hatte es, in der Regel, aus ihm gehörendem, oft selbsterzeugtem Rohstoff, mit eignen Arbeitsmitteln und mit eigner Handarbeit oder der seiner Familie hergestellt. Es brauchte gar nicht erst von ihm angeeignet zu werden, es gehörte ihm ganz von selbst. Das Eigentum am Produkte beruhte also *auf eigner Arbeit.* Selbst wo fremde Hülfe gebraucht ward, blieb diese in der Regel Nebensache und erhielt häufig außer dem Lohn noch andre Vergütung: Der zünftige Lehrling und Geselle arbeiteten weniger wegen der Kost und des Lohns, als wegen ihrer eignen Ausbildung zur Meisterschaft. Da kam die Konzentration der Produktionsmittel in großen Werkstätten und Manufakturen, ihre Verwandlung in tatsächlich gesellschaftliche Produktionsmittel. Aber die gesellschaftlichen Produktionsmittel und Produkte wurden behandelt, als wären sie nach wie vor die Produktionsmittel und Produkte einzelner. Hatte bisher der Besitzer der Arbeitsmittel sich das Produkt angeeignet, weil es in der Regel sein eignes Produkt und fremde Hülfsarbeit die Ausnahme war, so fuhr jetzt der Besitzer der Arbeitsmittel fort, sich das Produkt anzueignen, obwohl es nicht mehr *sein* Produkt war, sondern ausschließlich Produkt *fremder Arbeit.* So wurden also die nunmehr gesellschaftlich erzeugten Produkte angeeignet nicht von denen, die die Produktionsmittel wirklich in Bewegung gesetzt und die Produkte wirklich erzeugt hatten, sondern vom *Kapitalisten.* Produktionsmittel und Produktion sind wesentlich gesellschaftlich geworden. Aber sie werden unterworfen einer Aneignungsform, die die Privatproduktion einzelner zur Voraussetzung hat, wobei also jeder sein eignes Produkt besitzt und zu Markte bringt. Die Produktionsweise wird dieser Aneignungsform unterworfen, obwohl sie deren Voraussetzung aufhebt.* In diesem Widerspruch, der der neuen Produktionsweise ihren

* Es braucht hier nicht auseinandergesetzt zu werden, daß, wenn auch die Aneignungs*form* dieselbe bleibt, der *Charakter* der Aneignung durch den oben geschilderten Vorgang nicht minder revolutioniert wird als die Produktion. Ob ich mir mein eignes Produkt aneigne oder das Produkt andrer, das sind natürlich zwei sehr verschiedne Arten von Aneignung. Nebenbei: die Lohnarbeit, in der die ganze kapitalistische Produktionsweise bereits im Keime steckt, ist sehr alt; vereinzelt und zerstreut ging sie jahr-

kapitalistischen Charakter verleiht, *liegt die ganze Kollision der Gegenwart bereits im Keim.* Je mehr die neue Produktionsweise auf allen entscheidenden Produktionsfeldern und in allen ökonomisch entscheidenden Ländern zur Herrschaft kam und damit die Einzelproduktion bis auf unbedeutende Reste verdrängte, *desto greller mußte auch an den Tag treten die Unverträglichkeit von gesellschaftlicher Produktion und kapitalistischer Aneignung.*

Die ersten Kapitalisten fanden, wie gesagt, die Form der Lohnarbeit bereits vor. Aber Lohnarbeit als Ausnahme, als Nebenbeschäftigung, als Aushülfe, als Durchgangspunkt. Der Landarbeiter, der zeitweise taglöhnern ging, hatte seine paar Morgen eignes Land, von denen allein er zur Not leben konnte. Die Zunftordnungen sorgten dafür, daß der Geselle von heute in den Meister von morgen überging. Sobald aber die Produktionsmittel in gesellschaftliche verwandelt und in den Händen von Kapitalisten konzentriert wurden, änderte sich dies. Das Produktionsmittel wie das Produkt des kleinen Einzelproduzenten wurde mehr und mehr wertlos; es blieb ihm nichts übrig, als zum Kapitalisten auf Lohn zu gehn. Die Lohnarbeit, früher Ausnahme und Aushülfe, wurde Regel und Grundform der ganzen Produktion; früher Nebenbeschäftigung, wurde sie jetzt ausschließliche Tätigkeit des Arbeiters. Der zeitweilige Lohnarbeiter verwandelte sich in den lebenslänglichen. Die Menge der lebenslänglichen Lohnarbeiter wurde zudem kolossal vermehrt durch den gleichzeitigen Zusammenbruch der feudalen Ordnung, Auflösung der Gefolgschaften der Feudalherren, Vertreibung von Bauern aus ihren Hofstellen etc. Die Scheidung war vollzogen zwischen den in den Händen der Kapitalisten konzentrierten Produktionsmitteln hier und den auf den Besitz von nichts als ihrer Arbeitskraft reduzierten Produzenten dort. *Der Widerspruch zwischen gesellschaftlicher Produktion und kapitalistischer Aneignung tritt an den Tag als Gegensatz von Proletariat und Bourgeoisie.*

Wir sahen, daß die kapitalistische Produktionsweise sich einschob in eine Gesellschaft von Warenproduzenten, Einzelproduzenten, deren gesellschaftlicher Zusammenhang vermittelt wurde durch den Austausch ihrer Produkte. Aber jede auf Warenproduktion beruhende Gesellschaft hat das Eigentümliche, daß in ihr die Produzenten die Herrschaft über ihre eignen gesellschaftlichen Beziehungen verloren haben. Jeder produziert für sich mit seinen zufälligen Produktionsmitteln und für sein besondres Austauschbedürfnis. Keiner weiß, wieviel von seinem Artikel auf den Markt kommt,

---

hundertelang her neben der Sklaverei. Aber zur kapitalistischen Produktionsweise entfalten konnte sich der Keim erst, als die geschichtlichen Vorbedingungen hergestellt waren.

wieviel davon überhaupt gebraucht wird, keiner weiß, ob sein Einzelprodukt einen wirklichen Bedarf vorfindet, ob er seine Kosten herausschlagen oder überhaupt wird verkaufen können. Es herrscht Anarchie der gesellschaftlichen Produktion. Aber die Warenproduktion, wie jede andere Produktionsform, hat ihre eigentümlichen, inhärenten, von ihr untrennbaren Gesetze; und diese Gesetze setzen sich durch, trotz der Anarchie, in ihr, durch sie. Sie kommen zum Vorschein in der einzigen, fortbestehenden Form des gesellschaftlichen Zusammenhangs, im Austausch, und machen sich geltend gegenüber den einzelnen Produzenten als Zwangsgesetze der Konkurrenz. Sie sind diesen Produzenten also anfangs selbst unbekannt und müssen erst durch lange Erfahrung nach und nach von ihnen entdeckt werden. Sie setzen sich also durch, ohne die Produzenten und gegen die Produzenten, als blindwirkende Naturgesetze ihrer Produktionsform. Das Produkt beherrscht die Produzenten.

In der mittelalterlichen Gesellschaft, namentlich in den ersten Jahrhunderten, war die Produktion wesentlich auf den Selbstgebrauch gerichtet. Sie befriedigte vorwiegend nur die Bedürfnisse des Produzenten und seiner Familie. Wo, wie auf dem Lande, persönliche Abhängigkeitsverhältnisse bestanden, trug sie auch bei zur Befriedigung der Bedürfnisse des Feudalherrn. Hierbei fand also kein Austausch statt, die Produkte nahmen daher auch nicht den Charakter von Waren an. Die Familie des Bauern produzierte fast alles, was sie brauchte, Geräte und Kleider nicht minder als Lebensmittel. Erst als sie dahin kam, einen Überschuß über ihren eignen Bedarf und über die dem Feudalherrn geschuldeten Naturalabgaben zu produzieren, erst da produzierte sie auch Waren; dieser Überschuß, in den gesellschaftlichen Austausch geworfen, zum Verkauf ausgeboten, wurde Ware. Die städtischen Handwerker mußten allerdings schon gleich anfangs für den Austausch produzieren. Aber auch sie erarbeiteten den größten Teil ihres Eigenbedarfs selbst; sie hatten Gärten und kleine Felder; sie schickten ihr Vieh in den Gemeindewald, der ihnen zudem Nutzholz und Feuerung lieferte, die Frauen spannen Flachs, Wolle usw. Die Produktion zum Zweck des Austausches, die Warenproduktion, war erst im Entstehn. Daher beschränkter Austausch, beschränkter Markt, stabile Produktionsweise, lokaler Abschluß nach außen, lokale Vereinigung nach innen; die Mark* auf dem Lande, die Zunft in der Stadt.

Mit der Erweiterung der Warenproduktion aber, und namentlich mit

* Siehe Anhang am Schluß.[1]

[1] Siehe vorl. Band, S. 315–330

dem Auftreten der kapitalistischen Produktionsweise, traten auch die bisher schlummernden Gesetze der Warenproduktion offner und mächtiger in Wirksamkeit. Die alten Verbände wurden gelockert, die alten Abschließungsschranken durchbrochen, die Produzenten mehr und mehr in unabhängige, vereinzelte Warenproduzenten verwandelt. Die Anarchie der gesellschaftlichen Produktion trat an den Tag und wurde mehr und mehr auf die Spitze getrieben. Das Hauptwerkzeug aber, womit die kapitalistische Produktionsweise diese Anarchie in der gesellschaftlichen Produktion steigerte, war das gerade Gegenteil der Anarchie: die steigende Organisation der Produktion, als gesellschaftlicher, in jedem einzelnen Produktionsetablissement. Mit diesem Hebel machte sie der alten friedlichen Stabilität ein Ende. Wo sie in einem Industriezweig eingeführt wurde, litt sie keine ältre Methode des Betriebs neben sich. Wo sie sich des Handwerks bemächtigte, vernichtete sie das alte Handwerk. Das Arbeitsfeld wurde ein Kampfplatz. Die großen geographischen Entdeckungen und die ihnen folgenden Kolonisierungen vervielfältigten das Absatzgebiet und beschleunigten die Verwandlung des Handwerks in die Manufaktur. Nicht nur brach der Kampf aus zwischen den einzelnen Lokalproduzenten; die lokalen Kämpfe wuchsen ihrerseits an zu nationalen, den Handelskriegen des 17. und 18. Jahrhunderts.[142] Die große Industrie endlich und die Herstellung des Weltmarkts haben den Kampf universell gemacht und gleichzeitig ihm eine unerhörte Heftigkeit gegeben. Zwischen einzelnen Kapitalisten wie zwischen ganzen Industrien und ganzen Ländern entscheidet die Gunst der natürlichen oder geschaffnen Produktionsbedingungen über die Existenz. Der Unterliegende wird schonungslos beseitigt. Es ist der Darwinsche Kampf ums Einzeldasein, aus der Natur mit potenzierter Wut übertragen in die Gesellschaft. Der Naturstandpunkt des Tiers erscheint als Gipfelpunkt der menschlichen Entwicklung. Der Widerspruch zwischen gesellschaftlicher Produktion und kapitalistischer Aneignung stellt sich nun dar als *Gegensatz zwischen der Organisation der Produktion in der einzelnen Fabrik und der Anarchie der Produktion in der ganzen Gesellschaft*.

In diesen beiden Erscheinungsformen des ihr durch ihren Ursprung immanenten Widerspruchs bewegt sich die kapitalistische Produktionsweise, beschreibt sie auswegslos jenen „fehlerhaften Kreislauf", den schon Fourier an ihr entdeckte. Was Fourier allerdings zu seiner Zeit noch nicht sehn konnte, ist, daß sich dieser Kreislauf allmählich verengert, daß die Bewegung vielmehr eine Spirale darstellt und ihr Ende erreichen muß, wie die der Planeten, durch Zusammenstoß mit dem Zentrum. Es ist die treibende Kraft der gesellschaftlichen Anarchie der Produktion, die die große Mehrzahl der Menschen mehr und mehr in Proletarier verwandelt, und es sind wieder die Proletariermassen, die schließlich der Produktionsanarchie ein Ende machen werden. Es ist die treibende Kraft der sozialen Produktionsanarchie, die die unendliche Vervollkommnungsfähigkeit der Maschinen der großen Industrie in ein Zwangsgebot verwandelt für jeden einzelnen industriellen Kapitalisten, seine Maschinerie mehr und mehr zu vervollkommnen, bei Strafe des Untergangs. Aber Vervollkommnung der Maschinerie, das heißt Überflüssigmachung von Menschenarbeit. Wenn die Einführung und Vermehrung der Maschinerie Verdrängung von Millionen von Handarbeitern durch wenige Maschinenarbeiter bedeutet, so bedeutet Verbesserung der Maschinerie Verdrängung von mehr und mehr Maschinenarbeitern selbst und in letzter Instanz Erzeugung einer das durchschnittliche Beschäftigungsbedürfnis des Kapitals überschreitenden Anzahl disponibler Lohnarbeiter, einer vollständigen industriellen Reservearmee, wie ich sie schon 1845* nannte, disponibel für die Zeiten, wo die Industrie mit Hochdruck arbeitet, aufs Pflaster geworfen durch den notwendig folgenden Krach, zu allen Zeiten ein Bleigewicht an den Füßen der Arbeiterklasse in ihrem Existenzkampf mit dem Kapital, ein Regulator zur Niederhaltung des Arbeitslohns auf dem dem kapitalistischen Bedürfnis angemeßnen niedrigen Niveau. So geht es zu, daß die Maschinerie, um mit Marx zu reden, das machtvollste Kriegsmittel des Kapitals gegen die Arbeiterklasse wird, daß das Arbeitsmittel dem Arbeiter fortwährend das Lebensmittel aus der Hand schlägt, daß das eigne Produkt des Arbeiters sich verwandelt in ein Werkzeug zur Knechtung des Arbeiters.[2] So kommt es, daß die Ökonomisierung der Arbeitsmittel von vornherein zugleich rücksichtsloseste Verschwendung der Arbeitskraft und Raub an den normalen Voraussetzungen der Arbeitsfunktion wird[3]; daß die Maschinerie, das gewaltigste Mittel zur Verkürzung der Arbeitszeit, umschlägt in das unfehlbarste Mittel, alle Lebenszeit des Arbeiters und seiner Familie in disponible Arbeitszeit für die Verwertung des Kapitals zu verwandeln; so kommt es, daß die Überarbeitung der einen die Voraussetzung wird für die Beschäftigungslosigkeit der andern und daß die große Industrie, die den ganzen Erdkreis nach neuen Konsumenten abjagt, zu Hause die Konsumtion der Massen auf ein Hungerminimum beschränkt und sich damit den eignen innern Markt untergräbt. „Das Gesetz, welches die relative Surpluspopu-

* „Lage der arbeitenden Klasse in England", S. 109[1]

[1] Siehe Band 2 unserer Ausgabe, S.314 – [2] siehe Band 23 unserer Ausgabe, S.459 und 511 – [3] ebenda, S.486

lation oder industrielle Reservearmee stets mit Umfang und Energie der Kapitalakkumulation im Gleichgewicht hält, schmiedet den Arbeiter fester an das Kapital als den Prometheus die Keile des Hephästos an den Felsen. Es bedingt eine der Akkumulation von Kapital entsprechende Akkumulation von Elend. Die Akkumulation von Reichtum auf dem einen Pol ist also zugleich Akkumulation von Elend, Arbeitsqual, Sklaverei, Unwissenheit, Bestialisierung und moralischer Degradation auf dem Gegenpol, d.h. auf Seite der Klasse, die *ihr eigenes Produkt als Kapital produziert.*" (Marx, „Kapital", S.671.[1]) Und von der kapitalistischen Produktionsweise eine andre Verteilung der Produkte erwarten, hieße verlangen, die Elektroden einer Batterie sollten das Wasser unzersetzt lassen, solange sie mit der Batterie in Verbindung stehn, und nicht am positiven Pol Sauerstoff entwickeln und am negativen Wasserstoff.

Wir sahen, wie die aufs höchste gesteigerte Verbesserungsfähigkeit der modernen Maschinerie, vermittelst der Anarchie der Produktion in der Gesellschaft, sich verwandelt in ein Zwangsgebot für den einzelnen industriellen Kapitalisten, seine Maschinerie stets zu verbessern, ihre Produktionskraft stets zu erhöhn. In ein ebensolches Zwangsgebot verwandelt sich für ihn die bloße faktische Möglichkeit, seinen Produktionsbereich zu erweitern. Die enorme Ausdehnungskraft der großen Industrie, gegen die diejenige der Gase ein wahres Kinderspiel ist, tritt uns jetzt vor die Augen als ein qualitatives und quantitatives Ausdehnungs*bedürfnis*, das jedes Gegendrucks spottet. Der Gegendruck wird gebildet durch die Konsumtion, den Absatz, die Märkte für die Produkte der großen Industrie. Aber die Ausdehnungsfähigkeit der Märkte, extensive wie intensive, wird beherrscht zunächst durch ganz andre, weit weniger energisch wirkende Gesetze. Die Ausdehnung der Märkte kann nicht Schritt halten mit der Ausdehnung der Produktion. Die Kollision wird unvermeidlich, und da sie keine Lösung erzeugen kann, solange sie nicht die kapitalistische Produktionsweise selbst sprengt, wird sie periodisch. Die kapitalistische Produktion erzeugt einen neuen „fehlerhaften Kreislauf".

In der Tat, seit 1825, wo die erste allgemeine Krisis ausbrach, geht die ganze industrielle und kommerzielle Welt, die Produktion und der Austausch sämtlicher zivilisierten Völker und ihrer mehr oder weniger barbarischen Anhängsel, so ziemlich alle zehn Jahre einmal aus den Fugen. Der Verkehr stockt, die Märkte sind überfüllt, die Produkte liegen da, ebenso massenhaft wie unabsetzbar, das bare Geld wird unsichtbar, der Kredit verschwindet,

[1] Siehe Band 23 unserer Ausgabe, S.675

die Fabriken stehn still, die arbeitenden Massen ermangeln der Lebensmittel, weil sie zuviel Lebensmittel produziert haben, Bankerott folgt auf Bankerott, Zwangsverkauf auf Zwangsverkauf. Jahrelang dauert die Stokkung, Produktivkräfte wie Produkte werden massenhaft vergeudet und zerstört, bis die aufgehäuften Warenmassen unter größrer oder geringrer Entwertung endlich abfließen, bis Produktion und Austausch allmählich wieder in Gang kommen. Nach und nach beschleunigt sich die Gangart, fällt in Trab, der industrielle Trab geht über in Galopp, und dieser steigert sich wieder bis zur zügellosen Karriere einer vollständigen industriellen, kommerziellen, kreditlichen und spekulativen Steeple-chase, um endlich nach den halsbrechendsten Sprüngen wieder anzulangen – im Graben des Krachs. Und so immer von neuem. Das haben wir nun seit 1825 volle fünfmal erlebt und erleben es in diesem Augenblick (1877) zum sechsten Mal. Und der Charakter dieser Krisen ist so scharf ausgeprägt, daß Fourier sie alle traf, als er die erste bezeichnete als: crise pléthorique, Krisis aus Überfluß [143].

In den Krisen kommt der Widerspruch zwischen gesellschaftlicher Produktion und kapitalistischer Aneignung zum gewaltsamen Ausbruch. Der Warenumlauf ist momentan vernichtet: das Zirkulationsmittel, das Geld, wird Zirkulationshindernis; alle Gesetze der Warenproduktion und Warenzirkulation werden auf den Kopf gestellt. Die ökonomische Kollision hat ihren Höhepunkt erreicht: *Die Produktionsweise rebelliert gegen die Austauschweise.*

Die Tatsache, daß die gesellschaftliche Organisation der Produktion innerhalb der Fabrik sich zu dem Punkt entwickelt hat, wo sie unverträglich geworden ist mit der neben und über ihr bestehenden Anarchie der Produktion in der Gesellschaft – diese Tatsache wird den Kapitalisten selbst handgreiflich gemacht durch die gewaltsame Konzentration der Kapitale, die sich während der Krisen vollzieht vermittelst des Ruins vieler großen und noch mehr kleiner Kapitalisten. Der gesamte Mechanismus der kapitalistischen Produktionsweise versagt unter dem Druck der von ihr selbst erzeugten Produktivkräfte. Sie kann diese Masse von Produktionsmitteln nicht mehr alle in Kapital verwandeln; sie liegen brach, und eben deshalb muß auch die industrielle Reservearmee brachliegen. Produktionsmittel, Lebensmittel, disponible Arbeiter, alle Elemente der Produktion und des allgemeinen Reichtums sind im Überfluß vorhanden. Aber „der Überfluß wird Quelle der Not und des Mangels“ (Fourier), weil er es gerade ist, der die Verwandlung der Produktions- und Lebensmittel in Kapital verhindert. Denn in der kapitalistischen Gesellschaft können die Produktionsmittel nicht in Tätigkeit treten, es sei denn, sie hätten sich zuvor in Kapital, in Mittel zur Ausbeutung menschlicher Arbeitskraft verwandelt. Wie ein Gespenst steht die Notwendigkeit der Kapitaleigenschaft der Produktions- und Lebensmittel zwischen ihnen und den Arbeitern. Sie allein verhindert das Zusammentreten der sachlichen und der persönlichen Hebel der Produktion; sie allein verbietet den Produktionsmitteln, zu fungieren, den Arbeitern, zu arbeiten und zu leben. Einesteils also wird die kapitalistische Produktionsweise ihrer eignen Unfähigkeit zur ferneren Verwaltung dieser Produktivkräfte überführt. Andrerseits drängen diese Produktivkräfte selbst mit steigender Macht nach Aufhebung des Widerspruchs, nach ihrer Erlösung von ihrer Eigenschaft als Kapital, nach *tatsächlicher Anerkennung ihres Charakters als gesellschaftlicher Produktivkräfte.*

Es ist dieser Gegendruck der gewaltig anwachsenden Produktivkräfte gegen ihre Kapitaleigenschaft, dieser steigende Zwang zur Anerkennung ihrer gesellschaftlichen Natur, der die Kapitalistenklasse selbst nötigt, mehr und mehr, soweit dies innerhalb des Kapitalverhältnisses überhaupt möglich, sie als gesellschaftliche Produktivkräfte zu behandeln. Sowohl die industrielle Hochdruckperiode mit ihrer schrankenlosen Kreditaufblähung, wie der Krach selbst durch den Zusammenbruch großer kapitalistischer Etablissements, treiben zu derjenigen Form der Vergesellschaftung größrer Massen von Produktionsmitteln, die uns in den verschiednen Arten von Aktiengesellschaften gegenübertritt. Manche dieser Produktions- und Verkehrsmittel sind von vornherein so kolossal, daß sie, wie die Eisenbahnen, jede andere Form kapitalistischer Ausbeutung ausschließen. Auf einer gewissen Entwicklungsstufe genügt auch diese Form nicht mehr; die inländischen Großproduzenten eines und desselben Industriezweigs vereinigen sich zu einem „Trust", einer Vereinigung zum Zweck der Regulierung der Produktion; sie bestimmen das zu produzierende Gesamtquantum, verteilen es unter sich und erzwingen so den im voraus festgesetzten Verkaufspreis. Da solche Trusts aber bei der ersten schlechten Geschäftszeit meist aus dem Leim gehn, treiben sie eben dadurch zu einer noch konzentrierteren Vergesellschaftung: Der ganze Industriezweig verwandelt sich in eine einzige große Aktiengesellschaft, die inländische Konkurrenz macht dem inländischen Monopol dieser einen Gesellschaft Platz; wie dies noch 1890 mit der englischen Alkaliproduktion geschehen, die jetzt, nach Verschmelzung sämtlicher 48 großen Fabriken, in der Hand einer einzigen, einheitlich geleiteten Gesellschaft mit einem Kapital von 120 Millionen Mark betrieben wird.

In den Trusts schlägt die freie Konkurrenz um ins Monopol, kapituliert die planlose Produktion der kapitalistischen Gesellschaft vor der planmäßigen Produktion der hereinbrechenden sozialistischen Gesellschaft. Allerdings zunächst noch zu Nutz und Frommen der Kapitalisten. Hier aber wird die Ausbeutung so handgreiflich, daß sie zusammenbrechen muß. Kein Volk würde eine durch Trusts geleitete Produktion, eine so unverhüllte Ausbeutung der Gesamtheit durch eine kleine Bande von Kuponabschneidern sich gefallen lassen.

So oder so, mit oder ohne Trusts, muß schließlich der offizielle Repräsentant der kapitalistischen Gesellschaft, der Staat, die Leitung der Produktion übernehmen.* Diese Notwendigkeit der Verwandlung in Staatseigentum tritt zuerst hervor bei den großen Verkehrsanstalten: Post, Telegraphen, Eisenbahnen.

Wenn die Krisen die Unfähigkeit der Bourgeoisie zur fernern Verwaltung der modernen Produktivkräfte aufdeckten, so zeigt die Verwandlung der großen Produktions- und Verkehrsanstalten in Aktiengesellschaften, Trusts und Staatseigentum die Entbehrlichkeit der Bourgeoisie für jenen Zweck. Alle gesellschaftlichen Funktionen des Kapitalisten werden jetzt von besoldeten Angestellten versehn. Der Kapitalist hat keine gesellschaftliche Tätigkeit mehr, außer Revenueneinstreichen, Kuponsabschneiden und

---

* Ich sage, *muß*. Denn nur in dem Falle, daß die Produktions- oder Verkehrsmittel der Leitung durch Aktiengesellschaften *wirklich* entwachsen sind, daß also die Verstaatlichung *ökonomisch* unabweisbar geworden, nur in diesem Falle bedeutet sie, auch wenn der heutige Staat sie vollzieht, einen ökonomischen Fortschritt, die Erreichung einer neuen Vorstufe zur Besitzergreifung aller Produktivkräfte durch die Gesellschaft selbst. Es ist aber neuerdings, seit Bismarck sich aufs Verstaatlichen geworfen, ein gewisser falscher Sozialismus aufgetreten und hie und da sogar in einige Wohldienerei ausgeartet, der *jede* Verstaatlichung, selbst die Bismarcksche, ohne weiteres für sozialistisch erklärt. Allerdings, wäre die Verstaatlichung des Tabaks sozialistisch, so zählten Napoleon und Metternich mit unter den Gründern des Sozialismus. Wenn der belgische Staat aus ganz alltäglichen politischen und finanziellen Gründen seine Haupteisenbahnen selbst baute, wenn Bismarck ohne jede ökonomische Notwendigkeit die Hauptbahnlinien Preußens verstaatlichte, einfach, um sie für den Kriegsfall besser einrichten und ausnützen zu können, um die Eisenbahnbeamten zu Regierungsstimmvieh zu erziehn und hauptsächlich, um sich eine neue, von Parlamentsbeschlüssen unabhängige Einkommenquelle zu verschaffen – so waren das keineswegs sozialistische Schritte, direkt oder indirekt, bewußt oder unbewußt. Sonst wären auch die königliche Seehandlung[144], die königliche Porzellanmanufaktur und sogar der Kompanieschneider beim Militär sozialistische Einrichtungen oder gar die unter Friedrich Wilhelm III. in den dreißiger Jahren alles Ernstes von einem Schlaumeier vorgeschlagene Verstaatlichung der – Bordelle.

Spielen an der Börse, wo die verschiednen Kapitalisten untereinander sich ihr Kapital abnehmen. Hat die kapitalistische Produktionsweise zuerst Arbeiter verdrängt, so verdrängt sie jetzt die Kapitalisten und verweist sie, ganz wie die Arbeiter, in die überflüssige Bevölkerung, wenn auch zunächst noch nicht in die industrielle Reservearmee.

Aber weder die Verwandlung in Aktiengesellschaften und Trusts noch die in Staatseigentum hebt die Kapitaleigenschaft der Produktivkräfte auf. Bei den Aktiengesellschaften und Trusts liegt dies auf der Hand. Und der moderne Staat ist wieder nur die Organisation, welche sich die bürgerliche Gesellschaft gibt, um die allgemeinen äußern Bedingungen der kapitalistischen Produktionsweise aufrechtzuerhalten gegen Übergriffe sowohl der Arbeiter wie der einzelnen Kapitalisten. Der moderne Staat, was auch seine Form, ist eine wesentlich kapitalistische Maschine, Staat der Kapitalisten, der ideelle Gesamtkapitalist. Je mehr Produktivkräfte er in sein Eigentum übernimmt, desto mehr wird er wirklicher Gesamtkapitalist, desto mehr Staatsbürger beutet er aus. Die Arbeiter bleiben Lohnarbeiter, Proletarier. Das Kapitalverhältnis wird nicht aufgehoben, es wird vielmehr auf die Spitze getrieben. Aber auf der Spitze schlägt es um. Das Staatseigentum an den Produktivkräften ist nicht Lösung des Konflikts, aber es birgt in sich das formelle Mittel, die Handhabe der Lösung.

Diese Lösung kann nur darin liegen, daß die gesellschaftliche Natur der modernen Produktivkräfte tatsächlich anerkannt, daß also die Produktions-, Aneignungs- und Austauschweise in Einklang gesetzt wird mit dem gesellschaftlichen Charakter der Produktionsmittel. Und dies kann nur dadurch geschehn, daß die Gesellschaft offen und ohne Umwege Besitz ergreift von den jeder andren Leitung außer der ihrigen entwachsenen Produktivkräften. Damit wird der gesellschaftliche Charakter der Produktionsmittel und Produkte, der sich heute gegen die Produzenten selbst kehrt, der die Produktions- und Austauschweise periodisch durchbricht und sich nur als blind wirkendes Naturgesetz gewalttätig und zerstörend durchsetzt, von den Produzenten mit vollem Bewußtsein zur Geltung gebracht und verwandelt sich aus einer Ursache der Störung und des periodischen Zusammenbruchs in den mächtigsten Hebel der Produktion selbst.

Die gesellschaftlich wirksamen Kräfte wirken ganz wie die Naturkräfte: blindlings, gewaltsam, zerstörend, solange wir sie nicht erkennen und nicht mit ihnen rechnen. Haben wir sie aber einmal erkannt, ihre Tätigkeit, ihre Richtungen, ihre Wirkungen begriffen, so hängt es nur von uns ab, sie mehr und mehr unserm Willen zu unterwerfen und vermittelst ihrer unsre Zwecke zu erreichen. Und ganz besonders gilt dies von den heutigen gewaltigen

Produktivkräften. Solange wir uns hartnäckig weigern, ihre Natur und ihren Charakter zu verstehn – und gegen dies Verständnis sträubt sich die kapitalistische Produktionsweise und ihre Verteidiger –, solange wirken diese Kräfte sich aus, trotz uns, gegen uns, solange beherrschen sie uns, wie wir das ausführlich dargestellt haben. Aber einmal in ihrer Natur begriffen, können sie in den Händen der assoziierten Produzenten aus dämonischen Herrschern in willige Diener verwandelt werden. Es ist der Unterschied zwischen der zerstörenden Gewalt der Elektrizität im Blitze des Gewitters und der gebändigten Elektrizität des Telegraphen und des Lichtbogens; der Unterschied der Feuersbrunst und des im Dienst des Menschen wirkenden Feuers. Mit dieser Behandlung der heutigen Produktivkräfte nach ihrer endlich erkannten Natur tritt an die Stelle der gesellschaftlichen Produktionsanarchie eine gesellschaftlich-planmäßige Regelung der Produktion nach den Bedürfnissen der Gesamtheit wie jedes einzelnen. Damit wird die kapitalistische Aneignungsweise, in der das Produkt zuerst den Produzenten, dann aber auch den Aneigner knechtet, ersetzt durch die in der Natur der modernen Produktionsmittel selbst begründete Aneignungsweise der Produkte: einerseits direkt gesellschaftliche Aneignung als Mittel zur Erhaltung und Erweiterung der Produktion, andrerseits direkt individuelle Aneignung als Lebens- und Genußmittel.

Indem die kapitalistische Produktionsweise mehr und mehr die große Mehrzahl der Bevölkerung in Proletarier verwandelt, schafft sie die Macht, die diese Umwälzung, bei Strafe des Untergangs, zu vollziehn genötigt ist. Indem sie mehr und mehr auf Verwandlung der großen vergesellschafteten Produktionsmittel in Staatseigentum drängt, zeigt sie selbst den Weg an zur Vollziehung der Umwälzung. *Das Proletariat ergreift die Staatsgewalt und verwandelt die Produktionsmittel zunächst in Staatseigentum.* Aber damit hebt es sich selbst als Proletariat, damit hebt es alle Klassenunterschiede und Klassengegensätze auf und damit auch den Staat als Staat. Die bisherige, sich in Klassengegensätzen bewegende Gesellschaft hatte den Staat nötig, d.h. eine Organisation der jedesmaligen ausbeutenden Klasse zur Aufrechterhaltung ihrer äußern Produktionsbedingungen, also namentlich zur gewaltsamen Niederhaltung der ausgebeuteten Klasse in den durch die bestehende Produktionsweise gegebnen Bedingungen der Unterdrückung (Sklaverei, Leibeigenschaft oder Hörigkeit, Lohnarbeit). Der Staat war der offizielle Repräsentant der ganzen Gesellschaft, ihre Zusammenfassung in einer sichtbaren Körperschaft, aber er war dies nur, insofern er der Staat derjenigen Klasse war, welche selbst für ihre Zeit die ganze Gesellschaft vertrat: im Altertum Staat der sklavenhaltenden Staatsbürger, im Mittelalter des Feudaladels, in unsrer Zeit der Bourgeoisie. Indem er endlich tatsächlich Repräsentant der ganzen Gesellschaft wird, macht er sich selbst überflüssig. Sobald es keine Gesellschaftsklasse mehr in der Unterdrückung zu halten gibt, sobald mit der Klassenherrschaft und dem in der bisherigen Anarchie der Produktion begründeten Kampf ums Einzeldasein auch die daraus entspringenden Kollisionen und Exzesse beseitigt sind, gibt es nichts mehr zu reprimieren, das eine besondre Repressionsgewalt, einen Staat, nötig machte. Der erste Akt, worin der Staat wirklich als Repräsentant der ganzen Gesellschaft auftritt – die Besitzergreifung der Produktionsmittel im Namen der Gesellschaft –, ist zugleich sein letzter selbständiger Akt als Staat. Das Eingreifen einer Staatsgewalt in gesellschaftliche Verhältnisse wird auf einem Gebiete nach dem andern überflüssig und schläft dann von selbst ein. An die Stelle der Regierung über Personen tritt die Verwaltung von Sachen und die Leitung von Produktionsprozessen. Der Staat wird nicht „abgeschafft", *er stirbt ab.* Hieran ist die Phrase vom „freien Volksstaat" [145] zu messen, also sowohl nach ihrer zeitweiligen agitatorischen Berechtigung wie nach ihrer endgültigen wissenschaftlichen Unzulänglichkeit; hieran ebenfalls die Forderung der sogenannten Anarchisten, der Staat solle von heute auf morgen abgeschafft werden.

Die Besitzergreifung der sämtlichen Produktionsmittel durch die Gesellschaft hat, seit dem geschichtlichen Auftreten der kapitalistischen Produktionsweise, einzelnen wie ganzen Sekten öfters mehr oder weniger unklar als Zukunftsideal vorgeschwebt. Aber sie konnte erst möglich, erst geschichtliche Notwendigkeit werden, als die tatsächlichen Bedingungen ihrer Durchführung vorhanden waren. Sie, wie jeder andre gesellschaftliche Fortschritt, wird ausführbar nicht durch die gewonnene Einsicht, daß das Dasein der Klassen der Gerechtigkeit, der Gleichheit etc. widerspricht, nicht durch den bloßen Willen, diese Klassen abzuschaffen, sondern durch gewisse neue ökonomische Bedingungen. Die Spaltung der Gesellschaft in eine ausbeutende und eine ausgebeutete, eine herrschende und eine unterdrückte Klasse war die notwendige Folge der früheren geringen Entwicklung der Produktion. Solange die gesellschaftliche Gesamtarbeit nur einen Ertrag liefert, der das zur notdürftigen Existenz aller Erforderliche nur um wenig übersteigt, solange also die Arbeit alle oder fast alle Zeit der großen Mehrzahl der Gesellschaftsglieder in Anspruch nimmt, solange teilt sich diese Gesellschaft notwendig in Klassen. Neben der ausschließlich der Arbeit frönenden großen Mehrheit bildet sich eine von direkt-produktiver Arbeit befreite Klasse, die die gemeinsamen Angelegenheiten der Gesellschaft besorgt: Arbeitsleitung, Staatsgeschäfte, Justiz, Wissenschaften, Künste usw.

Es ist also das Gesetz der Arbeitsteilung, das der Klassenteilung zugrunde liegt. Aber das hindert nicht, daß diese Einteilung in Klassen nicht durch Gewalt und Raub, List und Betrug durchgesetzt worden und daß die herrschende Klasse, einmal im Sattel, nie verfehlt hat, ihre Herrschaft auf Kosten der arbeitenden Klasse zu befestigen und die gesellschaftliche Leitung umzuwandeln in gesteigerte Ausbeutung der Massen.

Aber wenn hiernach die Einteilung in Klassen eine gewisse geschichtliche Berechtigung hat, so hat sie eine solche doch nur für einen gegebnen Zeitraum, für gegebne gesellschaftliche Bedingungen. Sie gründete sich auf die Unzulänglichkeit der Produktion; sie wird weggefegt werden durch die volle Entfaltung der modernen Produktivkräfte. Und in der Tat hat die Abschaffung der gesellschaftlichen Klassen zur Voraussetzung einen geschichtlichen Entwicklungsgrad, auf dem das Bestehn nicht bloß dieser oder jener bestimmten herrschenden Klasse, sondern einer herrschenden Klasse überhaupt, also des Klassenunterschieds selbst, ein Anachronismus geworden, veraltet ist. Sie hat also zur Voraussetzung einen Höhegrad der Entwicklung der Produktion, auf dem Aneignung der Produktionsmittel und Produkte und damit der politischen Herrschaft, des Monopols der Bildung und der geistigen Leitung durch eine besondre Gesellschaftsklasse nicht nur überflüssig, sondern auch ökonomisch, politisch und intellektuell ein Hindernis der Entwicklung geworden ist. Dieser Punkt ist jetzt erreicht. Ist der politische und intellektuelle Bankerott der Bourgeoisie ihr selbst kaum noch ein Geheimnis, so wiederholt sich ihr ökonomischer Bankerott regelmäßig alle zehn Jahre. In jeder Krise erstickt die Gesellschaft unter der Wucht ihrer eignen, für sie unverwendbaren Produktivkräfte und Produkte, und steht hülflos vor dem absurden Widerspruch, daß die Produzenten nichts zu konsumieren haben, weil es an Konsumenten fehlt. Die Expansionskraft der Produktionsmittel sprengt die Bande, die die kapitalistische Produktionsweise ihr angelegt. Ihre Befreiung aus diesen Banden ist die einzige Vorbedingung einer ununterbrochnen, stets rascher fortschreitenden Entwicklung der Produktivkräfte und damit einer praktisch schrankenlosen Steigerung der Produktion selbst. Damit nicht genug. Die gesellschaftliche Aneignung der Produktionsmittel beseitigt nicht nur die jetzt bestehende künstliche Hemmung der Produktion, sondern auch die positive Vergeudung und Verheerung von Produktivkräften und Produkten, die gegenwärtig die unvermeidliche Begleiterin der Produktion ist und ihren Höhepunkt in den Krisen erreicht. Sie setzt ferner eine Masse von Produktionsmitteln und Produkten für die Gesamtheit frei durch Beseitigung der blödsinnigen Luxusverschwendung der jetzt herrschenden Klassen und ihrer politischen

Repräsentanten. Die Möglichkeit, vermittelst der gesellschaftlichen Produktion allen Gesellschaftsgliedern eine Existenz zu sichern, die nicht nur materiell vollkommen ausreichend ist und von Tag zu Tag reicher wird, sondern die ihnen auch die vollständige freie Ausbildung und Betätigung ihrer körperlichen und geistigen Anlagen garantiert, diese Möglichkeit ist jetzt zum ersten Male da, aber sie *ist da.**

Mit der Besitzergreifung der Produktionsmittel durch die Gesellschaft ist die Warenproduktion beseitigt und damit die Herrschaft des Produkts über die Produzenten. Die Anarchie innerhalb der gesellschaftlichen Produktion wird ersetzt durch planmäßige bewußte Organisation. Der Kampf ums Einzeldasein hört auf. Damit erst scheidet der Mensch, in gewissem Sinn, endgültig aus dem Tierreich, tritt aus tierischen Daseinsbedingungen in wirklich menschliche. Der Umkreis der die Menschen umgebenden Lebensbedingungen, der die Menschen bis jetzt beherrschte, tritt jetzt unter die Herrschaft und Kontrolle der Menschen, die zum ersten Male bewußte, wirkliche Herren der Natur, weil und indem sie Herren ihrer eignen Vergesellschaftung werden. Die Gesetze ihres eignen gesellschaftlichen Tuns, die ihnen bisher als fremde, sie beherrschende Naturgesetze gegenüberstanden, werden dann von den Menschen mit voller Sachkenntnis angewandt und damit beherrscht. Die eigne Vergesellschaftung der Menschen, die ihnen bisher als von Natur und Geschichte aufgenötigt gegenüberstand, wird jetzt ihre freie Tat. Die objektiven, fremden Mächte, die bisher die Geschichte beherrschten, treten unter die Kontrolle der Menschen selbst. Erst von da an werden die Menschen ihre Geschichte mit vollem Bewußtsein selbst machen, erst von da an werden die von ihnen in Bewegung gesetzten gesellschaftlichen Ursachen vorwiegend und in stets steigendem Maß auch die von ihnen gewollten Wirkungen haben. Es ist der Sprung der Menschheit aus dem Reich der Notwendigkeit in das Reich der Freiheit.

---

* Ein paar Zahlen mögen eine annähernde Vorstellung geben von der enormen Expansionskraft der modernen Produktionsmittel, selbst unter dem kapitalistischen Druck. Nach der Berechnung von Giffen[146] betrug der Gesamtreichtum von Großbritannien und Irland in runder Zahl:

1814......	2200 Millionen Pfd.St.	=	44 Milliarden Mark
1865......	6100 „ „ „	=	122 „ „
1875......	8500 „ „ „	=	170 „ „

Was die Verheerung von Produktionsmitteln und Produkten in den Krisen betrifft, so wurde auf dem 2. Kongreß deutscher Industrieller, Berlin, 21. Februar 1878, der Gesamtverlust allein der *deutschen Eisen*industrie im letzten Krach auf 455 Millionen Mark berechnet.

Fassen wir zum Schluß unsern Entwicklungsgang kurz zusammen:

I. *Mittelalterliche Gesellschaft:* Kleine Einzelproduktion. Produktionsmittel für den Einzelgebrauch zugeschnitten, daher urwüchsig-unbehülflich, kleinlich, von zwerghafter Wirkung. Produktion für den unmittelbaren Verbrauch, sei es des Produzenten selbst, sei es seines Feudalherrn. Nur da, wo ein Überschuß der Produktion über diesen Verbrauch stattfindet, wird dieser Überschuß zum Verkauf ausgeboten und verfällt dem Austausch: Warenproduktion also erst im Entstehn; aber schon jetzt enthält sie in sich, im Keim, *die Anarchie in der gesellschaftlichen Produktion.*

II. *Kapitalistische Revolution:* Umwandlung der Industrie zuerst vermittelst der einfachen Kooperation und der Manufaktur. Konzentration der bisher zerstreuten Produktionsmittel in großen Werkstätten, damit ihre Verwandlung aus Produktionsmitteln des einzelnen in gesellschaftliche – eine Verwandlung, die die Form des Austausches im ganzen und großen nicht berührt. Die alten Aneignungsformen bleiben in Kraft. Der *Kapitalist* tritt auf: In seiner Eigenschaft als Eigentümer der Produktionsmittel eignet er sich auch die Produkte an und macht sie zu Waren. Die Produktion ist ein gesellschaftlicher Akt geworden; der Austausch und mit ihm die Aneignung bleiben individuelle Akte, Akte des einzelnen: *Das gesellschaftliche Produkt wird angeeignet vom Einzelkapitalisten.* Grundwiderspruch, aus dem alle Widersprüche entspringen, in denen die heutige Gesellschaft sich bewegt, und die die große Industrie offen an den Tag bringt.

A. Scheidung des Produzenten von den Produktionsmitteln. Verurteilung des Arbeiters zu lebenslänglicher Lohnarbeit. *Gegensatz von Proletariat und Bourgeoisie.*

B. Wachsendes Hervortreten und steigende Wirksamkeit der Gesetze, die die Warenproduktion beherrschen. Zügelloser Konkurrenzkampf. *Widerspruch der gesellschaftlichen Organisation in der einzelnen Fabrik und der gesellschaftlichen Anarchie in der Gesamtproduktion.*

C. Einerseits Vervollkommnung der Maschinerie, durch die Konkurrenz zum Zwangsgebot für jeden einzelnen Fabrikanten gemacht und gleichbedeutend mit stets steigender Außerdienstsetzung von Arbeitern: *industrielle Reservearmee.* Andrerseits schrankenlose Ausdehnung der Produktion, ebenfalls Zwangsgesetz der Konkurrenz für jeden Fabrikanten. Von beiden Seiten unerhörte Entwicklung der Produktivkräfte, Überschuß des Angebots über die Nachfrage, Überproduktion, Überfüllung der Märkte, zehnjährige Krisen, fehlerhafter Kreislauf: *Überfluß hier, von Produktionsmitteln und Produkten – Überfluß dort, von*

Arbeitern ohne Beschäftigung und ohne Existenzmittel; aber diese beiden Hebel der Produktion und gesellschaftlichen Wohlstands können nicht zusammentreten, weil die kapitalistische Form der Produktion den Produktivkräften verbietet, zu wirken, den Produkten, zu zirkulieren, es sei denn, sie hätten sich zuvor in Kapital verwandelt: was gerade ihr eigner Überfluß verhindert. Der Widerspruch hat sich gesteigert zum Widersinn: *Die Produktionsweise rebelliert gegen die Austauschform.* Die Bourgeoisie ist überführt der Unfähigkeit, ihre eignen gesellschaftlichen Produktivkräfte fernerhin zu leiten.

D. Teilweise Anerkennung des gesellschaftlichen Charakters der Produktivkräfte, den Kapitalisten selbst aufgenötigt. Aneignung der großen Produktions- und Verkehrsorganismen, erst durch *Aktiengesellschaften*, später durch Trusts, sodann durch den *Staat*. Die Bourgeoisie erweist sich als überflüssige Klasse; alle ihre gesellschaftlichen Funktionen werden jetzt erfüllt durch besoldete Angestellte.

III. *Proletarische Revolution*, Auflösung der Widersprüche: Das Proletariat ergreift die öffentliche Gewalt und verwandelt kraft dieser Gewalt die den Händen der Bourgeoisie entgleitenden gesellschaftlichen Produktionsmittel in öffentliches Eigentum. Durch diesen Akt befreit es die Produktionsmittel von ihrer bisherigen Kapitaleigenschaft und gibt ihrem gesellschaftlichen Charakter volle Freiheit, sich durchzusetzen. Eine gesellschaftliche Produktion nach vorherbestimmtem Plan wird nunmehr möglich. Die Entwicklung der Produktion macht die fernere Existenz verschiedner Gesellschaftsklassen zu einem Anachronismus. In dem Maß wie die Anarchie der gesellschaftlichen Produktion schwindet, schläft auch die politische Autorität des Staats ein. Die Menschen, endlich Herren ihrer eignen Art der Vergesellschaftung, werden damit zugleich Herren der Natur, Herren ihrer selbst – frei.

Diese weltbefreiende Tat durchzuführen, ist der geschichtliche Beruf des modernen Proletariats. Ihre geschichtlichen Bedingungen, und damit ihre Natur selbst, zu ergründen und so der zur Aktion berufnen, heute unterdrückten Klasse die Bedingungen und die Natur ihrer eignen Aktion zum Bewußtsein zu bringen, ist die Aufgabe des theoretischen Ausdrucks der proletarischen Bewegung, des wissenschaftlichen Sozialismus.

Karl Marx

[Über „Misère de la philosophie“ [147]]

„Misère de la philosophie“[1] von Karl Marx erschien 1847 kurz nach den „Contradictions économiques“ von Proudhon, die den Untertitel „Philosophie de la misère“ trugen. Was uns bestimmt hat, dieses Buch wieder abzudrucken, dessen Originalausgabe vergriffen, ist die Tatsache, daß es die Keime der nach zwanzigjähriger Arbeit im „Kapital“ entwickelten Theorie enthält. Folglich kann die Lektüre der „Misère de la philosophie“ und des 1848 von Marx und Engels veröffentlichten „Manifests der Kommunistischen Partei“ zur Einführung dienen in das Studium des „Kapitals“ und der Werke anderer zeitgenössischer Sozialisten, die, wie Lassalle, daraus ihre Ideen geschöpft haben. Mit der Zustimmung zu dieser Wiederveröffentlichung in unserem Organ wollte Marx uns einen Beweis seiner Sympathie geben.

Man muß noch einiges zum heftigen Charakter jener Polemik gegen Proudhon sagen. Einerseits verstand es Proudhon bei seinen Angriffen gegen die offiziellen Ökonomen, wie Dunoyer, das Akademiemitglied Blanqui und die ganze Clique um das „Journal des Économistes“ [148] ihrer Eigenliebe zu schmeicheln, während er gleichzeitig die utopischen Sozialisten und Kommunisten, die Marx als Vorläufer des modernen Sozialismus achtete, grob beschimpfte. Andererseits war es notwendig, um den Weg zum kritischen und materialistischen Sozialismus zu bahnen, der die reale, historische Entwicklung der gesellschaftlichen Produktion verständlich machen will, mit jener Ideologie in der Ökonomie brüsk zu brechen, deren letzte Verkörperung unwissentlich Proudhon war.

Übrigens hat Marx nach dem Tode Proudhons in einem im Berliner „Social-Demokrat“ veröffentlichten Artikel [149] die großen Qualitäten dieses Kämpfers, seine männliche Haltung nach den Junitagen 1848 und sein Talent als politischer Schriftsteller gebührend gewürdigt.

Geschrieben Ende März 1880.
Nach der Handschrift.
Aus dem Französischen.

---

[1] Siehe Band 4 unserer Ausgabe, S. 63–182

Karl Marx

Fragebogen für Arbeiter[150]

I

1. In welchem Gewerbe arbeiten Sie?

2. Gehört das Unternehmen, in dem Sie arbeiten, Privatkapitalisten oder einer Aktiengesellschaft? Nennen Sie die Namen des privaten Unternehmers oder des Direktors der Gesellschaft.

3. Nennen Sie die Anzahl der Beschäftigten.

4. Nennen Sie deren Geschlecht und Alter.

5. Was ist das Mindestalter, zu dem Kinder – männlich oder weiblich – eingestellt werden?

6. Nennen Sie die Anzahl der Aufsichtspersonen und *anderen Angestellten*, die keine einfachen Lohnarbeiter sind.

7. Sind Lehrlinge beschäftigt? – Wieviele?

8. Gibt es außer den häufig und regelmäßig beschäftigten Arbeitern auch solche, die zu einer bestimmten Saison von außerhalb herbeigeholt werden?

9. Arbeitet der Betrieb Ihres Lohnherrn ausschließlich oder hauptsächlich für ortsansässige Kunden, für den allgemeinen Binnenmarkt oder für den Export in andere Länder?

10. Liegt die Arbeitsstätte auf dem Lande oder in der Stadt?

11. Falls Ihr Gewerbe auf dem Lande betrieben wird: bildet es Ihre hauptsächliche Erwerbsquelle oder betreiben Sie es zusätzlich zu oder gemeinsam mit der Landwirtschaft?

12. Beruht die Arbeit gänzlich oder in der Hauptsache auf Hand- oder Maschinenarbeit?

13. Berichten Sie über die Arbeitsteilung in dem Gewerbe, in dem Sie arbeiten.

14. Wird Dampf als Antriebskraft verwandt?

15. Berichten Sie über die Anzahl der Arbeitsräume, die den verschiedenen Zweigen des Gewerbes dienen, und beschreiben Sie jenen Teil des Arbeitsprozesses, an dem Sie mitwirken, nicht nur in technischer Hinsicht, sondern auch in bezug auf die Muskel- und Nervenanspannung, die die Arbeit erfordert, und die allgemeinen Auswirkungen auf die Gesundheit der Arbeiter.

16. Beschreiben Sie die hygienischen Bedingungen der Arbeitsstätte in bezug auf Größe (des jedem Arbeiter zur Verfügung stehenden Platzes), Lüftung, Temperatur, ob die Wände geweißt sind, über Abortverhältnisse, allgemeine Reinlichkeit, Maschinenlärm, Staub, Feuchtigkeit etc.

17. Werden seitens der Regierung oder der Stadt die hygienischen Bedingungen der Arbeitsstätte überwacht?

18. Gibt es in Ihrem Gewerbe irgendwelche besondere schädliche Einwirkungen, die unter den Arbeitern bestimmte Krankheiten hervorrufen?

19. Ist die Arbeitsstätte mit Maschinen überfüllt?

20. Sind die Antriebskraft, die Transmissionsvorrichtungen und die laufenden Maschinen mit ausreichenden Schutzvorrichtungen gegen Unfälle versehen?

21. Berichten Sie aus eigener Erfahrung von Unfällen, die Verletzungen bzw. den Tod von Arbeitern verursachten.

22. Falls Sie in einem Bergwerk arbeiten, berichten Sie über Schutzmaßnahmen, die Ihr Unternehmer ergriffen hat, um für Lüftung zu sorgen und Explosionen sowie andere gefährliche Unfälle zu verhindern.

23. Falls Sie in einer Metallwaren- oder chemischen Fabrik, bei der Eisenbahn oder in einem anderen mit besonderen Gefahren verbundenem Gewerbe arbeiten, berichten Sie über die von Ihrem Unternehmer ergriffenen Schutzmaßnahmen.

24. Womit wird Ihr Arbeitsplatz beleuchtet, mit Gas, Petroleum etc.?

25. Sind im Falle eines Brandes genügend Fluchtmöglichkeiten innerhalb und außerhalb der Arbeitsgebäude vorhanden?

26. Ist der Unternehmer bei Unfällen *gesetzlich* verpflichtet, den Betroffenen oder seine Familie zu entschädigen?

27. Wenn das nicht der Fall ist, entschädigt er in irgendeiner Weise diejenigen, die Unfälle dabei erlitten, als sie durch ihre Arbeit zu seiner Bereicherung beitrugen?

28. Ist an Ihrer Arbeitsstätte für ärztliche Hilfe gesorgt?

29. Falls Sie Heimarbeit leisten, beschreiben Sie den Zustand Ihres Arbeitsraums; berichten Sie, ob Sie nur Werkzeuge oder auch kleine Maschinen benutzen; ob Sie sich von Ihrer Frau und den Kindern oder anderen

Gehilfen, Erwachsenen oder Kindern, männlich oder weiblich, bei Ihrer Arbeit helfen lassen; ob Sie für Privatkunden oder für einen „entrepreneur"[1] arbeiten; ob Sie mit ihm direkt oder durch eine Zwischenperson verhandeln.

II

1. Wieviel Stunden arbeiten Sie täglich und wieviel Tage in der Woche?
2. Wieviel Feiertage haben Sie während des Jahres?
3. Welche Pausen treten während des Arbeitstages ein?
4. Sind für Mahlzeiten bestimmte regelmäßige Pausen festgesetzt oder werden sie unregelmäßig eingenommen?[2]
5. Wird während der Mahlzeiten weitergearbeitet?
6. Falls Dampfkraft benutzt wird, nennen Sie die genauen Zeiten, wann sie an- und abgestellt wird.
7. Gibt es Nachtarbeit?
8. Wieviel Stunden arbeiten Kinder und Jugendliche unter 16 Jahren?
9. Lösen sich Kinder und Jugendliche schichtweise während des Arbeitstages ab?
10. Sorgt die Regierung für die Einhaltung *der gesetzlichen Bestimmungen* über Kinderarbeit, soweit es solche gibt, und werden sie von den Unternehmern genau befolgt?
11. Bestehen irgendwelche Schulen für Kinder und Jugendliche, die in Ihrem Gewerbe arbeiten? Wenn ja, zu welcher Tageszeit sind die Kinder in der Schule? Was lehrt man sie?
12. Falls Tag und Nacht gearbeitet wird, wie ist der Schichtwechsel geregelt? Erfolgt die Ablösung einer Gruppe Arbeiter durch eine andere Gruppe?
13. Wieviel Arbeitsstunden werden in Zeiten besonders starker Geschäftstätigkeit zusätzlich zu den üblichen geleistet?
14. Werden die Maschinen von einer besonderen Gruppe Arbeiter gereinigt, die für diese Arbeit angestellt sind, oder besorgen die an den Maschinen beschäftigten Arbeiter die Reinigung unentgeltlich während ihres gewöhnlichen Arbeitstages?
15. Welche Bestimmungen und Strafen gibt es, um pünktliches Erscheinen der Arbeiter bei Beginn des Tagewerks oder nach den Mahlzeiten zu sichern?

---

[1] „Unternehmer" – [2] in der Handschrift von Charles Longuet zugefügt: „Werden sie innerhalb oder außerhalb des Betriebes eingenommen?"

16. Wieviel Zeit verlieren Sie täglich für den Weg zur Arbeitsstätte und für den Rückweg zu Ihrer Wohnung?

III

1. Welcher Art ist das Arbeitsverhältnis mit Ihrem Lohnherrn? Sind Sie für den Tag, für die Woche oder für den Monat etc. eingestellt?

2. Welche Fristen sind für die Kündigung seitens des Unternehmers oder Ihrerseits festgesetzt?

3. Welche Strafen sieht Kontraktbruch vor, wenn der Lohnherr der schuldige Teil ist?

4. Welche Strafen erwarten den Arbeiter, wenn er der schuldige Teil ist?

5. Falls Lehrlinge beschäftigt sind, nennen Sie ihre Vertragsbedingungen.

6. Stehen Sie dauernd in Arbeit oder mit Unterbrechungen?

7. Wird in Ihrem Gewerbe hauptsächlich während einer bestimmten Saison gearbeitet, oder ist die Arbeit mehr oder weniger gleichmäßig über das ganze Jahr verteilt? Falls Ihre Arbeit an eine bestimmte Saison gebunden ist, wie leben Sie dann in der Zwischenzeit?

8. Erhalten Sie Zeit- oder Stücklohn?

9. Wenn Zeitlohn, wird er nach der Stunde oder nach dem ganzen Arbeitstag berechnet?

10. Erfolgt eine besondere Entlohnung – und welche – im Falle von *Überstunden*?

11. Wenn Sie Lohn *nach der Stückzahl* erhalten, berichten Sie, wie dieser festgesetzt wird. Falls Sie in Industriezweigen beschäftigt sind, wo die geleistete Arbeit nach Quantität oder Gewicht berechnet wird (wie z.B. in Kohlengruben), so berichten Sie, ob der Lohnherr und seine Kreaturen zu Prellereien greifen, um Sie um einen Teil des Verdienstes zu betrügen.

12. Falls Sie im Stücklohn bezahlt werden: wird die Qualität des Produkts zum Vorwand genommen, um Ihren Lohn auf betrügerische Weise zu kürzen?

13. Ob Sie nun im Zeit- oder im Stücklohn beschäftigt sind, *nach welcher Frist* erhalten Sie Ihren Lohn? Mit anderen Worten, wie lange müssen Sie warten, bis Ihr Lohnherr Ihnen den Lohn für bereits ausgeführte Arbeit auszahlt? Wird Ihr Lohn nach einer Woche, einem Monat etc. bezahlt?

14. Werden Sie durch solche Verzögerungen bei der Lohnzahlung gezwungen, häufig das Pfandhaus in Anspruch zu nehmen, dort hohe Zinsen

zu zahlen und obendrein Gegenstände zu entbehren, die sie nötig gebrauchen, oder müssen Sie bei den Kaufleuten Schulden machen und werden dadurch als Schuldner deren Opfer?

15. Werden die Löhne direkt vom „patron"[1] oder durch eine Zwischenperson, einen „marchandeur"[2] etc. bezahlt?

16. Wie sind die Bedingungen Ihres Kontrakts, falls die Löhne durch „marchandeurs" oder andere Zwischenpersonen ausgezahlt werden?

17. Wie hoch ist Ihr Geldlohn pro Tag oder pro Woche?

18. Wie hoch sind die entsprechenden Löhne der Frauen und Kinder, die mit Ihnen in der gleichen Werkstatt arbeiten?

19. Nennen Sie den höchsten und den niedrigsten Tagelohn im vergangenen Monat.

20. Nennen Sie den höchsten und den niedrigsten Stücklohn im vergangenen Monat.

21. Nennen Sie Ihr tatsächliches Einkommen während dieser Zeit, und, falls Sie Familie haben, auch das Ihrer Frau und der Kinder.

22. Werden die Löhne in Geld oder zum Teil auf andere Weise gezahlt?

23. Falls der Unternehmer Ihnen die Wohnung vermietet, unter welchen Bedingungen geschieht das? Zieht er die Miete von Ihrem Lohn ab?

24. Nennen Sie die Preise der notwendigen Dinge, wie zum Beispiel:[3]

a) Ihre Wohnungsmiete und dazu die Mietbedingungen; Zahl der Zimmer und der Personen, die darin wohnen; Reparaturen und Versicherung; Kauf und Unterhalt des Mobiliars; Schlafstelle; Feuerung; Beleuchtung; Wasser etc.

b) Nahrung: Brot, Fleisch, Gemüse (Kartoffeln etc.), Milchprodukte, Eier, Fisch; Butter, Öl, Fett; Zucker, Salz, Gewürze; Kaffee, Tee, Zichorie; Bier, Apfelwein, Wein etc., Tabak.

c) Kleidung (für Eltern und Kinder); Wäsche; Körperpflege, Bäder, Seife etc.

d) verschiedene Ausgaben, wie Briefporto, Darlehen, Aufbewahrungskosten in den Pfandhäusern, Schulgeld für die Kinder, Lehrgeld, Erwerb von Zeitungen, Büchern etc.; Mitgliedsbeiträge, Beiträge für Gesellschaften zur gegenseitigen Hilfe, für Streikkassen, für verschiedene Vereinigungen, Gewerkschaften etc.

e) Kosten, sofern es solche gibt, die durch die Ausübung Ihres Berufs entstehen.

f) Steuern.

[1] „Herrn" – [2] „Zwischenmeister" – [3] die Unterfragen a) bis f) sind in französischer Sprache verfaßt

25. Versuchen Sie, Ihre wöchentlichen und jährlichen Einnahmen (und die Ihrer Familie, falls Sie eine haben) und die wöchentlichen und jährlichen Ausgaben in Form eines Budgets aufzuschreiben.

26. Haben Sie aus eigener Erfahrung ein stärkeres Ansteigen der Preise für die lebensnotwendigen Dinge (wie Wohnungsmiete, Nahrung etc.) als das der Löhne festgestellt?

27. Berichten Sie über die Lohnschwankungen, so weit Sie sich zurückerinnern können.

28. Berichten Sie über das Absinken der Löhne in Zeiten der Stagnation oder Krise.

29. Berichten Sie über das Steigen der Löhne in sogenannten Zeiten der Prosperität.

30. Berichten Sie über Arbeitsunterbrechungen infolge Veränderungen in der Mode und infolge von Teil- oder allumfassenden Krisen.

31. Berichten Sie über Veränderungen *im Preis der Waren*, die Sie produzieren, bzw. der Dienste, die Sie leisten, und berichten Sie zum Vergleich, ob Ihr Lohn sich *gleichzeitig verändert* hat oder ob er der alte geblieben ist.

32. Kennen Sie Fälle, daß Arbeiter infolge Einführung von Maschinen oder anderen Vervollkommnungen ihren Arbeitsplatz verloren haben?

33. Haben mit der Entwicklung der Maschinen und der Erhöhung der Arbeitsproduktivität die Intensität und die Dauer der Arbeit zu- oder abgenommen?

34. Sind Ihnen Lohnerhöhungen als Folge von erhöhter Produktion bekannt?

35. Sind Ihnen jemals Fälle bekannt geworden, daß ein einfacher Arbeiter mit dem Geld, das er als Lohnarbeiter verdient hatte, sich im Alter von 50 Jahren zur Ruhe setzen konnte?

36. Wieviel Jahre kann in Ihrem Gewerbe ein Arbeiter von durchschnittlicher Gesundheit seine Arbeit ausführen?

IV

1. Gibt es in Ihrem Gewerbe Gewerkschaften und wie werden sie geleitet?
2. Wieviel Streiks fanden nach Ihren persönlichen Erfahrungen statt?
3. Wie lange haben diese Streiks gedauert?
4. Waren es Teilstreiks oder allgemeine Streiks?
5. War das Ziel der Streiks eine Lohnerhöhung, oder wurde gestreikt,

um gegen eine Lohnherabsetzung zu kämpfen; oder ging es bei den Streiks um die Länge des Arbeitstags; oder hatten sie andere Ursachen?

6. Welches waren ihre Ergebnisse?

7. Unterstützt man in Ihrem Gewerbe die Streiks von Arbeitern aus anderen Gewerben?

8. Nennen Sie die von Ihrem Lohnherrn zur Beherrschung seiner Arbeiter erlassenen Bestimmungen und die Strafen, wenn sie verletzt werden.[1]

9. Bestehen Vereinigungen der Lohnherren, um Lohnkürzungen, Verlängerung des Arbeitstags zu erzwingen, um Streiks zu zerschlagen und um im allgemeinen der Arbeiterklasse ihren Willen aufzuzwingen?

10. Kennen Sie Fälle, wo die Regierung die bewaffnete Macht mißbrauchte und sie den Lohnherren gegen ihre Arbeiter zur Verfügung gestellt hat?

11. Haben Sie erlebt, daß die gleiche Regierung sich jemals im Interesse der Arbeiter eingeschaltet hat, wenn die Lohnherren Übergriffe begingen und sich ungesetzlich zusammenschlossen?

12. Verschafft die gleiche Regierung den Fabrikgesetzen, soweit welche bestehen, gegenüber den Lohnherren Geltung? Nehmen ihre Inspektoren – soweit es welche gibt – ihre Pflichten ernst?

13. Gibt es in Ihrem Betrieb oder in Ihrem Gewerbe Gesellschaften zur gegenseitigen Hilfe und Unterstützung bei Unfällen, Krankheiten, Todesfällen, vorübergehender Arbeitsunfähigkeit und im hohen Alter etc.?

14. Ist die Mitgliedschaft in solchen Gesellschaften freiwillig oder obligatorisch? Stehen ihre Mittel ausschließlich unter Kontrolle der Arbeiter?

15. Falls die Beiträge obligatorisch sind und unter der Kontrolle des Lohnherrn stehen: zieht er die Beiträge vom Lohn ab; zahlt er Zinsen dafür? Werden die Beiträge den Arbeitern zurückerstattet, wenn sie kündigen oder entlassen werden?

16. Gibt es in Ihrem Industriezweig Arbeitergenossenschaften? Wie werden sie geleitet? Sind in ihnen auch andere Lohnarbeiter in derselben Weise wie bei den Kapitalisten beschäftigt?

17. Gibt es in Ihrem Gewerbe Betriebe, in denen ein Teil der Bezahlung der Arbeiter unter dem Namen Lohn, ein anderer Teil in Form angeblicher Gewinnbeteiligung am Profit Ihres Lohnherrn erfolgt? Vergleichen Sie das gesamte Einkommen dieser Arbeiter mit demjenigen, das andere Arbeiter erhalten, bei denen keine angebliche Gewinnbeteiligung besteht. Berichten

[1] In der Handschrift gestrichen: „in seinem Betrieb, wo er selbstredend die höchste legislative, juristische und exekutive Macht in seiner Hand vereinigt".

Sie über die Verpflichtungen der Arbeiter, die unter diesen Bedingungen arbeiten. Können sie sich an Streiks beteiligen etc. oder dürfen sie nur die ergebenen „Diener" ihres Lohnherrn sein?

18. Wie ist der allgemeine körperliche, geistige und moralische Zustand der in Ihrem Beruf beschäftigten Arbeiter und Arbeiterinnen?

Geschrieben in der ersten
Aprilhälfte 1880.

Nach der Handschrift.

Aus dem Englischen.

Karl Marx

[Einleitung zum Programm der französischen Arbeiterpartei[151]]

[„L'Egalité" Nr. 24
vom 30. Juni 1880]

In Erwägung,

daß die Emanzipation der Klasse der Produzenten alle Menschen, ohne Unterschied von Geschlecht und Rasse, umfaßt;

daß die Produzenten nur dann frei sein können, wenn sie im Besitz der Produktionsmittel sind;

daß es nur zwei Formen gibt, in denen ihnen die Produktionsmittel gehören können:

1. die individuelle Form, die niemals allgemeine Erscheinung war und durch den industriellen Fortschritt mehr und mehr überwunden wird;
2. die kollektive Form, deren materielle und geistige Elemente durch die Entwicklung der kapitalistischen Gesellschaft selbst geschaffen werden;

in Erwägung,

daß die kollektive Aneignung nur von einer revolutionären Aktion der Klasse der Produzenten – dem Proletariat –, in einer selbständigen politischen Partei organisiert, ausgehen kann;

daß eine solche Organisation mit allen Mitteln, über die das Proletariat verfügt, angestrebt werden muß, einschließlich des allgemeinen Wahlrechts, das so aus einem Instrument des Betrugs, das es bisher gewesen ist, in ein Instrument der Emanzipation umgewandelt wird;

haben die französischen sozialistischen Arbeiter, die sich auf wirtschaftlichem Gebiet die Rückkehr aller Produktionsmittel in Kollektiveigentum zum Ziel ihrer Anstrengungen gesetzt haben, als *Mittel der Organisation und des Kampfes* beschlossen, mit folgendem *Minimal*programm in die Wahlen zu gehen:

Geschrieben Anfang Mai 1880.
Aus dem Französischen.

Karl Marx/Friedrich Engels

An das Meeting in Genf, einberufen zur Erinnerung an den 50. Jahrestag der polnischen Revolution von 1830[152]

Bürger!

Nach der ersten Teilung des Landes überquerten Polen, die ihr Vaterland verlassen hatten, den Atlantik, um die gerade entstandene große amerikanische Republik zu verteidigen: Kościuszko kämpft Seite an Seite mit Washington. Als 1794 die Französische Revolution unter Schwierigkeiten den Koalitionskräften Widerstand leistet, wendet der ruhmvolle polnische Aufstand die Gefahr von ihr ab. Polen verliert seine Unabhängigkeit, dafür bleibt die Revolution erhalten. Die besiegten Polen treten in die Armee der „Sansculotten" ein und helfen mit, das feudale Europa zu zerschlagen. Im Jahre 1830 schließlich, als Zar Nikolaus und der preußische König[1] ihre Pläne verwirklichen wollten, um mit einem neuen Überfall auf Frankreich die legitimistische Monarchie zu restaurieren, versperrte ihnen die polnische Revolution, deren Andenken Sie heute feiern, den Weg. „Ordnung herrscht in Warschau."

Der Ruf: „Es lebe Polen", der damals durch ganz Westeuropa hallte, war nicht nur ein Ausdruck der Sympathie und der Bewunderung für die patriotischen Helden, die mit brutaler Macht niedergekämpft wurden – mit diesem Ruf grüßte man das Volk, dessen sämtliche Aufstände so unglücklich für es selbst verliefen, jedoch stets das Vordringen der Konterrevolution aufhielten –, das Volk, dessen beste Söhne nie aufhörten, den Widerstandskampf zu führen, indem sie überall unter dem Banner der Volksrevolutionen ins Feld zogen. Andererseits wiederum festigte die Teilung Polens die Heilige Allianz, die als Tarnung der Hegemonie des Zaren über alle Regierungen Europas dient. Somit hat der Ruf „Es lebe Polen!" eigentlich bedeutet:

[1] Friedrich Wilhelm III.

Tod der Heiligen Allianz, Tod dem militärischen Despotismus Rußlands, Preußens und Österreichs, Tod der mongolischen Herrschaft über die moderne Gesellschaft.

Seit 1830, als die Bourgeoisie in Frankreich und England mehr oder weniger die Macht in ihre Hände nahm, begann sich die proletarische Bewegung zu bilden. Bereits 1840 waren die besitzenden Klassen in England gezwungen, zur Waffengewalt Zuflucht zu nehmen, um der Chartistenpartei, dieser ersten Kampforganisation der Arbeiterklasse, zu widerstehen. Dann brach im letzten Winkel des unabhängigen Polens, in Krakau, im Jahre 1846 die erste politische Revolution aus, die sozialistische Forderungen verkündete.[153] Von da an verliert Polen alle angeblichen Sympathien des besitzenden Europas.

Im Jahre 1847 versammelt sich in London insgeheim der erste internationale Kongreß des Proletariats[154], der das „Kommunistische Manifest" verfassen läßt, welches mit der neuen revolutionären Losung endet: „Proletarier aller Länder, vereinigt euch"[1]. Polen hatte auf diesem Kongreß seine Vertreter, und auf einem öffentlichen Meeting in Brüssel bekannten sich der berühmte Lelewel und seine Gesinnungsgenossen zur Resolution des Kongresses.

1848 und 1849 waren in den revolutionären deutschen, rumänischen, ungarischen und italienischen Armeen zahlreiche Polen, die sich als Soldaten und als Heerführer auszeichneten. Obwohl die sozialistischen Strömungen dieser Epoche im Blutbad der Junitage ertränkt wurden, hat die Revolution von 1848 dennoch für einen Augenblick Europa – dies darf man nicht vergessen – zu *einer* Gemeinde gemacht, indem sie es mit ihrer Flamme fast ganz erfaßte und auf diese Weise den Boden für die Internationale Arbeiterassoziation vorbereitete. Der polnische Aufstand von 1863 bildete, indem er den Anlaß für einen gemeinsamen Protest der englischen und französischen Arbeiter gegen die internationalen Machenschaften ihrer Regierungen gab, den Ausgangspunkt für die Internationale, die unter der Teilnahme polnischer Verbannter gegründet wurde. Schließlich fand die Pariser Kommune unter den polnischen Flüchtlingen ihre aufrichtigen Verteidiger, und nach ihrem Fall genügte es, Pole zu sein, um von den Kriegsgerichten in Versailles erschossen zu werden.

So haben die Polen außerhalb der Grenzen ihres Landes eine große Rolle im Kampf um die Befreiung des Proletariats gespielt – in diesem Kampf bildeten sie vorwiegend seine internationale Kampftruppe.

---

[1] Siehe Band 4 unserer Ausgabe, S. 493

Heute, da sich dieser Kampf unter dem polnischen Volk selbst entfaltet, möge ihn die Propaganda, die revolutionäre Presse unterstützen, und möge er sich mit den Bestrebungen unserer russischen Brüder vereinigen; dies wird ein Grund mehr sein, um den alten Ruf zu wiederholen: „Es lebe Polen!"

Gruß und Bruderschaft!

London, den 27. November 1880

(gezeichnet) *Karl Marx, Friedrich Engels,*
Paul Lafargue, F. Leßner
Ehemalige Mitglieder des Generalrats
der Internationalen Arbeiterassoziation

Nach der Broschüre „Sprawozdanie z międzynarodowego zebrania zwolanego w 50-letnią rocznicę listopadowego powstanią", Genf 1881.
Aus dem Polnischen.

Karl Marx

[Brief an V. I. Sassulitsch[155]]

8. März 1881
41, Maitland Park Road,
London N. W.

Liebe Bürgerin,

Eine Nervenkrankheit, die mich seit zehn Jahren periodisch befällt, hat mich gehindert, früher auf Ihren Brief vom 16. Februar zu antworten. Ich bedaure, Ihnen keine bündige, für die Öffentlichkeit bestimmte Auskunft über die Frage geben zu können, die Sie an mich zu stellen mir die Ehre erwiesen haben. Es sind bereits Monate vergangen, seitdem ich dem St. Petersburger Komitee[156] eine Arbeit über den Gegenstand versprochen habe. Dennoch hoffe ich, daß einige Zeilen genügen werden, um Sie von jedem Zweifel über das Mißverständnis hinsichtlich meiner sogenannten Theorie zu befreien.

Bei der Analyse der Entstehung der kapitalistischen Produktion sage ich:

„Dem kapitalistischen System liegt also die radikale Trennung des Produzenten von den Produktionsmitteln zugrunde... Die Grundlage dieser ganzen Entwicklung ist die *Expropriation der Ackerbauern*. Sie ist auf radikale Weise erst in England durchgeführt... Aber *alle anderen Länder Westeuropas* durchlaufen die gleiche Bewegung." („Le Capital", édit. française, p. 315.)

Die „historische Unvermeidlichkeit" dieser Bewegung ist also *ausdrücklich* auf die *Länder Westeuropas* beschränkt. Der Grund dieser Beschränkung wird in folgendem Passus des Kapitels XXXII angeführt:

„Das *Privateigentum*, das auf persönlicher Arbeit gegründet ist..., wird verdrängt durch *das kapitalistische Privateigentum*, das auf der Ausbeutung der Arbeit andrer, auf Lohnarbeit gegründet ist." (l. c. p. 341.)[157]

Bei dieser Bewegung im Westen handelt es sich um die *Verwandlung einer Form des Privateigentums in eine andere Form des Privateigentums.* Bei den russischen Bauern würde man im Gegenteil *ihr Gemeineigentum in Privateigentum umwandeln.*

Die im „Kapital" gegebene Analyse enthält also keinerlei Beweise – weder für noch gegen die Lebensfähigkeit der Dorfgemeinde, aber das Spezialstudium, das ich darüber getrieben und wofür ich mir Material aus Originalquellen beschafft habe, hat mich davon überzeugt, daß diese Dorfgemeinde der Stützpunkt der sozialen Wiedergeburt Rußlands ist; damit sie aber in diesem Sinne wirken kann, müßte man zuerst die zerstörenden Einflüsse, die von allen Seiten auf sie einstürmen, beseitigen und ihr sodann die normalen Bedingungen einer natürlichen Entwicklung sichern.

Ich habe die Ehre, liebe Bürgerin, Ihr sehr ergebener

Karl Marx

Nach der Handschrift.
Aus dem Französischen.

Karl Marx/Friedrich Engels

An den Vorsitzenden des Slawischen Meetings, einberufen am 21. März 1881 zum Jahrestag der Pariser Kommune

Bürger!

Mit großem Bedauern müssen wir Ihnen mitteilen, daß wir nicht in der Lage sind, auf Ihrem Meeting[158] anwesend zu sein.

Als die Pariser Kommune dem furchtbaren Massaker unterlag, das die Verteidiger der „Ordnung" organisiert hatten, vermuteten die Sieger schwerlich, daß keine zehn Jahre vergehen würden, bis sich im fernen Petersburg ein Ereignis abspielen würde[159], das, wenn auch vielleicht nach langen und heftigen Kämpfen, schließlich und mit Sicherheit zur Errichtung einer russischen Kommune führen muß.

Sie vermuteten auch schwerlich, daß der König von Preußen, der die Kommune dadurch vorbereitet hatte, daß er Paris belagerte und so die herrschende Bourgeoisie zwang, das Volk zu bewaffnen, daß dieser selbe König von Preußen zehn Jahre später, in seiner eigenen Hauptstadt von Sozialisten belagert, nur durch die Erklärung des Belagerungszustandes in seiner Hauptstadt Berlin imstande sein würde, seinen Thron zu behaupten.[160]

Die Regierungen des Kontinents, die nach dem Fall der Kommune die Internationale Arbeiterassoziation durch ihre Verfolgungen zwangen, ihre formelle, äußere Organisation aufzugeben – diese Regierungen, die die große internationale Arbeiterbewegung durch Dekrete und Sondergesetze vernichten zu können glaubten, vermuteten andererseits wohl kaum, daß diese selbe internationale Arbeiterbewegung zehn Jahre später mächtiger denn je sein und die Arbeiterklasse nicht nur Europas, sondern auch Amerikas umfassen würde, und daß der gemeinsame Kampf für gemeinsame Interessen gegen einen gemeinsamen Feind sie zu einer neuen und größeren spontanen Internationale zusammenschließen würde, die mehr und mehr allen äußeren Formen der Vereinigung entwächst.

So führt die Kommune, die die Mächte der alten Welt glaubten, ausgerottet zu haben, ein kraftvolleres Leben denn je, und so können wir mit Ihnen in den Ruf einstimmen: „Vive la Commune!"

Geschrieben am 21. März 1881.
Nach der Handschrift.
Aus dem Englischen.

Karl Marx/Friedrich Engels

An den Redakteur der „Daily News"[161]

Sir,

die heutige „Daily News" konstatiert in einem Artikel mit der Überschrift „Verfolgung der Zeitschrift ‚Freiheit'", daß die Ausgabe dieses Blatts, die einen Artikel über den Tod des Kaisers von Rußland[159] enthielt, „auch eine gewisse Anspielung auf den Täter in der geheimnisvollen Mansion-House-Angelegenheit" enthielt. Da diese Feststellung eine Interpretation zuläßt, die sich völlig in Widerspruch mit dem Inhalt des betreffenden Artikels befindet, da jener Artikel in gar keinem Zusammenhang steht mit dem über die Petersburger Affäre, und da der Redakteur, Herr Most, gegenwärtig nicht in der Lage ist, sich selbst in der Presse zu verteidigen, bitten wir Sie, folgende wörtliche Übersetzung einzurücken von allem, was in der Ausgabe der „Freiheit" bezüglich der „geheimnisvollen Mansion-House-Angelegenheit" gesagt worden ist.

„Freiheit", 19. März 1881.

„Am Mittwoch abend wurde vor das Stadthaus der Londoner City ein Paket voll Pulver – ca. 15 Pfd. – von ‚unbekannter' Hand gelegt. Am einen Ende war dieselbe angebrannt, allein ‚zufällig' bemerkte das sofort ein Polizist, welcher couragiert genug war, zu löschen. Wir wüßten nun nicht, welcher Zweck mit dieser Pulverexplosion eigentlich hätte erreicht werden können. Die internationale Polizei scheint eher gewußt zu haben, wie sich die Sache allenfalls verwerten ließe. Denn am nächsten Abend sollte ja im Parlament die Regierung dahin interpelliert werden, was sie gegen die Sozialistenbrut aus allen Ländern Europas, welche sich in London eingenistet haben, zu tun gedenke. Der Minister des Innern fand sich jedoch nicht veranlaßt, etwas anderes zu tun, als mit den Achseln zu zucken. Damit waren die Polizisten aller Länder mit einer langen Nase abgefertigt."

Geschrieben am 31. März 1881.
Nach dem handschriftl. Entwurf.
Aus dem Englischen.

Friedrich Engels

Ein gerechter Tagelohn für ein gerechtes Tagewerk[162]

[„The Labour Standard" Nr. 1 vom 7. Mai 1881, Leitartikel]

Das ist nun während der letzten fünfzig Jahre der Wahlspruch der englischen Arbeiterbewegung gewesen. Er leistete gute Dienste zur Zeit des Aufstiegs der Trade-Unions nach Aufhebung der schändlichen Antikoalitionsgesetze im Jahre 1824[163]; noch bessere Dienste leistete er zur Zeit der ruhmreichen Chartistenbewegung, als die englischen Arbeiter an der Spitze der europäischen Arbeiterklasse marschierten. Aber die Zeit bleibt nicht stehen, und gar viele Dinge, die vor fünfzig und selbst noch vor dreißig Jahren wünschenswert und notwendig waren, sind nun veraltet und würden völlig fehl am Platze sein. Gehört das altehrwürdige Losungswort auch zu diesen Dingen?

Ein gerechter Tagelohn für ein gerechtes Tagewerk? Aber was ist ein gerechter Tagelohn, und was ist ein gerechtes Tagewerk? Wie werden sie bestimmt durch die Gesetze, unter denen die moderne Gesellschaft existiert und sich entwickelt? Um hierauf eine Antwort zu finden, dürfen wir uns weder auf die Wissenschaft von der Moral oder von Recht und Billigkeit berufen, noch auf irgendwelche sentimentalen Gefühle von Humanität, Gerechtigkeit oder gar Barmherzigkeit. Was moralisch gerecht ist, ja selbst was dem Gesetz nach gerecht ist, kann weit davon entfernt sein, sozial gerecht zu sein. Über soziale Gerechtigkeit oder Ungerechtigkeit wird durch eine einzige Wissenschaft entschieden – durch die Wissenschaft, die sich mit den materiellen Tatsachen von Produktion und Austausch befaßt, die Wissenschaft von der politischen Ökonomie.

Was wird nun nach der politischen Ökonomie ein gerechter Tagelohn und ein gerechtes Tagewerk genannt? Einfach die Lohnhöhe und die Dauer und Intensität einer Tagesarbeit, die durch die Konkurrenz des Unternehmers und des Arbeiters auf dem freien Markt bestimmt werden. Und was sind sie, wenn sie derart bestimmt werden?

Ein gerechter Tagelohn ist unter normalen Bedingungen die Summe, die erforderlich ist, dem Arbeiter die Existenzmittel zu verschaffen, die er entsprechend dem Lebensstandard seiner Stellung und seines Landes benötigt, um sich arbeitsfähig zu erhalten und sein Geschlecht fortzupflanzen. Die wirkliche Lohnhöhe mag, je nach den Schwankungen des Geschäftsganges, manchmal über, manchmal unter diesem Satze liegen; unter normalen Bedingungen sollte dieser Satz jedoch den Durchschnitt aller Lohnschwankungen bilden.

Ein gerechtes Tagewerk ist diejenige Dauer des Arbeitstages und diejenige Intensität der tatsächlichen Arbeit, bei denen ein Arbeiter die volle Arbeitskraft eines Tages verausgabt, ohne seine Fähigkeit zu beeinträchtigen, am nächsten Tag und an den folgenden Tagen dieselbe Arbeitsmenge zu leisten.

Der Vorgang kann demnach folgendermaßen beschrieben werden: Der Arbeiter gibt dem Kapitalisten die volle Arbeitskraft eines Tages, das heißt, so viel er geben kann, ohne die ununterbrochene Wiederholung des Vorgangs unmöglich zu machen. Im Austausch erhält er gerade so viel und nicht mehr an Existenzmitteln, wie nötig sind, um die Wiederholung desselben Geschäfts jeden Tag zu ermöglichen. Der Arbeiter gibt so viel, und der Kapitalist so wenig, wie es die Natur der Übereinkunft zuläßt. Das ist eine sehr sonderbare Sorte von Gerechtigkeit.

Wir wollen aber etwas tiefer in die Sache eindringen. Da nach den politischen Ökonomen Lohn und Arbeitszeit durch die Konkurrenz bestimmt werden, scheint es die Gerechtigkeit zu verlangen, daß beide Seiten zu den gleichen Bedingungen denselben gerechten Ausgangspunkt haben. Aber das ist nicht der Fall. Wenn der Kapitalist mit dem Arbeiter nicht einig werden kann, kann er es sich leisten, zu warten, und von seinem Kapital leben. Der Arbeiter kann das nicht. Er hat nur seinen Lohn zum Leben und muß daher Arbeit annehmen, wann, wo und zu welchen Bedingungen er sie bekommen kann. Der Arbeiter hat keinen gerechten Ausgangspunkt. Durch den Hunger ist er außerordentlich benachteiligt. Und dennoch ist das nach der politischen Ökonomie der Kapitalistenklasse der Gipfel der Gerechtigkeit.

Aber das ist noch das wenigste. Die Anwendung von mechanischer Kraft und Maschinerie in neuen Gewerben und die Ausbreitung und Vervollkommnung der Maschinerie in Gewerben, in denen sie sich bereits durchgesetzt hat, verdrängen immer mehr „Hände" von ihrem Arbeitsplatz; und das geschieht in weit schnellerem Tempo, als die überflüssig gewordenen „Hände“ von den Fabriken des Landes aufgesogen und beschäftigt werden können. Diese überflüssigen „Hände“ stellen dem Kapital eine richtige industrielle Reservearmee zur Verfügung. Bei schlechtem Geschäftsgang mögen sie hungern, betteln, stehlen oder ins Arbeitshaus gehen; bei gutem Geschäftsgang sind sie zur Hand für die Ausdehnung der Produktion; und solange nicht auch der allerletzte Mann, die letzte Frau und das letzte Kind Arbeit gefunden haben sollten – was nur in Zeiten stürmischer Überproduktion der Fall ist –, solange wird die Konkurrenz dieser Reservearmee die Löhne niedrig halten und durch ihre bloße Existenz die Macht des Kapitals in seinem Kampf gegen die Arbeiter verstärken. In dem Wettlauf mit dem Kapital sind die Arbeiter nicht nur benachteiligt, sie haben eine ans Bein geschmiedete Kanonenkugel mitzuschleppen. Aber das ist nach der kapitalistischen politischen Ökonomie Gerechtigkeit.

Nun wollen wir untersuchen, aus welchem Fonds das Kapital diese so überaus gerechten Löhne zahlt. Aus dem Kapital natürlich. Aber Kapital produziert keine Werte. Arbeit ist, abgesehen vom Grund und Boden, die einzige Quelle des Reichtums; Kapital selbst ist nichts weiter als aufgehäuftes Arbeitsprodukt. Hieraus folgt, daß der Arbeitslohn aus der Arbeit gezahlt wird und daß der Arbeiter aus seinem eigenen Arbeitsprodukt entlohnt wird. Entsprechend dem, was man gewöhnlich Gerechtigkeit nennt, müßte der Lohn des Arbeiters aus dem Produkt seiner Arbeit bestehen. Aber das würde nach der politischen Ökonomie nicht gerecht sein. Im Gegenteil, das Arbeitsprodukt des Arbeiters geht an den Kapitalisten, und der Arbeiter erhält davon nicht mehr als die bloßen Existenzmittel. Und das Ende dieses ungewöhnlich „gerechten“ Wettlaufs der Konkurrenz ist somit, daß das Arbeitsprodukt derer, die arbeiten, unvermeidlich in den Händen derer angehäuft wird, die nicht arbeiten, und in ihren Händen zu dem mächtigsten Mittel wird, eben die Menschen zu versklaven, die es hervorgebracht haben.

Ein gerechter Tagelohn für ein gerechtes Tagewerk! Mancherlei wäre auch über das gerechte Tagewerk zu sagen, dessen Gerechtigkeit auf genau der gleichen Höhe steht wie die der Löhne. Aber das müssen wir uns für eine andere Gelegenheit aufsparen. Aus dem Dargelegten geht ganz klar hervor, daß sich das alte Losungswort überlebt hat und heutzutage kaum noch Stich hält. Die Gerechtigkeit der politischen Ökonomie, wie sie in Wirklichkeit die Gesetze fixiert, die die bestehende Gesellschaft beherrschen, diese Gerechtigkeit ist ganz auf der einen Seite – auf der des

Kapitals. Begrabt darum den alten Wahlspruch für immer, und ersetzt ihn durch einen anderen:

Besitzer der Arbeitsmittel – der Rohstoffe, Fabriken und Maschinen – soll das arbeitende Volk selbst sein.

Geschrieben am 1./2. Mai 1881.
Aus dem Englischen.

Friedrich Engels

Das Lohnsystem

[„The Labour Standard"
Nr. 3 vom 21. Mai 1881,
Leitartikel]

In einem früheren Artikel[1] untersuchten wir den altehrwürdigen Wahlspruch „Ein gerechter Tagelohn für ein gerechtes Tagewerk!" mit dem Ergebnis, daß der gerechteste Tagelohn unter den gegenwärtigen gesellschaftlichen Verhältnissen unvermeidlich gleichbedeutend ist mit der allerungerechtesten Teilung des vom Arbeiter geschaffenen Produkts, da der größere Teil dieses Produkts in die Tasche des Kapitalisten fließt, während der Arbeiter gerade mit soviel vorliebnehmen muß, wie er benötigt, sich arbeitsfähig zu erhalten und sein Geschlecht fortzupflanzen.

Das ist ein Gesetz der politischen Ökonomie oder, mit anderen Worten, ein Gesetz der gegenwärtigen ökonomischen Organisation der Gesellschaft, das mächtiger ist als alle ungeschriebenen und geschriebenen Gesetze Englands zusammen, das Kanzleigericht [164] eingeschlossen. Solange die Gesellschaft in zwei feindliche Klassen geteilt ist: auf der einen Seite die Kapitalisten, die die Gesamtheit der Produktionsmittel – Grund und Boden, Rohstoffe, Maschinen – monopolisieren; auf der anderen Seite die Arbeiter, die arbeitende Bevölkerung, die jeglichen Eigentums an den Produktionsmitteln beraubt sind und nichts besitzen als die eigene Arbeitskraft – solange diese gesellschaftliche Organisation besteht, wird das Lohngesetz allmächtig bleiben und jeden Tag aufs neue die Ketten schmieden, die den Arbeiter zum Sklaven seines eigenen vom Kapitalisten monopolisierten Produkts machen.

Die englischen Trade-Unions haben jetzt seit fast sechzig Jahren gegen dieses Gesetz angekämpft – mit welchem Ergebnis? Ist es ihnen gelungen, die Arbeiterklasse aus der Knechtschaft zu befreien, in der das Kapital –

---

[1] Siehe vorl. Band, S. 247–250

das Produkt ihrer eigenen Hände – sie hält? Haben sie auch nur eine einzige Gruppe der Arbeiterklasse in den Stand gesetzt, sich über die Lage von Lohnsklaven zu erheben, Eigentümer ihrer eigenen Produktionsmittel, der in ihrem Gewerbe benötigten Rohstoffe, Werkzeuge, Maschinen und damit auch Eigentümer des Produkts ihrer eigenen Arbeit zu werden? Es ist allgemein bekannt, daß sie das nicht nur nicht getan, sondern niemals auch nur versucht haben.

Wir wollen keineswegs behaupten, die Trade-Unions seien nutzlos, weil sie das nicht getan haben. Im Gegenteil, die Trade-Unions sind in England wie in jedem anderen Industrieland für die Arbeiterklasse eine Notwendigkeit in ihrem Kampf gegen das Kapital. Die durchschnittliche Lohnhöhe entspricht der Summe der notwendigen Bedarfsgegenstände, die zur Erhaltung und Fortpflanzung der arbeitenden Bevölkerung eines Landes entsprechend dem in diesem Lande üblichen Lebensstandard ausreichen. Dieser Lebensstandard kann für verschiedene Schichten der Arbeiter sehr verschieden sein. Das große Verdienst der Trade-Unions in ihrem Kampf um Erhöhung der Löhne und Verringerung der Arbeitszeit besteht darin, daß sie danach streben, „den Lebensstandard zu erhalten und zu heben. Es gibt im Londoner Eastend viele Erwerbszweige, deren Arbeit nicht weniger qualifiziert und genauso schwer ist wie die der Maurer und ihrer Handlanger, und dennoch erhalten sie kaum die Hälfte von deren Löhnen. Warum? Einfach, weil eine machtvolle Organisation die eine Gruppe in den Stand setzt, als Norm, nach der sich ihre Löhne richten, einen verhältnismäßig hohen Lebensstandard zu behaupten, während die andere Gruppe, unorganisiert und ohnmächtig, sich nicht nur den unvermeidlichen, sondern auch den willkürlichen Übergriffen der Unternehmer fügen muß: ihr Lebensstandard wird schrittweise gesenkt, sie lernt von immer geringeren Löhnen zu leben, und ihre Löhne fallen naturgemäß bis auf jenes Niveau, mit dem sie sich selbst als ausreichend abgefunden hat.

Das Lohngesetz ist also nicht derart, daß es eine unbeweglich starre Linie zöge. Innerhalb gewisser Grenzen ist es keineswegs unerbittlich. Jederzeit (große Depressionen ausgenommen) gibt es in jedem Erwerbszweig einen gewissen Spielraum, innerhalb dessen die Lohnhöhe durch die Ergebnisse des Kampfes zwischen den beiden miteinander kämpfenden Parteien verändert werden kann. Die Löhne werden in jedem Fall durch Feilschen festgesetzt, und beim Feilschen hat der, welcher am längsten und wirksamsten Widerstand leistet, die größte Aussicht, mehr zu erhalten, als ihm zusteht. Wenn der einzelne Arbeiter mit dem Kapitalisten handelseins zu werden versucht, wird er leicht geschlagen und muß sich ihm auf Gnade und Ungnade ergeben; wenn aber die Arbeiter eines ganzen Gewerbes eine mächtige Organisation bilden, unter sich einen Fonds sammeln, um imstande zu sein, den Unternehmern nötigenfalls die Stirn zu bieten, und sich dadurch in die Lage versetzen, als eine Macht mit den Unternehmern zu verhandeln, dann, und nur dann, haben die Arbeiter Aussicht, wenigstens das bißchen zu erhalten, das bei der ökonomischen Struktur der gegenwärtigen Gesellschaft als ein gerechter Tagelohn für ein gerechtes Tagewerk bezeichnet werden kann.

Das Lohngesetz wird durch den gewerkschaftlichen Kampf nicht verletzt; im Gegenteil, er bringt es voll zur Geltung. Ohne den Widerstand durch die Trade-Unions erhält der Arbeiter nicht einmal das, was ihm nach den Regeln des Lohnsystems zusteht. Nur die Furcht vor den Trade-Unions kann den Kapitalisten zwingen, dem Arbeiter den vollen Marktwert seiner Arbeitskraft zu zahlen. Wollt ihr Beweise haben? Seht euch die Löhne an, die den Mitgliedern der großen Trade-Unions gezahlt werden, und vergleicht sie mit den Löhnen in den zahllosen kleinen Gewerben im Londoner Eastend, jenem stagnierenden Pfuhl des Elends.

Die Trade-Unions greifen demnach nicht das Lohnsystem an. Aber nicht hoher oder niedriger Lohn bestimmt die wirtschaftliche Erniedrigung der Arbeiterklasse: dieser Erniedrigung liegt die Tatsache zugrunde, daß die Arbeiterklasse, statt für ihre Arbeit das volle Arbeitsprodukt zu erhalten, sich mit einem Teil ihres eigenen Produkts begnügen muß, den man Lohn nennt. Der Kapitalist eignet sich das ganze Produkt an (und bezahlt daraus den Arbeiter), weil er der Eigentümer der Arbeitsmittel ist. Und darum gibt es keine wirkliche Befreiung der Arbeiterklasse, solange sie nicht Eigentümerin aller Arbeitsmittel geworden ist – des Grund und Bodens, der Rohstoffe, der Maschinen etc. – und damit auch Eigentümerin **des vollen Produkts ihrer eigenen Arbeit.**

Geschrieben am 15./16. Mai 1881.

Aus dem Englischen.

Friedrich Engels

Die Trade-Unions

I

[„The Labour Standard"
Nr. 4 vom 28. Mai 1881,
Leitartikel]

In unserer letzten Ausgabe[1] betrachteten wir die Tätigkeit der Trade-Unions, insoweit sie das ökonomische Lohngesetz gegen die Unternehmer durchsetzen. Wir kehren zu diesem Thema zurück; denn es ist von höchster Wichtigkeit, daß die Arbeiterklasse es in ihrer Gesamtheit von Grund aus verstehe.

Wir nehmen an, kein englischer Arbeiter unserer Tage muß darüber belehrt werden, daß es ebenso im Interesse des einzelnen Kapitalisten wie der gesamten Kapitalistenklasse liegt, die Löhne so weit wie möglich zu senken. Das Arbeitsprodukt wird, wie David Ricardo unwiderleglich nachgewiesen hat, nach Abzug aller Unkosten in zwei Teile geteilt: Der eine bildet den Lohn des Arbeiters, der andere den Profit des Kapitalisten. Da nun das Nettoprodukt der Arbeit in jedem einzelnen Fall eine gegebene Größe darstellt, ist es klar, daß der eine Teil, Profit genannt, nicht zunehmen kann, ohne daß der andere Teil, Lohn genannt, sich verringert. Zu bestreiten, daß es im Interesse des Kapitalisten liegt, die Löhne zu senken, wäre gleichbedeutend mit der Behauptung, daß es nicht in seinem Interesse liege, seinen Profit zu steigern.

Wir wissen sehr gut, daß es andere Mittel gibt, den Profit vorübergehend zu steigern; sie ändern aber das allgemeine Gesetz nicht und brauchen daher hier von uns nicht beachtet zu werden.

Wie können nun aber die Kapitalisten die Löhne senken, wenn die Lohnhöhe durch ein klares, genau bestimmtes ökonomisches Gesetz geregelt wird? Das ökonomische Lohngesetz existiert und ist unwiderleglich.

---

[1] Siehe vorl. Band, S. 251–253

Aber es ist, wie wir gesehen haben, elastisch, und zwar in doppelter Hinsicht. Der Lohn kann in einem einzelnen Gewerbezweig gesenkt werden – entweder direkt, durch schrittweise Gewöhnung der Arbeiter dieses Gewerbes an einen niedrigeren Lebensstandard, oder indirekt, durch Verlängerung des Arbeitstages (oder Steigerung der Arbeitsintensität während derselben Arbeitszeit) ohne Lohnerhöhung.

Das Interesse jedes einzelnen Kapitalisten, seinen Profit durch Senkung des Lohns seiner Arbeiter zu steigern, erhält einen neuen Antrieb durch die Konkurrenz der Kapitalisten ein und desselben Produktionszweigs untereinander. Jeder von ihnen ist bestrebt, seine Konkurrenten zu unterbieten, und wenn er seinen Profit nicht opfern will, muß er versuchen, den Lohn zu senken. Auf diese Weise wird der Druck auf den Lohn, hervorgerufen durch das Interesse jedes einzelnen Kapitalisten, infolge ihrer gegenseitigen Konkurrenz verzehnfacht. Was vorher eine Frage größeren oder geringeren Profits war, wird jetzt zu einer Frage der Notwendigkeit.

Gegenüber diesem ständigen, unaufhörlichen Druck hat die unorganisierte Arbeiterschaft keine wirksamen Mittel des Widerstands. Darum zeigt der Lohn in Produktionszweigen, in denen die Arbeiter nicht organisiert sind, eine ständig sinkende Tendenz und die Arbeitszeit eine ständig steigende Tendenz. Langsam aber sicher schreitet dieser Prozeß fort. Zeiten der Prosperität mögen ihn hier und da unterbrechen, Zeiten schlechten Geschäftsgangs jedoch beschleunigen ihn nachher wieder um so mehr. Die Arbeiter gewöhnen sich nach und nach an einen immer niedrigeren Lebensstandard. Während die Arbeitszeit eine Tendenz zur Verlängerung zeigt, nähern die Löhne sich immer mehr ihrem absoluten Minimum – jener Summe, unterhalb derer es für den Arbeiter völlig unmöglich wird, zu leben und sein Geschlecht fortzupflanzen.

Eine vorübergehende Ausnahme hiervon gab es um den Beginn dieses Jahrhunderts. Die sich rasch ausdehnende Anwendung von Dampfkraft und Maschinen reichte für die noch schneller wachsende Nachfrage nach ihren Produkten nicht aus. In diesen Produktionszweigen war der Lohn in der Regel hoch, mit Ausnahme des Lohns von Kindern, die vom Arbeitshaus an den Fabrikanten verkauft wurden; der Lohn für qualifizierte Handarbeit, ohne die man nicht auskommen konnte, war sehr hoch; was ein Färber, ein Mechaniker, ein Samtscherer, ein Spinner an der Hand-Mule damals erhielt, klingt heute märchenhaft. Zur selben Zeit waren die Gewerbe, welche durch Maschinen verdrängt wurden, zum langsamen Absterben verurteilt. Neuerfundene Maschinen verdrängten aber allmählich diese gutbezahlten Arbeiter; es wurden Maschinen erfunden, mit denen Maschinen hergestellt wurden, und zwar in einem solchen Ausmaß, daß das Angebot maschinell hergestellter Waren die Nachfrage nicht nur deckte, sondern sogar überstieg. Als durch den allgemeinen Frieden im Jahre 1815 der regelmäßige Handelsverkehr wiederhergestellt wurde, nahmen die Zehnjahreszyklen von Prosperität, Überproduktion und Krise ihren Anfang. Alle Vorteile, welche die Arbeiter aus früheren Prosperitätsperioden gerettet und vielleicht während der Periode stürmischer Überproduktion sogar noch vergrößert hatten, wurden ihnen jetzt, in der Zeit des schlechten Geschäftsgangs und der Krise, wieder entrissen; und bald war die in den Fabriken arbeitende Bevölkerung Englands dem allgemeinen Gesetz unterworfen, nach dem der Lohn der unorganisierten Arbeiter ständig dem absoluten Minimum zustrebt.

Inzwischen jedoch waren auch die 1824 legalisierten Trade-Unions auf den Plan getreten, und das war die höchste Zeit. Die Kapitalisten sind immer organisiert. In den meisten Fällen brauchen sie keinen formellen Verband, keine Statuten, keine Funktionäre etc. Ihre im Vergleich zu den Arbeitern geringe Zahl, der Umstand, daß sie eine besondere Klasse bilden, ihr ständiger gesellschaftlicher und geschäftlicher Verkehr untereinander machen das alles überflüssig; erst später, wenn ein Industriezweig in einem Gebiet vorherrschend geworden ist, wie zum Beispiel die Baumwollindustrie in Lancashire, wird eine formelle Trade-Union der Kapitalisten notwendig. Die Arbeiter dagegen können von allem Anfang an nicht ohne starke Organisation mit genau festgelegten Statuten auskommen, die ihren Einfluß durch Funktionäre und Komitees ausübt. Durch das Gesetz von 1824 wurden diese Organisationen legal. Seit jenem Tage ist die Arbeiterschaft in England eine Macht geworden. Die Masse war jetzt nicht länger hilflos und in sich selbst gespalten wie früher. Zu der Stärke, die ihr Koalition und gemeinsames Handeln verliehen, kam bald die Kraft einer wohlgefüllten Kasse – des „Widerstandsgeldes", wie der bezeichnende Ausdruck unserer französischen Brüder lautet. Die ganze Sachlage änderte sich jetzt. Für den Kapitalisten wurde es eine riskante Sache, den Lohn zu senken oder die Arbeitszeit zu verlängern.

Daher die Wutausbrüche der Kapitalistenklasse jener Zeit gegen die Trade-Unions. Diese Klasse hatte ihre langgeübte Praxis, die Arbeiterklasse zu schinden, stets als gesetzlich verbrieftes Vorrecht betrachtet. Dem sollte nun Einhalt geboten werden. Kein Wunder, daß die Kapitalisten in heftiges Geschrei ausbrachen und sich in ihren Rechten und in ihrem Besitz mindestens ebensosehr beeinträchtigt fühlten wie die irischen Landlords unserer Tage [165].

Sechzig Jahre Kampferfahrung haben sie etwas einsichtiger gemacht. Die Trade-Unions sind jetzt eine anerkannte Einrichtung geworden, und ihre Funktion als mitbestimmender Faktor bei Lohnregelungen ist in demselben Maße anerkannt wie die Funktion der Fabrikgesetze [166] als bestimmende Faktoren bei der Regelung der Arbeitszeit. Ja, die Baumwollfabrikanten in Lancashire sind neuerdings sogar bei den Arbeitern in die Schule gegangen und verstehen es jetzt, einen Streik zu organisieren, wenn das in ihrem Interesse liegt, und zwar ebensogut oder besser als jede Trade-Union.

So ist es also eine Folge des Wirkens der Trade-Unions, daß gegen den Widerstand der Unternehmer das Lohngesetz durchgesetzt wird, daß die Arbeiter jedes gut organisierten Gewerbezweigs in der Lage sind, wenigstens annähernd, den vollen Wert ihrer Arbeitskraft zu erhalten, die sie dem Unternehmer vermieten, und daß mit Hilfe von Staatsgesetzen die Arbeitszeit wenigstens nicht allzusehr jene Höchstdauer überschreitet, über die hinaus die Arbeitskraft vorzeitig erschöpft wird. Das ist aber auch das Höchstmaß dessen, was für die Trade-Unions, wie sie gegenwärtig organisiert sind, überhaupt erreichbar ist, und auch das nur unter ständigen Kämpfen, mit ungeheurem Verschleiß an Kraft und Geld; und dann machen die Konjunkturschwankungen, alle zehn Jahre mindestens einmal, das Errungene im Handumdrehen wieder zunichte, und der Kampf muß von neuem durchgefochten werden. Das ist ein verhängnisvoller Kreislauf, aus dem es kein Entrinnen gibt. Die Arbeiterklasse bleibt, was sie war und als was unsere chartistischen Vorväter sie rundheraus bezeichneten – eine Klasse von Lohnsklaven. Soll dies das Endergebnis von soviel Arbeit, Selbstaufopferung und Leiden sein? Soll dies für immer das höchste Ziel der englischen Arbeiter bleiben? Oder soll die Arbeiterklasse hierzulande nicht endlich versuchen, diesen verhängnisvollen Kreis zu durchbrechen und einen Ausweg aus ihm zu finden in einer Bewegung für die *Abschaffung des Lohnsystems überhaupt*?

Nächste Woche werden wir die Rolle untersuchen, die die Trade-Unions als Organisatoren der Arbeiterklasse spielen.

II

[„The Labour Standard"
Nr. 5 vom 4. Juni 1881,
Leitartikel]

Wir haben bisher die Funktionen der Trade-Unions nur insoweit betrachtet, als sie zur Regelung der Lohnhöhe beitragen und dem Arbeiter in seinem Kampf gegen das Kapital wenigstens einige Mittel sichern, mit denen er sich zur Wehr setzen kann. Mit diesem Gesichtspunkt jedoch ist unser Thema nicht erschöpft.

Wir sprachen vom Kampf des Arbeiters gegen das Kapital. Dieser Kampf existiert, was immer die Apologeten des Kapitals auch dagegen sagen mögen. Er wird existieren, solange eine Lohnsenkung das sicherste und bequemste Mittel zur Steigerung des Profits bleibt, ja darüber hinaus, solange das Lohnsystem überhaupt existieren wird. Das bloße Vorhandensein von Trade-Unions beweist diese Tatsache zur Genüge; wenn sie nicht zum Kampf gegen die Übergriffe des Kapitals geschaffen worden sind, wozu sind sie dann geschaffen? Es hat keinen Zweck, ein Blatt vor den Mund zu nehmen. Durch keine noch so schönen Worte kann die häßliche Tatsache verdeckt werden, daß die gegenwärtige Gesellschaft im wesentlichen in zwei große, antagonistische Klassen gespalten ist – auf der einen Seite die Kapitalisten, denen alle Produktionsmittel gehören, auf der anderen Seite die Arbeiter, die nichts besitzen als die eigene Arbeitskraft. Das Arbeitsprodukt der letztgenannten Klasse muß zwischen beiden Klassen geteilt werden, und gerade um diese Teilung tobt ununterbrochen der Kampf. Jede Klasse versucht einen möglichst großen Anteil zu erlangen; und das seltsamste an diesem Kampfe ist, daß die Arbeiterklasse, obwohl sie nur um einen Anteil an ihrem eigenen Produkt kämpft, oft genug beschuldigt wird, sie beraube eigentlich den Kapitalisten!

Ein Kampf zwischen zwei großen Gesellschaftsklassen wird jedoch unvermeidlich zu einem politischen Kampf. So war es mit dem langen Kampf zwischen der Mittel- oder Kapitalistenklasse und der Grundbesitzeraristokratie; so ist es auch mit dem Kampf zwischen der Arbeiterklasse und eben diesen Kapitalisten. In jedem Kampf von Klasse gegen Klasse ist das unmittelbare Ziel, um das gekämpft wird, die politische Macht; die herrschende Klasse verteidigt ihre politische Vorherrschaft, das heißt ihre sichere Mehrheit in den gesetzgebenden Körperschaften; die untere Klasse kämpft zuerst um einen Anteil an dieser Macht, später um die ganze Macht, um in die Lage zu kommen, die bestehenden Gesetze entsprechend ihren eigenen Interessen und Bedürfnissen zu ändern. So kämpfte die Arbeiterklasse Großbritanniens jahrelang leidenschaftlich und sogar unter Anwendung von Gewalt für die Volks-Charte [167], die ihr diese politische Macht geben sollte; sie erlitt eine Niederlage, aber der Kampf hatte auf die siegreiche Mittelklasse einen solchen Eindruck gemacht, daß diese seitdem schon froh war, um den Preis immer neuer Zugeständnisse an das werktätige Volk, einen längeren Waffenstillstand zu erkaufen.

Nun ist in einem politischen Kampf von Klasse gegen Klasse die Organisation die wichtigste Waffe. Und in demselben Maße, wie die bloß politische, die chartistische Organisation zerfiel, in demselben Maße wurde die Organisation der Trade-Unions immer stärker, bis sie jetzt eine solche Stärke erreicht hat, daß sich mit ihr keine ausländische Arbeiterorganisation vergleichen kann. Einige wenige große Trade-Unions, ein bis zwei Millionen Arbeiter umfassend und von den kleineren oder lokalen Verbänden unterstützt, stellen eine Macht dar, mit der jede Regierung der herrschenden Klasse, gleichviel ob Whig oder Tory, rechnen muß.

Entsprechend den Traditionen ihrer Entstehung und Entwicklung hierzulande haben sich diese mächtigen Organisationen bisher fast ausschließlich auf die Funktion beschränkt, bei der Lohn- und Arbeitszeitregelung mitzuwirken und die Abschaffung offen arbeiterfeindlicher Gesetze zu erzwingen. Wie bereits gesagt, taten sie dies mit geradesoviel Erfolg, wie sie mit Recht erwarten durften. Sie erreichten aber noch mehr: Die herrschende Klasse, die die Stärke der Trade-Unions besser kennt als diese selbst, machte ihnen aus freien Stücken Zugeständnisse, die noch darüber hinausgingen. Die Ausdehnung des Wahlrechts auf alle Haushaltungsvorstände [168] durch Disraeli gab mindestens dem größeren Teil der organisierten Arbeiterklasse das Stimmrecht. Hätte er das vorgeschlagen, wenn er nicht angenommen hätte, daß diese neuen Wähler einen eigenen Willen äußern – daß sie künftig nicht mehr liberalen Politikern der Mittelklasse ihre Führung überlassen würden? Wäre er imstande gewesen, das durchzusetzen, wenn das werktätige Volk bei der Leitung seiner riesigen Gewerkschaftsverbände nicht die Fähigkeit zu administrativer und politischer Arbeit bewiesen hätte?

Gerade diese Maßnahme eröffnete neue Perspektiven für die Arbeiterklasse. Sie verschaffte ihr in London und in allen Industriestädten die Mehrheit und setzte sie damit in den Stand, den Kampf gegen das Kapital mit neuen Waffen zu führen, indem sie Männer ihrer eigenen Klasse ins Parlament entsandte. Aber wir müssen leider sagen, daß die Trade-Unions hier ihre Pflicht als Vorhut der Arbeiterklasse vergessen haben. Die neue Waffe befindet sich jetzt seit mehr als zehn Jahren in ihren Händen, aber sie haben sie kaum jemals aus der Scheide gezogen. Sie sollten nicht vergessen, daß sie die Stellung, die sie heute innehaben, nicht auf die Dauer halten können, wenn sie nicht wirklich an der Spitze der Arbeiterklasse marschieren. Es ist geradezu widernatürlich, daß die englische Arbeiterklasse, obwohl sie die Kraft besitzt, vierzig oder fünfzig Arbeiter ins Parlament zu schikken, sich für ewig damit zufriedengeben sollte, sich von Kapitalisten oder ihren Handlangern, wie Rechtsanwälten, Redakteuren etc. vertreten zu lassen.

Überdies sind eine Menge Anzeichen dafür vorhanden, daß die englische Arbeiterklasse zu dem Bewußtsein erwacht, geraume Zeit einen falschen Weg gegangen zu sein; daß die gegenwärtigen Bewegungen, ausschließlich für höhere Löhne und kürzere Arbeitszeit, sie in einen verhängnisvollen Kreis bannen, aus dem es kein Entrinnen gibt; daß das Grundübel nicht in den niedrigen Löhnen liegt, sondern im Lohnsystem selbst. Diese Erkenntnis, einmal in der Arbeiterklasse allgemein verbreitet, muß die Stellung der Trade-Unions wesentlich ändern. Sie werden nicht länger das Vorrecht genießen, die einzigen Organisationen der Arbeiterklasse zu sein. Neben den Verbänden in den einzelnen Industriezweigen oder über ihnen muß ein Gesamtverband, eine politische Organisation der Arbeiterklasse als Ganzes entstehen.

Demnach täten die Trade-Unions gut daran, zweierlei zu berücksichtigen: Erstens, daß die Zeit rasch herannaht, da die Arbeiterklasse hierzulande mit nicht mißzuverstehender Stimme ihren vollen Anteil an der Vertretung im Parlament fordern wird; zweitens, daß ebenso rasch die Zeit herannaht, da die Arbeiterklasse begreifen wird, daß der Kampf für hohe Löhne und kurze Arbeitszeit und die ganze Tätigkeit der Trade-Unions in ihrer jetzigen Form nicht Selbstzweck, sondern Mittel ist, ein sehr notwendiges und wirksames Mittel, aber doch nur eines von verschiedenen Mitteln zu einem höheren Ziel: der Abschaffung des Lohnsystems überhaupt.

Für die vollgültige Vertretung der Arbeiterschaft im Parlament sowie für die Vorbereitung zur Abschaffung des Lohnsystems werden Organisationen, nicht einzelner Industriezweige, sondern der Arbeiterklasse in ihrer Gesamtheit notwendig sein. Und je eher sie auf den Plan treten, desto besser. Es gibt keine Macht in der Welt, die der englischen Arbeiterklasse auch nur einen einzigen Tag widerstehen könnte, wenn sie sich in ihrer Gesamtheit organisiert.

Geschrieben um den 20. Mai 1881.
Aus dem Englischen.

Friedrich Engels

Der Handelsvertrag mit Frankreich

[„The Labour Standard"
Nr. 7 vom 18. Juni 1881,
Leitartikel]

Am Donnerstag, dem 9. Juni, brachte Herr Monk (Gloucester) im Unterhaus eine Resolution ein, die darauf hinauslief, daß

„kein Handelsvertrag mit Frankreich zufriedenstellend sein werde, der nicht auf die Entwicklung der Handelsbeziehungen zwischen den beiden Ländern durch weitere Zollherabsetzung abziele".

Es folgte eine ziemlich lange Debatte. Sir C. Dilke leistete im Namen der Regierung den durch die diplomatische Etikette gebotenen sanften Widerstand. Herr J. A. Balfour (Hertford) wollte fremde Nationen durch Retorsionszölle zwingen, niedrigere Tarife festzusetzen. Herr Slagg (Manchester) wollte es den Franzosen überlassen, ganz ohne jeden Vertrag herauszufinden, welchen Wert unser Handel für sie und ihr Handel für uns habe. Herr Illingworth (Bradford) erklärte, er habe die Hoffnung aufgegeben, durch Handelsverträge zum Freihandel zu gelangen. Herr Mac Iver (Birkenhead) bezeichnete das gegenwärtige Freihandelssystem als bloße Täuschung, da es in freier Einfuhr und beschränkter Ausfuhr bestehe. Die Resolution wurde mit 77 gegen 49 Stimmen angenommen – eine Niederlage, die weder Herrn Gladstones Gefühlen noch seiner Stellung wehe tun wird.

Diese Debatte ist ein Musterbeispiel für eine lange Reihe immer wiederkehrender Klagen über die Halsstarrigkeit, mit der sich der stupide Ausländer und sogar der ebenso stupide Kolonialuntertan weigert, die allumfassenden Segnungen des Freihandels und seine Eignung als Heilmittel aller ökonomischen Übel anzuerkennen. Niemals ist eine Prophezeiung so völlig zusammengebrochen wie die der Manchesterschule[169]: Der Freihandel, einmal in England eingeführt, werde eine solche Segensfülle über das Land ausschütten, daß alle anderen Nationen dem Beispiel folgen und ihre Häfen den englischen Waren weit öffnen müßten. Die lockende Stimme der Freihandelsapostel blieb die Stimme des Predigers in der Wüste. Nicht nur der Kontinent und Amerika erhöhten alles in allem ihre Schutzzölle; auch die britischen Kolonien folgten nach, sobald sie die Selbstverwaltung erhalten hatten; und kaum war Indien der Krone unterstellt [170], als auch dort zur Ermutigung der einheimischen Industrie ein fünfprozentiger Einfuhrzoll auf Baumwollwaren eingeführt wurde.

Warum dem so sein muß, ist für die Manchesterschule ein unergründliches Geheimnis. Und doch ist die Sache ganz einfach.

Ungefähr um die Mitte des vorigen Jahrhunderts war England der Hauptsitz der Baumwollmanufaktur, und deshalb war es natürlich, daß bei der wachsenden Nachfrage nach Baumwollwaren gerade hier die Maschinen erfunden wurden, die mit Hilfe der Dampfkraft erst die Baumwollverarbeitung und nach und nach die ganze übrige Textilindustrie revolutionierten. Die umfangreichen, leicht zugänglichen Kohlenvorkommen Großbritanniens wurden jetzt, dank der Dampfkraft, zur Grundlage des Wohlstands des Landes. Die ausgedehnten Eisenerzlager in enger Nachbarschaft der Kohlenvorkommen förderten die Entwicklung der Eisenindustrie, die durch die Nachfrage nach Dampfmaschinen und sonstigen Maschinen einen neuen Auftrieb erhalten hatte. Dann, mitten in dieser Revolution des ganzen Fabrikationssystems, kamen die Antijakobiner- und die napoleonischen Kriege, welche die Schiffe fast aller konkurrierenden Nationen für etwa fünfundzwanzig Jahre vom Meer vertrieben und so den englischen Industriewaren praktisch ein Monopol auf allen überseeischen und einigen europäischen Märkten gaben. Als 1815 der Friede wiederhergestellt war, stand England mit seinen mit Dampfkraft betriebenen Fabriken bereit, die Welt zu versorgen, während in anderen Ländern Dampfmaschinen noch kaum bekannt waren. In der industriellen Produktion hatte England ihnen gegenüber einen gewaltigen Vorsprung.

Die Wiederherstellung des Friedens veranlaßte jedoch bald andere Nationen, in Englands Fußtapfen zu treten. Durch die chinesische Mauer seiner Prohibitivzölle geschützt, führte Frankreich die Dampfkraft in die Produktion ein. Ebenso verfuhr Deutschland, wenngleich der deutsche Zolltarif damals liberaler war als alle übrigen, der englische nicht ausgenommen. Andere Länder taten desgleichen. Zur selben Zeit führte die englische Grundbesitzeraristokratie, um ihre Renten zu erhöhen, die Korngesetze[171] ein, was eine Erhöhung des Brotpreises und damit der Geldlöhne zur Folge hatte. Dennoch ging die Entwicklung der englischen Industrie in erstaunlichem Tempo vorwärts. Um 1830 hatte sich England darauf eingerichtet, „die Werkstatt der Welt" zu werden. Es wirklich zur Werkstatt der Welt zu machen, war die Aufgabe, die sich die Anti-Korngesetz-Liga[172] gestellt hatte.

Damals wurde kein Geheimnis daraus gemacht, welches Ziel mit der Aufhebung der Korngesetze verfolgt wurde. Die Senkung des Brotpreises und damit der Geldlöhne sollte die englischen Fabrikanten in den Stand setzen, jeglicher Konkurrenz Trotz zu bieten, mit der böse oder unwissende Ausländer sie bedrohten. Was konnte natürlicher sein, als daß England, mit seinem großen Vorsprung in bezug auf Maschinerie, mit seiner riesigen Handelsflotte, seiner Kohle und seinem Eisen, die ganze Welt mit Industrieartikeln versorgen sollte, und als Gegenleistung die übrige Welt es mit Agrarprodukten, Korn, Wein, Flachs, Baumwolle, Kaffee, Tee etc., versorge? So sollte es nach dem Ratschluß der Vorsehung sein, und sich dem zu widersetzen, bedeutete offene Auflehnung gegen Gottes Fügung. Im äußersten Fall mochte es Frankreich gestattet sein, England und die übrige Welt mit solchen Artikeln des guten Geschmacks und der Mode zu versorgen, die maschinell nicht herstellbar und der Beachtung eines aufgeklärten Fabrikbesitzers ganz und gar unwürdig waren. Dann, und nur dann, konnte Friede auf Erden und den Menschen ein Wohlgefallen sein; dann wären alle Nationen durch die zarten Bande von Handel und wechselseitigem Profit miteinander verbunden; dann wäre für immer das Reich des Friedens und Überflusses errichtet; und der Arbeiterklasse, den „Händen", sagte man: „Kinder, jetzt kommt eine gute Zeit – wartet noch ein wenig." Es versteht sich von selbst, daß die „Hände" noch immer warten.

Aber während die „Hände" warteten, warteten die bösen und unwissenden Ausländer nicht. Sie hatten kein Verständnis für die Schönheit eines Systems, das Englands zeitweilige industrielle Überlegenheit in ein Mittel verwandeln sollte, ihm das Industriemonopol in der ganzen Welt und auf ewige Zeiten zu sichern und alle anderen Nationen zu rein agrarischen Anhängseln Englands herabzuwürdigen – mit anderen Worten, sie in die überaus beneidenswerte Lage Irlands zu bringen. Sie wußten, daß keine Nation mit den anderen kulturell Schritt halten kann, wenn sie ihrer Industrie beraubt und damit auf das Niveau eines Haufens von Bauerntölpeln herabgedrückt wird. Und deshalb ordneten sie den privaten Handelsprofit den nationalen Bedürfnissen unter und schützten ihre entstehenden Industrien durch hohe Zölle, was ihnen als das einzige Mittel erschien, sich vor dem Herabsinken auf das wirtschaftliche Niveau zu schützen, dessen sich Irland erfreut.

Wir wollen nicht behaupten, daß ein solches Verfahren in jedem Falle das richtige war. Im Gegenteil, Frankreich würde aus einer weitgehenden Annäherung an den Freihandel ungeheure Vorteile ziehen. Die deutsche Industrie hat ihre heutige Entwicklungsstufe unter dem Freihandel erreicht, und Bismarcks neuer Schutzzolltarif wird niemandem schaden als den deutschen Fabrikanten selbst. Aber es gibt ein Land, wo eine kurze Periode des Schutzzolls nicht nur gerechtfertigt, sondern sogar absolut notwendig ist – Amerika.

Amerika befindet sich auf dem Punkt seiner Entwicklung, wo die Einführung fabrikmäßiger Produktion eine nationale Notwendigkeit geworden ist. Das beweist am besten die Tatsache, daß auf dem Gebiet der Erfindung arbeitersparender Maschinen nicht mehr England die Führung hat, sondern Amerika. Amerikanische Erfindungen verdrängen Tag für Tag englische Patente und englische Maschinen. Amerikanische Maschinen werden nach England herübergebracht, und zwar für fast alle Industriezweige. Dazu besitzt Amerika die tatkräftigste Bevölkerung der Welt, Kohlenvorkommen, welche die Englands weit hinter sich lassen, Eisen und alle anderen Metalle in Hülle und Fülle. Und soll man annehmen, daß ein solches Land seine aufsteigende junge Industrie einem langwierigen Konkurrenzkampf mit der alteingesessenen Industrie Englands aussetzen werde, wenn sie durch eine kurze Schutzzollperiode von etwa zwanzig Jahren unmittelbar auf die gleiche Höhe mit jedem beliebigen Konkurrenten gebracht werden kann? Aber, sagt die Manchesterschule, Amerika beraubt durch sein Schutzzollsystem nur sich selbst. Genauso beraubt ein Mann sich selbst, der für einen Expreßzug Zuschlag zahlt, anstatt den Bummelzug zu benutzen – fünfzig Meilen in der Stunde statt zwölf.

Zweifelsohne wird es die heutige Generation noch erleben, daß amerikanische Baumwollwaren in Indien und China mit englischen konkurrieren und auf diesen beiden führenden Märkten allmählich Boden gewinnen und daß amerikanische Maschinen und Metallwaren mit den englischen Fabrikaten in allen Teilen der Welt, England einbegriffen, konkurrieren; dieselbe unerbittliche Notwendigkeit, die die flämischen Manufakturen nach Holland und die holländischen nach England brachte, wird binnen kurzem das Zentrum der Weltindustrie von England nach den Vereinigten Staaten verlegen. Und auf dem eingeschränkten Betätigungsfeld, das England dann noch verbleibt, wird es in mehreren Staaten Europas bedrohliche Konkurrenten finden.

Man kann die Augen nicht länger vor der Tatsache verschließen, daß Englands Industriemonopol rasch dahinschwindet. Wenn die „aufgeklärte“

Mittelklasse glaubt, es liege in ihrem Interesse, diese Tatsache zu verschweigen, so soll ihr doch die Arbeiterklasse kühn ins Auge blicken; denn sie ist daran noch mehr interessiert als selbst die „oberen“ Klassen. Diese können noch auf lange Zeit hinaus die Bankiers und Geldverleiher der Welt bleiben, wie es vor ihnen die Venetianer und Holländer zur Zeit ihres Verfalls gewesen sind. Was aber soll aus den „Händen“ werden, wenn Englands riesiger Ausfuhrhandel einmal anfängt, mit jedem Jahr mehr zusammenzuschrumpfen, anstatt sich auszudehnen? Wenn die Verlagerung des Eisenschiffbaus von der Themse an den Clyde genügte, das ganze Londoner Eastend zu chronischer Verelendung zu verurteilen, was wird dann erst die tatsächliche Verlagerung seines gesamten Stapelhandels auf die andere Seite des Atlantischen Ozeans für England bedeuten?

Sie wird eine große Sache zuwege bringen: Sie wird das letzte Band zerreißen, das die englische Arbeiterklasse noch mit der englischen Mittelklasse verbindet. Dieses Band war ihr gemeinsames Wirken für ein nationales Monopol. Ist dieses Monopol einmal zerstört, so wird die britische Arbeiterklasse gezwungen sein, ihre Interessen, ihre eigene Befreiung, selbst in die Hand zu nehmen und mit dem Lohnsystem Schluß zu machen. Wir wollen hoffen, daß sie so lange nicht wartet.

Geschrieben Mitte Juni 1881.
Aus dem Englischen.

Friedrich Engels

Zwei vorbildliche Stadträte

[„The Labour Standard“
Nr. 8 vom 25. Juni 1881,
Leitartikel]

Wir haben unseren Lesern versprochen, sie über die Arbeiterbewegung sowohl im Ausland als auch zu Hause unterrichtet zu halten. Wir konnten hier und da einige Nachrichten aus Amerika bringen, und heute sind wir in der Lage, einige Tatsachen aus Frankreich zu berichten – Tatsachen von solcher Wichtigkeit, daß sie wohl verdienen, in unserem Leitartikel erwähnt zu werden.

In Frankreich sind die zahlreichen Systeme öffentlicher Abstimmung, wie sie hierzulande noch in Gebrauch sind, unbekannt. Statt einer Form des Stimmrechts und des Wahlmodus für die Parlamentswahlen, einer anderen für städtische Kommunalwahlen, einer dritten für Gemeindewahlen und so fort, ist überall das gewöhnliche allgemeine Stimmrecht und die geheime Wahl mit Stimmzettel die Regel. Bei der Gründung der Sozialistischen Arbeiterpartei in Frankreich wurde beschlossen, Arbeiterkandidaten nicht nur für die Kammer, sondern auch für alle Kommunalwahlen aufzustellen; und tatsächlich siegte bei der letzten Neuwahl der Stadträte in Frankreich, die am 9. Januar dieses Jahres stattfand, die junge Partei in einer großen Zahl von Industriestädten und ländlichen, besonders Bergarbeitergemeinden. Es gelang ihr nicht nur, einzelne Kandidaten durchzubringen, sondern in einigen Orten erlangte sie sogar die Majorität im Rat, und mindestens ein Stadtrat wurde, wie wir sehen werden, nur aus Arbeitern gebildet.

Kurz vor der Gründung des „Labour Standard“ fand ein Streik der Fabrikarbeiter in Roubaix, dicht an der belgischen Grenze, statt. Die Regierung schickte sofort Truppen hin, um die Stadt zu besetzen und unter dem Vorwand, die Ordnung aufrechterhalten zu wollen (die niemals bedroht war), zu versuchen, die Streikenden zu Handlungen zu provozieren, die als Vorwand für das Eingreifen der Truppen dienen konnten. Aber die Bevölkerung verhielt sich ruhig, und eine der Hauptursachen, die sie allen Provokationen widerstehen ließ, war das Vorgehen des Stadtrats. Dieser bestand in seiner Mehrheit aus Arbeitern. Die Gründe für den Streik wurden ihm vorgetragen und ausführlich erörtert. Das Ergebnis war, daß der Rat nicht nur erklärte, die Streikenden seien im Recht, sondern daß er auch *einen Betrag von 50 000 frs.* oder 2000 Pfd.St. *zur Unterstützung der Streikenden votierte.* Diese Hilfsgelder konnten nicht ausgezahlt werden, da nach französischem Recht der Präfekt des Departements befugt ist, jeden Beschluß der Stadträte zu annullieren, den er als eine Überschreitung ihrer Befugnisse ansieht. Nichtsdestoweniger war aber die starke moralische Unterstützung, die dem Streik so durch die offizielle Vertretung der Stadt zuteil wurde, für die Arbeiter von größtem Wert.

Am 8. Juni entließ die Bergwerksgesellschaft von Commentry im Zentrum Frankreichs (Departement Allier) 152 Leute, die es ablehnten, sich neuen und ungünstigeren Bedingungen zu unterwerfen. Da dies Teil eines bereits seit längerem angewandten Systems war, um allmählich schlechtere Arbeitsbedingungen einzuführen, streikte die Gesamtheit der etwa 1600 Bergarbeiter. Die Regierung schickte sofort die üblichen Truppen, um die Streikenden einzuschüchtern bzw. zu provozieren. Aber auch hier setzte sich der Stadtrat sofort für die Arbeiter ein. In seiner Versammlung vom 12. Juni (überdies einem Sonntag) faßte er folgende Beschlüsse:

1. Nachdem es Pflicht der Gesellschaft ist, die Existenz derjenigen zu sichern, die durch ihre Arbeit die Existenz aller ermöglichen, und da die Gemeinden gehalten sind, dies zu tun, wenn der Staat es ablehnt, diese Pflicht zu erfüllen, beschließt dieser Rat, mit Einwilligung der höchstbesteuerten Bürger, eine Anleihe von 25 000 frs. (1000 Pfd. St.) aufzunehmen, zum Nutzen der Bergleute, welche die ungerechtfertigte Entlassung von 152 Mann aus ihrer Mitte gezwungen hat, in den Streik zu treten.

Einmütig gegen das alleinige Veto des Bürgermeisters angenommen.

2. Nachdem der Staat durch den Verkauf des wertvollen Nationaleigentums, der Bergwerke von Commentry, an eine Aktiengesellschaft die dort beschäftigten Arbeiter der Gnade besagter Gesellschaft ausgeliefert hat; und da der Staat infolgedessen verpflichtet ist, darauf zu achten, daß der durch die Gesellschaft auf die Bergarbeiter ausgeübte Druck nicht einen Grad erreicht, der geradezu ihre Existenz bedroht; nachdem der Staat, indem er der Gesellschaft während des gegenwärtigen Streiks Truppen zur Verfügung stellt, jedoch nicht einmal Neutralität bewahrt, sondern für die Bergwerksgesellschaft Partei ergriffen hat,

fordert dieser Rat im Namen der Interessen der Arbeiterklasse, die zu schützen seine Pflicht ist, den Unterpräfekten des Bezirks auf:

1) sofort die Truppen zurückzurufen, deren völlig unangebrachte Anwesenheit nichts als eine Provokation darstellt, und

2) bei dem Verwalter der Bergwerksgesellschaft vorstellig zu werden und dahin zu wirken, daß die Maßnahme rückgängig gemacht wird, die den Streik hervorgerufen hat.

Einstimmig angenommen.

In einem dritten Beschluß, der ebenfalls einstimmig angenommen wurde, eröffnet der Rat – der befürchtet, daß durch die Armut der Gemeinde diese bewilligte Anleihe nicht realisierbar sei – eine öffentliche Subskription zur Unterstützung der Streikenden und forderte alle anderen Gemeinderäte in Frankreich auf, für den gleichen Zweck Hilfsgelder zu schicken.

Hier haben wir also einen schlagenden Beweis dafür, was die Anwesenheit von Arbeitern nicht nur im Parlament, sondern auch in kommunalen und allen anderen Körperschaften bedeutet. Wie anders würde manch ein Streik in England enden, wenn die Männer den Stadtrat des Ortes hinter sich hätten! Die englischen Stadträte und die örtlichen Ausschüsse, die zum großen Teil von Arbeitern gewählt werden, bestehen zur Zeit fast ausschließlich aus Unternehmern, ihren direkten und indirekten Agenten (Advokaten etc.) und im besten Falle aus Ladeninhabern. Sobald ein Streik oder eine Aussperrung erfolgt, wird die ganze moralische und materielle Macht der Ortsbehörden zugunsten der Herren und gegen die Arbeiter angewandt; selbst die Polizei, mit dem Geld der Arbeiter bezahlt, wird genau so eingesetzt wie in Frankreich die Truppen, um die Arbeiter zu illegalen Handlungen zu provozieren und sie dann zur Strecke zu bringen. Die Armenbehörden verweigern in den meisten Fällen Unterstützung für die Männer, die ihrer Meinung nach arbeiten könnten, wenn sie wollten. Und das ist ganz natürlich. In den Augen dieser Art Leute, die mit Einwilligung der Arbeiter die Ortsbehörden bilden, ist der Streik eine offene Rebellion gegen die Gesellschaftsordnung, eine Empörung gegen die geheiligten Rechte des Eigentums. Daher wird auch bei jedem Streik und bei jeder Aussperrung das ganze ungeheure moralische und physische Gewicht der Ortsbehörden in die Waagschale der Herren geworfen, solange die Arbeiterklasse damit einverstanden ist, daß die Herren und die Vertreter der Herren in lokale Wahlkörperschaften entsandt werden.

Wir hoffen, daß die Handlungsweise der beiden französischen Stadträte vielen die Augen öffnen wird. Es sei ein für allemal auch den englischen Arbeitern gesagt, daß „sie in Frankreich diese Dinge besser besorgen". Die englische Arbeiterklasse, mit ihrer alten und mächtigen Organisation, ihren uralten politischen Freiheiten, ihrer langen Erfahrung in politischer Betätigung, hat gegenüber jedem Lande auf dem Kontinent gewaltige Vorteile.

Dennoch konnten die Deutschen zwölf Vertreter der Arbeiterklasse in den Reichstag entsenden, und sowohl in Deutschland als auch in Frankreich besitzen Vertreter der Arbeiterklasse in zahlreichen Stadträten die Mehrheit. Gewiß, in England ist das Wahlrecht eingeschränkt; aber selbst jetzt bildet die Arbeiterklasse in allen großen Städten und in den Industriebezirken die Mehrheit. Sie braucht es nur zu wollen, und diese potentielle Majorität wird sofort eine wirkliche, eine Macht im Staate, eine Macht in allen Orten, wo die arbeitende Bevölkerung konzentriert ist. Und wenn erst einmal Arbeiter im Parlament, in den Stadträten und lokalen Fürsorgeämtern etc. sind, wie lange wird es dann dauern, bis ihr auch in den Behörden Vertreter der Arbeiterklasse habt, die fähig sind, einen Knüppel zwischen die Beine jener Dogberries[173] zu werfen, die jetzt so häufig rücksichtslos auf dem Volk herumtrampeln?

Geschrieben in der
zweiten Junihälfte 1881.
Aus dem Englischen.

Friedrich Engels

Amerikanische Lebensmittel und die Bodenfrage

[„The Labour Standard“
Nr. 9 vom 2. Juli 1881,
Leitartikel]

Seit Herbst 1837 haben wir uns an den Import von Geldpaniken und Handelskrisen aus New York nach England gewöhnt. Mindestens die Hälfte der alle zehn Jahre wiederkehrenden industriellen Krisen brachen in Amerika aus. Aber daß Amerika auch die altehrwürdigen Verhältnisse in der englischen Landwirtschaft auf den Kopf stellen, die seit unvordenklichen Zeiten bestehenden feudalen Beziehungen zwischen Grundherrn und Pächter revolutionieren, die Rente in England zugrunde richten und den Ruin der Farmen in England herbeiführen sollte – dieses Schauspiel blieb dem letzten Viertel des 19. Jahrhunderts vorbehalten.

Und doch ist dem so. Der jungfräuliche Boden der Prärien des amerikanischen Westens – der jetzt unter den Pflug kommt, und zwar nicht in vereinzelten kleinen Parzellen, sondern in Tausenden von Quadratmeilen – beginnt jetzt den Weizenpreis und folglich auch den Pachtpreis für Weizenland zu bestimmen. Und kein alter Boden kann mit ihm konkurrieren. Es ist vortreffliches Land, eben oder leicht gewellt, durch keine jähen Bodenerhebungen unterbrochen, noch genau in dem gleichen Zustand, in dem es sich auf dem Grunde eines tertiären Ozeans allmählich ablagerte, frei von Steinen, Felsen, Bäumen, ohne vorbereitende Arbeit zu sofortigem Anbau geeignet. Weder Rodung noch Entwässerung ist erforderlich; man bearbeitet es mit dem Pflug, und schon ist es zur Aufnahme der Saat bereit und wird zwanzig bis dreißig Weizenernten nacheinander ohne Düngung bringen. Es ist ein Boden, der sich für Ackerbau im größten Maßstab eignet, und tatsächlich wird er im größten Maßstab betrieben. Die englischen Landwirte pflegten stolz zu sein auf die Größe ihrer Güter, im Gegensatz zu den kleinen Höfen der selbständigen Bauern auf dem Kontinent; aber was sind die größten Güter des Vereinigten Königreichs im Vergleich mit den Farmen der amerikanischen Prärie, die 40 000 Acres und mehr umfassen und durch regelrechte Armeen von Männern, Pferden und Geräten bearbeitet werden, von Männern, die wie Soldaten gedrillt, kommandiert und organisiert werden?

Diese amerikanische Revolution des Ackerbaus ermöglicht es, zusammen mit der Revolutionierung der Transportmittel, wie sie die Amerikaner erfunden haben, den Weizen zu so niedrigen Preisen nach Europa zu bringen, daß kein europäischer Landwirt konkurrieren kann – zumindest, solange man von ihm erwartet, daß er Pacht zahle. Man erinnere sich des Jahres 1879, als sich das zum erstenmal fühlbar machte. Die Ernte war in ganz Westeuropa schlecht; in England gab es eine Mißernte. Dennoch blieben dank dem amerikanischen Getreide die Preise fast unverändert. Zum erstenmal hatte der englische Pächter gleichzeitig eine schlechte Ernte und niedrige Weizenpreise. Damals begannen sich die Pächter zu rühren und die Grundbesitzer gerieten in Unruhe. Im nächsten Jahre, als die Ernte besser war, fielen die Preise noch mehr. Den Getreidepreis bestimmen jetzt die Produktionskosten in Amerika zuzüglich der Transportkosten. Und das wird von Jahr zu Jahr mehr der Fall sein, in dem Maße, in dem neues Prärieland unter den Pflug genommen wird. Die dafür erforderlichen Armeen von Landarbeitern liefern wir selbst aus Europa, indem wir Auswanderer hinüberschicken.

Früher konnten Pächter und Grundbesitzer sich damit trösten, wenn schon Getreide nichts einbrachte, daß wenigstens Fleisch sich bezahlt machte. Das Ackerland wurde in Weideland verwandelt, und alles war wieder in schönster Ordnung. Heute ist aber auch dieser Ausweg abgeschnitten. In ständig wachsenden Mengen werden amerikanisches Fleisch und amerikanisches Vieh herübergeschickt. Und das ist noch nicht alles. Es gibt zum mindesten zwei große Länder mit Viehzucht, die eifrig nach Mitteln und Wegen suchen, wie sie ihren riesigen Überschuß an Fleisch, der jetzt unausgenutzt bleibt, nach Europa und besonders nach England ausführen können. Bei dem gegenwärtigen Stande der Wissenschaft und dem raschen Fortschritt in ihrer praktischen Anwendung können wir sicher sein, daß spätestens in ein paar Jahren australisches und südamerikanisches Rind- und Hammelfleisch in tadelloser Frische und in riesigen Mengen herübergeschickt werden wird. Was soll dann aus dem Wohlstand des britischen Pächters werden, was aus den hohen Einkünften des britischen Grundbesitzers? Es ist zwar recht gut, Stachelbeeren, Erdbeeren etc. zu ziehen – der Markt ist aber schon jetzt zur Genüge damit versorgt. Kein

Zweifel, daß der britische Arbeiter ein gut Teil mehr von diesen Leckerbissen konsumieren könnte – aber dann erhöhe man erst seinen Lohn.

Es braucht kaum gesagt zu werden, daß die Auswirkungen dieser neuen amerikanischen landwirtschaftlichen Konkurrenz auch auf dem Kontinent fühlbar sind. Der meist bis über die Ohren in Hypothekenschulden steckende kleine, selbständige Bauer, der an Stelle der Pacht, die der englische und irische Bauer entrichtet, Zinsen und Prozeßkosten zu zahlen hat, fühlt sie genauso. Es ist eine eigentümliche Wirkung dieser amerikanischen Konkurrenz, daß durch sie nicht nur das große Grundeigentum nutzlos wird, sondern auch das kleine, indem sie beides unrentabel macht.

Man könnte einwenden, daß das System des Raubbaus am Boden, wie es jetzt im Fernen Westen gehandhabt wird, nicht ewig weitergehen kann, und daß die Dinge sich schließlich wieder einrenken müssen. Natürlich kann es nicht ewig dauern; aber es gibt genug jungfräulichen Boden, um diesen Prozeß noch ein Jahrhundert fortzusetzen. Außerdem gibt es andere Länder, die ähnliche Vorteile bieten. Da ist die ganze südrussische Steppe, wo ja Geschäftsleute Boden aufgekauft haben und dieselben Methoden anwenden. Es gibt die riesigen Pampas der Argentinischen Republik und noch andere Gebiete; sämtlich Land, das sich gleichfalls für das moderne System der landwirtschaftlichen Riesenbetriebe und der billigen Produktion eignet. Deshalb wird dieses System, bis es abgewirtschaftet hat, lange genug bestanden haben, um sämtliche Grundbesitzer Europas, große und kleine, wenigstens zweimal zu erledigen.

Nun, und das Ende von alledem? Das Ende wird und muß sein, daß wir zur Nationalisierung des Grund und Bodens und zu seiner genossenschaftlichen Bearbeitung unter der Kontrolle des Volkes gezwungen sein werden. Dann, und nur dann, wird sich die Bearbeitung wieder lohnen, sowohl für die Bebauer wie für die ganze Nation, gleichgültig, was auch der Preis des amerikanischen oder irgendwelchen anderen Getreides und Fleisches sein mag. Und sollten die Grundbesitzer inzwischen, wozu sie mehr oder weniger geneigt zu sein scheinen, wirklich nach Amerika gehen, so wünschen wir ihnen glückliche Reise.

Geschrieben Ende Juni 1881.

Aus dem Englischen.

Friedrich Engels

Die Lohntheorie der Anti-Korngesetz-Liga

[„The Labour Standard"
Nr. 10 vom 9. Juli 1881,
Leitartikel]

An anderer Stelle veröffentlichen wir einen Brief von Herrn J. Noble, der mit einigen unserer Bemerkungen in einem Leitartikel des „Labour Standard" vom 18. Juni[1] nicht einverstanden ist. Obwohl wir natürlich die Spalten unserer Leitartikel nicht mit Polemiken über geschichtliche Tatsachen oder ökonomische Theorien füllen können, wollen wir für diesmal doch einem Manne erwidern, der es, obwohl in offizieller Parteistellung, offenbar ehrlich meint.

Gegen unsere Behauptung, daß mit der Aufhebung der Korngesetze der Zweck verfolgt worden sei, eine „Senkung des Brotpreises und damit der Geldlöhne" herbeizuführen, wendet Herr Noble ein, dies sei eine „protektionistische Irrlehre" gewesen, die die Liga unermüdlich bekämpft habe, und zum Beweis dafür zitiert er einige Stellen aus Richard Cobdens Reden und eine Denkschrift des Rates der Liga.

Der Verfasser des Artikels, um den es sich hier handelt, lebte damals in Manchester – als Fabrikant unter Fabrikanten. Er weiß natürlich recht gut, was die offizielle Doktrin der Liga war. Auf ihren kürzesten, ganz allgemein anerkannten Ausdruck gebracht (denn es gibt viele Varianten), lautete sie wie folgt: Die Aufhebung der Kornzölle wird den Umfang unseres Handels mit dem Ausland vergrößern, sie wird unmittelbar unsere Einfuhr steigern, wofür im Austausch ausländische Kunden unsere Fabrikate kaufen und so die Nachfrage nach unsern Industrieartikeln steigern werden; auf diese Weise wird die Nachfrage nach der Arbeit unserer Industriearbeiter wachsen, und infolgedessen müssen die Löhne steigen. Dank der Tag für Tag und

[1] Siehe vorl. Band, S. 261–265

Jahr für Jahr fortgesetzten Wiederholung dieser Theorie konnten die offiziellen Vertreter der Liga, oberflächliche Ökonomen, die sie waren, schließlich mit der erstaunlichen Behauptung herauskommen, daß die Löhne im umgekehrten Verhältnis nicht zum Profit, sondern zum Lebensmittelpreis steigen und fallen, daß teures Brot niedrige Löhne bedeute und billiges Brot hohe Löhne. Damit wurden die alle zehn Jahre wiederkehrenden Wirtschaftskrisen, die es sowohl vor wie nach der Aufhebung der Kornzölle gab, von den Wortführern der Liga als bloße Auswirkungen der Korngesetze hingestellt, die bestimmt verschwinden würden, sobald diese abscheulichen Gesetze aufgehoben seien; die Korngesetze seien das einzige große Hindernis, das zwischen dem britischen Fabrikanten und den armen Ausländern stehe, die sich, mangels britischer Stoffe, unbekleidet und vor Kälte zitternd, nach den Erzeugnissen dieses Fabrikanten sehnten. Und so konnte Cobden in der Tat an der von Herrn Noble zitierten Stelle geltend machen, daß die geschäftliche Depression und das Sinken der Löhne von 1839 bis 1842 die Folge des sehr hohen Kornpreises dieser Jahre gewesen sei, während es sich doch nur um eine der regulären Phasen geschäftlicher Depression handelte, die sich bis auf den heutigen Tag alle zehn Jahre mit der größten Regelmäßigkeit wiederholen; eine Phase, die allerdings durch schlechte Ernten und die törichte Einmischung der Gesetzgebung zugunsten der habgierigen Grundbesitzer verlängert und verschlimmert wurde.

Das war die offizielle Theorie Cobdens, der bei all seiner Geschicklichkeit als Agitator ein schlechter Geschäftsmann und oberflächlicher Ökonom war; ohne Zweifel glaubte er an sie ebenso aufrichtig, wie Herr Noble noch heute an sie glaubt. Die Mehrheit der Liga bestand jedoch aus praktischen Geschäftsleuten, die geschäftstüchtiger und im allgemeinen auch erfolgreicher waren als Cobden. Und bei ihnen verhielt sich die Sache ganz anders. Natürlich, vor Fremden und in öffentlichen Versammlungen, besonders ihren „Händen" gegenüber, wurde die offizielle Theorie allgemein als „die Sache" bewertet. Aber wenn Geschäftsleute auf Geschäfte aus sind, dann tragen sie in der Regel ihren Kunden gegenüber nicht das Herz auf der Zunge, und falls Herr Noble anderer Meinung sein sollte, so täte er besser, der Börse von Manchester fernzubleiben. Wenn man sich etwas näher danach erkundigte, was man darunter verstehe, der Freihandel mit Getreide führe zu einem Ansteigen der Löhne, so wurde offenbar, daß damit eine Steigerung der Kaufkraft der Löhne gemeint war, wobei als durchaus möglich angenommen wurde, daß der Geldbetrag der Löhne überhaupt nicht steige – aber sei das im Grunde genommen nicht auch eine Lohnsteigerung? Forschte man weiter nach, so kam gewöhnlich heraus, daß der Geldbetrag der Löhne sogar sinken könne, während die Annehmlichkeiten, die der Arbeiter für diesen verringerten Geldbetrag erhalte, noch immer bedeutender seien als die, deren er sich gegenwärtig erfreue. Und wenn man noch nachdrücklicher die Frage stellte, auf welchem Wege die erwartete riesige Ausdehnung des Handels zustande kommen solle, dann bekam man rasch zu hören, daß in der Hauptsache mit der zuletzt erwähnten Möglichkeit gerechnet wurde: eine Senkung des Geldbetrags der Löhne, verbunden mit einem diese Senkung mehr als ausgleichenden Sinken des Brotpreises etc. Überdies gab es viele, die sich gar keine Mühe gaben, ihre Meinung zu verhehlen, daß billiges Brot einfach nötig sei, um den Geldbetrag der Löhne herabzusetzen und so die ausländische Konkurrenz aus dem Felde zu schlagen. Und daß das wirklich das Ziel und Streben der Mehrheit der Fabrikanten und Kaufleute war, aus denen sich die Liga vorwiegend zusammensetzte, war nicht allzuschwer ausfindig zu machen für jemand, der gewohnt war, mit Kaufleuten umzugehen, und daher auch gewohnt, nicht jedes ihrer Worte als Evangelium hinzunehmen. Das haben wir gesagt, und wir sagen es nochmals. Über die offizielle Doktrin der Liga haben wir kein Wort verloren. Sie war ökonomisch eine „Irrlehre" und praktisch ein bloßer Deckmantel für eigennützige Zwecke, wenn auch manche ihrer Führer sie so oft wiederholten, bis sie schließlich selbst daran glaubten.

Sehr amüsant ist Herrn Nobles Bezugnahme auf Cobdens Worte über die Arbeiterklasse, die sich bei der Aussicht auf einen Kornpreis von 25 Shilling je Quarter „befriedigt die Hände reibt". Die Arbeiterklasse von damals verschmähte billiges Brot durchaus nicht; aber ihre „Befriedigung" über die Machenschaften von Cobden und Co. war so groß, daß sie es der Liga mehrere Jahre hindurch unmöglich machte, im ganzen Norden auch nur eine einzige wirklich öffentliche Versammlung abzuhalten. Der Verfasser dieses Artikels hatte die „Befriedigung", 1843 in der Stadthalle von Salford anwesend zu sein, als die Liga ihren letzten Versuch machte, eine solche Versammlung zustande zu bringen, und zu erleben, wie sie durch die bloße Einbringung eines Zusatzantrags zugunsten der Volks-Charte beinahe gesprengt wurde. Seitdem war für alle Versammlungen der Liga die Regel: „Einlaß nur mit Eintrittskarte", die durchaus nicht jedermann erhalten konnte. Von diesem Augenblick an hörte die „chartistische Obstruktion" auf. Die arbeitenden Massen hatten ihr Ziel erreicht – den Nachweis zu führen, daß die Liga *keineswegs*, wie sie behauptete, die Interessen der Massen vertrat.

Abschließend ein paar Worte über die Lohntheorie der Liga. Der Durchschnittspreis einer Ware ist gleich ihren Produktionskosten; die Wirkung von Angebot und Nachfrage besteht darin, ihn auf diese Norm zurückzuführen, um die er schwankt. Wenn das für alle Waren zutrifft, trifft es auch für die Ware Arbeit (oder genauer gesagt, Arbeitskraft) zu. Dann ist die Lohnhöhe durch den Preis jener Waren bestimmt, die in den herkömmlichen und notwendigen Konsum des Arbeiters eingehen. Mit andern Worten, bei sonst unveränderten Umständen steigen und fallen die Löhne mit dem Preis der lebensnotwendigen Waren. Das ist ein Gesetz der politischen Ökonomie, gegen das alle Perronet Thompsons, Cobdens und Brights ewig ohnmächtig bleiben werden. Alle sonstigen Umstände bleiben jedoch keineswegs immer unverändert, und deshalb wird die Wirkung dieses Gesetzes in der Praxis durch die gleichzeitige Wirkung anderer ökonomischer Gesetze modifiziert; es erscheint unklar, und zwar manchmal in so hohem Grade, daß es einige Mühe kostet, ihm auf die Spur zu kommen. Dieser Umstand diente den vulgarisierenden und den Vulgärökonomen seit den Zeiten der Anti-Korngesetz-Liga als Vorwand für die Behauptung, daß erstens die Arbeit und dann alle anderen Waren keinen wirklich bestimmbaren Wert hätten, sondern nur einen schwankenden Preis, der, unabhängig von den Produktionskosten, mehr oder weniger durch Angebot und Nachfrage reguliert werde, und daß man, um die Preise und damit die Löhne zu erhöhen, weiter nichts zu tun brauche, als die Nachfrage zu vergrößern. Auf diese Weise kam man um den unangenehmen Zusammenhang der Lohnhöhe mit den Lebensmittelpreisen herum und konnte kühn die hanebüchene, lächerliche Lehre hinausposaunen, teures Brot bedeute niedrige Löhne und billiges Brot hohe Löhne.

Vielleicht wird Herr Noble fragen, ob die Löhne bei dem heutigen billigen Brot im allgemeinen nicht ebenso hoch oder sogar höher seien als bei dem durch Zölle verteuerten Brot vor 1847. Zur Beantwortung dieser Frage wäre eine eingehende Untersuchung nötig. Soviel ist jedoch sicher: Wo ein Industriezweig florierte und die Arbeiter gleichzeitig eine starke Organisation zur Verteidigung ihrer Interessen hatten, sind ihre Löhne im allgemeinen nicht gefallen und manchmal vielleicht sogar gestiegen. Das beweist aber lediglich, daß die Leute vorher unterbezahlt waren. Wo ein Industriezweig in Verfall geriet oder wo die Arbeiter nicht in starken Trade-Unions organisiert waren, sind die Löhne ausnahmslos gefallen, oft auf ein Hungerniveau. Geht ins Londoner Eastend und überzeugt euch mit eigenen Augen!

Geschrieben Anfang Juli 1881.

Aus dem Englischen.

Friedrich Engels

Eine Arbeiterpartei

[„The Labour Standard“
Nr. 12 vom 23. Juli 1881,
Leitartikel]

Wie oft sind wir nicht schon von Freunden und Sympathisierenden gewarnt worden: „Haltet euch die Parteipolitik vom Leibe!“ Und sie hatten vollkommen recht, soweit es sich dabei um die gegenwärtige englische Parteipolitik handelt. Ein Arbeiterorgan darf weder für die Whigs noch für die Tories sein, weder für die Konservativen noch für die Liberalen, es darf nicht einmal radikal im heutigen Parteisinn des Wortes sein. Konservative, Liberale, Radikale – sie alle vertreten nur die Interessen der herrschenden Klassen und die verschiedenen Schattierungen der Ansichten, die unter den Grundbesitzern, Kapitalisten und Kleinhändlern vorherrschen. Wenn sie die Arbeiterklasse vertreten, vertreten sie sie ganz bestimmt falsch und schlecht. Die Arbeiterklasse hat, politisch wie sozial, ihre eigenen Interessen. Wie sie für das eintritt, was sie als ihre sozialen Interessen betrachtet, das zeigt die Geschichte der Trade-Unions und der Bewegung für die Verkürzung der Arbeitszeit. Ihre politischen Interessen aber überläßt sie fast völlig den Tories, Whigs und Radikalen, Angehörigen der oberen Klasse; und seit nahezu einem Vierteljahrhundert hat sich die Arbeiterklasse Englands damit begnügt, sozusagen das Anhängsel der „Großen Liberalen Partei“ zu bilden.

Eine solche politische Haltung ist der am besten organisierten Arbeiterklasse Europas nicht würdig. In anderen Ländern waren die Arbeiter weit aktiver. Deutschland hat seit über zehn Jahren eine Arbeiterpartei (die Sozialdemokraten), die über zehn Sitze im Reichstag verfügt und Bismarck durch ihr Wachstum derart in Schrecken versetzt hat, daß er zu jenen berüchtigten Unterdrückungsmaßnahmen griff, von denen wir an anderer Stelle berichten[1]. Aber trotz Bismarck macht die Arbeiterpartei ständige Fortschritte; so eroberte sie erst vorige Woche sechzehn Sitze im Mannheimer Stadtrat

[1] Siehe vorl. Band, S. 280–282

und einen im sächsischen Landtag. In Belgien, Holland und Italien ist man dem deutschen Beispiel gefolgt; in jedem dieser Länder gibt es eine Arbeiterpartei, wenngleich der Wahlzensus dort zu hoch ist, als daß sie derzeit Aussicht auf die Entsendung von Abgeordneten in die gesetzgebenden Körperschaften hätten. In Frankreich ist der Aufbau der Arbeiterpartei gerade jetzt in vollem Gange; sie hat bei den letzten Wahlen in mehreren Munizipalräten die Mehrheit errungen und wird bei den allgemeinen Kammerwahlen im nächsten Oktober zweifellos eine Anzahl Sitze erobern. Selbst in Amerika, wo der Übergang aus der Arbeiterklasse in die der Farmer, Kaufleute oder Kapitalisten noch immer verhältnismäßig leicht ist, halten die Arbeiter es für notwendig, sich zu einer unabhängigen Partei zusammenzuschließen. Überall kämpft der Arbeiter um die politische Macht, um die direkte Vertretung seiner Klasse in den gesetzgebenden Körperschaften – überall, nur in Großbritannien nicht.

Und dennoch war in England noch nie so weit wie heute das Bewußtsein verbreitet, daß die alten Parteien dem Untergang geweiht, die alten Schibboleths sinnlos geworden sind, daß die alten Losungen sich überlebt, die alten Universalmittel ihre Wirkung verloren haben. Vernünftige Männer aus allen Klassen beginnen einzusehen, daß ein neuer Weg beschritten werden muß, und daß dieser Weg nur in der Richtung der Demokratie liegen kann. In England jedoch, wo die industrielle und landwirtschaftliche Arbeiterklasse die überwältigende Mehrheit des Volkes bildet, bedeutet Demokratie nicht mehr und nicht weniger als die Herrschaft der Arbeiterklasse. Laßt die Arbeiterklasse sich vorbereiten für die Aufgabe, die ihrer harrt – auf die Herrschaft über das große Britische Reich; laßt sie die Verantwortung erkennen, die ihr unvermeidlich zufallen wird. Und der beste Weg hierzu ist, die Macht, über die sie bereits verfügt, die faktische Mehrheit, die sie in jeder großen Stadt des Königreichs besitzt, dazu auszunutzen, Leute aus ihren eigenen Reihen ins Parlament zu entsenden. Bei dem gegenwärtigen Wahlrecht der Haushaltungsvorstände könnten bequem vierzig oder fünfzig Arbeiter ins Unterhaus geschickt werden, wo eine solche gründliche Blutauffrischung in der Tat höchst notwendig ist. Schon allein mit dieser Zahl von Arbeitern im Parlament wäre es unmöglich, die irische Landbill [165] mehr und mehr, wie es gegenwärtig der Fall ist, zu einer irischen Landbull[174], nämlich einem irischen Grundbesitzer-Entschädigungsgesetz werden zu lassen; wäre es unmöglich, sich dem Verlangen zu widersetzen nach Neuverteilung der Sitze, nach wirksamer Bestrafung der Wahlbestechung, nach Übernahme der Wahlausgaben durch den Staat, wie das überall außerhalb Englands der Fall ist, etc.

Darüber hinaus kann es in England keine wirklich demokratische Partei geben, die keine Arbeiterpartei ist. Aufgeklärte Männer anderer Klassen (wo sie übrigens gar nicht so übermäßig zahlreich sind, wie man uns glauben machen möchte) könnten sich dieser Partei anschließen und sie, nachdem sie Beweise ihrer Aufrichtigkeit geliefert, sogar im Parlament vertreten. Das ist überall der Fall. In Deutschland zum Beispiel sind die Arbeitervertreter nicht in jedem Falle wirkliche Arbeiter. Aber keine demokratische Partei wird in England oder anderswo wirksamen Erfolg haben, wenn sie nicht eine Arbeiterpartei mit entschiedenem Klassencharakter ist. Geht man davon ab, so bleibt nichts als Sektierertum und Schwindel.

Das trifft für England sogar noch mehr zu als für das Ausland. Leider hat es seitens der Radikalen genug Schwindel gegeben seit dem Zerfall der ersten Arbeiterpartei in der Geschichte – der Chartistenpartei. Ja, aber die Chartisten sind doch gescheitert und haben nichts erreicht. Ist dem wirklich so? Von den sechs Punkten der Volks-Charte sind jetzt zwei – geheime Stimmabgabe und kein Vermögenszensus – Gesetz im Lande. Ein dritter, das allgemeine Wahlrecht, ist in Gestalt des Stimmrechts der Haushaltungsvorstände wenigstens annähernd erreicht; ein vierter, die Gleichheit der Wahlbezirke, ist deutlich in Sicht als eine von der gegenwärtigen Regierung versprochene Reform. Somit hat der Zusammenbruch der Chartistenbewegung dazu geführt, daß reichlich die Hälfte ihres Programms verwirklicht worden ist. Wenn schon die bloße Erinnerung an eine frühere politische Organisation der Arbeiterklasse zu diesen politischen und außerdem noch zu einer Reihe sozialer Reformen führen konnte, welche Wirkung wird dann erst das tatsächliche Bestehen einer politischen Arbeiterpartei ausüben, die sich auf vierzig oder fünfzig Vertreter im Parlament stützt? Wir leben in einer Welt, in der jeder für sich selbst zu sorgen hat. Die englische Arbeiterklasse jedoch gestattet es den Klassen der Grundbesitzer, Kapitalisten und Kleinhändler mit ihrem Anhängsel von Advokaten, Zeitungsschreibern etc., ihre Interessen wahrzunehmen. Kein Wunder, daß Reformen im Interesse der Arbeiter nur so langsam und nur so erbärmlich tropfenweise zustande kommen. Die Arbeiter Englands brauchen nur zu wollen, und sie haben die Macht, jede soziale und politische Reform durchzusetzen, die ihre Lage erfordert. Warum dann diese Anstrengung nicht machen?

Geschrieben Mitte Juli 1881.
Aus dem Englischen.

Friedrich Engels

Bismarck und die deutsche Arbeiterpartei

[„The Labour Standard"
Nr. 12 vom 23. Juli 1881,
Leitartikel]

Die englische bürgerliche Presse ist in der letzten Zeit sehr schweigsam gewesen über die von Bismarck und seinen Kreaturen an den Mitgliedern der Sozialdemokratischen Arbeiterpartei in Deutschland verübten Brutalitäten. Die einzige Ausnahme machte bis zu einem gewissen Grade die „Daily News". Früher war die Entrüstung in den englischen Tageszeitungen und Wochenblättern wahrhaft gewaltig, wenn sich im Ausland despotische Regierungen auf Kosten ihrer Untertanen solche Übergriffe erlaubten. Aber hier sind von der Unterdrückung Arbeiter betroffen, die stolz auf diesen Namen sind; deshalb verheimlichen die Pressevertreter der „guten Gesellschaft", der „oberen Zehntausend", die Tatsachen, und der Hartnäckigkeit ihres Schweigens nach zu schließen, hat es fast den Anschein, daß sie sie gutheißen. In der Tat, was haben Arbeiter mit Politik zu schaffen? Sollen sie das den „besseren" Ständen überlassen! Und dann gibt es für das Schweigen der englischen Presse noch einen anderen Grund: Es ist recht schwer, Bismarcks Gewaltgesetz und die Art, wie er es durchführt, anzugreifen und in dem gleichen Atemzug Herrn Forsters Gewaltmaßnahmen in Irland[175] zu verteidigen. Das ist ein besonders wunder Punkt, an den nicht gerührt werden darf. Man kann von der bürgerlichen Presse schwerlich erwarten, daß sie selbst darauf hinweist, wie sehr das moralische Ansehen Englands in Europa und Amerika durch das Vorgehen der gegenwärtigen Regierung in Irland gelitten hat.

Aus jeder allgemeinen Wahl ist die deutsche Arbeiterpartei mit einer rasch wachsenden Stimmenzahl hervorgegangen; bei der vorletzten Wahl entfielen auf ihre Kandidaten über 500 000, bei der letzten mehr als 600 000 Stimmen. Berlin wählte zwei, Elberfeld-Barmen einen, Breslau und

Dresden je einen Sozialdemokraten; zehn Sitze wurden erobert, und das angesichts der Koalition der Regierung mit der Gesamtheit der liberalen, konservativen und katholischen Parteien, angesichts des Geschreis wegen der zwei Attentatsversuche gegen den Kaiser[1], für die alle anderen Parteien einhellig die Arbeiterpartei verantwortlich machten. Da gelang es Bismarck, eine Gesetzesvorlage durchzubringen, durch die die Sozialdemokratie außerhalb des Gesetzes gestellt wurde. Die Zeitungen der Arbeiter, mehr als fünfzig an der Zahl, wurden unterdrückt, ihre Vereine verboten, ihre Klubs geschlossen, ihre Gelder beschlagnahmt, ihre Versammlungen von der Polizei aufgelöst, und als Krönung des Ganzen wurde verfügt, daß über ganze Städte und Bezirke der „Belagerungszustand" verhängt werden kann, genau wie in Irland. Aber was selbst englische Ausnahmegesetze in Irland [176] niemals gewagt hatten, das tat Bismarck in Deutschland. In allen Bezirken, über die der „Belagerungszustand" verhängt war, erhielt die Polizei das Recht, jedermann auszuweisen, der ihr sozialistischer Propaganda „hinreichend verdächtig" erscheinen mochte. Über Berlin wurde natürlich sofort der Belagerungszustand verhängt, und Hunderte (mit ihren Familien Tausende) wurden ausgewiesen. Denn die preußische Polizei weist immer Familienväter aus; die jungen, unverheirateten Leute läßt sie im allgemeinen ungeschoren; für sie wäre die Ausweisung keine große Strafe, für die Familienväter aber bedeutet sie in den meisten Fällen eine lange Elendszeit, wenn nicht den völligen Ruin. Dann wählte Hamburg einen Arbeiter in den Reichstag, und sofort wurde dort der Belagerungszustand erklärt. Der erste Schub aus Hamburg Ausgewiesener umfaßte gegen hundert, dazu kamen mehr als dreihundert Familienangehörige. Die Arbeiterpartei brachte binnen zwei Tagen die Kosten für die Reise und andere unmittelbare Bedürfnisse auf. Jetzt ist auch über Leipzig der Belagerungszustand verhängt worden, und zwar mit keiner anderen Begründung, als daß die Regierung anders die Parteiorganisation nicht zerschlagen könne. Gleich am ersten Tag wurden 33 Männer ausgewiesen, vorwiegend Verheiratete mit Familie. An der Spitze der Liste stehen drei Abgeordnete des deutschen Reichstags; vielleicht schickt ihnen Herr Dillon ein Glückwunschschreiben in Anbetracht der Tatsache, daß sie doch nicht ganz so schlecht daran sind wie er selbst.[177]

Aber das ist noch nicht alles. Nachdem die Arbeiterpartei erst einmal in aller Form außerhalb des Gesetzes gestellt und all der politischen Rechte beraubt ist, deren sich die übrigen Deutschen angeblich erfreuen, kann die

---

[1] Wilhelm I.

Polizei mit den einzelnen Mitgliedern dieser Partei nach Willkür verfahren. Unter dem Vorwand der Haussuchung nach verbotenen Schriften unterwirft sie deren Ehefrauen und Töchter der unanständigsten und brutalsten Behandlung. Sie selbst werden ganz nach Belieben von der Polizei verhaftet, wochenlang in Untersuchungshaft gehalten und erst freigelassen, nachdem sie monatelang im Gefängnis gesessen. Neue, dem Strafgesetzbuch unbekannte Vergehen werden von der Polizei erfunden und die Bestimmungen dieses Gesetzbuches selbst über die Grenzen des Möglichen hinaus gedehnt. Und oft genug findet die Polizei Justizbeamte und Richter, die korrumpiert oder fanatisch genug sind, ihr zu helfen und Vorschub zu leisten; hängt doch davon die Karriere ab! Was dabei herauskommt, zeigen die nachfolgenden erstaunlichen Zahlen. In dem einen Jahre von Oktober 1879 bis Oktober 1880 waren wegen Hochverrats, Landesverrats, Majestätsbeleidigung etc. allein in Preußen nicht weniger als 1108 Personen eingekerkert und wegen politischer Verleumdung, Beleidigung Bismarcks, Verunglimpfung der Regierung etc. nicht weniger als 10 094. Elftausendzweihundertundzwei politische Gefangene – das übertrifft selbst Herrn Forsters irische Heldentaten!

Und was hat Bismarck mit all diesen Gewaltmaßnahmen erreicht? Ebensoviel wie Herr Forster in Irland. Die Sozialdemokratische Partei floriert genauso und besitzt eine ebenso feste Organisation wie die Irische Landliga[178]. Vor einigen Tagen haben Wahlen zum Mannheimer Stadtrat stattgefunden. Die Arbeiterpartei stellte sechzehn Kandidaten auf und brachte sie alle mit einer Mehrheit von fast drei zu eins durch. Dann kandidierte Bebel – Reichstagsabgeordneter für Dresden – im Leipziger Wahlkreis für den sächsischen Landtag. Bebel ist selbst Arbeiter (Drechsler) und einer der besten, wenn nicht der beste Redner in Deutschland. Um seine Wahl zu vereiteln, wies die Regierung sein ganzes Wahlkomitee aus. Mit welchem Ergebnis? Daß Bebel, trotz der Beeinträchtigung des Stimmrechts, mit großer Mehrheit gewählt wurde. So nützen Bismarcks Zwangsmaßnahmen gar nichts; im Gegenteil, sie erbittern das Volk. Diejenigen, denen alle legalen Möglichkeiten, sich geltend zu machen, genommen sind, werden eines schönen Tages zu illegalen Mitteln greifen, und niemand kann ihnen daraus einen Vorwurf machen. Wie oft haben Herr Gladstone und Herr Forster diese Doktrin verkündet? Und wie handeln sie jetzt in Irland?

Geschrieben Mitte Juli 1881.
Aus dem Englischen.

Friedrich Engels

Baumwolle und Eisen

[„The Labour Standard"
Nr. 13 vom 30. Juli 1881,
Leitartikel]

Baumwolle und Eisen sind die beiden wichtigsten Rohstoffe unserer Zeit. Die Nation, die in der Fabrikation von Baumwoll- und Eisenwaren führend ist, marschiert an der Spitze der Industrienationen überhaupt. Und weil und solange das für England zutrifft, deshalb und solange wird England die erste Industrienation der Welt sein.

Demnach könnte man erwarten, daß es in England den Arbeitern in der Baumwoll- und Eisenindustrie besonders gut gehe, daß das Geschäft in diesen Artikeln bei der marktbeherrschenden Stellung Englands immer in Blüte stehe, und daß das zur Zeit der Freihandelsagitation verheißene Tausendjährige Reich des Überflusses mindestens in diesen beiden Industriezweigen verwirklicht sei. Aber ach! bekanntlich ist das keineswegs der Fall, und wenn sich die Lage des werktätigen Volkes nicht verschlechtert, sondern in manchen Fällen sogar verbessert hat, so hat es das hier wie in anderen Gewerben ausschließlich seinen eigenen Anstrengungen zu danken – starker Organisation und harten Streikkämpfen. Wir wissen, daß die Baumwoll- und Eisenindustrie nach ein paar kurzen Jahren der Prosperität um und nach 1874 völlig zusammengebrochen ist; Fabriken wurden geschlossen, Hochöfen ausgeblasen, und wo die Produktion fortgesetzt wurde, war Kurzarbeit die Regel. Derartige Perioden der Wirtschaftskrise kannte man auch schon früher; sie kehren im Durchschnitt alle zehn Jahre wieder und dauern ihre Zeit, um durch eine neue Periode der Prosperität abgelöst zu werden und so fort.

Die gegenwärtige Depressionsperiode, besonders in der Baumwoll- und Eisenindustrie, wird aber dadurch gekennzeichnet, daß sie jetzt schon einige Jahre länger dauert als gewöhnlich. Es gab mehrere Versuche, mehrere Anläufe zu einer Wiederbelebung; aber vergebens. Wenngleich die Zeit der eigentlichen Krise vorüber ist, dauert die Flaute im Geschäftsleben noch an, und die Märkte sind nach wie vor außerstande, die gesamte Produktion aufzunehmen.

Der Grund hierfür liegt darin, daß bei unserem gegenwärtigen System der Verwendung von Maschinerie zur Produktion, nicht nur von Industriewaren, sondern von Maschinen selbst, sich die Produktion mit unglaublicher Schnelligkeit steigern läßt. Wenn den Fabrikanten der Sinn danach stünde, könnten sie ohne Schwierigkeiten in einer einzigen Prosperitätsperiode die Anlagen zum Spinnen und Weben, zum Bleichen und Bedrucken von Baumwollstoffen derart erweitern, daß sie imstande wären, fünfzig Prozent mehr Waren zu erzeugen, und sie könnten die gesamte Produktion von Roheisen und Eisenwaren jeder Art auf das Doppelte erhöhen. In Wirklichkeit hat die Steigerung keine derartigen Ausmaße angenommen. Immerhin war sie aber außerordentlich hoch im Verhältnis zu der Steigerung in früheren Perioden des Aufschwungs, und die Folge davon ist – chronische Überproduktion, chronische Depression im Geschäftsleben. Die Fabrikanten können es sich leisten, abzuwarten, zumindest eine geraume Zeit, während die Arbeiter darunter leiden müssen; denn für sie bedeutet dies chronisches Elend und die ständige Gefahr, ins Arbeitshaus zu kommen.

Das also ist das Ergebnis des glorreichen Systems der schrankenlosen Konkurrenz, das ist die Verwirklichung des von den Cobden, Bright und Co. versprochenen Tausendjährigen Reichs! Das ist es, was der arbeitenden Bevölkerung bevorsteht, wenn sie, wie im Verlauf der letzten fünfundzwanzig Jahre, die Leitung der ökonomischen Politik des Empire seinen „natürlichen Führern" überläßt, jenen „Industriekapitänen", die nach Thomas Carlyle[179] berufen sind, die industrielle Armee des Landes zu kommandieren. Schöne Industriekapitäne! Im Vergleich mit ihnen waren 1870 die Generale Louis-Napoleons Genies. Jeder einzelne dieser angeblichen Industriekapitäne bekämpft alle übrigen, handelt ausschließlich im eigenen Interesse, vergrößert seinen Betrieb, ohne zu berücksichtigen, was seine Nachbarn tun, und schließlich entdecken sie alle zu ihrer großen Überraschung, daß Überproduktion das Ergebnis ist. Sie können sich nicht vereinigen, um die Produktion zu regeln; sie können sich nur zu einem Zweck vereinigen: *die Löhne ihrer Arbeiter niederzuhalten*. Und so, durch unüberlegte Ausdehnung der Produktivkraft des Landes weit über die Aufnahmefähigkeit der Märkte hinaus, berauben sie ihre Arbeiter der relativen Erleichterung, die ihnen eine Periode mäßiger Prosperität brächte und auf die sie nach der langen Periode der Krise Anspruch hätten, um ihr Einkommen wieder auf das Durchschnittsniveau zu bringen. Kann man immer noch nicht verstehen, daß die Fabrikanten als Klasse die Fähigkeit verloren haben, die großen ökonomischen Interessen des Landes, ja den Produktionsprozeß selbst noch länger zu leiten? Und ist es nicht absurd – wenn auch Tatsache –, daß der schlimmste Feind der Arbeiter Englands die unaufhörlich wachsende Produktivität ihrer eigenen Hände ist?

Noch ein anderer Umstand muß in Betracht gezogen werden. Die englischen Fabrikanten sind nicht die einzigen, die ihre Produktivkräfte vergrößern. Dasselbe geschieht auch in anderen Ländern. Die Statistik gibt uns keine Möglichkeit, die Baumwoll- und Eisenindustrie in den verschiedenen führenden Ländern gesondert zu vergleichen. Wenn wir jedoch den Bergbau, die Textil- und die Metallindustrie zusammennehmen, können wir auf Grund des Materials, das der Leiter des preußischen Statistischen Amtes, Dr. Engel, in seinem Buche „Das Zeitalter des Dampfs" (Berlin 1881) geliefert hat, eine vergleichende Tabelle aufstellen. Nach seiner Schätzung werden in den genannten Industrien der unten angeführten Länder Dampfmaschinen mit der folgenden Gesamtleistung in Pferdestärken verwendet (eine Pferdestärke ist gleich der Energie, die 75 Kilogramm in der Sekunde einen Meter hebt):

		Textil-industrie	Bergbau und Metallindustrie
England, 1871		515 800	1 077 000
Deutschland, 1875		128 125	456 436
Frankreich	rund	100 000	185 000
Vereinigte Staaten	rund	93 000	370 000

Wir sehen also, daß die gesamte Dampfkraft, die von den drei Nationen angewendet wird, die Englands Hauptkonkurrenten sind, in der Textilindustrie fast drei Fünftel der englischen ausmacht, während sie ihr im Bergbau und in der Metallindustrie beinahe gleichkommt. Und da sich die Industrie dieser Länder weit schneller entwickelt als die Englands, kann es kaum einem Zweifel unterliegen, daß ihre Gesamtproduktion die englische bald überflügeln wird.

Man betrachte ferner die folgende Tabelle, aus der die in der Produktion angewandte Dampfkraft, mit Ausnahme jener der Lokomotiven und Schiffsmaschinen, in Pferdestärken ersichtlich ist:

		Pferdestärken
Großbritannien	rund	2 000 000
Vereinigte Staaten	rund	1 987 000
Deutschland	rund	1 321 000
Frankreich	rund	492 000

Diese Tabelle zeigt noch deutlicher, wie wenig von dem Monopol Englands in den mit Dampfkraft betriebenen Industrien übriggeblieben und wie wenig es dem Freihandel gelungen ist, Englands industrielle Überlegenheit sicherzustellen. Und man sage nicht, daß dieser Fortschritt der ausländischen Industrie künstlich, daß er auf das Schutzzollsystem zurückzuführen sei. Die ganze gewaltige Expansion der deutschen Industrie vollzog sich unter einem höchst liberalen Freihandelsregime; und wenn Amerika, hauptsächlich infolge eines absurden Systems innerer Verbrauchssteuern, gezwungen ist, zu Zöllen seine Zuflucht zu nehmen, die mehr scheinbar als wirklich Schutz gewähren, so würde die Aufhebung dieser Verbrauchssteuergesetze genügen, ihm die Konkurrenz auf dem freien Markt zu gestatten.

Das also ist die Lage, in der sich England nach fast fünfundzwanzig Jahren unbestrittener Herrschaft der Lehren der Manchesterschule befindet. Unserer Meinung nach sind diese Ergebnisse derart, daß die schleunigste Abdankung der Herren von Manchester und Birmingham geboten ist, um für die nächsten fünfundzwanzig Jahre die Arbeiterklasse ans Ruder zu lassen. Schlechter könnte sie die Sache bestimmt nicht machen.

Geschrieben Ende Juli 1881.
Aus dem Englischen.

Friedrich Engels

Notwendige und überflüssige Gesellschaftsklassen

[„The Labour Standard"
Nr. 14 vom 6. August 1881,
Leitartikel]

Häufig ist die Frage aufgeworfen worden: Inwieweit sind die verschiedenen Gesellschaftsklassen nützlich oder gar notwendig? Und naturgemäß war die Antwort für jede geschichtliche Epoche verschieden. Zweifellos gab es eine Zeit, da die Grundbesitzeraristokratie ein unvermeidliches und notwendiges Element der Gesellschaft war. Das ist indes schon sehr, sehr lange her. Dann kam eine Zeit, da mit der gleichen unvermeidlichen Notwendigkeit eine kapitalistische Mittelklasse entstand, eine *Bourgeoisie*, wie die Franzosen sie nennen, die gegen die Grundbesitzeraristokratie kämpfte, ihre politische Macht brach und ihrerseits die ökonomische und politische Vorherrschaft erlangte. Seit der Entstehung von Klassen gab es jedoch niemals eine Zeit, da die Gesellschaft ohne eine arbeitende Klasse auskommen konnte. Der Name und die soziale Stellung dieser Klasse änderten sich; an die Stelle des Sklaven trat der Leibeigene, um seinerseits von dem freien Arbeiter abgelöst zu werden – frei von der Leibeigenschaft, aber auch frei von jedem irdischen Besitz, außer seiner eigenen Arbeitskraft. Eines aber ist klar: Welche Veränderungen auch in den nichtproduzierenden Oberschichten der Gesellschaft vor sich gehen mochten, so konnte die Gesellschaft doch niemals ohne eine Klasse von Produzenten leben. Diese Klasse ist also unter allen Umständen notwendig – wenn auch die Zeit kommen muß, in der sie nicht länger eine Klasse sein, sondern die ganze Gesellschaft umfassen wird.

Welche Notwendigkeit besteht nun gegenwärtig für die Existenz einer jeden dieser drei Klassen?

Die Grundbesitzeraristokratie ist in England zumindest ökonomisch überflüssig, während sie in Irland und Schottland durch ihre Tendenz, das

Land zu entvölkern, zur ausgesprochenen Plage geworden ist. Daß sie Menschen über den Ozean oder in den Hungertod treiben und durch Schafe oder Wild ersetzen – das ist das ganze Verdienst, das die irischen und schottischen Grundbesitzer für sich in Anspruch nehmen können. Die Konkurrenz der amerikanischen pflanzlichen und tierischen Nahrungsmittel entwickle sich nur noch etwas weiter, und die englische Grundbesitzeraristokratie wird dasselbe tun, zum mindesten der Teil, der es sich leisten kann, weil er großes städtisches Grundeigentum als Rückhalt hat. Von dem Rest wird uns die amerikanische Lebensmittelkonkurrenz bald befreien. Und wir werden ihnen keine Träne nachweinen – denn ihr politisches Wirken ist sowohl im Oberhaus wie im Unterhaus eine wahre nationale Plage.

Wie steht es aber mit der kapitalistischen Mittelklasse, jener aufgeklärten und liberalen Klasse, die das britische Kolonialreich begründet und die britische Freiheit geschaffen hat? jener Klasse, die das Parlament 1831 reformiert [180], die Korngesetze aufgehoben und einen Zoll nach dem anderen herabgesetzt hat? jener Klasse, die die riesigen Fabriken, die gewaltige Handelsflotte, das sich immer weiter ausdehnende Eisenbahnnetz Englands ins Leben rief und noch immer leitet? Diese Klasse muß doch sicherlich mindestens ebenso notwendig sein wie die Arbeiterklasse, die von ihr gelenkt und von Fortschritt zu Fortschritt geführt wird.

Die ökonomische Funktion der kapitalistischen Mittelklasse bestand in der Tat darin, das moderne System der mit Dampfkraft betriebenen Fabriken und Verkehrsmittel zu schaffen und alle ökonomischen und politischen Hindernisse, die die Entwicklung dieses Systems verzögerten oder hemmten, aus dem Weg zu räumen. Solange die kapitalistische Mittelklasse diese Funktion erfüllte, war sie unter den gegebenen Umständen zweifelsohne eine notwendige Klasse. Aber ist sie es jetzt noch? Erfüllt sie auch weiterhin ihre eigentliche Funktion, die gesellschaftliche Produktion zum Nutzen der gesamten Gesellschaft zu leiten und zu erweitern? Wir wollen einmal sehen.

Beginnen wir mit den Verkehrsmitteln, so finden wir, daß der Telegraph in den Händen der Regierung ist. Die Eisenbahnen und ein großer Teil der Hochseedampfer sind nicht Eigentum einzelner Kapitalisten, die ihr Geschäft selbst leiten, sondern von Aktiengesellschaften, deren Betrieb von *bezahlten Angestellten* geleitet wird, von Dienern, die in jeder Hinsicht die Position höhergestellter, besser bezahlter Arbeiter einnehmen. Was die Direktoren und Aktionäre anbetrifft, so wissen beide, daß es für das Geschäft um so besser ist, je weniger sich die ersteren in die Leitung und die letzteren in die Kontrolle einmischen. Eine lockere und meist oberflächliche Kontrolle ist in der Tat die einzige Funktion, die den Eigentümern des Unternehmens verblieben ist. Wir sehen also, daß den kapitalistischen Eigentümern dieser riesigen Unternehmen in Wirklichkeit keine andere Funktion geblieben ist, als halbjährlich ihre Dividenden einzustreichen. Die gesellschaftliche Funktion des Kapitalisten ist hier auf besoldete Diener übergegangen; aber der Kapitalist streicht nach wie vor in Gestalt seiner Dividenden die Bezahlung für jene Funktionen ein, obwohl er sie nicht mehr ausübt.

Dem Kapitalisten, den die Ausdehnung der betreffenden großen Unternehmen gezwungen hat, sich von ihrer Leitung „zurückzuziehen", ist aber doch noch eine Funktion geblieben. Und diese Funktion besteht darin, mit seinen Aktien an der Börse zu spekulieren. Weil sie nichts Besseres zu tun haben, spekulieren unsere Kapitalisten, die sich „zurückgezogen" haben, in Wirklichkeit aber überflüssig geworden sind, nach Herzenslust in diesem Mammonstempel. Sie gehen mit der wohlüberlegten Absicht hin, Geld einzusacken, das sie angeblich verdient haben; trotzdem sagen sie, die Quelle jeglichen Eigentums sei Arbeit und Sparsamkeit – die Quelle vielleicht, aber sicherlich nicht das Ende. Welche Heuchelei, kleine Spielhöllen zwangsweise zu schließen, wenn unsere kapitalistische Gesellschaft nicht ohne eine riesige Spielhölle auskommen kann, in der Millionen und aber Millionen verloren und gewonnen werden und die ihr wichtigster Lebensnerv ist! Hier allerdings wird die Existenz des „zurückgezogenen", aktienbesitzenden Kapitalisten nicht nur überflüssig, sondern eine ausgesprochene Plage.

Was für die Eisenbahnen und die Dampfschiffahrt zutrifft, wird mit jedem Tag für alle großen Industrie- und Handelsunternehmen in steigendem Maße zutreffender. Das „Gründertum" – die Umwandlung großer Privatunternehmen in Aktiengesellschaften – stand während der letzten zehn Jahre und länger auf der Tagesordnung. Von den großen Lagerhäusern der City in Manchester bis zu den Eisenwerken und Kohlengruben von Wales und Nordengland und den Fabriken von Lancashire unterlag oder unterliegt alles dieser Gründerei. In ganz Oldham ist kaum eine Baumwollfabrik in privaten Händen geblieben; ja selbst der Einzelhändler wird mehr und mehr durch „Genossenschaftsläden" verdrängt, die in ihrer großen Mehrzahl nur dem Namen nach genossenschaftlich sind – doch darüber ein andermal. So sehen wir, daß gerade die Entwicklung des kapitalistischen Produktionssystems den Kapitalisten ebenso überflüssig macht wie den Handweber. Nur mit dem Unterschied, daß der Handweber zum langsamen Hungertod verurteilt ist und der überflüssig gewordene Kapitalist zum langsamen Tod wegen Überfütterung. Nur in einer Hinsicht sind sich die beiden im allgemeinen gleich: weder der eine noch der andere weiß, was er mit sich anfangen soll.

Das also ist das Ergebnis: Die ökonomische Entwicklung unserer modernen Gesellschaft hat mehr und mehr die Tendenz zur Konzentration, zur Vergesellschaftung der Produktion in Riesenunternehmen, die nicht mehr von einzelnen Kapitalisten geleitet werden können. Das ganze Geschwätz vom „Auge des Herrn" und den Wundern, die es verrichtet, wird zu barem Unsinn, sobald ein Unternehmen eine gewisse Größe erreicht. Man stelle sich das „Auge des Herrn" der London- und Nordwest-Eisenbahn vor! Was aber der Herr nicht zu tun vermag – die Arbeiter, die im Lohnverhältnis stehenden Angestellten der Gesellschaft, *können* es tun und tun es mit Erfolg.

Der Kapitalist kann also seinen Profit nicht länger als „Lohn für Aufsicht" beanspruchen, denn er beaufsichtigt nichts. Rufen wir uns das ins Gedächtnis, wenn uns die Verteidiger des Kapitals diese hohle Phrase in die Ohren schreien!

In unserer Ausgabe von vergangener Woche[1] haben wir schon versucht zu zeigen, daß die Kapitalistenklasse auch unfähig geworden ist, das riesige Produktionssystem unseres Landes zu leiten; einerseits hat sie die Produktion derart ausgedehnt, daß sie periodisch alle Märkte mit Waren überflutet, andererseits ist sie immer unfähiger geworden, sich gegen die ausländische Konkurrenz zu behaupten. So finden wir nicht nur, daß wir ohne die Einmischung der Kapitalistenklasse in die großen Industrien des Landes sehr gut fertig werden können, sondern wir finden auch, daß ihre Einmischung sich mehr und mehr zu einer Plage auswächst.

Wir sagen ihnen nochmals: „Tretet ab! Gebt der Arbeiterklasse Gelegenheit zu zeigen, was sie vermag!"

Geschrieben am 1./2. August 1881.
Aus dem Englischen.

[1] Siehe vorl. Band, S. 283–286

Friedrich Engels

Jenny Marx, geb. v. Westphalen

[„Der Sozialdemokrat"
Nr. 50 vom 8. Dezember 1881]

Wiederum hat der Tod sich ein Opfer geholt aus den Reihen der alten Garde des proletarischen, revolutionären Sozialismus.

Am 2. Dezember d. J. starb in London, nach langer schmerzhafter Krankheit, die Gattin von Karl Marx.

Sie war geboren in Salzwedel. Ihr Vater, bald darauf als Regierungsrat nach Trier versetzt, wurde dort eng befreundet mit der Familie Marx. Die Kinder wuchsen zusammen heran. Die beiden hochbegabten Naturen fanden sich. Als Marx die Universität bezog, war die Gemeinsamkeit ihrer künftigen Geschicke schon entschieden.

1843, nach der Unterdrückung der ersten, eine Zeitlang von Marx redigierten „Rheinischen Zeitung", war die Hochzeit. Von da an hat Jenny Marx die Schicksale, die Arbeiten, die Kämpfe ihres Mannes nicht bloß geteilt, sie hat daran mit dem höchsten Verständnis, mit der glühendsten Leidenschaft Anteil genommen.

Das junge Paar ging nach Paris, in ein freiwilliges Exil, das nur zu bald ein wirkliches wurde. Die preußische Regierung verfolgte Marx auch da. Alexander v. Humboldt gab sich dazu her, bei der Erwirkung eines Ausweisungsbefehls gegen Marx mit tätig zu sein. Die Familie wurde nach Brüssel getrieben.

Es kam die Februarrevolution. Während der in ihrem Gefolge auch in Brüssel ausbrechenden Unruhen wurde nicht bloß Marx verhaftet. Die belgische Polizei ließ es sich nicht nehmen, auch seine Frau ohne allen Anlaß ins Gefängnis zu werfen.

Der revolutionäre Aufschwung von 1848 brach schon im nächsten Jahre zusammen. Neues Exil, zuerst in Paris, dann, infolge erneuerter Einmischung der französischen Regierung, in London. Und diesmal war es in der Tat für Jenny Marx ein Exil mit allen seinen Schrecken. Den materiellen Druck, unter dem sie ihre beiden Knaben und ein Töchterchen ins Grab sinken sah, hätte sie trotzdem verwunden. Aber daß Regierung und bürgerliche Opposition, von der vulgär-liberalen bis zur demokratischen, sich zusammentaten zu einer großen Verschwörung gegen ihren Mann; daß sie ihn mit den elendesten, niederträchtigsten Verleumdungen überschütteten; daß die gesamte Presse sich ihm verschloß, ihm jede Verteidigung abschnitt, so daß er momentan wehrlos dastand vor Gegnern, die er und sie verachten mußten – das hat sie tief getroffen. Und das dauerte sehr lange.

Aber nicht für immer. Das europäische Proletariat kam wieder in Existenzbedingungen, in denen es sich einigermaßen selbständig bewegen konnte. Die Internationale wurde gestiftet. Von Land zu Land drang der Klassenkampf des Proletariats, und unter den Vordersten kämpfte ihr Mann, der Vorderste. Da begann für sie eine Zeit, die manche harte Leiden aufwog. Sie erlebte es, daß die Verleumdungen, die hageldicht auf Marx herabgeregnet, wie Spreu vor dem Winde zerstoben, daß seine Lehren, die zu unterdrücken alle reaktionären Parteien, Feudale wie Demokraten, so ungeheure Mühe aufgewendet, nun von den Dächern gepredigt wurden in allen zivilisierten Ländern und in allen gebildeten Sprachen. Sie erlebte es, daß die proletarische Bewegung, mit der ihr ganzes Sein verwachsen war, die alte Welt von Rußland bis Amerika in ihren Fugen erschütterte und allem Widerstand zum Trotz immer siegesgewisser vorwärts drang. *Und eine ihrer letzten Freuden war noch der schlagende Beweis unverwüstlicher Lebenskraft, den unsere deutschen Arbeiter in den letzten Reichstagswahlen gegeben.*[181]

Was eine solche Frau, mit so scharfem, kritischem Verstande, mit solch politischem Takt, mit solcher Energie und Leidenschaft des Charakters, mit solcher Hingabe für ihre Kampfgenossen, in der Bewegung während fast vierzig Jahren geleistet, das hat sich nicht an die Öffentlichkeit vorgedrängt, das steht nicht in den Annalen der zeitgenössischen Presse verzeichnet. Das muß man selbst miterlebt haben. Aber das weiß ich: wenn die Frauen der Kommuneflüchtlinge ihrer noch oft gedenken werden, so werden wir andern noch oft genug ihren kühnen und klugen Rat vermissen – kühn ohne Prahlerei, klug, ohne der Ehre je etwas zu vergeben.

London, den 4. Dezember 1881

Friedrich Engels

Friedrich Engels

Rede am Grabe von Jenny Marx

[„L'Égalité" Nr. 1
vom 11. Dezember 1881]

Freunde!

Die Frau mit dem edlen Herzen, die wir heute beisetzen, wurde 1814 in Salzwedel geboren. Ihr Vater, Baron von Westphalen, war in Trier eng mit der Familie Marx befreundet; die Kinder der beiden Familien wuchsen zusammen heran. Als Marx die Universität bezog, hatten er und seine künftige Frau sich bereits entschieden, ihre Geschicke für immer zu verbinden.

Im Jahre 1843 fand die Hochzeit statt, nachdem Marx als Chefredakteur der ersten „Rheinischen Zeitung" bekannt geworden und die Zeitung von der preußischen Regierung unterdrückt worden war. Von da an hat Jenny die Schicksale, die Arbeiten, die Kämpfe ihres Mannes nicht bloß geteilt, sie hat daran mit dem höchsten Verständnis und mit der glühendsten Leidenschaft größten Anteil genommen.

Das junge Paar ging nach Paris; das freiwillige Exil wurde bald zum erzwungenen. Die preußische Regierung verfolgte Marx sogar in Paris. Mit Bedauern muß ich erwähnen, daß ein Mann wie A. v. Humboldt sich bereit fand, gemeinsam mit der preußischen Regierung zu erwirken, daß die Regierung Louis-Philippe Marx aus Frankreich auswies. Er begab sich nach Brüssel. Die Februarrevolution brach aus. Inmitten der Unruhen, die dieses Ereignis in Brüssel verursachte, verhaftete die belgische Polizei nicht nur Marx, sondern warf auch seine Frau ohne allen Anlaß ins Gefängnis.

Der revolutionäre Aufschwung von 1848 brach schon im nächsten Jahre zusammen. Von neuem begann das Exil, zuerst in Paris, dann, infolge Einmischung der französischen Regierung, in London. Diesmal war es ein Exil mit all seinem Elend. Alle üblichen Leiden der Verbannten hätte Jenny noch verwinden können, obgleich diese die Ursache waren für den Verlust von drei Kindern, darunter zwei Knaben; daß aber alle Parteien, die der

Regierung wie die der Opposition (Feudale, Liberale, sogenannte Demokraten) sich gegen ihren Gatten verschworen, ihn mit den elendesten und niederträchtigsten Verleumdungen überschütteten, daß die gesamte Presse sich ihm ausnahmslos verschloß, daß er hilf- und wehrlos dastand vor Gegnern, die er und sie verachteten – das hat sie tief getroffen. Und das dauerte jahrelang.

Aber es nahm ein Ende. Nach und nach kam die europäische Arbeiterklasse in politische Bedingungen, die ihr einige Aktionsmöglichkeiten gaben. Die Internationale Arbeiterassoziation wurde gestiftet. Sie zog eine zivilisierte Nation nach der anderen in den Kampf, und in diesem Kampf kämpfte ihr Mann als erster unter den ersten. Endlich kam die Zeit, die ihre vergangenen Leiden zu lindern begann. Sie erlebte es, daß die niederträchtigen Verleumdungen, die hageldicht auf ihren Mann herabgeregnet, wie Spreu zerstoben; sie erlebte es, die Lehren ihres Mannes, die die Reaktionäre aller Länder versucht hatten zu ersticken, frei und siegreich in allen zivilisierten Ländern, in allen zivilisierten Sprachen verkündet zu hören. Sie erlebte es, daß die revolutionäre Bewegung des Proletariats, ihres Sieges bewußt, ein Land nach dem anderen, von Rußland bis Amerika, erfaßte. Eine ihrer letzten Freuden war noch, als sie auf ihrem Sterbebett den schlagenden Beweis der unverwüstlichen Lebenskraft erhielt, den die deutsche Arbeiterklasse trotz aller Ausnahmegesetze bei den letzten Wahlen erbracht hat.

Was eine solche Frau, mit so scharfem und so kritischem Verstande, mit einem politisch so sicheren Takt, mit solch einer leidenschaftlichen Energie, solch großer Kraft der Hingabe, in der revolutionären Bewegung geleistet, das hat sich nicht an die Öffentlichkeit vorgedrängt, ist niemals in den Spalten der Presse erwähnt worden. Was sie getan hat, wissen nur die, die mit ihr gelebt haben. Aber ich weiß, daß wir oft ihre kühnen und klugen Ratschläge vermissen werden – kühn ohne Prahlerei, klug, ohne der Ehre je etwas zu vergeben.

Von ihren persönlichen Eigenschaften brauche ich nichts zu sagen. Ihre Freunde kennen diese Eigenschaften und werden sie niemals vergessen. Wenn es jemals eine Frau gab, die ihr größtes Glück darin gesehen hat, andere glücklich zu machen, so war es diese Frau.

Gehalten am 5. Dezember 1881.
Aus dem Französischen.

Karl Marx/Friedrich Engels

[Vorrede zur zweiten russischen Ausgabe des „Manifests der Kommunistischen Partei“[182]]

Die erste russische Ausgabe des „Manifestes der Kommunistischen Partei“, übersetzt von Bakunin, erschien anfangs der sechziger Jahre[183] in der Druckerei des „Kolokol“[184]. Der Westen konnte damals in ihr (der *russischen* Ausgabe des „Manifests“) nur ein literarisches Kuriosum sehn. Solche Auffassung wäre heute unmöglich.

Welch beschränktes Gebiet damals (Dezember 1847) die proletarische Bewegung noch einnahm, zeigt am klarsten das Schlußkapitel des „Manifests“: Stellung der Kommunisten zu den verschiedenen Oppositionsparteien in den verschiedenen Ländern.[1] Hier fehlen nämlich grad – Rußland und die Vereinigten Staaten. Es war die Zeit, wo Rußland die letzte große Reserve der europäischen Gesamtreaktion bildete; wo die Vereinigten Staaten die proletarische Überkraft Europas durch Einwanderung absorbierten. Beide Länder versorgten Europa mit Rohprodukten und waren zugleich Absatzmärkte seiner Industrieerzeugnisse. Beide Länder waren damals also, in dieser oder jener Weise, Säulen der bestehenden europäischen Ordnung.

Wie ganz anders heute! Grade die europäische Einwanderung befähigte Nordamerika zu einer riesigen Ackerbauproduktion, deren Konkurrenz das europäische Grundeigentum – großes wie kleines – in seinen Grundfesten erschüttert. Sie erlaubte zudem den Vereinigten Staaten, ihre ungeheuren industriellen Hülfsquellen mit einer Energie und auf einer Stufenleiter auszubeuten, die das bisherige industrielle Monopol Westeuropas und namentlich Englands binnen kurzem brechen muß. Beide Umstände wirken revolutionär auf Amerika selbst zurück. Das kleinere und mittlere Grundeigentum der Farmers, die Basis der ganzen politischen Verfassung, erliegt nach und nach der Konkurrenz der Riesenfarms; in den Industriebezirken

---

[1] Siehe Band 4 unserer Ausgabe, S. 492/493

entwickelt sich gleichzeitig zum ersten Mal ein massenhaftes Proletariat und eine fabelhafte Konzentration der Kapitalien.

Und nun Rußland! Während der Revolution von 1848/49 fanden nicht nur die europäischen Fürsten, auch die europäischen Bourgeois in der russischen Einmischung die einzige Rettung vor dem eben erst erwachenden Proletariat. Der Zar wurde als Chef der europäischen Reaktion proklamiert. Heute ist er Kriegsgefangner der Revolution in Gatschina[185], und Rußland bildet die Vorhut der revolutionären Aktion in Europa.

Das „Kommunistische Manifest" hatte zur Aufgabe, die unvermeidlich bevorstehende Auflösung des modernen bürgerlichen Eigentums zu proklamieren. In Rußland aber finden wir, gegenüber rasch aufblühendem kapitalistischen Schwindel und sich eben erst entwickelndem bürgerlichen Grundeigentum, die größere Hälfte des Bodens im Gemeinbesitz der Bauern. Es fragt sich nun: Kann die russische Obschtschina, eine wenn auch stark untergrabene Form des uralten Gemeinbesitzes am Boden, unmittelbar in die höhere des kommunistischen Gemeinbesitzes übergehn? Oder muß sie umgekehrt vorher denselben Auflösungsprozeß durchlaufen, der die geschichtliche Entwicklung des Westens ausmacht?

Die einzige Antwort hierauf, die heutzutage möglich, ist die: Wird die russische Revolution das Signal einer proletarischen Revolution im Westen, so daß beide einander ergänzen, so kann das jetzige russische Gemeineigentum am Boden zum Ausgangspunkt einer kommunistischen Entwicklung dienen.

Karl Marx F. Engels

London, 21. Januar 1882

Nach der Handschrift.

Friedrich Engels

Bruno Bauer und das Urchristentum[186]

In Berlin starb am 13. April ein Mann, der früher einmal als Philosoph und Theolog eine Rolle gespielt, seit Jahren aber, halb verschollen, nur von Zeit zu Zeit als „literarischer Sonderling" die Aufmerksamkeit des Publikums auf sich gezogen hatte. Die offiziellen Theologen, unter ihnen auch *Renan*, schrieben ihn ab und schwiegen ihn deshalb einstimmig tot. Und doch war er mehr wert als sie alle und hat mehr geleistet als sie alle in einer Frage, die auch uns Sozialisten interessiert: in der Frage nach dem geschichtlichen Ursprung des Christentums.

Nehmen wir von seinem Tode Anlaß, den jetzigen Stand dieser Frage und Bauers Beiträge zu ihrer Lösung kurz zu schildern.

Die seit den Freigeistern des Mittelalters bis auf die Aufklärer des 18. Jahrhunderts, diese eingeschlossen, herrschende Ansicht, daß alle Religionen, und somit auch das Christentum, das Werk von Betrügern seien, war nicht mehr genügend, seitdem Hegel der Philosophie die Aufgabe gestellt hatte, eine rationelle Entwicklung in der Weltgeschichte nachzuweisen.

Es ist nun einleuchtend, daß, wenn naturwüchsige Religionen, wie der Fetischdienst der Neger oder die gemeinsame Urreligion der Arier[187], entstehen, ohne daß Betrug dabei eine Rolle spielt, doch in ihrer weiteren Ausbildung priesterliche Täuschung sehr bald unvermeidlich wird. Kunstreligionen aber können, neben aller aufrichtigen Schwärmerei, schon bei ihrer Stiftung des Betrugs und der Geschichtsfälschung nicht entbehren, und auch das Christentum hat schon gleich im Anfang hierin ganz hübsche Leistungen aufzuweisen, wie Bauer in der Kritik des Neuen Testaments gezeigt[188]. Aber damit ist nur eine allgemeine Erscheinung festgestellt, nicht aber der einzelne Fall erklärt, um den es sich grade handelt.

Mit einer Religion, die das römische Weltreich sich unterworfen und den weitaus größten Teil der zivilisierten Menschheit 1800 Jahre lang beherrscht hat, wird man nicht fertig, indem man sie einfach für von Betrügern zusammengestoppelten Unsinn erklärt. Man wird erst fertig mit ihr, sobald man ihren Ursprung und ihre Entwicklung aus den historischen Bedingungen zu erklären versteht, unter denen sie entstanden und zur Herrschaft gekommen ist. Und namentlich beim Christentum. Es gilt eben die Frage zu lösen, wie es kam, daß die Volksmassen des römischen Reiches diesen noch dazu von Sklaven und Unterdrückten gepredigten Unsinn allen andern Religionen vorzogen, so daß endlich der ehrgeizige *Konstantin* in der Annahme dieser Unsinnsreligion das beste Mittel sah, sich zum Alleinherrscher der römischen Welt emporzuschwingen.

Zur Beantwortung dieser Frage hat Bruno Bauer bei weitem mehr beigetragen als irgendein anderer. Die von Wilke rein sprachlich nachgewiesene zeitliche Reihenfolge und gegenseitige Abhängigkeit der Evangelien voneinander wies er auch aus dem Inhalt derselben unwiderleglich nach, wie sehr auch die halbgläubigen Theologen der Reaktionszeit seit 1849 sich dagegen sperren mögen. Die verschwommene Mythentheorie von Strauß, bei der jeder in den evangelischen Erzählungen grade so viel für historisch halten kann wie ihm beliebt, stellte er in ihrer ganzen Unwissenschaftlichkeit bloß. Und wenn dabei von dem ganzen Inhalt der Evangelien sich fast absolut nichts als geschichtlich erweisbar darstellte – so daß man selbst die geschichtliche Existenz eines Jesus Christus für fraglich erklären kann –, so hatte Bauer hiermit erst den Boden gereinigt, auf dem die Frage gelöst werden kann: Woher stammen die Vorstellungen und Gedanken, die im Christentum zu einer Art System verknüpft worden sind, und wie kamen sie zur Weltherrschaft?

Hiermit beschäftigte sich Bauer bis zuletzt. Seine Forschungen gipfeln in dem Resultat, daß der alexandrinische Jude *Philo*, der noch im Jahre 40 unsrer Zeitrechnung, aber in hohem Alter, lebte, der eigentliche Vater des Christentums sei und der römische Stoiker *Seneca* sozusagen dessen Onkel. Die uns unter dem Namen Philos überlieferten zahlreichen Schriften sind in der Tat entstanden aus einer Verschmelzung allegorisch-rationalistisch aufgefaßter jüdischer Traditionen mit griechischer, namentlich stoischer Philosophie. Diese Versöhnung okzidentalischer und orientalischer Anschauungen enthält schon alle wesentlich christlichen Vorstellungen: Die angeborne Sündhaftigkeit des Menschen, den Logos, das Wort, das bei Gott und Gott selbst ist, das den Mittler macht zwischen Gott und Mensch; die Buße nicht durch Tieropfer, sondern durch das Darbringen des eignen Herzens an Gott; endlich den wesentlichen Zug, daß die neue Religionsphilosophie die bisherige Weltordnung umkehrt, ihre Jünger unter den Armen, Elenden, Sklaven und Verworfenen sucht und die Reichen,

Mächtigen, Privilegierten verachtet, und daß damit die Verachtung aller weltlichen Genüsse und die Abtötung des Fleisches vorgeschrieben sind.

Andrerseits hatte schon Augustus dafür gesorgt, daß nicht nur der Gottmensch, sondern auch die sog. unbefleckte Empfängnis von Reichs wegen vorgeschriebne Formeln wurden. Nicht nur ließ er Cäsar und sich selbst göttlich verehren, er ließ auch verbreiten, er, Augustus Cäsar Divus, der Göttliche, sei nicht der Sohn seines menschlichen Vaters, sondern seine Mutter habe ihn vom Apollogott empfangen. Wenn dieser Apollogott nur kein Verwandter des von Heine Besungenen war! [189]

Man sieht, es fehlt nur noch der Schlußstein, und das ganze Christentum ist in seinen Grundzügen fertig: Die Verkörperung des menschgewordnen Logos in einer bestimmten Person und sein Sühnopfer am Kreuz zur Erlösung der sündigen Menschheit.

Wie dieser Schlußstein geschichtlich in die stoisch-philonischen Lehren eingefügt, darüber lassen uns die wirklich zuverlässigen Quellen im Stich. Soviel aber ist sicher, von Philosophen, Schülern Philos oder der Stoa, ist er nicht eingefügt worden. Religionen werden gestiftet von Leuten, die selbst ein religiöses Bedürfnis empfinden und Sinn haben für das religiöse Bedürfnis der Massen, und das ist in der Regel nicht der Fall bei Schulphilosophen. Dagegen finden wir in Zeiten allgemeiner Auflösung – wie z.B. auch jetzt – Philosophie und religiöse Dogmatik in vulgarisierter Form verflacht und allgemein verbreitet. Führte die klassische griechische Philosophie in ihren letzten Formen – besonders bei der epikureischen Schule – zum atheistischen Materialismus, so die griechische Vulgärphilosophie zur Lehre vom einigen Gott und von der unsterblichen Menschenseele. Ebenso war das in der Mischung und dem Umgang mit Fremden und Halbjuden rationalistisch-vulgarisierte Judentum angekommen bei der Vernachlässigung der Gesetzeszeremonien, bei der Verwandlung des ehemaligen ausschließlich jüdischen Nationalgottes Jahveh* in den einzig wahren Gott, Schöpfer Himmels und der Erden, und bei der Annahme der dem Judentum ursprünglich fremden Unsterblichkeit der Seele. So begegnete sich die monotheistische Vulgärphilosophie mit der Vulgär-

* Wie schon Ewald bewiesen, schrieben die Juden in punktierten (mit Vokalen und Lesezeichen versehenen) Handschriften unter die Konsonanten des Namens Jahveh, den auszusprechen verboten war, die Vokale des an seiner Stelle gelesenen Wortes Adonai. Dies lasen die späteren dann Jehovah. Dieses Wort ist also nicht der Name eines Gottes, sondern einfach ein grober grammatischer Schnitzer: es ist im Hebräischen einfach unmöglich.

religion, die ihr den einigen Gott fix und fertig präsentierte. Und somit war der Boden präpariert, auf dem bei den Juden die Verarbeitung ebenfalls vulgarisierter, philonischer Vorstellungen das Christentum erzeugen und das einmal erzeugte bei den Griechen und Römern Annahme finden konnte. Daß es popularisierte philonische Vorstellungen waren und nicht Philos Schriften unmittelbar, aus denen das Christentum hervorging, ist bewiesen dadurch, daß das Neue Testament den Hauptteil dieser Schriften fast vollständig vernachlässigt, nämlich die allegorische philosophische Deutung alttestamentlicher Erzählungen. Es ist dies eine Seite, die Bauer nicht hinreichend beachtet hat.

Wie das Christentum in seiner ersten Gestalt ausgesehen hat, davon kann man sich eine Vorstellung machen, wenn man die sog. Offenbarung Johannis liest. Wüster, verworrener Fanatismus, von Dogmen erst die Anfänge, von der sog. christlichen Moral nur die Fleischesabtötung, dagegen Visionen und Prophezeiungen die Menge. Die Ausbildung der Dogmen und der Sittenlehre gehört einer späteren Zeit an, in der die Evangelien und sog. apostolischen Episteln geschrieben wurden. Und da wurde – für die Moral wenigstens – die stoische Philosophie und namentlich Seneca ungeniert benutzt. Daß die Episteln ihn oft wörtlich abschreiben, hat Bauer nachgewiesen; in der Tat, die Sache war schon den Rechtgläubigen aufgefallen; aber sie behaupteten, Seneka habe das – damals noch gar nicht verfaßte – Neue Testament abgeschrieben. Die Dogmatik entwickelte sich einerseits in Verbindung mit der sich bildenden evangelischen Legende von Jesus, andrerseits im Kampfe zwischen Judenchristen und Heidenchristen.

Über die Ursachen, die dem Christentum zum Sieg und zur Weltherrschaft verhalfen, gibt Bauer auch sehr wertvolle Daten. Aber hier tritt der Idealismus des deutschen Philosophen ihm in den Weg, verhindert ihn, klar zu sehen und scharf zu formulieren. Die Phrase muß oft am entscheidenden Punkt statt der Sache Dienst tun. Statt also auf die Ansichten Bauers im einzelnen einzugehn, geben wir lieber unsre eigne, außer auf Bauers Schriften auch auf selbständigen Studien beruhende Auffassung dieses Punktes.

Die römische Eroberung löste in allen unterworfnen Ländern zunächst direkt die früheren politischen Zustände und sodann indirekt auch die alten gesellschaftlichen Lebensbedingungen auf. Erstens, indem sie an die Stelle der früheren ständischen Gliederung (abgesehn von der Sklaverei) den einfachen Unterschied zwischen römischen Bürgern und Nichtbürgern oder Staatsuntertanen setzte. Zweitens, und hauptsächlich, durch die Erpressungen im Namen des römischen Staates. Wurde der Bereicherungswut der Statthalter unter dem Kaiserreich im Staatsinteresse möglichst ein Ziel gesetzt, so trat an deren Stelle die stets und mit wachsender Kraft wirkende, immer mehr angezogene Steuerschraube für den Staatssäckel – eine Aussaugung, die furchtbar auflösend wirkte. Drittens endlich wurde überall nach römischem Recht von römischen Richtern geurteilt, die einheimischen gesellschaftlichen Ordnungen damit für ungültig erklärt, soweit sie nicht mit römischer Rechtsordnung stimmten. Diese drei Hebel mußten mit ungeheurer nivellierender Kraft wirken, namentlich, wenn sie ein paar Jahrhunderte lang angesetzt wurden an Bevölkerungen, deren kräftigster Teil schon in den der Eroberung vorhergehenden, sie begleitenden und oft noch ihr folgenden Kämpfen niedergemacht oder in die Sklaverei abgeführt war. Die sozialen Verhältnisse der Provinzen näherten sich immer mehr denen der Hauptstadt Italiens. Die Bevölkerung teilte sich mehr und mehr in drei aus den verschiedensten Elementen und Nationalitäten zusammengewürfelte Klassen: Reiche, darunter nicht wenig freigelassene Sklaven (s. Petronius[190]), Großgrundbesitzer, Zinswucherer oder beides, wie der Onkel des Christentums, Seneca; besitzlose Freie, in Rom vom Staate ernährt und belustigt – in den Provinzen konnten sie sehn, wie sie fortkamen; endlich die große Masse – Sklaven. Gegenüber dem Staat, d.h. dem Kaiser, waren die beiden ersten Klassen fast ebenso rechtlos wie die Sklaven gegenüber ihren Herren. Namentlich von Tiberius bis Nero war es Regel, reiche Römer zum Tode zu verurteilen, um ihr Vermögen einzuziehen. Stütze der Regierung war materiell das Heer, das einer Landsknechtsarmee schon weit ähnlicher sah als dem alten römischen Bauernheer, und moralisch die allgemeine Einsicht, daß aus dieser Lage nicht herauszukommen, daß zwar nicht dieser oder jener Kaiser, aber das auf Militärherrschaft gegründete Kaisertum eine unabwendliche Notwendigkeit sei. Auf welchen sehr materiellen Tatsachen diese Einsicht beruhte, darauf einzugehn, ist hier nicht der Ort.

Der allgemeinen Rechtlosigkeit und Verzweiflung an der Möglichkeit besserer Zustände entsprach die allgemeine Erschlaffung und Demoralisation. Die wenigen noch übrigen Altrömer patrizischer Art und Gesinnung wurden beseitigt oder starben aus; ihr letzter ist Tacitus. Die übrigen waren froh, wenn sie sich vom öffentlichen Leben ganz fernhalten konnten; Reichtumserwerb und Reichtumsgenuß füllten ihr Dasein aus, Privatklatsch und Privatkabale. Die besitzlosen Freien, in Rom Staatspensionäre, hatten dagegen in den Provinzen einen harten Stand. Arbeiten mußten sie und das obendrein gegen die Konkurrenz der Sklavenarbeit. Doch waren sie auf die Städte beschränkt. Neben ihnen gab es in den Provinzen noch Bauern, freie

Grundbesitzer (hie und da wohl auch noch in Gemeineigentum) oder, wie in Gallien, Schuldhörige großer Grundherren. Diese Klasse wurde von der gesellschaftlichen Umwälzung am wenigsten berührt; sie stellte auch der religiösen den längsten Widerstand entgegen*. Endlich die Sklaven, recht- und willenlos, in der Unmöglichkeit, sich zu befreien, wie schon die Niederlage des Spartakus bewiesen; aber dabei großenteils selbst ehemalige Freie oder Söhne Freigelassener. Unter ihnen mußte also noch am meisten lebendiger, wenn auch nach außen ohnmächtiger Haß gegen ihre Lebenslage vorhanden sein.

Dementsprechend werden wir auch die Ideologen jener Zeit geartet finden. Die Philosophen waren entweder bloße gelderwerbende Schulmeister oder bezahlte Possenreißer reicher Prasser. Manche waren sogar Sklaven. Was aus ihnen wurde, wenn es ihnen gut ging, zeigt Herr Seneca. Dieser Tugend und Enthaltung predigende Stoiker war erster Hofintrigant Neros, was ohne Kriecherei nicht abging, ließ sich von ihm Geld, Güter, Gärten, Paläste schenken, und während er den armen Lazarus des Evangeliums predigte, war er in Wirklichkeit der reiche Mann desselben Gleichnisses. Erst als Nero ihm an den Kragen wollte, bat er den Kaiser, alle Geschenke zurückzunehmen, seine Philosophie genüge ihm. Nur ganz vereinzelte Philosophen, wie Persius, schwangen wenigstens die Geißel der Satire über ihre entarteten Zeitgenossen. Was aber die zweite Art Ideologen angeht, die Juristen, so schwärmten diese für die neuen Zustände, weil die Verwischung aller Standesunterschiede ihnen erlaubte, ihr geliebtes Privatrecht in aller Breite auszuarbeiten, wofür sie dann den Kaisern das hündischste Staatsrecht verfertigten, das je existiert hat.

Mit den politischen und sozialen Besonderheiten der Völker hatte das Römerreich auch seine besonderen Religionen dem Untergang geweiht. Alle Religionen des Altertums waren naturwüchsige Stammes- und später Nationalreligionen, hervorgesproßt aus und verwachsen mit den gesellschaftlichen und politischen Zuständen des jedesmaligen Volks. Einmal diese ihre Grundlagen zerstört, die überlieferten Gesellschaftsformen, die hergebrachte politische Einrichtung und die nationale Unabhängigkeit gebrochen, brach die dazugehörige Religion selbstredend zusammen. Die Nationalgötter konnten andre Nationalgötter, bei anderen Völkern, neben sich dulden, und das war die allgemeine Regel im Altertum: aber nicht über sich. Die Verpflanzung orientalischer Götterkulte nach Rom schadete nur

---

* Nach Fallmerayer wurde noch im 9. Jahrhundert in der Maina (Peloponnes) von den Bauern dem Zeus geopfert.

der römischen Religion, konnte aber den Verfall der orientalischen Religionen nicht hemmen. Sobald die Nationalgötter die Unabhängigkeit und Selbständigkeit ihrer Nation nicht mehr schirmen können, brechen sie sich selbst den Hals. So geschah es überall (abgesehn von den Bauern, besonders im Gebirg). Was in Rom und Griechenland die vulgärphilosophische Aufklärung, ich hätte beinahe gesagt der Voltairianismus, das tat in den Provinzen die römische Unterjochung und die Ersetzung freiheitsstolzer Männer durch verzweifelnde Untertanen und selbstsüchtige Lumpe.

Das war die materielle und moralische Lage. Die Gegenwart unerträglich, die Zukunft womöglich noch drohender. Kein Ausweg. Verzweiflung oder Rettung in den allerordinärsten sinnlichen Genuß – bei *denen* wenigstens, die sich das erlauben konnten, und das war eine kleine Minderzahl. Sonst blieb nur noch die schlaffe Ergebung in das Unvermeidliche.

Aber in allen Klassen mußte es eine Anzahl Leute geben, die, an der materiellen Erlösung verzweifelnd, eine geistige Erlösung als Ersatz suchten – einen Trost im Bewußtsein, der sie vor der gänzlichen Verzweiflung bewahrte. Diesen Trost konnte die Stoa nicht bieten, ebensowenig wie die Schule Epikurs, eben weil sie Philosophien, also nicht für das gemeine Bewußtsein berechnet sind, und dann zweitens, weil der Lebenswandel ihrer Jünger die Lehren der Schule in Mißkredit brachte. Der Trost sollte nicht die verlorne Philosophie, sondern die verlorne Religion ersetzen, er mußte eben in religiöser Form auftreten, wie damals, und noch bis ins 17. Jahrhundert, alles, was die Massen packen sollte.

Wir brauchen wohl kaum zu bemerken, daß von diesen sich nach einem solchen Bewußtseinstrost, nach dieser Flucht aus der äußern Welt in die innere sehnenden Leuten die Mehrzahl sich finden mußte – unter den *Sklaven*.

In diese allgemeine ökonomische, politische, intellektuelle und moralische Auflösung trat nun das Christentum. Zu allen bisherigen Religionen trat es in entschiednen Gegensatz.

Bei allen bisherigen Religionen waren die Zeremonien die Hauptsache. Nur durch die Teilnahme an Opfern und Umzügen, im Orient noch dazu durch die Beobachtung der umständlichsten Diät- und Reinheitsvorschriften, konnte man seine Angehörigkeit bekunden. Während Rom und Griechenland in letzterer Beziehung tolerant waren, herrschte im Orient eine religiöse Verbotswut, die zum schließlichen Verfall nicht wenig beigetragen hat. Leute zweier verschiedner Religionen, Ägypter, Perser, Juden, Chaldäer etc., können nicht zusammen essen oder trinken; keinen alltäglichen Akt gemeinsam begehn, kaum zusammen sprechen. An dieser Scheidung des Menschen vom Menschen ist der alte Orient großenteils mit untergegangen. Das Christentum kennt keine scheidenden Zeremonien, nicht einmal die Opfer und Umzüge der klassischen Welt. Indem es so alle Nationalreligionen und das ihnen gemeinsame Zeremoniell verwirft und an alle Völker ohne Unterschied sich wendet, wird es selbst die *erste mögliche Weltreligion*. Auch das Judentum hatte mit seinem neuen Universalgott einen Anlauf zur Weltreligion genommen; aber die Kinder Israels blieben immer eine Aristokratie unter den Gläubigen und Beschnittenen, und selbst das Christentum mußte die Vorstellung von dem Vorzug der Judenchristen (die noch in der sog. Offenbarung Johannis herrschte) erst loswerden, ehe es wirkliche Weltreligion werden konnte. Andrerseits hat der Islam, durch Beibehaltung seines spezifisch orientalischen Zeremoniells, selbst sein Ausbreitungsgebiet auf den Orient und das eroberte und von arabischen Beduinen neu bevölkerte Nordafrika beschränkt: hier konnte er herrschende Religion werden, im Westen nicht.

Zweitens schlug das Christentum eine Saite an, die in zahllosen Herzen widerklingen mußte. Auf alle Klagen über die Schlechtigkeit der Zeiten und das allgemeine materielle und moralische Elend antwortete das christliche Sündenbewußtsein: So ist es, und so kann es nicht anders sein, an der Verderbtheit der Welt bist Du schuld, Ihr alle, Deine und Euere eigne innere Verderbtheit! Und wo war der Mann, der nein sagen konnte? Mea culpa![1] Die Erkenntnis des eignen Schuldanteils jedes einzelnen am allgemeinen Unglück war unabweisbar und wurde nun auch Vorbedingung der geistigen Erlösung, die das Christentum gleichzeitig verkündete. Und diese geistige Erlösung war so eingerichtet, daß sie von den Genossen jeder alten Religionsgemeinschaft leicht verstanden werden konnte. Allen diesen alten Religionen war die Vorstellung des Sühnopfers geläufig, durch das die beleidigte Gottheit versöhnt wurde; wie sollte die Vorstellung von dem ein für allemal die Sünden der Menschheit tilgenden Selbstopfer des Mittlers da nicht leicht Boden finden? Indem also das Christentum das allgemein verbreitete Gefühl, daß die Menschen am allgemeinen Verderben selbst schuld seien, als Sündenbewußtsein jedes einzelnen zum klaren Ausdruck brachte und gleichzeitig mit dem Opfertod seines Stifters eine überall leicht erfaßliche Form der allgemein ersehnten inneren Erlösung von der verderbten Welt, des Bewußtseinstrosts, lieferte, bewährte es wieder seine Fähigkeit, Weltreligion zu werden – und zwar eine für die grade vorliegende Welt passende Religion.

[1] Meine Schuld!

So ist es gekommen, daß unter den Tausenden von Propheten und Predigern in der Wüste, die jene Zeit mit ihren zahllosen Religionserneuerungen erfüllten, allein die Stifter des Christentums Erfolg gehabt haben. Nicht nur in Palästina, im ganzen Orient wimmelte es von solchen Religionsstiftern, unter denen ein – man kann sagen – darwinistischer Kampf um die ideelle Existenz herrschte. Dank vornehmlich den oben entwickelten Elementen siegte das Christentum. Und wie es allmählich im Kampf der Sekten untereinander und mit der heidnischen Welt durch natürliche Zuchtwahl seinen Charakter als Weltreligion immer weiter ausbildete, das lehrt im einzelnen die Kirchengeschichte der ersten drei Jahrhunderte.

F. Engels

Geschrieben in der zweiten Aprilhälfte 1882.
Nach der Handschrift.

Friedrich Engels

[Über die Konzentration des Kapitals in den Vereinigten Staaten]

[„Der Sozialdemokrat"
Nr. 21 vom 18. Mai 1882]

Mit welcher fabelhaften Geschwindigkeit die Konzentration des Kapitals in den Vereinigten Staaten von Amerika vor sich geht, zeigt eine vor kurzem in englischen Blättern veröffentlichte Statistik. Nach derselben ist der Reichste unter den Reichen Herr *Vanderbilt* in *New York*. Dieser Eisenbahn-, Land-, Schlot- etc. Baron wird auf gegen *300 Millionen Dollars* (1 Dollar = 4 Mark 25 Pfennige) Vermögen – „Wert", sagt der Amerikaner – geschätzt. Er besitzt 65 Millionen Dollars in Vereinigten-Staaten-Anleihen (Bonds), 50 Millionen Aktien der New-York-Central- und Hudson-River-Eisenbahn sowie 50 Millionen Aktien anderer Eisenbahngesellschaften, ferner einen kolossalen Grundbesitz, sowohl in New York als auch im Innern des Landes. Herr Vanderbilt, fügen die Blätter bewundernd hinzu, kann verschiedene Rothschilds aufkaufen und bleibt doch immer noch der reichste Mann der Welt.

Und dieses kolossale Vermögen hat die Familie Vanderbilt in zirka 30 Jahren zusammenge-spart! Der Fall, schreibt die „Whitehall Review"[191], steht ohnegleichen da in der Geschichte. Wir glauben's auch.

Nach Vanderbilt folgen in der Liste der Geldprotzen:

Jay Gould, gleichfalls berüchtigter Eisenbahngauner – 100 Millionen Dollars; *Mackay*, der Silberminenbesitzer, Macher der Agitation für die „vertragsmäßige Doppelwährung" – 50 Millionen; *Crocker* – 50 Millionen; *John Rockefeller*, Petroleumritter – aber kein Petroleur[192] – 40 Millionen; *C.P. Huntington* – 20 Millionen; *D.O. Mills* – 20 Millionen; Senator *Fair* – 30 Millionen; Ex-Gouverneur *Stanford* – 40 Millionen; *Russel Sage* – 15 Millionen; *J.R. Keene* – 15 Millionen; *S.J. Tilden* – 15 Millionen; *E.D. Morgan* – 10 Millionen; *Samuel Sloan* – 10 Millionen; *Garrison* – 10 Millionen; *Cyrus W. Field* – 10 Millionen; *Hugh J. Jewett* – 5 Millionen;

Sidney Dillon – 5 Millionen; *David Dows* – 5 Millionen; *J.D. Navarro* – 5 Millionen; *John W. Garrett* – 5 Millionen; *W.B. Astor* – 5 Millionen.

Soweit die Liste, die indes durchaus nicht erschöpfend ist. Die Zahl der amerikanischen Geldfürsten ist noch weit größer. Und diese fabelhafte Reichtumsakkumulation wird durch die enorme Einwanderung in Amerika noch von Tag zu Tag gesteigert. Denn direkt und indirekt kommt dieselbe in erster Linie den Kapitalmagnaten zugute. Direkt, indem sie die Ursache einer rapiden Steigerung der Bodenpreise ist, indirekt, indem die Mehrzahl der Einwanderer den Lebensstand der amerikanischen Arbeiter herabdrückt. Schon jetzt finden wir in den zahllosen Streikberichten, welche unsere amerikanischen Bruderorgane melden, einen immer größeren Prozentsatz von Streiks zur Abwehr von *Lohnreduktionen*, und die meisten auf Lohnerhöhung abzielenden Streiks sind im Grunde auch nichts anderes, denn sie sind entweder hervorgerufen durch die enorme Steigerung der Preise oder durch das Ausbleiben der sonst im Frühjahr üblichen Lohnerhöhungen.

Auf diese Weise trägt der Auswandererstrom, den Europa jetzt jährlich nach Amerika entsendet, nur dazu bei, die kapitalistische Wirtschaft mit all ihren Folgen auf die Spitze zu treiben, so daß über kurz oder lang ein kolossaler Krach drüben unvermeidlich wird. Dann wird der Auswandererstrom stocken oder vielleicht gar seinen Lauf zurücknehmen, d.h. der Moment gekommen sein, wo der europäische, speziell der deutsche Arbeiter vor der Alternative steht: Hungertod oder Revolution! Steht aber die Alternative einmal so, dann ade – ihr Glückspilze des heiligen preußisch-deutschen Kaiserreichs!

Und der Moment ist näher, als es die meisten sich träumen lassen. Schon hält es für die Einwanderer drüben schwer, Arbeit zu finden, immer deutlicher zeigen sich die Vorboten der nahenden Geschäftskrisis, ein noch so geringfügiger Anlaß im entscheidenden Moment genügt, und – *der Krach ist da!*

Darum, so sehr wir auch mit der „New Yorker Volkszeitung“ [193] die Auswanderung aus Deutschland bedauern, so sehr wir überzeugt sind, daß dieselbe zunächst eine wesentliche Verschlechterung der Lage der amerikanischen Arbeiter im Gefolge haben wird, und so sehr wir ferner mit ihr wünschten, daß die deutschen Arbeiter ihr ganzes Augenmerk ausschließlich auf die Verbesserung ihrer Lage in Deutschland richteten, so können wir ihren Pessimismus doch nicht teilen. Wir müssen eben mit den Verhältnissen rechnen, und – da dieselben, dank der Kurzsichtigkeit und Habgier unserer Gegner, eine Entwicklung im wirklich reformatorischen Sinne immer mehr ausschließen – unsere Aufgabe darin suchen, die Geister, allen Angstmeiern zum Trotz, vorzubereiten auf den revolutionären Gang der Ereignisse.

Für den Konflikt: Riesenhafte Konzentration des Kapitals einerseits und wachsendes Massenelend andererseits, gibt es nur eine Lösung: *Die soziale Revolution!*

Geschrieben am 3. Mai 1882.

Friedrich Engels

Der Vikar von Bray

Aus dem Englischen von Friedrich Engels

[„Der Sozialdemokrat"
Nr. 37 vom 7. September 1882]

Zu König Karls Zeit, da noch war
Loyalität zu finden,
Dient' ich der Hochkirch ganz und gar,
Und so erwarb ich Pfründen.
Der König ist von Gott gesetzt –
So lehrt' ich meine Schafe –
Und wer ihm trotzt, ihn gar verletzt,
Den trifft die Höllenstrafe.
  Denn dieses gilt, und hat Bestand,
  Bis an mein End' soll's wahr sein:
  Daß wer auch König sei im Land,
  In Bray will *ich* Vikar sein.

Jakob nahm auf dem Throne Platz,
Das Papsttum kam zu Ehren:
Da galt's, die Katholikenhatz
Ins Gegenteil zu kehren.
Für mich auch, fand ich, paßten schon
Roms Kirch' und Priesterorden;
Kam nicht die Revolution,
Wär' ich Jesuit geworden.
  Denn dieses gilt und hat Bestand,
  Bis an mein End' soll's wahr sein:
  Daß wer auch König sei im Land,
  In Bray will *ich* Vikar sein.

Als König Wilhelm kam, der Held,
Und rettete die Freiheit,
Hab' ich mein Segel umgestellt
Nach dieses Windes Neuheit.
Der Knechtsgehorsam vor'ger Zeit,
Der war jetzt bald erledigt:
Der Tyrannei gebt Widerstreit!
So wurde nun gepredigt.
Denn dieses gilt und hat Bestand,
Bis an mein End' soll's wahr sein:
Daß wer auch König sei im Land,
In Bray will *ich* Vikar sein.

Als Anna wurde Königin,
Der Landeskirche Glorie,
Das hatte einen andern Sinn,
Und da ward ich ein Tory.
Für unsrer Kirch' Integrität,
Da galt es jetzt zu eifern,
Und Mäßigung und Laxität
Als sündhaft zu begeifern.
Denn dieses gilt und hat Bestand,
Bis an mein End' soll's wahr sein:
Daß wer auch König sei im Land,
In Bray will *ich* Vikar sein.

Als König Georg bracht' ins Land
Gemäßigte Politik, mein Herr,
Hab' nochmals ich den Rock gewandt,
Und so ward ich ein Whig, mein Herr.
Das war es, was mir Pfründen gab
Und Gunst bei dem Regenten;
Auch schwor ich fast alltäglich ab,
So Papst wie Prätendenten.
Denn dieses gilt und hat Bestand,
Bis an mein End' soll's wahr sein:
Daß wer auch König sei im Land,
In Bray will *ich* Vikar sein.

Feuilleton.

Der Vikar von Bray.

Aus dem Englischen von Friedrich Engels.

Zu König Karls Zeit, da noch war
Loyalität zu finden,
Dient' ich der Hochkirch ganz und gar
Und so erwarb ich Pfründen.
Der König ist von Gott gesetzt —
So lehrt' ich meine Schafe —
Und wer ihm trotzt, ihn gar verletzt,
Den trifft die Höllenstrafe.
Denn dieses gilt, und hat Bestand,
Bis an mein End' soll's wahr sein:
Daß wer auch König sei im Land,
In Bray will ich Vikar sein.

Jakob nahm auf dem Throne Platz,
Das Papstthum kam zu Ehren;
Da galt's, die Katholikenhatz
Ins Gegentheil zu kehren.
Für mich auch, fand ich, paßten schon
Roms Kirch' und Priesterorden;
Kam nicht die Revolution,
Wär' ich Jesuit geworden.
Denn dieses gilt und hat Bestand,
Bis an mein End' soll's wahr sein:
Daß wer auch König sei im Land,
In Bray will ich Vikar sein.

Als König Wilhelm kam, der Held,
Und rettete die Freiheit,
Hab' ich mein Segel umgestellt
Nach dieses Windes Neuheit.
Der Knechtsgehorsam vor'ger Zeit,
Der war jetzt bald erledigt:
Der Tyrannei gebt Widerstreit!
So wurde nun gepredigt.
Denn dieses gilt und hat Bestand,
Bis an mein End' soll's wahr sein:
Daß wer auch König sei im Land,
In Bray will ich Vikar sein.

Engels' Übersetzung des Gedichtes
„Der Vikar von Bray" in „Der Sozialdemokrat"

Als Anna wurde Königin,
Der Landeskirche Glorie,
Das hatte einen andern Sinn,
Und da ward ich ein Tory.
Für unsrer Kirch' Integrität,
Da galt es jetzt zu eifern,
Und Mäßigung und Laxität
Als sündhaft zu begeifern.
Denn dieses gilt und hat Bestand,
Bis an mein End' soll's wahr sein:
Daß wer auch König sei im Land,
In Bray will ich Vikar sein.

Als König Georg bracht' in's Land
Gemäßigte Politik, mein Herr,
Hab' nochmals ich den Rock gewandt,
Und so ward ich ein Whig, mein Herr.
Das war es, was mir Pfründen gab
Und Gunst bei dem Regenten;
Auch schwor ich fast alltäglich ab,
So Papst wie Prätendenten.
Denn dieses gilt und hat Bestand,
Bis an mein End' soll's wahr sein:
Daß wer auch König sei im Land,
In Bray will ich Vikar sein.

Hannovers hoher Dynastie —
Mit Ausschluß von Papisten —
Der schwör' ich Treu, so lange sie
Sich an dem Thron kann fristen.
Denn meine Treu wankt nimmermehr —
Veränd'rung ausgenommen —
Und Georg sei mein Fürst und Herr,
Bis andre Zeiten kommen.
Denn dieses gilt und hat Bestand,
Bis an mein End' soll's wahr sein:
Daß wer auch König sei im Land,
In Bray will ich Vikar sein.

* * *

Hannovers hoher Dynastie –
Mit Ausschluß von Papisten –
Der schwör' ich Treu, so lange sie
Sich an dem Thron kann fristen.
Denn meine Treu wankt nimmermehr –
Veränd'rung ausgenommen –
Und Georg sei mein Fürst und Herr,
Bis andre Zeiten kommen.
　Denn dieses gilt und hat Bestand,
　Bis an mein End' soll's wahr sein:
　Daß wer auch König sei im Land,
　In Bray will *ich* Vikar sein.

Das obige Lied ist wohl das einzige politische Volkslied, das sich in England seit mehr als hundertsechzig Jahren in Gunst erhalten hat. Es verdankt dies großenteils auch seiner prächtigen Melodie, die noch heute allgemein gesungen wird. Im übrigen ist das Lied, auch gegenüber unsern heutigen deutschen Verhältnissen, keineswegs veraltet. Nur, daß wir, wie sich gebührt, inzwischen Fortschritte gemacht haben. Der brave Originalvikar brauchte doch bloß bei jedem Thronwechsel seinen Rock zu wenden. Aber wir Deutsche haben über unsern vielen politischen Vikaren von Bray einen richtigen Papst von Bray[1], der seine Unfehlbarkeit damit bewährt, daß er nach immer kürzer werdenden Zeiträumen die ganze politische Glaubenslehre selbst gründlich umwälzt. Gestern Freihandel, heute Schutzzoll; gestern Gewerbefreiheit, heute Zwangsinnungen; gestern Kulturkampf, heute mit fliegenden Fahnen nach Kanossa – und warum nicht? Omnia in majorem Dei gloriam (Alles zur größeren Ehre Gottes), was auf deutsch heißt: Alles, um mehr Steuern und mehr Soldaten herauszuschlagen. Und die armen kleinen Vikare müssen mit, müssen immer von neuem, wie sie selbst es nennen, „über den Stock springen", und das noch oft genug ohne Entgelt. Mit welcher Verachtung würde unser alter strammer Vikar auf diese seine winzigen Nachtreter herabsehen – er, der noch ordentlich stolz ist auf den Mut, mit dem er seine Position durch alle Stürme behauptet!

Fr. Engels

Geschrieben Anfang September 1882.

---

[1] Anspielung auf Bismarck

Friedrich Engels

Wie der Pindter flunkert[194]

[„Der Sozialdemokrat"
Nr. 45 vom 2. November 1882]

Die „Norddeutsche Allgemeine Zeitung", das Leiborgan des Fürsten Bismarck, ist vermöge ihrer Stellung nicht bloß über alle Regeln des Anstandes, sondern auch der Logik und des gesunden Menschenverstandes erhaben. Sie hat das Privileg, zu schimpfen, zu verleumden, zu lügen und staatsmännischen wie unstaatsmännischen Unsinn zu schreiben. Mit Ausnahme einiger Lakaien mit und ohne Uniform, welche die Expektorationen und Exkremente des Dalai Lama als Ausflüsse der Gottheit zu verehren und, wenn es sein muß, auch aufzuspeisen pflegen, weiß jedermann, daß dieses Blatt *das Asyl aller Niederträchtigkeit und Dummheit ist.*

Wenn es gilt, einen Gegner zu beschmutzen, eine recht dicke Lüge, eine recht saftige Verleumdung in die Welt zu schicken und recht tief in den Straßenkot zu greifen – dann ist es die „Norddeutsche Allgemeine", die für dieses Ehrenamt ausersehen wird. Und sie verrichtet es mit sichtbarem Wohlgefallen.

In jüngster Zeit hat das saubere Blatt, da es wegen seiner Ungeschicklichkeit und allzu großen Verrufenheit im Landtagswahlkampf nicht verwandt werden konnte, sich mit besonderer Vorliebe darauf verlegt, die *Sozialdemokratie* zu beschmutzen und die tollsten Lügen über sie zu verbreiten.

Gewisse Vorgänge in *Frankreich*[195] werden in der groteskesten Weise entstellt und aus den grellsten Farben haarsträubende Schauergemälde zusammengekleckst, welche der schaudernden Menschheit zeigen sollen, daß die Sozialdemokraten Räuber, Mörder, Brandstifter und der Himmel weiß was sonst noch sind, und daß die französische Republik notwendig zugrunde gehen muß, weil sie außerstande ist, sich solcher Scheusale zu erwehren – wozu natürlich nur eine Monarchie mit einem Majordomus (Hausmeier) à la Bismarck fähig ist.

Bei dem *Wiener* „Raubmordattentat" war es die „Norddeutsche", welche am unverfrorensten dasselbe der Sozialdemokratie in die Schuhe schob und die schuftigsten Denunziationen anknüpfte.[196]

Als vor 14 Tagen eine *österreichische* Staatsanwaltschaft die kretinhafte Unverschämtheit beging, die ungarischen Judenkrawalle auf geheime Machinationen der Sozialdemokratie zurückzuführen, war die „Norddeutsche Allgemeine" das einzige Blatt, welches diesem ebenso dummen als gemeinen Streich zujubelte und dem Idioten von Staatsanwalt sekundierte, obgleich sie ganz genau weiß – aus ihrer nächsten Nähe und durch ihre eigene persönliche Erfahrung weiß –, daß die sogenannte „antisemitische Bewegung" in den Sozialdemokraten ihre entschiedensten Gegner hat und in Deutschland, speziell in Berlin, trotz eifrigster Unterstützung seitens des Patrons[1] der „Norddeutschen Allgemeinen", an der Haltung der Sozialdemokraten gescheitert ist.

Die neueste Lügenleistung der „Norddeutschen"[197] besteht in einer längeren Notiz, dahingehend, daß die Frage der *Verlängerung des Sozialistengesetzes* einen „heftigen Streit" unter der deutschen Sozialdemokratie hervorgerufen habe.

Die „Liebknechtsche Gruppe" sei der Ansicht, daß die Fortdauer des Sozialistengesetzes im Interesse der Partei liege, von anderen (Gruppen?) würde diese Anschauung als Politik der „Phrase" bekämpft, „und daß der so entstandene Streit innerhalb der sozialdemokratischen Partei *mit den gröbsten Waffen geführt* werde, verstehe sich von selbst". Die Leser des „Sozialdemokrat" wissen, was es mit dieser Flunkerei auf sich hat. Sowenig es innerhalb der sozialdemokratischen Partei „Gruppen" im Sinne der „Norddeutschen" gibt, gibt's einen „Streit" über irgendeine Frage, und nun gar über die der Verlängerung oder Nichtverlängerung des Sozialistengesetzes.

Wir sind zu gute „Realpolitiker", um uns um ungelegte Eier zu bekümmern, und stehen dieser Frage mit dem Gefühle absolutester „Wurstigkeit" gegenüber. Wird das Sozialistengesetz abgeschafft, so wissen wir, daß es nicht aus Liebe zu uns abgeschafft wird, und wir bleiben, was wir sind; und wird es *nicht* abgeschafft, so bleiben wir erst recht, was wir sind. Daß das Sozialistengesetz für die Schulung und Festigung unserer Partei unbezahlbar gewesen ist und überhaupt eine treffliche erzieherische Wirkung gehabt hat, *darin stimmen übrigens alle Sozialdemokraten ohne Ausnahme* überein.

[1] Bismarck

Die Frage, ob die Verlängerung oder Nichtverlängerung des Sozialistengesetzes *wahrscheinlich* sei, ist allerdings im *Parteiorgan – und nur hier* – behandelt worden, jedoch, wie das in der Natur des Themas liegt, ganz akademisch. Und wo ist, so fragen wir, der „*Streit*", der „mit so groben Waffen geführt" worden sein soll? Auch nicht *ein Wort*, das die Behauptung der „Norddeutschen" rechtfertigte. Das Bismarcksche Leibblatt kennt offenbar noch nicht die für Lügner von Profession so unentbehrliche Regel, daß man *wahr* lügen muß, d.h., daß die Lüge einer Beimischung von Wahrheit bedarf, um flügge zu werden.

Beiläufig hat sich die „Norddeutsche" von der „Liberalen Correspondenz" sagen lassen müssen, daß sie mit dieser ihrer Notiz eine kolossale Dummheit gemacht. Denn ein besseres Argument für die *Aufhebung* des Sozialistengesetzes könne es doch nicht geben, als daß dessen Fortdauer von den Sozialdemokraten gewünscht werde. So weit hatten die Verstandeskräfte des Bismarckschen Leibblattes allerdings nicht gereicht.

Geschrieben Ende Oktober 1882.

FRIEDRICH ENGELS

Die Mark [198]

Geschrieben von Mitte September bis Mitte Dezember 1882.
Erstmalig veröffentlicht als Anhang zur Schrift
„Die Entwicklung des Sozialismus von der Utopie zur Wissenschaft",
Hottingen-Zürich 1882.
Nach der vierten, vervollständigten Ausgabe, Berlin 1891.

In einem Lande wie Deutschland, wo noch gut die Hälfte der Bevölkerung vom Landbau lebt, ist es notwendig, daß die sozialistischen Arbeiter und durch sie die Bauern erfahren, wie das heutige Grundeigentum, großes wie kleines, entstanden ist; notwendig, daß dem heutigen Elend der Taglöhner und der heutigen Verschuldungsknechtschaft der Kleinbauern entgegengehalten werde das alte Gemeineigentum aller freien Männer an dem, was damals für sie in Wahrheit ein „Vaterland", ein ererbter freier Gemeinbesitz war. Ich gebe daher eine kurze geschichtliche Darstellung jener uralten deutschen Bodenverfassung, die sich in kümmerlichen Resten bis auf unsre Tage erhalten, die aber im ganzen Mittelalter als Grundlage und Vorbild aller öffentlichen Verfassung gedient und das ganze öffentliche Leben, nicht nur in Deutschland, sondern auch in Nordfrankreich, England und Skandinavien durchdrungen hat. Und dennoch konnte sie so in Vergessenheit geraten, daß erst in der letzten Zeit G.L. Maurer ihre wirkliche Bedeutung von neuem entdecken mußte.[199]

Zwei naturwüchsig entstandne Tatsachen beherrschen die Urgeschichte aller oder doch fast aller Völker: Gliederung des Volks nach Verwandtschaft und Gemeineigentum am Boden. So war es auch bei den Deutschen. Wie sie die Gliederung nach Stämmen, Sippschaften, Geschlechtern aus Asien mitgebracht hatten, wie sie noch zur Römerzeit ihre Schlachthaufen so bildeten, daß immer Nächstverwandte Schulter an Schulter standen, so beherrschte diese Gliederung auch die Besitznahme des neuen Gebiets östlich vom Rhein und nördlich von der Donau. Auf dem neuen Sitz ließ sich jeder Stamm nieder, nicht nach Laune oder Zufall, sondern, wie Cäsar ausdrücklich angibt, nach der Geschlechtsverwandtschaft der Stammesglieder[200]. Den näher verwandten größern Gruppen fiel ein bestimmter Bezirk zu, worin wieder die einzelnen, eine Anzahl Familien umfassenden Geschlechter sich dorfweise niederließen. Mehrere verwandte Dörfer bildeten eine Hundertschaft (althochdeutsch *huntari*, altnordisch *heradh*), mehrere Hundertschaften einen Gau; die Gesamtheit der Gaue war das Volk selbst. Der Boden, den die Ortschaft nicht in Beschlag nahm, blieb zur Verfügung der Hundertschaft; was dieser nicht zugeteilt war, verblieb dem Gau; was dann noch verfügbar war – meist ein sehr großer Landstrich – blieb im unmittelbaren Besitz des ganzen Volks. So finden wir in Schweden alle diese verschiednen Stufen von Gemeinbesitz nebeneinander. Jedes Dorf hatte Dorfgemeinland *(bys almänningar)*, und daneben gab es Hundertschafts- *(härads)*, Gau- oder Landschafts- *(lands)* und endlich das vom König als Vertreter des ganzen Volks in Anspruch genommne Volks-Gemeinland, hier also *konungs almänningar* genannt. Aber sie alle, auch das königliche, hießen ohne Unterschied almänningar, Allmenden, Gemeinländereien.

Wenn die altschwedische, in ihrer genauen Unterabteilung jedenfalls einer spätern Entwicklungsstufe angehörige Ordnung des Gemeinlands in dieser Form je in Deutschland bestanden hat, so ist sie bald verschwunden. Die rasche Vermehrung der Bevölkerung erzeugte auf dem jedem einzelnen Dorf zugewiesenen sehr ausgedehnten Landstrich, der *Mark*, eine Anzahl von Tochterdörfern, die nun mit dem Mutterdorf als Gleichberechtigte oder Minderberechtigte eine einzige Markgenossenschaft bildeten, so daß wir in Deutschland, soweit die Quellen zurückreichen, überall eine größere oder geringere Anzahl von Dörfern zu *einer* Markgenossenschaft vereinigt finden. Über diesen Verbänden aber standen, wenigstens in der ersten Zeit, noch die größern Markverbände der Hundertschaft oder des Gaus, und endlich bildete das ganze Volk ursprünglich eine einzige große Markgenossenschaft zur Verwaltung des in unmittelbarem Volksbesitz gebliebnen Bodens und zur Oberaufsicht über die zu seinem Gebiet gehörigen Untermarken.

Noch bis in die Zeit, da das fränkische Reich sich das ostrheinische Deutschland unterwarf, scheint der Schwerpunkt der Markgenossenschaft im Gau gelegen, der Gau die eigentliche Markgenossenschaft umfaßt zu haben. Denn nur daraus erklärt sich, daß so viele alte große Marken bei der amtlichen Einteilung des Reichs als Gerichtsgaue wieder erscheinen. Aber schon bald darauf begann die Zerschlagung der alten großen Marken. Doch gilt noch im „Kaiserrecht“[201] des 13. oder 14. Jahrhunderts als Regel, daß eine Mark 6 bis 12 Dörfer umfaßt.

Zu Cäsars Zeit bebaute wenigstens ein großer Teil der Deutschen, nämlich das Suevenvolk, das noch nicht zu festen Sitzen gekommen war, den Acker gemeinsam; dies geschah, wie wir nach Analogie andrer Völker annehmen dürfen, in der Art, daß die einzelnen, eine Anzahl nahverwandter Familien umfassenden Geschlechter das ihnen zugewiesene Land, das von Jahr zu Jahr gewechselt wurde, gemeinschaftlich bebauten und die Produkte unter die Familien verteilten. Als aber auch die Sueven gegen Anfang unsrer Zeitrechnung in den neuen Sitzen zur Ruhe gekommen waren, hörte dies bald auf. Wenigstens kennt Tacitus (150 Jahre nach Cäsar) nur noch Bebauung des Bodens durch die einzelnen Familien. Aber auch diesen war das anzubauende Land nur auf ein Jahr zugewiesen; nach jedem Jahr wurde es neu umgeteilt und gewechselt.

Wie es dabei herging, das können wir noch heute an der Mosel und im Hochwald an den sogenannten Gehöferschaften sehn. Dort wird zwar nicht mehr jährlich, aber doch noch alle 3, 6, 9 oder 12 Jahre das gesamte angebaute Land, Äcker und Wiesen, zusammengeworfen und nach Lage und Bodenqualität in eine Anzahl „Gewanne" geteilt. Jedes Gewann teilt man wieder in so viel gleiche Teile, lange, schmale Streifen, als Berechtigungen in der Genossenschaft bestehn, und diese werden durchs Los unter die Berechtigten verteilt, so daß jeder Genosse in jedem Gewann, also von jeder Lage und Bodenqualität, ursprünglich ein gleich großes Stück erhielt. Gegenwärtig sind die Anteile durch Erbteilung, Verkauf usw. ungleich geworden, aber der alte Vollanteil bildet noch immer die Einheit, wonach die halben, Viertels-, Achtels- etc. Anteile sich bestimmen. Das unbebaute Land, Wald und Weide, bleibt Gemeinbesitz zur gemeinsamen Nutzung.

Dieselbe uralte Einrichtung hatte sich bis in den Anfang unsres Jahrhunderts in den sogenannten Losgütern der bayrischen Rheinpfalz erhalten, deren Ackerland seitdem in Privateigentum der einzelnen Genossen übergegangen ist. Auch die Gehöferschaften finden es mehr und mehr in ihrem Interesse, die Umteilungen zu unterlassen und den wechselnden Besitz in Privateigentum zu verwandeln. So sind die meisten, wo nicht gar alle, in den letzten vierzig Jahren abgestorben und in gewöhnliche Dörfer von Parzellenbauern mit gemeinsamer Wald- und Weidenutzung übergegangen.

Das erste Grundstück, das in Privateigentum des einzelnen überging, war der Hausplatz. Die Unverletzlichkeit der Wohnung, diese Grundlage aller persönlichen Freiheit, ging vom Zeltwagen des Wanderzugs über auf das Blockhaus des angesiedelten Bauern und verwandelte sich allmählich in ein volles Eigentumsrecht an Haus und Hof. Dies war schon zu Tacitus' Zeiten geschehn. Die Heimstätte des freien Deutschen muß schon damals aus der Mark ausgeschlossen und damit den Markbeamten unzugänglich, ein sichrer Zufluchtsort für Flüchtlinge gewesen sein, wie wir sie in den spätern Markordnungen und zum Teil schon in den Volksrechten des 5. bis 8. Jahrhunderts[202] beschrieben finden. Denn die Heiligkeit der Wohnung war nicht Wirkung, sondern Ursache ihrer Verwandlung in Privateigentum.

Vier- bis fünfhundert Jahre nach Tacitus finden wir in den Volksrechten auch das angebaute Land als erblichen, wenn auch nicht unbedingt freien Besitz der einzelnen Bauern, die das Recht hatten, darüber durch Verkauf oder sonstige Abtretung zu verfügen. Für die Ursachen dieser Umwandlung haben wir zwei Anhaltspunkte.

Erstens gab es von Anfang an in Deutschland selbst, neben den bereits geschilderten geschloßnen Dörfern mit vollständiger Feldgemeinschaft, auch Dörfer, wo außer den Heimstätten auch die Felder aus der Gemeinschaft, der Mark, ausgeschlossen und den einzelnen Bauern erblich zugeteilt waren. Aber nur, wo die Bodengestaltung dies sozusagen aufnötigte: in engen Tälern, wie im Bergischen, auf schmalen, flachen Höhenrücken zwischen Sümpfen, wie in Westfalen. Später auch im Odenwald und in fast allen Alpentälern. Hier bestand das Dorf, wie noch jetzt, aus zerstreuten Einzelhöfen, deren jeder von den zugehörigen Feldern umgeben wird; ein Wechsel war hier nicht gut möglich, und so verblieb der Mark nur das umliegende unbebaute Land. Als nun später das Recht, über Haus und Hof durch Abtretung an Dritte zu verfügen, von Wichtigkeit wurde, befanden sich solche Hofbesitzer im Vorteil. Der Wunsch, diesen Vorteil ebenfalls zu erlangen, mag in manchen Dörfern mit Feldgemeinschaft dahin geführt haben, die gewohnten Umteilungen einschlafen und damit die einzelnen Anteile der Genossen ebenfalls erblich und übertragbar werden zu lassen.

Zweitens aber führte die Eroberung die Deutschen auf römisches Gebiet, wo seit Jahrhunderten der Boden Privateigentum (und zwar römisches, unbeschränktes) gewesen war und wo die geringe Zahl der Eroberer unmöglich eine so eingewurzelte Besitzform gänzlich beseitigen konnte. Für den Zusammenhang des erblichen Privatbesitzes an Äckern und Wiesen mit römischem Recht, wenigstens auf ehemals römischem Gebiet, spricht auch der Umstand, daß die bis auf unsre Zeit erhaltnen Reste des Gemeineigentums am urbaren Boden sich gerade auf dem linken Rheinufer, also auf ebenfalls erobertem, aber *gänzlich germanisiertem* Gebiet finden. Als die Franken sich hier im fünften Jahrhundert niederließen, muß noch Ackergemeinschaft bei ihnen bestanden haben, sonst könnten wir jetzt dort keine Gehöferschaften und Losgüter finden. Aber auch hier drang der Privatbesitz bald übermächtig ein, denn nur diesen finden wir, soweit urbares Land in Betracht kommt, im ripuarischen Volksrecht[203] des sechsten Jahrhunderts erwähnt. Und im innern Deutschland wurde das angebaute Land, wie gesagt, ebenfalls bald Privatbesitz.

Wenn aber die deutschen Eroberer den Privatbesitz an Äckern und Wiesen annahmen, d.h. bei der ersten Landteilung, oder bald nachher, auf erneuerte Umteilungen verzichteten (denn weiter war es nichts), so führten sie dagegen überall ihre deutsche Markverfassung mit Gemeinbesitz an Wald und Weide ein und mit Oberherrschaft der Mark auch über das verteilte Land. Dies geschah nicht nur von den Franken in Nordfrankreich und den Angelsachsen in England, sondern auch von den Burgundern in Ostfrankreich, den Westgoten in Südfrankreich und Spanien und den Ostgoten und Langobarden in Italien. In diesen letztgenannten Ländern haben sich jedoch, soviel bekannt, fast nur im Hochgebirg Spuren der Markeinrichtungen bis heute erhalten.

Die Gestalt, die die Markverfassung angenommen hat durch Verzicht auf erneuerte Verteilung des angebauten Landes, ist nun diejenige, die uns entgegentritt nicht nur in den alten Volksrechten des 5. bis 8. Jahrhunderts, sondern auch in den englischen und skandinavischen Rechtsbüchern des Mittelalters, in den zahlreichen deutschen Markordnungen (sogenannten Weistümern) aus dem 13. bis 17. Jahrhundert und in den Gewohnheitsrechten (coutumes) von Nordfrankreich.

Indem die Markgenossenschaft auf das Recht verzichtete, von Zeit zu Zeit Äcker und Wiesen unter die einzelnen Genossen neu zu verteilen, gab sie von ihren übrigen Rechten an diese Ländereien kein einziges auf. Und diese Rechte waren sehr bedeutend. Die Genossenschaft hatte den einzelnen ihre Felder übergeben nur zum Zweck der Nutzung als Acker und Wiese und zu keinem andern Zweck. Was darüber hinausging, daran hatte der Einzelbesitzer kein Recht. In der Erde gefundne Schätze, wenn sie tiefer lagen, als die Pflugschar geht, gehörten also nicht ihm, sondern ursprünglich der Gemeinschaft; ebenso das Recht, Erz zu graben usw. Alle diese Rechte wurden später von den Grund- und Landesherren zu eignem Nutzen unterschlagen.

Aber auch die Nutzung von Acker und Wiese war gebunden an die Oberaufsicht und Reglung durch die Genossenschaft, und zwar in folgender Gestalt. Da, wo Dreifelderwirtschaft herrschte – und das war fast überall –, wurde die ganze Feldflur des Dorfs in drei gleich große Felder geteilt, von denen jedes abwechselnd ein Jahr zur Wintersaat, das zweite Jahr zur Sommersaat, das dritte zur Brache bestimmt wurde. Das Dorf hatte also jedes Jahr sein Winterfeld, Sommerfeld und Brachfeld. Bei der Landverteilung war dafür gesorgt, daß der Anteil jedes Genossen sich gleichmäßig auf alle drei Felder verteilte, so daß jeder sich ohne Nachteil dem Flurzwang der Genossenschaft fügen konnte, wonach er Wintersaat nur in sein Stück Winterfeld säen durfte usw.

Das jedesmalige Brachfeld fiel nun für die Dauer der Brache wieder in Gemeinbesitz und diente der gesamten Genossenschaft zur Weide. Und sobald die beiden andern Felder abgeerntet waren, fielen sie bis zur Saatzeit ebenfalls wieder in den Gemeinbesitz zurück und wurden als Gemeinweide benutzt. Desgleichen die Wiesen nach der Grummetmahd. Auf allen Feldern, wo geweidet wurde, mußte der Besitzer die Zäune entfernen. Dieser sogenannte Hutzwang bedingte natürlich, daß die Zeit der Aussaat wie der Ernte nicht dem einzelnen überlassen, sondern für alle gemeinsam und von der Genossenschaft oder durch Herkommen festgesetzt war.

Alles übrige Land, d.h. alles, was nicht Haus und Hof oder verteilte Dorfflur war, blieb, wie zur Urzeit, Gemeineigentum zur gemeinsamen Nutzung: Wald, Weideland, Heiden, Moore, Flüsse, Teiche, Seen, Weg und Steg, Jagd und Fischerei. Wie der Anteil jedes Genossen an der verteilten Feldmark ursprünglich gleich groß gewesen, so auch sein Anteil an der Nutzung der „gemeinen Mark". Die Art dieser Nutzung wurde durch die Gesamtheit der Genossen bestimmt; ebenso die Art der Aufteilung, wenn der bisher bebaute Boden nicht mehr reichte und ein Stück der gemeinen Mark in Anbau genommen wurde. Hauptnutzung in der gemeinen Mark war Viehweide und Eichelmast, daneben lieferte der Wald Bau- und Brennholz, Laubstreu, Beeren und Pilze, das Moor, wenn vorhanden, Torf. Die Bestimmungen über Weide, Holznutzung usw. bilden den Hauptinhalt der vielen, aus den verschiedensten Jahrhunderten erhaltnen Markweistümer, aufgeschrieben zur Zeit, als das alte ungeschriebne, herkömmliche Recht anfing, streitig zu werden. Die noch vorhandnen Gemeindewaldungen sind der kümmerliche Rest dieser alten ungeteilten Marken. Ein andrer Rest, wenigstens in West- und Süddeutschland, ist die im Volksbewußtsein tief wurzelnde Vorstellung, daß der Wald Gemeingut sei, in dem jeder Blumen, Beeren, Pilze, Bucheckern usw. sammeln und überhaupt, solange er nicht Schaden anrichtet, tun und treiben kann, was er will. Aber auch hier schafft Bismarck Rat und richtet mit seiner berühmten Beerengesetzgebung[204] die westlichen Provinzen auf den altpreußischen Junkerfuß ein.

Wie die Genossen gleiche Bodenanteile und gleiche Nutzungsrechte, so hatten sie ursprünglich auch gleichen Anteil an Gesetzgebung, Verwaltung und Gericht innerhalb der Mark. Zu bestimmten Zeiten und öfter, wenn nötig, versammelten sie sich unter freiem Himmel, um über die Markangelegenheiten zu beschließen und über Markfrevel und Streitigkeiten zu richten. Es war, nur im Kleinen, die uralte deutsche Volksversammlung, die ursprünglich auch nur eine große Markversammlung gewesen war. Gesetze wurden gemacht, wenn auch nur in seltnen Notfällen; Beamte gewählt, deren Amtsführung kontrolliert, vor allem aber Recht gesprochen. Der Vorsitzende hatte nur die Fragen zu formulieren, das Urteil wurde gefunden von der Gesamtheit der anwesenden Genossen.

Die Markverfassung war in der Urzeit so ziemlich die einzige Verfassung derjenigen deutschen Stämme, die keine Könige hatten; der alte Stammesadel, der in der Völkerwanderung oder bald nachher unterging, fügte sich, wie alles mit dieser Verfassung zusammen naturwüchsig Entstandne, leicht in sie ein, wie der keltische Clanadel noch im 17. Jahrhundert in die irische Bodengemeinschaft. Und sie hat im ganzen Leben der Deutschen so tiefe Wurzeln geschlagen, daß wir ihre Spur in der Entwicklungsgeschichte unsres Volks auf Schritt und Tritt wiederfinden. In der Urzeit war die ganze öffentliche Gewalt in Friedenszeiten ausschließlich eine richterliche, und diese ruhte bei der Versammlung des Volks in der Hundertschaft, im Gau, im ganzen Volksstamm. Das Volksgericht aber war nur das Volks-Markgericht, angewandt auf Fälle, die nicht bloße Markangelegenheiten waren, sondern in den Bereich der öffentlichen Gewalt fielen. Auch als mit Ausbildung der Gauverfassung die staatlichen Gaugerichte von den gemeinen Markgerichten getrennt wurden, blieb in beiden die richterliche Gewalt beim Volke. Erst als die alte Volksfreiheit schon in starkem Verfall war, und der Gerichtsdienst neben dem Heeresdienst eine drückende Last für die verarmten Freien wurde, erst da konnte Karl der Große bei den Gaugerichten in den meisten Gegenden das Volksgericht durch Schöffengerichte* ersetzen. Aber dies berührte die Markgerichte durchaus nicht. Diese blieben im Gegenteil selbst noch Muster für die Lehnsgerichtshöfe des Mittelalters; auch in diesen war der Lehnsherr nur Fragesteller, Urteilsfinder aber die Lehnsträger selbst. Die Dorfverfassung ist nur die Markverfassung einer selbständigen Dorfmark und geht in eine Stadtverfassung über, sobald das Dorf sich in eine Stadt verwandelt, d.h. sich mit Graben und Mauern befestigt. Aus dieser ursprünglichen Stadtmarkverfassung sind alle spätern Städteverfassungen herausgewachsen. Und endlich sind der Markverfassung nachgebildet die Ordnungen der zahllosen, nicht auf gemeinsamem Grundbesitz beruhenden freien Genossenschaften des Mittelalters, besonders aber der freien Zünfte. Das der Zunft erteilte Recht zum ausschließlichen Betrieb eines bestimmten Geschäfts wird behandelt ganz wie eine gemeine Mark.

* Nicht zu verwechseln mit den Bismarck-Leonhardtschen Schöffengerichten[205], wo Schöffen und Juristen zusammen Urteil finden. Beim alten Schöffengericht waren gar keine Juristen, der Präsident oder Richter hatte gar keine Stimme und die Schöffen fanden das Urteil selbständig.

Mit derselben Eifersucht wie dort, oft mit ganz denselben Mitteln, wird auch bei den Zünften dafür gesorgt, daß der Anteil eines jeden Genossen an der gemeinsamen Nutzungsquelle ein ganz oder doch möglichst gleicher sei.

Dieselbe fast wunderbare Anpassungsfähigkeit, die die Markverfassung hier auf den verschiedensten Gebieten des öffentlichen Lebens und gegenüber den mannigfachsten Anforderungen entwickelt hat, beweist sie auch im Fortgang der Entwicklung des Ackerbaus und im Kampf mit dem aufkommenden großen Grundeigentum. Sie war entstanden mit der Niederlassung der Deutschen in Germanien, also in einer Zeit, wo Viehzucht Hauptnahrungsquelle war, und der aus Asien mitgebrachte, halbvergeßne Ackerbau erst eben wieder aufkam. Sie hat sich erhalten durch das ganze Mittelalter in schweren, unaufhörlichen Kämpfen mit dem grundbesitzenden Adel. Aber sie war noch immer so notwendig, daß überall da, wo der Adel sich das Bauernland angeeignet hatte, die Verfassung der hörigen Dörfer eine, wenn auch durch grundherrliche Eingriffe stark beschnittne Markverfassung blieb; ein Beispiel davon werden wir weiter unten erwähnen. Sie paßte sich den wechselndsten Besitzverhältnissen des urbaren Landes an, solange nur noch eine gemeine Mark blieb, und ebenso den verschiedensten Eigentumsrechten an der gemeinen Mark, sobald diese aufgehört hatte, frei zu sein. Sie ist untergegangen an dem Raub fast des gesamten Bauernlandes, des verteilten wie des ungeteilten, durch Adel und Geistlichkeit unter williger Beihülfe der Landesherrschaft. Aber ökonomisch veraltet, nicht mehr lebensfähig als Betriebsform des Ackerbaus wurde sie in Wirklichkeit erst, seit die gewaltigen Fortschritte der Landwirtschaft in den letzten hundert Jahren den Landbau zu einer Wissenschaft gemacht und ganz neue Betriebsweisen eingeführt haben.

Die Untergrabung der Markverfassung begann schon bald nach der Völkerwandrung. Als Vertreter des Volks nahmen die fränkischen Könige die ungeheuren, dem Gesamtvolk gehörenden Ländereien, namentlich Wälder, in Besitz, um sie durch Schenkungen an ihr Hofgesinde, an ihre Feldherren, an Bischöfe und Äbte zu verschleudern. Sie bilden dadurch den Stamm des späteren Großgrundbesitzes von Adel und Kirche. Die letztere besaß schon lange vor Karl dem Großen ein volles Drittel alles Bodens in Frankreich; es ist sicher, daß dieses Verhältnis während des Mittelalters so ziemlich für das ganze katholische Westeuropa gegolten hat.

Die fortwährenden innern und äußern Kriege, deren regelmäßige Folge Konfiskationen von Grund und Boden waren, ruinierten große Mengen von Bauern, so daß schon zur Merowingerzeit es sehr viele freie Leute ohne Grundbesitz gab. Die unaufhörlichen Kriege Karls des Großen brachen die

Hauptkraft des freien Bauernstandes. Ursprünglich war jeder freie Grundbesitzer dienstpflichtig und mußte nicht nur sich selbst ausrüsten, sondern auch sich selbst sechs Monate lang im Kriegsdienst verpflegen. Kein Wunder, daß schon zu Karls Zeiten kaum der fünfte Mann wirklich eingestellt werden konnte. Unter der wüsten Wirtschaft seiner Nachfolger ging es mit der Bauernfreiheit noch rascher bergab. Einerseits zwang die Not der Normannenzüge, die ewigen Kriege der Könige und Fehden der Großen einen freien Bauern nach dem andern, sich einen Schutzherrn zu suchen. Andrerseits beschleunigte die Habgier derselben Großen und der Kirche diesen Prozeß; mit List, Versprechungen, Drohungen, Gewalt brachten sie noch mehr Bauern und Bauernland unter ihre Gewalt. Im einen wie im andern Fall war das Bauernland in Herrenland verwandelt und wurde höchstens den Bauern zur Nutzung gegen Zins und Fron zurückgegeben. Der Bauer aber war aus einem freien Grundbesitzer in einen zinszahlenden und fronenden Hörigen oder gar Leibeignen verwandelt. Im westfränkischen Reich[206], überhaupt westlich vom Rhein, war dies die Regel. Östlich vom Rhein erhielt sich dagegen noch eine größre Anzahl freier Bauern, meist zerstreut, seltner in ganzen freien Dörfern vereinigt. Doch auch hier drückte im 10. bis 12. Jahrhundert die Übermacht des Adels und der Kirche immer mehr Bauern in die Knechtschaft hinab.

Wenn ein Gutsherr – geistlich oder weltlich – ein Bauerngut erwarb, so erwarb er damit auch die zum Gut gehörige Gerechtigkeit in der Mark. Die neuen Grundherren wurden so Markgenossen, den übrigen freien und hörigen Genossen, selbst ihren eignen Leibeignen, innerhalb der Mark ursprünglich nur gleichberechtigt. Aber bald erwarben sie, trotz des zähen Widerstands der Bauern, an vielen Orten Vorrechte in der Mark und konnten diese letztere oft sogar ihrer Grundherrschaft unterwerfen. Und dennoch dauerte die alte Markgenossenschaft fort, wenn auch unter herrschaftlicher Obervormundschaft.

Wie unumgänglich nötig damals noch die Markverfassung für den Ackerbau, selbst für den Großgrundbesitz war, beweist am schlagendsten die Kolonisierung von Brandenburg und Schlesien durch friesische, niederländische, sächsische und rheinfränkische Ansiedler. Die Leute wurden, vom 12. Jahrhundert an, auf Herrenland dorfweise angesiedelt, und zwar nach deutschem Recht, d.h. nach dem alten Markrecht, soweit es sich auf herrschaftlichen Höfen erhalten hatte. Jeder bekam Haus und Hof, einen für alle gleich großen, nach alter Art durchs Los bestimmten Anteil in der Dorfflur und die Nutzungsgerechtigkeit an Wald und Weide, meist im grundherrlichen Wald, seltner in besondrer Mark. Alles dies erblich; das

Grundeigentum verblieb dem Herrn, dem die Kolonisten bestimmte Zinse und Dienste erblich schuldeten. Aber diese Leistungen waren so mäßig, daß die Bauern hier sich besser standen als irgendwo in Deutschland. Sie blieben daher auch ruhig, als der Bauernkrieg ausbrach. Für diesen Abfall von ihrer eignen Sache wurden sie denn auch hart gezüchtigt.

Überhaupt trat um die Mitte des 13. Jahrhunderts eine entschiedne Wendung zugunsten der Bauern ein; vorgearbeitet hatten die Kreuzzüge. Viele der ausziehenden Grundherren ließen ihre Bauern ausdrücklich frei. Andere sind gestorben, verdorben, Hunderte von Adelsgeschlechtern verschwunden, deren Bauern ebenfalls häufig die Freiheit erlangten. Nun kam dazu, daß mit den steigenden Bedürfnissen der Grundherren das Kommando über die Leistungen der Bauern weit wichtiger wurde als das über ihre Personen. Die Leibeigenschaft des frühern Mittelalters, die noch viel von der alten Sklaverei an sich hatte, gab den Herren Rechte, die mehr und mehr ihren Wert verloren; sie schlief allmählich ein, die Stellung der Leibeignen näherte sich der der bloßen Hörigen. Da der Betrieb des Landbaus ganz der alte blieb, so war Vermehrung der gutsherrlichen Einkünfte nur zu erlangen durch Umbruch von Neuland, Anlage neuer Dörfer. Das war aber nur erreichbar durch gütliche Übereinkunft mit den Kolonisten, gleichviel ob sie Gutshörige oder Fremde waren. Daher finden wir um diese Zeit überall scharfe Festsetzung der bäuerlichen, meist mäßigen Leistungen und gute Behandlung der Bauern, namentlich auf den Herrschaften der Geistlichkeit. Und endlich wirkte die günstige Stellung der neu herbeigezognen Kolonisten wieder zurück auf die Lage der benachbarten Hörigen, so daß auch diese in ganz Norddeutschland bei Fortdauer ihrer Leistungen an den Gutsherrn ihre persönliche Freiheit erhielten. Nur die slawischen und litauisch-preußischen Bauern blieben unfrei. Allein, das alles sollte nicht lange dauern.

Im 14. und 15. Jahrhundert waren die Städte rasch emporgekommen und reich geworden. Ihr Kunstgewerbe und Luxus blühte namentlich in Süddeutschland und am Rhein. Die Üppigkeit der städtischen Patrizier ließ den grobgenährten, grobgekleideten, plumpmöblierten Landjunker nicht ruhig schlafen. Aber woher die schönen Sachen erhalten? Das Wegelagern wurde immer gefährlicher und erfolgloser. Zum Kaufen aber gehörte Geld. Und das konnte nur der Bauer schaffen. Daher erneuerter Druck auf die Bauern, gesteigerte Zinsen und Fronden, erneuerter, stets beschleunigter Eifer, die freien Bauern zu Hörigen, die Hörigen zu Leibeignen herabzudrücken und das gemeine Markland in Herrenland umzuwandeln. Dazu halfen den Landesherren und Adligen die römischen Juristen, die mit ihrer

Anwendung römischer Rechtssätze auf deutsche, meist unverstandne Verhältnisse eine grenzenlose Verwirrung anzurichten, aber doch so anzurichten verstanden, daß der Herr stets dadurch gewann und der Bauer stets verlor. Die geistlichen Herren halfen sich einfacher: Sie fälschten Urkunden, worin die Rechte der Bauern verkürzt und ihre Pflichten gesteigert wurden. Gegen diese Räubereien von Landesherren, Adel und Pfaffen erhoben sich seit Ende des 15. Jahrhunderts die Bauern in häufigen Einzelaufständen, bis 1525 der große Bauernkrieg Schwaben, Bayern, Franken bis ins Elsaß, die Pfalz, den Rheingau und Thüringen hinein überflutete. Die Bauern erlagen nach harten Kämpfen. Von da an datiert das erneuerte allgemeine Vorherrschen der Leibeigenschaft unter den deutschen Bauern. In den Gegenden, wo der Kampf gewütet hatte, wurden nun alle noch gebliebnen Rechte der Bauern schamlos zertreten, ihre Gemeinland in Herrenland verwandelt, sie selbst in Leibeigne. Und zum Dank dafür, daß die bessergestellten norddeutschen Bauern ruhig geblieben, verfielen sie, nur langsamer, derselben Unterdrückung. Die Leibeigenschaft deutscher Bauern wird in Ostpreußen, Pommern, Brandenburg, Schlesien seit Mitte, in Schleswig-Holstein seit Ende des 16. Jahrhunderts eingeführt und immer allgemeiner den Bauern aufgenötigt.

Diese neue Vergewaltigung hatte dazu noch einen ökonomischen Grund. Aus den Kämpfen der Reformationszeit hatten allein die deutschen Landesfürsten vermehrte Macht gewonnen. Mit dem edlen Räuberhandwerk des Adels war es nun aus. Wollte er nicht untergehn, so mußte er aus seinem Grundbesitz mehr Einkünfte herausschlagen. Der einzige Weg aber war der, nach dem Vorbild der größern Landesherren und namentlich der Klöster, wenigstens einen Teil dieses Besitzes für eigne Rechnung zu bewirtschaften. Was bisher nur Ausnahme, wurde jetzt Bedürfnis. Aber dieser neuen Betriebsweise stand im Wege, daß der Boden fast überall an die Zinsbauern ausgegeben war. Indem die freien oder hörigen Zinsbauern in volle Leibeigne verwandelt wurden, bekam der gnädige Herr freie Hand. Ein Teil der Bauern wurde, wie der Kunstausdruck lautet, „gelegt“, d.h. entweder weggejagt oder zu Kotsassen mit bloßer Hütte und etwas Gartenland degradiert, ihre Hofgüter zu einem großen Herrenhofgut zusammengeschlagen und von den neuen Kotsassen und noch übriggebliebnen Bauern im Frondienst bebaut. Nicht nur wurden so eine Menge Bauern einfach verdrängt, sondern die Frondienste der noch übrigen bedeutend, und zwar immer mehr, gesteigert. Die kapitalistische Periode kündete sich an auf dem Lande als Periode des landwirtschaftlichen Großbetriebs auf Grundlage der leibeignen Fronarbeit.

Diese Umwandlung vollzog sich indes anfangs noch ziemlich langsam. Da kam der Dreißigjährige Krieg.[207] Während eines ganzen Menschenalters wurde Deutschland die Kreuz und Quer durchzogen von der zuchtlosesten Soldateska, die die Geschichte kennt. Überall wurde gebrandschatzt, geplündert, gesengt, genotzüchtigt, gemordet. Am meisten litt der Bauer da, wo abseits der großen Heere die kleinern Freischaren oder vielmehr Freibeuter auf eigne Faust und für eigne Rechnung hantierten. Die Verwüstung und Entvölkerung war grenzenlos. Als der Friede kam, lag Deutschland hülflos, zertreten, zerfetzt, blutend am Boden; am elendesten aber war wieder der Bauer.

Der grundbesitzende Adel wurde nun alleiniger Herr auf dem Lande. Die Fürsten, die seine politischen Rechte in den Ständeversammlungen gerade damals vernichteten, ließen ihm dafür freie Hand gegen die Bauern. Die letzte Widerstandskraft der Bauern aber war durch den Krieg gebrochen. So konnte der Adel alle ländlichen Verhältnisse so einrichten, wie es zur Wiederherstellung seiner ruinierten Finanzen am passendsten war. Nicht nur wurden die verlaßnen Bauernhöfe kurzerhand mit dem Herrenhofgut vereinigt; das Bauernlegen wurde erst jetzt im großen und systematisch betrieben. Je größer das herrschaftliche Hofgut, desto größer natürlich die Frondienste der Bauern. Die Zeit der „ungemeßnen Dienste" brach wieder an; der gnädige Herr konnte den Bauern, seine Familie, sein Vieh zur Arbeit kommandieren, so oft und so lange es ihm gefiel. Die Leibeigenschaft wurde jetzt allgemein; ein freier Bauer war nun so selten wie ein weißer Rabe. Und damit der gnädige Herr imstande sei, jeden, auch den geringsten Widerstand der Bauern im Keim zu ersticken, erhielt er vom Landesfürsten die Patrimonialgerichtsbarkeit, d.h. er wurde zum alleinigen Richter ernannt für alle kleinern Vergehen und Streitigkeiten der Bauern, selbst wenn ein Bauer mit ihm, dem Herrn, im Streit, der Herr also Richter in eigner Sache war! Von da an herrschten auf dem Lande Stock und Peitsche. Wie das ganze Deutschland, so war der deutsche Bauer bei seiner tiefsten Erniedrigung angekommen. Wie ganz Deutschland, so war auch der Bauer so kraftlos geworden, daß alle Selbsthülfe versagte, daß Rettung nur von außen kommen konnte.

Und sie kam. Mit der französischen Revolution brach auch für Deutschland und den deutschen Bauer die Morgenröte einer bessern Zeit an. Kaum hatten die Revolutionsarmeen das linke Rheinufer erobert, so verschwand dort der ganze alte Plunder von Frondiensten, Zins, Abgaben aller Art an den gnädigen Herrn, mitsamt diesem selbst, wie durch einen Zauberschlag. Der linksrheinische Bauer war nun Herr auf seinem Besitz und erhielt obendrein in dem zur Revolutionszeit entworfnen, von Napoleon nur verhunzten

Code civil[208] ein Gesetzbuch, das seiner neuen Lage angepaßt war und das er nicht nur verstehn, sondern auch bequem in der Tasche tragen konnte.

Aber der rechtsrheinische Bauer mußte noch lange warten. Zwar wurden in Preußen, nach der wohlverdienten Niederlage von Jena[209], einige der allerschmählichsten Adelsrechte abgeschafft und die sogenannte Ablösung der übrigen bäuerlichen Lasten gesetzlich ermöglicht. Aber das stand größtenteils und lange Zeit bloß auf dem Papier. In den übrigen Staaten geschah noch weniger. Es bedurfte einer zweiten französischen Revolution 1830, um wenigstens in Baden und einigen andern Frankreich benachbarten Kleinstaaten die Ablösung in Gang zu bringen. Und als die dritte französische Revolution 1848 endlich auch Deutschland mit sich fortriß, da war die Ablösung in Preußen noch lange nicht fertig und in Bayern noch gar nicht angefangen! Jetzt ging es freilich rascher; die Fronarbeit der diesmal selbst rebellisch gewordnen Bauern hatte eben allen Wert verloren.

Und worin bestand diese Ablösung? Dafür, daß der gnädige Herr eine bestimmte Summe in Geld oder ein Stück Land sich vom Bauern abtreten ließ, dafür sollte er nunmehr den noch übrigen Boden des Bauern als dessen freies, unbelastetes Eigentum anerkennen – wo doch die sämtlichen, dem gnädigen Herrn schon früher gehörigen Ländereien nichts waren als gestohlnes Bauernland! Damit nicht genug. Bei der Auseinandersetzung hielten natürlich die damit beauftragten Beamten fast regelmäßig mit dem gnädigen Herrn, bei dem sie wohnten und kneipten, so daß die Bauern selbst gegen den Wortlaut des Gesetzes noch ganz kolossal übervorteilt wurden.

Und so sind wir denn endlich, dank drei französischen Revolutionen und einer deutschen, dahin gekommen, daß wir wieder freie Bauern haben. Aber wie sehr steht unser heutiger freier Bauer zurück gegen den freien Markgenossen der alten Zeit! Sein Hofgut ist meist weit kleiner, und die ungeteilte Mark ist bis auf wenige, sehr verkleinerte und verkommne Gemeindewaldungen dahin. Ohne Marknutzung aber kein Vieh für den Kleinbauern, ohne Vieh kein Dünger, ohne Dünger kein rationeller Ackerbau. Der Steuereinnehmer und der hinter ihm drohende Gerichtsvollzieher, die der heutige Bauer nur zu gut kennt, waren dem alten Markgenossen unbekannte Leute, ebenso wie der Hypothekarwucherer, dessen Krallen ein Bauerngut nach dem andern verfällt. Und was das beste ist: Diese neuen freien Bauern, deren Güter und deren Flügel so sehr beschnitten sind, wurden in Deutschland, wo alles zu spät geschieht, geschaffen zu einer Zeit, wo nicht nur die wissenschaftliche Landwirtschaft, sondern auch schon die neuerfundnen landwirtschaftlichen Maschinen den Kleinbetrieb mehr und mehr zu einer veralteten, nicht mehr lebensfähigen Betriebsweise machen.

Wie die mechanische Spinnerei und Weberei das Spinnrad und den Handwebstuhl, so müssen diese neuen landwirtschaftlichen Produktionsmethoden die ländliche Parzellenwirtschaft rettungslos vernichten und durch das große Grundeigentum ersetzen, falls – ihnen dazu die nötige Zeit vergönnt wird.

Denn schon droht dem ganzen europäischen Ackerbau, wie er heute betrieben wird, ein übermächtiger Nebenbuhler in der amerikanischen Massenproduktion von Getreide. Gegen diesen von der Natur selbst urbar gemachten und auf eine lange Reihe von Jahren gedüngten Boden, der um ein Spottgeld zu haben ist, können weder unsere verschuldeten Kleinbauern noch unsre ebenso tief in Schulden steckenden Großgrundbesitzer ankämpfen. Die ganze europäische landwirtschaftliche Betriebsweise erliegt vor der amerikanischen Konkurrenz. Ackerbau in Europa bleibt möglich nur, wenn er gesellschaftlich betrieben wird und für Rechnung der Gesellschaft.

Das sind die Aussichten für unsre Bauern. Und *das* Gute hat die Herstellung einer, wenn auch verkümmerten, freien Bauernklasse gehabt, daß sie den Bauer in eine Lage versetzt hat, in der er – mit dem Beistand seiner natürlichen Bundesgenossen, der Arbeiter – sich selbst helfen kann, sobald er nur begreifen will, *wie*.[1]

Aber wie? – Durch eine Wiedergeburt der Mark, aber nicht in ihrer alten, überlebten, sondern in einer verjüngten Gestalt; durch eine solche Erneuerung der Bodengemeinschaft, daß diese den kleinbäuerlichen Genossen nicht nur alle Vorteile des Großbetriebs und der Anwendung der landwirtschaftlichen Maschinerie zuwendet, sondern ihnen auch die Mittel bietet, neben dem Ackerbau Großindustrie mit Dampf- oder Wasserkraft zu betreiben, und zwar für Rechnung nicht von Kapitalisten, sondern für Rechnung der Genossenschaft.

Ackerbau im großen und Benutzung der landwirtschaftlichen Maschinerie – das heißt mit anderen Worten: Überflüssigmachung der landwirtschaftlichen Arbeit des größten Teils der Kleinbauern, die jetzt ihre Felder selbst bestellen. Damit diese vom Feldbau verdrängten Leute nicht arbeitslos bleiben oder in die Städte gedrängt werden, dazu gehört industrielle Beschäftigung auf dem Lande selbst, und diese kann nur vorteilhaft für sie betrieben werden im großen, mit Dampf- oder Wasserkraft.

Wie das einrichten? Darüber denkt einmal nach, deutsche Bauern. Wer euch dabei allein beistehen kann, das sind – die *Sozialdemokraten*.

---

[1] Den folgenden Teil fügte Engels 1883 in dem Bauernflugblatt hinzu

Friedrich Engels

Jenny Longuet, geb. Marx

[„Der Sozialdemokrat"
Nr. 4 vom 18. Januar 1883]

Am 11. Januar starb zu Argenteuil bei Paris die älteste Tochter von Karl Marx, Jenny, seit ungefähr acht Jahren die Frau des ehemaligen Mitglieds der Pariser Kommune und jetzigen Mitredakteurs der *„Justice"* [210], *Charles Longuet*.

Geboren am 1. Mai 1844, ist sie inmitten der internationalen proletarischen Bewegung herangewachsen und aufs innigste mit ihr verwachsen. Bei einer Zurückhaltung, die fast für Schüchternheit gelten konnte, entwickelte sie, wo es galt, eine Geistesgegenwart und Energie, um die mancher Mann sie beneiden dürfte.

Als die irische Presse die infame Behandlung an den Tag brachte, die die 1866 und später verurteilten Fenier[95] im Zuchthaus zu erdulden hatten, und die englische Presse diese Schändlichkeiten hartnäckig totschwieg; als das Ministerium Gladstone, trotz der bei den Wahlen gemachten Versprechungen, die Amnestie verweigerte und nicht einmal die Lage der Verurteilten milderte, da fand Jenny Marx das Mittel, dem frommen Herrn Gladstone Beine zu machen. Sie schrieb zwei Artikel in Rocheforts „Marseillaise" [211], und schilderte in glühenden Farben, wie im freien England politische Verbrecher behandelt wurden. Das half. Die Enthüllung in einem großen Pariser Blatt war nicht zu ertragen. Wenige Wochen darauf waren O'Donovan Rossa und die meisten anderen frei und auf dem Wege nach Amerika.

Im Sommer 1871 besuchte sie mit ihrer jüngsten Schwester ihren Schwager Lafargue in Bordeaux. Lafargue, seine Frau, sein krankes Kind und die beiden Mädchen gingen von da nach Bagnères-de-Luchon, einem Pyrenäenbade. Eines Morgens früh kam ein Herr zu Lafargue: „Ich bin Polizeibeamter, aber Republikaner, der Befehl ist gekommen, Sie zu verhaften, man weiß, daß Sie die Verbindungen zwischen Bordeaux und der Pariser Kommune geleitet haben. Sie haben eine Stunde Zeit, um über die Grenze zu gehen."

Lafargue mit Frau und Kind kamen glücklich über den Paß nach Spanien, dafür rächte sich die Polizei an den beiden Mädchen und verhaftete sie. Jenny hatte einen Brief des vor Paris gefallenen Kommuneführers Gustave Flourens in der Tasche; wurde er gefunden, so war er ein sicherer Reisepaß für sie beide nach Neukaledonien[212]. Einen Augenblick im Büro allein gelassen, machte sie ein altes bestaubtes Registerbuch auf, legte den Brief hinein und klappte das Buch wieder zu. Vielleicht liegt er noch da. Nach dem Sitz des Präfekten abgeführt, stellte dieser, der edle Graf von Kératry bonapartistischen Angedenkens, ein scharfes Verhör mit den zwei Mädchen an. Aber die Geriebenheit des ehemaligen Diplomaten und die Brutalität des ehemaligen Kavallerieoffiziers scheiterten an der ruhigen Besonnenheit Jennys. Mit einem Wutausdruck über „die Energie, die den Frauen dieser Familie eigen scheint", verließ er das Zimmer. Nach längerem Hin- und Hertelegraphieren nach Paris mußte er die beiden Mädchen endlich aus der Gefangenschaft entlassen, in der sie eine echt preußische Behandlung genossen hatten.[1]

Diese beiden Züge aus ihrem Leben bezeichnen sie. Das Proletariat hat an ihr eine heldenmütige Kämpferin verloren. Ihr trauernder Vater aber hat wenigstens den Trost, daß Hunderttausende von Arbeitern in Europa und Amerika an seinem Schmerz Anteil nehmen.

London, 13. Januar 1883

Fr. Engels

[1] Siehe Band 17 unserer Ausgabe, S. 656–666

Friedrich Engels

[Entwurf zur Grabrede für Karl Marx]

Vor kaum fünfzehn Monaten waren die meisten von uns an diesem Grabe versammelt, das zur letzten Ruhestatt einer edlen und hochherzigen Frau geworden ist. Dieses Grab müssen wir heute wieder öffnen, damit es die sterblichen Überreste ihres Mannes aufnehme.

Karl Marx war einer jener hervorragenden Männer, von denen ein Jahrhundert nur wenige hervorbringt. Charles Darwin entdeckte das Gesetz der Entwicklung der organischen Natur auf unserem Planeten. Marx ist der Entdecker jenes grundlegenden Gesetzes, das den Gang und die Entwicklung der menschlichen Geschichte bestimmt, ein Gesetz, so einfach und einleuchtend, daß gewissermaßen seine bloße Darlegung genügt, um seine Anerkennung zu sichern. Doch damit nicht genug, hat Marx auch jenes Gesetz entdeckt, das unsere gegenwärtige Stufe der Gesellschaft und ihre große Klassenteilung in Kapitalisten und Lohnarbeiter hervorgebracht hat. Es ist das Gesetz, demgemäß sich diese Gesellschaft organisiert, sich entwickelt, bis sie so weit über sich selbst hinausgewachsen ist, daß sie schließlich untergehen muß wie alle vorangegangenen historischen Phasen der Gesellschaft. Solche Ergebnisse machen es um so schmerzlicher, daß er uns mitten aus seinem Schaffen entrissen worden ist, daß er – so viel er hervorgebracht hat – dennoch weit mehr unvollendet zurückläßt.

So teuer ihm die Wissenschaft war, hat sie ihn dennoch nicht vollständig ausgefüllt. Niemand empfand reinere Freude als er, wenn ein neuer wissenschaftlicher Fortschritt erzielt wurde, gleichgültig, ob praktisch anwendbar oder nicht. Vor allem aber sah er in der Wissenschaft einen großen Hebel der Geschichte, eine revolutionäre Kraft im wahrsten Sinne des Wortes. Und in diesem Sinne wandte er jene gewaltigen Kenntnisse, speziell in der Geschichte, auf alle von ihm beherrschten Gebiete an.

Denn er war wirklich ein Revolutionär, wie er sich selbst bezeichnete. Der Kampf für die Befreiung der Klasse der Lohnarbeiter von den Fesseln des modernen kapitalistischen Systems der Produktion war seine wahre Berufung. Und niemals gab es einen aktiveren Kämpfer als ihn. Die Krönung dieses Teils seines Schaffens bildet die Gründung der Internationalen Arbeiterassoziation, deren anerkannter Führer er von 1864 bis 1872 war. Die Assoziation ist dem äußeren Anschein nach verschwunden, aber der Bruderbund der Vereinigung der Arbeiter aus allen zivilisierten Ländern Europas und Amerikas besteht ein für allemal und dauert fort, auch ohne eine äußere formale Vereinigung.

Niemand kann für eine Sache kämpfen, ohne sich Feinde zu schaffen. Und er hatte viele Feinde. Während des größten Teils seines politischen Lebens war er der meistgehaßte und meistverleumdete Mann in Europa. Aber er hat die Verleumdung kaum beachtet. Wenn je einer die Verleumdung besiegte, dann war er es. Am Ende seines Lebens konnte er voller Stolz auf Millionen Anhänger in den Bergwerken Sibiriens wie auch in den Werkstätten Europas und Amerikas blicken; er sah seine ökonomischen Theorien zum unbestreitbaren Grundsatz des Sozialismus der ganzen Welt geworden. Und mochte er noch viele Gegner haben, so hatte er kaum noch einen persönlichen Feind.[213]

Geschrieben am 17. März 1883.
Nach der Handschrift.
Aus dem Englischen.

Friedrich Engels

Das Begräbnis von Karl Marx

[„Der Sozialdemokrat"
Nr.13 vom 22.März 1883]

Samstag 17. März wurde Marx auf dem Friedhof zu Highgate zur Ruhe gelegt, im selben Grabe, in dem seine Frau vor fünfzehn Monaten beerdigt worden.

Am Grabe legte *G. Lemke* zwei Kränze mit roten Schleifen auf den Sarg, im Namen der Redaktion und Expedition des *„Sozialdemokrat"* und in dem des Londoner *Kommunistischen Arbeiterbildungsvereins.*

Dann sprach *F. Engels* ungefähr folgendes in *englischer* Sprache:

„Am 14. März, nachmittags ein Viertel vor drei, hat der größte lebende Denker aufgehört zu denken. Kaum zwei Minuten allein gelassen, fanden wir ihn beim Eintreten in seinem Sessel ruhig entschlummert – aber für immer.

Was das streitbare europäische und amerikanische Proletariat, was die historische Wissenschaft an diesem Mann verloren haben, das ist gar nicht zu ermessen. Bald genug wird sich die Lücke fühlbar machen, die der Tod dieses Gewaltigen gerissen hat.

Wie Darwin das Gesetz der Entwicklung der organischen Natur, so entdeckte Marx das Entwicklungsgesetz der menschlichen Geschichte: die bisher unter ideologischen Überwucherungen verdeckte einfache Tatsache, daß die Menschen vor allen Dingen zuerst essen, trinken, wohnen und sich kleiden müssen, ehe sie Politik, Wissenschaft, Kunst, Religion usw. treiben können; daß also die Produktion der unmittelbaren materiellen Lebensmittel und damit die jedesmalige ökonomische Entwicklungsstufe eines Volkes oder eines Zeitabschnitts die Grundlage bildet, aus der sich die Staatseinrichtungen, die Rechtsanschauungen, die Kunst und selbst die religiösen Vorstellungen der betreffenden Menschen entwickelt haben, und aus der sie daher auch erklärt werden müssen – nicht, wie bisher geschehen, umgekehrt.

Damit nicht genug. Marx entdeckte auch das spezielle Bewegungsgesetz der heutigen kapitalistischen Produktionsweise und der von ihr erzeugten bürgerlichen Gesellschaft. Mit der Entdeckung des Mehrwerts war hier plötzlich Licht geschaffen, während alle früheren Untersuchungen, sowohl der bürgerlichen Ökonomen wie der sozialistischen Kritiker, im Dunkel sich verirrt hatten.

Zwei solche Entdeckungen sollten für ein Leben genügen. Glücklich schon der, dem es vergönnt ist, nur eine solche zu machen. Aber auf jedem einzelnen Gebiet, das Marx der Untersuchung unterwarf, und dieser Gebiete waren sehr viele und keines hat er bloß flüchtig berührt – auf jedem, selbst auf dem der Mathematik, hat er selbständige Entdeckungen gemacht.

So war der Mann der Wissenschaft. Aber das war noch lange nicht der halbe Mann. Die Wissenschaft war für Marx eine geschichtlich bewegende, eine revolutionäre Kraft. So reine Freude er haben konnte an einer neuen Entdeckung in irgendeiner theoretischen Wissenschaft, deren praktische Anwendung vielleicht noch gar nicht abzusehen – eine ganz andere Freude empfand er, wenn es sich um eine Entdeckung handelte, die sofort revolutionär eingriff in die Industrie, in die geschichtliche Entwicklung überhaupt. So hat er die Entwicklung der Entdeckungen auf dem Gebiet der Elektrizität, und zuletzt noch die von Marc Deprez, genau verfolgt.

Denn Marx war vor allem Revolutionär. Mitzuwirken, in dieser oder jener Weise, am Sturz der kapitalistischen Gesellschaft und der durch sie geschaffenen Staatseinrichtungen, mitzuwirken an der Befreiung des modernen Proletariats, dem *er* zuerst das Bewußtsein seiner eigenen Lage und seiner Bedürfnisse, das Bewußtsein der Bedingungen seiner Emanzipation gegeben hatte – das war sein wirklicher Lebensberuf. Der Kampf war sein Element. Und er hat gekämpft mit einer Leidenschaft, einer Zähigkeit, einem Erfolg wie wenige. Erste ‚Rheinische Zeitung' 1842, Pariser ‚Vorwärts!'[214] 1844, ‚Brüsseler Deutsche Zeitung' 1847, ‚Neue Rheinische Zeitung' 1848–1849, ‚New-York Tribune' 1852–1861 – dazu Kampfbroschüren die Menge, Arbeit in Vereinen in Paris, Brüssel und London, bis endlich die große Internationale Arbeiterassoziation als Krönung des Ganzen entstand – wahrlich, das war wieder ein Resultat, worauf sein Urheber stolz sein konnte, hätte er sonst auch nichts geleistet.

Und deswegen war Marx der bestgehaßte und bestverleumdete Mann seiner Zeit. Regierungen, absolute wie republikanische, wiesen ihn aus, Bourgeois, konservative wie extrem-demokratische, logen ihm um die Wette

Verlästerungen nach. Er schob das alles beiseite wie Spinnweb, achtete dessen nicht, antwortete nur, wenn äußerster Zwang da war. Und er ist gestorben, verehrt, geliebt, betrauert von Millionen revolutionärer Mitarbeiter, die von den sibirischen Bergwerken an über ganz Europa und Amerika bis Kalifornien hin wohnen, und ich kann es kühn sagen: Er mochte noch manchen Gegner haben, aber kaum noch einen persönlichen Feind.

Sein Name wird durch die Jahrhunderte fortleben und so auch sein Werk!"

Marx' Schwiegersohn, Longuet, verlas dann folgende, in *französischer* Sprache eingegangene Adressen:

I. Auf das Grab von Karl Marx gelegt von den russischen Sozialisten:

„Im Namen aller russischen Sozialisten sende ich einen letzten Scheidegruß dem hervorragenden Meister unter allen Sozialisten unserer Zeit. Einer der größten Köpfe ist entschlafen, einer der energischsten Kämpfer gegen die Ausbeuter des Proletariats ist gestorben.

Die russischen Sozialisten neigen sich vor dem Grabe des Mannes, der mit ihren Bestrebungen sympathisiert hat im Verlauf aller Wandlungen ihres schrecklichen Kampfs; eines Kampfs, den sie fortführen werden, bis die Grundsätze der sozialen Revolution endgültig werden triumphiert haben. Die russische Sprache war die erste, die eine Übersetzung des ‚Kapitals' besaß, dieses Evangeliums des zeitgenössischen Sozialismus. Die Studenten der russischen Universitäten waren die ersten, denen es zuteil wurde, eine sympathische Darlegung anzuhören der Theorien des gewaltigen Denkers, den wir jetzt verloren haben. Selbst diejenigen, die sich mit dem Gründer der Internationalen Arbeiter-Assoziation im Gegensatz befanden in bezug auf praktische Organisationsfragen, mußten sich doch stets beugen vor der umfassenden Wissenschaft und der hohen Denkkraft, die das Wesen des modernen Kapitals, die Entwicklung der ökonomischen Gesellschaftsformen und die Abhängigkeit der gesamten Menschheitsgeschichte von diesen Entwicklungsformen zu ergründen verstanden. Und selbst die leidenschaftlichsten Gegner, die er unter den Reihen der revolutionären Sozialisten fand, konnten nicht anders, als dem Ruf gehorchen, den er vor 35 Jahren zusammen mit dem Freunde seines Lebens[1] in die Welt hinausgerufen hatte:

‚Proletarier aller Länder, vereinigt euch!'

Der Tod von Karl Marx wird betrauert von allen, die seinen Gedanken zu erfassen und seinen Einfluß auf unsere Zeit zu schätzen verstanden.

Und ich erlaube mir hinzuzufügen, daß er noch schmerzlicher betrauert wird von denen, die Marx im intimen Verkehr gekannt, besonders von denen, die ihn als Freund geliebt haben.

Paris, 15. März 1883 *P. Lawrow*"

---

[1] In Lawrows Brief: zusammen mit Friedrich Engels, dem Freunde seines Lebens

II. Telegramm.

„Die Pariser Genossenschaft der französischen Arbeiterpartei drückt ihren Schmerz aus beim Verlust des Denkers, dessen materialistische Geschichtsauffassung und dessen Analyse der kapitalistischen Produktion den wissenschaftlichen Sozialismus und die gegenwärtige revolutionäre kommunistische Bewegung geschaffen haben. Sie drückt ferner aus ihre Verehrung für den Menschen Marx und ihre vollständige Einstimmung mit seinen Lehren.

Paris, 16. März 1883 Der Sekretär: *Lépine*"

III. Telegramm.

„In meinem eignen Namen und als Delegierter der spanischen Arbeiterpartei (Genossenschaft von Madrid) beteilige ich mich an dem ungeheuren Schmerz der Freunde und Töchter von Marx bei dem so grausamen Verlust des großen Sozialisten, der unser aller Meister war.

Paris, 16. März 1883 *José Mesa y Leompart*"

Hierauf sprach *Liebknecht*, wie folgt, in *deutscher* Sprache:

„Ich bin aus der Mitte Deutschlands gekommen, um dem unvergeßlichen Lehrer und treuen Freund meine Liebe und Dankbarkeit auszudrücken. Dem treuen Freund! Sein ältester Freund und Mitstreiter hat Karl Marx soeben den bestgehaßten Mann dieses Jahrhunderts genannt. Wohl. Er war der bestgehaßte, er ist aber auch der bestgeliebte gewesen. Best*gehaßt* von den Unterdrückern und Ausbeutern des Volks, best*geliebt* von den Unterdrückten und Ausgebeuteten, soweit sie sich ihrer Lage bewußt sind. Das Volk der Unterdrückten und Ausgebeuteten liebt ihn, weil *er* es geliebt hat. Denn der Tote, dessen Verlust wir beklagen, war groß in seiner Liebe wie in seinem Haß. Sein Haß war der Liebe entsprungen. Er war ein großes *Herz*, wie er ein großer *Geist* war. Das wissen alle, die ihn kannten.

Doch ich stehe hier nicht bloß als Schüler und Freund; ich stehe hier auch als Vertreter der *deutschen Sozialdemokratie*, die mich beauftragt hat, den Gefühlen Ausdruck zu geben, welche sie für ihren *Lehrer* empfindet, für *den* Mann, der unsere Partei *geschaffen* hat, soweit man in dieser Beziehung von Schaffen reden kann.

Es würde sich nicht schicken, wollte ich hier mich in Schönreden ergehen. War doch niemand ein leidenschaftlicherer *Feind der Phrase* als Karl Marx. Das gerade ist sein unsterbliches Verdienst, daß er das Proletariat, die Partei des arbeitenden Volkes *von der Phrase befreit* und ihr die feste, durch nichts zu erschütternde Basis der *Wissenschaft* gegeben hat. Revolutionär der Wissenschaft, Revolutionär *durch* die Wissenschaft, hat er den höchsten Gipfel der Wissenschaft erklommen, um herabzusteigen zum Volk und die Wissenschaft zum Gemeingut des Volkes zu machen.

Die Wissenschaft ist die Befreierin der Menschheit.

Die *Natur*wissenschaft befreit uns von *Gott*. Doch der Gott im Himmel lebt fort, auch wenn die Wissenschaft ihn getötet hat.

Die *Gesellschafts*wissenschaft, welche Marx dem Volke erschlossen hat, tötet den Kapitalismus und mit ihm die Götzen und Herren der *Erde*, welche, solange sie leben, den Gott nicht sterben lassen.

Die Wissenschaft ist nicht *deutsch*. Sie kennt keine Schranken, vor allem nicht die Schranken der *Nationalität*. Und so mußte der Schöpfer des ‚Kapital' naturgemäß auch der Schöpfer der *Internationalen Arbeiter-Assoziation* werden.

Die Basis der Wissenschaft, welche wir Marx verdanken, setzt uns in den Stand, allen Angriffen der Feinde zu trotzen und den Kampf, welchen wir unternommen haben, mit stets wachsenden Kräften fortzusetzen.

Marx hat die Sozialdemokratie aus einer *Sekte*, aus einer *Schule* zu einer *Partei* gemacht, zu der Partei, welche jetzt schon unbesiegt kämpft und den Sieg erringen wird.

Und das gilt nicht bloß von uns *Deutschen*. Marx gehört dem *Proletariat*. Den Proletariern aller Länder war sein ganzes Leben gewidmet. Die denkfähigen, denkenden Proletarier aller Länder sind ihm in dankbarer Verehrung zugetan.

Es ist ein schwerer Schlag, der uns getroffen hat. Doch wir trauern nicht. Der Tote ist nicht tot. Er lebt in dem *Herzen*, er lebt in dem *Kopf* des Proletariats. Sein Andenken wird nicht verblassen, seine Lehre wird in immer weiteren Kreisen wirksam sein.

Statt zu trauern, wollen wir im Geiste des großen Toten *handeln*, mit aller Kraft streben, daß möglichst bald *verwirklicht* werde, was er gelehrt und erstrebt hat. So feiern wir am besten sein Gedächtnis.

Toter, lebender Freund! *Wir werden den Weg, den Du uns gezeigt hast, wandeln bis zum Ziel. Das geloben wir an Deinem Grabe!*"

Am Grabe waren außer den schon Genannten noch gegenwärtig u.a. der andere Schwiegersohn von Marx, *Paul Lafargue*, *Friedrich Leßner*, 1852 im Kölner Kommunistenprozeß zu drei Jahren Festung verurteilt, *G. Lochner*, ebenfalls altes Mitglied des Bundes der Kommunisten. Die Naturwissenschaft war vertreten durch zwei Zelebritäten ersten Ranges, den Zoologen Professor *Ray Lankester* und den Chemiker Professor *Schorlemmer*, beide Mitglieder der Londoner Akademie der Wissenschaften (Royal Society).

Fr. Engels

Geschrieben um den 18. März 1883.

Friedrich Engels

Zum Tode von Karl Marx

I

[„Der Sozialdemokrat"
Nr. 19 vom 3. Mai 1883]

Es sind mir nachträglich noch einige Kundgebungen bei Gelegenheit dieses Trauerfalles zugekommen, die beweisen, wie allgemein die Teilnahme war, und über die ich Rechenschaft abzulegen habe.

Am 20. März erhielt Fräulein Eleanor Marx von der Redaktion der „Daily News" folgendes Telegramm in französischer Sprache zugesandt:

„*Moskau,* 18. März. Redaktion ‚Daily News', London. Haben Sie die Güte, an Herrn *Engels,* den Verfasser der ‚Arbeitenden Klassen in England' und intimen Freund des verstorbenen *Karl Marx,* unsere Bitte zu übermitteln, er möge auf den Sarg des unvergeßlichen Autors des ‚Kapital' einen Kranz legen mit folgender Inschrift:

‚Dem Verteidiger der Rechte der Arbeiter in der Theorie und ihrer Verwirklichung im Leben – die Studenten der landwirtschaftlichen Akademie von *Petrowski* in Moskau.'

Herr Engels wird gebeten, seine Adresse und den Preis des Kranzes mitzuteilen; der Betrag wird ihm sofort übermittelt werden.

Studenten der Akademie Petrowski in Moskau."

Die Depesche war unter allen Umständen zu spät für das am 17. stattgefundene Begräbnis.

Ferner sandte mir Freund *P. Lawrow* in Paris am 31. März eine Anweisung auf Frs. 124,50 = Pfd. St. 4.18.9, eingesandt von den Studenten des technologischen Instituts in *Petersburg* und von russischen studierenden Frauen, ebenfalls für einen Kranz auf das Grab von Karl Marx.

Drittens hat der „Sozialdemokrat" vorige Woche angezeigt, daß Odessaer Studenten ebenfalls einen Kranz auf Marx' Grab in ihrem Namen niedergelegt wünschen.[215]

Da nun das aus Petersburg erhaltene Geld reichlich für alle drei Kränze genügt, so habe ich mir erlaubt, auch den Moskauer und Odessaer Kranz daraus zu bestreiten. Die Anfertigung der Inschriften, hier eine ziemlich ungewohnte Sache, hat einige Verschleppung verursacht, doch wird die Niederlegung Anfang nächster Woche stattfinden, und werde ich alsdann im „Sozialdemokrat" Rechnung über das erhaltene Geld ablegen können.

Von *Solingen* kam durch den hiesigen Kommunistischen Arbeiterbildungsverein an uns ein schöner großer Kranz „auf das Grab von Karl Marx von den Arbeitern der Scheren-, Messer- und Schwerter-Industrie in Solingen". Als wir ihn am 24. März niederlegten, fanden wir von den Kränzen vom „Sozialdemokrat" und vom Kommunistischen Arbeiterbildungsverein die langen Ende der seidenen roten Schleifen von grabschänderischer Hand abgeschnitten und gestohlen. Beschwerde beim Verwaltungsrat half nichts, wird aber wohl Schutz für die Zukunft schaffen.

Ein slawischer Verein in der Schweiz[216] hofft,

„daß dem Andenken von Karl Marx durch Gründung eines seinen Namen führenden internationalen Fonds zur Unterstützung der Opfer des großen Emanzipationskampfes sowie zur Förderung dieses Kampfes selbst, ein besonderes Erinnerungszeichen gesetzt"

werde, und sendet einen ersten Beitrag ein, den ich einstweilen an mir behalten habe. Das Schicksal dieses Vorschlags hängt natürlich in erster Linie davon ab, ob er Anklang findet, und deshalb veröffentliche ich ihn hier.

Um den in den Zeitungen umlaufenden falschen Gerüchten etwas Tatsächliches entgegenzusetzen, teile ich folgende kurze Einzelheiten mit über Krankheitsverlauf und Tod unseres großen theoretischen Führers.

Von alten Leberleiden durch dreimalige Kur in Karlsbad fast ganz kuriert, litt Marx nur noch an chronischen Magenleiden und nervöser Abspannung, die sich in Kopfschmerz, zumeist aber in hartnäckiger Schlaflosigkeit äußerte. Beide Leiden verschwanden mehr oder weniger nach dem Besuch eines Seebades oder Luftkurortes im Sommer und traten erst nach Neujahr wieder störender an den Tag. Chronische Halsleiden, Husten, der ebenfalls zur Schlaflosigkeit beitrug, und chronische Bronchitis störten im ganzen weniger. Aber gerade hieran sollte er erliegen. Vier oder fünf Wochen vor dem Tode seiner Frau ergriff ihn plötzlich eine heftige Rippenfellentzündung (Pleuritis), verbunden mit Bronchitis und anfangender Lungenentzündung (Pneumonie). Die Sache war sehr gefährlich, verlief aber gut. Er wurde dann zuerst nach der Insel Wight geschickt (Anfang 1882) und darauf nach Algier. Die Reise war kalt, und er kam mit einer neuen Pleuritis in Algier an. Das hätte nicht so sehr viel ausgemacht unter Durchschnittsumständen. Aber Winter und Frühjahr waren in Algier kalt und regnerisch wie sonst nie, im April machte man vergebens Versuche, den Speisesaal zu heizen! So war Verschlimmerung des Gesamtzustandes statt Verbesserung das Schlußresultat.

Von Algier nach Monte Carlo (Monaco) geschickt, kam Marx infolge naßkalter Überfahrt mit einer dritten, jedoch gelinderen Pleuritis dort an. Dabei anhaltend schlechtes Wetter, das er speziell von Afrika mitgebracht zu haben schien. Also auch hier Kampf mit neuer Krankheit statt Stärkung. Gegen Sommersanfang ging er zu seiner Tochter, Frau Longuet, in Argenteuil und benutzte von da aus die Schwefelbäder des benachbarten Enghien gegen seine chronische Bronchitis. Trotz des andauernd nassen Sommers gelang die Kur, zwar langsam, aber doch zur Zufriedenheit der Ärzte. Diese schickten ihn nun nach Vevey am Genfer See, und da erholte er sich am meisten, so daß man ihm den Winteraufenthalt, zwar nicht in London, aber doch an der englischen Südküste erlaubte. Hier wollte er dann endlich seine Arbeiten wieder beginnen. Als er im September nach London kam, sah er gesund aus und erstieg den Hügel von Hampstead (zirka 300 Fuß höher als seine Wohnung) oft mit mir ohne Beschwerde. Als die Novembernebel drohten, wurde er nach Ventnor, der Südspitze der Insel Wight, geschickt. Sofort wieder nasses Wetter und Nebel; notwendige Folge: erneuerte Erkältung, Husten usw., kurz, schwächender Stubenarrest statt stärkender Bewegung in freier Luft. Da starb Frau Longuet. Am nächsten Tage (12. Januar) kam Marx nach London, und zwar mit entschiedener Bronchitis. Bald gesellte sich dazu eine Kehlkopfentzündung, die ihm das Schlucken fast unmöglich machte. Er, der die größten Schmerzen mit dem stoischsten Gleichmut zu ertragen wußte, trank lieber einen Liter Milch (die ihm sein Lebetag ein Greuel gewesen), als daß er die entsprechende feste Nahrung verzehrte. Im Februar entwickelte sich ein Geschwür in der Lunge. Die Arzneien versagten jede Wirkung auf diesen seit fünfzehn Monaten mit Medizin überfüllten Körper; was sie bewirkten, war höchstens Schwächung des Appetits und der Verdauungstätigkeit. Er magerte sichtbar ab, fast von Tag zu Tag. Trotzdem verlief die Gesamtkrankheit verhältnismäßig günstig. Die Bronchitis war fast gehoben, das Schlucken wurde leichter. Die Ärzte machten die besten Hoffnungen. Da finde ich – zwischen 2 und 3 war die beste Zeit, ihn zu sehen – plötzlich das Haus in Tränen: Er sei so schwach, es gehe wohl zu Ende. Und doch hatte er den Morgen noch Wein, Milch und Suppe mit Appetit genommen. Das alte treue Lenchen Demuth, die alle seine Kinder von der Wiege an erzogen und seit vierzig Jahren im Hause ist, geht herauf zu ihm, kommt gleich herunter: „Kommen Sie mit, er ist halb im Schlaf." Als wir eintraten, war er ganz im Schlaf, aber für immer. Einen sanfteren Tod, als Karl Marx in seinem Armsessel fand, kann man sich nicht wünschen.

Und nun zum Schluß noch eine gute Nachricht:

Das Manuskript zum zweiten Band des „Kapital" ist *vollständig erhalten*. Wieweit es in der vorliegenden Form druckfähig ist, kann ich noch nicht beurteilen, es sind über 1000 Seiten Folio. Aber „der Zirkulationsprozeß des Kapitals" wie „die Gestaltungen des Gesamtprozesses" sind in einer Bearbeitung abgeschlossen, die den Jahren 1867–1870 angehört. Der Anfang einer späteren Bearbeitung liegt vor sowie reiches Material in kritischen Auszügen, besonders über russische Grundeigentumsverhältnisse, woraus vielleicht noch manches benutzbar wird.

Durch mündliche Verfügung hat er seine jüngste Tochter Eleanor und mich zu seinen literarischen Exekutoren ernannt.

London, 28. April 1883

Friedrich Engels

II

[„Der Sozialdemokrat"
Nr. 21 vom 17. Mai 1883]

Von den Sozialdemokraten *Erfurts* kam ein schöner Kranz mit Inschrift auf roten Schleifen nach Argenteuil; glücklicherweise fand sich jemand, ihn gelegentlich herüberzubringen; als er auf dem Grabe niedergelegt wurde, waren die roten Seidenbänder des Solinger Kranzes wieder gestohlen.

Die drei Kränze für *Moskau, Petersburg* und *Odessa* wurden inzwischen auch fertig. Um den Diebstahl der Schleifen zu verhindern, waren wir genötigt, die Bänder durch kleine Einschnitte am Rande zu fernerem Gebrauch unnütz zu machen. Die Niederlegung fand gestern statt. Die Erfurter Schleife war durch einen Regenschauer für andere Zwecke verdorben und so der Dieberei entgangen.

Diese drei Kränze kosteten jeder Pfd. St. 1.1.8, also zusammen Pfd. St. 3.5.0. Es bleiben also von den mir eingesandten Pfd. St. 4.18.9 noch Pfd. St. 1.13.9, die ich an P. Lawrow zurücksende, um damit nach dem Willen der Geber zu verfahren. –

Der Tod eines großen Mannes ist eine vortreffliche Gelegenheit für kleine Leute, politisches, literarisches und bares Kapital herauszuschlagen. Hier nur ein paar Beispiele, die der Öffentlichkeit angehören; von den vielen, die sich auf dem Gebiete der Privatkorrespondenz abgespielt haben, gar nicht zu sprechen.

Philipp Van Patten, Sekretär der Central Labor Union in New York[217], schrieb mir (d. d. 2. April) folgendes:

„In Verbindung mit der neulichen Demonstration zu Ehren von Karl Marx, als alle Fraktionen sich vereinigten, dem verstorbenen Denker ihre Ehrerbietung zu bezeugen, machten *Johann Most* und seine Freunde sehr laute Behauptungen, daß *er*, Most, mit Karl Marx intim gewesen wäre, daß *er* dessen Werk ‚Das Kapital' in Deutschland populär gemacht habe und daß Marx übereinstimme mit der von Most geleiteten Propaganda.

Wir haben eine hohe Meinung von den Talenten und dem Wirken von Marx; wir können aber nicht glauben, daß er sympathisierte mit der anarchistischen, desorganisierenden Denk- und Handlungsweise von Most. Ich möchte deshalb von Ihnen eine Meinungsäußerung haben über die Stellung von Marx zur Frage: Anarchie und Sozialdemokratie? Das unzeitige und alberne Geschwätz von Most hat schon zu viel Verwirrung gestiftet, und es ist recht unangenehm für uns, hören zu müssen, daß eine so hohe Autorität wie Marx solche Taktik billigte."

Ich antwortete darauf am 18. April, was in deutscher Übersetzung hier folgt[218]:

„Meine Antwort auf Ihre Anfrage vom 2. April wegen Karl Marx' Stellung zu den Anarchisten im allgemeinen und Johann Most im besonderen soll kurz und klar sein:

Marx und ich haben, seit 1845, die Ansicht gehabt, daß *eine* der schließlichen Folgen der künftigen proletarischen Revolution sein wird die allmähliche Auflösung der mit dem Namen *Staat* bezeichneten politischen Organisation.[219] Der Hauptzweck dieser Organisation war von jeher die Sicherstellung, durch bewaffnete Gewalt, der ökonomischen Unterdrückung der arbeitenden Mehrzahl durch die ausschließlich begüterte Minderzahl. Mit dem Verschwinden einer ausschließlich begüterten Minderzahl verschwindet auch die Notwendigkeit einer bewaffneten Unterdrückungs- oder Staatsgewalt. Gleichzeitig aber war es immer unsere Ansicht, daß, um zu diesem und den anderen weit wichtigeren Zielen der künftigen sozialen Revolution zu gelangen, die Arbeiterklasse zuerst die organisierte politische Gewalt des Staates in Besitz nehmen und mit ihrer Hilfe den Widerstand der Kapitalistenklasse niederstampfen und die Gesellschaft neu oganisieren muß. Dies ist bereits zu lesen im ‚Kommunistischen Manifest' von 1848, Kapitel II, Schluß.[1]

Die Anarchisten stellen die Sache auf den Kopf. Sie erklären, die proletarische Revolution müsse damit *anfangen*, daß sie die politische Organisation des Staates abschafft. Aber die einzige Organisation, die das Prole-

[1] Siehe Band 4 unserer Ausgabe, S. 481/482

tariat nach seinem Siege fertig vorfindet, ist eben der Staat. Dieser Staat mag sehr bedeutender Änderungen bedürfen, ehe er seine neuen Funktionen erfüllen kann. Aber ihn in einem solchen Augenblick zerstören, das hieße, den einzigen Organismus zerstören, vermittelst dessen das siegende Proletariat seine eben eroberte Macht geltend machen, seine kapitalistischen Gegner niederhalten und diejenige ökonomische Revolution der Gesellschaft durchsetzen kann, ohne die der ganze Sieg enden müßte in einer neuen Niederlage und in einer Massenabschlachtung der Arbeiter, ähnlich derjenigen nach der Pariser Kommune.

Braucht es meine ausdrückliche Versicherung, daß Marx diesem anarchistischen Blödsinn entgegentrat seit dem ersten Tag, wo er in seiner jetzigen Gestalt von Bakunin vorgebracht wurde? Die ganze innere Geschichte der Internationalen Arbeiter-Assoziation bezeugt es. Seit 1867 versuchten die Anarchisten, mit den infamsten Mitteln, die Führung der Internationale zu erobern; das Haupthindernis in ihrem Wege war Marx. Das Ende des fünfjährigen Kampfes war, auf dem Haager Kongreß, September 1872, die Ausstoßung der Anarchisten aus der Internationale; und der Mann, der am meisten tat, diese Ausstoßung durchzusetzen, war Marx. Unser alter Freund, *F.A.Sorge* in Hoboken, der als Delegierter zugegen war, kann Ihnen, wenn Sie es wünschen, nähere Einzelheiten mitteilen.

Und nun zu Johann Most.

Wenn irgend jemand behauptet, daß Most, seit er Anarchist geworden, mit Marx in irgendwelcher Beziehung gestanden oder irgendwelche Beihilfe von Marx erhalten habe, der ist entweder belogen oder ein Lügner mit Vorbedacht. Nach dem Erscheinen der ersten Nummer der Londoner ‚Freiheit' hat Most Marx oder mich nicht mehr als einmal, höchstens zweimal besucht. Ebensowenig gingen wir zu ihm – wir haben ihn nicht einmal irgendwie oder irgendwann zufällig getroffen. Wir haben zuletzt uns sogar gar nicht mehr auf sein Blatt abonniert, weil ‚wirklich auch gar nichts' darin stand. Für seinen Anarchismus und seine anarchistische Taktik hatten wir dieselbe Verachtung wie für die Leute, von denen er beides gelernt hatte.

Als er noch in Deutschland war, veröffentlichte Most einen ‚populären Auszug aus Marx' ‚Kapital'. Marx wurde ersucht, ihn für eine zweite Auflage durchzusehen. Ich tat diese Arbeit gemeinsam mit Marx. Wir fanden, daß es unmöglich war, mehr als die allerschlimmsten Böcke von Most auszumerzen, wollten wir nicht das ganze Ding von Anfang bis Ende neu schreiben. Marx erlaubte auch bloß, daß seine Verbesserungen hineingesetzt würden auf die ausdrückliche Bedingung hin, daß sein Name nie in irgendeine Verbindung gebracht würde selbst mit dieser verbesserten Ausgabe von Johann Mosts Machwerk.

Sie können diesen Brief veröffentlichen, wenn es Ihnen so beliebt."

Von Amerika nach Italien.

Vor etwa zwei Jahren schickte ein junger Italiener, Herr *Achille Loria* aus Mantua, ein von ihm verfaßtes Buch über Grundrente[220] an Marx nebst einem deutsch geschriebenen Brief, worin er sich als dessen Schüler und Bewunderer kundgab; er korrespondierte auch noch einige Zeit mit ihm. Sommer 1882 kam er nach London und besuchte mich zweimal; das zweite Mal kam ich in den Fall, ihm ernstlich meine Meinung darüber zu sagen, daß er in einer inzwischen erschienenen Broschüre[221] Marx den Vorwurf gemacht, er habe wissentlich falsch zitiert.

Jetzt schreibt dies bei den deutschen Kathedersozialisten seine Weisheit geholt habende Männlein einen Artikel über Marx in die „Nuova Antologia"[222] und hat die Unverschämtheit, mir, „seinem hochverehrten Freunde" (!!), einen Sonderabdruck einzuschicken. Worin die Unverschämtheit bestand, wird folgende Übersetzung meiner Antwort zeigen (ich schrieb ihm in seiner Sprache, denn sein Deutsch ist immer noch wackeliger als mein Italienisch):

„Ich habe Ihr Schriftchen über Karl Marx erhalten. Es steht Ihnen frei, seine Lehren Ihrer allerschärfsten Kritik zu unterwerfen und sie sogar mißzuverstehen; es steht Ihnen frei, eine Biographie von Marx zu entwerfen, die ein reines Phantasiestück ist. Was Ihnen aber nicht freisteht und was ich nie irgendwem erlauben werde, das ist, den Charakter meines toten Freundes zu verleumden.

Schon in einem früheren Werk hatten Sie sich herausgenommen, Marx anzuklagen, er habe absichtlich falsch zitiert. Als Marx dies gelesen, verglich er seine und Ihre Zitate mit den Originalen und sagte mir, seine Zitate seien richtig, und wenn hier jemand absichtlich falsch zitiere, so seien Sie es. Und wenn ich sehe, wie Sie jetzt Marx zitieren, wie Sie die Schamlosigkeit haben, ihn von ‚*Profit*' sprechen zu lassen, da, wo er von ‚*Mehrwert*' spricht – wo er sich doch wiederholt gegen den Irrtum verwahrt, als ob das beides dasselbe sei – (was übrigens Herr *Moore* und ich Ihnen bereits hier in London mündlich auseinandersetzten), so weiß ich, wem ich zu glauben habe und wer absichtlich falsch zitiert.

Aber das ist nur eine Lappalie, verglichen mit Ihrer ‚festen und tiefen Überzeugung..., daß sie alle' (die Lehren von Marx) ‚beherrscht sind von einem *bewußten Sophisma*'; daß Marx ‚sich nicht aufhalten ließ durch falsche Schlüsse, *wohl wissend, daß sie falsch waren*'; daß ‚er oftmals ein Sophist war, der *auf Kosten der Wahrheit* bei der Negation der bestehenden Gesellschaft ankommen wollte', und daß er, wie Lamartine sagt, ,mit Lügen und Wahrheiten spielte wie Kinder mit Knöcheln'.

In Italien, das ein Land antiker Zivilisation ist, kann das vielleicht für ein Kompliment gelten. Auch unter den Kathedersozialisten gilt so etwas möglicherweise für ein großes Lob, da ja diese braven Professoren ihre zahllosen Systeme nie anders hätten zuwege bringen können, als ,auf Kosten der Wahrheit'. Wir revolutionäre Kommunisten sehen die Sache anders an. Wir betrachten solche Behauptungen als infamierende Anklagen, und da wir wissen, daß sie erlogen sind, schleudern wir sie zurück auf ihren Urheber, der, selbst und allein, sich infamiert hat durch solche Erfindungen.

Mir scheint, es sei Ihre Pflicht gewesen, dem Publikum mitzuteilen, worin denn dieses berühmte ,bewußte Sophisma' eigentlich besteht, das alle Lehren von Marx beherrscht. Aber ich suche es vergebens. Nagott!" (Lombardischer Kraftausdruck für: gar nichts.)

„Welche Zwergseele gehört dazu, sich einzubilden, ein Mann wie Marx habe ,seinen Gegnern immer mit einem zweiten Bande gedroht', den zu schreiben ,ihm auch nicht für einen Augenblick einfiel'; daß dieser zweite Band nichts sei als ,ein pfiffiges Auskunftsmittel von Marx, womit er wissenschaftlichen Argumenten aus dem Wege ging'. Dieser zweite Band liegt vor und wird in kurzem veröffentlicht. Dann werden Sie vielleicht auch endlich den Unterschied zwischen Mehrwert und Profit begreifen lernen.

Eine deutsche Übersetzung dieses Briefes wird in der nächsten Nummer des Züricher ,Sozialdemokrat' erscheinen.

Ich habe die Ehre, Sie zu grüßen mit allen den Gefühlen, welche Sie verdienen."

Hiermit genug für heute.

London, 12. Mai 1883

Friedrich Engels

KARL MARX
und
FRIEDRICH ENGELS

Aus dem handschriftlichen Nachlaß

Friedrich Engels

Bemerkung zu Seite 29 der „Histoire de la commune“ [223]

(Der Waffenstillstand des Herrn Thiers vom 30. Oktober 1870 [224]*)*

Es gehört die ganze Stupidität und die ganze Heuchelei der Männer des 4. September[225] dazu, um die Nachricht von diesem Waffenstillstand „eine gute Nachricht“ zu nennen. Gut, in der Tat – für die Preußen.

Die Kapitulation von Metz hatte 6 preußischen Armeekorps, 120 000 Mann, ihre Aktionsfreiheit wiedergegeben. Man mußte schon Trochu und Jules Favre heißen, um zu übersehen, daß das unausbleibliche Eintreffen dieser neuen Armee im Zentrum Frankreichs jeden Versuch, Paris zu entsetzen, fast unmöglich machte, daß dies nicht der Augenblick war für den Abschluß eines Waffenstillstands, sondern für höchste militärische Anstrengung. Es standen dafür nur fünfzehn Tage zur Verfügung, aber diese fünfzehn Tage waren kostbar, es war der kritische Zeitpunkt des Krieges.

Die Situation war folgende:

Für die Blockade von Paris hatten die Deutschen ihre gesamten Truppen, mit Ausnahme von 3 Infanteriedivisionen, einsetzen müssen. Sie hatten *keine Reserve*, denn die 3 Divisionen hatten diesen Charakter verloren, nachdem sie Orléans und Ch[âteau]dun besetzt hielten und von der Loire-Armee in Schach gehalten wurden. Im Westen, im Norden und im Osten gab es nur Kavallerie, die ein weit ausgedehntes Gebiet beobachten und durchstreifen mußte, aber nicht imstande war, es Infanterie gegenüber zu behaupten. Ende Oktober war die deutsche Linie, die Paris zernierte, nach der Stadtseite hin schon sehr stark befestigt, aber jeder von außerhalb kommende Angriff würde die Preußen unweigerlich auf freiem Felde treffen. Das Erscheinen von 50 000 Mann, selbst solch junger Truppen, über die Frankreich damals verfügte, hätte genügt, um die Blockade zu durchbrechen und die Verbindung zwischen Paris und dem Lande wiederherzustellen. Nun, wir haben gesehen, daß man schnell handeln mußte; es geschah jedoch folgendes:

Die Regierung von Paris nahm einen Waffenstillstand an, der, obwohl von kurzer Dauer, den von Arbeiten und Nachtwachen bei der Blockade erschöpften deutschen Truppen Erleichterung schuf (30. Oktober).

D'Aurelle de Paladines seinerseits konzentriert seine Armee am 2. November bei Vierzon in der Absicht, auf Beaugency zu marschieren, dort die Loire zu überschreiten und zwischen den Preußen (22. Division), die Châteaudun besetzt halten, und den Bayern, die Orléans halten, vorzustoßen. Der Marsch von Vierzon nach Beaugency beträgt etwa 45 Kilometer und konnte sehr gut in 2 Tagen duchgeführt werden. Aber wenn man einer deutschen Quelle glauben darf („Militärische Gedanken und Betrachtungen etc." [226]), so hatte Gambetta die Naivität, zu glauben, daß eine Armee von 40 000 Mann mit der Eisenbahn ebenso schnell reist wie ein einfacher Privatmann. Er befiehlt also dem General, anstatt seine Armee marschieren zu lassen, sie mit der Eisenbahn von Vierzon nach Tours und von dort nach Beaugency zu transportieren. Der General protestiert, Gambetta besteht darauf. Anstatt eines Marsches von *zwei Tagen* und von 45 Kilometern macht die Loire-Armee also eine Eisenbahnfahrt von 180 Kilometern, die sie *fünf Tage* kostet und überdies dem Feinde nicht verborgen bleiben konnte. Erst am 7. ist sie wieder in Beaugency konzentriert und einsatzbereit. Aber drei kostbare Tage sind verloren, und der Feind ist von der durchgeführten Bewegung unterrichtet.

Und was für Tage! Der 3. November war der kritischste Tag: die preußische Kavallerie, eine ganze Brigade, mußte Mantes aufgeben und sich auf Vert zurückziehen vor zehn starken Einheiten Franktireurs[227]; andererseits wurden beträchtliche französische Streitkräfte beobachtet, die sich aus allen Waffengattungen zusammensetzten und von Courville in Richtung Chartres marschierten. Wenn die Loire-Armee am 4. angegriffen hätte, wozu sie durchaus imstande war, statt in Waggons spazierengefahren zu werden; wenn sie, was ihr nicht schwerfallen konnte, zwischen den Bayern und der 22. preußischen Division vorgestoßen wäre und ihre große zahlenmäßige Überlegenheit benutzt hätte, um sie einzeln, einen nach dem andern zu schlagen und dann auf Paris vorzustoßen, dann wäre Paris fast mit Sicherheit befreit worden.

Moltke war zudem weit davon entfernt, die Gefahr zu verkennen; er war auch entschlossen, notfalls wie Napoleon vor Mantua zu handeln: die Blockade aufzuheben, den sich bei Villecoublay formierenden Belagerungspark zu opfern, seine Armee für die Aktion auf freiem Felde zu konzentrieren und die Blockade erst nach dem Sieg, d.h. nach der Ankunft der Armee von Metz, wieder aufzunehmen. Das Gepäck des Hauptquartiers von Versailles war bereits verladen, alles war zur Abfahrt bereit, es mußten nur noch die Pferde angespannt werden (wie der Schweizer Oberst von Erlach, ein Augenzeuge, sagt [228]).

Wenn die Preußen gezwungen worden wären, die Blockade von Paris aufzuheben, hätte das einen Druck seitens Europas und einen ehrenvollen Frieden bedeuten können. Auf alle Fälle wäre die moralische Wirkung eines solchen Faktums zunächst auf Europa und dann besonders auf Frankreich und schließlich im negativen Sinne auf die Deutschen ungeheuer gewesen. Und die materiellen Auswirkungen eines solchen Faktums! Paris hätte mindestens fünfzehn bis zwanzig Tage Zeit gehabt, um sich über alle aus Süden und Westen kommenden Eisenbahnlinien zu verproviantieren, was die Fortsetzung der Verteidigung für ein oder zwei Monate möglich gemacht hätte. Ebensoviel Zeit wäre außerdem für die Organisation der Armeen in der Provinz gewonnen worden, so daß man sie künftig nicht mehr ohne Disziplin, ohne Ausbildung, ohne Ausrüstung und fast ohne Waffen gegen den Feind hätte werfen brauchen. Um Frankreich wieder Aussichten auf Erfolg zu geben, bedurfte es nur der Zeit; die Gelegenheit, sich diese zu verschaffen, bot sich am 3. und 4. November; wir haben gesehen, wie diese Gelegenheit versäumt wurde.

Verfolgen wir jedoch die Ereignisse!

Paris unternahm nicht einmal einen Ausfall. Eine Woche lang machten die Streitkräfte, die sich Paris vom Westen her näherten, keinen Versuch, anzugreifen. Das ist nicht verwunderlich. Diese Streitkräfte müssen ziemlich schwach gewesen sein; das Dekret Gambettas, das Herrn de Kératry mit der Organisation der Westarmee beauftragte, trägt das Datum vom 22. Oktober!

Es blieb die Loire-Armee, die am 7. November in Beaugency in Linie aufgestellt war. Erst am 9. aber greift d'Aurelle die Bayern bei Coulmiers an; sobald diese sahen, daß der Rückzug der 22. preußischen Division gesichert war, die ihnen in Richtung Chartres entgegenmarschierte, zogen sie sich auf Toury zurück, wo sich diese Division mit ihnen am folgenden Tage, am 10. November, vereinigte. D'Aurelle *rührte sich nicht mehr*. Inzwischen näherten sich drei Korps, 60 000 Mann, der Armee von Metz in Gewaltmärschen der Seine. Zwei weitere preußische Divisionen (die 3. und 4.), die von Metz mit der Eisenbahn befördert wurden, waren schon vor Paris eingetroffen. Moltke kam dadurch in die Lage, die 17. preußische Division nach Toury zu dirigieren, wo sie am 12. eintraf. Es standen also in Linie 4 deutsche Divisionen, etwa 35 000 Mann stark, der Loire-Armee gegenüber, die seitdem aufgehört hatte, sie zu beunruhigen.

Indessen bewegten sich am 14. November beträchtliche französische Truppenmassen von Dreux auf das zwei Tagesmärsche von Versailles entfernte Houdan. Moltke, der in dieser Richtung vorerst nur über seine Kavallerie verfügte, war nicht imstande, genügend starke Erkundungstrupps auszuschicken, um zu rekognoszieren, was sich hinter dieser Avantgarde an Kräften befand. An diesem Tage war er erneut drauf und dran, Versailles zu verlassen und die Blockade aufzuheben (Blume[229]).

Diesmal entschieden jedoch nicht mehr Tage, sondern Stunden. Das erste der Armeekorps von Metz (das IX.) kam am selben Tage in Fontainebleau an; das III. sollte zwischen dem 16. und 18. in Nemours sein und das X. am 19. in Joigny an der Yonne. Moltke dirigierte die 17. Division nach Rambouillet, die 22. nach Chartres, die Bayern nach Auneau, d. h. zwischen die Loire-Armee, der er den Weg nach Paris frei ließ, und die Truppen, die Versailles von der Westseite her bedrohten. Diesmal wurde d'Aurelle durch seine Inaktivität gerettet; wenn er in die vor ihm aufgetane Lücke vorgestoßen wäre, wäre er zwischen den beiden deutschen Kolonnen, die bereit waren, in seine Flanken zu fallen, zermalmt worden. Am 19. November besetzten die drei Korps der II. preußischen Armee Fontainebleau und Nemours, mit ihren Reserven an der Yonne, am 20. November wurde die I. Armee unter Manteuffel auf der Linie der Oise von Compiègne bis Noyon vereinigt; die Armee von Metz beschützte vom Norden und vom Süden her die Blockade von Paris, die letzte Chance, sie zu brechen, war versäumt worden, dank Trochu, Gambetta, d'Aurelle, deren gegenseitige Fehler sich, man könnte fast sagen, mit der so vielgerühmten Präzision der preußischen Bataillone, ergänzten.

Geschrieben Anfang Februar 1877.
Nach der Handschrift.
Aus dem Französischen.

Karl Marx

[Randglossen zu Adolph Wagners „Lehrbuch der politischen Ökonomie“ [230]]

1. Herrn Wagners Auffassung, die *„sozialrechtliche Auffassung“* (p.2). Befindet sich dabei in *„Einklang mit Rodbertus, Lange und Schäffle“* (p.2). Für die *„Hauptpunkte der Grundlegung“* bezieht er sich auf *Rodbertus und Schäffle*. Herr Wagner sagt selbst von *Seeraub* als „unrechtmäßiger Erwerbung“ bei *ganzen Völkern*, daß er nur Raub ist, wenn „ein *wahres jus gentium*[1] als bestehend angenommen wird“ (p.18, N.3).

Er forscht vor allem nach den *„Bedingungen des wirtschaftlichen Gemeinlebens“* und *„bestimmt nach denselben die Sphäre der wirtschaftlichen Freiheit des Individuums“* (p.2).

„Der ‚Befriedigungstrieb‘ ... wirkt *nicht* und soll nicht wirken als *reine Naturkraft*, sondern er steht, wie jeder menschliche Trieb, unter der Leitung der Vernunft und des Gewissens. Jede aus ihm resultierende Handlung ist mithin eine *verantwortliche* und unterliegt stets einem *sittlichen Urteil*, das aber allerdings (!) selbst dem *geschichtlichen Wechsel* ausgesetzt ist“ (p.9).

Unter *„Arbeit“* (p.9, § 2) unterscheidet der Herr Wagner nicht zwischen dem *konkreten Charakter jeder Arbeit* und der allen diesen konkreten Arbeitsarten gemeinschaftlichen *Verausgabung von Arbeitskraft* (p.9, 10).

„Selbst die *bloße Verwaltung des Vermögens* zum *Zweck des Rentenbezugs* nötigt stets zu Tätigkeiten, welche *unter den Begriff Arbeit* gehören, und ebenso die *Verwendung* des erzielten Einkommens zur Bedürfnisbefriedigung“ (p.10, N.6).

Die *historisch-rechtlichen* sind nach W[agner] die *„sozialen Kategorien“* (N.6, p.13).

„Namentlich bewirken *Naturmonopole der Lage*, so besonders in *städtischen*“ (!Naturmonopol die Lage in der City von London!) „Verhältnissen, dann unter dem Einfluß des *Klimas* für die *Agrarproduktion* ganzer Länder, ferner *Naturmonopole* der *spezifischen Bodenergiebigkeit*, z.B. bei besonders guten Weinbergen, und zwar auch

[1] *Völkerrecht*

zwischen verschiedenen Völkern, z.B. beim *Absatz tropischer Produkte* nach Ländern der gemäßigten Zone" {„Beitrag bilden die *Ausfuhrzölle* auf Produkte einer Art Naturmonopols, welche in manchen Ländern (Südeuropa, tropische Länder) in der sicheren Voraussetzung, sie auf die fremden Konsumenten zu werfen, aufgelegt werden" (N.11, p.15). Wenn Herr Wagner hieraus die Ausfuhrzölle in den europ. südlichen Ländern herleitet, so zeigt es, daß er nichts von der „*Geschichte*" dieser Zölle weiß}[1] – „daß wenigstens *partiell naturfreie Güter* zu *rein wirtschaftlichen*, beim Erwerb höchstmöglich vergoltenen werden" (p.15).

Das Gebiet *regelmäßigen* Austauschs *(Absatzes)* der Güter ist ihr *Markt* (p.21).

Unter wirtschaftlichen Gütern: „Verhältnisse zu Personen und Sachen (res incorporales), deren gegenständliche Abgeschlossenheit auf einer Abstraktion beruht: a) *aus dem ganz freien Verkehr:* die Fälle der *Kundschaft, Firma* u.dgl., wo vorteilhafte Beziehungen zu andern Menschen, welche durch menschliche Tätigkeit ausgebildet sind, *entgeltlich* überlassen und erworben werden können; b) auf Grund gewisser *rechtlicher Beschränkungen des Verkehrs:* ausschließliche Gewerberechte, Realgerechtigkeiten, Privilegien, Monopole, Patente usw." (p.22, 23).

Herr Wagner subsumiert die *„Dienste"* unter die *„wirtschaftlichen Güter"* (p.23, N.2 u. p.28). Was ihm eigentlich dabei unterliegt, ist seine Sucht, den Geheimrat Wagner als *„produktiven Arbeiter"* darzustellen; denn, sagt er, es

„ist die Beantwortung präjudiziell für die Beurteilung aller derjenigen Klassen, welche *berufsmäßig persönliche Dienste* ausüben, demnach des *Gesindes*, der Angehörigen der *liberalen Berufe* und folglich auch des *Staates*. Nur wenn Dienste auch zu den wirtschaftlichen Gütern gerechnet werden, sind die genannten Klassen in wirtschaftlichem Sinne *produktiv*" (p.24).

Folgendes sehr charakteristisch für die Denkmanier von W[agner] und Konsorten:

Rau hatte bemerkt: es hänge von der *„Definition des Vermögens* und ebenso der wirtschaftlichen Güter" ab, ob *„die Dienste* auch dazu gehören oder nicht". Darauf *Wagner:* es müsse *„eine solche Definition"* vom *„Vermögen"* – *„vorgenommen werden*, welche die *Dienste in die wirtschaftlichen Güter einschließt"* (p.28).

„Entscheidender Grund" aber sei, „daß die *Befriedigungsmittel* eben unmöglich nur in Sachgütern bestehen können, weil die *Bedürfnisse sich nicht bloß auf solche, sondern auf persönliche Dienste* (namentlich auch des Staats, wie *Rechtsschutz* etc.) beziehen" (p. 28).

[1] Hier und im weiteren Text sind die von Marx verwendeten eckigen Klammern durch geschweifte Klammern ersetzt

Vermögen:

1. *„rein ökonomisch... in einem Zeitpunkte vorhandener Vorrat wirtschaftlicher Güter als realer Fonds für die Bedürfnisbefriedigung"*, ist *„Vermögen an sich"*, „Teile des Gesamt- oder Volks- oder Nationalvermögens".

2. „Als *geschichtlich-rechtlicher Begriff ... im Besitz bzw. Eigentum einer Person stehender Vorrat wirtschaftlicher Güter"*, *„Vermögensbesitz"* (p.32). Letzterer *„historisch-rechtlicher relativer Eigentumsbegriff*. Das Eigentum gibt nur *gewisse Verfügungsbefugnisse* und *gewisse Ausschlußbefugnisse* anderen gegenüber. Das *Maß* dieser Befugnisse *wechselt"* {i.e. geschichtlich} (p.34). „Jedes Vermögen im zweiten Sinn ist *Einzelvermögen*, Vermögen einer physischen oder juristischen Person" (l.c.).

Öffentliches Vermögen,

„insbesondere das Vermögen der *Zwangsgemeinwirtschaften*, also namentlich das *Staats-, Kreis-, Gemeindevermögen*. Dieses Vermögen [ist] zur *allgemeinen Benutzung* bestimmt (wie Wege, Flüsse etc.) und dem Staat usw... Eigentum daran als dem rechtlichen *Vertreter der Gesamtheit* (Volk, Ortseinwohnerschaft usw.) zugeschrieben oder es ist *eigentliches Staats- und Gemeindevermögen*, nämlich *Verwaltungsvermögen*, das zur Herstellung der Staatsleistungen mit dient, und *Finanzvermögen*, das vom Staat zur Erwerbung von Einkünften, als den Mitteln für die Herstellung seiner Leistungen, benutzt wird" (p.35).

Kapital, *capitale*, Übersetzung von κεφάλαιον, womit man die Forderung einer Geldsumme im Gegensatz des *Zinses* (τόκος) bezeichnete. Im Mittelalter kam auf *Capitale, caput pecuniae* als Hauptsache, Wesentliches, Ursprüngliches (p.37). Im Deutschen brauchte man das Wort *Hauptgeld* (p.37).

„Kapital, Erwerbstamm, werbender Gütervorrat: ein Vorrat beweglicher Erwerbsmittel." Dagegen: *„Gebrauchsvorrat:* eine in irgendeiner Beziehung zusammengefaßte Menge beweglicher Genußmittel" (p.38, N.2).

Umlaufendes und stehendes Kapital (p.38, 2 (a) und 2 (b)).

Wert. Nach Herrn Wagner ist die Werttheorie von Marx *„der Eckstein seines sozialistischen Systems"* (p.45). Da ich niemals ein *„sozialistisches System"* aufgestellt habe, so dies eine Phantasie der Wagner, Schäffle e tutti quanti[1].

Ferner: wonach Marx

„findet die *gemeinsame gesellschaftliche Substanz* des von ihm allein hier gemeinten *Tauschwerts* in der *Arbeit*, das *Größenmaß des Tauschwerts* in der gesellschaftlich notwendigen Arbeitszeit" etc.

---

[1] und aller anderen

Ich spreche nirgendwo von „*der gemeinsamen gesellschaftlichen Substanz des Tauschwerts*", sage vielmehr, daß die Tauschwerte (*Tauschwert* ohne wenigstens deren 2 existiert nicht) etwas *ihnen Gemeinsames* darstellen, was „von ihren Gebrauchswerten" {i.e. hier ihrer Naturalform} ganz unabhängig, nämlich den „*Wert*". So heißt es: „Das Gemeinsame, was sich im Austauschverhältnis oder Tauschwert der Waren darstellt, ist also *ihr Wert*. Der Fortgang der Untersuchung wird uns zurückführen zum Tauschwert als der notwendigen Ausdrucksweise oder Erscheinungsform des Werts, welcher zunächst *jedoch unabhängig von dieser Form* zu betrachten ist"[1] (p. 13[231]).

Ich sage also nicht, die „gemeinsame gesellschaftliche Substanz des Tauschwerts" sei die „Arbeit"; und da ich weitläufig in besonderem Abschnitt die *Wertform*, d.h. die Entwicklung des Tauschwerts, behandle, so wäre es sonderbar, diese „Form" auf „gemeinsame gesellschaftliche Substanz", die Arbeit, zu reduzieren. Auch vergißt Herr Wagner, daß weder „der Wert" noch „der Tauschwert" bei mir Subjekte sind, sondern *die Ware*.

Ferner:

„Diese" (Marxsche) „Theorie ist aber nicht sowohl eine allgemeine Wert- als eine *Kostentheorie*, angeknüpft *an Ricardo*." (l.c.)

Herr Wagner hätte sowohl aus dem „Kapital", wie aus *Siebers Schrift* (wenn er russisch wüßte) die Differenz zwischen mir und Ricardo kennenlernen [können], der sich in der Tat mit der Arbeit nur als *Maß der Wertgröße* beschäftigte und deswegen keinen Zusammenhang zwischen seiner Werttheorie und dem Wesen des Geldes fand.

Wenn der Herr Wagner sagt, das sei „keine allgemeine Werttheorie", so hat er in seinem Sinn ganz recht, da er unter allgemeiner Werttheorie das Spintisieren über das Wort „Wert" versteht, was ihn auch befähigt, bei der deutsch-traditionellen Professoralkonfusion von „Gebrauchswert" und „Wert" zu bleiben, da beide das Wort „Wert" gemein haben. Wenn er aber ferner sagt, das sei eine „*Kostentheorie*", so läuft das entweder auf eine Tautologie heraus: die Waren, soweit sie Werte, nur etwas *Gesellschaftliches*, Arbeit darstellen, und soweit nämlich die *Wertgröße* einer Ware nach mir durch die *Größe der in ihr enthaltnen* etc. *Arbeitszeit* bestimmt ist, also durch die normale Arbeitsmasse, die die Produktion eines Gegenstands kostet etc.; und Herr Wagner beweist das Gegenteil dadurch, daß er versichert, diese etc. Werttheorie sei nicht „die allgemeine", weil dies nicht

[1] Siehe Band 23 unserer Ausgabe, S. 53

die Ansicht des Herrn Wagner von der „allgemeinen Werttheorie" ist. Oder er sagt *etwas Falsches: Ricardo* (nach Smith) wirft Wert und Produktionskosten zusammen; ich habe bereits in *„Zur Kritik der Politischen Oekonomie"* und ebenso in Noten zum „Kapital" ausdrücklich darauf hingewiesen, daß *Werte* und *Produktionspreise* (die nur in Geld die Produktionskosten ausdrücken) *nicht* zusammenfallen. Warum nicht? habe ich dem Herrn Wagner *nicht* gesagt.

Außerdem „verfahre" ich „willkürlich", wenn ich

„diese Kosten nur auf die im engsten Sinn sog. Arbeitsleistung zurückführe. Das setzt immer erst eine Beweisführung voraus, welche bisher fehlt, nämlich, daß der Produktionsprozeß ganz ohne Vermittlung der Kapital bildenden und verwendenden Tätigkeit von *Privatkapitalisten* möglich sei" (p. 45).

Statt mir solche Zukunftsbeweise aufzubürden, hätte umgekehrt Herr Wagner erst nachweisen müssen, daß *ein gesellschaftlicher Produktionsprozeß*, vom Produktionsprozeß überhaupt gar nicht zu sprechen, in den sehr zahlreichen Gemeinwesen *nicht existierte*, die vor *der Erscheinung von Privatkapitalisten existierten* (altindische Gemeinde, südslawische Familiengemeinde etc.). Außerdem konnte Wagner nur sagen: die Exploitation der Arbeiterklasse durch die Kapitalistenklasse, kurz, der Charakter der kapitalistischen Produktion, wie Marx ihn darstellt, ist richtig, aber er irrt sich darin, daß er diese Wirtschaft als transitorisch betrachtet, während Aristoteles sich umgekehrt darin irrte, daß er die *Sklavenwirtschaft* als *nicht* transitorisch betrachtete.

„Solange ein solcher Beweis *nicht* geführt ist" {alias, solange die kapitalistische Wirtschaft existiert}, „ist *in der Tat auch*" {hier zeigt sich der Klumpfuß oder das Eselsohr} „der *Kapitalgewinn*, ein ‚*konstitutives*' Element des Werts, *nicht* nach sozialistischer Auffassung nur ein *Abzug* oder ‚Raub' am Arbeiter" (p. 45, 46).

Was ein *„Abzug am Arbeiter"* ist, Abzug seiner Haut etc., ist nicht erfindlich. Nun ist in meiner Darstellung in der Tat auch der Kapitalgewinn *nicht* „nur ein *Abzug* oder ‚Raub' am Arbeiter". Ich stelle umgekehrt den Kapitalist als notwendigen Funktionär der kapitalistischen Produktion dar und zeige sehr weitläufig dar, daß er nicht nur „abzieht" oder *„raubt"*, sondern die *Produktion des Mehrwerts* erzwingt, also das Abzuziehende erst schaffen hilft; ich zeige ferner ausführlich nach, daß, selbst wenn im Warenaustausch *nur Äquivalente* sich austauschten, der Kapitalist – sobald er dem Arbeiter den wirklichen Wert seiner Arbeitskraft zahlt – mit vollem Recht, d. h. dem dieser Produktionsweise entsprechenden Recht, den *Mehrwert* gewänne. Aber all dies macht den „Kapitalgewinn" nicht zum *„kon-*

stitutiven" *Element* des Wertes, sondern beweist nur, daß in dem nicht durch die Arbeit des Kapitalisten „*konstituierten*" Wert ein Stück steckt, das er sich „rechtlich" aneignen kann, d.h. ohne das dem Warenaustausch entsprechende Recht zu verletzen.

„Jene Theorie berücksichtigt zu einseitig nur dieses eine wertbestimmende Moment" {1. Tautologie. Die Theorie ist falsch, weil Wagner eine „allgemeine Werttheorie" hat, die nicht damit stimmt, sein „Wert" daher durch den „Gebrauchswert" bestimmt wird, wie das namentlich die Professoralbezahlung beweist; 2. Herr Wagner schiebt dem Wert den jedesmaligen „Marktpreis" oder von ihm abweichenden Warenpreis unter, was etwas sehr vom Wert Verschiednes ist}, „die *Kosten*, nicht das andere, die Brauchbarkeit, den *Nutzen*, das *Bedarfs*moment" {d.h. sie wirft „Wert" und *Gebrauchswert* nicht zusammen, was doch so wünschenswert für geborenen Konfusius wie Wagner}.

„Sie entspricht nicht nur nicht der *Tauschwertbildung* im *heutigen Verkehr*"

{er meint die *Preisbildung*, die absolut nichts an der *Wertbestimmung* ändert: im übrigen *findet im heutigen Verkehr* certainly[1] *Tauschwertbildung* statt, wie jeder Gründer, Warenfälscher usw. weiß, die nichts mit der *Wertbildung* gemein hat, aber ein scharfes Auge auf „gebildete" Werte hat; übrigens gehe ich z.B. bei Bestimmung des *Werts der Arbeitskraft* davon aus, daß ihr Wert wirklich gezahlt wird, was *tatsächlich nicht der Fall* ist. Herr Schäffle in „*Kapitalismus*" etc. meint, das sei „großmütig" oder so was Ähnliches. Er meint nur ein wissenschaftlich notwendiges Verfahren},

„sondern auch, wie *Schäffle* in der ‚Quintessenz'[232] und besonders im ‚Socialen Körper' vortrefflich und *wohlabschließend* (!) nachweist, nicht den Verhältnissen, wie sie sich *im Marxschen hypothetischen Sozialstaat notwendig gestalten müssen*".

{Also der Sozialstaat, den Herr Schäffle so artig war, für mich zu „gestalten", verwandelt sich in „*den Marxschen*" (nicht den in Schäffles Hypothese dem Marx untergeschobnen „Sozialstaat").}

„*Schlagend* läßt sich das namentlich am Beispiel des Getreides u.dgl. nachweisen, dessen *Tauschwert* wegen des Einflusses der wechselnden Ernten bei ziemlich gleichem Bedarf notwendig *auch* in einem System von ‚*Sozialtaxen*' *anders* als *bloß nach den Kosten* reguliert werden müßte."

{So viel Worte, so viel Blödsinn. Erstens habe ich nirgendwo von „*Sozialtaxen*" gesprochen und bei der *Untersuchung über den Wert* mit bürgerlichen Verhältnissen zu tun, nicht aber mit Anwendung dieser *Wert-*

[1] sicher

theorie auf den nicht einmal durch mich, sondern durch Herrn Schäffle für mich konstruierten „Sozialstaat". Zweitens: wenn bei Mißernte der Kornpreis steigt, so steigt erstens ihr *Wert*, weil eine gegebene Arbeitsmasse *in weniger Produkt realisiert* ist; zweitens steigt noch viel mehr ihr *Verkaufspreis*. Was hat dies mit meiner Theorie des Werts zu schaffen? Grade um so mehr das Korn[1] über *seinen Wert verkauft* wird, grade so viel werden andre Waren, sei es in Naturalform oder in Geldform, *unter ihrem Wert* verkauft, und zwar selbst, wenn ihr eigner Geldpreis *nicht* fällt. Die *Wertsumme* bleibt dieselbe, selbst wenn der Ausdruck dieser ganzen *Wertsumme* in Geld gewachsen wäre, also die Summe des „Tauschwerts" nach Herrn Wagner gestiegen. Dies ist der Fall, wenn wir annehmen, der *Preisfall* in der Summe der andern Waren decke nicht den *Überwertpreis* (Preisüberschuß) des Korns. Aber in diesem Fall ist der Tauschwert des Geldes pro tanto[2] unter seinen Wert gefallen; die Wertsumme aller Waren bleibt nicht nur *dieselbe*, bleibt sogar dieselbe im *Geldausdruck*, wenn das Geld mit unter die Waren gerechnet wird. Ferner: die Preissteigerung des Korns über dessen mit der Mißernte gegebne Steigerung seines Werts hinaus wird jedenfalls im „Sozialstaat" kleiner sein als mit dem heutigen Kornwuchern. Dann aber wird der „Sozialstaat" von vornherein die Produktion so einrichten, daß die jährliche Getreidezufuhr nur ganz minimal vom Witterungswechsel abhängt, der Umfang der Produktion – die Zufuhr und die Gebrauchsseite darin – wird rationell reguliert. Endlich, was soll die „Sozialtaxe", gesetzt, Schäffles Phantasien darüber würden realisiert, für oder gegen meine Theorie des Wertes beweisen? Sowenig als die bei Lebensmittelmangel auf Schiff oder in Festung oder während der fr[anzösischen] Revolution etc. getroffnen Zwangsmaßregeln, die sich nicht um den *Wert* kümmern; und das Schreckliche für den „Sozialstaat", die *Wertgesetze* des „kapitalistischen (bürgerlichen) Staats" zu verletzen, also auch die Werttheorie! Nichts als kindischer Kohl!}

Derselbe Wagner zitiert wohlgefällig aus Rau:

> „Um Mißverständnisse zu vermeiden, ist es nötig, festzusetzen, was unter *Wert schlechthin* gemeint sei, und *es ist dem deutschen Sprachgebrauch angemessen*, hierzu den *Gebrauchswert* zu wählen" (p. 46).

Ableitung des Wertbegriffs (p. 46 sqq.).

Aus dem *Wertbegriff* soll d'abord[3] der *Gebrauchswert und der Tauschwert* von Herrn Wagner abgeleitet werden, nicht wie bei mir von einem

---

[1] In der Handschrift: der Kornpreis – [2] um ebensoviel – [3] gleich

Konkretum der Ware, und es ist interessant, diesen *Scholastizismus* in seiner neuesten „*Grundlegung*" zu verfolgen.

„Es ist ein *natürliches* Bestreben des Menschen, sich das *Verhältnis*, in welchem die innern und äußern *Güter* zu seinen *Bedürfnissen* stehen, zum *deutlichen Bewußtsein* und *Verständnis* zu bringen. Dies geschieht durch die *Schätzung (Wertschätzung)*, wodurch den Gütern, beziehungsweise den Dingen der Außenwelt *Wert beigelegt* und derselbe *gemessen* wird" (p.46), und es heißt *p.12:* „Alle Mittel zur Befriedigung der Bedürfnisse heißen *Güter*."

Setzen wir also in dem ersten Satz für das Wort „Gut" seinen wagnerischen *Begriffsinhalt*, so lautet der erste Satz des angeführten Passus:

„Es ist ein *natürliches Bestreben ‚des' Menschen*, sich das *Verhältnis*, in welchem die inneren und äußeren" Mittel zur Befriedigung seiner Bedürfnisse *„zu seinen Bedürfnissen* stehen, zum *deutlichen Bewußtsein* und *Verständnis zu bringen*". Wir können diesen Satz etwas vereinfachen, indem wir „die *inneren* Mittel" etc. fallenlassen, wie Herr Wagner im unmittelbar folgenden Satz dies sofort „beziehungsweise" tut.

„*Der*" Mensch? Ist hier die Kategorie „Mensch" gemeint, so hat er überhaupt „keine" Bedürfnisse; wenn der Mensch, der vereinzelt der Natur gegenübersteht, so ist er als Nicht-Herdentier aufzufassen; wenn ein in irgendeiner Form der Gesellschaft schon befindliche Mensch – und dies unterstellt Herr Wagner, da „der" Mensch bei ihm, wenn auch keine Universitätserziehung, doch jedenfalls Sprache besitzt –, so ist als Ausgangspunkt der bestimmte Charakter dieses gesellschaftlichen Menschen vorzuführen, d.h. der bestimmte Charakter des Gemeinwesens, worin er lebt, da hier die Produktion, also sein *Lebensgewinnungsprozeß* schon irgendeinen gesellschaftlichen Charakter hat.

Aber bei einem Professoralschulmeister sind die Verhältnisse der Menschen zur Natur von vornherein nicht *praktische*, also durch die Tat begründete Verhältnisse, sondern *theoretische*, und 2 Verhältnisse dieser Sorte sind gleich in dem ersten Satz ineinandergeschachtelt.

Erstens: da im folgenden Satz die *„äußeren Mittel zur Befriedigung seiner Bedürfnisse"* oder *„äußeren Güter"* sich verwandeln in *„Dinge der Außenwelt"*, so erhält dadurch das erste eingeschachtelte Verhältnis folgende Gestalt: der Mensch steht *im Verhältnis zu Dingen der Außenwelt* als Mittel zur Befriedigung seiner Bedürfnisse. Aber die Menschen beginnen keineswegs damit, „in diesem theoretischen Verhältnis zu *Dingen der Außenwelt* zu stehen". Sie fangen, wie jedes Tier, damit an, *zu essen, zu trinken* etc., also nicht in einem Verhältnis zu „stehen", sondern *sich aktiv zu verhalten*, sich gewisser Dinge der Außenwelt zu bemächtigen durch die Tat, und so ihr

Bedürfnis zu befriedigen. (Sie beginnen also mit der Produktion.) Durch die Wiederholung dieses Prozesses prägt sich die Eigenschaft dieser Dinge, ihre „Bedürfnisse zu befriedigen“, ihrem Hirn ein, die Menschen wie Tiere lernen auch „theoretisch“ die äußern Dinge, die zur Befriedigung ihrer Bedürfnisse dienen, vor allen andern unterscheiden. Auf gewissem Grad der Fortentwicklung, nachdem unterdes auch ihre Bedürfnisse und die Tätigkeiten, wodurch sie befriedigt werden, sich vermehrt und weiterentwickelt haben, werden sie auch bei der ganzen Klasse diese erfahrungsmäßig von der übrigen Außenwelt unterschiednen Dinge sprachlich taufen. Dies tritt notwendig ein, da sie im Produktionsprozeß – i.e. Aneignungsprozeß dieser Dinge – fortdauernd in einem werktätigen Umgang unter sich und mit diesen Dingen stehn und bald auch im Kampf mit andern um diese Dinge zu ringen haben. Aber diese sprachliche Bezeichnung drückt durchaus nur aus als Vorstellung, was wiederholte Bestätigung zur Erfahrung gemacht hat, nämlich daß den in einem gewissen gesellschaftlichen Zusammenhang bereits lebenden Menschen {dies der Sprache wegen notwendige Voraussetzung} gewisse äußere Dinge zur Befriedigung ihrer Bedürfnisse dienen. Die Menschen legen diesen Dingen nur einen besondern (generic) Namen bei, weil sie bereits wissen, daß dieselben zur Befriedigung ihrer Bedürfnisse dienen, weil sie ihrer durch mehr oder minder oft wiederholte Tätigkeit habhaft zu werden und sie daher auch in ihrem Besitz zu erhalten suchen; sie nennen sie vielleicht „Gut“ oder sonst etwas, was ausdrückt, daß sie praktisch diese Dinge gebrauchen, daß diese Dinge ihnen nützlich, und geben dem Ding diesen Nützlichkeitscharakter als von ihm besessen, obgleich es einem Schaf schwerlich als eine seiner „nützlichen“ Eigenschaften vorkäme, daß es vom Menschen eßbar ist.

Also: die Menschen fingen tatsächlich damit an, gewisse Dinge der Außenwelt als Befriedigungsmittel ihrer eignen Bedürfnisse sich anzueignen etc. etc.; später kommen sie dazu, *sie auch sprachlich* als das, was sie in praktischer Erfahrung für sie sind, nämlich als *Befriedigungsmittel ihrer Bedürfnisse* zu bezeichnen, als Dinge, die sie „befriedigen“. Nennt man nun diesen Umstand, daß die Menschen solche Dinge nicht nur praktisch als Befriedigungsmittel ihrer Bedürfnisse behandeln, sondern sie auch in der Vorstellung und, weiter, sprachlich als ihre Bedürfnisse, also *sie selbst „befriedigende“* Dinge bezeichnen {solange das Bedürfnis des Menschen nicht befriedigt ist, ist er im *Unfrieden* mit seinen Bedürfnissen, also mit sich selbst}, nennt man dies, „nach dem deutschen Sprachgebrauch“, ihnen einen „*Wert* beilegen“, so hat man bewiesen, daß der allgemeine Begriff „*Wert*“ entspringt aus dem Verhalten der Menschen zu den in der Außenwelt vorgefundnen Dingen, welche ihre Bedürfnisse befriedigen, und mithin, daß dies der *Gattungsbegriff* von „*Wert*" ist und alle andern Wertsorten, wie z.B. der chemische Wert der Elemente, nur eine Abart davon.*

Es ist „das natürliche Bestreben" eines deutschen Ökonomieprofessors, die ökonomische Kategorie „Wert" aus einem „*Begriff*" abzuleiten, und das erreicht er dadurch, daß, was in der politischen Ökonomie vulgo „Gebrauchswert" heißt, „nach deutschem Sprachgebrauch" in „*Wert*" schlechthin umgetauft wird. Und sobald der „Wert" schlechthin gefunden ist, dient er hinwiederum wieder dazu, „*Gebrauchswert*" aus dem „Wert schlechthin" *abzuleiten*. Man hat dazu nur das „Gebrauchs"fragment, das man fallen ließ, wieder vor den „Wert" schlechthin zu setzen.

Ist in der Tat Rau (siehe p. 88 [233]), der uns schlicht sagt, daß es „nötig ist" (für die deutschen Professoralschulmeister) „festzusetzen, was unter *Wert schlechthin* gemeint sei", und der naiv hinzusetzt: „und es ist *dem deutschen Sprachgebrauch gemäß*, hierzu – den *Gebrauchswert zu wählen*". {In der Chemie heißt *chemischer Wert* eines Elements die Anzahl, worin eins seiner Atome sich mit Atomen andrer Elemente verbinden kann. Aber auch das Verbindungsgewicht der Atome hieß Äquivalenz, Gleichwert verschiedner Elemente etc. etc. Also muß man erst den Begriff „Wert schlechthin" bestimmen etc. etc.}

Bezieht sich der Mensch auf *Dinge als „Befriedigungsmittel seiner Bedürfnisse"*, so bezieht *er sich auf sie als „Güter"*, *teste*[1] *Wagner*. Er legt ihnen das Attribut „Gut" bei; der *Inhalt dieser Operation* wird in keiner Art dadurch verändert, daß Herr Wagner dies umtauft in „*Wert beilegen*". Sein eignes faules Bewußtsein kommt sofort „zum Verständnis" in dem nächstfolgenden Satz:

> „Dies geschieht durch die *Schätzung* (*Wert*schätzung), wodurch *den Gütern, beziehungsweise* den *Dingen der Außenwelt Wert beigelegt* und derselbe *gemessen* wird."

Wir wollen kein Wort darüber verlieren, daß Herr Wagner den *Wert* ableitet aus der *Wert*schätzung (er selbst fügt dem Wort *Schätzung*, um die

---

* [In der Handschrift gestrichen:] Bei Herrn Wagner wird diese „Deduktion" aber noch schöner, weil er es mit „*dem*" Menschen, nicht mit „den" Menschen zu tun hat. Diese sehr einfache „Deduktion" drückt Herr Wagner so aus: „Es ist ein *natürliches Streben* des Menschen" (lies: des deutschen Ökonomieprofessors), „das Verhältnis", wonach Dinge der Außenwelt als Befriedigungsmittel menschlicher Bedürfnisse nicht nur sind, sondern als solche sprachlich anerkannt sind und daher auch dienen

---

[1] *siehe*

Sache „zum deutlichen Bewußtsein und Verständnis zu bringen", in Parenthese „*Wert*schätzung" zu). „*Der* Mensch" hat das „natürliche Bestreben", dies zu tun, die Güter als „*Werte*" zu „schätzen", und gestattet so Herrn Wagner, die von ihm versprochne Leistung des „*Wert*begriffs im allgemeinen" *abzuleiten.* Wagner schmuggelt nicht umsonst dem Wort „Gütern" „*beziehungsweise*" die „*Dinge der Außenwelt*" unter. Er ging davon aus: Der Mensch „verhält" sich zu „Dingen der Außenwelt", die Befriedigungsmittel seiner Bedürfnisse sind, als zu „*Gütern*". Er *schätzt* diese Dinge also eben dadurch, daß er sich zu ihnen als „Gütern" verhält. Und wir haben für diese „Schätzung" bereits frühere „Umschreibung" gehabt, dahin lautend z. B.:

„Der Mensch steht mit der ihn *umgebenden Außenwelt* als *bedürftiges* Wesen in fortdauernder Berührung und *erkennt, daß in jener viele Bedingungen seines Lebens und Wohlbefindens* liegen" (p. 8).

Dies heißt doch weiter nichts, als daß er „die Dinge der Außenwelt *schätzt*", sofern sie sein „bedürftiges Wesen" befriedigen, Befriedigungsmittel seiner Bedürfnisse sind, und darum, wie wir vorher hörten, sich zu ihnen als „Gütern" verhält.

Nun kann man, namentlich, wenn man das „natürliche" Professoral-„Bestreben" fühlt, den *Begriff des Werts im allgemeinen* abzuleiten, dies: „den Dingen der Außenwelt" das Attribut „Güter" beilegen, auch *benamsen,* ihnen „*Wert beilegen*". Man hätte auch sagen können: Indem der Mensch sich zu den seine Bedürfnisse befriedigenden Dingen der Außenwelt als „Gütern" verhält, „preist" er sie, legt ihnen also „*Preis*" bei, und damit wäre denn die Ableitung des Begriffs des „*Preises* schlechthin" durch die Verfahrensart „*des*" Menschen dem Professor germanicus ready cut[1] geliefert. Alles, was der Professor selbst nicht tun kann, läßt er „den" Menschen tun, der aber in der Tat selbst wieder nichts ist, als der *Professoralmensch,* der die Welt begriffen zu haben meint, wenn er sie unter abstrakten Rubriken rangiert. Sofern aber den Dingen der Außenwelt „*Wert* beilegen" hier nur eine andere Redensart ist für den Ausdruck, ihnen das Attribut „*Güter*" beilegen, so ist damit beileibe nicht, wie das Wagner erschleichen will, den „*Gütern*" *selbst* „*Wert*" beigelegt als eine von ihrem „Gutsein" verschiedne Bestimmung. Es ist nur dem Wort „Gut" das Wort „Wert" untergeschoben. {Es könnte, wie wir sehen, auch das Wort „*Preis*" untergeschoben werden. Es könnte auch das Wort „*Schatz*" untergeschoben werden; denn indem „*der*" Mensch gewisse „Dinge der Außenwelt" zu „*Gütern*" stempelt,

[1] dem deutschen Professor auf den Leib zugeschnitten

„schätzt" er sie und verhält sich daher zu ihnen als einem „*Schatz*". Man sieht daher, wie die 3 ökonomischen Kategorien *Wert, Preis, Schatz* von Herrn Wagner auf einen Schlag aus „dem natürlichen Streben des Menschen", dem Professor seine vernagelte Begriffs(Vorstellungs)welt zu liefern, hervorgezaubert werden konnten.} Aber Herr Wagner hat den dunklen Trieb, seinem Labyrinth von Tautologie zu entschlüpfen und ein „weiteres etwas" oder „etwas weiteres" zu erschleichen. Daher die Phrase: „wodurch den Gütern, *beziehungsweise* den Dingen der Außenwelt *Wert beigelegt* etc. wird". Da Herr Wagner das Stempeln von „Dingen der Außenwelt" zu *Gütern*, d.h. das *Auszeichnen* und *Fixieren* derselben (in der Vorstellung) als *Befriedigungsmittel* menschlicher Bedürfnisse, ditto benamst hat: diesen „Dingen *Wert beilegen*", so kann er dies ebensowenig nennen: „den *Gütern*" selbst *Wert* beilegen, als er sagen könnte, dem „Wert" der Dinge der Außenwelt *Wert beilegen*. Aber der salto mortale wird gemacht in dem Wort „*Gütern, beziehungsweise* den Dingen der Außenwelt *Wert beilegen*". Wagner hätte sagen müssen: das Stempeln gewisser Dinge der Außenwelt zu „*Gütern*" kann auch *genannt* werden: diesen Dingen „*Wert beilegen*", und dies ist die Wagnersche *Ableitung* des „*Wertbegriffs*" schlechthin oder im allgemeinen. Der *Inhalt* wird nicht verändert durch diese *Änderung* des sprachlichen Ausdrucks. Es ist stets nur das *Auszeichnen* oder *Fixieren in der Vorstellung* der Dinge der Außenwelt, welche Befriedigungsmittel menschlischer Bedürfnisse sind; in der Tat also nur die *Erkennung und Anerkennung gewisser Dinge der Außenwelt als Befriedigungsmittel von Bedürfnissen* „*des*" Menschen (der jedoch als solcher in der Tat am „Begriffsbedürfnis" leidet).

Aber Herr Wagner will uns oder sich selbst weismachen, daß er, statt 2 Namen den selben Gehalt zu geben, vielmehr von der Bestimmung „Gut" zu einer davon unterschiednen, weiterentwickelten *Bestimmung* „Wert" fortgeschritten ist, und dies geschieht einfach dadurch, daß er „Dingen der Außenwelt" „*beziehungsweise*" das Wort „Güter" unterschiebt, ein Prozeß, der wieder dadurch „verdunkelt" wird, daß er „den Gütern" „*beziehungsweise*" die „Dinge der Außenwelt" unterschiebt. Seine eigne Konfusion erreicht so den sichern Effekt, seine Leser konfus zu machen. Er hätte diese schöne „Ableitung" auch umkehren können wie folgt: Indem der Mensch die Dinge der Außenwelt, welche Befriedigungsmittel seiner Bedürfnisse sind, als solche Befriedigungsmittel von den übrigen Dingen der Außenwelt *unterscheidet* und daher *auszeichnet, würdigt* er sie, legt er *ihnen Wert bei* oder gibt ihnen *das Attribut „Wert"*; man kann dies auch so ausdrücken, daß er ihnen das Attribut „*Gut*" als Charaktermal beilegt oder sie als „Gut" achtet oder schätzt. Dadurch wird den „*Werten*“, *beziehungsweise* den Dingen der Außenwelt der Begriff „*Gut*“ *beigelegt*. Und so ist aus dem Begriff „Wert“ der Begriff „*Gut*“ im allgemeinen „abgeleitet“. Es handelt sich bei allen derartigen *Ableitungen* nur darum, von der Aufgabe, deren Lösung man nicht gewachsen ist, *abzuleiten*.

Aber Herr Wagner geht im selben Atem vom „Wert“ *der Güter* in aller Geschwindigkeit zum „*Messen*“ dieses Werts über.

Der Inhalt bleibt absolut derselbe, wäre das Wort Wert überhaupt nicht hineingeschmuggelt worden. Es könnte gesagt werden: Indem der Mensch gewisse Dinge der Außenwelt, die etc. zu „*Gütern*“ stempelt, wird er nach und nach diese „Güter“ untereinander vergleichen und, entsprechend der Hierarchie seiner Bedürfnisse, in eine gewisse Rangordnung bringen, d.h. wenn man es so nennen will, sie „*messen*“. Von der Entwicklung der *wirklichen Maße dieser Güter*, i.e. der Entwicklung ihrer *Größenmaße*, darf Wagner hier beileibe nicht sprechen, da dies den Leser zu lebhaft daran erinnern würde, wie wenig es sich hier um das handelt, was sonst unter „*Wertmessen*“ verstanden wird.

{Daß das *Auszeichnen* von (Hinweisen auf) Dingen der Außenwelt, die Befriedigungsmittel menschlicher Bedürfnisse sind, als „*Güter*“ auch *benamst* werden kann: diesen Dingen „Wert beilegen“, konnte Wagner nicht nur wie Rau aus dem „deutschen Sprachgebrauch“ nachweisen, sondern: Da ist das lateinische Wort *dignitas* = *Würde, Würdigkeit, Rang* etc., welches Dingen beigelegt auch „*Wert*“ bedeutet; dignitas ist abgeleitet von *dignus* und dies von *dic, point out, show, auszeichnen, zeigen; dignus* meint also *pointed out;* daher auch *digitus*, der Finger, womit man zeigt ein Ding, darauf hinweist; *griechisch:* δείκ-νυμι, δάκ-τυλος (finger); *got[isch]:* ga-tecta (dico); *deutsch: zeigen;* und wir könnten noch zu viel weiteren „Ableitungen“ kommen, in Betracht, daß δείκνυμι oder δεικνύω (sichtbar machen, zum Vorschein bringen, *hinweisen*) mit δέχομαι den Grundstamm δέκ (hinhalten, *nehmen*) gemein hat.}

So viel Banalität, tautologischer Wirrwarr, Wortklauberei, Erschleichungsmanöver bringt Herr Wagner in nicht ganz 7 Zeilen fertig.

Kein Wunder, daß dieser Dunkelmann (vir obscurus) nach diesem Kunststück mit großem Selbstgefühl fortfährt:

„Der vielfach streitige und durch manche oft *nur scheinbar tiefsinnige Untersuchungen* noch *verdunkelte Wertbegriff* entwickelt sich einfach“ (indeed[1]) {rather[2] „verwikkelt“ sich}, „wenn man, wie bisher geschehen“ {nämlich von Wagner} „vom Bedürfnis

[1] in der Tat – [2] vielmehr

und der *wirtschaftlichen Natur* des Menschen ausgeht und zum *Gutsbegriff* gelangt und *an diesen den Wertbegriff – anknüpft*" (p.46).

Man hat hier die *Begriffs*wirtschaft, deren angebliche *Entwicklung* beim vir obscurus herausläuft auf das „*Anknüpfen*" und gewissermaßen aufs „*Aufknüpfen*".

Weitere Ableitung des Wertbegriffs:

Subjektiver und objektiver Wert. Subjektiv und im *allgemeinsten Sinn* der *Wert des Gutes = Bedeutung*, die „*dem Gute wegen... seiner Nützlichkeit* beigelegt wird... *keine* Eigenschaft der Dinge an sich, wenn er auch objektiv die Nützlichkeit eines Dinges zur Voraussetzung hat" {also den „*objektiven*" *Wert* zur Voraussetzung hat} „... Im *objektiven* Sinn versteht man unter ‚*Wert*', ‚*Werten*' dann auch die *werthabenden Güter*, wo (!) Gut und Wert, Güter und Werte im wesentlichen identische Begriffe *werden*" (p.46, 47).

Nachdem Wagner das, was gewöhnlich „*Gebrauchswert*" benamst wird, zum „*Wert im allgemeinen*", zum „*Wertbegriff*" schlechthin ernannt hat, kann es ihm gar nicht fehlen, sich zu erinnern, daß „der also" (so! so!) „abgeleitete" (!) „Wert" der „*Gebrauchswert*" ist. Nachdem er erst den „Gebrauchswert" zum „Wertbegriff" im allgemeinen, zum „Wert schlechthin" ernannt hat, entdeckt er hinterher, daß er nur über den „Gebrauchswert" gefaselt, diesen also „abgeleitet" hat, da für ihn Faseln und Ableiten „im wesentlichen" identische Denkoperationen sind. Aber bei dieser Gelegenheit erfahren wir, welche subjektive Bewandtnis es mit der bisherigen „objektiven" Begriffsverwirrung der pp. Wagner hat. Er enthüllt uns nämlich ein Geheimnis. Rodbertus hatte einen Brief an ihn geschrieben, zu lesen in der Tübinger Zeitschrift[234] 1878, wo er, Rodbertus, auseinandersetzt, warum „es nur eine Art von Wert" gibt, den Gebrauchswert.

„Ich" (Wagner) „habe mich dieser Auffassung angeschlossen, deren Bedeutung ich schon in der ersten Auflage einmal hervorhob."

Von [dem,] was Rodbertus sagt, sagt Wagner:

„Das ist vollkommen richtig und nötigt zu einer Änderung der üblichen unlogischen ‚*Einteilung*' des ‚*Werts*' in *Gebrauchswert und Tauschwert*, wie ich sie in § 35 der ersten Auflage auch noch *vorgenommen* hatte" (p.48, N.4),

und derselbe Wagner rangiert mich (p.49, Note) unter die Leute, nach denen der „Gebrauchswert" ganz „aus der Wissenschaft" „entfernt" werden soll.

Alles das sind „Faseleien". De prime abord[1] gehe ich nicht aus von „Begriffen", also auch nicht vom „Wertbegriff", und habe diesen daher auch in

---

[1] Von vornherein

keiner Weise „einzuteilen". Wovon ich ausgehe, ist die einfachste gesellschaftliche Form, worin sich das Arbeitsprodukt in der jetzigen Gesellschaft darstellt, und dies ist die „*Ware*". Sie analysiere ich, und zwar zunächst in der *Form, worin sie erscheint*. Hier finde ich nun, daß sie einerseits in ihrer Naturalform ein *Gebrauchsding*, alias *Gebrauchswert* ist; andrerseits *Träger von Tauschwert*, und unter diesem Gesichtspunkt selbst „Tauschwert". Weitere Analyse des letzteren zeigt mir, daß der Tauschwert nur eine „Erscheinungs*form*", selbständige Darstellungsweise des in der Ware enthaltnen *Werts* ist, und dann gehe ich an die Analyse des letzteren. Es heißt daher ausdrücklich, p. 36, 2. Ausg.[231]: „Wenn es im Eingang dieses Kapitels in der gang und gäben Manier hieß: Die Ware ist Gebrauchswert und Tauschwert, so war dies, genau gesprochen, falsch. Die Ware ist Gebrauchswert oder Gebrauchsgegenstand und ‚Wert'. Sie stellt sich dar als dies Doppelte was sie ist, sobald *ihr Wert* eine eigne, von ihrer Naturalform *verschiedne Erscheinungsform* besitzt, die des *Tauschwerts*"[1] etc. Ich teile also nicht *den* Wert in Gebrauchswert und Tauschwert als Gegensätze, worin sich das Abstrakte, „der Wert", spaltet, sondern die *konkrete gesellschaftliche Gestalt* des Arbeitsprodukts; „*Ware*" ist einerseits Gebrauchswert und andrerseits „Wert", nicht Tauschwert, da die bloße Erscheinungsform nicht ihr eigner *Inhalt* ist.

Zweitens: Nur ein vir obscurus, der kein Wort des „Kapitals" verstanden hat, kann schließen: Weil Marx in einer Note zur ersten Ausgabe des „Kapitals"[235] allen deutschen Professoralkohl über „Gebrauchswert" im allgemeinen verwirft und Leser, die etwas über wirkliche Gebrauchswerte wissen wollen, auf „Anleitungen zur Warenkunde" verweist, – daher spielt der *Gebrauchswert* bei ihm keine Rolle. Er spielt natürlich nicht die Rolle seines Gegenteils, des „Wertes", der nichts mit ihm gemein hat, als daß „Wert" im Namen „Gebrauchswert" vorkommt. Er hätte ebensogut sagen können, daß der „Tauschwert" bei mir beiseite gesetzt wird, weil er nur Erscheinungsform des Wertes, aber nicht der „Wert" ist, da für mich der „Wert" einer Ware weder ihr Gebrauchswert ist, noch ihr Tauschwert.

Wenn man die „Ware" – das einfachste ökonomische Konkretum – zu analysieren hat, hat man alle Beziehungen fernzuhalten, die mit dem vorliegenden Objekt der Analyse nichts zu schaffen haben. Was aber von der Ware, soweit sie Gebrauchswert, zu sagen ist, habe ich daher in wenigen Zeilen gesagt, andrerseits aber die *charakteristische Form* hervorgehoben, in der hier der Gebrauchswert – das Arbeitsprodukt – erscheint; nämlich:

[1] Vgl. Band 23 unserer Ausgabe, S. 75

„Ein Ding[1] kann nützlich und Produkt menschlicher Arbeit sein, ohne Ware zu sein. Wer durch sein Produkt sein eignes Bedürfnis befriedigt, schafft zwar Gebrauchswert, aber nicht Ware. Um Ware zu produzieren, *muß er nicht nur Gebrauchswert produzieren*, sondern *Gebrauchswert für andre, gesellschaftlichen Gebrauchswert*"[2] (p. 15[231]). {Dies die Wurzel des Rodbertusschen *„gesellschaftlichen Gebrauchswerts"*.} Damit besitzt der Gebrauchswert – als Gebrauchswert der „Ware" – selbst einen historisch-spezifischen Charakter. Im primitiven Gemeinwesen, worin z.B. die Lebensmittel gemeinschaftlich produziert und verteilt werden unter den Gemeindegenossen, befriedigt das gemeinsame Produkt direkt die Lebensbedürfnisse jedes Gemeindegenossen, jedes Produzenten, der gesellschaftliche Charakter des Produkts, des Gebrauchswerts, liegt hier in *seinem (gemeinsamen) gemeinschaftlichen Charakter*. {Herr Rodbertus dahingegen verwandelt den „gesellschaftlichen Gebrauchswert" der *Ware* in den „gesellschaftlichen Gebrauchswert" schlechthin, faselt daher.}

Es wäre also, wie aus dem obigen hervorgeht, reine Faselei, bei Analyse der Ware – weil sie sich einerseits als Gebrauchswert oder Gut, andrerseits als „Wert" darstellt – nun bei dieser Gelegenheit allerlei banale Reflexionen über Gebrauchswerte oder Güter „anzuknüpfen", die nicht in den Bereich der Warenwelt fallen, wie „Staatsgüter", „Gemeindegüter" etc., wie es Wagner und der deutsche Professor in general[3] tut, oder über das Gut „Gesundheit" etc. Wo der Staat selbst kapitalistischer Produzent, wie bei Exploitation von Minen, Waldungen etc., ist sein Produkt „Ware" und besitzt daher den spezifischen Charakter jeder andren Ware.

Andrerseits hat der vir obscurus übersehn, daß schon in der Analyse der Ware bei mir nicht stehngeblieben wird bei der Doppelweise, worin sie sich darstellt, sondern gleich weiter dazu fortgegangen wird, daß in diesem Doppelsein der Ware sich darstellt zwiefacher *Charakter* der *Arbeit*, deren Produkt sie ist: der *nützlichen* Arbeit, i.e. den konkreten Modi der Arbeiten, die Gebrauchswerte schaffen, und der abstrakten *Arbeit*, der *Arbeit als Verausgabung der Arbeitskraft*, gleichgültig in welcher „nützlichen" Weise sie verausgabt werde (worauf später die Darstellung des Produktionsprozesses beruht); daß in der Entwicklung der *Wertform der Ware*, in letzter Instanz ihrer Geldform, also des *Geldes*, der *Wert* einer Ware sich darstellt im *Gebrauchswert* der andern, d.h. in der Naturalform der andern Ware; daß der *Mehrwert* selbst abgeleitet wird aus einem „spezifischen" und ihr exklusive zukommenden *Gebrauchswert der Arbeitskraft* etc. etc.,

[1] In der Handschrift: Produkt – [2] vgl. Band 23 unserer Ausgabe, S. 55 – [3] im allgemeinen

daß also bei mir der Gebrauchswert eine ganz anders wichtige Rolle spielt als in der bisherigen Ökonomie, daß er aber notabene immer nur in Betracht kommt, wo solche Betrachtung aus der Analyse gegebner ökonomischer Gestaltungen entspringt, nicht aus Hin- und Herräsonieren über die Begriffe oder Worte „Gebrauchswert" und „Wert".

Deswegen werden bei Analyse der Ware auch nicht bei Gelegenheit ihres „Gebrauchswerts" sofort Definitionen des „Kapitals" angeknüpft, die ja reiner Unsinn sein müssen, solange wir erst bei Analyse der Elemente der Ware stehn.

Was Herrn Wagner aber bei meiner Darstellung ennuyiert (schockiert), ist, daß ich ihm nicht den Gefallen tue, dem deutsch-vaterländischen Professoral-„Bestreben" zu folgen, und Gebrauchswert und Wert zu konfundieren. Obgleich die deutsche Gesellschaft sehr post festum, ist sie doch nach und nach aus der feudalen Naturalwirtschaft, oder wenigstens deren Vorwiegen, zur kapitalistischen Wirtschaft gelangt, aber die Professoren stehn mit einem Fuß immer noch im alten Dreck, was natürlich. Aus Leibeignen von Gutsbesitzern haben sie sich in Leibeigne des Staats, vulgo Regierung, verwandelt. Daher sagt auch unser vir obscurus, der nicht einmal bemerkt hat, daß meine *analytische* Methode, die nicht von *dem* Menschen, sondern der ökonomisch gegebnen Gesellschaftsperiode ausgeht, mit der professoraldeutschen Begriffsanknüpfungs-Methode nichts gemein hat („mit Worten läßt sich trefflich streiten, mit Worten ein System bereiten"), deswegen sagt er:

„Ich stelle im Einklang mit der *Rodbertusschen* und auch mit der *Schäffleschen* Auffassung den *Gebrauchswert*-Charakter *alles Werts* [voran] und hebe die Gebrauchswert-Schätzung um so mehr hervor, *weil* die Tauschwert-Schätzung auf viele der wichtigsten wirtschaftlichen Güter schlechterdings gar nicht anwendbar ist" {was zwingt ihn zu Ausreden? also als Staatsdiener fühlt er sich verpflichtet, Gebrauchswert und Wert zu konfundieren!}, „*so nicht auf den Staat und seine Leistungen*, noch auf andre gemeinwirtschaftliche Verhältnisse" (p. 49, Note).

{Es erinnert dies an die alten Chemiker vor der Wissenschaft der Chemie: weil Kochbutter, die im gewöhnlichen Leben Butter schlechthin (nach nordischer Sitte) heißt, einen weichen Bestand habe, nannten sie *Chloride*, *Zinkbutter*, *Antimonbutter* etc. Buttersäfte, hielten also, um mit dem vir obscurus zu reden, am *Butter*charakter aller Chloriden, Zink-, Antimon-(Verbindungen) fest.} Das Geschwätz kommt darauf hinaus: Weil gewisse Güter, namentlich *der Staat* (ein Gut!) und seine *„Leistungen"* (namentlich die Leistungen seiner Professoren der politischen Ökonomie), *keine* „Waren" sind, darum müssen die in den „Waren" selbst enthaltnen entgegengesetzten Charaktere {die auch in der *Warenform* des Arbeitsprodukts *ausdrücklich* erscheinen} miteinander konfundiert werden! Bei Wagner und Konsorten übrigens schwer zu behaupten, daß sie mehr gewinnen, wenn ihre „Leistungen" nach deren „Gebrauchswert", nach deren sachlichem „Gehalt", als wenn sie nach ihrem „*Gehalt*" (durch „Sozialtaxe", wie Wagner das ausdrückt) bestimmt, d.h. nach ihrer *Zahlung* „geschätzt" werden.

{Das Einzige, was dem deutschen Blödsinn deutlich zugrund liegt, ist, daß sprachlich die Worte: *Wert* oder *Würde* zuerst auf die nützlichen Dinge selbst angewandt wurden, die lange existierten, selbst als „Arbeitsprodukte", bevor sie zu *Waren* wurden. Das hat aber mit der wissenschaftlichen Bestimmung des Waren-„Werts" grade soviel zu tun wie der Umstand, daß das Wort *Salz* bei den Alten zuerst für Kochsalz angewandt wurde, und daher auch *Zucker* etc. seit Plinius als *Salzarten* figurieren {indeed alle farblosen festen Körper in Wasser löslich und mit eigentümlichem Geschmack}, deswegen die chemische Kategorie „Salz" Zucker etc. in sich begreift.}

{Da die Ware vom Käufer gekauft wird, nicht weil sie Wert hat, sondern weil sie „Gebrauchswert" ist und zu bestimmten Zwecken gebraucht wird, versteht es sich ganz von selbst, 1. daß die Gebrauchswerte „geschätzt" werden, d.h. ihre *Qualität* untersucht wird (ganz wie ihre *Quantität* gemessen, gewogen etc. wird); 2. daß, wenn verschiedne Warensorten einander substituiert werden können für dieselbe Gebrauchsanwendung, dieser oder jener der Vorzug gegeben wird etc. etc.}

Im Gotischen nur ein Wort für *Wert* und *Würde*: vairths, τιμή, {τιμάω – *schätzen*, das ist anschlagen; den *Preis* oder *Wert* bestimmen; *taxieren; metaph[orisch] würdigen, wertschätzen, in Ehren halten, auszeichnen.* Τιμή – *Schätzung, daher:* Bestimmung des Werts oder Preises, Anschlag, Abschätzung. Dann: *Wertschätz[ung]*, auch *Wert, Preis selbst* (Herodot, Plato), αἱ τιμαί – *Spesen* bei *Demost[henes]*. Dann: *Wertschätzung, Ehre*, Achtung, Ehrenstelle, Ehrenamt etc., „*Griech[isch]-Deutsch[es] Lexikon*" *von Rost.*}

Wert, Preis (Schulze, Glossar) gotisch: vairths, adj., ἄξιος, ἱκανός; *altnordisch: verdhr*, würdig, *verdh, Wert, Preis; angels[ächsisch]:* veordh, *vurdh;* engl[isch]: *worth*, adj. und Subst. *Wert* und *Würde*.

„*mittelhochdeutsch: wert*, gen. *werdes*, adj. *dignus* und ebenso *pfennincwert*.
-*wert*, gen. *werdes*, Werth, Würde, Herrlichkeit, *aestimatio, Ware von bestimmtem Werth*, z.B. *pfenwert, pennyworth*.
-*werde:* meritum, *aestimatio*, dignitas, wertvolle Beschaffenheit". (*Ziemann*, „Mittelh[och]d[eutsches] Wörterbuch".)

Wert und Würde hängen also ganz zusammen, nach Etymologie und

Bedeutung. Was die Sache verdeckt, ist die im Neuhochdeutsch gebräuchlich gewordene *unorganische* (falsche) *Flexionsweise* von Wert: Werth, Wer*th*es statt Wer*d*es, denn dem got[ischen] *th* entspricht hochdeutsch *d*, nicht *th* = *t*, und dies ist auch im Mittelhochdeutsch so der Fall (*wert*, gen. *werdes*, daselbst). Nach mittelhochdeutscher Regel müßte d am Schluß des Worts t werden, also *wert* statt *werd*, aber genit. *werdes*.

Alles dies hat aber mit der ökonomischen Kategorie „Wert" grad soviel und sowenig zu schaffen wie mit dem *chemischen Wert der chem. Elemente* (Atomigkeit) oder mit den chemischen Äquivalenten oder Gleichwerten (Verbindungsgewichten der chem. Elemente).

Ferner ist zu bemerken, daß selbst in dieser sprachlichen Beziehung – wenn aus der ursprünglichen Identität von *Würde* und *Wert* von selbst folgt, wie aus der Natur der Sache, daß dies Wort auch auf Sachen, Arbeitsprodukte in ihrer Naturalform sich bezog – es später unverändert direkt auf *Preise*, i.e. den Wert in seiner entwickelten Wertform – i.e. Tauschwert übertragen wurde, was so wenig mit der Sache zu tun hat, als daß dasselbe Wort für Würde im allgemeinen, für Ehrenamt etc., fortfuhr angewandt zu werden. Also hier sprachlich keine Unterscheidung zwischen Gebrauchswert und Wert.

Kommen wir nun zum Gewährsmann des vir obscurus, zu *Rodbertus* {dessen Aufsatz in der *Tübinger Zeitschrift* anzusehn ist}. Was vir obscurus von Rodbertus zitiert, ist folgendes:

Im *Text der p.48:*

„Es gibt nur *eine Art Wert* und das ist der Gebrauchswert. Dieser ist entweder *individueller* Gebrauchswert oder *sozialer* Gebrauchswert. Der erstere steht dem Individuum und seinen Bedürfnissen gegenüber, ohne alle Berücksichtigung einer sozialen Organisation."

{Dies schon Blödsinn (vgl. das „Kapital", p. 171 [231]), wo aber gesagt: daß der *Arbeitsprozeß* als zweckmäßige Tätigkeit zur Herstellung von Gebrauchswerten etc. „allen seinen" (des menschlichen Lebens) „*Gesellschaftsformen gleich gemeinsam*" und „*von jeder derselben unabhängig ist*"[1]. Erstens steht dem Individuum nicht das Wort „Gebrauchswert" gegenüber, sondern *konkrete Gebrauchswerte*, und *welche solcher* ihm „gegenüberstehn" (bei diesen Menschen „steht" alles; alles ist „ständisch"), hängt ganz von der Stufe des gesellschaftlichen Produktionsprozesses ab, entspricht also auch „einer sozialen Organisation". Will Rodbertus aber nur das Triviale sagen, daß der Gebrauchswert, der wirklich als Gebrauchsgegenstand

[1] Vgl. Band 23 unserer Ausgabe, S. 198

einem Individuum gegenübersteht, als individueller Gebrauchswert für es ihm gegenübersteht, so ist das eine triviale Tautologie oder aber falsch, da von solchen Dingen, wie Reis, Mais oder Weizen nicht zu sprechen oder Fleisch {das einem Hindu nicht als Nahrungsmittel gegenübersteht} nicht zu sprechen, einem Individuum das Bedürfnis eines Professor- oder Geheimrattitels oder eines Ordens nur in ganz bestimmter „sozialer Organisation" möglich ist.}

„Der zweite i st der *Gebrauchswert*, den ein aus vielen individuellen Organismen (bzw. Individuen) bestehender *sozialer* Organismus hat" (p.48, Text).

Schönes Deutsch! Handelt es sich hier um „Gebrauchswert" des „sozialen Organismus" oder um einen im Besitz eines „sozialen Organismus" befindlichen Gebrauchswert {wie z.B. Land in den primitiven Gemeinwesen}, oder um die bestimmte „soziale" Form des Gebrauchswerts in einem *sozialen Organismus*, wie z.B. dort, wo Warenproduktion das Herrschende, der Gebrauchswert, den ein Produzent liefert, „Gebrauchswert für andre" und in diesem Sinn „gesellschaftlicher Gebrauchswert" sein muß? Mit solcher Seichtbeutelei nichts zu wollen.

Also zum andern Satz des Faustus[1] des Wagner:

„Der Tauschwert ist nur der historische Um- und Anhang des sozialen Gebrauchswerts aus einer bestimmten Geschichtsperiode. Indem *man* dem Gebrauchswert *einen* Tauschwert *als logischen Gegensatz* gegenüberstellt, stellt man zu einem logischen Begriff einen historischen Begriff in logischen Gegensatz, was logisch nicht angeht" (p.48, Note 4). „Das ist", jubelt ibidem[2] Wagnerus, „das ist vollkommen richtig!"

Wer ist der „man", der dies verübt? Daß Rodbertus mich damit meint, sicher, da er nach R. Meyer, seinem famulus, ein „großes dickes Manuskript" gegen das „Kapital" geschrieben hat. Wer stellt in logischen Gegensatz? Herr Rodbertus, für den „Gebrauchswert" und „Tauschwert" beides von Natur bloße „Begriffe" sind. In der Tat begeht in jedem Preiskurant jede einzelne Warensorte diesen unlogischen Prozeß, sich als *Gut*, *Gebrauchswert*, als Baumwolle, Garn, Eisen, Korn etc. von der andern zu unterscheiden, von den anderen toto coelo[3] qualitativ verschiedenes „Gut" darzustellen, aber zugleich ihren *Preis* als qualitativ dasselbe, aber quantitativ verschiednes *desselbigen Wesens*. Sie präsentiert sich in ihrer Naturalform für den, der sie braucht, und in der davon durchaus verschiednen, ihr mit allen andern Waren „gemeinschaftlichen" *Wertform* sowie als *Tauschwert*. Es handelt sich hier um einen *„logischen"* Gegensatz nur bei Rodbertus und den ihm verwandten deutschen Professoralschulmeistern, die vom

[1] Rodbertus – [2] ebenda – [3] in jeder Hinsicht

„Begriff" Wert, nicht von dem „sozialen Ding", der „Ware" ausgehen, und diesen Begriff sich in sich selbst spalten (verdoppeln) lassen, und sich dann darüber streiten, welche von beiden Hirngespinsten der wahre Jakob ist!

Was aber im düstern Hintergrund der gespreizten Phrasen liegt, ist einfach die unsterbliche Entdeckung, daß der Mensch in allen Zuständen essen, trinken etc. muß {man kann nicht einmal fortfahren: sich kleiden oder Messer und Gabel oder Betten und Wohnungen haben, da dies nicht *unter allen Zuständen* der Fall}; kurz, daß er in allen Zuständen äußere Dinge zur Befriedigung seiner Bedürfnisse fertig in der Natur vorfinden und ihrer sich bemächtigen oder sich aus Naturvorgefundenem bereiten muß; in diesem seinen tatsächlichen Verfahren verhält er sich also faktisch stets zu gewissen äußeren Dingen als „Gebrauchswerten", d.h. er behandelt sie stets als Gegenstände für seinen Gebrauch; daher ist der Gebrauchswert nach Rodbertus ein „logischer" Begriff; also, da der Mensch auch atmen muß, so ist „Atem" ein „logischer" Begriff, aber beileibe nicht ein „physiologischer". Die ganze Flachheit des Rodbertus' tritt aber in seinem Gegensatz von „logischem" und „historischem" Begriff hervor! Er faßt den „Wert" (den ökonomischen, im Gegensatz zum Gebrauchswert der Ware) nur in seiner Erscheinungsform, dem *Tauschwert*, und da dieser nur auftritt, wo wenigstens irgendein Teil der Arbeitsprodukte, die Gebrauchsgegenstände, als „*Waren*" funktionieren, dies aber nicht von Anfang an, sondern erst in einer gewissen gesellschaftlichen Entwicklungsperiode, also auf einer bestimmten Stufe historischer Entwicklung geschieht, so ist der *Tauschwert* ein „historischer" Begriff. Hätte R[odbertus] nun – ich werde weiter unten sagen, warum er es nicht gesehn hat – weiter den Tauschwert der Waren analysiert – denn dieser existiert bloß, wo *Ware* im Plural vorkommt, verschiedne Warensorten –, so fand er den „Wert" hinter dieser Erscheinungsform. Hätte er weiter den Wert untersucht, so hätte er weiter gefunden, daß hierin das Ding, der „Gebrauchswert", als bloße *Vergegenständlichung* menschlicher Arbeit, als *Verausgabung gleicher menschlicher Arbeitskraft*, gilt und daher dieser Inhalt als *gegenständlicher* Charakter der *Sache* dargestellt ist, als [Charakter], der *ihr selbst* sachlich zukommt, obgleich diese Gegenständlichkeit in ihrer Naturalform *nicht* erscheint {was aber eine besondre *Wertform* nötig macht}. Er würde also gefunden haben, daß der „Wert" der Ware nur in einer historisch entwickelten Form ausdrückt, was in allen andern historischen Gesellschaftsformen ebenfalls existiert, wenn auch *in andrer Form, nämlich gesellschaftlicher Charakter der Arbeit*, sofern sie als *Verausgabung „gesellschaftlicher" Arbeitskraft* existiert. Ist „der Wert" der Ware so nur eine bestimmte historische Form von etwas, was in allen

Gesellschaftsformen existiert, so aber auch der „gesellschaftliche Gebrauchswert", wie er den „Gebrauchswert" der Ware charakterisiert. Herr Rodbertus hat das Maß der Wertgröße von Ricardo; aber ebensowenig wie Ricardo die Substanz des Werts selbst erforscht oder begriffen; z.B. der *„gemeinsame"* Charakter des [Arbeitsprozesses] im primitiven Gemeinwesen als Gemeinorganismus der zusammengehörigen Arbeitskräfte und daher der *ihrer Arbeit*, i.e. der Verausgabung dieser Kräfte.

Weiteres über den Kohl Wagners bei dieser Gelegenheit überflüssig.

Maß der Wertgröße. Herr Wagner einverleibt mich hier, findet aber zu seinem Bedauern, daß ich die *„Kapitalbildungsarbeit"* *„eliminiert"* habe (p.58, N.7).

„In einem durch Gesellschaftsorgane geregelten Verkehr muß die Bestimmung der *Taxwerte* bzw. der *Taxpreise* unter angemessener Berücksichtigung dieses *Kostenmoments"* {so nennt er das in der Produktion verausgabte etc. Arbeitsquantum} „erfolgen, wie es in den früheren obrigkeitlichen und gewerblichen Taxen im Prinzip auch geschah, und bei einem etwaigen *neuen Taxsystem"* {sozialistischen! ist gemeint} „wieder geschehn müßte. Die *Kosten* sind aber im freien Verkehr *nicht* der *ausschließliche* Bestimmungsgrund der Tauschwerte und der Preise und können dies in keinem *denkbaren sozialen Zustand* sein. Denn unabhängig von den Kosten müssen stets Gebrauchs*wert-* und *Bedürfnisschwankungen* eintreten, deren *Einfluß auf den Tauschwert und die Preise* (Vertrags- wie Taxpreise) dann den *Einfluß der Kosten* modifiziert und modifizieren muß" etc. (p.58, 59). „Die" {nämlich diese!} „scharfsinnige Berichtigung der sozialistischen Wertlehre... ist *Schäffle* zu verdanken" (!), welcher sagt *„Soc[ialer] Körper"* III, p. 278: „Bei keiner Art gesellschaftlicher Beeinflussung der Bedarfe und der Produktionen läßt es sich vermeiden, daß *alle Bedarfe* qualitativ und quantitativ je mit den Produktionen im Gleichgewicht bleiben. Ist dem aber so, so *können die sozialen Kostenwerts-Quotienten nicht zugleich proportional als soziale Gebrauchswerts-Quotienten* gelten" (p.59, N.9).

Daß dies nur auf die Trivialität des Steigens und Fallens der *Marktpreise* über oder unter Wert und auf die Voraussetzung hinaufkommt, daß im „Marxschen Sozialstaat" seine für die *bürgerliche* Gesellschaft entwickelte Werttheorie maßgebend *ist* – bezeugt die Phrase W[agner]s:

„Sie" (die Preise) „werden zeitweilig mehr oder weniger davon" {von den Kosten} „abweichen, bei den Gütern steigen, deren Gebrauchswert größer, bei denen fallen, deren Gebrauchswert kleiner geworden ist. *Nur auf die Dauer* werden sich die Kosten immer wieder als entscheidender Regulator geltend machen können" etc. (p.59).

Recht. Für die Phantasie des vir obscurus über den wirtschaftlich schöpferischen Einfluß des *Rechts* genügt eine Phrase, obgleich er den darin enthaltenen absurden Gesichtspunkt wieder und wieder auspatscht:

„Die Einzelwirtschaft hat an ihrer Spitze, als Organ der technischen und ökonomischen Tätigkeit in ihr..., eine *Person* als Rechts- und Wirtschaftssubjekt. Sie ist wieder keine rein wirtschaftliche Erscheinung, sondern zugleich von der Gestaltung des *Rechts* abhängig. Denn dieses bestimmt darüber, wer als Person gilt, und damit dann, wer an der Spitze einer Wirtschaft stehen kann" etc. (p.65).

Kommunikations- und *Transportwesen* (p.75–76) *p.80* (Note).

Aus *p.82:* wo der *„Wechsel in den (naturalen) Bestandteilen der Gütermasse"* {einer Wirtschaft, alias bei Wagner getauft *„Güterwechsel"* für Schäffles *„sozialen Stoffwechsel"* erklärt wird – wenigstens ein Fall desselben; ich habe das Wort aber auch beim „naturalen" Produktionsprozeß angewandt als Stoffwechsel zwischen Mensch und Natur} von mir *entlehnt* ist, wo der Stoffwechsel zuerst auftritt in Analyse von W–G–W und Interruptionen des Formwechsels, später auch als Interruptionen des Stoffwechsels bezeichnet werden.

Was ferner Herr Wagner sagt über den *„inneren Wechsel"* der in einem Produktionszweig (bei ihm in einer „Einzelwirtschaft") befindlichen Güter, teils mit Bezug auf ihren „Gebrauchswert", teils mit Bezug auf ihren „Wert", so das bei mir ebenfalls erörtert bei Analyse der ersten Phase von *W–G–W*, nämlich *W–G*, Beispiel des Leinwebers („Kapital", p.85, 86/87 [231]), wo es abschließlich heißt: „Unsre Warenbesitzer entdecken daher, daß dieselbe Teilung der Arbeit, die sie zu unabhängigen Privatproduzenten, den gesellschaftlichen Produktionsprozeß und ihre Verhältnisse in diesem Prozeß von ihnen selbst unabhängig macht, daß die Unabhängigkeit der Personen voneinander sich in einem System allseitiger sachlicher Abhängigkeit ergänzt" („Kapital", p.87).[1]

Die Verträge für die verkehrsmäßige Erwerbung der Güter. Hier stellt Dunkelmann (vir obscurus) mein und sein auf den Kopf. Bei ihm ist erst das Recht da und dann der Verkehr; in der Wirklichkeit geht's umgekehrt zu: erst ist *Verkehr* da, und dann entwickelt sich daraus eine *Rechtsordnung.* Ich habe bei der Analyse der Warenzirkulation dargestellt, daß beim entwickelten Tauschhandel die Austauschenden sich stillschweigend als gleiche Personen und Eigentümer der resp. von ihnen auszutauschenden Güter anerkennen; sie *tun* das schon während sie einander ihre Güter anbieten und Handels miteinander einig werden. Dies erst durch und im Austausch selbst entspringende *faktische* Verhältnis erhält später *rechtliche Form* im Vertrag etc.; aber diese Form schafft weder ihren Inhalt, den Austausch, noch die in ihr *vorhandne Beziehung der Personen untereinander*, sondern vice versa[2]. Dagegen bei Wagner:

[1] Siehe Band 23 unserer Ausgabe, S. 120–122 – [2] umgekehrt

„Diese Erwerbung“ {der Güter durch den Verkehr} „setzt notwendig eine bestimmte *Rechtsordnung* voraus, auf *Grund deren*“ (!) „sich der Verkehr vollzieht“ etc. (p.84).

Kredit. Statt die Entwicklung des Geldes als *Zahlungsmittel* zu geben, macht Wagner den Zirkulationsprozeß, soweit er sich in der Form vollzieht, daß die beiden Äquivalente sich nicht gleichzeitig in W–G gegenüberstehn, sofort zum *„Kreditgeschäft“* (p.85 sq.), wobei „angeknüpft“ wird, daß dies häufig mit „Zins“-Zahlung verbunden ist; dient auch dazu, das „Vertrauen geben“ und damit das „Vertrauen“ als eine Basis des „Kredits“ hinzustellen.

Über *Puchtas* etc. juristische Auffassung des „Vermögens“, wonach auch *Schulden* als *negative Bestandteile* dazu gehören (p.86, N.8).

Kredit ist *„Konsumtivkredit“* oder „Produktivkredit“ (p.86). Ersterer[1] vorherrschend auf niedrigerer Kulturstufe, letztrer[2] auf „höherer“.

Über die *Verschuldungsursachen* {Ursachen des Pauperismus: Ernteschwankungen, Kriegsdienst, Sklavenkonkurrenz} im Alten Rom. (Jhering, *3.Aufl.*, S.234, II, 2. „Geist des römischen Rechts“.)

Nach Herrn Wagner auf „niedrigerer Stufe“ waltet „Konsumtivkredit“ vor unter „untern bedrängten“ Klassen und „höheren verschwenderischen“. In fact: In England, Amerika der *„Konsumtivkredit“ allgemein vorherrschend mit Ausbildung des Depositbanksystems!*

„Namentlich erweist sich… der *Produktivkredit* als ökonomischer Faktor der auf *Privateigentum an Grundstücken und beweglichen Kapitalien* basierten, *freie Konkurrenz* zulassenden Volkswirtschaft. Er knüpft sich an den Vermögens*besitz*, nicht an das Vermögen als rein ökonomische Kategorie“, ist daher nur „historisch-*rechtliche Kategorie*“ (!) (p.87).

Abhängigkeit der Einzelwirtschaft und des Vermögens von den Einwirkungen der Außenwelt, bes[onders] dem Einfluß der Konjunktur in der Volkswirtschaft.

1. *Veränderungen im Gebrauchswert:* verbessern sich in einigen Fällen durch *Zeitverlauf*, als Bedingung gewisser Naturprozesse (*Wein*, *Zigarren*, *Geigen* etc.).

„*Verschlechtern* sich in der großen *Mehrzahl*…, lösen sich in ihre stofflichen Bestandteile auf, *Zufälle* aller Art“. Entspricht *„Veränderung“* des Tauschwerts in derselben Richtung, *„Werterhöhung“* oder *„Wertverminderung“* (p.96, 97). *Sieh über den Hausmietvertrag* in Berlin (p.97, N.2).

2. *Veränderte menschliche Kenntnis der Eigenschaften der Güter;* dadurch *„Vermögen vermehrt“* im *positiven Fall.* {*Anwendung der Steinkohlen zum*

[1] In der Handschrift: Letztrer – [2] in der Handschrift: ersterer

Ausschmelzen des Eisens in England um *1620*, als Abnahme der Wälder schon den Fortbestand der Eisenwerke bedrohte; chemische Entdeckungen, wie von Jod (Benutzung der jodhaltigen Salzquellen). Phosphorit als Düngemittel. Anthrazit als Heizstoff. Stoffe zur Gasbeleuchtung, zu Lichtbildern. Entdeckung von Farb- und Heilstoffen. Guttapercha, Kautschuk. Pflanzliches Elfenbein (von Phytelephas macrocarpa). Kreosot. Paraffinkerzen. Benutzung des *Asphalts, der Fichtennadeln* (Waldwolle), der Gase im Hochofen, Steinkohlenteer zur Bereitung von Anilin, Wollenlumpen, Sägespäne etc. etc.} Im *negativen Fall Verminderung* der *Brauchbarkeit und daher des Werts* (wie nach Entdeckung von Trichinen im Schweinefleisch, Giftstoffen in Farben, Pflanzen usw.) (p. 97, 98). Entdeckungen von *Bergbauprodukten* im Boden, neuen nützlichen Eigenschaften an seinen Produkten, Entdeckung neuer Verwendbarkeit derselben vermehrt *Vermögen des Grundbesitzers* (p. 98).

3. *Konjunktur.*

Einfluß *aller* der äußeren „Bedingungen", welche „die *Herstellung der Güter für den Verkehr*, ihren *Begehr und Absatz*" ... daher ihren „*Tauschwert*", auch den „*des einzelnen schon fertigen Gutes*, wesentlich mitbestimmen... ganz oder überwiegend *unabhängig*" vom „Wirtschaftssubjekt", „bzw. Eigentümer" (p. 98). *Konjunktur wird „maßgebender Faktor" im „System der freien Konkurrenz"* (p. 99). Der eine – „vermittelst des *Privateigentumsprinzips*" – gewinnt dabei, „was er nicht *verdient* hat", und so der andre erleidet „*Einbuße*", „*ökonomisch unverschuldete Verluste*".

Über *Spekulation* (N. 10, p. 101). *Wohnungspreise* (p. 102, N. 11). *Kohlen- und Eisenindustrie* (p. 102, N. 12). *Zahlreiche Veränderungen der Technik* setzen Werte der Industrieprodukte, wie der Produktionsinstrumente, herab (p. 102, 103).

Bei „an Bevölkerung und Wohlstand fortschreitender Volkswirtschaft *überwiegen*... die *günstigen Chancen*, wenn auch mit gelegentlichen zeitlichen und lokalen Rückschlägen und Schwankungen, beim *Grundeigentum*, bes[onders] *beim städtischen* (großstädtischen)" (p. 102).

„So spielt die Konjunktur doch insbesondere dem *Grund*eigentümer Gewinne zu" (p. 103). „Diese wie die meisten andern *Gewinne am Wert aus der Konjunktur*... nur *reine Spielgewinne*", denen entsprechen „*Spielverluste*" (p. 103).

Ditto über „Kornhandel" (p. 103, N. 15).

So muß „offen anerkannt werden: ... die wirtschaftliche Lage des Einzelnen oder Familie" ist „*wesentlich* mit ein *Produkt der Konjunktur*" und dies „schwächt notwendig ab die Bedeutung der *persönlichen wirtschaftlichen Verantwortlichkeit*" (p. [104,] 105).

„Gilt" daher „die *heutige Organisation* der Volkswirtschaft und die

Rechtsbasis" (!) „dafür, daher das Privateigentum an ... Boden und Kapital" etc. „für die in der Hauptsache *unabänderliche Einrichtung*", so, nach längerem Schwamm, gibt's keine Mittel „zur Bekämpfung ... *der Ursachen*" {der daraus hervorgehenden Übelstände, wie immer auch Stockung des Absatzes, Krisen, Arbeiterentlassung, Lohnreduktion usw.}, „daher *nicht* dieses Übels selbst", während Herr Wagner die „Symptome", die „Folgen des Übels" zu bekämpfen meint, indem er die „*Konjunkturgewinne*" durch „Steuern" trifft, die „*Verluste*", „ökonomisch unverschuldete", die Produkt der Konjunktur, durch „rationelles ... *System der Versicherung*" (p. 105).

Dies, sagt Dunkelmann, ist das Resultat, wenn man die heutige Produktionsweise mit seiner „Rechtsbasis" für „unabänderlich" hält; sein tiefer als der Sozialismus gehendes Forschen wird aber der „Sache selbst" zu Leib gehn. Nous verrons[1], wie?

Einzelne Hauptmomente, welche die Konjunktur bilden.

1. *Schwankungen in den Ernteerträgen der Hauptnahrungsmittel* unter *Einfluß der Witterung* und polit[ischer] Verhältnisse, wie Störungen des Anbaus durch Krieg. Produzenten und Konsumenten dadurch beeinflußt (p. 106). {Über *Getreidehändler: Tooke, „History of Prices"*; für *Griechenland: Böckh, „Staatshaushalt der Athener", I. 1. § 15;* für *Rom: Jhering,* „Geist", S. 238. *Vermehrte Sterblichkeit der unteren Bevölkerungsschichten* heutzutag mit jeder *kleinen* Erhöhung des Preises, „*gewiß ein Beweis, wie wenig der Durchschnittslohn* in der Masse der arbeitenden Klasse den zum Leben *absolut nötigen Betrag übersteigt*" (p. 106, N. 19).} *Verbesserungen der Kommunikationsmittel* {„zugleich", heißt es dazu in N. 20, „die wichtigste Voraussetzung eines die Preise ausgleichenden spekulativen Kornhandels"}, *veränderte Bodenbaumethoden* {„*Fruchtwechselwirtschaft*", vermittelst „des Anbaus *verschiedner* Produkte, welche durch die verschiednen Witterungen verschieden begünstigt oder benachteiligt werden"}; daher *kleinere Schwankungen in den Getreidepreisen innerhalb kurzer Zeiträume* verglichen „mit Mittelalter und Altertum". Aber auch Schwankungen jetzt noch sehr groß. (Siehe Note 22, p. 107; facts daselbst.)

2. *Veränderungen in der Technik. Neue Produktionsmethoden.* Bessemer-Stahl statt Eisen etc., p. 107 (u. dazu Note 23). *Einführungen von Maschinen an Stelle der Handarbeit.*

3. Veränderungen in den Kommunikations- und Transportmitteln, welche die *räumliche* Bewegung der Menschen und Güter beeinflussen: Dadurch namentlich ... *Wert des Grund und Bodens* und der Artikel von

---

[1] Wir werden sehen

niedrigem spezifischen Wert berührt; ganze Produktionszweige zu einem schwierigen Übergang zu andern Betriebsmethoden genötigt (p. 107). {Dazu N. 24 ib. *Steigerung des Bodenwerts in der Nähe der guten Kommunikationen*, wegen bessern Absatzes der hier gewonnenen Erzeugnisse; *Erleichterung von Bevölkerungsanhäufung* in Städten, daher *enormes Steigen* des *Werts städtischen Bodens* und des *Werts* in der Nähe solcher Orte. *Erleichterte Abfuhr* aus *Gegenden mit bisher billigen Preisen des Getreides* und andrer land-, forstwirtschaftlicher Rohstoffe, Bergbauprodukte in Gegenden mit höheren Preisen; dadurch erschwerte wirtschaftliche Lage aller Bevölkerungselemente mit stabilerem Einkommen in ersteren Gegenden, dagegen Begünstigung der Produzenten und namentlich der Grundbesitzer daselbst. Umgekehrt wirkt die erleichterte *Anfuhr (Einfuhr!)* von Getreide und andern Stoffen niedrigen spezifischen Werts. Begünstigt Konsumenten, benachteiligt Produzenten im Bezugsland; Nötigung, zu andern Produktionen überzugehn, wie in England von Kornbau zu Viehzucht in den 40er Jahren, infolge der Konkurrenz des billigen osteuropäischen Getreides in Deutschland. Schwierige Lage für die *deutschen Landwirte* (jetzt) wegen *des Klimas*, dann wegen der *neuerlichen starken Lohnerhöhungen*, die sie nicht so leicht wie die Industriellen auf die Produkte schlagen können usw.}

4. *Geschmackveränderungen! Moden* etc., oft sich rasch vollziehend in kurzer Zeit.

5. *Politische Veränderungen* im nationalen und internationalen Verkehrsgebiet (Krieg, Revolution etc.); sofern *Vertrauen und Mißtrauen* dadurch *immer wichtiger* bei steigender Arbeitsteilung, Ausbildung des internationalen etc. Verkehrs, Mitwirken des Kreditfaktors, ungeheuren Dimensionen moderner Kriegsführung etc. (p. 108).

6. *Änderungen in Agrar-, Gewerbe- und Handelspolitik*. (Beispiel: Reform der britischen Korngesetzgebung.)

7. Veränderungen in der *räumlichen Verteilung* und der *ökonomischen Gesamtlage der ganzen Bevölkerung*, wie Auswanderung vom platten Land in die Städte (p. 108, 109).

8. *Veränderung in der soz[ialen] und ökon[omischen] Lage der einzelnen Bevölkerungsschichten*, wie durch Gewährung von Koalitionsfreiheit etc. (p. 109). {Die französischen 5 Milliarden [236] N. 29 ib.}

Kosten in der Einzelwirtschaft. Unter der „Wert" produzierenden „Arbeit", worin sich alle Kosten auflösen, muß namentlich auch die „Arbeit" in dem richtigen *weiten* Sinn genommen werden, worin sie „*alles* umfaßt, was an menschlichen zweckbewußten Tätigkeiten zur Gewinnung der Erträge notwendig ist", also auch namentlich „die *geistige Arbeit* des Leiters und die Tätigkeit, wodurch das Kapital gebildet und verwendet wird", „daher" gehört auch der diese Tätigkeit bezahlende „*Kapitalgewinn*" zu den „konstitutiven Elementen der Kosten". „Diese Auffassung steht mit der sozialistischen Wert- und Kostentheorie und Kapitalkritik in Widerspruch" (p.111).

Dunkelmann schiebt mir unter, daß „der von den Arbeitern *allein* produzierte *Mehrwert* den kapitalistischen Unternehmern *ungebührlicher* Weise verbliebe" (N.3, p.114). Nun sage ich das direkte Gegenteil; nämlich, daß die Warenproduktion notwendig auf einem gewissen Punkt zur „kapitalistischen" Warenproduktion wird, und daß nach dem sie beherrschenden *Wertgesetz* der „Mehrwert" dem Kapitalisten gebührt und nicht dem Arbeiter. Statt sich auf dergleichen Sophistik einzulassen, bewährt sich dahingegen der kathedersozialistische Charakter viri obscuri durch folgende Banalität, daß die

„unbedingten Gegner der Sozialisten" „übersehen die allerdings zahlreichen Fälle von *Ausbeutungsverhältnissen*, in welchen die Reinerträge *nicht* richtig (!) verteilt, die *einzelwirtschaftlichen Produktionskosten* der Unternehmungen zu sehr zuungunsten der Arbeiter (mitunter auch der Leihkapitalisten) und zugunsten der Arbeitgeber vermindert werden" (l.c.).

Volkseinkommen in England und Frankreich (p.120, χ-φ).

Der jährliche Rohertrag in einem Volk:

1. Gesamtheit der im Jahr *neu* erzeugten Güter. Die *inländischen Rohstoffe* vollständig ihrem Wert nach einzusetzen; die *aus solchen und ausländischen Stoffen hergestellten Gegenstände* {um Doppelansatz der Rohprodukte zu vermeiden} für den *Betrag der durch die Gewerksarbeit erzielten Werterhöhung;* die im *Handel* umgesetzten und *transportierten Rohstoffe und Halbfabrikate* für den Betrag der dadurch bewirkten Werterhöhung.

2. *Einfuhr von Geld und Waren aus dem Ausland* aus dem Titel der Renten von *Forderungsrechten* des Inlands aus *Kreditgeschäften* oder von *Kapitalanlagen* inländischer Staatsangehöriger im Ausland.

3. Mittelst Einfuhr ausländischer Güter reell bezahlter *Frachterwerb der inländischen Reederei* im *auswärtigen Handel und Zwischenverkehr.*

4. *Bares oder Waren* vom Ausland *eingeführt als Rimessen für die im Inland sich aufhaltenden Fremden.*

5. *Einfuhr aus unentgeltlichen Gaben,* wie bei *dauernden Tributen* des Auslandes ans Inland, *fortdauernder Einwanderung und daher regelmäßiges Einwanderungsvermögen.*

6. *Wertüberschuß der im internationalen Handel erfolgenden Waren- und Geldeinfuhr,* {aber dann abzuziehn, 1. die *Ausfuhr* ins Ausland}.

7. *Wertbetrag der Nutzungen des Nutzvermögens* (wie von Wohnungshäusern etc.) (p. 121, 122).

Für den *Reinertrag* abzuziehn u.a. die „Güterausfuhr als Bezahlung für *Frachterwerb fremder Reederei*" (p. 123). {Die Sache nicht so einfach: *Produktionspreis (inländischer)* + *Fracht* = *Verkaufspreis*. Führt das Inland seine eignen Waren auf seinen eignen Schiffen aus, so zahlt das Ausland die Frachtkosten, wenn der daselbst herrschende Marktpreis etc.}

„Neben dauernden Tributen sind regelmäßige Zahlungen an *fremde Untertanen* im *Auslande* (Bestechungsgehalte, wie seitens Persiens an Griechen, *Besoldungen fremder Gelehrter* unter Ludwig XIV., Peterspfennige[237] zu rechnen" (p. 123, N. 9).

Warum nicht die *Subsidien*, welche die deutschen Fürsten regelmäßig von Frankreich und England bezogen?

Sieh die naiven Sorten *Einkommenteile der Privaten*, die aus „Staats- und Kirchenleistungen" bestehn (p. 125, Note 14).

Einzelne und volkswirtschaftliche Wertschätzung.

Die *Zerstörung eines Teils eines Warenvorrats*, um den Rest teurer zu verkaufen, nennt *Cournot*, *„Rech[erches] sur les principes mathém[atiques] de la théorie des richesses"*, *1838*, „une véritable création de richesse dans le sens commercial du mot"[1] (p. 127, N. 3).

Vergleich über die Abnahme der Konsumtions*vorräte* der Privaten oder, *wie Wagner es nennt, ihres „Nutzkapitals"*, in unsrer Kulturperiode, namentlich in *Berlin*, p. 128, N. 5, p. 129, N. 8 und 10; dazu zu wenig Geld oder eignes *Betriebskapital in dem Produktionsgeschäft* selbst, p. 130 und ebendaselbst, N. 11.

Relativ größere Bedeutung des auswärtigen Handels heutzutag, p. 131, N. 13, p. 132, N. 3.

Geschrieben zweite Hälfte 1879
bis November 1880.
Nach der Handschrift.

[1] „eine tatsächliche Schaffung von Reichtum im kommerziellen Sinne des Wortes"

Karl Marx

[Entwürfe einer Antwort auf den Brief von V.I. Sassulitsch[155]]

[Erster Entwurf]

1. Bei der Behandlung der Genesis der kapitalistischen Produktion habe ich gesagt, daß ihr „die radikale Trennung des Produzenten von den Produktionsmitteln zugrunde liegt" (p.315, col. 1, éd. frçs. „Le Capital") und: „die Grundlage dieser ganzen Entwicklung ist die Expropriation der Ackerbauern. Sie ist auf radikale Weise erst in England durchgeführt... Aber alle anderen Länder Westeuropas durchlaufen die gleiche Bewegung" (l.c. col. 2).

Ich habe also die „historische Unvermeidlichkeit" dieser Bewegung *ausdrücklich auf die Länder Westeuropas* beschränkt. Und warum? Vergleichen Sie, bitte, das Kapitel XXXII, wo zu lesen ist:

„Der Vernichtungsprozeß, der die Verwandlung der individuellen und zersplitterten Produktionsmittel in gesellschaftlich konzentrierte bewirkt, der das zwerghafte Eigentum vieler zum riesigen Eigentum einiger weniger macht, ... diese qualvolle und furchtbare Expropriation des arbeitenden Volkes – das ist der Ursprung, das ist die Genesis des Kapitals ... *Das Privateigentum*, das auf persönlicher Arbeit gegründet ist ... wird verdrängt durch *das kapitalistische Privateigentum*, das auf der Ausbeutung der Arbeit andrer, der Lohnarbeit gegründet ist" (p.341, col. 2).[157]

Auf diese Weise erfolgt hier in letzter Instanz *die Verwandlung einer Form des Privateigentums in eine andere Form des Privateigentums.* Da aber das in den Händen der russischen Bauern befindliche Land niemals *ihr Privateigentum* gewesen ist, wie läßt sich diese Entwicklung auf sie anwenden?

2. Vom historischen Standpunkt aus gesehen ist das einzige ernsthafte Argument, das zugunsten der *unvermeidlichen Auflösung* der Gemeinde der *russischen Bauern* angeführt werden könnte, folgendes: Wenn man sehr weit zurückblickt, findet man überall in Westeuropa das Gemeineigentum eines

mehr oder weniger archaischen Typus'; es ist mit dem gesellschaftlichen Fortschritt überall verschwunden. Warum sollte es demselben Schicksal allein in Rußland entgehen?

Ich antworte: Weil in Rußland, dank eines einzigartigen Zusammentreffens von Umständen, die noch in nationalem Maßstab vorhandene Dorfgemeinde sich nach und nach von ihren primitiven Wesenszügen befreien und sich unmittelbar als Element der kollektiven Produktion in nationalem Maßstab entwickeln kann. Gerade auf Grund ihrer Gleichzeitigkeit mit der kapitalistischen Produktion kann sie sich deren positive Errungenschaften aneignen, ohne ihre furchtbaren Wechselfälle durchzumachen. Rußland lebt nicht isoliert von der modernen Welt, noch weniger ist es die Beute eines fremden Eroberers wie Ostindien.

Wenn die russischen Verehrer des kapitalistischen Systems die *theoretische* Möglichkeit einer solchen Evolution verneinten, dann würde ich sie fragen: Ist Rußland wie der Westen gezwungen gewesen, eine lange *Inkubationsperiode* der Maschinenindustrie durchzumachen, um Maschinen, Dampfschiffe, Eisenbahnen etc. benutzen zu können? Mögen sie mir außerdem erklären, wie sie es zustande gebracht haben, im Handumdrehen den ganzen Tauschmechanismus (Banken, Kreditgesellschaften etc.) bei sich einzuführen, dessen Herausbildung dem Westen Jahrhunderte gekostet hat?

Wenn die Dorfgemeinde im Augenblick der Bauernemanzipation von vornherein in normale Umstände versetzt worden wäre; wenn ferner die ungeheure Staatsschuld, die zum größten Teil auf Kosten und zu Lasten der Bauern abgetragen wird, mit den anderen Riesensummen, die vom Staat (und immer auf Kosten und zu Lasten der Bauern) den „neuen Stützen der Gesellschaft" gewährt werden, die sich in Kapitalisten verwandelt haben; wenn alle diese Aufwendungen *der Weiterentwicklung* der Dorfgemeinde gedient hätten, dann würde heute niemand über die „historische Unvermeidlichkeit" der Vernichtung der Gemeinde grübeln: Alle würden in ihr das Element der Wiedergeburt der russischen Gesellschaft erkennen und ein Element der Überlegenheit über die Länder, die noch vom kapitalistischen Regime versklavt sind.

Ein weiterer für die Erhaltung der russischen Gemeinde (in ihrer Entwicklung) günstiger Umstand ist der, daß sie nicht nur Zeitgenossin der kapitalistischen Produktion ist und auch jene Periode überdauert hat, als sich dieses Gesellschaftssystem noch intakt zeigte, sondern daß sich dieses Gesellschaftssystem heute, in Westeuropa ebensogut wie in den Vereinigten Staaten, im Kampfe befindet gegen die Wissenschaft, gegen die Volksmassen und gegen die Produktivkräfte, die es erzeugt.* Mit einem Wort, sie findet den Kapitalismus in einer Krise, die erst mit seiner Abschaffung, mit der Rückkehr der modernen Gesellschaften zum „archaischen" Typus des Gemeineigentums enden wird, oder, wie ein amerikanischer Autor[1], der keineswegs revolutionärer Tendenzen verdächtig ist und in seinen Arbeiten durch die Regierung in Washington unterstützt wird, es sagt – das neue System, zu dem die moderne Gesellschaft tendiert, „wird eine Wiedergeburt (a revival) des archaischen Gesellschaftstypus in einer höheren Form (in a superior form) sein". Man darf sich nur nicht allzusehr von dem Wort „archaisch" erschrecken lassen.

Aber es wäre dann mindestens notwendig, diese Wechselfälle zu kennen. Wir wissen jedoch nichts davon.

Die Geschichte des Verfalls der Urgemeinschaften (man würde einen Fehler begehen, wenn man sie alle über einen Leisten schlagen wollte; ebenso wie in den geologischen Formationen gibt es auch in den historischen Formationen eine ganze Reihe von primären, sekundären, tertiären etc. Typen) ist noch zu schreiben. Bisher hat man dazu nur magere Skizzen geliefert. Aber auf jeden Fall ist die Forschung weit genug vorgeschritten, um zu bestätigen: 1. daß die Lebensfähigkeit der Urgemeinschaften unvergleichlich größer war als die der semitischen, griechischen, römischen etc. Gesellschaften und a fortiori[2] als die der modernen kapitalistischen Gesellschaften; 2. daß die Ursachen ihres Verfalls von den ökonomischen Gegebenheiten herrühren, die sie hinderten, eine gewisse Stufe der Entwicklung zu überschreiten, von historischen Milieus herrühren, die mit dem historischen Milieu der russischen Dorfgemeinde von heute keineswegs übereinstimmen.

Beim Lesen der von Bourgeois geschriebenen Geschichten der Urgemeinschaften muß man auf der Hut sein. Sie schrecken nicht einmal vor Fälschungen zurück. Sir Henry Maine z.B., der ein eifriger Mitarbeiter der englischen Regierung bei ihrem Werk der gewaltsamen Zerstörung der indischen Gemeinden war, versichert uns heuchlerisch, daß alle edlen Bemühungen der Regierung, diese Gemeinden zu erhalten, an der spontanen Gewalt der ökonomischen Gesetze gescheitert seien!

---

* [In der Handschrift gestrichen:] Mit einem Wort, sie hat sich in eine Arena schreiender Antagonismen, Krisen, Konflikte und periodischer Mißgeschicke verwandelt; sie zeigt selbst dem Verblendetsten, daß sie ein vorübergehendes Produktionssystem ist, zum Verschwinden verdammt durch die Rückkehr der Gesellschaft zu

---

[1] L. H. Morgan – [2] weitaus stärker

Auf die eine oder andere Weise ist diese Gemeinde in den unaufhörlichen äußeren und inneren Kriegen zugrunde gegangen; sie starb wahrscheinlich eines gewaltsamen Todes. Als die germanischen Stämme Italien, Spanien, Gallien etc. eroberten, hat ihre Gemeinde von archaischem Typus nicht mehr existiert. Ihre *natürliche Lebensfähigkeit* ist jedoch durch zwei Tatsachen erwiesen. Es gibt einige verstreute Exemplare, die alle Wechselfälle des Mittelalters überlebt und sich bis auf unsere Tage erhalten haben, z. B. in meiner Heimat, der Gegend von Trier. Aber am wichtigsten ist, daß sie der Gemeinde, von der sie verdrängt wurde, einer Gemeinde, in der das Ackerland Privateigentum geworden ist, während Wälder, Weiden, Ödland etc. immer noch Gemeineigentum bleibt, ihre charakteristischen Wesenszüge so deutlich aufgeprägt hat, daß Maurer, als er diese Gemeinde sekundärer Formation entdeckte, den archaischen Prototyp rekonstruieren konnte. Dank der diesem Prototyp entlehnten charakteristischen Züge wurde die neue, von den Germanen in allen eroberten Ländern eingeführte Gemeinde während des ganzen Mittelalters zum einzigen Hort der Volksfreiheit und des Volkslebens.

Wenn wir nach der Epoche des Tacitus weder etwas vom Leben der *Gemeinde* noch von der Art und der Zeit ihres Verschwindens wissen, so kennen wir doch dank der Beschreibung Julius Cäsars wenigstens den Ausgangspunkt dieses Prozesses. Zu seiner Zeit wurde der Boden schon jährlich aufgeteilt, aber unter *die Gentes* und *Stämme* der germanischen Stammesverbände und noch nicht unter die einzelnen Mitglieder einer Gemeinde. Die *Dorfgemeinde* ist also in Germanien aus einem archaischeren Typus hervorgegangen, sie war hier das Produkt einer natürlichen Entwicklung, statt völlig fertig aus Asien eingeführt zu werden. Dort – in Ostindien – begegnen wir ihr auch und immer als der *letzten Stufe* oder letzten Periode der archaischen Formation.

Um die möglichen Schicksale der Dorfgemeinde von einem rein theoretischen Standpunkt zu beurteilen, d. h. immer unter der Voraussetzung normaler Lebensbedingungen, muß ich jetzt gewisse charakteristische Züge anführen, die die „Ackerbaugemeinde" von den archaischeren Typen unterscheidet.

Zunächst beruhen alle früheren Urgemeinschaften auf der Blutsverwandtschaft ihrer Mitglieder; indem sie dieses starke, aber enge Band zerreißt, kann die Ackerbaugemeinde sich besser anpassen, ausdehnen und dem Kontakt mit Fremden standhalten.

Dann sind in ihr das Haus und sein Zubehör, der Hof, schon Privateigentum des Ackerbauern, während bereits lange vor dem Aufkommen des

Ackerbaus das gemeinsame Haus eine der materiellen Grundlagen der vorangegangenen Gemeinschaften war.

Schließlich wird das Ackerland, obwohl es Gemeineigentum bleibt, periodisch zwischen den Mitgliedern der Ackerbaugemeinde derart aufgeteilt, daß jeder Ackerbauer die ihm zugewiesenen Felder auf eigene Rechnung bewirtschaftet und sich deren Früchte individuell aneignet, während in den archaischeren Gemeinschaften gemeinsam produziert und nur das Produkt aufgeteilt wurde. Dieser primitive Typus der genossenschaftlichen oder kollektiven Produktion war wohlbemerkt das Ergebnis der Schwäche des einzelnen isolierten Individuums und nicht der Vergesellschaftung der Produktionsmittel.

Es ist leicht zu verstehen, daß der der „Ackerbaugemeinde" innewohnende Dualismus sie mit großer Lebenskraft erfüllen kann, denn einerseits festigen das Gemeineigentum und alle sich daraus ergebenden sozialen Beziehungen ihre Grundlage, während gleichzeitig das private Haus, die parzellenweise Bewirtschaftung des Ackerlandes und die private Aneignung der Früchte eine Entwicklung der Persönlichkeit gestatten, die mit den Bedingungen der Urgemeinschaften unvereinbar war. Aber es ist nicht weniger offensichtlich, daß der gleiche Dualismus mit der Zeit zu einer Quelle der Zersetzung werden kann. Abgesehen von allen Einflüssen eines feindlichen Milieus, wirken schon die graduelle Akkumulation von beweglichem Reichtum, der mit dem Viehreichtum beginnt (und sogar den Reichtum an Leibeigenen zuläßt), die immer bedeutender werdende Rolle, die das bewegliche Element im Ackerbau selber spielt, und eine Menge anderer von dieser Akkumulation untrennbarer Umstände, deren Darlegung mich jedoch zu weit führen würde, als das zersetzende Element der ökonomischen und sozialen Gleichheit, und lassen innerhalb der Gemeinde selbst einen Interessenkonflikt entstehen, der zunächst die Umwandlung des Ackerlandes in Privateigentum nach sich zieht und mit der privaten Aneignung der bereits zu *Gemeindeanhängseln* des Privateigentums gewordenen Wälder, Weiden, des Brachlandes etc. endet. Deshalb stellt die „Ackerbaugemeinde" überall *den jüngsten Typus* der archaischen Gesellschaftsformation dar, und deshalb erscheint in der historischen Entwicklung des alten und des modernen Westeuropa die Periode der Ackerbaugemeinde als Übergangsperiode vom Gemeineigentum zum Privateigentum, als Übergangsperiode von der primären zur sekundären Formation. Aber heißt das, daß unter allen Umständen die Entwicklung der „Ackerbaugemeinde" diesen Weg nehmen muß? Keineswegs. Ihre Grundform läßt diese Alternative zu: entweder wird das in ihr enthaltene Element des Privateigentums über das kollektive Element, oder dieses über jenes siegen. Alles hängt von dem historischen Milieu ab, in dem sie sich befindet ... diese beiden Lösungen sind a priori möglich, aber für jede von ihnen ist offensichtlich ein völlig anderes historisches Milieu Voraussetzung.

3. Rußland ist das einzige europäische Land, in dem sich die „Ackerbaugemeinde" im nationalen Maßstabe bis auf den heutigen Tag behauptet hat. Sie ist nicht, wie Ostindien, die Beute eines fremden Eroberers, und sie lebt auch nicht isoliert von der modernen Welt. Einerseits gestattet ihr das Gemeineigentum am Boden, den parzellierten und individualistischen Ackerbau unmittelbar und allmählich in kollektive Bearbeitung umzuwandeln; und die russischen Bauern betreiben dies ja bereits auf den ungeteilten Wiesen. Die physische Beschaffenheit des russischen Bodens lädt zu einer maschinellen Bearbeitung in großem Maßstabe geradezu ein; das Vertrautsein des Bauern mit den Artelbeziehungen erleichtert ihm den Übergang von der Parzellen- zur genossenschaftlichen Arbeit, und schließlich schuldet ihm die russische Gesellschaft, die so lange auf seine Kosten gelebt hat, die notwendigen Vorschüsse für einen solchen Übergang.* Andererseits wird es Rußland ermöglicht, durch die *Gleichzeitigkeit* mit der westlichen Produktion, die den Weltmarkt beherrscht, der Gemeinde alle positiven Errungenschaften, die durch das kapitalistische System geschaffen worden sind, einzuverleiben, ohne durch das Kaudinische Joch [238] gehen zu müssen.

Falls die Wortführer der „neuen Stützen der Gesellschaft" die *theoretische* Möglichkeit der Evolution der heutigen Dorfgemeinde verneinen würden, dann könnte man sie fragen, ob Rußland wie der Westen gezwungen gewesen sei, eine lange Inkubationsperiode der Maschinenindustrie durchzumachen, um zu Maschinen, Dampfschiffen, Eisenbahnen etc. zu gelangen? Man könnte sie auch fragen, wie sie es fertiggebracht haben, bei sich im Handumdrehen den ganzen Tauschmechanismus (Banken, Aktiengesellschaften etc.) einzuführen, dessen Herausbildung dem Westen Jahrhunderte gekostet hat?

Es gibt eine Eigentümlichkeit der „Ackerbaugemeinde" in Rußland, die sie schwächt und ihr in jeder Hinsicht schädlich ist. Das ist ihre Isolierung, die fehlende Verbindung zwischen dem Leben der einen Gemeinde mit dem der anderen, dieser *lokal gebundene Mikrokosmos*, den man zwar nicht

* [In der Handschrift gestrichen:] Man müßte natürlich damit anfangen, daß man die Gemeinde *auf ihrer jetzigen Grundlage* in den Normalzustand versetzt, denn der Bauer ist überall Feind brüsker Veränderungen.

überall als einen immanenten Charakterzug dieses Typus antrifft, der aber überall, wo man ihn antrifft, einen mehr oder weniger zentralen Despotismus über die Gemeinden aufrichtet. Die Föderation der nordrussischen Republiken beweist, daß diese Isolierung, ursprünglich wahrscheinlich durch die unermeßliche Weite des Territoriums verursacht, zu einem großen Teil durch die politischen Schicksalsschläge gefestigt wurde, die Rußland seit der mongolischen Invasion zu erleiden hatte. Heute ist das ein Hindernis, das ganz leicht zu beseitigen wäre. Man müßte einfach die волость[1], eine Regierungsinstitution, durch eine Bauernversammlung ersetzen, die die Gemeinden selbst wählen und die als ökonomisches und administratives Organ ihren Interessen dienen würde.

Es ist ein vom historischen Gesichtspunkt aus äußerst günstiger Umstand für die Erhaltung der „Ackerbaugemeinde" auf dem Wege ihrer Weiterentwicklung, daß sie nicht nur Zeitgenossin der kapitalistischen Produktionsweise des Westens ist, und sich daher deren Ergebnisse aneignen kann, ohne sich ihrem modus operandi[2] unterwerfen zu müssen, sondern daß sie auch die Periode überdauert hat, in der sich das kapitalistische System noch intakt zeigte. Jetzt dagegen befindet es sich, in Westeuropa wie in den Vereinigten Staaten, im Kampf sowohl mit den arbeitenden Massen, mit der Wissenschaft, als auch mit den Produktivkräften, die es selbst erzeugt hat – mit einem Wort, es durchlebt eine Krise, die mit der Beseitigung des Kapitalismus und der Rückkehr der modernen Gesellschaft zu einer höheren Form des „archaischen" Typus des kollektiven Eigentums und der kollektiven Produktion enden wird.

Es versteht sich, daß die Evolution der Gemeinde allmählich vor sich geht und daß der erste Schritt sein müßte, sie *auf ihrer gegenwärtigen Basis* in normale Bedingungen zu versetzen.*

Aber ihr gegenüber erhebt sich das Grundeigentum, das fast die Hälfte des Bodens, und zwar den besseren Teil, in seinen Händen hält, ganz zu

* [In der Handschrift gestrichen:] Und die historische Situation der russischen „Dorfgemeinde" hat nicht ihresgleichen! Als einzige in Europa hat sie sich nicht in Gestalt von Trümmern in der Art jener seltenen und merkwürdigen Miniaturen, jener Überbleibsel des archaischen Typus erhalten, wie man sie noch unlängst im Westen antraf, sondern als quasi vorherrschende Form des Volkslebens und über ein ungeheures Reich verbreitet. Wenn sie im Gemeineigentum am Boden die Grundlage für die kollektive Aneignung besitzt, so bietet ihr das historische Milieu, die Gleichzeitigkeit mit der kapitalistischen Produktion, alle fertigen Bedingungen der gemeinsamen

[1] den Amtsbezirk – [2] ihrer Wirkungsweise

schweigen von den Staatsdomänen. Eben deswegen stimmt die Erhaltung der „Dorfgemeinde" auf dem Wege ihrer Weiterentwicklung mit der allgemeinen Bewegung der russischen Gesellschaft überein, deren Wiedergeburt nur zu diesem Preis erkauft werden kann.

Sogar vom rein ökonomischen Gesichtspunkt aus kann Rußland aus der Sackgasse, in der sich seine Landwirtschaft befindet, nur durch die Entwicklung seiner Dorfgemeinde herauskommen; es würde ein vergebliches Bemühen sein, ihr durch das englische kapitalistische Pachtverhältnis zu entkommen, alle landwirtschaftlichen Bedingungen des Landes widersprechen dem.

Wenn man von allem Elend, das die russische Dorfgemeinde gegenwärtig bedrückt, absieht und nur die Form ihres Aufbaus und ihr historisches Milieu betrachtet, so ist es auf den ersten Blick augenscheinlich, daß einer ihrer charakteristischen Grundzüge, das Gemeineigentum am Boden, die natürliche Grundlage für die kollektive Produktion und Aneignung ist. Außerdem würde das Vertrautsein des russischen Bauern mit dem *Artel*verhältnis ihm den Übergang von der Parzellen- zur kollektiven Wirtschaft erleichtern, die er schon in gewissem Maße auf den ungeteilten Wiesen, bei den Entwässerungs- und anderen Arbeiten von öffentlichem Interesse durchführt. Aber damit die kollektive Arbeit im eigentlichen Ackerbau die Parzellenwirtschaft, die Quelle der privaten Aneignung, ersetzen kann, sind zwei Dinge notwendig: das ökonomische Bedürfnis zu einer solchen Umwandlung und die materiellen Voraussetzungen für ihre Durchführung.

Was das ökonomische Bedürfnis anbelangt, so würde es sich bei der „Dorfgemeinde" bereits von dem Augenblick an fühlbar machen, da sie in normale Bedingungen versetzt werden würde, d.h., sobald die Lasten, die auf ihr liegen, beseitigt wären und das von ihr zu bebauende Land eine normale Ausdehnung erlangt hätte. Die Zeit ist vorbei, da die russische Landwirtschaft nur des Bodens und des mit mehr oder weniger primitiven Geräten ausgerüsteten Parzellenbauern bedurfte. Diese Zeit ist um so rascher vorbei, da die Unterdrückung des Ackerbauern sein Feld erschöpft

---

Arbeit im großen Maßstab. Sie ist daher imstande, sich die positiven Errungenschaften des kapitalistischen Systems anzueignen, ohne durch dessen Kaudinisches Joch gehen zu müssen. Sie kann den Parzellenackerbau allmählich durch eine mit Hilfe von Maschinen betriebene Großflächenwirtschaft ersetzen, zu der die physische Beschaffenheit des russischen Bodens geradezu einlädt. Sie kann also der *unmittelbare Ausgangspunkt* des ökonomischen Systems werden, zu dem die moderne Gesellschaft hinneigt, und ein neues Leben anfangen, ohne sich selbst umzubringen. Man müßte im Gegenteil damit beginnen, sie in eine normale Lage zu versetzen.

und unfruchtbar macht. Er braucht jetzt die im großen Maßstab organisierte genossenschaftliche Arbeit. Und überdies, würde denn der Bauer, dem die notwendigsten Dinge für die Bebauung von 2 oder 3 Desjatinen fehlen, mit einer zehnfachen Anzahl Desjatinen besser dastehen?

Wo aber das Inventar, den Dung, die agronomischen Methoden etc., all die zur kollektiven Arbeit unerläßlichen Mittel hernehmen? Darin beruht gerade die große Überlegenheit der russischen „Dorfgemeinde" über die archaischen Gemeinden vom gleichen Typus. Sie allein hat sich in Europa im großen, nationalen Maßstabe behauptet. Sie befindet sich daher in einem historischen Milieu, wo die Gleichzeitigkeit mit der kapitalistischen Produktion ihr alle Voraussetzungen für die kollektive Arbeit liefert. Sie kann sich alle positiven Errungenschaften aneignen, die von dem kapitalistischen System geschaffen worden sind, ohne dessen Kaudinisches Joch passieren zu müssen. Die physische Beschaffenheit des russischen Bodens lädt zu einer mit Hilfe von Maschinen betriebenen, in großem Maßstabe organisierten und auf genossenschaftlicher Arbeit beruhenden Landwirtschaft geradezu ein. Was die ersten Einrichtungskosten – intellektuelle und materielle Kosten – anbelangt, so schuldet die russische Gesellschaft diese der „Dorfgemeinde", auf deren Kosten sie so lange gelebt hat und in der sie auch ihr „Element der Regeneration" suchen muß.

Der beste Beweis dafür, daß diese Entwicklung der „Dorfgemeinde" dem historischen Verlauf unserer Epoche entspricht, ist die verhängnisvolle Krise, die die kapitalistische Produktion in den europäischen und amerikanischen Ländern durchläuft, in denen sie den größten Aufschwung genommen hatte, eine Krise, die mit der Abschaffung des Kapitalismus und mit der Rückkehr der modernen Gesellschaft zu einer höheren Form des archaischsten Typus – der kollektiven Produktion und Aneignung – enden wird.

4. Um sich entwickeln zu können, muß man vor allem leben, und es ist für niemand ein Geheimnis, daß gegenwärtig das Leben der „Dorfgemeinde" gefährdet ist.

Um die Ackerbauern zu expropriieren, braucht man sie nicht von ihrem Land zu verjagen, wie das in England und anderweitig geschehen ist, man braucht auch nicht das Gemeineigentum durch einen Ukas abzuschaffen. Geht doch und nehmt den Bauern das Produkt ihrer landwirtschaftlichen Arbeit über ein gewisses Maß hinaus weg, und es wird euch trotz eurer Gendarmerie und eurer Armee nicht gelingen, sie an ihre Felder zu fesseln! In den letzten Jahren des Römischen Reichs flohen die Provinzdekurionen, keine Bauern, sondern Grundeigentümer, aus ihren Häusern, ließen ihre Ländereien im Stich, verkauften sich sogar in die Sklaverei, und das alles, um sich von einem Eigentum zu befreien, das nur noch ein offizieller Vorwand war, um sie ohne Gnade und Barmherzigkeit auszupressen.

Nach der sogenannten Bauernemanzipation wurde die russische Gemeinde durch den Staat in anormale ökonomische Bedingungen versetzt, und seit dieser Zeit hat er nicht aufgehört, sie mit Hilfe der in seinen Händen konzentrierten gesellschaftlichen Kräfte zu unterdrücken. Entkräftet durch die fiskalischen Erpressungen, wurde sie zu einem widerstandslosen Objekt der Ausbeutung durch Handel, Grundbesitz und Wucher. Diese von außen kommende Unterdrückung hat innerhalb der Gemeinde selbst den bereits vorhandenen Interessenkonflikt entfesselt und die Keime der Zersetzung in ihr rasch entwickelt. Aber das ist nicht alles.* Auf Kosten und zu Lasten der Bauern hat der Staat jene Zweige des westlichen kapitalistischen Systems wie im Treibhaus großgezogen, die, ohne irgendwie die Produktivkräfte der Landwirtschaft zu entwickeln, am geeignetsten sind, den Diebstahl ihrer Früchte durch die unproduktiven Mittelsmänner zu erleichtern und zu beschleunigen. Er hat auf diese Weise zur Bereicherung eines neuen kapitalistischen Ungeziefers beigetragen, das der ohnehin geschwächten „Dorfgemeinde" die letzten Blutstropfen aussaugt.

...mit einem Wort, der Staat hat seinen Beistand zu einer voreiligen Entwicklung jener technischen und ökonomischen Mittel geliehen, die am geeignetsten waren, um die Ausbeutung des Ackerbauern, d.h. der größten Produktivkraft Rußlands, zu erleichtern und zu beschleunigen und die „neuen Stützen der Gesellschaft" zu bereichern.

5. Dieses Zusammenwirken zerstörender Einflüsse muß natürlich, wenn es nicht durch eine mächtige Gegenbewegung zerschlagen wird, zum Untergang der Dorfgemeinde führen.

Aber man fragt sich: Warum verschwören sich wissentlich alle diese Interessengruppen (einschließlich der unter der Vormundschaft des Staates stehenden großen Industrien), die bei dem jetzigen Zustand der Dorfgemeinde so gut auf ihre Kosten kommen, um die Henne zu töten, die ihnen goldene Eier legt? Eben darum, weil sie fühlen, daß „dieser jetzige Zustand" nicht mehr zu halten ist, daß infolgedessen die jetzige Methode, die Dorfgemeinde auszubeuten, nicht mehr zeitentsprechend ist. Schon hat

* [In der Handschrift gestrichen:] Auf Kosten und zu Lasten der Bauern hat der Staat jene Auswüchse des kapitalistischen Systems wie im Treibhaus großgezogen, die am leichtesten zu akklimatisieren sind, Börse, Spekulation, Banken, Aktiengesellschaften und Eisenbahnen, deren Defizite er deckt und deren Profite er durch deren Unternehmer kassieren läßt etc., etc.

sich das Elend des Ackerbauern auf die Erde übertragen, die unfruchtbar wird. Die guten Ernten werden durch Hungersnöte aufgewogen. Der Durchschnitt der letzten zehn Jahre offenbarte nicht nur eine stagnierende, sondern sogar rückläufige landwirtschaftliche Produktion. Schließlich muß Rußland zum erstenmal Getreide importieren, statt es zu exportieren. Es gilt also, keine Zeit mehr zu verlieren. Man muß dem ein Ende bereiten. Man muß die mehr oder weniger begüterte Minderheit der Bauern zu einer ländlichen Mittelklasse konstituieren und die Mehrheit der Bauern in gewöhnliche Proletarier verwandeln. Zu diesem Zweck bezeichnen die Wortführer der „neuen Stützen der Gesellschaft" die von ihnen selbst der Gemeinde geschlagenen Wunden als natürliche Symptome ihrer Altersschwäche.

Da so viel verschiedene Interessengruppen und besonders diejenigen der „neuen Stützen der Gesellschaft", die unter der wohlwollenden Herrschaft Alexanders II. errichtet wurden, bei dem *jetzigen Zustand* der „Dorfgemeinde" auf ihre Kosten gekommen sind, warum verschwören sie sich wissentlich, um ihren Tod herbeizuführen? Warum bezeichnen ihre Wortführer die ihr geschlagenen Wunden als unwiderlegbare Beweise ihrer natürlichen Hinfälligkeit? Warum wollen sie ihre Henne mit den goldenen Eiern töten?

Einfach, weil die ökonomischen Tatsachen, deren Analyse mich zu weit führen würde, das Geheimnis enthüllt haben, *daß der jetzige Zustand der Gemeinde nicht mehr zu halten ist* und daß schon allein durch den notwendigen Gang der Dinge die augenblickliche Art, die Volksmassen auszubeuten, bald nicht mehr zeitentsprechend sein wird. Also ist etwas Neues notwendig, und dieses unter den verschiedensten Formen insinuierte Neue läuft immer auf folgendes hinaus: das Gemeineigentum abschaffen, die mehr oder weniger begüterte Minderheit der Bauern als ländliche Mittelklasse konstituieren und die große Mehrheit der Bauern in gewöhnliche Proletarier verwandeln.

Einerseits ist die „Dorfgemeinde" schon bis an den Rand des Untergangs gebracht, und andererseits liegt eine mächtige Verschwörergruppe auf der Lauer, um ihr den Todesstoß zu versetzen. Um die russische Gemeinde zu retten, ist eine russische Revolution nötig. Übrigens tun die politischen und gesellschaftlichen Machthaber ihr Bestes, um die Massen auf eine solche Katastrophe vorzubereiten.

Zur selben Zeit, da man die Gemeinde schröpft, sie martert, ihr Land unfruchtbar macht und aussaugt, bezeichnen die literarischen Lakaien der „neuen Stützen der Gesellschaft" ironisch die Wunden, die man ihr geschlagen hat, als Symptome ihrer natürlich bedingten Altersschwäche. Man behauptet, daß sie eines natürlichen Todes sterbe und daß man gut daran täte, ihre Agonie abzukürzen. Hier handelt es sich nicht mehr um ein Problem, das es zu lösen gilt, hier handelt es sich einfach um einen Feind, der geschlagen werden muß. Um die russische Gemeinde zu retten, ist eine russische Revolution nötig. Übrigens tun die russische Regierung und die „neuen Stützen der Gesellschaft" ihr Bestes, um die Massen auf eine solche Katastrophe vorzubereiten. Wenn die Revolution zur rechten Zeit erfolgt, wenn sie alle ihre Kräfte konzentriert, um den freien Aufschwung der Dorfgemeinde zu sichern, wird diese sich bald als ein Element der Regeneration der russischen Gesellschaft und als ein Element der Überlegenheit über die vom kapitalistischen Regime versklavten Länder entwickeln.

[Zweiter Entwurf]

1. Ich habe im „Capital" gezeigt, daß die Metamorphose der *feudalen Produktion in die kapitalistische Produktion die Expropriation des Produzenten* zum Ausgangspunkt hatte, und insbesondere, daß die *Grundlage dieser ganzen Entwicklung die Expropriation der Ackerbauern* ist (p.315, édit. française). Ich fahre fort: „Sie" (die Expropriation der Ackerbauern) „ist auf radikale Weise erst in England durchgeführt... *alle anderen Länder Westeuropas* durchlaufen die gleiche Bewegung." (l.c.)

Ich habe also diese „historische Unvermeidlichkeit" ausdrücklich auf die „*Länder Westeuropas*" beschränkt. Um über meinen Gedanken nicht den geringsten Zweifel zu lassen, sage ich auf p.341:

„*Privateigentum*, als Gegensatz zum gesellschaftlichen, kollektiven Eigentum, besteht nur da, wo... die äußeren Bedingungen der Arbeit *Privatleuten* gehören. Je nachdem aber diese Privatleute Arbeiter oder Nichtarbeiter sind, hat auch das Privateigentum einen andern Charakter."

So hat der Prozeß, den ich analysiert habe, eine Form des privaten und zersplitterten Eigentums der Arbeitenden durch das kapitalistische Eigentum einer äußerst geringen Minderheit ersetzt (l.c., p.342[1]), *hat eine Art des Eigentums durch eine andere ersetzt*. Wie könnte man das auf Rußland beziehen, wo das Land kein „Privateigentum" des Ackerbauern ist und es niemals gewesen ist? Die einzige Schlußfolgerung also, die sie berechtigt wären, aus dem Gang der Ereignisse im Westen zu ziehen, ist folgende: Um die kapitalistische Produktion in Rußland einzuführen, müßte man damit beginnen, das Gemeineigentum abzuschaffen und die Bauern, d.h., die große Masse des Volkes, zu expropriieren. Das ist übrigens der Wunsch

[1] Vgl. Band 23 unserer Ausgabe, S.789/790

der russischen Liberalen;* aber erweist sich ihr *Wunsch* begründeter als der Wunsch Katharinas II., das westliche Zunftwesen des Mittelalters auf russischen Boden zu verpflanzen[239]?

So diente die Expropriation der Ackerbauern im Westen zur „Verwandlung des privaten und zersplitterten Eigentums der Arbeitenden" in konzentriertes Privateigentum der Kapitalisten. Aber das ist die Ersetzung einer Form des Privateigentums durch eine andere Form des Privateigentums. In Rußland würde es sich im Gegenteil darum handeln, das kapitalistische Eigentum an Stelle des kommunistischen Eigentums zu setzen.

Sicherlich, wenn die kapitalistische Produktion ihre Herrschaft in Rußland aufrichten soll, so muß die große Mehrheit der Bauern, d.h. des russischen Volkes, in Lohnarbeiter verwandelt und folglich durch die vorhergehende Abschaffung ihres Gemeineigentums expropriiert werden. Aber auf alle Fälle würde der westliche Präzedenzfall hier überhaupt nichts beweisen.

2. Die russischen „Marxisten", von denen Sie sprechen, sind mir völlig unbekannt. Die Russen, mit denen ich in persönlichen Beziehungen stehe, haben, soviel ich weiß, völlig entgegengesetzte Ansichten.

3. Vom historischen Standpunkt aus gesehen ist das einzige ernsthafte Argument zugunsten der *unvermeidlichen Auflösung* des Gemeineigentums in Rußland folgendes: Das Gemeineigentum hat überall in Westeuropa existiert, es ist mit dem gesellschaftlichen Fortschritt überall verschwunden; wieso würde es dem gleichen Schicksal in Rußland entrinnen können?

Vor allem ist in Westeuropa der Untergang des Gemeineigentums und die Entstehung der kapitalistischen Produktion durch eine riesige Zeitspanne voneinander getrennt, die eine ganze Reihe aufeinanderfolgender ökonomischer Revolutionen und Evolutionen umfaßt, von denen die kapitalistische Produktion nur die jüngste ist. Einerseits hat sie die gesellschaftlichen Produktivkräfte hervorragend entwickelt, andererseits aber hat sie die eigene Unvereinbarkeit mit den von ihr selbst hervorgebrachten Kräften gezeigt. Ihre Geschichte ist nichts weiter als eine Geschichte von Antagonismen, Krisen, Konflikten und Katastrophen. Schließlich hat sie aller Welt, mit Ausnahme derer, die auf Grund ihrer Interessen blind sind, ihren reinen Übergangscharakter offenbart. Die Völker, bei denen sie in Europa und in Amerika den größten Aufschwung genommen hat, streben nur danach, ihre Ketten zu sprengen, indem sie die kapitalistische Produktion durch die ge-

* [In der Handschrift gestrichen:] die bei sich die kapitalistische Produktion einführen und konsequenterweise die große Masse der Bauern in einfache Lohnarbeiter verwandeln wollen.

nossenschaftliche Produktion und das kapitalistische Eigentum durch eine *höhere Form* des archaischen Eigentumtyps, d.h. durch das kommunistische Eigentum, ersetzen wollen.

Wenn Rußland in der Welt isoliert wäre, wenn es auf seine eigene Rechnung die ökonomischen Errungenschaften herausbilden müßte, die Westeuropa nur erworben hat, indem es eine lange Reihe von Evolutionen durchgemacht, von der Existenz seiner Urgemeinschaften bis zu seinem heutigen Zustande, dann würde, wenigstens in meinen Augen, kein Zweifel bestehen, daß seine Gemeinden mit der Entwicklung der russischen Gesellschaft unweigerlich zum Untergang verurteilt wären. Aber die Lage der russischen Gemeinde ist vollkommen unterschiedlich von der Lage der Urgemeinschaften des Westens. Rußland ist das einzige Land in Europa, wo sich das Gemeineigentum im großen, nationalen Maßstabe behauptet hat, aber gleichzeitig existiert Rußland in einem modernen historischen Milieu, es ist Zeitgenosse einer höheren Kultur, es ist mit einem Weltmarkt verbunden, auf dem die kapitalistische Produktion vorherrscht.

Indem es sich die positiven Ergebnisse dieser Produktionsweise aneignet, ist es also imstande, die noch archaische Form seiner Dorfgemeinde zu entwickeln und umzuformen, statt sie zu zerstören. (Ich bemerke nebenbei, daß die Form des kommunistischen Eigentums in Rußland die modernste Form des archaischen Typus ist, der wiederum selber eine ganze Reihe von Evolutionen durchgemacht hat.)

Falls die Verehrer des kapitalistischen Systems in Rußland die Möglichkeit einer solchen Kombination leugnen, so mögen sie nachweisen, daß Rußland, um die Maschinen zu benutzen, gezwungen gewesen war, die Inkubationsperiode der Maschinenproduktion durchzumachen. Mögen sie mir erklären, wie sie es sozusagen in einigen Tagen fertiggebracht haben, den Tauschmechanismus (Banken, Kreditgesellschaften etc.) bei sich einzuführen, dessen Herausbildung dem Westen Jahrhunderte gekostet hat!*

4. Die archaische oder primäre Formation unseres Erdballs enthält ihrerseits eine Reihe von Schichten verschiedenen Alters, von denen die eine über der anderen liegt. Ebenso enthüllt uns die archaische Formation der Gesellschaft eine Reihe verschiedener Typen, die verschiedene, aufeinanderfolgende Epochen kennzeichnen. Die russische Dorfgemeinde gehört zum jüngsten Typus dieser Kette. Der Ackerbauer besitzt hier schon als Privat-

* [In der Handschrift gestrichen:] Obwohl das kapitalistische System im Westen im Verblühen ist, und sich die Zeit nähert, da es nur noch eine „archaische" Formation sein wird, sind seine russischen Verehrer...

eigentum das Haus, das er bewohnt, und den Garten, der dazu gehört. Da haben wir das erste auflösende Element der archaischen Form, das den älteren Typen unbekannt war. Andererseits beruhen diese alle auf Verhältnissen der Blutsverwandtschaft zwischen den Mitgliedern der Gemeinde, während der Typus, zu dem die russische Dorfgemeinde gehört, von diesen engen Banden befreit und dadurch einer größeren Entwicklung fähig ist. Die Isolierung der Dorfgemeinden, die fehlende Verbindung zwischen dem Leben der einen und dem der anderen, dieser lokalgebundene Mikrokosmos kommt nicht überall als immanenter Charakterzug des letzten der Urtypen vor; aber überall, wo er vorhanden ist, läßt er einen zentralen Despotismus über die Gemeinden aufkommen. Es scheint mir, daß in Rußland diese ursprüngliche Isolierung, die durch die weite Ausdehnung des Territoriums verursacht wurde, leicht zu beseitigen ist, sobald die von der Regierung angelegten Fesseln gesprengt sein werden.

Ich komme jetzt zum Kern der Frage. Man sollte nicht ignorieren, daß der archaische Typus, zu dem die russische Gemeinde gehört, einen inneren Dualismus birgt, der unter gewissen historischen Bedingungen ihren Untergang herbeiführen kann. Das Eigentum am Boden ist gemeinsam, aber jeder Bauer bearbeitet und bewirtschaftet sein Feld auf eigene Rechnung, ähnlich, wie der Kleinbauer im Westen. Gemeineigentum, parzellenweise Bewirtschaftung des Bodens, diese in weiter zurückliegenden Epochen nützliche Kombination wird in unserer Epoche zur Gefahr. Einerseits differenziert die bewegliche Habe, ein Element, das selbst in der Landwirtschaft eine immer bedeutendere Rolle spielt, allmählich das Vermögen der Gemeindemitglieder und ermöglicht dadurch einen Interessenkonflikt, besonders unter dem fiskalischen Druck des Staats; andererseits geht die ökonomische Überlegenheit des Gemeineigentums, als der Basis der genossenschaftlichen und kombinierten Arbeit, verloren. Es darf jedoch nicht vergessen werden, daß die russischen Bauern bei der Nutzung der ungeteilten Wiesen bereits die kollektive Arbeitsweise durchführen, und daß ihr Vertrautsein mit den Artelbeziehungen ihnen den Übergang von der Parzellen- zur kollektiven Bewirtschaftung sehr erleichtern würde, daß die physische Beschaffenheit des russischen Bodens zu einer kombinierten maschinellen Bearbeitung in großem Maßstabe geradezu einlädt, und daß schließlich die russische Gesellschaft, die so lange auf Kosten und zu Lasten der Dorfgemeinde gelebt hat, ihr die ersten notwendigen Vorschüsse für diese Umwandlung schuldet. Selbstverständlich handelt es sich nur um eine allmähliche Umwandlung, die damit beginnen müßte, die Gemeinde auf ihrer *gegenwärtigen* Basis in eine normale Lage zu versetzen.

5. Jede mehr oder weniger theoretische Frage beiseite lassend, brauche ich Ihnen nicht zu sagen, daß heute die nackte Existenz der russischen Gemeinde durch eine Verschwörung mächtiger Interessengruppen bedroht ist. Eine gewisse Art von Kapitalismus, genährt durch Vermittlung des Staats auf Kosten der Bauern, hat sich gegen die Gemeinde erhoben, dieser Kapitalismus hat ein Interesse daran, sie zu zerstören. Es ist auch im Interesse der Gutsbesitzer, die mehr oder minder begüterten Bauern zu einer ländlichen Mittelklasse zu konstituieren und die armen Ackerbauern – d.h. die Masse – in einfache Lohnarbeiter zu verwandeln. Das würde wohlfeile Arbeit bedeuten! Und wie könnte dem eine durch die Geldeintreibungen des Staats ausgesaugte, durch den Handel ausgeplünderte, durch die Gutsbesitzer ausgebeutete und durch den Wucher von innen ausgehöhlte Gemeinde Widerstand leisten?

Was das Leben der russischen Gemeinde bedroht, ist weder eine historische Unvermeidlichkeit, noch eine Theorie; es ist die Unterdrückung seitens des Staats und die Ausbeutung durch kapitalistische Eindringlinge, die durch den gleichen Staat auf Kosten und zu Lasten der Bauern mächtig geworden sind.

[Dritter Entwurf]

Liebe Bürgerin!

Um die in Ihrem Brief vom 16. Februar vorgebrachten Fragen gründlich zu behandeln, müßte ich auf Einzelheiten eingehen und dringende Arbeiten unterbrechen, aber ich hoffe, daß die gedrängte Erläuterung, die ich die Ehre habe, Ihnen zu übersenden, genügen wird, um jedes Mißverständnis bezüglich meiner sogenannten Theorie zu zerstreuen.

I. Bei der Analyse der Entstehung der kapitalistischen Produktion sage ich: „Dem kapitalistischen System liegt also die radikale Trennung des Produzenten von den Produktionsmitteln zugrunde ... Die Grundlage dieser ganzen Entwicklung ist *die Expropriation der Ackerbauern*. Sie ist auf radikale Weise erst in England durchgeführt ... *Aber alle anderen Länder Westeuropas* durchlaufen die gleiche Bewegung" („Le Capital", éd. française, p. 315).

Die „historische Unvermeidlichkeit" dieser Bewegung ist also *ausdrücklich* auf die *Länder Westeuropas* beschränkt. Die Begründung dieser Einschränkung wird im folgenden Absatz des Kapitels XXXII gegeben: *„Das Privateigentum, das auf persönlicher Arbeit* gegründet ist ..., wird verdrängt durch das *kapitalistische Privateigentum*, das auf der Ausbeutung der Arbeit andrer, der Lohnarbeit gegründet ist" (l. c. p. 341).

Bei dieser Bewegung des Westens handelt es sich also um die *Verwandlung einer Form des Privateigentums in eine andere Form des Privateigentums.* Bei den russischen Bauern würde man im Gegenteil ihr *Gemeineigentum in Privateigentum umzuwandeln* haben. Ob man die Unvermeidlichkeit dieser Umwandlung bejaht oder verneint, die Gründe für und wider haben nichts mit meiner Analyse der Genesis der kapitalistischen Ordnung zu tun. Man könnte höchstens daraus folgern, daß, angesichts der gegenwärtigen Lage der großen Mehrheit der russischen Bauern, der Akt ihrer Umwandlung in Kleinbesitzer nur der Prolog zu ihrer raschen Expropriation sein würde.

II. Das ernsthafteste Argument, das man gegen die russische Dorfgemeinde erhoben hat, läuft auf folgendes hinaus:

Geht zu den Ursprüngen der westlichen Gesellschaften zurück und Ihr werdet überall das Gemeineigentum an Grund und Boden finden; mit dem gesellschaftlichen Fortschritt mußte es überall vor dem Privateigentum weichen; also würde es dem gleichen Schicksal auch in Rußland nicht entrinnen können.

Ich möchte diesem Argument nur insofern Rechnung tragen, als es sich auf die europäischen Erfahrungen stützt. Was zum Beispiel Ostindien anbelangt, so ist es aller Welt, mit Ausnahme von Sir H. Maine und anderen Leuten gleichen Schlags, nicht unbekannt, daß dort die gewaltsame Aufhebung des Gemeineigentums an Grund und Boden nur ein Akt des englischen Vandalismus war, der die Eingeborenen nicht nach vorn, sondern nach rückwärts stieß.

Die Urgemeinschaften sind nicht alle nach dem gleichen Muster zugeschnitten. Ihre Gesamtheit bildet im Gegenteil eine Reihe von gesellschaftlichen Gruppierungen, die sich sowohl im Typus wie im Alter voneinander unterscheiden und die aufeinanderfolgende Entwicklungsphasen kennzeichnen. Einer dieser Typen, den man übereingekommen ist, *„Ackerbaugemeinde"* zu nennen, ist auch der der *russischen Gemeinde*. Ihr Gegenstück im Westen ist die *germanische Gemeinde*, die sehr jungen Datums ist. Zur Zeit Julius Cäsars existierte sie noch nicht, und sie existierte nicht mehr, als die germanischen Stämme Italien, Gallien, Spanien etc. eroberten. In der Epoche Julius Cäsars gab es schon eine jährliche Aufteilung des Ackerlands unter Gruppen, den *Gentes* und den *Stämmen*, aber noch nicht unter die einzelnen Familien einer Gemeinde; wahrscheinlich erfolgte die Bebauung auch in Gruppen, gemeinschaftlich. Auf germanischem Boden selbst hat sich diese Gemeinschaft von archaischerem Typus durch eine natürliche Entwicklung zur *Ackerbaugemeinde* umgewandelt, so wie sie Tacitus beschrieben hat. Nach seiner Zeit verlieren wir sie aus den Augen. Sie ging in den unaufhörlichen Kriegen und Wanderungen unbemerkt zugrunde; sie endete vielleicht auf gewaltsame Weise. Aber ihre natürliche Lebensfähigkeit ist durch zwei unbestreitbare Tatsachen erwiesen. Einige verstreute Exemplare dieser Art haben alle Wechselfälle des Mittelalters überlebt und sich bis auf unsere Tage erhalten, z.B. in meiner Heimat, der Gegend von Trier. Aber am wichtigsten ist, wir finden das Gepräge dieser „Ackerbaugemeinde" so gut auf die neue Gemeinde, die daraus hervorging, übertragen, daß Maurer, da er die eine erforscht hatte, die andere rekonstruieren konnte. Die neue Gemeinde, in der das Ackerland den Ackerbauern als *Privateigentum* gehört, während Wälder, Weiden, Ödland etc. immer noch *Gemeineigentum* bleiben, wurde von den Germanen in allen eroberten Ländern eingeführt. Dank der ihrem Prototyp entlehnten Wesenszüge wurde sie während des ganzen Mittelalters zum einzigen Hort der Volksfreiheit und des Volkslebens.

Man begegnet der „Dorfgemeinde" auch in Asien, bei den Afghanen etc., aber sie stellt überall den *allerjüngsten Typus* dar, sozusagen das letzte Wort der *archaischen Formation* der Gesellschaften. Um diese Tatsache hervorzuheben, bin ich auf einige Einzelheiten hinsichtlich der germanischen Gemeinde eingegangen.

Wir müssen jetzt die charakteristischsten Züge betrachten, welche die „Ackerbaugemeinde" von den archaischeren Gemeinwesen unterscheiden.

1. Alle anderen Gemeinwesen beruhen auf Beziehungen der Blutsverwandtschaft zwischen ihren Mitgliedern. Man gehört zu ihr nur, wenn man blutsverwandt oder adoptiert ist. Ihre Struktur ist die eines Stammbaums. Die „Ackerbaugemeinde" war die erste gesellschaftliche Gruppierung freier Menschen, die nicht durch Blutsbande eingeengt war.

2. In der Ackerbaugemeinde gehören das Haus und was dazu gehört, der Hof, dem Ackerbauern persönlich. *Das gemeinsame Haus und die kollektive Wohnung* waren dagegen eine ökonomische Basis der primitiveren Gemeinwesen, und das schon lange vor dem Aufkommen von Viehhaltung und Ackerbau. Gewiß findet man Ackerbaugemeinden, wo die Häuser, obwohl sie aufgehört haben, kollektive Wohnplätze zu sein, periodisch die Besitzer wechseln. Die persönliche Nutzung ist also kombiniert mit dem Gemeineigentum. Aber solche Gemeinden tragen noch ihr Geburtsmal – sie befinden sich im Übergangsstadium von einem archaischeren Gemeinwesen zur Ackerbaugemeinde im eigentlichen Sinne des Wortes.

3. Das Ackerland als unveräußerliches und gemeinsames Eigentum wird periodisch zwischen den Mitgliedern der Ackerbaugemeinde derart aufgeteilt, daß jeder die ihm zugewiesenen Felder auf eigene Rechnung bewirtschaftet und sich die Früchte persönlich aneignet. In den primitiveren Gemeinwesen wird die Arbeit gemeinsam verrichtet und das gemeinschaftliche Produkt bis auf den für die Reproduktion reservierten Anteil je nach den Bedürfnissen aufgeteilt.

Man versteht, daß der der Ackerbaugemeinde innewohnende *Dualismus* sie mit großer Lebenskraft erfüllen kann. Befreit von den starken, aber engen Banden der Blutsverwandtschaft wird ihr durch das Gemeineigentum an Grund und Boden und die sich daraus ergebenden sozialen Beziehungen eine feste Grundlage gesichert, während gleichzeitig das Haus und der dazugehörige Hof, ausschließlicher Bereich der einzelnen Familie, die Parzellenwirtschaft und die private Aneignung ihrer Früchte der Entwicklung der Persönlichkeit einen Auftrieb geben, der mit dem Organismus der primitiveren Gemeinwesen unvereinbar ist.

Aber es ist nicht weniger offensichtlich, daß der gleiche Dualismus sich mit der Zeit zu einem Keim der Zersetzung entwickeln kann. Abgesehen von allen von außen kommenden schädlichen Einflüssen trägt die Gemeinde in ihrem eigenen Innern die sie zerstörenden Elemente. Das Privateigentum an Grund und Boden hat sich bereits dorthin eingeschlichen in Gestalt eines Hauses mit seinem Hof, es kann sich zu einem starken Bollwerk verwandeln, von wo aus der Angriff gegen das gemeinschaftliche Land vorbereitet wird. Dies hat man schon gesehen. Aber das Wesentliche ist die parzellierte Arbeit als Quelle der privaten Aneignung. Sie läßt der Akkumulation beweglicher Güter Raum, z. B. von Vieh, Geld, bisweilen sogar von Sklaven oder Leibeigenen. Dieses bewegliche, von der Gemeinde unkontrollierbare Eigentum, Gegenstand individuellen Tausches, wobei List und Zufall leichtes Spiel haben, wird auf die ganze ländliche Ökonomie einen immer größeren Druck ausüben. Das ist das zersetzende Element der ursprünglichen ökonomischen und sozialen Gleichheit. Es führt heterogene Elemente ein, die im Schoße der Gemeinde Interessenkonflikte und Leidenschaften schüren, die geeignet sind, zunächst das Gemeineigentum an Ackerland, dann das an Wäldern, Weiden, Brachland etc. anzugreifen, die, einmal in *Gemeindeanhängsel* des Privateigentums umgewandelt, ihm schließlich zufallen werden.

Als letzte Phase der primitiven Gesellschaftsformation ist die Ackerbaugemeinde gleichzeitig eine Übergangsphase zur sekundären Formation, also Übergang von der auf Gemeineigentum begründeten Gesellschaft zu der auf Privateigentum begründeten Gesellschaft. Die sekundäre Formation umfaßt, wohlverstanden, die Reihe der Gesellschaften, die auf Sklaverei, Leibeigenschaft beruhen.

Aber heißt das, daß die historische Laufbahn der Ackerbaugemeinde unvermeidlich zu diesem Ergebnis führen muß? Keineswegs. Der ihr innewohnende Dualismus läßt eine Alternative zu: entweder wird ihr Eigentumselement über das kollektive Element oder dieses über jenes siegen. Alles hängt vom historischen Milieu ab, in dem sie sich befindet.

Sehen wir für einen Augenblick von dem Elend ab, das die russische Gemeinde bedrückt, um allein ihre Entwicklungsmöglichkeiten zu betrachten. Sie nimmt eine einzigartige Stellung ein, die keinen Präzedenzfall in der Geschichte aufweist. Als einzige in Europa ist sie noch die organische, vorherrschende Form im Landleben eines ungeheuren Reiches. Das Gemeineigentum an Grund und Boden bietet ihr die natürliche Basis der kollektiven Aneignung und ihr historisches Milieu, die Gleichzeitigkeit mit der kapitalistischen Produktion, bietet ihr fix und fertig dar die materiellen Bedingungen der in großem Maßstabe organisierten kollektiven Arbeit. Sie kann sich also die von dem kapitalistischen System hervorgebrachten positiven Errungenschaften aneignen, ohne dessen Kaudinisches Joch durchschreiten zu müssen. Sie kann den parzellierten Ackerbau allmählich durch eine kombinierte und mit Hilfe von Maschinen betriebene Landwirtschaft ersetzen, zu der die physische Beschaffenheit des russischen Bodens geradezu einlädt. Nachdem sie erst einmal in ihrer jetzigen Form in eine normale Lage versetzt worden ist, kann sie der *unmittelbare Ausgangspunkt* des ökonomischen Systems werden, zu dem die moderne Gesellschaft tendiert, und ein neues Leben anfangen, ohne mit ihrem Selbstmord zu beginnen.*

Die Engländer haben solche Versuche in Ostindien gemacht; es ist ihnen nur gelungen, die einheimische Landwirtschaft zu ruinieren und die Anzahl und Intensität der Hungersnöte zu verdoppeln.

Doch was ist mit dem Fluch, mit dem die russische Dorfgemeinde beladen ist – ihre Isolierung, die fehlende Verbindung zwischen dem Leben der einen Gemeinde mit dem der anderen, dieser *lokal gebundene Mikrokosmos*, der ihr bisher jede historische Initiative untersagt hat? Er würde inmitten einer allgemeinen Erschütterung der russischen Gesellschaft verschwinden.

Das Vertrautsein des russischen Bauern mit dem *Artel* würde ihm speziell den Übergang von der Parzellen- zur genossenschaftlichen Wirtschaft erleichtern, die er übrigens schon bis zu einem gewissen Grade bei der Heuernte und bei Gemeindeunternehmungen, wie Entwässerungsarbeiten etc. anwendet. Eine ganz archaische Eigentümlichkeit – der Alpdruck der modernen Agronomen – wirkt ebenfalls in diesem Sinne. Man komme in irgendein Land, wo das Ackerland Spuren einer eigenartigen Zersplitterung verrät, die ihm das Aussehen eines aus kleinen Feldern zusammengesetzten Schach-

---

* [In der Handschrift gestrichen:] Aber ihr gegenüber erhebt sich das Grundeigentum, das fast die Hälfte des Bodens, und zwar den besseren Teil, in seinen Klauen hält. Eben deswegen stimmt die Erhaltung der Dorfgemeinde auf dem Wege ihrer Weiterentwicklung mit der allgemeinen Bewegung der russischen Gesellschaft überein, deren Wiedergeburt nur zu diesem Preis erkauft werden kann. Rußland würde vergeblich versuchen, durch das kapitalistische Pachtverhältnis nach englischer Art, dem alle sozialen Bedingungen des Landes widersprechen, aus seiner Sackgasse herauszukommen...

bretts verleiht, dann gibt es keinen Zweifel, vor uns ist die Domäne einer untergegangenen Ackerbaugemeinde! Ihre Mitglieder begriffen, ohne ein Studium der Theorie der Grundrente absolviert zu haben, daß eine gleiche Arbeitsmenge, angewandt auf Felder unterschiedlicher natürlicher Fruchtbarkeit und Lage, auch unterschiedliche Erträge ergeben wird. Um die Erfolgsaussichten der Arbeit auszugleichen, teilten sie das Land in eine bestimmte Anzahl von Abschnitten, bedingt durch die natürlichen und ökonomischen Bodenunterschiede, und teilten diese größeren Abschnitte in ebenso viele Parzellen wie es Landleute gab. Dann erhielt jeder einen Anteil von jedem Abschnitt. Diese bis auf den heutigen Tag in der russischen Gemeinde beibehaltene Ordnung widerspricht selbstverständlich den agronomischen Forderungen. Abgesehen von anderen Unzuträglichkeiten erfordert sie eine Verschwendung von Kraft und Zeit. Nichtsdestoweniger begünstigt sie den Übergang zur kollektiven Bewirtschaftung, der sie auf den ersten Blick so zu widersprechen scheint. Die Parzelle[1]

Geschrieben Ende Februar/Anfang März 1881.
Nach der Handschrift.
Aus dem Französischen.

[1] Hier bricht das Manuskript ab

Karl Marx

[Notizen zur Reform von 1861 und der damit verbundenen Entwicklung in Rußland[240]]

[I]

Gang [der Vorbereitung der Reform]

Wie angenehm *Alex[ander] II. (Kommissionsavis konnte nichts daran ändern) den Aufkauf der усадьбы*[1] gemacht in den ersten allerhöchsten Reskripten von 1857 (Skaldin 117 unten und 118[241]). Unter demselben Alexander Defraudation der Bauern wegen Aufgekauften vor und nach 1848 (123[242]).

1. 〈Nach der Proklamation des Emanzipations-*Manifests* am 19. Februar 1861 (3. März) allgemeine Erregung und Unruhen unter den Bauern; sie hielten es für ein gefälschtes, unechtes Dokument; militärische Exekutionen; allgemeines Verprügeln der Leibeigenen während der ersten 3 Monate nach dem „Manifest". Weshalb diese seltsame „*Ouvertüre*" zu dieser mit so viel Lärm angekündigten Vorstellung?〉

Die folgenden Punkte müssen neben den lateinischen später andre Ziffern enthalten, um zu sehn, wie sie aufeinander folgen.

a) Mit Bezug auf die *Redaktionskommission* und ihre *Freiheit* (Heft p. 102[243]). *4. März 1859* eröffnete die Redaktionskommission ihre Sitzungen, 5. März erste eigentliche Sitzung. *15. April 1859 (angebliche Zuziehung des Volks)* (p. 106). In Sitzungen vom *6., 9., 13. Mai und 20. Mai 1859* über *zeitlich-gebundenen* Zustand angenommen mit *Protesten* von 〈*Graf*〉 *Peter Schuwalow* und *Knjas*[2] *Paskewitsch: die persönliche Befreiung der Bauern* dürfe nicht abhängig gemacht werden von den ihnen *vorgeschriebenen* (zwangsweise auferlegt) Bedingungen, Grundeigentum zu erwerben[244]. Sofort allerhöchster *Befehl verweigert 21. Mai Aufnahme ihrer Proteste ins Protokollbuch (p. 107, 108). Phrase der Kommission: „wie die kleinste Abweichung vom kaiserlichen Willen verderblich*" (p. 108 oben). *5. Januar 1859*

[1] *Bauernhöfe* – [2] *Fürst*

verboten den ⟨Gouvernements-Adelskomitees, die Öffentlichkeit zuzulassen etc.⟩.

Verbote von Druck etc. an selbe vom 21. Januar 1859 und 3. März 1859 (p. 106).

⟨Schließlich: Der Kaiser hatte öffentlich versprochen, daß, ehe das Projekt Gesetz werden würde, Abgeordnete von den Gouvernementskomitees nach St. Petersburg eingeladen werden sollten, um Einwände vorzubringen und Verbesserungen vorzuschlagen ... Sie wurden zur Hauptstadt zitiert, es wurde ihnen aber nicht gestattet, eine öffentliche Versammlung zur Diskussion der Frage zu veranstalten. Alle ihre Bemühungen, Zusammenkünfte abzuhalten, wurden vereitelt: Man verlangte von ihnen nur, eine Liste von gedruckten Fragen über Detailangelegenheiten schriftlich zu beantworten. Diejenigen, die es wagten, Einzelheiten zu diskutieren, wurden aufgefordert, persönlich den Kommissionssitzungen beizuwohnen, dort grob angefahren; mehrere Gruppen von Abgeordneten reichten dem Zaren Petitionen ein, die einen Protest dagegen enthielten, wie sie behandelt wurden; *sie erhielten einen förmlichen Tadel* durch die Polizei.⟩ Wollten nun ⟨protestieren in den *dreijährlichen Gouvernements-Versammlungen der Adligen*. Ein Zirkular verbot ihnen, die Frage der Befreiung zu berühren. Einige Versammlungen unterbreiteten trotzdem dem Zaren, daß die Zeit auch für andere Reformen gekommen sei.⟩ Darauf ⟨einige Adelsmarschälle getadelt, andere abgesetzt. Von den Führern *wurden zwei* in entfernte Gouvernements *verbannt*, andere unter Polizeiaufsicht gestellt.⟩

In der Tat ging alles zu par ordre du moufti[1]. Alexander II. ⟨war von Anfang an entschlossen, den Besitzern soviel wie möglich zu geben (und den Bauern sowenig wie möglich), um sie mit der *formalen Abschaffung der Leibeigenschaft* auszusöhnen; er wollte nur den Loskauf des Hofes des Bauern obligatorisch machen – seines Hofes, seiner Gemüsegärten, seiner Flachsfelder und außerdem Nießbrauch an Feldern (wo er existierte); er wollte sogar eine Art Rechtsprechung der Gutsherren über die Bauern beibehalten; er bestand darauf, daß sie eine 12jährige Übergangsperiode der Leibeigenschaft durchmachen sollten etc. Siehe sein Reskript vom 20. November 1857 an den Generaladjutanten *Nasimow*, den Generalgouverneur *der drei Gouvernements Wilna, Kowno und Grodno* als Antwort an deren *Adelskomitees* (p. 103[242]).⟩

[1] auf allerhöchsten Befehl

Durch seine Zögerung, während er schon *März 1855* – nach dem Landsturmaufgebot vom 29. Januar 1855 – dem Gouvernementsmarschall und Kreismarschällen gegenüber von *Abschaffung der Leibeigenschaft* gesprochen, die er aber nicht die Absicht habe *gleich vorzunehmen* (!), erlaubte er den пом[ещикам][1], die sächlichen Verhältnisse der Bauern sehr zu verschlechtern. Siehe *Zirkulare* p. 105; *p. 110 Skaldin* und *p. 114*.

3. Januar 1857 auf *Vorschlag des Lanskoj Geheimes Komitee* gebildet unter Vorsitz Alexanders, in seiner Abwesenheit des Fürsten Orlow. Beschlossen, Adelskomitees zur Mitarbeit einzuladen etc. (p. 103). Es beschloß gleich in Sitzungen vom *14., 17., 18. August* die Verbesserung der Bauern nur *langsam* und *vorsichtig* (l. c.).

8. Januar 1858. „Geheimes Komitee" verwandelt sich in *„Hauptkomitee"*, dem außerdem *„Besondre Kommission"* zugefügt, zur vorläufigen *Prüfung* der *Entwürfe des Gouvernementskomitees.* Außerdem gebildet земск[ая][2] *⟨Agrar⟩-Abteilung* des *zentralen statistischen Komitees* des Ministeriums des Innern zur Beurteilung der ⟨Agrar⟩-Verhältnisse des Reichs, auch zur vorläufigen Prüfung der Gouvernementskomitees (p. 103).

I (2)

21. April (1858) mit *Zirkular von Lanskoj* abgesandt *allerhöchst* bestätigtes *Programm der Beschäftigung der Gouvernementskomitees* etc. (p. 105).

Weiteres in derselben ⟨Linie⟩, 18. Oktober 1858 vom Hauptkomitee gefaßte Beschlüsse bilden *Ausgangspunkt* der *Redaktionskommissionen* (p. 105).

17. Februar 1859 die 2 Redaktionskommissionen unter Vorsitz *Rostowzews* (p. 105).

27. April 1859 (noch Finanzkommission zugefügt) bestehend nur aus Spezialisten und Beamten des Finanzministeriums und des Innern (p. 105). *Die 3 Perioden der Redaktionskommissionen* (p. 105). (6. Februar 1860 starb *Rostowzew.*)

[II]

[Drei Arbeitsperioden der Redaktionskommissionen]

1ste Periode	4. März – 5. September 1859	*Zusammen 1 Jahr 7 Monate.*
2te Periode	5. September 1859 – 12. März 1860	
3te Periode	12. März – 10. Oktober 1860.	

[1] Gutsbesitzern – [2] Semstwo

Angebliche Prinzipien (schon früher durch kaiserlichen Brief etc. und Hauptkomitee aufgestellt).	*Praxis.*
a) *Aufkauf muß freiwillig von beiden Seiten sein (mit Ausschluß der усадеб*[1]. *(29. April 1859 Rostowzew)*(p. 106[246]). Ditto *(20. Mai 1859)* – l. c.). Weiteres über den Aufkauf (p. 106). ⟨*Vorschläge*⟩ *des Hauptkomitees vom 4. Dezember 1858* (führt Rostowzew in die Kommissionssitzung ein. Sitzung vom 27. Mai 1859) *(p. 107 unten)*. *Выкуп*[2] mit ⟨Regierungshilfe⟩ schon hypothetisch in Journal des *Hauptkomitees vom 4. Dez. 1858* (p. 108). *Graf Peter Schuwalow und Knjas Paskewitsch* hatten in ihren Protesten etc. sehr richtig bemerkt, daß die *Vorlage des Rostowzew* „die schließliche Befreiung des Bauernstands" vom выкуп abhängig mache; und *„es sei unnatürlich, einen freien Menschen zu zwingen, wider seinen Willen Grundeigentum zu erwerben*" (p. 108).	a) *Obligatorisch Aufkauf nur für die Bauern;* ⟨*Gutsbesitzer*⟩ *kann sie zum Aufkauf zwingen* (cf. p. *108 unten und 109*, ib., p. *109 Golowatschow*[245]). Bedingungen des Aufkaufs ib. *die 400 Mill. Schulden* der пом[ещичьи].
14. Februar 1859 Vorlage des Rostowzew. Damals sollte die Aufkauffrist *nur 37 Jahre sein (später 49)*, und ... zwar „auf dem gewöhnlichen Obrok[3] der Bauern".	*Finanzielle Seite der Aufkauf-Operationen (p. 109 Golowatschow). Gewinne der Börsianer* (l. c.). *Fall der Papiere;* ⟨*Gutsbesitzer*⟩ *zum freiwilligen Aufkauf verlangen* ⟨*zusätzliche Zahlung*⟩ *von Bauern* (*Skaldin* p. 110, p. 117) (Skrebizki p. 123).
b) ⟨*Leibeigener*⟩ *soll nicht für seine persönliche Freiheit zahlen.*	b) ⟨*Leibeigener*⟩ *hat für seine persönliche Freiheit zu zahlen* (113 Skaldin) (ditto *p. 115*). *p. 124 Janson, Janson p. 125 unten*[247].

[1] *Bauernhöfe* – [2] *Loskauf* – [3] Grundzins

c) *Der bestehende Obrok sollte nicht erhöht werden.*	c) *Der bestehende Obrok wird erhöht* (schon durch die Verminderung des Nadjel[1], p. 116).
d) *Die Bauern sollen solche Anteile erhalten*, daß *ihre Existenz völlig gesichert*, neben Aufkauf von Abgabenzahlung.	d) ⟨Tatsächlich⟩ solche Teile (selbst die höchsten eingeschlossen), daß Bauers Existenz nicht durch Nadjel gedeckt, er aber *abhängig bleibt* zeitlich vom ⟨Gutsbesitzer⟩.

1.

b) *Die zeitlich Gebundnen*

Sitzungen vom 6., 9., 13. Mai 1859 (p. 107). Damals *12 Jahre* für *zeitlich Gebundene bestimmt* (p. 107).

Bis zu Beginn des Aufkaufs der *bäuerl[iche] Landanteil in seiner existierenden Ausdehnung* erhalten „mit den notwendigen Ausnahmen und Beschränkungen" (p. 107), nicht so bei *выкуп* (sieh *Rostowzew, p. 108* unter Loskauf).

Zahlungen der zeitlich Gebundnen (p. 111 *Skaldin;* in *nichtschwarz[erdig]er Zone*).

Bauern in mittlerer und südlicher Zone ziehen ⟨Frondienst⟩ vor, ihnen früher so verhaßt *(p. 115, Skaldin, Anfang).*

Die auf 9 Jahre an die Scholle Gefesselten können nicht heraus (*Skaldin* 117, 118).

Wo die Bauern aus örtlichen Gründen усадьбы bes[onders] aufkaufen wollen, verhindert durch ⟨Gutsbesitzer⟩ etc. (p. 118 ad. 2) *Skaldin. Es kommt faktisch nie vor (ib.).* Warum vor Ablauf der ersten 9jährigen Periode durch die ⟨Gutsbesitzer⟩ выкуп beschleunigt *(p. 119 Skaldin).*

1878 Zahl der zeit[lich] Gebundnen (*Janson* p. 119).

2. *Die Bauern auf выкуп.* Für 49 Jahre ⟨an den Boden gefesselt⟩ (p. 118 und 119 *Skaldin*). *Unmögliche Bedingungen des Austritts* (l. c.).

c) *Wachsende Seelensteuern auf Bauer* etc. *unter Alexander II. (p. 109)* (Golowatschow), *(p. 111 Skaldin und 112)*, (p. 113 unten) (*p. 114* Anfang).

System von Gratifikation für Beamte für *Eintreibung der* ⟨*Rückstände*⟩ (l. c.) (109).

Über die Seelensteuer überhaupt (112, Skaldin).

So wenig wie Adel zahlen Kaufleute Steuer von Land, das sie seit 1861 kaufen können *(112, Skaldin).*

Starowerzen[2] gegen Seelensteuer (112) *(Skaldin).*

---

[1] Landanteils – [2] Altgläubige

Zugleich Paßwesen (l. c. und 113), (*seit 1863 Paßgeld an die* ⟨*Dorfgemeinde*⟩ *zahlbar*, l. c.).

Staatsgefahr aus dem System (unten 112 l. c. *Skaldin*).

Auch die Landlosen den Gemeinden zugeschrieben (p. 113) *(Skaldin).*

d) Abschneiden von ⟨Bauernland⟩. *Wirkung von Wegnahme von Wald, Wiese, Weide und dem Abschneiden Stücke des bäuerlichen Nadjels. Sachliche Abhängigkeit der Bauern von der пом[ещичьей]*[1] ⟨Absurdität⟩ *(114 Skaldin). Pacht von* ⟨*Gutsbesitzern*⟩ *und Staat* (*110* Skaldin). Aufkaufen dieser *Abschnitte* durch *Kaufleute* etc., Staatspächter etc. (110) *(Skaldin)* id. *p. 114.* Er muß pachten vom ⟨Gutsbesitzer⟩ (110) (Skaldin).

Abschnitte von ⟨*Bauernland*⟩, mindestens in mehr als $^1/_2$ der ⟨Güter, Verkleinerung der Landabschnitte und Steigerung der Zahlung darauf⟩ (114 *Skaldin*) und ⟨unter 2. (p. 114) (und angefügt den Ländereien des Gutsbesitzers)⟩.

Unzureichenheit des Nadjel (⟨daher⟩ Notwendigkeit zu pachten und Arbeitslohn beizuschaffen).

Reicht kaum zur Ernährung hin (auch in Schwarzerde) (111 *Skaldin*). ⟨*Unfruchtbarkeit der* den Bauern zugewiesenen *Felder und ungünstige Lage*⟩ (114) *(Skaldin).*

Nach Положс[ению][2]*: Je fruchtbarer Boden, desto geringer Nadjel* (l. c. *Skaldin*).

Kommissionsfestsetzungen des höchsten Nadjel (116, Skaldin). Noch mehr vermindert durch ⟨*Staatsrat*⟩ *(ib. Skaldin).*

Janson, p. 124. Dazu Erschwerung der Übersiedlung (l. c.).

Ursprünglich die Ungenügenheit des Nadjel sollte durch ⟨Reg[ierungs]⟩-Erleichterung für *Übersiedlung* kompensiert werden; dies später ganz fallengelassen (125).

a) *Durch die Verhältnisse, worin die Regierung den Bauern gestellt*, seine Plünderung durch кулаками[3] und Kaufleute (p. 110 Skaldin).

Hungersnöte (Note unter p. 113, 114), (vergl. mit Leibeigenschaft, p. 114 zit. Skaldin *p. 205*).

b) *Überlastung des Nadjel.*

Sieh Beispiele in Nordzone (p. 113) *ebenfalls zu hoch in Mittel- und Südrußland* (l. c.).

Die lächerlichen Ungeheuerlichkeiten bei

1. *Festsetzung des Obrok* (*Skaldin* p. 115 und 116) für *Fronarbeiter* (p. 116).

Gradationssystem per Desjatine auf Seele (p. 116 Skaldin) (in Schwarzerde am höchsten). (Je kleiner Land, desto größer Obrok.)

[1] *gutsherrlichen* – [2] *Verordnung* – [3] Kulaken

Niedrigstes $^1/_3$ *Nadjel, (letzte Zeilen p.116 Skaldin).* Wo weniger sollte *zugeschnitten* werden, aber Staatsrat ließ das nicht zu (*p.116 Skaldin* Anfang).

Die *местности*[1] festgesetzt für Obrok auf Aufkauf (117, Skaldin).

Allgemeine *Erhöhung des Obrok (p.125 Janson).*

2. *Festsetzung der höchsten Anteile und der niedrigeren.*

Die niedrigeren Anteile bei den zeitlich Gebundenen ($^1/_2$, $^1/_4$) (p.117, 118, *Skaldin*).

Niedrigster Anteil bei выкуп Bauern $^1/_3$ *(Skaldin p.118)*, (sieh *118 ad 2.;* Aufkauf von bloßen усадьбы *kommt faktisch nie vor* (118).

Festsetzung des Nadjel waltenden Gesichtspunkte dabei (*p.124 Janson*).

$^1/_3$ *als Minimum für ⟨Gutsbesitzer⟩* (darüber Janson p.125). Dies noch bedeutend verschlimmert *und schließlich durch Полож[ение]* (ib.).

System der Gradationen (p.125 Janson).

3. „*⟨Waisen⟩-Nadjel*". In den rein agrikolen Gouvernements (p.115 *Skaldin*).

a) *Kapitalisierung des zu hohen Obroks bei выкуп;* ⟨daher⟩ Überschätzung des Bodens (Skaldin p.117, Beispiel von Smolensk). In *nichtschwarzerdiger Zone* (117). *In schwarzerdiger ib.*

b) *Bank und Abkauf* (p.126–130) *(p.132 Ende).*

c) *Aktuelle Lage der Bauern: (Janson) Bedingung der Übersiedlung* nur für die bemitteltern, *Janson 143;* (⟨faktisch⟩ „Verbot" der Übersiedlung, Janson p.144).

α) *Schwarzerdige ⟨Dreifelder⟩-Zone* (p.120 *Janson*).

β) *Steppenzone* (westlicher Teil): *Cherson, Taurien, Jekaterinoslaw* (Janson, *Ende 120 und Anfang 121*).

γ) *Die westlichen Gouvernements* (119, Skaldin; *p.121, Janson, 126* ditto).

[III]

Semstwo

⟨Die *obligatorischen* Kosten (für die lokale Zivil- und Militärverwaltung) verschlingen den größten Teil; soweit diese Einrichtungen allein Instrumente der Regierungsverwaltung. Die Regierungsausgaben steigen jährlich. Fortlaufend Anleihen nur zur Zahlung der Zinsen für frühere Anleihen.

In dem kurzen *Zeitraum* von 1862 bis 1868 stiegen die gewöhnlichen Regierungsausgaben von 1862 bis 1868 um 42% oder um durchschnittlich $20^1/_2$ Millionen Rbl. (1862 betrugen die gewöhnlichen Jahresausgaben

[1] Das *Gelände*

295 532 000 Rbl., *1868:* Rbl. 418 930 000.) Als ein Beispiel für das *Anwachsen der obligatorischen Gouvernements- und Kreisausgaben* können wir eins der ärmsten russischen Gouvernements nehmen, das von *Nowgorod*, dessen *obligatorische* Ausgaben im Jahre 1861 80 000 Rbl. ausmachten, *1868* 412 000 Rbl.⟩

Eigentlicher Inhalt der Emanzipation

⟨Guerillakrieg zwischen Bauern und Grundbesitzern.

Die Befreiung läuft einfach darauf hinaus, daß der adlige Gutsbesitzer nicht mehr über die *Person des Bauern* verfügen, ihn nicht verkaufen kann etc. Diese *persönliche Leibeigenschaft ist abgeschafft*. Sie haben ihre *persönliche Gewalt über die Person des Bauern* verloren.

Kaum gelangten Gerüchte über die beabsichtigte Emanzipation der Bauern nach draußen, als die Regierung sich gezwungen sah, Maßnahmen zu ergreifen gegen die Versuche der Gutsbesitzer, mit Gewalt die Bauern zu expropriieren oder ihnen den unfruchtbarsten Boden zuzuweisen.

Früher, in den Zeiten der Leibeigenschaft, hatten die Gutsbesitzer ein Interesse daran, den Bauer als eine unentbehrliche *Arbeitskraft* zu erhalten; das hat aufgehört. Der *Bauer* gelangte in *ökonomische Abhängigkeit von seinem früheren Gutsbesitzer.*⟩

Abkauf

Wegen des Falls ⟨der Abkauf- (Tausch-) Obligationen, die von der Regierung ausgegeben wurden, um 20%, begannen viele Gutsbesitzer nicht mit dem „obligatorischen" Abkauf, sie forderten von den Bauern *zusätzliche Zahlungen*, um diesen Verlust auszugleichen. An einigen Orten zahlten die Bauern durch freiwillige Übereinkunft mit den Gutsbesitzern diese zusätzlichen Summen, hörten jedoch nach $1^1/_2$ Jahren auf, der Regierung das Abkaufgeld zu zahlen. Diese zusätzliche Zahlung 27 Rbl.⟩ per Revisionsseele [248].

Die Abkauf-Periode 49 *(und ⟨nicht⟩ 41)* Jahre; die Bauern damals schon skeptisch, ⟨ob das Versprechen gehalten werden würde, daß nach Ablauf dieser Zeit kein оброк für das Land gezahlt werden müßte, das sie von der Regierung gekauft hatten⟩.

Abzug der Schulden bei Auszahlung an die ⟨Gutsbesitzer⟩

⟨Die Regierung zog sofort die Schulden der Gutsbesitzer an den Vormundschaftsrat (Vormundschaftsamt), das ihnen als Bank gedient hatte, ohne irgendwelche Entschädigung für die Zeit ab, die noch bis zur Fälligkeit der Anleihen verblieb.

Zum Beispiel: Am 1. April 1870 wurden von den 505 652 107 Rbl., die auf Rechnung der Bauern gezahlt worden waren, *235 032 183 Rbl.* abgezogen, welche die Gutsbesitzer den staatlichen Kredit-Institutionen *schuldeten.*⟩

Erhöhung der Seelenabgabe

Seit 1864 подушная подать[1] wächst ⟨etwa⟩ 80%; zugleich der *государст[венный] земский сбор*[2]. Größte Erhöhung der Seelensteuer 1867.

Ersichtbar aus den Arbeiten der Kommission über direkte Abgaben[249]:

1862: Aus der ganzen russischen Steuersumme (direkt und indirekt), nämlich aus 292 000 000 Rbl. lagen 76% oder 232 Mill. Rbl. auf den armen Klassen (Bauern und Handwerkern). Aber seit der Zeit dies bedeutend verschlechtert, indem erhöht die *Seelensteuer* für Bauern aller Kategorien, die *оброчная* подать[3] auf die *Kronbauern* und der *госуд[арственный] земск[ий] сбор* bezahlt fast nur durch die *податные души*[4].

1863: Seelensteuer per Kopf 25 Kopeken, *1867:* bereits *50* Kopeken. Душев[ой] *сбор*[5] für гос[ударственные] зем[ские] повин[ности][6] seit 1865 erhöht um 20 Kopeken, beträgt jetzt im Durchschnitt 98 K. per Seele.

Die *оброч[ная] подать* von Kronbauern erhöht von *1862 bis 1867* von *25 256 000 auf 35 648 000 Rbl.* (mehr als 1 Rbl. per Seele). *1. Juli 1863* подуш[ная] подать auf мещан[ах][7] abgeschafft, verlegt mit Zuschlag auf unbewegliches Eigentum in Städten, Vorstädten, Marktflecken, woran мещане und Bauern ihren Teil haben, und сбор[8] auf Attestate auf Kleinhandel und *Industrie-Billets* fallen fast ganz auf die податные[9] Klassen.

Von *1862 bis 1867* wuchsen die ⟨gewöhnlichen Regierungs⟩ausgaben (abgesehn von den ⟨außergewöhnlichen⟩) von 295 532 000 Rbl. auf 398 298 000 Rbl., d.h. ⟨etwa⟩ um 35%. Die ⟨Staatsschuld⟩ aber wuchs um etwa 461 160 000 Rbl., um 60%; ⟨also⟩ Zahlung dafür jährlich mehr: 25 315 000 (*ganze Staatsschuld 1867: 1 219 443 000 Rbl.*, jährlich: Zahlung darauf 73 843 000 Rbl.).

1874 bereits Staatsschuld: (konsolidierte und in das große Buch nicht eingetragne) über *1471* $^1/_2$ Mill. Rubel.

Dazu über *1208 Mill. schwebende Schuld (= 4833 Mill. fr.).*

1867 lagen auf den direkt *steuerbaren Klassen* 111 Mill. direkter Abgaben; dazu liegend auf den *bloßen Seelen* (*подушн[ая] подать, госу[дарственный] земск[ий] сбор* und *общественный сбор*[10] auf Kronbauern) über

[1] Seelensteuer – [2] die *staatliche Semstwosteuer* – [3] *Grundzins*abgabe – [4] *steuerpflichtigen Seelen* – [5] Kopf*steuer* – [6] staatliche Semstwoverpflichtungen – [7] Kleinbürger – [8] Steuer – [9] steuerpflichtigen – [10] *öffentliche Steuer*

62 Mill. Rbl. Hinzu nicht gerechnet weder Aufkaufgelder noch губернс[кий] und уезд[ный] земск[ий] сбор[1] noch *особый сбор* на содержание миров[ых] по *крес[тьянским] делам учреждений*[2] in den Gouvernements, wo nicht die земск[ая] Einrichtung eingeführt.

(Скалдин.)

Nach Janson (Professor der Kaiserl. St. Petersb. Universität) („Опыть“[247] etc. *1877)* zahlen die Bauern an direkten Abgaben: *176 Mill. Rubel:* ⟨nämlich⟩

63,6 Mill. Seelensteuer, обществен[ного] und *госу[дарственного] земск[ого] сборов,*

37,5 Mill. оброчной подати

über *7 Mill.* губернс[ких] und уездных сборов,

über *3 Mill.* örtlicher сборов in Gouvernements, wo nicht Положение eingeführt,

über *39 Mill.* Loskaufgelder; *eingerechnet Naturalabgaben.*

Fast ganz hinzuzurechnen Akzisen *auf Soff und Salz* (180 Mill.) und оброки бывших помещ[ичьих] крес[тьян][3] – über 25 Mill.

Zusammen über *372 Mill.*, über 56% kaiserlichen Budgets.

Befinden sich in

Hand des Staats: .... 151 684 185 Desjatinen (= *165 335 763* Hektar)

Bauern: .... 120 628 246 Desjatinen (= 131 484 744 Hektar)

⟨*Gutsbesitzer*⟩: ..... 100 000 000 Desjatinen (= 109 000 000 Hektar)

Apanage: .... *7 528 212 Desjatinen oder 8 205 859 Hektar*

1. *Die Kronbauern* (ohne Archangelsk und Ostseeprovinzen): .... *9 194 891 Seelen – 77 297 029 Desjatinen*

2. *Apanagebauern:* .... *862 740 Seelen – 4 336 454 Desjatinen*

3. *Ehemalige Privatleibeigene* ...... *35 149 048 Desjatinen* für *alle Sorten derselben.*

Bis *1. Januar 1878* aufgekauft mit *Hilfe der* ⟨*Regierung*⟩ in 37 Gouvernements (minus die 9 westlichen, Bessarabien und 3 Ostseeprovinzen)

[1] Gouvernements- und Kreissemstwosteuer – [2] *Sondersteuer* für den Unterhalt der Friedensgerichte für *bäuerliche Angelegenheiten* – [3] Grundzins ehemaliger Bauern der Gutsherren

4 898 073 Seelen (74,6% aller пом[ещичьих] крест[ьян]) und *17 109 239* Desjatinen.

Auf *Verlangen der ⟨Gutsbesitzer⟩* in allen nichtschwarzerdigen Gouvernements, wo Aufkaufwert *weit über realem Wert* des Bodens. In den rein *Schwarzerde-Gouvernements* durch *Übereinkunft der Bauern ⟨mit⟩ den ⟨Gutsbesitzern⟩*.

Zu 3. – teils Obrok, teils Corvée[1].

4. *Zeitlich Gebundene.* (*Januar 1878* = *1 882 696* Seelen mit *6 657 919* Desjatinen Seelenanteil.)

Kronministerium (1. April 1870) zählt: 5 830 005 ehemaliger помещ[ичьих] [Bauern] aufgekauft, *Desjatinen* 20 123 940.

Staatsschuld

Staatsschuld 1867 = 1 219 443 000 Rbl.
War gewachsen seit *1862* [um] *461 160 000*
758 283 000 war also letztere 1862.
1869 Staatsschuld: *1907,5 Mill. Rbl.*
1878 „ „ : *3474* „ „

Vorteile der ⟨Regierung⟩ bei der Emanzipation:

1. *Übertragung der Schuld an die unter Garantie der ⟨Regierung⟩ stehenden Banken* (später alle aufgelöst in die Staatsbank), an *Regierung*, der die Bauern dafür die Zinsen zu zahlen.

2. In den Arbeiten der *Redaktionskommission* (*Skrebizki:* Brief von Rostowzew an Kaiser: „Правительство[2] erhält viele Kandidaten für die höchsten Plätze, sowohl der Provinzial- als Zentraladministration").

3. Direkte Eintreibung der Steuern von Bauern (früher *dafür haftbar die поме[щики]*) und große Erleichterung damit der *Steuererhöhung*.

4. Bruch der Machtdomäne des Landadels.

5. *Konskriptionsgebiet* (und allgemeine Reform der Armee) damit erweitert.

6. Verbunden mit der Emanzipation die sog. *земск[ие] Institutionen:* Last des Staats auf Provinzen und Kreise zum großen Teil gewälzt (ohne Verminderung, vielmehr Erhöhung der direkten Staatssteuern).

Nach den ⟨Feststellungen in Band 22 der offiziellen Veröffentlichungen der „Untersuchungskommission für direkte Besteuerung" und auch nach den von der „Agrikulturkommission" veröffentlichten *Blaubüchern* ersehen wir⟩:

---

[1] Frondienst – [2] Regierung

1. *Die ⟨Staatsbauern und die Bauern der kaiserlichen Familie⟩* (Apanagebauern) ⟨in 37 Gouvernements (die westlichen Gouvernements hier ausgeschlossen) zahlten aus der sogenannten *Netto-Revenue* 92,75%, so daß ihnen für alle ihre anderen Bedürfnisse für sich selbst aus ihrer landwirtschaftlichen Revenue nur 7,25% blieben.

2. *Die früheren Leibeigenen des grundbesitzenden Adels* zahlten aus ihrer landwirtschaftlichen Revenue *198,25%*, so daß sie der Regierung nicht nur ihre ganze Revenue aus dem Lande abgeben, sondern fast einen gleichen Betrag aus den Gehältern (Löhnen) zahlen müssen, die sie für verschiedene Beschäftigungen, landwirtschaftlicher *und anderer Art*, erhalten.⟩

1862 Budget: *292 000 000 Rubel*
1878 „ : *626,9 Mill. Rubel*

Seelensteuer 1852 gegen $18^1/_2$ Million. Rubel. *1855 sank sie infolge des Krimkriegs unter 15 Mill. Rbl. 1862* kam sie *auf* $28^1/_2$ *Mill. 1867* durch Steuerschraube auf $40^1/_2$ Mill., jetzt über $94^1/_2$ Mill.

⟨Aus einer Veröffentlichung des Ministeriums der Staatsdomänen sehen wir z.B., daß von *1871 bis 1878* ungeachtet großer Veränderungen in den Getreideerträgen von Jahr zu Jahr die Produktion, wenn wir die Durchschnitte nehmen, *absolut stagnierte.* (Indessen erhöhte sich der Getreideexport im größten Maßstabe, nur etwas unterbrochen durch die Hungersnöte, die etwa alle 5 Jahre einmal auftraten, und zuletzt gehemmt durch das Hungerjahr 1880.)

Gleichzeitig erhöhte sich der *Getreideexport 1877–78* um etwa 86%, verglichen mit dem *Getreideexport von 1871–72. Was die Westeuropäer sahen, war die ungeheure Steigerung des Getreideexports durch* die Entwicklung des Eisenbahnnetzes; was sie nicht sahen, war, daß dieser Export *sich ausglich* durch die Kontraktion der immer wieder auftretenden *Perioden der Hungersnot*, die jetzt alle 5 Jahre eintreten und ihren Höhepunkt 1880 erreicht haben.⟩

Status der ⟨emanzipierten Bauern

Nachdem er festgestellt hat, daß die wirtschaftliche Lage der Bauern in der *Schwarzerde-Zone* (in ihrem Dreifelder-System-Teil, nicht dem *Steppengebiet*) im allgemeinen „schlechter ist, als sie unter der Leibeigenschaftsordnung war“, entnimmt *Janson* den *offiziellen Publikationen* über die Viehproduktion (ebenfalls in der Schwarzerde-Zone) folgendes:

Im Gouvernement *Kasan* hat sich der Viehbestand⟩ (bei den ⟨ehemaligen Leibeigenen, die früher ihr Vieh auf die Weiden ihrer Gutsherren treiben konnten) beträchtlich verringert; daraus die Gründe für die Verringerung: Mangel an Weideland, Verkauf des Viehs, um die Steuern bezahlen zu können, geringe Ernten. Im Gouvernement *Simbirsk* der Viehbestand etwas verringert; die reicheren Bauern verkaufen das Vieh, das sie nicht unbedingt brauchen, bei günstiger Gelegenheit, um nicht gezwungen zu sein, es für Steuerrückstände zu verkaufen, für die sie bei der allgemeinen Solidarität der Gemeinde (mehrere zugleich oder alle gemeinsam) haften (Gesamthaftung). Andere Ursache: das Abschneiden des Weidelands von dem надел, hauptsächlich Waldanteile. Dasselbe im Gouvernement *Samara, Saratow, Pensa*⟩ (wo auch Pferde abnehmen); ⟨im (Gouvernement) *Rjasan* Verringerung des Viehs um 50% aus Mangel an Weide. *Im Gouvernement Tula* aus demselben Grunde, Zwangsverkauf durch die Steuereinnehmer und Viehkrankheit, die Aufzucht von Pferden und Vieh verringert. Im Gouvernement *Kursk* derselbe erbarmungslose Verkauf von Vieh für Steuerrückstände, aus Mangel an Weiden, Aufteilung in der Familie etc. (siehe p.75).

Nicht-Schwarz[erde]-Zone (nördliche Gouvernements). Ein Beispiel wird genügen.

Im Gouvernement Nowgorod nach der Schätzung durch die Semstwos verhalten sich die Zahlungen zu den Einkünften pro Desjatine *für die ehemaligen Staatsbauern* – 100% (d.h. die gesamte Revenue);
die ehemaligen Apanagebauern – 161%
die ehemaligen Leibeigenen der Gutsbesitzer – 180%
die zeitlich Gebundenen⟩ – 210%
ferner ⟨jene mit *kleinen Landstücken*⟩ und ⟨*hohen Steuern* für die früher losgekauften Leibeigenen – 275%;
für die *zeitlich Gebundenen* – 565%.
(Veröffentlichung der „Steuer-Kommission" Band 22.)

Ihre Landanteile reichen meistens nicht aus⟩ – in Nicht-⟨Schwarzerde-Bezirk – für die bloße Ernährung der Bauern. Diese nördlichen Gouvernements sind gleichzeitig die industriellen, aber ihre örtlichen Industrielöhne reichen nicht aus, um das Defizit {auch durch Landarbeit bei Gutsbesitzern}[1] auszugleichen; sie müssen Lohnarbeit weit weg von ihren eigenen Wohnorten, im Süden, in Neu-Rußland, jenseits des Urals, in Sibirien und Zentralasien suchen.⟩

[1] Die geschweiften Klammern stehen an Stelle der von Marx verwendeten eckigen Klammern

(*1 Desjatine* = *1,092 Hektar.*
1 Pud = 40 russische Pfunde = 16,38 Kilogramm.
1 Tschetwert = 209,901 Liter oder 0,72 englische quarters.)

[IV]

⟨*Rußland*⟩

I. *Staatseinnahmen und Ausgaben von 1877.*
Einnahme = *548* Mill. ⟨Rubel⟩
Davon: *117* Mill. ⟨von den Bauern gezahlte *direkte Steuern*⟩.

Hauptsächliche indirekte Steuern {
189 676 000 Mill. ⟨*indirekte Steuern*⟩[1] fällt wieder meistens auf ⟨Bauern⟩.
10 Mill. ⟨*indirekte Steuern*⟩[2] *ditto.*
52 ⟨*Millionen*⟩ *für* ⟨*Zölle*⟩.

Ausgabe = *585* ⟨*Millionen (Defizit* = *37 Millionen)*⟩
Davon: *115 Mill. für* ⟨*Zinsen und Amortisierung der Staatsschuld*⟩.
220 Mill. für Krieg und Marine.
86 Mill. für ⟨*Finanzministerium*⟩.
421 Mill. – Hauptausgaben des Staats.

Dann die ⟨*außerordentlichen, durch den Krieg verursachten Ausgaben*⟩.

Das Budget von *1864* war: *354 600 000* Rubel: ⟨*Die Steuern somit seit 1864 um 55% erhöht.*⟩

II. ⟨*Budget des Eisenbahnfonds*, das im Staatsbudget enthalten ist.⟩ – Gegenwärtig sind die Eisenbahnen Privatvermögen; die Staatseisenbahnen sind verwandelt in Eigentum der Privatgesellschaften, aber diese Gesellschaften haben nicht die Mittel ihrer Konstruktion geliefert.

⟨Die Regierung hält zurück⟩ für ⟨ihre⟩ Rechnung einen Teil des Kapitals in *Aktien* und *Obligationen* und, um diese zu realisieren, gibt sie die ⟨*konsolidierten Obligationen der russischen Eisenbahnen*⟩ aus. Die Summen, die ⟨sie⟩ daraus bezieht, bilden den ⟨„*Eisenbahnfonds*"⟩ und *daraus zahlt* ⟨*die Regierung*⟩ *für die Aktien und Obligationen, die* ⟨*sie*⟩ *rückbehalten hat*, und macht außerdem *Vorschüsse* ⟨*auf die Eisenbahnpapiere.*

Am 1. Januar 1878⟩ gab es für *1388 Millionen* ⟨emittierte Eisenbahn-*Aktien und Obligationen*⟩, wovon die Regierung rückbehalten für ihre Rechnung *720 Millionen* und *577 Mill. fr.* oder 144 433 000 ⟨Metall-Rubel⟩, für die ⟨Obligationen der *Nikolaus-Eisenbahn Petersburg – Moskau*⟩, d.h. ⟨etwa⟩ 52% vom Gesamtkapital, ⟨ausgenommen die Papiere, auf welche die Regierung Vorschüsse gegeben hat⟩.

[1] Schanksteuer – [2] Salzsteuer

Aus dem ⟨*Eisenbahnfonds*⟩ hat die Regierung gezahlt: *1877*... 80 Mill., aber die *Gesamtsumme*, welche die Regierung gezahlt hat bis zum 1. Januar 1878 = *554 475 000*⟨Rubel und⟩ für die ⟨*Nikolaus-Eisenbahn-Obligationen*⟩ 577 Mill. fr.

Um diese Zahlungen zu decken, hat ⟨die *Regierung 5 konsolidierte russische Eisenbahn-Anleihen* ausgegeben⟩ für die Summe von *69 Mill.* Pfd. St., ⟨deren Realisierung *385 Mill. Metall-Rubel* ergeben hat; *zwei Nikolaus-Eisenbahn-Anleihen* für die Summe von⟩ *577 Mill. fr.*, endlich ⟨*die innere Anleihe mit Prämien 1866*, deren⟩ Realisation gegeben *107 650 000*.

Außer diesen Subsidien noch die *Garantie*. ⟨*1877 betrug die* von der Regierung *gezahlte Garantiesumme*⟩ = 16 617 000. Der ⟨Fiskus⟩ hat diese Summe geliefert, ebenso wie die ⟨*Zinsen und Amortisation der Eisenbahn-Obligationen*⟩. Die letztere Summe 1877 = 324 800 000 Rubel.

Total also gegeben durch den Staat für die ⟨Eisenbahn⟩: 139 034 000.

Der⟨*Eisenbahn-Fonds*⟩ hat vorgeschossen *60Mill.* mehr als er erhalten hat.

Der ⟨*Fiskus*⟩ – 37 800 000 mehr als er erhalten.

Die ⟨*Schulden der Eisenbahn an den Fiskus*⟩ haben sich *vermehrt um 39 500 000 etc.*

Januar 1878 betrugen alle ⟨*Schulden*⟩ an den ⟨*Fiskus*⟩*: 469 900 000* Rubel. *Die* ⟨*Schulden der Bauern*⟩ = *32,5 Mill.* = 6,9%.

Die ⟨*Schulden der Eisenbahn*⟩ = *315 500 000* = 67% oder *57%* ⟨*aller Staatsrevenuen*⟩.

III. *Banken*. Außer ⟨durch die *Regierung*⟩ die ⟨*Eisenbahn* unterstützt⟩ durch die ⟨*Banken*⟩.

Bis 1864 gab es nur ⟨*staatliche Kreditinstitute*⟩.

1864 das erste ⟨*private Kredit*institut⟩; seit der Zeit rasch vermehrt, ⟨*zogen sie beträchtliche Summen auf den laufenden Konten befristet und unbefristet verzinslich an.* Man mußte diese Summen vorschießen:⟩ da *erschienen* ⟨*Aktiengesellschaften*⟩*; an der Spitze aller dieser* ⟨*Gesellschaften*⟩ *die der* ⟨*Eisenbahnen*⟩.

Das Kapital aller Aktien (der Gesellschaften) und Obligationen ⟨*gegen*⟩ *1877 = 2043 Mill.* ⟨*Rubel*⟩.

Die ⟨*Eisenbahnen*⟩ *davon 67,91% = 1388 Mill. Rbl.*

⟨*Bis 1864 haben die Staatsbank und die Filialen auf die öffentlichen Fonds, Aktien und Obligationen 18,6 Mill. vorgeschossen. Bis*⟩ *1877* haben alle ⟨Banken auf *die öffentlichen Fonds, Aktien und Obligationen 360 Mill.* vorgeschossen, was eine Erhöhung von 2007% bedeutet⟩.

Man kann aus ⟨den Bankberichten⟩ nicht sehn, wieviel von diesen ⟨Vorschüssen⟩ auf die ⟨Eisenbahn⟩ kommt. Doch kennt Danielson Fälle, wo ⟨der Regierung⟩ *ein Teil* ⟨*der Papiere* einer *Eisenbahngesellschaft*⟩ *gehörte*, während eine *Privatkreditgesellschaft ihre* ⟨*Vorschüsse*⟩ *machte für den Rest der Aktien*.

Doch geschah es, daß die ⟨*Eisenbahnunternehmen*⟩, deren *Einkommen nicht garantiert durch Regierung, keinen Profit* abwarfen. In diesem Fall kommt *die Staatsbank zur Hülfe den Privatbanken*, ⟨wo diese Aktien deponiert sind, *indem sie Vorschüsse darauf gibt oder sie aufkauft*⟩.

⟨*Staatsbank*⟩ nie ⟨*ohne Mittel;* der Fiskus⟩ z.B. pumpt von Bank, ohne sich um ihren Kassenbestand zu kümmern; die Bank, ihrerseits, ⟨*erhöht die produktivste Fabrikation der Welt*. Die *Kreditscheine*, die auf diese Weise emittiert wurden, figurieren in der Bankbilanz unter Nr. 18 (*Bilanz* vom 1. Januar *1879* = 467 850 000; dazu die *Kreditscheine, die in der* Bilanz unter Nr. 1 figurieren⟩ = *720 265 000; so Totalsumme dieser* ⟨*im Umlauf befindlichen Kreditscheine*⟩ = *1 188 000 000 Rubel*).

IV. *Revenue der Eisenbahnen*.

Für das *Jahr 1877* noch keine vollständige Statistik der Eisenbahnen erschienen. In den vorhergehenden Jahren ⟨die *Gesamt-Revenue*⟩ beständig wachsend;
war: *1865* *24 Millionen*,
1877 *190 Millionen*,
1878 *220 Millionen (geschätzt)*, so daß ⟨sich die *Gesamt-Revenue von jeder Werst* um 17% *erhöht hat*, während die *Netto-Revenue von jeder Werst sich verringerte*⟩.

Dennoch betrug die *Netto-Revenue der letzten Jahre 48–52 Millionen* jährlich; d.h. wenn die ganze Revenue ⟨der Eisenbahnen an den Fiskus zurückflösse, *würde sich das Defizit der Eisenbahnen beträchtlich verringert haben*⟩. Aber der *ganze Profit* ⟨*fließt den Privatpersonen zu*⟩ *und die ganze Last des Defizits fällt auf den* ⟨*Fiskus*⟩.

Welchen Profit hat also ⟨die Regierung⟩ von diesen ungeheuren Ausgaben?

Sie haben zum Resultat beträchtliche Entwicklung des Handels, wozu zugleich mitwirkten die ⟨*Kreditbanken*⟩ und ⟨die *Hypothekenbanken*⟩, gestiftet in dieser selben Epoche.

V. *Banken; Kommerzielle Klassen (Ausfuhr von* ⟨*Getreide*⟩ *etc.)*.
Alle *Depositen (zu Zinsen)* und *Kontokorrent* der *Staatsbank und ihrer Filialen 1864 – 262* Millionen Rubel,
wovon *42 Mill.* angewandt zum *Profit des Handels*, nämlich:
[*23 Mill.* für *Wechsel*
18 Mill. für ⟨*Vorschüsse auf Staatspapiere, Aktien, Obligationen etc.*⟩]

1877: 723,8 Mill. in allen Kreditinstitutionen, *Vermehrung* von *175%*.
Davon 360 Mill. für ⟨*Vorschüsse*⟩ auf ⟨*Aktien*⟩, *Obligationen*, ⟨*öffentliche Fonds*⟩,
für *489 Mill.* für *Wechsel*⟨*diskontierung*⟩, Vermehrung von *1900%*.

Der *wichtigste Handelszweig: Getreidehandel;* rascheste Entwicklung desselben.

1864 ... 9,25 Mill. Tschetwert nach Europa exportiert für *54,7 Mill. Rbl.*
⟨*Wert*⟩ *aller exportierten Waren = 164,9 Mill. Rbl.*
⟨*Wert des exportierten Getreides*⟩ = etwa *33 % des ganzen Exports.*
1877 ... 30,5 Mill. Tschetwert exportiert = *264 Mill. Rbl.*
⟨*Wert aller exportierten Waren*⟩ = *508 Mill. Rbl.*
⟨Wert des Getreides⟩ = *51,8% des ganzen Exports.*
⟨*Wert des Getreides nahm um 382 % zu.*
Die Zahl der Tschetwerts um 241 %.⟩

⟨Gleichzeitig⟩ überstieg der ⟨*Wert des Getreides*⟩ den *Wert des Gesamtexports von 1864 um 100 Mill. Rbl.*

1869 beförderten die *Eisenbahnen 149 Mill. Pud Getreide = 33,4% aller ihrer Frachten.*
1877 ... 547,8 Mill. Pud ⟨*Getreide*⟩ = *41,28%* ⟨*aller Frachten*⟩.
Neben ⟨Getreide⟩ *Hauptexportartikel:*

				Vermehrung %
1864 ... ⟨*Vieh* für	*1 821 000 Rbl.*	*1877* für	*15 724 000 Rbl.*	763%
„ *... Leinen* „	*15 985 000 Rbl.*	„ „	*67 690 000* „	323%
„ *... Hanf*⟩ „	*8 993 000 Rbl.*	„ „	*16 820 000* „	87%

Eingeführt ⟨*Baumwolle*⟩ [1864] 21 824 000 Rbl.;
importiert ⟨*Baumwolle*⟩ [1877] *35 500 000 [Rbl.]* 62%

VI. ⟨*Hypothekenkreditinstitutionen.*⟩

1864 in den ⟨alten Hypothekenkreditinstituten Schulden⟩ für *395,5 Mill. Rbl.*
wovon beträchtlicher Teil auf Bauern fiel für ⟨*Loskauf von Landanteilen*⟩.

⟨*Hypothekenschulden der russischen Eigentümer*
(Polen⟩ und Ostseeprovinzen)

a) ⟨*Hypothekenschulden in den alten Kreditinstituten*⟩ bis *1874 ....*	99 614 000
b) Die ⟨*Hypothekenkreditgesellschaften haben geliehen* bis 1874	102 692 000
c) *die Hypothekenbanken*⟩	63 668 000
d) *die* ⟨*Kreditbanken auf Gegenseitigkeit*⟩ (?)	7 182 000
	273 156 000

Dagegen 1877 dieselben Institute

sub a) 73 393 000
b) 163 505 000
c) 118 322 000
d) 11 250 000
366 470 000 Rbl.

Folglich im Lauf von 3 Jahren den *Schulden* (Bauern ausgeschlossen) zugesetzt: 34%.

VII. Nehmen wir nun alle die Kreditinstitute (und Eisenbahnen) und sehen, welche Summe sie angezogen haben, und wie sie gruppiert um 1877:

	1. ⟨*Gründungskapital* *Rbl.*	%	*2.* *Verzinsliche Depositen etc.*	*3.* *Pfandbriefe der Hypothekenkreditgesellschaften*	*4.* *Obligationen*
Kreditinstitute	167 778 800	18,8	723 790 000		
Hypotheken-institute bis 1878	27 753 000	5,6	6 848 000	460 000 000	
Eisenbahnen bis 1878	474 185 000	34,3			
	669 726 000	25			915 706 000⟩

[D[anielson] rechnet *die Schulden der verschiedenen Gesellschaften* sub 2,3 und 4 zusammen =
2 006 440 000 Rubel, macht aber 2 106 344 000.]

Für die ⟨*Kreditinstitute Kapitalverpflichtungen im Vergleich zum Kapital*⟩ = 81,2 %
für die ⟨*Hypothekeninstitute* = 94,4 %
Eisenbahnen⟩ = 65,97%

Geschrieben Ende 1881 bis 1882.
Nach der Handschrift.

Friedrich Engels

Zur Urgeschichte der Deutschen[250]

Cäsar und Tacitus

Die Deutschen sind keineswegs die ersten Bewohner des jetzt von ihnen eingenommenen Landes.* Wenigstens drei Racen sind ihnen vorhergegangen.

Die ältesten Spuren des Menschen in Europa finden sich in einigen Schichten Südenglands, deren Alter bis jetzt nicht genau festzustellen ist, die aber wahrscheinlich zwischen die beiden Vergletscherungsperioden der sog. Eiszeit fallen.

Nach der zweiten Gletscherperiode, mit dem allmählich wärmer werdenden Klima, tritt der Mensch über ganz Europa, Nordafrika und Vorderasien bis nach Indien hinein auf, in Gemeinschaft mit den ausgestorbenen großen Dickhäutern (Mammut, gradzahniger Elefant, wolliges Rhinozeros) und Raubtieren (Höhlenlöwe, Höhlenbär) wie mit noch lebenden Tieren (Renntier, Pferd, Hyäne, Löwe, Bison, Auerochs). Die dieser Zeit angehörigen Werkzeuge weisen auf eine sehr niedrige Kulturstufe hin: ganz rohe Steinmesser, birnförmige, steinerne Hacken oder Äxte, die ohne Stiel gebraucht wurden, Schabmesser zum Reinigen von Tierhäuten, Bohrer, alles von Feuerstein, etwa die Entwicklungsstufe der jetzigen Eingebornen Australiens andeutend. Die bis jetzt gefundenen Knochenreste erlauben keinen Schluß auf den Körperbau dieser Menschen, deren weite Verbreitung und überall gleichförmige Kultur auf eine sehr lange Dauer dieser Periode schließen läßt.

Was aus diesen frühpaläolithischen Menschen geworden, wissen wir nicht. In keinem der Länder, wo sie aufgetreten, auch in Indien nicht, sind Menschenracen erhalten, die als ihre Vertreter in der heutigen Menschheit gelten können.

In den Höhlen Englands, Frankreichs, der Schweiz, Belgiens und Süd-

* Ich folge hier vorwiegend Boyd Dawkins, „Early Man in Britain", London 1880.

deutschlands finden sich die Werkzeuge dieser untergegangenen Menschen meist nur in den untersten Schichten des abgelagerten Bodens. Über dieser untersten Kulturschicht, und häufig von ihr getrennt durch eine dickere oder dünnere Lage Tropfstein, findet sich eine zweite, Werkzeuge führende Ablagerung. Diese, einem späteren Zeitabschnitt angehörigen Werkzeuge sind bereits weit geschickter gearbeitet und auch in ihrem Material mannigfacher. Die Steininstrumente sind zwar noch nicht poliert, aber doch schon zweckmäßiger in Anlage und Ausführung; daneben finden sich Pfeil- und Speerspitzen von Stein, Renntierhorn, Knochen; Dolche und Nähnadeln von Bein oder Geweih, Halsgeschmeide von durchbohrten Tierzähnen etc. Auf einzelnen Stücken finden wir teilweise sehr lebendige Zeichnungen von Tieren, Renntieren, Mammut, Auerochse, Seehund, Walfisch, auch Jagdszenen mit nackten Menschen, selbst Anfänge von Skulptur in Horn.

Treten die frühpaläolithischen Menschen in Begleitung von Tieren auf, die vorwiegend südlicher Herkunft waren, so erscheinen neben den spätpaläolithischen Tiere nordischen Ursprungs: zwei noch lebende nordische Bärenarten, der Polarfuchs, Vielfraß, die Schnee-Eule. Mit diesen Tieren sind auch diese Menschen wahrscheinlich von Nordosten her eingewandert, und ihre letzten Reste in der heutigen Welt scheinen die Eskimos zu sein. Die Werkzeuge beider stimmen nicht nur im einzelnen, sondern auch in der Gesamtgruppe vollständig zusammen; die Zeichnungen ebenfalls; die Nahrung beider wird von fast genau denselben Tieren geliefert; die Lebensweise, soweit wir sie für die untergegangene Race feststellen können, stimmt genau zusammen.

Auch diese Eskimos, die bis jetzt nur nördlich von den Pyrenäen und Alpen nachgewiesen, sind vom europäischen Boden verschwunden. Wie die amerikanischen Rothäute noch im vorigen Jahrhundert die Eskimos durch einen unerbittlichen Vernichtungskrieg nach dem äußersten Norden zurückdrängten, so scheint auch in Europa die nun auftretende neue Race sie allmählich zurückgetrieben und endlich ausgerottet zu haben, ohne sich mit ihnen zu vermischen.

Diese neue Race kam, wenigstens im westlichen Europa, von Süden; sie drang wahrscheinlich von Afrika nach Europa zur Zeit, wo beide Weltteile sowohl bei Gibraltar wie bei Sizilien noch durch Land verbunden waren. Sie stand auf einer bedeutend höheren Kulturstufe als ihre Vorgänger. Sie kannte den Ackerbau; sie hatte Haustiere (Hund, Pferd, Schaf, Ziege, Schwein, Rindvieh). Sie kannte die Handtöpferei, das Spinnen und Weben. Ihre Werkzeuge waren zwar noch von Stein, aber schon mit großer Sorgfalt gearbeitet und meistenteils glatt geschliffen (sie werden als neolithische von denen der früheren Perioden unterschieden). Die Äxte haben Stiele und werden damit zum ersten Mal zum Holzfällen brauchbar; damit wird es möglich, Baumstämme zu Booten auszuhöhlen, auf denen man zu den jetzt durch allmähliche Bodensenkung vom Festland getrennten britischen Inseln überfahren konnte.

Im Gegensatz zu ihren Vorgängern bestatteten sie ihre Toten sorgfältig; es sind uns daher Skelette und Schädel genug erhalten, um über ihren Körperbau urteilen zu können. Die langen Schädel, die kleine Statur (Durchschnitt der Weiber etwa 1,46, der Männer 1,65 Meter), die niedrige Stirn, die Adlernase, die starken Brauen und schwachen Backenknochen und mäßig entwickelten Kinnbacken weisen auf eine Race hin, als deren letzte heutige Vertreter die *Basken* erscheinen. Die neolithischen Einwohner nicht nur Spaniens, sondern auch Frankreichs, Britanniens und des ganzen Gebiets mindestens bis an den Rhein, sind nach aller Wahrscheinlichkeit iberischer Race gewesen. Auch Italien wurde vor Ankunft der Arier [187] von einer ähnlichen kleinen, schwarzhaarigen Race bewohnt, über deren nähere oder entferntere Verwandtschaft zu den Basken heute schwer zu entscheiden ist.

Virchow verfolgt diese langen Baskenschädel bis tief nach Norddeutschland und Dänemark hinein [251]; und die ältesten neolithischen Pfahlbauten des nördlichen Alpenabhangs gehören ihnen ebenfalls an.

Andrerseits erklärt Schaaffhausen eine Reihe nächst des Rheins gefundener Schädel für entschieden finnisch, speziell lappisch [252], und kennt die älteste Geschichte als nördliche Grenznachbarn der Deutschen in Skandinavien, der Litauer und Slawen in Rußland nur Finnen. Diese beiden kleinen, dunkelhaarigen Racen, die eine von jenseits des Mittelmeers, die andre direkt aus Asien nördlich vom Kaspischen Meer her eingewandert, scheinen hiernach in Deutschland zusammengestoßen zu sein. Unter welchen Umständen, bleibt vollständig im dunkeln.

Auf diese verschiednen Einwanderungen folgt endlich, auch noch in vorgeschichtlicher Zeit, die des letzten großen Hauptstamms, der *Arier*, der Völker, deren Sprachen sich um die altertümlichste unter ihnen, um das Sanskrit, gruppieren. Die frühesten Einwanderer waren die Griechen und Lateiner, die die beiden südöstlichen Halbinseln Europas in Besitz nahmen; daneben wohl die jetzt verschollenen Skythen, Bewohner der Steppen nördlich des Schwarzen Meers, dem medisch-persischen Stamm wohl zunächst verwandt. Dann folgten die Kelten. Von ihrem Wanderzug wissen wir nur, daß er nördlich des Schwarzen Meers erfolgte und durch Deutschland ging. Ihre vordersten Massen drangen nach Frankreich, eroberten das Land bis an die Garonne und unterwarfen selbst einen Teil des westlichen und mittleren Spaniens. Das Meer hier, der Widerstand der Iberer dort brachte sie zum Stehen, während hinter ihnen von beiden Seiten der Donau her andre keltische Stämme noch nachdrängten. Hier, am äußersten Ozean und an den Donauquellen, kennt sie Herodot. Sie müssen aber schon bedeutend früher eingewandert sein. Die Gräber und sonstigen Funde aus Frankreich und Belgien beweisen, daß die Kelten, als sie das Land in Besitz nahmen, noch keine metallnen Werkzeuge kannten; dagegen treten sie in Britannien von Anfang an mit Bronzewerkzeugen auf. Zwischen der Eroberung Galliens und dem Zug nach Britannien muß also eine gewisse Zeit verflossen sein, während deren die Kelten durch Handelsverbindungen mit Italien und Marseille die Bronze kennenlernten und bei sich einführten.

Inzwischen drängten die hinteren Keltenvölker, selbst von den Deutschen gedrängt, immer stärker nach; vorn waren die Auswege versperrt, und so entstand ein Rückstrom in südöstlicher Richtung, wie wir ihn später bei den germanischen und slawischen Völkerzügen wiederfinden. Keltenstämme überstiegen die Alpen, überzogen Italien, die thrakische Halbinsel und Griechenland und fanden teils ihren Untergang, teils feste Sitze in der Po-Niederung und in Kleinasien. Die Masse des Stammes finden wir um jene Zeit (–400 bis –300*) in Gallien bis zur Garonne, in Britannien und Irland und nördlich der Alpen, zu beiden Seiten der Donau, bis an den Main und das Riesengebirge, wo nicht darüber hinaus. Denn, wenn auch die keltischen Berg- und Flußnamen in Norddeutschland weniger häufig und unbestritten sind als im Süden, so ist doch nicht anzunehmen, daß die Kelten den schwierigeren Weg durch das gebirgige Süddeutschland allein gewählt haben sollen, ohne zugleich den bequemeren durch die offene norddeutsche Ebene zu benutzen.

Die keltische Einwanderung verdrängte die vorgefundnen Einwohner nur zum Teil; namentlich im Süden und Westen Galliens machten diese auch jetzt noch die Mehrzahl der Bevölkerung aus, wenn auch als unterdrückte Race, und haben der jetzigen Bevölkerung ihren Körperbau vererbt. Daß sowohl Kelten wie auch Germanen in ihren neuen Sitzen über eine vorgefundne dunkelhaarige Bevölkerung herrschten, geht aus der bei beiden bestehenden Sitte des Gelbfärbens der Haare mit Seife hervor. Helles Haar war Zeichen der herrschenden Race, und wo dies infolge von Racenmischung verlorenging, da mußte eben die Seife nachhelfen.

---

* Ich bezeichne die Jahreszahlen *vor* unsrer Zeitrechnung der Kürze halber nach mathematischer Art mit dem Minuszeichen (—).

Den Kelten folgten die Deutschen; und hier können wir den Zeitpunkt der Einwanderung wenigstens annähernd mit einiger Wahrscheinlichkeit bestimmen. Sie begann schwerlich lange vor dem Jahre –400 und war zur Zeit Cäsars noch nicht ganz vollendet.

Um das Jahr –325 gibt uns Pytheas' Reisebericht [253] die erste authentische Kunde von Deutschen. Er fuhr von Marseille nach der Bernsteinküste und erwähnt dort Guttonen und Teutonen, unzweifelhaft deutsche Völker. Wo aber lag die Bernsteinküste? Die gewöhnliche Vorstellung kennt freilich nur die ostpreußische, und wenn als Nachbarn jener Küste Guttonen genannt werden, so stimmt das allerdings. Aber die von Pytheas gegebnen Abmessungen stimmen nicht zu dieser Gegend, während sie ziemlich gut passen für die große Bucht der Nordsee zwischen der norddeutschen Küste und der cimbrischen Halbinsel. Dorthin passen auch die ebenfalls als Nachbarn genannten Teutonen. Dort – an der Westseite Schleswigs und Jütlands – ist auch eine Bernsteinküste; Ringkjöbing treibt heute noch einen ziemlichen Handel mit dort gefundenem Bernstein. Auch erscheint es äußerst unwahrscheinlich, daß Pytheas so früh schon so weit in ganz unbekannte Gewässer vorgedrungen sei, und noch mehr, daß in seinen so sorgfältigen Angaben die verwickelte Fahrt vom Kattegat bis Ostpreußen nicht nur ganz unerwähnt geblieben ist, sondern überhaupt nicht in sie hineinpaßt. Man müßte sich also ganz entschieden für die zuerst von Lelewel ausgesprochne Ansicht erklären, daß die Bernsteinküste des Pytheas an der Nordsee zu suchen sei, wäre es nicht wegen des Namens der Guttonen, die nur an die Ostsee gehören können. Dieses letzte Hindernis wegzuräumen, hat Müllenhoff einen Schritt getan; er hält die Lesart: Guttonen für verfälscht aus: Teutonen.

Um 180 vor unsrer Zeitrechnung treten Bastarner, unzweifelhafte Deutsche, an der Unterdonau auf und erscheinen wenige Jahre später als Söldner im Heere des makedonischen Königs Perseus gegen die Römer – die ersten Landsknechte. Es sind wilde Krieger:

> „Männer, nicht zum Ackerbau geschickt oder zur Schiffahrt, oder die von Herden ihren Unterhalt suchen, die im Gegenteil nur ein Werk und eine Kunst pflegen: stets zu kämpfen und zu überwinden, was sich ihnen entgegenstellt."

Es ist Plutarch, der uns diese erste Nachricht von der Lebensweise eines deutschen Volks gibt.[254] Auch diese Bastarner finden wir noch Jahrhunderte später nördlich von der Donau, wenn auch in westlicherer Gegend. Fünfzig Jahre später brechen Cimbern und Teutonen in das keltische Donaugebiet, werden von den in Böhmen wohnenden keltischen Bojern abgewiesen, ziehen in mehreren Haufen nach Gallien, bis in Spanien hinein, schlagen ein römisches Heer nach dem andern, bis endlich Marius ihren fast zwanzigjährigen Wanderzügen ein Ende macht, indem er ihre sicher schon sehr geschwächten Scharen vernichtet: die Teutonen bei Aix in der Provence (–102) und die Cimbern bei Vercelli in Oberitalien (–101).

Ein halbes Jahrhundert später traf Cäsar in Gallien auf zwei neue germanische Heerzüge; zuerst am Oberrhein den des Ariovist, in dem sieben verschiedne Völkerschaften, darunter Markomannen und Sueven, vertreten waren; bald darauf, am Niederrhein, den der Usipeter und Tenkterer, die, von den Sueven in ihren früheren Sitzen bedrängt, diese verlassen und nach dreijährigem Herumziehen den Rhein erreicht hatten. Beide Heerzüge erlagen der geordneten römischen Kriegsführung, die Usipeter und Tenkterer aber auch römischem Vertragsbruch. In den ersten Jahren des Augustus kennt Dio Cassius einen Einfall der Bastarner nach Thrakien; Marcus Crassus schlug sie am Hebrus (der heutigen Maritza). Derselbe Geschichtschreiber[255] erwähnt noch eines Zuges von Hermunduren, die um den Beginn unsrer Zeitrechnung ihre Heimat aus unbekannten Ursachen verlassen und vom römischen Feldherrn Domitius Ahenobarbus „in einem Teile des Landes der Markomannen"[256] angesiedelt worden seien. Das sind die letzten Wanderzüge aus jener Epoche. Die Befestigung der römischen Herrschaft an Rhein und Donau schob ihnen auf längere Zeit einen Riegel vor; daß aber im Nordosten, jenseits der Elbe und des Riesengebirgs, die Völker noch lange nicht zu festen Sitzen gekommen waren, darauf deuten nur zu viele Zeichen.

Diese Auszüge der Germanen bilden den ersten Akt jener Völkerwanderung, die, dreihundert Jahre lang durch römischen Widerstand aufgehalten, gegen Ende des dritten Jahrhunderts unwiderstehlich über die beiden Grenzströme brach, Südeuropa und Nordafrika überflutete und erst mit der Eroberung Italiens durch die Langobarden 568 ihr Ende erreichte – ihr Ende, soweit die Germanen dabei beteiligt waren, nicht aber die hinter ihnen noch längere Zeit in Bewegung bleibenden Slawen. Es waren buchstäblich Wanderungen von Völkern. Ganze Volksstämme oder doch starke Bruchteile derselben machten sich auf die Reise, mit Weib und Kind, mit Hab und Gut. Mit Tierfellen eingedeckte Wagen dienten zur Wohnung und zum Transport der Weiber und Kinder wie des dürftigen Hausrats; das Vieh wurde mitgetrieben. Die Männer gerüstet und geordnet zur Niederwerfung alles Widerstands, zur Abwehr von Überfällen; ein Kriegsmarsch am Tag, ein Kriegslager in der Wagenburg bei Nacht. Der Menschenverbrauch auf diesen Zügen, durch fortwährende Kämpfe, durch Mühsal, Hunger und Krankheiten muß ungeheuer gewesen sein. Es war ein Abenteuer auf Tod und Leben. Gelang der Zug, so siedelte sich der übriggebliebne Teil auf fremdem Boden an; mißlang er, so verschwand der ausgezogne Stamm von der Erde. Was nicht im Gemetzel der Schlacht fiel, verkam in der Sklaverei. Die Helvetier und ihre Bundesgenossen, deren Wanderzug Cäsar hemmte, zogen aus mit 368 000 Köpfen, darunter 92 000 Waffenfähige; nach der Niederlage durch die Römer waren nur noch 110 000 übrig, die Cäsar ausnahmsweise, aus politischen Gründen, in die Heimat zurücksandte. Die Usipeter und Tenkterer waren mit 180 000 Köpfen über den Rhein gegangen; sie kamen fast alle in der Schlacht und auf der Flucht um. Kein Wunder, daß da, während dieser langen Wanderzeit, ganze Volksstämme oft spurlos verschwinden.

Dieser unsteten Lebensweise der Germanen entsprechen ganz die Zustände, die Cäsar am Rhein vorfand. Der Rhein war keineswegs scharfe Grenze zwischen Galliern und Deutschen. Belgisch-gallische Menapier hatten in der Gegend von Wesel Dörfer und Äcker auf dem rechten Rheinufer; dagegen war das linksrheinische Maasdelta von den germanischen Batavern besetzt, und um Worms bis gegen Straßburg wohnten germanische Vangionen, Triboker und Nemeter – ob seit Ariovist oder früher schon, ist unsicher. Die Belgier führten fortwährende Kriege mit den Deutschen, überall war noch strittiges Gebiet. Südlich vom Main und Erzgebirge wohnten damals noch keine Deutschen; die Helvetier waren erst kurz vorher von den Sueven aus dem Gebiet zwischen Main, Rhein, Donau und Böhmerwald vertrieben worden wie die Bojer aus Böhmen (Boihemum), das ihren Namen bis heute trägt. Die Sueven hatten aber das Land nicht besetzt, sondern in jene 600 römische (150 deutsche) Meilen lange Waldwüste verwandelt, die sie nach Süden hin decken sollte. Weiter östlich kennt Cäsar noch Kelten (Volker-Tektosagen) im Norden der Donau, da, wo Tacitus später deutsche Quaden nennt. Erst zu Augustus' Zeit führte Maroboduus seine suevischen Markomannen nach Böhmen, während die Römer den Winkel zwischen Rhein und Donau durch Verschanzung abschlossen und mit Galliern bevölkerten. Das Gebiet jenseits dieses Grenzwalls scheint dann von den Hermunduren besetzt. Es geht hieraus unzweifelhaft hervor, daß die Germanen durch die Ebene auf der Nordseite der Karpaten und der böhmischen Grenzgebirge nach Deutschland gezogen sind; erst nachdem das nördliche Flachland besetzt, trieben sie die südlicher im Gebirg wohnenden Kelten über die Donau.

Auch die Lebensweise der Germanen, wie Cäsar sie schildert, beweist, daß sie noch keineswegs seßhaft in ihrem Lande waren. Sie leben hauptsächlich von der Viehzucht, von Käse, Milch und Fleisch, weniger von

Korn; Hauptbeschäftigung der Männer ist Jagd und Waffenübung. Sie treiben etwas Ackerbau, aber nur nebenbei und in waldursprünglichster Weise. Cäsar berichtet, sie hätten die Äcker nur ein Jahr lang bebaut und im folgenden stets neues Land unter den Pflug genommen.[257] Es scheint Brandwirtschaft gewesen zu sein, wie noch jetzt im nördlichen Skandinavien und Finnland; der Wald – und außer dem Wald hatte man nur die damals für den Ackerbau nutzlosen Sümpfe und Torfmoore – wurde niedergebrannt, die Wurzeln notdürftig entfernt und mit dem vernarbten oberen Boden ebenfalls verbrannt; in den durch die Asche gedüngten Boden säte man das Korn. Aber selbst in diesem Fall wird Cäsars Angabe alljährlicher Erneuerung des Ackerlands nicht wörtlich zu nehmen und in der Regel auf einen gewohnheitsmäßigen Übergang zu Neuland, nach mindestens zwei oder drei Ernten, zu beschränken sein. Die ganze Stelle, die undeutsche Landteilung durch Fürsten und Beamte und besonders die den Germanen untergeschobnen Beweggründe für diesen raschen Wechsel atmen römische Vorstellungen. Dem Römer war dieser Landwechsel unerklärlich. Den rheinischen Deutschen, die schon im Übergang zur festen Ansiedlung begriffen, mochte er schon als überkommene Gewohnheit erscheinen, die mehr und mehr Zweck und Sinn verlor. Den inneren Deutschen, den eben erst am Rhein ankommenden Sueven, für die er auch hauptsächlich galt, war er dagegen noch wesentliche Bedingung einer Lebensweise, bei der das ganze Volk sich langsam voranschob, in der Richtung und mit der Geschwindigkeit, die der vorgefundne Widerstand zuließ. Auf diese Lebensweise ist auch ihre Verfassung zugeschnitten: Die Sueven teilen sich in hundert Gaue, deren jeder jährlich tausend Mann zum Heere stellt, während der Rest der Mannschaft daheim bleibt, Vieh und Äcker besorgt und im zweiten Jahr die Ausgezognen ablöst. Die Volksmasse mit Weib und Kind folgt dem Heer erst, sobald dies neues Gebiet erobert hat. Es ist schon ein Fortschritt zur Seßhaftigkeit, verglichen mit den Heerzügen der Cimbernzeit.

Wiederholt kommt Cäsar auf die Sitte der Deutschen zurück, sich auf der Seite nach dem Feinde, d.h. nach jedem fremden Volk hin, durch breite Waldwüsten zu sichern. Es ist dies dieselbe Sitte, die noch bis ins späte Mittelalter herrscht. Die nordelbischen Sachsen schützte der Grenzwald zwischen Eider und Schlei (altdänisch Jarnwidhr) gegen die Dänen, der Sachsenwald von der Kieler Förde bis zur Elbe gegen die Slawen, und der slawische Name Brandenburg, Branibor, ist wieder nur Bezeichnung eines solchen Schutzwalds (tschechisch *braniti* – verteidigen, *bor* – Kiefer und Kiefernwald).

Über die Zivilisationsstufe der von Cäsar vorgefundnen Deutschen kann nach alledem kein Zweifel sein. Sie waren weit entfernt davon, Nomaden zu sein in dem Sinn, wie es die heutigen asiatischen Reitervölker sind. Dazu gehört die Steppe, und die Deutschen lebten im Urwald. Aber sie waren auch ebensoweit entfernt von der Stufe ansässiger Bauernvölker. Noch Strabo sagt von ihnen sechzig Jahre später:

„Gemein ist allen diesen" (deutschen) „Völkerschaften die Leichtigkeit, mit der sie *auswandern*, wegen der Einfachheit ihrer Lebensart, weil sie nicht des Ackerbaus pflegen und keine Schätze sammeln; sondern sie leben in Hütten, die sie sich jeden Tag errichten, und nähren sich größtenteils vom Vieh wie die Nomaden, denen sie auch darin gleichen, daß sie ihre Habseligkeiten auf Wagen mit sich führen und mit ihren Herden dahin ziehen, wohin es sie gelüstet." [258]

Kenntnis des Ackerbaus hatten sie, wie die Sprachvergleichung beweist, schon aus Asien mitgebracht; daß sie diese nicht wieder vergessen hatten, zeigt Cäsar. Aber es war der Ackerbau, der halbnomadischen, langsam durch die mitteleuropäischen Waldebenen sich fortwälzenden Kriegerstämmen als Notbehelf und untergeordnete Lebensquelle diente.

Es geht hieraus hervor, daß die Einwanderung der Deutschen in ihre neue Heimat zwischen Donau, Rhein und Nordmeer zu Cäsars Zeit noch nicht vollendet war oder sich doch eben erst vollendete. Daß zur Zeit des Pytheas Teutonen und vielleicht auch Cimbern die jütische Halbinsel, die vordersten Deutschen den Rhein erreicht haben mochten – wie die Abwesenheit aller Kunde von ihrer Ankunft schließen läßt –, steht dem durchaus nicht entgegen. Die nur mit dauernder Wanderung vereinbare Lebensweise, die wiederholten Züge nach West und Süd, endlich die Tatsache, daß Cäsar die größte ihm bekannte Masse, die Sueven, noch in voller Bewegung fand, lassen nur einen Schluß zu: Offenbar haben wir hier die letzten Momente der großen germanischen Einwanderung in ihren europäischen Hauptsitz fragmentarisch vor uns. Es ist der römische Widerstand am Rhein und später an der Donau, der dieser Wanderung ein Ziel setzt, die Deutschen auf das nunmehr besetzte Gebiet einschränkt und sie damit zwingt, feste Wohnsitze zu nehmen.

Im übrigen waren unsre Vorfahren, wie Cäsar sie sah, rechte Barbaren. Kaufleute lassen sie nur ins Land, damit sie jemand haben, der ihnen die Kriegsbeute abkauft, sie selbst kaufen ihnen fast nichts ab; was hätten sie denn auch Fremdes nötig? Sogar ihre schlechten Ponys ziehn sie den schönen und guten gallischen Pferden vor. Wein aber lassen die Sueven überhaupt nicht ins Land, weil er verweichliche. Da waren doch ihre bastarnischen Vettern zivilisierter; auf jenem Einfall nach Thrakien schickten sie

Gesandte an Crassus, der diese betrunken machte, ihnen die nötigen Nachrichten über Stellung und Absichten der Bastarner abfrug und diese dann in einen Hinterhalt lockte und vernichtete. Noch vor der Schlacht auf dem Idisiavisus (16 unsrer Zeitrechnung) schildert Germanicus seinen Soldaten die Deutschen als Leute ohne Panzer oder Helm, nur mit Schilden von Weidengeflecht oder schwachen Brettern bewehrt, und nur das erste Glied habe wirkliche Lanzen, die hinteren nichts als im Feuer gehärtete und gespitzte Stangen. Metallbearbeitung war den Anwohnern der Weser also noch kaum bekannt, und die Römer werden wohl dafür gesorgt haben, daß die Kaufleute keine Waffen nach Deutschland einschleppten.

Reichlich anderthalb Jahrhunderte nach Cäsar gibt uns Tacitus seine berühmte Beschreibung der Deutschen. Hier sieht schon vieles ganz anders aus. Bis an die Elbe und darüber hinaus sind die unsteten Stämme zur Ruhe, zur festen Ansiedlung gekommen. Von Städten ist freilich noch lange keine Rede; die Niederlassungen erfolgen teils in Dörfern, die hier aus Einzelhöfen, dort aus zusammenliegenden Höfen bestehn, aber auch in diesen ist jedes Haus für sich gebaut, umgeben von einem freien Raum. Die Häuser noch ohne Bruchsteine und Dachziegel, roh gezimmert aus unbehauenen Stämmen (materia informi muß dies hier bedeuten, im Gegensatz zu caementa und tegulae); Blockhäuser, wie noch im nördlichen Skandinavien, aber doch schon nicht mehr Hütten, die man in einem Tage bauen kann, wie bei Strabo. Auf die Ackerverfassung kommen wir später zurück. Auch haben die Deutschen schon unterirdische Vorratskammern, eine Art Keller, in denen sie sich im Winter der Wärme halber aufhielten und wo nach Plinius die Weiber Weberei trieben. Der Ackerbau ist also schon wichtiger; doch ist Vieh noch immer Hauptreichtum; es ist zahlreich, aber von schlechter Race, die Pferde häßlich und keine Renner, die Schafe und Rinder klein, letztere ohne Hörner. Bei der Nahrung wird Fleisch, Milch, wilde Äpfel aufgeführt, kein Brot. Die Jagd wird nicht mehr viel betrieben, der Wildstand war also seit Cäsar schon bedeutend verringert. Auch die Kleidung ist noch sehr ursprünglich, bei der Masse eine grobe Decke, sonst nackt (fast wie bei den Zulukaffern), doch bei den Reichsten schon eng anschließende Kleider; Tierfelle werden auch verwandt; auch die Weiber tragen sich ähnlich wie die Männer, doch haben sie schon häufiger leinene Gewänder ohne Ärmel. Die Kinder laufen alle nackt umher. Lesen und Schreiben ist unbekannt, doch deutet eine Stelle darauf hin, daß die von den lateinischen Schriftzeichen entlehnten, in Holzstäbe eingeschnittenen Runen den Priestern schon gebräuchlich waren. Gold und Silber ist den inneren Deutschen gleichgültig, den Fürsten und Gesandten von Römern geschenkte Silbergefäße dienen demselben gemeinen Gebrauch wie irdene. Der geringe Handelsverkehr ist einfacher Tausch.

Die Männer haben noch ganz die allen Urvölkern gemeinsame Gewohnheit, Arbeit in Haus und Feld den Weibern, Greisen und Kindern als unmännlich zu überlassen. Dagegen haben sie zwei zivilisierte Sitten angenommen: den Trunk und das Spiel, und betreiben beides mit der ganzen Maßlosigkeit jungfräulicher Barbaren, das Spiel bis zum Verwürfeln der eigenen Person. Ihr Trunk, im Innern, ist Gersten- oder Weizenbier; wäre der Schnaps schon erfunden gewesen, die Weltgeschichte hätte wohl einen andern Verlauf genommen.

An den Grenzen des römischen Gebiets sind noch weitere Fortschritte gemacht: Man trinkt importierten Wein; man hat sich schon einigermaßen ans Geld gewöhnt, wobei natürlich dem für beschränkten Austausch handlicheren Silber und nach Barbarensitte Münzen mit altbekanntem Gepräge der Vorzug gegeben wird. Wie sehr diese Vorsicht begründet war, wird sich zeigen. Handel mit den Germanen wurde nur am Rheinufer selbst betrieben; nur die über dem Pfahlgraben sitzenden Hermunduren gehn schon in Gallien und Rhätien Handels halber aus und ein.

Zwischen Cäsar und Tacitus fällt also der erste große Abschnitt in der deutschen Geschichte: der endliche Übergang vom Wanderleben zu festen Wohnsitzen, wenigstens für den größeren Teil des Volks, vom Rhein bis weit über die Elbe hinaus. Die Namen der einzelnen Stämme fangen an, mehr oder weniger, mit bestimmten Landstrichen zu verwachsen. Bei den widersprechenden Nachrichten der Alten und bei den schwankenden und wechselnden Namen ist es jedoch oft unmöglich, jedem einzelnen Stamm einen sichern Wohnsitz zuzuweisen. Es würde dies uns auch zu weit abführen. Hier genügt die allgemeine Angabe, die wir bei Plinius finden:

„Es gibt fünf Hauptstämme der Deutschen: die *Vindiler*, zu denen die Burgundionen, Variner, Cariner, Guttonen gehören; den zweiten Stamm bilden die *Ingävonen*, davon die Cimbern, Teutonen und die chaukischen Völker einen Teil ausmachen. Zunächst am Rhein wohnen die *Iskävonen*, darunter die Sigamber. Mitten im Lande – die *Hermionen*, darunter die Sueven, Hermunduren, Chatten, Cherusker. Den fünften Stamm bilden die Peukiner und Bastarner, die an die Daken grenzen.“ [259]

Dazu kommt dann noch ein sechster Zweig, der Skandinavien bewohnt: die Hillevionen.

Von allen Nachrichten der Alten stimmt diese am besten mit den späteren Tatsachen und den uns erhaltenen Sprachresten.

Die Vindiler umfassen die Völker *gotischer* Zunge, die die Ostseeküste zwischen Elbe und Weichsel bis tief ins Land hinein besetzt hielten; jenseits der Weichsel saßen um das Frische Haff die Guttonen (Goten). Die spärlichen erhaltenen Sprachreste lassen nicht den geringsten Zweifel, daß die Vandalen (die jedenfalls zu Plinius' Vindilern gehören müßten, da er ihren Namen auf den ganzen Hauptstamm überträgt) und die Burgunder gotische Dialekte sprachen. Bedenken erregen könnten nur die Warner (oder Variner), die man, auf Nachrichten aus dem 5. und 6. Jahrhundert fußend, gewohnt ist, zu den Thüringern zu stellen; von ihrer Sprache wissen wir nichts.

Der zweite Stamm, der der Ingävonen, umfaßt die Völker zunächst *friesischer* Zunge, die Bewohner der Nordseeküste und der cimbrischen Halbinsel, und höchstwahrscheinlich auch diejenigen sächsischer Zunge zwischen Elbe und Weser, in welchem Fall die Cherusker auch dazu zu rechnen wären.

Die Iskävonen zeichnen sich durch die zu ihnen gezognen Sigamber sofort als die späteren Franken, die Bewohner des rechten Rheinufers vom Taunus abwärts bis an die Quellen der Lahn, Sieg, Ruhr, Lippe und Ems, nördlich von Friesen und Chauken begrenzt.

Die Hermionen oder, wie Tacitus sie richtiger nennt, Herminonen sind die späteren Hochdeutschen; die Hermunduren (Thüringer), Sueven (Schwaben und Markomannen, Baiern), Chatten (Hessen) usw. Die Cherusker sind ganz unzweifelhaft durch einen Irrtum hierher geraten. Es ist der einzige sichre Irrtum in dieser ganzen Aufstellung des Plinius.

Der fünfte Stamm, Peukiner und Bastarner, ist verschollen. Ohne Zweifel stellt ihn Jakob Grimm mit Recht zum gotischen.

Endlich der sechste, hillevionische Stamm umfaßt die Bewohner der dänischen Inseln und der großen skandinavischen Halbinsel.

Die Einteilung des Plinius entspricht also mit einer überraschenden Genauigkeit der Gruppierung der später wirklich auftretenden deutschen Mundarten. Wir kennen keine Dialekte, die nicht unter Gotisch, Friesisch-Niedersächsisch, Fränkisch, Hochdeutsch oder Skandinavisch gehörten, und wir können diese Einteilung des Plinius auch heute noch als mustergültig anerkennen. Was etwa dagegen zu sagen wäre, untersuche ich in der Anmerkung über die deutschen Stämme.[1]

Die ursprüngliche Einwanderung der Deutschen in ihre neue Heimat hätten wir uns also ungefähr so vorzustellen, daß in erster Linie, mitten in der norddeutschen Ebene, zwischen den südlichen Gebirgen und der Ost- und Nordsee, die Iskävonen vorgedrungen sind, dicht hinter ihnen, aber näher der Küste, die Ingävonen. Diesen scheinen die Hillevionen gefolgt,

---

[1] Siehe vorl. Band, S. 461–473

aber nach den Inseln abgebogen zu sein. Auf diese wären Goten (des Plinius Vindiler) gefolgt, unter Zurücklassung der Peukiner und Bastarner im Südosten; der gotische Name in Schweden ist Zeuge dafür, daß einzelne Zweige sich der Wanderung der Hillevionen anschlossen. Endlich, südlich von den Goten, die Herminonen, die, wenigstens größtenteils, erst zu Cäsars und selbst Augustus' Zeit in die Wohnsitze einrücken, die sie bis zur Völkerwanderung behaupten.[1]

Die ersten Kämpfe mit Rom

Seit Cäsar standen Römer und Deutsche einander am Rhein, seit der Unterwerfung von Rhätien, Noricum und Pannonien durch Augustus an der Donau gegenüber. In Gallien hatte sich inzwischen die römische Herrschaft festgesetzt; ein Heerstraßennetz war durch Agrippa über das ganze Land gezogen, Festungen waren gebaut, eine neue Generation, im römischen Joch geboren, war herangewachsen. Gallien, durch die unter Augustus gebauten Alpenstraßen über den Kleinen und Großen Bernhard in direkteste Verbindung mit Italien gebracht, konnte als Basis dienen für die Eroberung Germaniens vom Rhein her. Diese mit den am Rhein lagernden acht Legionen zu vollenden, übertrug Augustus seinem Stiefsohn (oder wirklichen Sohn?) Drusus.

Vorwand boten fortwährende Reibereien der Grenzbewohner, Einfälle der Deutschen nach Gallien sowie eine angebliche oder wirkliche Verschwörung der unzufriedenen Belgier mit den Sigambern, nach welcher diese den Rhein überschreiten und einen allgemeinen Aufstand bewirken sollten. Drusus versicherte sich (–12) der belgischen Häuptlinge, ging dicht an der Batavischen Insel, oberhalb des Rheindeltas, über den Strom, verheerte das Gebiet der Usipeter und teilweise das der Sigamber, schiffte dann den Rhein hinab, zwang die Friesen, ihm Hülfstruppen zu Fuß zu stellen, und fuhr mit der Flotte die Küste entlang bis in die Emsmündung hinein, um die Chauken zu bekriegen. Hier aber setzten seine römischen, der Gezeiten ungewohnten Seeleute die Flotte bei der Ebbe auf den Grund; nur durch die Hülfe der mit der Sache besser bekannten friesischen Bundestruppen brachte er sie wieder los und kehrte heim.

Dieser erste Feldzug war nur eine große Rekognoszierung. Im folgenden Jahr (–11) begann er die wirkliche Eroberung. Er überschritt den Rhein

[1] In der Handschrift mit Bleistift eingefügt: „Folgt Kapitel über die Agrarverfassung und Kriegsverfassung."

wiederum unterhalb der Lippemündung, unterwarf die hier wohnenden Usipeter, überbrückte die Lippe und brach in das Gebiet der Sigamber ein, die grade gegen die Chatten zu Felde lagen, weil diese sich dem Bund gegen die Römer unter sigambrischer Führung nicht anschließen wollten. Dann legte er am Zusammenfluß der Lippe und des Eliso ein festes Lager an (Aliso) und zog sich, als der Winter nahte, wieder über den Rhein zurück. Auf diesem Rückzug in einer engen Talschlucht von den Deutschen überfallen, entging sein Heer nur mit genauer Not der Vernichtung. Auch legte er in diesem Jahr ein andres verschanztes Lager an „im Lande der Chatten, fast am Rhein“[260].

Dieser zweite Feldzug des Drusus enthält schon den ganzen Eroberungsplan, wie er seitdem konsequent befolgt wurde. Das zunächst zu erobernde Gebiet ist ziemlich scharf abgegrenzt: das iskävonische Binnenland bis an die Grenze der Cherusker und Chatten und der dazugehörige Küstenstrich bis zur Ems, womöglich bis zur Weser. Die Hauptarbeit zur Unterwerfung des Küstenlands fällt der Flotte zu. Im Süden dient als Operationsbasis das von Agrippa gegründete und von Drusus erweiterte Mainz, in dessen Nachbarschaft wir das „im Lande der Chatten“ angelegte Kastell (man sucht es neuerdings in der Saalburg bei Homburg) zu suchen haben. Von hier aus führt der Lauf des Untermains in das offene Gelände der Wetterau und der oberen Lahngegend, dessen Besetzung Iskävonen und Chatten voneinander trennt. Im Zentrum der Angriffsfront bietet das ebene, von der Lippe durchflossene Land und namentlich der flache Höhenrücken zwischen Lippe und Ruhr der römischen Hauptmacht die bequemste Operationslinie, durch deren Besitznahme sie das zu unterwerfende Gebiet in zwei ungefähr gleiche Stücke und gleichzeitig die Brukterer von den Sigambern trennt; eine Stellung, von der aus sie links mit der Flotte zusammenwirken, rechts mit der aus der Wetterau debouchierenden Kolonne das iskävonische Schiefergebirgsland isolieren und in der Front die Cherusker im Zaum halten kann. Das Kastell Aliso bildet den äußersten befestigten Stützpunkt dieser Operationslinie; es lag nahe den Lippequellen, entweder Elsen bei Paderborn, am Einfluß der Alme in die Lippe, oder bei Lippstadt, wo neuerdings ein großes römisches Kastell aufgedeckt.

Im folgenden Jahr (–10) verbanden sich die Chatten, die gemeinsame Gefahr einsehend, endlich mit den Sigambern. Aber Drusus überzog und zwang sie wenigstens teilweise zur Unterwerfung. Diese kann aber den Winter nicht überdauert haben, denn im nächsten Frühling (–9) überfällt er sie nochmals, dringt vor bis zu den Sueven (also wohl Thüringern – nach Florus und Orosius auch Markomannen, die damals noch nördlich des Erzgebirgs wohnten), greift dann die Cherusker an, setzt über die Weser und kehrt erst an der Elbe um. Alles durchzogne Land hatte er verheert, aber überall heftigen Widerstand gefunden. Auf dem Rückweg starb er, dreißig Jahre alt, noch ehe er den Rhein erreicht.

Zu obiger, dem Dio Cassius entlehnten Erzählung ergänzen wir aus Suetonius, daß Drusus den Kanal vom Rhein zur Ijssel graben ließ, vermittelst dessen er seine Flotte durchs Friesenland und den Flevo (Vliestrom – jetziges Fahrwasser aus der Südersee zwischen Vlieland und Terschelling) in die Nordsee führte; aus Florus, daß er den Rhein entlang über fünfzig Kastelle und bei Bonn eine Brücke errichtete und ebenso die Maaslinie befestigte, also die Stellung der rheinischen Legionen sowohl gegen Aufstände der Gallier wie gegen Einfälle der Germanen sicherte. Was Florus von Kastellen und Verschanzungen an der Weser und Elbe fabelt, ist eitel Prahlerei; Schanzen mag er während seiner Märsche dort aufgeworfen haben, aber er war ein zu guter Feldherr, um auch nur einen Mann Besatzung darin zu lassen. Dagegen ist wohl zweifellos, daß er die Operationslinie längs der Lippe mit befestigten Etappen versehen ließ. Die Übergänge über den Taunus verschanzte er ebenfalls.

Tiberius, des Drusus Nachfolger am Rhein, ging im folgenden Jahr (–8) über den Fluß; die Deutschen sandten Friedensunterhändler, nur die Sigamber nicht; Augustus, der in Gallien war, weigerte jede Verhandlung, solange diese nicht vertreten seien. Als die Sigamber endlich auch Gesandte schickten, „zahlreiche und angesehene Männer", sagt Dio, ließ Augustus sie greifen und in verschiedene Städte im Innern des Reichs internieren; „aus Gram darüber töteten sie sich selbst"[261]. Auch im nächsten Jahre (–7) ging Tiberius wieder mit dem Heer nach Germanien, wo außer einigen unbedeutenden Unruhen schon nicht viel mehr zu bekämpfen war. Von dieser Zeit sagt Vellejus: „Tiberius hat das Land" (Germanien) „so durch und durch unterworfen, daß es sich kaum noch von einer steuerpflichtigen Provinz unterschied."[262]

Dieser Erfolg wird, außer den römischen Waffen und der mehrfach gerühmten diplomatischen „Klugheit" des Tiberius, wohl namentlich der Verpflanzung von Deutschen aufs römische Rheinufer zu danken sein. Schon Agrippa hatte die Ubier, die den Römern immer anhänglich gewesen, mit ihrem Willen aufs linke Rheinufer bei Köln versetzt. Tiberius zwang 40 000 Sigamber zur Übersiedelung und brach damit auf längere Zeit die Widerstandskraft dieses mächtigen Stammes.

Tiberius zog sich nun auf längere Zeit von allen Staatsgeschäften zurück, und wir erfahren nichts davon, was sich während mehrerer Jahre in Deutschland zutrug. Ein Fragment des Dio meldet von einem Zuge des Domitius Ahenobarbus von der Donau aus bis über die Elbe. Bald darauf aber, um das erste Jahr unsrer Zeitrechnung, standen die Deutschen auf. Marcus Vinicius, der römische Oberbefehlshaber, kämpfte, nach Vellejus' Aussage, im ganzen glücklich und erhielt auch Belohnungen zum Dank dafür. Dennoch mußte im Jahre 4, gleich nach seiner Adoption durch Augustus, Tiberius nochmals über den Rhein, um die erschütterte römische Herrschaft wiederherzustellen. Er unterwirft die nächst dem Flusse wohnenden Canninefaten und Chattuarier, sodann die Brukterer und „gewinnt" die Cherusker. Weitere Einzelheiten gibt Vellejus, der diesen und den folgenden Feldzug mitmachte, nicht. Der milde Winter erlaubte den Legionen, bis im Dezember in Bewegung zu bleiben, dann bezogen sie Winterlager in Deutschland selbst – wahrscheinlich an den Lippequellen.

Der Feldzug des nächsten Jahres (5) sollte die Unterwerfung Westdeutschlands vollenden. Während Tiberius von Aliso aus vordrang und die Langobarden an der Niederelbe besiegte, fuhr die Flotte die Küste entlang und „gewann" die Chauken. An der Niederelbe traf das Landheer die den Fluß hinauf segelnde Flotte. Mit den Erfolgen dieses Zuges schien nach Vellejus die Arbeit der Römer im Norden erledigt; Tiberius wandte sich im folgenden Jahr nach der Donau, wo die seit kurzem unter Maroboduus nach Böhmen übergesiedelten Markomannen die Grenze bedrohten. Maroboduus, in Rom erzogen und mit römischer Taktik vertraut, hatte ein Heer von 70 000 Mann zu Fuß und 4000 Reitern nach römischem Vorbild organisiert. Diesem trat Tiberius an der Donau in der Front entgegen, während Sentius Saturninus die Legionen vom Rhein durch das Chattenland in Rücken und Flanke des Feindes führen sollte. Da empörten sich im eignen Rücken des Tiberius die Pannonier, das Heer mußte umkehren und sich seine Operationsbasis wiedererobern. Der Kampf dauerte drei Jahre; aber als die Pannonier eben niedergeworfen, hatten sich die Dinge auch in Norddeutschland so gewandt, daß an Eroberungen im Markomannenland nicht mehr zu denken war.

Der Eroberungsplan des Drusus war vollständig beibehalten worden; nur zu seiner gesicherten Durchführung waren die Land- und Seezüge bis zur Elbe nötig geworden. In dem Feldzugsplan gegen Maroboduus schimmert die Idee durch, die Verlegung der Grenze an die kleinen Karpaten, das Riesengebirge und die Elbe bis zur Mündung zu verlegen; das lag jedoch einstweilen noch in weiter Ferne und wurde bald ganz unausführbar. Wie weit die Wetterau hinauf damals römische feste Plätze gereicht haben mögen, wissen wir nicht; allem Anschein nach war diese Operationslinie damals vernachlässigt worden gegenüber der wichtigeren längs der Lippe. Hier aber hatten sich die Römer offenbar in ziemlicher Breite häuslich eingerichtet. Die Rheinebene des rechten Ufers von Bonn abwärts gehörte ihnen; das westfälische Flachland von der Ruhr nordwärts bis über die Ems hinaus, bis an die Grenzen der Friesen und Chauken, blieb militärisch besetzt. Im Rücken waren Bataver und Friesen damals noch sichere Freunde; weiter nach Westen hin konnten Chauken, Cherusker, Chatten für hinreichend gebändigt gelten, nach ihren wiederholten Niederlagen und nach dem Schlag, der auch die Langobarden getroffen. Und jedenfalls bestand damals bei jenen drei Völkern eine ziemlich mächtige Partei, die nur im Anschluß an Rom Rettung sah. Im Süden war die Macht der Sigamber vorderhand gebrochen; ein Teil ihres Gebiets, zwischen Lippe und Ruhr sowie in der Rheinebene, war besetzt, der Rest war von den römischen Stellungen am Rhein, an der Ruhr, in der Wetterau auf drei Seiten umklammert und sicher oft genug von römischen Kolonnen durchzogen. Römerstraßen in der Richtung auf die Lippequellen, von Neuwied zur Sieg, von Deutz und Neuß zur Wupper über dominierende Bergrücken führend, sind wenigstens bis an die Grenze von Berg und Mark neuerdings nachgewiesen. Noch weiter ab hatten die Hermunduren im Einverständnis mit Domitius Ahenobarbus einen Teil des von den Markomannen verlassenen Gebiets besetzt und standen mit den Römern in friedlichem Verkehr. Und endlich berechtigte die wohlbekannte Uneinigkeit der deutschen Völkerstämme zu der Erwartung, die Römer würden nur noch solche Einzelkriege zu führen haben, wie sie ihnen selbst zur allmählichen Umwandlung der Bundesgenossen in Untertanen erwünscht sein mußten.

Der Kern der römischen Stellung war das Land zu beiden Seiten der Lippe bis an den Osning. Hier gewöhnte die ständige Anwesenheit der Legionen in befestigten Lagern an römische Herrschaft und römische Sitten, durch die die Barbaren nach Dio „wie umgewandelt wurden"[263]; hier entstanden um die Standquartiere des Heeres jene Städte und Märkte, von denen derselbe Historiker erzählt und deren friedlicher Verkehr das meiste zur Befestigung der Fremdherrschaft beitrug. Alles schien vortrefflich zu gehn. Aber es sollte anders kommen.

Quinctilius Varus wurde zum Oberbefehlshaber der Truppen in Deutschland ernannt. Ein Römer des hereinbrechenden Verfalls, phlegmatisch und bequem, auf den Lorbeeren seiner Vorgänger zu ruhen geneigt, noch mehr aber, diese Lorbeeren für sich auszubeuten. „Wie wenig er ein Verächter des Geldes war, bezeugte Syrien, das er verwaltet hatte; arm war er in das reiche Land gekommen, reich verließ er ein armes Land" (Vellejus).[264] Sonst war er „von milder Natur"; aber diese milde Natur muß arg ergrimmt sein bei Versetzung nach einem Lande, wo ihr das Erpressen so sauer gemacht wurde, weil dort fast nichts zu holen war. Indes versuchte es Varus, und zwar auf die bei römischen Prokonsuln und Proprätoren längst üblich gewordene Methode. Vor allen Dingen galt es, den besetzten Teil Deutschlands so rasch wie möglich auf den Fuß einer römischen Provinz einzurichten, an die Stelle der einheimischen öffentlichen Gewalt, die bisher unter der Militärherrschaft fortbestanden, römische zu setzen, und damit das Land zu einer Quelle von Einkünften zu machen – für den Fiskus sowohl wie für den Prokonsul. Varus versuchte demnach, die Deutschen „mit größerer Schnelligkeit und Nachdruck umzuwandeln", er „erteilte ihnen Befehle wie Sklaven und forderte Geldzahlungen von ihnen wie von Untergebenen" (Dio).[265] Und das alterprobte Hauptmittel der Unterjochung und Erpressung, das er hier anwandte, war die oberrichterliche Gewalt der römischen Provinzvorsteher, die er sich hier anmaßte und kraft deren er den Deutschen das römische Recht aufzwingen wollte.

Leider waren Varus und seine zivilisatorische Mission der Geschichte um fast anderthalb Jahrtausende voraus; denn ungefähr so lange dauerte es, bis Deutschland reif wurde zur „Rezeption des römischen Rechts". In der Tat mußte das römische Recht mit seiner klassischen Zergliederung der Privateigentumsverhältnisse den Deutschen rein widersinnig vorkommen, den Deutschen, die das wenige Privateigentum, das sich bei ihnen entwickelt, nur besaßen kraft ihres Gemeineigentums an Grund und Boden. Ebenso mußten ihnen, die gewohnt waren, im offenen Volksgericht binnen wenigen Stunden nach ererbtem Herkommen selbst Recht und Urteil zu finden, die feierlichen Formen und Einreden, die ewigen Vertagungen des römischen Prozesses erscheinen als ebensoviel Mittel der Rechtsverweigerung, und der den Prokonsul umdrängende Schwarm von Sachwaltern und Ferkelstechern als das, was sie in der Tat waren, reine Gurgelschneider. Und nun sollten die Deutschen, ihr freies Ding, wo Genossen den Genossen gerichtet, aufgeben und sich unterwerfen dem Machtspruch eines einzelnen Mannes, der in fremder Sprache verhandelte, der im besten Fall ein ihnen unbekanntes, dazu total unanwendbares Recht zugrunde legte und – der selbst interessiert war. Der freie Germane, den nach Tacitus nur der Priester in seltenen Fällen schlagen durfte, der Leib und Leben nur durch Verrat gegen sein Volk verwirkte, sonst aber jede Verletzung, selbst Mord, durch eine Buße (Wergeld) sühnen konnte, der zudem gewohnt war, die Blutrache für sich und seine Verwandten selbst zu üben – der sollte sich jetzt den Ruten und dem Richtbeil des Liktors unterwerfen. Und alles das zu keinem andern

Zweck, als um der Aussaugung des Landes durch Steuern für den Fiskus, durch Erpressungen und Bestechungen für den Prokonsul und seine Helfershelfer Tür und Tor zu öffnen.

Aber Varus hatte sich verrechnet. Die Deutschen waren keine Syrer. Mit seiner aufgedrängten römischen Zivilisation imponierte er ihnen nur nach einer Seite hin. Er zeigte den in die Bundesgenossenschaft genötigten Nachbarstämmen nur, welch unerträgliches Joch auch ihnen bevorstehe, und zwang ihnen damit jene Einigung auf, die sie bisher nie hatten finden können.

Varus stand mit drei Legionen in Deutschland, Asprenas mit zwei andren am Niederrhein, nur fünf bis sechs Märsche von Aliso, dem Kernpunkt der Stellung, entfernt. Einer solchen Macht gegenüber bot nur ein lange und sorgsam vorbereiteter, dann aber plötzlich geführter Entscheidungsschlag Aussicht auf Erfolg. Der Weg der Verschwörung war also vorgeschrieben. Diese zu organisieren, übernahm Arminius.

Arminius, aus cheruskischem Stammesadel, Sohn des Segimerus, der in seinem Volke ein Geleitherzog zu sein scheint, hatte seine erste Jugend in römischem Kriegsdienst zugebracht, war römischer Sprache und Sitten mächtig, im römischen Hauptquartier ein häufiger und gern gesehener Gast, dessen Treue über allen Zweifel erhaben schien. Noch am Vorabend des Überfalls baute Varus felsenfest auf ihn. Vellejus nennt ihn

„einen Jüngling von edlem Geschlecht, tapferer Hand, gewandt im Geiste, mehr als sonst Barbaren es sind, einen Jüngling, aus dessen Antlitz und Augen geistiges Feuer leuchtete, der unser steter Begleiter auf den früheren Feldzügen" (also gegen Deutsche) „gewesen war und der neben dem römischen Bürgerrecht den Rang eines römischen Ritters besaß".

Aber Arminius war mehr als das alles, er war ein großer Staatsmann und ein bedeutender Feldherr. Einmal entschlossen, der rechtsrheinischen Römerherrschaft ein Ende zu machen, wandte er auch die erforderlichen Mittel unbedenklich an. Der, schon sehr von römischem Einfluß beherrschte, heerführende Adel der Cherusker mußte wenigstens größtenteils gewonnen, die Chatten und Chauken, noch mehr aber die direkt unter römischem Joch stehenden Brukterer und Sigamber in die Verschwörung gezogen werden. Alles das erforderte Zeit, so sehr auch Varus' Erpressungen vorgearbeitet hatten; und während dieser Zeit galt es, Varus einzuschläfern. Dies geschah, indem man ihn bei seiner Liebhaberei, dem Gerichthalten, faßte und ihn damit förmlich zum Narren hielt. Die Deutschen [sind], erzählt Vellejus,

„was, wer es nicht selbst erfahren hat, kaum glauben wird, bei der höchsten Wildheit durch und durch verschlagene Köpfe und ein Geschlecht, wie geschaffen zum Lügen" –

die Deutschen „spiegelten ihm eine ganze Reihe von ersonnenen Rechtshändeln vor; bald belangte einer den andern ohne Grund, bald sagten sie ihm Dank, daß er das alles mit römischer Gerechtigkeit entscheide, daß ihre Wildheit durch die neue, unbekannte Zucht und Ordnung schon nachzulassen anfinge und daß, was sonst mit den Waffen ausgemacht zu werden pflegte, nunmehr nach Recht und Billigkeit auseinandergesetzt werde. So verführten sie ihn zur höchsten Sorglosigkeit, so sehr, daß er glaubte, als Stadtprätor auf dem Forum Recht zu sprechen, nicht mitten in deutschen Landen ein Heer zu befehligen."[266]

So verstrich der Sommer des Jahres 9. Um den Erfolg noch mehr zu sichern, hatte man den Varus verleitet, seine Truppen durch allerlei Detachierungen zu zersplittern, was bei dem Charakter des Mannes und unter den Umständen nicht schwer sein konnte.

„Varus", sagt Dio, „hielt seine Heeresmacht nicht, wie es sich in Feindesland gebührt, gehörig zusammen, sondern überließ die Soldaten scharenweise hülfsbedürftigen Leuten, die darum baten, bald um irgendeinen festen Platz zu bewachen, bald um Räuber einzufangen, bald um Getreidetransporte zu begleiten."[267]

Inzwischen waren die Hauptverschworenen, namentlich Arminius und Segimerus, stets um ihn und häufig an seiner Tafel. Nach Dio wurde Varus schon jetzt gewarnt, aber sein Vertrauen kannte keine Grenzen. Endlich im Herbst, als alles zum Losschlagen vorbereitet und man Varus mit seiner Hauptmacht ins Cheruskerland, bis an die Weser gelockt hatte, gab ein fingierter Aufstand in einiger Entfernung das Zeichen. Noch als Varus diese Nachricht erhielt und den Befehl zum Aufbruch gab, warnte ihn ein andrer Cheruskerhäuptling, Segestes, der mit des Arminius Familie in einer Art Clanfeindschaft gestanden zu haben scheint. Varus wollte ihm nicht glauben. Da schlug ihm Segestes vor, ihn selbst, den Arminius und die andern Cheruskerhäuptlinge in Fesseln zu legen, ehe er abmarschiere; der Erfolg werde dann zeigen, wer recht habe. Aber Varus' Zuversicht war unerschütterlich, auch als bei seinem Abzuge die Verschwornen zurückblieben, unter dem Vorwand, Bundesgenossen zu sammeln und damit zu ihm zu stoßen.

Das geschah denn auch in der Tat, aber nicht wie Varus erwartet. Die cheruskische Mannschaft war bereits versammelt. Das erste, was sie tat, war, die bei ihnen stationierten, von ihnen selbst früher erbetenen römischen Abteilungen zu erschlagen und sodann Varus auf seinem Marsch in die Flanke zu fallen. Dieser bewegte sich auf schlechten Waldwegen, denn hier, im Cheruskerland, gab es noch keine chaussierten römischen Heerstraßen. Überfallen, erkennt er endlich seine Lage, ermannt sich und zeigt von nun an den römischen Feldherrn – aber zu spät. Er läßt seine Truppen aufschließen, den zahlreichen Troß von Weibern, Kindern, Wagen, Lasttieren usw. ordnen und schützen, so gut es bei den engen Wegen und in den dichten Wäldern geht, und wendet sich seiner Operationsbasis zu – wofür wir Aliso annehmen müssen. Strömender Regen erweichte den Boden, hemmte den Marsch, brach stets aufs neue die Ordnung bei dem übermäßigen Troß. Es gelang Varus, unter schweren Verlusten, einen dichtbewaldeten Berg zu erreichen, der indes freien Platz für ein notdürftiges Lager bot, das auch noch in ziemlicher Ordnung und nach der Vorschrift bezogen und verschanzt wurde; das Heer des Germanicus, das die Stelle nach sechs Jahren besuchte, erkannte darin noch deutlich „dreier Legionen Werk“ [268]. Mit der der Lage entsprechenden Entschlossenheit ließ hier Varus alle nicht durchaus notwendigen Wagen und Gepäckstücke verbrennen. Am nächsten Tage kam er durch ein offenes Gelände, litt aber wieder so bedeutend, daß die Truppen noch mehr auseinanderkamen und das Lager am Abend schon nicht mehr ordnungsgemäß befestigt werden konnte; Germanicus fand nur einen halb eingestürzten Wall und flachen Graben. Am dritten Tage ging der Marsch wieder durch Waldgebirg, und hier verloren Varus und die meisten Führer den Mut. Varus tötete sich selbst, die Legionen wurden fast bis auf den letzten Mann vernichtet. Nur die Reiterei entkam unter Vala Numonius; auch einzelne Flüchtlinge von den Fußtruppen scheinen sich nach Aliso gerettet zu haben. Aliso selbst hielt sich wenigstens noch einige Zeit, da die Deutschen den regelmäßigen Belagerungsangriff nicht kannten; später schlug sich die Besatzung ganz oder teilweise durch. Asprenas, eingeschüchtert, scheint sich auf einen kurzen Vormarsch zu ihrer Aufnahme beschränkt zu haben. Brukterer, Sigamber, alle kleineren Völker standen auf, die römische Macht war wieder über den Rhein geworfen.

Über die Örtlichkeiten dieses Feldzugs ist viel gestritten [worden]. Am wahrscheinlichsten ist, daß Varus vor der Schlacht im Talkessel von Rinteln stand, irgendwo zwischen Hausberge und Hameln; daß der fingierte Aufstand und auf den ersten Überfall hin beschlossene Rückzug nach der Dörenschlucht bei Detmold ging, die einen ebenen und breiten Paß durch den Osning bildet. Dies ist im allgemeinen auch die traditionell gewordene Ansicht, und stimmt mit den Quellen wie mit den militärischen Notwendigkeiten der Kriegslage. Ob Varus die Dörenschlucht erreicht, bleibt ungewiß; der Durchbruch der Reiterei und vielleicht der Spitze des Fußvolks scheint dafür zu sprechen.

Die Nachricht von der Vernichtung der drei Legionen und dem Aufstand des ganzen Westdeutschlands traf Rom wie ein Donnerschlag. Schon sah man Arminius über den Rhein ziehen und Gallien insurgieren,

Maroboduus von der andern Seite die Donau überschreiten und die kaum gebändigten Pannonier zum Zug über die Alpen mit sich fortreißen. Und Italien war schon so erschöpft, daß es fast keine Mannschaft mehr stellen konnte. Dio erzählt, wie in der Bürgerschaft nur noch wenige waffenfähige junge Leute waren, wie die älteren sich sträubten einzutreten, so daß Augustus sie mit Vermögenskonfiskation und selbst einige mit dem Tode strafte; wie der Kaiser endlich aus Freigelassenen und schon Ausgedienten notdürftig einige Truppen zum Schutz Roms zusammenbrachte, seine deutsche Leibwache entwaffnete und alle Deutschen aus der Stadt verwies.

Indes ging Arminius nicht über den Rhein, Maroboduus dachte an keinen Angriff, und so konnte Rom sich ungestört seinen Wutausbrüchen über die „treubrüchigen Germanen" überlassen. Wir sahen schon, wie Vellejus sie beschrieb, als „durch und durch verschlagene Köpfe, ein Volk, wie geschaffen zum Lügen". Ebenso Strabo. Er weiß nichts von „deutscher Treue" und „welscher Tücke", ganz im Gegenteil. Während er die Kelten „einfach und ohne Falsch" nennt, so einfältig, daß sie „vor aller Augen und ohne Vorsicht zum Kampf eilen, so daß ihren Gegnern der Sieg leicht wird"[269] – heißt es von den Germanen:

> „Gegen sie war es immer vorteilhaft, ihnen nicht zu trauen; denn diejenigen, denen man traute, haben großen Schaden angerichtet, z.B. die Cherusker, bei denen drei Legionen samt dem Feldherrn Varus mit Verletzung der Verträge in einem Hinterhalt umkamen."[270]

Von den entrüsteten und rachedürstenden Versen Ovids gar nicht zu sprechen. Man meint, französische Schriftsteller aus der besten chauvinistischen Zeit zu lesen, die die Schale ihres Zorns ausgießen über den Treubruch Yorcks und den Verrat der Sachsen bei Leipzig[271]. Die Deutschen hatten die Vertragstreue und Redlichkeit der Römer hinreichend kennengelernt, als Cäsar die Usipeter und Tenkterer während der Unterhandlung und des Waffenstillstands überfiel; sie hatten sie kennengelernt, als Augustus die Gesandten der Sigamber, vor deren Ankunft er jede Verhandlung mit den deutschen Stämmen verweigerte, gefangennehmen ließ. Es ist allen erobernden Völkern gemein, ihre Gegner auf jede Art zu überlisten; und dies finden sie ganz in der Ordnung; sobald sich die Gegner jedoch dasselbe erlauben, nennen jene es Treubruch und Verrat. Die Mittel aber, die man zur Unterjochung anwendet, müssen auch gestattet sein zur Abwerfung des Jochs. Solange es ausbeutende und herrschende Völker und Klassen auf einer, ausgebeutete und beherrschte auf der andern Seite gibt, solange wird die Anwendung der List neben der der Gewalt auf beiden Seiten eine Notwendigkeit sein, gegen die alle Moralpredigt machtlos bleibt.

So kindisch auch das dem Arminius bei Detmold errichtete Phantasiestandbild ist – es hat nur das eine Gute gehabt, Louis-Napoleon zur Errichtung eines ebenso lächerlichen Phantasiekolosses des Vercingetorix auf einem Berge bei Alise[-Sainte-Reine] zu verleiten –, so richtig bleibt es, daß die Varusschlacht einen der entscheidendsten Wendepunkte der Geschichte bildet. Mit ihr war die Unabhängigkeit Deutschlands von Rom ein für allemal entschieden. Es läßt sich darüber viel zwecklos hin und her streiten, ob denn diese Unabhängigkeit für die Deutschen selbst ein so großer Gewinn war; sicher ist, daß ohne sie die ganze Geschichte eine andre Richtung eingeschlagen hätte. Und wenn in der Tat die ganze folgende Geschichte der Deutschen fast nur eine große Reihe von – großenteils selbstverschuldeten – Nationalunglücksfällen darstellt, so daß auch die bestechendsten Erfolge fast immer zum Schaden des Volks ausschlagen – so muß man doch sagen, daß die Deutschen hier, am Anfang ihrer Geschichte, entschieden Glück hatten.

Es waren die letzten Lebenskräfte der sterbenden Republik, die Cäsar zur Unterwerfung Galliens verwendet hatte. Die Legionen, seit Marius aus geworbnen Söldnern, aber immer noch ausschließlich Italiern gebildet, starben seit Cäsar buchstäblich aus, in dem Maß wie die Italier selbst unter den reißend um sich greifenden Latifundien und ihrer Sklavenbewirtschaftung ausstarben. Die 150 000 Mann, die die geschlossene Infanterie der 25 Legionen ausmachten, waren nur durch Aufwendung der äußersten Mittel zusammenzuhalten. Die zwanzigjährige Dienstzeit wurde nicht eingehalten, die ausgedienten Veteranen wurden gezwungen, auf unbestimmte Zeit bei der Fahne zu bleiben. Das war der Hauptgrund der Meuterei der rheinischen Legionen beim Tode des Augustus, die Tacitus so anschaulich schildert und die in ihrer wunderlichen Mischung von Aufsässigkeit und Disziplin so lebhaft an die Meutereien der spanischen Soldaten Philipps II. in den Niederlanden erinnert, in beiden Fällen das feste Gefüge des Heeres bezeugend, dem das gegebne Wort vom Fürsten gebrochen war. Wir sahen, wie vergebens Augustus' Versuch blieb, nach der Varusschlacht die alten, längst außer Übung gekommenen Aushebungsgesetze wieder durchzuführen; wie er auf schon Ausgediente zurückgreifen mußte und selbst auf Freigelassene – er hatte diese schon einmal während des pannonischen Aufstandes eingestellt. Der Ersatz an freien italischen Bauernsöhnen war mit den freien italischen Bauern selbst verschwunden. Jedes neue, den Legionen zugeführte Ersatzkontingent verschlechterte die Qualität des Heeres. Und da man dennoch diese Legionen, den schwer zu erhaltenden Kern der ganzen Heeresmacht, möglichst schonen mußte, treten die Hülfstruppen mehr und mehr in den Vordergrund, schlagen die Schlachten, in denen die Legionen nur noch die Reserve bilden, so daß schon zu Claudius' Zeit die Bataver sagen konnten: mit dem Blut der Provinzen würden die Provinzen erobert.

Mit einem solchen, sich mehr und mehr der altrömischen Disziplin und Festigkeit und damit der altrömischen Kampfweise entfremdenden, mehr und mehr aus Provinzialen, endlich sogar meist aus reichsfremden Barbaren sich zusammensetzenden Heer waren jetzt schon fast keine großen Angriffskriege mehr zu führen – bald auch keine großen Angriffsschlachten mehr zu schlagen. Die Entartung des Heers verwies den Staat auf die Defensive, die zuerst noch angriffsweise, bald aber immer passiver geführt wurde, bis endlich das Schwergewicht des Angriffs, ganz auf Seite der Deutschen gekommen, auf der ganzen Linie von der Nordsee bis zum Schwarzen Meer über Rhein und Donau unaufhaltsam hereinbrach.

Inzwischen galt es, selbst zur Sicherung der Rheinlinie, den Deutschen auf ihrem eignen Gebiet das Übergewicht der römischen Waffen wieder fühlbar zu machen. Zu diesem Zweck eilte Tiberius an den Rhein, stellte die erschlaffte Disziplin durch eignes Beispiel und strenge Strafen wieder her, beschränkte den Troß des mobilen Heeres aufs Notwendigste und durchzog Westdeutschland in zwei Feldzügen (Jahre 10 und 11). Die Deutschen stellten sich nicht zu Entscheidungsschlachten, die Römer wagten nicht, ihre Winterlager rechts des Rheins zu beziehn. Ob Aliso und das an der Emsmündung im Lande der Chauken angelegte Kastell auch im Winter ständige Besatzung behielten, wird nicht gesagt, ist aber wohl anzunehmen.

Im August 14 starb Augustus. Die rheinischen Legionen, denen weder Entlassung nach vollbrachter Dienstzeit noch Soldzahlung eingehalten worden, weigerten sich, Tiberius anzuerkennen und proklamierten des Drusus Sohn Germanicus zum Kaiser. Dieser stillte den Aufstand selbst, brachte die Truppen zum Gehorsam zurück und führte sie in drei von Tacitus geschilderten Feldzügen nach Deutschland. Hier trat ihm Arminius entgegen und bewies sich als ein seines Gegners vollkommen würdiger Feldherr. Er suchte alle Entscheidungsschlachten im offnen Gelände zu vermeiden, den Marsch der Römer möglichst zu hindern und sie nur in Sümpfen und Engpässen anzugreifen, wo sie sich nicht entwickeln konnten. Aber die Deutschen folgten ihm nicht immer. Kampflust riß sie oft fort zu Gefechten unter ungünstigen Umständen, Beutegier rettete mehr als einmal die schon in der Falle festsitzenden Römer. So erfocht Germanicus zwei unfruchtbare Siege auf Idisiavisus und am angrivarischen Grenzwall, entkam mit Not auf den Rückzügen durch die Defileen der Sümpfe, verlor Schiffe und Mannschaft durch Stürme und Fluten an der friesischen Küste und wurde endlich nach dem Feldzuge des Jahres 16 von Tiberius abberufen. Damit nahmen die Römerzüge ins Innere Deutschlands ein Ende.

Aber die Römer wußten nur zu gut, daß man eine Flußlinie nur dann beherrscht, wenn man auch den Übergang aufs jenseitige Ufer beherrscht. Weit entfernt, sich passiv hinter den Rhein zurückzuziehn, verlegt sich die römische Defensive aufs rechte Ufer. Die Römerschanzen, die das Gebiet der unteren Lippe, Ruhr und Wupper in großen, wenigstens in einzelnen Fällen späteren Gauen entsprechenden Gruppen bedecken, [und] die vom Rhein bis an die Grenze der Grafschaft Mark ausgebauten Heerstraßen lassen vermuten, daß hier ein System von Verteidigungswerken lag, dessen Zug von der Ijssel bis an die Sieg der jetzigen Grenzlinie zwischen Franken und Sachsen entsprach – mit einzelnen Abweichungen der Grenze der Rheinprovinz gegen Westfalen. Dies im 7. Jahrhundert wohl noch einigermaßen verteidigungsfähige System wäre es dann auch, das die damals vordringenden Sachsen vom Rhein abgehalten und so ihre heutige Stammesgrenze gegen die Franken festgestellt hat. Die interessantesten Entdeckungen sind hier erst in den letzten Jahren (von J. Schneider) gemacht; es werden also wohl noch weitere zu erwarten sein.

Weiter rheinaufwärts wurde allmählich, besonders unter Domitian und Hadrian, der große römische Grenzwall ausgebaut, der sich von unterhalb Neuwied über die Montabaurer Höhe nach Ems zieht, dort die Lahn überschreitet, bei Adolfseck sich westlich wendet, dem Nordabhang des Taunus folgend als nördlichsten Punkt Grüningen in der Wetterau umfaßt und von dort aus, in südsüdöstlicher Richtung verlaufend, südlich von Hanau den Main erreicht. Von hier aus geht der Wall auf dem linken Mainufer bis Miltenberg; von da in nur einmal gebrochener grader Linie bis an die württembergische Rems in die Nähe der Burg Hohenstaufen. Hier wendet die später, wahrscheinlich unter Hadrian, fortgebaute Linie sich östlich, über Dinkelsbühl, Gunzenhausen, Ellingen und Kipfenberg, und erreicht bei Irnsing oberhalb Kelheim die Donau. Hinter dem Wall lagen kleinere Schanzen und in weiterer Entfernung größere feste Plätze als Rückhalt. Das hiermit abgeschlossene rechtsrheinische Land, das wenigstens südlich vom Main seit der Vertreibung der Helvetier durch die Sueven wüst gelegen hatte, wurde nach Tacitus durch gallische Vagabunden, Nachzügler der Truppen, bevölkert.

So traten an Rhein, Pfahlgraben und Donau allmählich ruhigere und gesichertere Zustände ein. Kämpfe und Streifzüge dauerten fort, aber die gegenseitigen Gebietsgrenzen blieben ein paar hundert Jahre unverändert.

Fortschritte bis zur Völkerwanderung

Mit Tacitus und Ptolemäus versiegen die schriftlichen Quellen über Zustände und Vorgänge im Innern Deutschlands. Dafür tut sich uns eine Reihe anderer, viel anschaulicherer Quellen auf: die Funde von Altertümern, soweit sie sich auf den vorliegenden Zeitabschnitt zurückführen lassen.

Daß zu Plinius' und Tacitus' Zeit der Handel der Römer mit dem Innern Deutschlands fast Null war, haben wir gesehn. Aber wir finden bei Plinius doch die Andeutung eines alten, noch zu seiner Zeit dann und wann benutzten Handelswegs von Carnuntum (gegenüber der Mündung der March in die Donau), die March und Oder entlang nach der Bernsteinküste. Dieser Weg sowie ein zweiter durch Böhmen, die Elbe entlang, ist wahrscheinlich schon in sehr früher Zeit von den Etruskern benutzt worden, deren Anwesenheit in den nördlichen Alpentälern durch zahlreiche Funde, besonders den Hallstätter Fund [272], erwiesen ist. Der Einbruch der Gallier nach Oberitalien soll diesem Handel ein Ende gemacht haben (gegen –400) (Boyd Dawkins). Bestätigt sich diese Ansicht, so müßte dieser etruskische Handelsverkehr, hauptsächlich Einfuhr von Bronzewaren, mit den Völkern stattgefunden haben, die vor den Deutschen das Land an Weichsel und Elbe besetzt hielten, also wohl mit Kelten, und die Einwanderung der Deutschen würde dann wohl ebensoviel mit seiner Unterbrechung zu tun haben wie der Rückstrom der Kelten nach Italien. Erst seit dieser Unterbrechung scheint der östlichere Handelsweg, von den griechischen Städten des Schwarzen Meers den Dnjestr wie den Dnjepr entlang, nach der Gegend an der Weichselmündung aufgekommen zu sein. Dafür sprechen die bei Bromberg, auf der Insel Ösel und andern Orten gefundnen alten griechischen Münzen; es sind darunter Stücke aus dem vierten, vielleicht aus dem fünften Jahrhundert vor unsrer Zeitrechnung, geprägt in Griechenland, Italien, Sizilien, Cyrene usw.

Die unterbrochenen Handelswege längs der Oder und Elbe mußten sich von selbst wiederherstellen, sobald die wandernden Völker zur Ruhe kamen. Zur Zeit des Ptolemäus scheinen nicht nur diese, sondern auch noch andre Verkehrswege durch Deutschland wieder in Aufnahme gekommen zu sein, und wo Ptolemäus' Zeugnis aufhört, da fahren die Funde fort zu sprechen.

C. F. Wiberg* hat durch sorgfältige Zusammenstellung der Funde hier vieles klargestellt und den Nachweis geliefert, daß im 2. Jahrhundert unsrer Zeitrechnung die Handelswege sowohl durch Schlesien die Oder wie durch

* „Bidrag till kännedomen om Grekers och Romares förbindelse med Norden". Deutsch von J. Mestorf: „Der Einfluß der klass[ischen] Völker etc.", Hamburg 1867.

Böhmen die Elbe hinab wieder benutzt wurden. In Böhmen erwähnt schon Tacitus

„Beuteaufkäufer und Händler" (lixae ac negotiatores) „aus unsern Provinzen, die Geldgier und Vaterlandsvergessenheit ins feindliche Gebiet und an das Heerlager des Maroboduus geführt hatte".[273]

Ebenso haben die Hermunduren, die, seit langem mit den Römern befreundet, nach Tacitus in den Dekumatländern und Rhätien bis nach Augsburg ungehindert verkehrten, wohl jedenfalls römische Waren und Münzen vom Obermain zur Saale und Werra weitervertrieben. Auch weiter abwärts am römischen Grenzwall, an der Lahn, zeigen sich Spuren eines Handelswegs ins Innere.

Der bedeutendste Weg scheint der durch Mähren und Schlesien geblieben zu sein. Die Wasserscheide zwischen March resp. Bečva und Oder, die einzige, die zu überschreiten ist, geht durch ein offnes Hügelland und liegt unter 325 Meter Meereshöhe; die Eisenbahn geht noch jetzt hierher. Von Niederschlesien an öffnet sich die norddeutsche Tiefebene und erlaubt Wegen, in allen Richtungen zur Weichsel und Elbe abzuzweigen. In Schlesien und Brandenburg müssen römische Kaufleute im 2. und 3. Jahrhundert ansässig gewesen sein. Wir finden dort nicht nur Glasurnen, Tränenfläschchen und Graburnen mit lateinischer Inschrift (Massel bei Trebnitz in Schlesien und anderwärts), sondern selbst vollständige römische Grabgewölbe mit Urnennischen (Columbarien) (Nacheln bei Glogau). Auch bei Warin in Mecklenburg fand man unzweifelhaft römische Gräber. Ebenso bezeugen Funde von Münzen, römischen Metallwaren, tönernen Lampen etc. den Gang des Handelsverkehrs auf dieser Straße. Überhaupt ist das ganze östliche Deutschland, obwohl nie von römischen Heeren betreten, wie übersät mit römischen Münzen und Fabrikaten; diese letzteren häufig beglaubigt durch dieselben Fabrikstempel, die auch auf den Funden in den Provinzen des Römerreichs vorkommen. In Schlesien gefundene Tonlampen haben denselben Fabrikstempel wie andre in Dalmatien, Wien etc. gefundene. So findet sich der Stempel: Ti. Robilius Sitalcis auf Bronzevasen, von denen eine in Mecklenburg, eine zweite in Böhmen gefunden; dies weist auf den Handelsweg entlang der Elbe.

Dann aber befuhren in den ersten Jahrhunderten nach Augustus auch römische Handelsschiffe die Nordsee. Dies beweist der Fund von Neuhaus an der Oste (Elbmündung), von 344 römischen Silbermünzen von Nero bis Marcus Aurelius und mit Resten eines dort wahrscheinlich gescheiterten Schiffs. Auch längs der Südküste der Ostsee fand ein Schiffsverkehr statt, der bis zu den dänischen Inseln, Schweden und Gotland reichte und mit dem wir uns noch näher beschäftigen werden. Die von Ptolemäus und Marcianus (um das Jahr 400) angegebnen Entfernungen der verschiednen Küstenpunkte voneinander können nur auf den Berichten von Kaufleuten, welche jene Küsten befahren hatten, beruhen. Sie gehn von der mecklenburgischen Küste bis Danzig und von da bis Scandia. Dies beweisen endlich die zahlreichen sonstigen Funde römischer Herkunft in Holstein, Schleswig, Mecklenburg, Vorpommern, den dänischen Inseln und Südschweden, deren Fundorte in geringer Entfernung von der Küste am dichtesten zusammenliegen.

Inwieweit dieser römische Handelsverkehr eine Einfuhr von Waffen nach Deutschland einschloß, wird sich schwerlich entscheiden lassen. Die zahlreichen römischen, in Deutschland gefundenen Waffen können ebensogut Beutestücke sein, und die römischen Behörden an der Grenze boten selbstredend alles auf, den Deutschen die Waffenzufuhr abzuschneiden. Auf dem Seeweg mag indes manches, besonders zu den ferneren Völkern, z.B. auf der cimbrischen Halbinsel, gekommen sein.

Die übrigen römischen Waren, die auf diesen verschiednen Wegen nach Deutschland kamen, bestanden aus Hausrat, Schmucksachen und Toilettegegenständen usw. Der Hausrat weist auf: Schüsseln, Maße, Becher, Gefäße, Kochgeschirre, Siebe, Löffel, Scheren, Kellen etc. von Bronze, einzelne Gefäße von Gold oder Silber, Lampen von Ton, die sehr verbreitet sind; die Schmucksachen von Bronze, Silber oder Gold: Halsbänder, Diademe, Arm- und Fingerringe, Spangen in der Art unsrer Broschen; unter den Toilettegegenständen finden wir Kämme, Pinzetten, Ohrlöffel usw. – von Gegenständen zu schweigen, deren Gebrauch streitig ist. Die meisten dieser Fabrikate sind nach Worsaaes Zugeständnis unter dem Einfluß des im ersten Jahrhundert in Rom herrschenden Geschmacks entstanden.

Der Abstand ist groß von den Deutschen des Cäsar, und selbst noch des Tacitus, zu dem Volk, das sich dieser Geräte bediente, selbst zugegeben, daß dies nur von den Vornehmeren und Reicheren geschah. Die „einfachen Speisen", womit die Deutschen nach Tacitus „ohne viel Zubereitung (sine apparatu), ohne Würze den Hunger austreiben"[274], haben einer Küche Platz gemacht, die sich schon eines ziemlich zusammengesetzten Apparats bediente und außer diesem Apparat auch wohl die entsprechenden Würzen von den Römern bezog. An die Stelle der Verachtung der Gold- und Silbersachen ist die Lust getreten, sich damit zu schmücken; an die Stelle der Gleichgültigkeit gegen römisches Geld seine Verbreitung über das ganze germanische Gebiet. Und nun gar die Toilettesachen – welche beginnende Umwälzung in den Sitten verrät nicht ihre bloße Gegenwart bei einem

Volk, das zwar, soviel wir wissen, die Seife erfand, aber sie nur zum Gelbfärben des Haares zu brauchen verstand!

Was die Deutschen den römischen Händlern für all dies bare Geld und diese Waren lieferten, darüber sind wir zunächst auf die Nachrichten der Alten angewiesen, und diese lassen uns, wie gesagt, fast ganz im Stich. Plinius erwähnt Gemüse, Gänsefedern, wollene Zeuge und Seife als Artikel, die das Reich aus Deutschland einführte. Aber dieser beginnende Handel an der Grenze kann keinen Maßstab abgeben für die spätere Zeit. Der Hauptartikel, von dem wir wissen, war der Bernstein, der aber nicht hinreicht, um einen so über das ganze Land sich verbreitenden Verkehr zu erklären. Vieh, das den Hauptreichtum der Deutschen ausmachte, wird auch wohl der wichtigste Ausfuhrgegenstand gewesen sein, die an der Grenze aufgestellten Legionen allein bürgen für starken Fleischbedarf. Tierfelle und Pelzwaren, die zu Jornandes' Zeit aus Skandinavien nach der Weichselmündung und von da in römisches Gebiet versandt wurden, haben gewiß auch schon in früherer Zeit aus den ostdeutschen Wäldern ihren Weg dorthin gefunden. Wilde Tiere für den Zirkus, meint Wiberg, seien von den römischen Seefahrern aus dem Norden hereingebracht. Aber außer Bären, Wölfen und etwa Auerochsen war dort nichts zu holen, und da waren Löwen und Leoparden und selbst Bären aus Afrika und Asien näher und leichter zu haben. – Sklaven? fragt Wiberg endlich, fast verschämt, und hier wird er wohl das Richtige getroffen haben. In der Tat waren Sklaven außer Vieh der einzige Artikel, von dem Deutschland hinreichend ausführen konnte, um damit seine Handelsbilanz gegen Rom zu saldieren. Italien allein verbrauchte in den Städten wie auf den Latifundien eine ungeheure, sich nur zum allergeringsten Teil fortpflanzende Sklavenbevölkerung. Die ganze römische Großgrundbesitzwirtschaft hatte zur Voraussetzung jene kolossale Zufuhr von verkauften Kriegsgefangnen, die in den unaufhörlichen Eroberungskriegen der verfallenden Republik und noch des Augustus nach Italien strömte. Das hatte jetzt ein Ende genommen. Das Reich war auf festen Grenzen in die Defensive getreten. Die überwundenen Feinde, aus denen die Masse der Sklaven sich rekrutierte, wurden bei den römischen Heeren immer seltner. Man mußte sie bei den Barbaren kaufen. Und da sollten die Deutschen nicht auch als Verkäufer auf dem Markt erschienen sein? Die Deutschen, die nach Tacitus schon Sklaven verkauften („Germ[ania]" 24), die fortwährend untereinander im Krieg lagen, die, wie die Friesen, ihre Steuern an die Römer bei Geldmangel mit Übergabe ihrer Weiber und Kinder in Sklaverei bezahlten und die schon im dritten Jahrhundert, wenn nicht schon früher, die Ostsee befuhren und deren Seezüge in der Nordsee von den Sachsenfahrten des dritten bis zu den Normannenfahrten des zehnten Jahrhunderts neben anderm Seeraub vorzugsweise Sklavenjagd zum nächsten Zweck hatten – Sklavenjagd fast ausschließlich für den Handel? – dieselben Deutschen, die wenige Jahrhunderte später, sowohl während der Völkerwanderung wie in ihren Kriegen gegen die Slawen, als die ersten Sklavenräuber und Sklavenhändler ihrer Zeit auftreten? Entweder müssen wir annehmen, daß die Deutschen des zweiten und dritten Jahrhunderts ganz andre Leute waren als alle übrigen Grenznachbarn der Römer und ganz anders als ihre eignen Nachkommen vom dritten, vierten und fünften Jahrhundert an, oder aber wir müssen zugeben, daß sie sich ebenfalls an dem damals für recht anständig und sogar ehrenvoll geltenden Sklavenhandel nach Italien stark beteiligt haben. Und damit fällt denn auch der geheimnisvolle Schleier, der sonst den deutschen Exporthandel jener Zeit verhüllt.

Hier müssen wir auf den Ostseeverkehr jener Zeit zurückkommen. Während die Küste des Kattegats fast gar keine römischen Funde aufzuweisen hat, ist die Südküste der Ostsee bis nach Livland hinein, Schleswig-Holstein, der Südrand und das Innere der dänischen Inseln, die südliche und südöstliche Küste Schwedens, Oeland und Gotland sehr reich daran. Bei weitem die meisten dieser Funde gehören der sogenannten Denarperiode an, auf die wir noch zu sprechen kommen und die bis auf die ersten Regierungsjahre des Septimius Severus, also rund bis 200 reicht. Schon Tacitus nennt die Suionen stark durch ihre Ruderflotten und sagt, daß sie den Reichtum in Ehren halten; sie trieben also wohl sicher schon Seehandel. Die in den Balten, dem Oeres- und Oelandssund sowie in der Küstenfahrt zuerst entwickelte Schiffahrt mußte sich schon auf die hohe See wagen, um Bornholm und Gotland in seinen Kreis zu ziehn; sie mußte schon eine bedeutende Sicherheit in der Handhabung der Fahrzeuge erlangt haben, um den lebhaften Verkehr auszubilden, als dessen Mittelpunkt grade die am weitesten vom Festland abgelegene Insel Gotland sich darstellt. Hier sind in der Tat bis 1873* über 3200 römische Silberdenare gefunden worden gegen etwa 100 auf Oeland, kaum 50 auf dem schwedischen Festland, 200 auf Bornholm, 600 auf Dänemark und Schleswig (wovon 428 in einem einzigen Fund, Slagelse auf Seeland). Die Untersuchung dieser Funde beweist, daß bis zum Jahr 161, wo Marc Aurel Kaiser wurde, nur wenige, von da aber bis zum Ende des Jahrhunderts massenhaft römische

---

* Hans Hildebrand, „Das heidnische Zeitalter in Schweden". Deutsch von Mestorf, Hamburg 1873.

Denare nach Gotland kamen. In der letzten Hälfte muß also die Ostseeschiffahrt schon eine bedeutende Entwicklung erreicht haben; daß sie schon früher bestand, beweist die Angabe des Ptolemäus, wonach [es] von den Weichselmündungen bis Scandia 1200 bis 1600 Stadien weit war (30 bis 40 geographische Meilen). Beide Entfernungen sind ungefähr richtig für die Ostspitze von Blekinge wie für die Südspitze von Oeland oder Gotland, je nachdem man von Rixhöft oder von Neufahrwasser resp. Pillau mißt. Sie können nur auf Schiffernachrichten beruhen, ganz wie die andern Entfernungsangaben längs der deutschen Küste bis zu den Weichselmündungen.

Daß diese Schiffahrt auf der Ostsee nicht von den Römern betrieben wurde, dafür spricht erstens die Nebelhaftigkeit aller ihrer Vorstellungen von Skandinavien und zweitens die Abwesenheit aller römischen Münzfunde am Kattegat und in Norwegen. Das cimbrische Vorgebirge (Skagen), das die Römer unter Augustus erreichten und von dem sie das endlose Meer sich ausbreiten sahen, scheint der Grenzpunkt ihres direkten Seeverkehrs geblieben zu sein. Danach haben also die Germanen selbst die Ostsee befahren und den Verkehr unterhalten, römisches Geld und römische Fabrikate nach Skandinavien verführt. Und dies kann auch gar nicht anders sein. Von der zweiten Hälfte des dritten Jahrhunderts an treten die sächsischen Seezüge an der gallischen und britannischen Küste urplötzlich auf, und zwar mit einer Kühnheit und Sicherheit, die ihnen nicht über Nacht gekommen sein konnte, die vielmehr eine lange Vertrautheit mit der Fahrt auf hoher See voraussetzt. Und diese Vertrautheit können sich die Sachsen, unter denen wir hier auch alle Völker der cimbrischen Halbinsel verstehn müssen, also auch Friesen, Angeln, Jüten, nur erworben haben auf der Ostsee. Dies große Binnenmeer, ohne Ebbe und Flut, auf dem die atlantischen Südweststürme erst ankommen, nachdem sie sich auf der Nordsee großenteils ausgetobt haben, dies langgestreckte Bassin mit seinen vielen Inseln, Bodden und Sunden, wo man bei der Überfahrt von Ufer zu Ufer höchstens nur auf kurze Zeit kein Land sieht, war wie geschaffen dazu, einer sich neu entwickelnden Schiffahrt als Übungsgewässer zu dienen. Hier weisen schon die schwedischen, der Bronzezeit zugeschriebnen Felsenbilder mit ihren zahlreichen Darstellungen von Ruderbooten auf uralte Schiffahrt hin. Hier bietet uns der Nydamer Moorfund in Schleswig ein 70 Fuß langes, 8 bis 9 Fuß breites, aus Eichenbrettern gezimmertes Boot aus dem Anfang des dritten Jahrhunderts, ganz geeignet zur Fahrt auf hoher See. Hier bildete sich in der Stille jene Technik des Schiffbaus und jene seemännische Erfahrung, die den Sachsen und Normannen ihre späteren Eroberungszüge auf hoher See möglich machte und auf Grund welcher der germanische Stamm bis heute an der Spitze aller Seevölker der Welt steht.

Die bis zum Ende des zweiten Jahrhunderts nach Deutschland gekommenen römischen Münzen waren vorwiegend Silberdenare (1 Denar = 1,06 Mark). Und zwar zogen die Deutschen, wie uns Tacitus mitteilt, die alten, langbekannten Münzen vor, mit gezahntem Rande und dem Doppelgespann im Gepräge. Wirklich sind unter den älteren Münzen auch viele dieser serrati bigatique gefunden worden. Diese alten Münzen hatten nur 5 bis 10 Prozent Kupferzusatz. Schon Trajan ließ dem Silber 20 Prozent Kupfer zusetzen; dies scheinen die Deutschen nicht gemerkt zu haben. Aber als Septimius Severus von 198 an den Zusatz auf 50 bis 60 Prozent erhöhte, wurde dies den Deutschen zu arg; die unterwertigen späteren Denare kommen in den Funden nur ganz ausnahmsweise vor, die Einfuhr des römischen Geldes hörte auf. Sie beginnt erst wieder, nachdem Konstantin im Jahre 312 den Goldsolidus (72 aufs römische Pfund Feingold von 327 g, also 1 Solidus = 4,55 g fein = 12,70 Mark) als Münzeinheit festgesetzt hatte, und nun sind es vorzugsweise Goldmünzen, Solidi, die nach Deutschland, noch mehr aber nach Oeland und besonders Gotland kommen. Diese zweite Periode der römischen Geldeinfuhr, die Solidusperiode, geht für weströmische Münzen bis zum Ende des Westreichs, für byzantinische bis Anastasios (starb 518). Die Funde fallen meist auf Schweden, die dänischen Inseln, einige auf die deutsche Ostseeküste; im Innern Deutschlands sind sie sehr sporadisch.

Die Münzfälschung des Septimius Severus und seiner Nachfolger genügt indes nicht, um das plötzliche Abbrechen des Handelsverkehrs zwischen Deutschen und Römern zu erklären. Es müssen andre Ursachen hinzugekommen sein. Die eine liegt offenbar in den politischen Verhältnissen. Seit Anfang des dritten Jahrhunderts beginnt der Angriffskrieg der Deutschen gegen die Römer, und gegen 250 ist er auf der ganzen Linie von der Donaumündung bis zum Rheindelta entbrannt. Dabei konnte natürlich kein geregelter Handel zwischen den Kriegführenden bestehn. Aber diese plötzlichen, allgemeinen, hartnäckigen Angriffskriege wollen selbst erklärt sein. In den inneren römischen Verhältnissen finden sie sich nicht; das Reich leistet im Gegenteil noch überall erfolgreichen Widerstand und produziert zwischen einzelnen Perioden wüster Anarchie immer noch kräftige Kaiser, grade um diese Zeit. Die Angriffe müssen also durch Veränderungen bedingt sein, die bei den Deutschen selbst vorgegangen. Und hier sind es wieder die Funde, die die Erklärung geben.

In den ersten sechziger Jahren unsres Jahrhunderts wurden in zwei

Schleswiger Torfmooren Funde von hervorragender Wichtigkeit gemacht, die, von Engelhardt in Kopenhagen sorgsam gehoben, nach verschiednen Irrfahrten jetzt im Kieler Museum niedergelegt sind. Was sie vor andern Funden ähnlicher Art auszeichnet, sind die dazugehörigen Münzen, die ihr Alter mit ziemlicher Sicherheit feststellen. Der eine, aus dem Taschberger (bei den Dänen Thorsbjerger) Moor bei Süderbrarup, enthält 37 Münzen von Nero bis Septimius Severus, der andre, aus dem Nydamer Moor, einer verschlammten und vertorften Seebucht, 34 Münzen von Tiberius bis Macrinus (218). Die Funde gehören also wohl unzweifelhaft in die Zeit von 220 bis 250. Sie enthalten aber nicht nur Gegenstände römischen Ursprungs, sondern auch zahlreiche andre, die im Lande selbst gefertigt sind und die, bei der fast vollständigen Erhaltung durch das eisenhaltige Torfwasser, uns den Zustand der norddeutschen Metallindustrie, Weberei, des Schiffbaus und vermittelst der Runenzeichen auch des Schriftgebrauchs in der ersten Hälfte des dritten Jahrhunderts in überraschender Weise klarlegen.

Und hier überrascht uns noch mehr der Stand der Industrie selbst. Die feinen Gewebe, die zierlichen Sandalen und das sauber gearbeitete Riemenzeug zeigen eine weit höhere Kulturstufe an als die der taciteischen Deutschen; was aber besonders in Erstaunen setzt, sind die einheimischen Metallarbeiten.

Daß die Deutschen Kenntnis des Metallgebrauchs aus der asiatischen Heimat mitbrachten, beweist die Sprachvergleichung. Die Kenntnis der Metallgewinnung und -bearbeitung haben sie vielleicht ebenfalls gehabt, hatten sie aber kaum noch, als sie mit den Römern zusammenstießen. Wenigstens findet sich bei den Schriftstellern des ersten Jahrhunderts keine Andeutung davon, daß zwischen Rhein und Elbe Eisen oder Bronze gewonnen und verarbeitet worden sei; sie lassen eher aufs Gegenteil schließen. Von den Gothinen (in Oberschlesien?) sagt Tacitus allerdings, daß sie Eisen grüben, und den benachbarten Quaden schreibt Ptolemäus Eisenwerke zu; beiden kann die Kenntnis des Schmelzens von der Donau her wieder zugekommen sein. Auch die durch Münzen beglaubigten Funde des ersten Jahrhunderts weisen nirgends einheimische Metallprodukte auf, sondern nur römische; wie wären die Massen römischer Metallwaren nach Deutschland gekommen, wenn dort eine eigne Metallverarbeitung bestanden hätte? Allerdings finden sich in Deutschland alte Gußformen, unvollendete Gußstücke und Gußabfälle aus Bronze, aber stets ohne das Alter beglaubigende Münzen; aller Wahrscheinlichkeit nach Spuren aus vorgermanischer Zeit, Reste der Tätigkeit herumziehender etruskischer Bronzegießer. Übrigens ist die Frage zwecklos, ob den einwandernden Deutschen die Metallbereitung *gänzlich* abhanden gekommen war; alle Tatsachen sprechen dafür, daß sie im ersten Jahrhundert faktisch keine oder so gut wie keine Metallverarbeitung betrieben.

Hier tauchen nun auf einmal die Taschberger Moorfunde auf und enthüllen uns eine unerwartete Höhe der einheimischen Metallindustrie. Schnallen, Metallplatten zu Beschlägen, mit Tier- und Menschenköpfen verziert, ein silberner Helm mit vollständiger Gesichtseinrahmung, nur Augen, Nase und Mund freilassend; Ringpanzer von Drahtgeflecht, die äußerst mühsame Arbeit voraussetzen, da der Draht erst gehämmert werden mußte (das Drahtziehen wurde erst 1306 erfunden), ein goldner Kopfring, andrer Gegenstände nicht zu erwähnen, deren einheimischer Ursprung in Zweifel gezogen werden könnte. Mit diesen Fundstücken stimmen andre des Nydamer Moors sowie Moorfunde aus Fünen und endlich ein böhmischer Fund (Hořovice), ebenfalls im Anfang der sechziger Jahre aufgedeckt: prachtvolle Bronzescheiben mit Menschenköpfen, Spangenbuckel etc. ganz nach Art der Taschberger, also wohl ebenfalls derselben Zeit angehörig.

Vom dritten Jahrhundert an muß die Metallindustrie sich unter steigender Vervollkommnung über das ganze deutsche Gebiet ausgebreitet haben; bis zur Zeit der Völkerwanderung, sagen wir, bis Ende des fünften Jahrhunderts, erreichte sie einen verhältnismäßig sehr hohen Stand. Nicht nur Eisen und Bronze, auch Gold und Silber wurden regelmäßig verarbeitet, römische Münzen in den Gold-Brakteaten nachgemacht, die unedlen Metalle vergoldet; eingelegte Arbeit, Email, Filigranarbeit kommen vor; bei oft plumper Gestalt des ganzen Werkstücks zeigen sich höchst kunst- und geschmackvolle, nur zum Teil den Römern nachgebildete Verzierungen – letzteres gilt namentlich von den Schnallen und Spangen oder Gewandnadeln, bei denen gewisse charakteristische Formen allgemein vorkommen. Im Britischen Museum liegen Spangen aus Kertsch am Asowschen Meer neben ganz ähnlichen, die in England gefunden sind; sie könnten aus einer Fabrik sein. Der Stil dieser Arbeiten ist im Grundzug derselbe – bei oft scharfen lokalen Besonderheiten – von Schweden bis zur Unterdonau und vom Schwarzen Meer bis Frankreich und England. Diese erste Periode der deutschen Metallindustrie geht unter auf dem Festlande mit dem Schluß der Völkerwanderung und der allgemeinen Annahme des Christentums; in England und Skandinavien erhält sie sich etwas länger.

Wie allgemein verbreitet diese Industrie bei den Deutschen im 6. und 7. Jahrhundert war und wie sehr sie sich schon als besondrer Gewerbszweig abgeschieden hatte, beweisen die Volksrechte. Schmiede, Schwertmacher, Gold- und Silberschmiede werden häufig erwähnt, im alamannischen Gesetz sogar solche, die öffentlich geprüft (publice probati) sind. Das bayrische Gesetz belegt den Diebstahl aus einer Kirche, aus dem herzoglichen Hof, aus einer Schmiede oder Mühle mit höherer Strafe, „weil diese vier Gebäude öffentliche Häuser sind und stets offen stehn". Der Goldschmied hat im friesischen Gesetz ein um $^1/_4$ höheres Wergeld als andre Leute seines Standes; das salische Gesetz schätzt den einfachen Leibeignen auf 12 Solidi, dagegen den, der Schmied (faber) ist, auf 35.

Vom *Schiffbau* haben wir schon gesprochen. Die Nydamer Boote sind Ruderboote, das größere, eichene, für vierzehn Paar Ruderer, das kleinere ist aus Föhrenholz. Ruder, Steuer, Schöpfkellen lagen noch darin. Erst nachdem die Deutschen auch die Nordsee zu befahren angefangen, scheinen sie von Römern und Kelten den Gebrauch der Segel angenommen zu haben.

Töpferei war ihnen schon zu Tacitus' Zeit bekannt, wohl nur Handtöpferei. Die Römer hatten an der Grenze, namentlich innerhalb des Grenzwalls in Schwaben und Bayern, große Töpfereien, worin, wie die eingebrannten Namen der Arbeiter beweisen, auch Deutsche beschäftigt wurden. Mit diesen muß die Kenntnis des Glasflusses und der Töpferscheibe sowie höhere technische Fertigkeit nach Deutschland gekommen sein. Auch die Glasbereitung war den über die Donau eingebrochenen Deutschen bekannt geworden; in Bayern und Schwaben sind Glasgefäße, farbige Glasperlen und Glaseinsätze bei Metallwaren, sämtlich deutschen Ursprungs, oft gefunden worden.

Endlich finden wir die Runenschrift nunmehr allgemein verbreitet und angewandt. Der Taschberger Fund hat eine Schwertscheide und einen Schildbuckel, die mit Runen bezeichnet sind. Dieselben Runen treffen wir auf einem in der Walachei gefundnen Goldring, auf Spangen aus Bayern und Burgund, endlich auf den ältesten Runensteinen Skandinaviens. Es ist das vollständigere Runenalphabet, aus dem später die angelsächsischen Runen sich fortgebildet haben; es enthält sieben Schriftzeichen mehr als die später in Skandinavien zur Herrschaft gekommne nordische Runenzeile und zeigt auch auf eine ältere Sprachform hin als die, in der das älteste Nordisch uns erhalten ist. Es war übrigens ein äußerst schwerfälliges Schriftsystem, aus römischen und griechischen Buchstaben so abgeändert, daß es sich bequem auf Stein oder Metall und namentlich auf Holzstäbe einritzen (writen) ließ. Die runden Formen hatten eckigen weichen müssen; nur senkrechte oder schräge Striche waren möglich, keine horizontalen, alles der Holzfaser wegen; aber eben dadurch wurde es äußerst unbehülflich für Schrift auf Pergament oder Papier. Und in der Tat, soweit wir beurteilen können, hat es auch fast nur für Kultuszwecke und Zauberei und für Inschriften, wohl auch für andre kurze Mitteilungen gedient; sobald das Bedürfnis einer wirklichen Bücherschrift entstand, wie bei Goten und später bei Angelsachsen, wurde es fortgeworfen und eine neue Anpassung des griechischen oder römischen Alphabets vorgenommen, bei der nur einzelne Runenzeichen bewahrt blieben.

Endlich müssen die Deutschen während des hier behandelten Zeitraums auch in Ackerbau und Viehzucht bedeutende Fortschritte gemacht haben. Die Beschränkung auf feste Wohnsitze zwang dazu; der enorme Zuwachs an Bevölkerung, der in der Völkerwanderung zum Überfluten kommt, wäre ohne sie unmöglich gewesen. Manches Stück Urwald muß gerodet worden sein, und wahrscheinlich gehören die meisten der „Hochäcker" – Waldstücke, die Spuren uralten Ackerbaus aufzeigen – hierher, soweit sie auf damals deutschem Gebiet liegen. Die speziellen Nachweise fehlen hier natürlich. Wenn aber schon Probus gegen Ende des 3. Jahrhunderts deutsche Pferde für seine Reiterei vorzog, und wenn das große weiße Rind, das in den sächsischen Gegenden Britanniens das kleine schwarze keltische verdrängt hat, durch die Angelsachsen dorthin gekommen ist, wie jetzt angenommen wird, so zeigt dies auch in der Viehzucht und damit im Ackerbau der Deutschen eine vollständige Revolution an.

Das Ergebnis unsrer Untersuchung ist, daß die Deutschen von Cäsar bis Tacitus einen bedeutenden Fortschritt in der Zivilisation gemacht hatten, daß sie aber von Tacitus bis zum Beginn der Völkerwanderung – rund 400 – noch weit rascher fortschritten. Der Handel kam zu ihnen, brachte ihnen römische Industrieprodukte und damit wenigstens teilweise römische Bedürfnisse; er erweckte eine eigne Industrie, die sich zwar an römische Vorbilder anlehnte, aber dabei ganz selbständig sich entwickelte. Die schleswigschen Moorfunde stellen die erste der Zeit nach bestimmbare Etappe dieser Industrie dar; die Funde aus der Zeit der Völkerwanderung die zweite, eine höhere Entwicklung aufweisende. Eigentümlich ist dabei, daß die westlicheren Stämme gegen die des Innern und namentlich der Ostseeküsten entschieden zurückstehn. Die Franken und Alamannen und noch später die Sachsen liefern Metallwaren von geringerer Arbeit als die Angelsachsen, Skandinavier und die aus dem Innern ausgezognen Völker –

die Goten am Schwarzen Meer und der Unterdonau, die Burgunder in Frankreich. Der Einfluß der alten Handelswege von der Mitteldonau längs der Elbe und Oder ist hier nicht zu verkennen. Gleichzeitig bilden sich die Küstenbewohner zu geschickten Schiffsbauern und kühnen Seeleuten; überall nimmt die Volkszahl reißend zu; das von den Römern eingeengte Gebiet reicht nicht mehr; es entstehn zuerst im fernen Osten neue Züge landsuchender Stämme, bis endlich die wogende Masse an allen Ecken und Enden, zu Land wie zu See, unaufhaltsam auf neues Gebiet hinüberströmt.

Anmerkung: Die deutschen Stämme

In das Innere von Großgermanien sind römische Heere nur auf wenigen Marschlinien und während eines kurzen Zeitraums gekommen, und auch da nur bis zur Elbe; Kaufleute und sonstige Reisende kamen ebenfalls bis auf Tacitus' Zeit nur selten und nicht weit hinein. Kein Wunder, daß die Nachrichten über dies Land und seine Bewohner so ungenügend und widersprechend sind; es ist eher überraschend, daß wir überhaupt noch so viel Sichres erfahren.

Unter den Quellen selbst sind die beiden griechischen Geographen nur da unbedingt brauchbar, wo sie unabhängige Bestätigung finden. Beide waren Buchgelehrte, Sammler, in ihrer Art und nach ihren Mitteln auch kritische Sichter eines uns jetzt großenteils verlornen Materials. Persönliche Kenntnis des Landes fehlte ihnen. Strabo läßt die den Römern so wohlbekannte Lippe, statt in den Rhein, parallel mit Ems und Weser in die Nordsee fließen und ist ehrlich genug einzugestehn, daß die Gegend jenseits der Elbe gänzlich unbekannt sei. Während er sich der Widersprüche seiner Quellen und eigner Zweifel entledigt vermittelst eines naiven Rationalismus, der oft an den Anfang unsres Jahrhunderts erinnert, versucht der wissenschaftliche Geograph Ptolemäus, den einzelnen in seinen Quellen genannten deutschen Stämmen im unerbittlichen Gradnetz seiner Karte mathematisch bestimmte Plätze anzuweisen. So großartig das Gesamtwerk des Ptolemäus für seine Zeit, so irreleitend ist seine Geographie Germaniens [275]. Erstens sind die ihm vorliegenden Nachrichten meist unbestimmt und widerspruchsvoll, oft direkt falsch. Zweitens aber ist seine Karte verzeichnet, Flußläufe und Gebirgszüge großenteils total unrichtig eingetragen. Es ist, als wenn ein ungereister Berliner Geograph, etwa um 1820, sich verpflichtet fühlte, den leeren Raum auf der Karte von Afrika auszufüllen, indem er die Nachrichten aller Quellen seit Leo Africanus in Harmonie bringt und jedem Fluß und jedem Gebirge einen bestimmten Lauf, jedem Volk einen genauen Sitz anweist. Bei solchen Versuchen, Unmögliches zu leisten, müssen die Irrtümer der benutzten Quellen noch verschärft werden. So setzt Ptolemäus viele Völker doppelt an; Lakkobarden an der Niederelbe, Langobarden vom Mittelrhein bis zur Mittelelbe; er kennt ein doppeltes Böhmen, das eine bewohnt von Markomannen, das andre von Bainochaimen usw. Wenn Tacitus ausdrücklich sagt, es gäbe keine Städte in Germanien, so weiß Ptolemäus, kaum 50 Jahre später, schon 96 Orte mit Namen anzuführen. Manche dieser Namen mögen richtige Ortsnamen sein; Ptolemäus scheint viele Nachrichten von Kaufleuten gesammelt zu haben, die um diese Zeit schon in größerer Zahl den Osten Deutschlands besuchten und die sich allmählich fixierenden Namen der von ihnen besuchten Orte kennenlernten. Woher andre rühren, zeigt das eine Beispiel der angeblichen Stadt Siatutanda, die unser Geograph aus den Worten: ad sua tutanda[1] des Tacitus, wohl aus einer schlechten Handschrift, herausliest. Daneben finden sich Nachrichten von überraschender Genauigkeit und vom höchsten historischen Wert. So ist Ptolemäus der einzige unter den Alten, der die Langobarden, zwar unter dem entstellten Namen Lakkobarden, genau an die Stelle setzt, wo noch heute Bardengau und Bardenwic von ihnen zeugen; ebenso Ingrionen in dem Engersgau, wo noch heute Engers am Rhein bei Neuwied. So führt er, ebenfalls allein, die Namen von den litauischen Galinden und Suditen auf, die noch heute in den ostpreußischen Landschaften Gelünden und Sudauen fortbestehn. Solche Fälle aber beweisen nur seine große Gelehrsamkeit, nicht die Richtigkeit seiner übrigen Angaben. Zum Überfluß ist der Text, besonders was die Hauptsache, die Namen, angeht, entsetzlich verderbt.

Direkteste Quelle bleiben die Römer, namentlich die, welche das Land selbst besucht haben. Vellejus war in Deutschland als Soldat und schreibt als Soldat, etwa in der Art, wie ein Offizier der grande armée von den Feldzügen von 1812 und 1813 schreibt. Nicht einmal für die militärischen Ereignisse erlaubt seine Erzählung die Lokalitäten festzustellen; kein Wunder in einem Lande ohne Städte. Plinius hatte ebenfalls in Deutschland als Reiteroffizier gedient und u. a. die chaukische Küste besucht; auch hatte er in zwanzig Büchern alle mit den Germanen geführten Kriege beschrieben; hieraus schöpfte Tacitus. Dazu war Plinius der erste Römer, der an den Dingen im Barbarenlande ein mehr als politisch-militärisches, ein theoretisches Interesse nahm.[2] Seine Nachricht von den deutschen

[1] zu seinem Schutze – [2] in der Handschrift gestrichen: „Dazu war er Naturforscher."

Stämmen muß daher, als auf eigener Erkundigung des wissenschaftlichen Enzyklopädisten Roms beruhend, von besonderm Gewicht sein. Daß Tacitus in Deutschland gewesen, wird traditionell behauptet, einen Beweis finde ich nicht. Jedenfalls konnte er zu seiner Zeit direkte Nachrichten nur dicht an Rhein und Donau sammeln.

Die Völkertafeln der „Germania" [des Tacitus] und des Ptolemäus unter sich und mit dem Gewirr der übrigen alten Nachrichten in Einklang zu bringen, haben zwei klassische Bücher vergebens versucht: Kaspar Zeuß' „[Die] Deutsche[n und die Nachbarstämme]" und Jakob Grimms „Geschichte der deutschen Sprache". Was diesen beiden genialen Gelehrten und was auch seitdem nicht gelungen, wird man wohl als mit unsern gegenwärtigen Mitteln unlösbar ansehn dürfen. Die Unzulänglichkeit dieser Mittel geht grade daraus hervor, daß jene beide genötigt waren, sich falsche Hülfstheorien zu konstruieren; Zeuß, daß das letzte Wort aller streitigen Fragen in Ptolemäus zu suchen sei, obwohl niemand die Grundirrtümer des Ptolemäus schärfer kennzeichnet als grade er; Grimm, daß die Macht, die das römische Weltreich umstürzte, auf einem breiteren Boden erwachsen sein müsse als das Gebiet zwischen Rhein, Donau und Weichsel, und daß deshalb mit Goten und Daken noch der größte Teil des Landes im Norden und Nordosten der Unterdonau als deutsch anzusetzen sei. Sowohl Zeuß' wie Grimms Annahmen sind heute veraltet.

Versuchen wir wenigstens einige Klarheit in die Sache zu bringen, indem wir die Aufgabe beschränken. Gelingt es uns, eine allgemeinere Gruppierung der Völkerschaften nach einigen wenigen Hauptstämmen fertigzubringen, so wird der späteren Detailforschung ein sicherer Boden gewonnen. Und hier bietet uns die Stelle des Plinius einen Anhaltspunkt, dessen Festigkeit sich im Verfolg der Untersuchung mehr und mehr bewährt und der jedenfalls auf weniger Schwierigkeiten führt, uns in weniger Widersprüche verwickelt als irgendein andrer.

Allerdings, wenn wir von Plinius ausgehn, müssen wir die unbedingte Anwendbarkeit der taciteischen Trias und der alten Sage von des Mannus drei Söhnen Ing, Isk und Ermin fallenlassen. Aber erstens weiß Tacitus selbst mit seinen Ingävonen, Iskävonen und Herminonen nichts anzufangen. Er macht nicht den geringsten Versuch, die von ihm einzeln aufgezählten Völker unter jene drei Hauptstämme zu gruppieren. Und zweitens ist dies auch später niemandem gelungen. Zeuß strengt sich gewaltig an, die gotischen Völker, die er als „Istävonen" faßt, in die Trias einzuzwängen, und bringt dadurch nur eine noch größere Verwirrung zustande. Die Skandinavier hineinzubringen, versucht er nicht einmal und konstituiert sie als vierten Hauptstamm. Damit ist aber die Trias ebensosehr durchbrochen wie mit den fünf Hauptstämmen des Plinius.

Sehen wir uns nun diese fünf Stämme im einzelnen an.

I. Vindili, quorum pars Burgundiones, Varini, Carini, Guttones.[1]

Wir haben hier drei Völker: die Vandalen, die Burgunder und die Goten selbst, von denen es feststeht, erstens, daß sie gotische Dialekte sprachen, und zweitens, daß sie um jene Zeit tief im Osten Germaniens wohnten: Goten an und jenseits der Weichselmündung, Burgunder von Ptolemäus in die Wartagegend bis zur Weichsel gesetzt, Vandalen von Dio Cassius (der das Riesengebirge nach ihnen benennt) nach Schlesien. Zu diesem *gotischen* Hauptstamm, wie wir ihn nach der Sprache bezeichnen wollen, dürfen wir wohl unbedingt alle jene Völker rechnen, deren Dialekt Grimm auf den gotischen zurückgeführt hat, also zunächst die Gegenden, denen Prokop gradezu, wie auch den Vandalen, gotische Sprache zuschreibt[276]. Von ihrem früheren Wohnsitz wissen wir nichts, ebensowenig von dem der Heruler, die Grimm neben Skiren und Rugiern auch zu den Goten stellt. Die Skiren nennt Plinius an der Weichsel, die Rugier Tacitus gleich neben den Goten an der Küste. Die gotische Mundart hält hiernach ein ziemlich kompaktes Gebiet zwischen den vandalischen Bergen (Riesengebirge), der Oder und der Ostsee bis an und über die Weichsel hinaus besetzt.

Wer die Cariner waren, wissen wir nicht. Einige Schwierigkeit verursachen die Warner. Tacitus führt sie neben Angeln unter den sieben der Nerthus opfernden Völkern an, von denen schon Zeuß mit Recht bemerkt, daß sie ein eigentümlich ingävonisches Aussehn haben. Die Angeln aber rechnet Ptolemäus zu den Sueven, was offenbar falsch. Zeuß sieht in einem oder zwei entstellten Namen bei demselben Geographen die Warner und stellt sie demgemäß ins Havelland und zu den Sueven. Die Überschrift des alten Volksrechts identifiziert ohne weiteres Warner und Thüringer; aber das Recht selbst ist den Warnern und Angeln gemeinsam. Nach allem diesem muß es zweifelhaft bleiben, ob die Warner gotischem oder ingävonischem Stamm zuzurechnen sind; da sie gänzlich verschollen, ist die Frage auch nicht von besondrer Bedeutung.

II. Altera pars Ingaevones, quorum pars Cimbri, Teutoni ac Chaucorum gentes.[1]

Plinius weist hier den Ingävonen also zunächst die cimbrische Halbinsel und das Küstenland zwischen Elbe und Ems als Wohnsitz an. Von den drei genannten Völkern waren die Chauken wohl unzweifelhaft nächste

[1] Siehe vorl. Band, S. 435

Verwandte der Friesen. Friesische Sprache herrscht noch heute an der Nordsee, im holländischen Westfriesland, im oldenburgischen Saterland, im schleswigschen Nordfriesland. Zur Karolingerzeit wurde an der ganzen Küste vom Sinkfal (der Bucht, die noch heute die Grenze zwischen dem belgischen Flandern und dem holländischen Seeland bildet) bis nach Sylt und dem schleswigschen Widau und wahrscheinlich noch ein gut Stück weiter nach Norden fast nur friesisch gesprochen; nur zu beiden Seiten der Elbmündung trat sächsische Sprache bis ans Meer.

Unter Cimbern und Teutonen versteht Plinius offenbar die damaligen Bewohner des cimbrischen Chersones, die also zum chaukisch-friesischen Sprachstamm gehörten. Wir dürfen also mit Zeuß und Grimm in den Nordfriesen direkte Nachkommen jener ältesten Halbinsel-Deutschen sehn.

Dahlmann („Gesch[ichte] von Dänemark") behauptet zwar, die Nordfriesen seien erst im fünften Jahrhundert von Südwesten her nach der Halbinsel eingewandert. Aber er gibt nicht den geringsten Beleg dafür, und seine Angabe ist auch bei allen späteren Untersuchungen mit Recht ganz unberücksichtigt geblieben.

Ingävonisch wäre hiernach zunächst gleichbedeutend mit Friesisch, in dem Sinne, daß wir den ganzen Sprachstamm nach der Mundart benennen, von der allein uns ältere Denkmäler und fortlebende Dialekte geblieben sind. Aber ist damit der Umfang des ingävonischen Stammes erschöpft? Oder hat Grimm recht, wenn er die Gesamtheit dessen, was er, nicht ganz genau, als niederdeutsch bezeichnet, darunter zusammenfaßt, also neben den Friesen noch die Sachsen?

Geben wir von vornherein zu, daß bei Plinius den Sachsen ein ganz unrichtiger Platz angewiesen wird, indem die Cherusker zu den Herminonen gestellt werden. Wir werden später finden, daß in der Tat nichts übrigbleibt, als die Sachsen ebenfalls den Ingävonen zuzurechnen und so diesen Hauptstamm als den friesisch-sächsischen zu fassen.

Es ist hier der Ort, von den Angeln zu sprechen, die Tacitus möglicherweise, Ptolemäus mit Bestimmtheit zu den Sueven rechnet. Dieser setzt sie aufs rechte Elbufer, den Langobarden gegenüber, womit, wenn die Angabe überhaupt etwas Richtiges enthalten soll, nur die *wirklichen* Langobarden an der Niederelbe gemeint sein können; die Angeln kämen also von Lauenburg etwa bis in die Prignitz. Später finden wir sie in der Halbinsel selbst, wo ihr Name sich erhalten hat und von wo sie mit den Sachsen nach Britannien zogen. Ihre Sprache erscheint jetzt als Element des Angelsächsischen, und zwar als das entschieden *friesische* Element dieser neugebildeten Mundart. Was auch aus den im Innern Deutschlands zurückgebliebenen oder verschlagenen Angeln geworden sein mag, diese Tatsache allein zwingt uns, die Angeln zu den Ingävonen zu schlagen, und zwar zum friesischen Zweig derselben. Ihnen ist der ganze, weit mehr friesische als sächsische Vokalismus des Angelsächsischen zu danken, ihnen der Umstand, daß die Weiterentwicklung dieser Sprache in vielen Fällen auffallend der der friesischen Dialekte parallel geht. Von allen kontinentalen Dialekten stehn die friesischen dem englischen heute am nächsten. So ist auch die Umwandlung der Kehllaute in Zischlaute im Englischen nicht französischen, sondern friesischen Ursprungs. Das englische *ch* = *č* statt *k*, das englische *dž* für *g* vor weichen Vokalen konnte wohl aus friesischem *tz*, *tj* für *k*, *dz* für *g* entstehn, nie aber aus französischem *ch* und *g*.

Mit den Angeln müssen wir auch die Jüten zum friesisch-ingävonischen Stamm schlagen, ob sie nun schon zu Plinius' oder Tacitus' Zeit auf der Halbinsel saßen oder erst später dahin eingewandert sind. Grimm findet ihren Namen in dem der Eudoses, einem der Nerthus dienenden Völker des Tacitus; sind die Angeln ingävonisch, so wird es schwer, die übrigen Völker dieser Gruppe einem andern Stamm zuzuweisen. Dann reichten die Ingävonen bis in die Gegend der Odermündung, und die Lücke zwischen ihnen und den gotischen Völkern wäre ausgefüllt.

III. Proximi autem Rheno Iscaevones (alias Istaevones), quorum pars Sicambri.[1]

Schon Grimm und nach ihm andre, z.B. Waitz, identifizierten mehr oder weniger Iskävonen und Franken. Was Grimm aber irremacht, ist die Sprache. Seit der Mitte des neunten Jahrhunderts sind alle deutschen Dokumente des Frankenreichs [277] in einer von der althochdeutschen nicht zu trennenden Mundart abgefaßt; Grimm nimmt also an, daß das Altfränkische in der Fremde untergegangen und in der Heimat durch Hochdeutsch ersetzt worden sei, und so schlägt er denn die Franken schließlich zu den Hochdeutschen.

Daß das Altfränkische den Wert eines selbständigen, zwischen Sächsisch und Hochdeutsch die Mitte haltenden Dialekts hat, gibt Grimm selbst als das Resultat seiner Untersuchung der erhaltenen Sprachreste an. Dies genügt hier vorderhand; eine nähere Untersuchung der fränkischen Sprachverhältnisse, über welche noch viel Unklarheit herrscht, muß einer besondern Anmerkung[2] vorbehalten bleiben.

Allerdings erscheint das dem iskävonischen Stamm zufallende Gebiet verhältnismäßig klein für einen ganzen deutschen Hauptstamm, und noch

[1] Siehe vorl. Band, S. 435 – [2] siehe vorl. Band, S. 494–518

dazu für einen, der eine so gewaltige Rolle in der Geschichte gespielt hat. Vom Rheingau an begleitet es den Rhein, bis an die Quellen der Dill, Sieg, Ruhr, Lippe und Ems ins innere Land reichend, nach Norden durch Friesen und Chauken von der See abgeschnitten, dazu an der Rheinmündung durchsetzt von Völkertrümmern andern, meist chattischen Stamms: Batavern, Chattuariern etc. Zu den Franken gehören dann noch die links vom Niederrhein angesiedelten Deutschen; ob auch Triboker, Vangionen, Nemeter? Der geringe Umfang dieses Gebiets erklärt sich indes durch den Widerstand, den am Rhein die Kelten und seit Cäsar die Römer der Ausbreitung der Iskävonen entgegensetzten, während im Rücken schon Cherusker sich niedergelassen hatten und von der Seite Sueven, namentlich Chatten, wie von Cäsar bezeugt, sie mehr und mehr einengten. Daß hier eine für deutsche Verhältnisse dichte Bevölkerung auf kleinem Raum zusammengedrängt war, beweist das fortwährende Andringen über den Rhein: anfangs durch erobernde Scharen, später durch freiwilligen Übertritt auf römisches Gebiet, wie bei den Ubiern. Aus demselben Grunde gelang es hier und nur hier den Römern mit Leichtigkeit, schon früh bedeutende Teile iskävonischer Volksstämme auf römisches Gebiet überzuführen.

Die in der Anmerkung über den fränkischen Dialekt zu führende Untersuchung wird den Beweis liefern, daß die Franken eine gesonderte, in sich in verschiedne Volksstämme gegliederte Gruppe der Deutschen ausmachen, einen besondern, in mannigfaltige Mundarten zerfallenden Dialekt sprechen, kurz, alle Kennzeichen eines germanischen Hauptstamms besitzen, wie dies erforderlich ist, um sie mit den Iskävonen für identisch zu erklären. Über die einzelnen, diesem Hauptstamm angehörigen Völkerschaften hat bereits J. Grimm das Nötige gesagt. Er rechnet hierher außer den Sigambern Ubier, Chamaver, Brukterer, Tenkterer und Usipeter, also die Völker, die das früher von uns als iskävonisch bezeichnete rechtsrheinische Gebiet bewohnten.

IV. Mediterranei Hermiones, quorum Suevi, Hermunduri, Chatti, Cherusci.[1]

Schon J. Grimm identifiziert die Herminonen, um des Tacitus' genauere Schreibweise zu gebrauchen, mit den Hochdeutschen. Der Name Sueven, der nach Cäsar alle Hochdeutschen umfaßte, soweit sie ihm bekannt, fängt an, sich zu differenzieren. Thüringer (Hermunduren) und Hessen (Chatten) treten als gesonderte Völker auf. Noch ungeschieden bleiben die übrigen

[1] Siehe vorl. Band, S. 435

Sueven. Wenn wir die vielen mysteriösen, schon in den nächsten Jahrhunderten verschollenen Namen zunächst als unergründlich beiseite lassen, so müssen diese Sueven doch drei große, später in die Geschichte eingreifende Stämme hochdeutscher Zunge umfassen: die Alamannen-Schwaben, die Bayern und die Langobarden. Die Langobarden, das wissen wir bestimmt, wohnten am linken Ufer der Niederelbe, um den Bardengau, vereinzelt von ihren übrigen Stammesgenossen, vorgeschoben mitten zwischen ingävonischen Völkern; diese ihre isolierte Stellung, die durch lange Kämpfe behauptet werden mußte, schildert Tacitus vortrefflich, ohne ihre Ursache zu kennen. Die Bayern, wie wir seit Zeuß und Grimm ebenfalls wissen, wohnten unter dem Namen Markomannen in Böhmen; Hessen und Thüringer in ihren jetzigen Wohnsitzen und in den südlich anstoßenden Gebieten. Da nun südlich von Franken, Hessen und Thüringern römisches Gebiet begann, bleibt für die Schwaben-Alamannen kein andrer Platz übrig als zwischen Elbe und Oder, in der heutigen Mark Brandenburg und dem Königreich Sachsen; und hier finden wir ein suevisches Volk, die Semnonen. Mit diesen also wären sie wohl identisch und grenzten im Nordwesten an Ingävonen, im Nordosten und Osten an gotische Stämme.

Soweit geht alles ziemlich glatt ab. Nun aber rechnet Plinius auch die Cherusker zu den Herminonen, und hierin macht er entschieden ein Versehn. Schon Cäsar trennt sie bestimmt von den Sueven, zu denen er noch die Chatten rechnet. Auch Tacitus weiß nichts von einer Zusammengehörigkeit der Cherusker mit irgendwelchem hochdeutschen Stamm. Ebensowenig Ptolemäus, der doch die Suevennamen bis über die Angeln ausdehnt. Die bloße Tatsache, daß die Cherusker den Raum zwischen Chatten und Hermunduren im Süden und Langobarden im Nordosten ausfüllen, reicht noch lange nicht hin, um daraus auf nähere Stammesverwandtschaft zu schließen; wenn auch vielleicht gerade sie den Plinius hier irregeführt hat.

Zu den Hochdeutschen hat meines Wissens kein Forscher, dessen Meinung in Betracht kommt, die Cherusker gerechnet. Bleibt also nur die Frage, ob sie zu den Ingävonen oder Iskävonen zu schlagen sind. Die wenigen Namen, die uns überliefert, zeigen fränkisches Gepräge: *ch* statt des späteren *h* in Cherusci, Chariomerus; *e* statt *i* in Segestes, Segimerus, Segimundus. Aber fast alle deutschen Namen, die den Römern von der Rheinseite her kommen, scheinen in fränkischer Form durch Franken ihnen überliefert. Und ferner wissen wir nicht, ob die Gutturalaspirata der ersten Lautverschiebung, noch im 7ten Jahrhundert bei den Franken *ch*, im ersten Jahrhundert nicht bei allen Westdeutschen *ch* lautete und sich erst später in das allen gemeinsame *h* abschwächte. Auch sonst finden wir keine Stammesverwandtschaft der Cherusker mit Iskävonen, wie sie sich z.B. in der Aufnahme der dem Cäsar entronnenen Reste der Usipeter und Tenkterer durch die Sigamber zeigt. Ebenso deckt sich das von den Römern zu Varus' Zeit besetzte und als Provinz behandelte rechtsrheinische Gebiet mit dem iskävonisch-fränkischen. Hier lagen Aliso und die übrigen römischen Festen; vom Cheruskerland scheint höchstens der Strich zwischen Osning und Weser wirklich besetzt gewesen zu sein; jenseits waren Chatten, Cherusker, Chauken, Friesen mehr oder weniger unsichre, durch Furcht im Zaum gehaltene, aber in ihren innern Angelegenheiten autonome und von ständiger römischer Besetzung befreite Bundesgenossen. Die Römer machten in dieser Gegend bei stärkerem Widerstand stets die Stammesgrenze zum zeitweiligen Abschnitt der Eroberung. So hatte es auch Cäsar in Gallien gemacht; an der Grenze der Belgier machte er halt und überschritt sie erst, als er des eigentlich sog. keltischen Galliens sicher zu sein glaubte.

Es bleibt also nichts übrig, als die Cherusker und die ihnen nächstverwandten kleineren Nachbarvölker mit J. Grimm und der gewöhnlichen Ansicht zum sächsischen Stamm und damit zu den Ingävonen zu schlagen. Hierfür spricht auch, daß grade im altcheruskischen Gebiet das alte sächsische *a* gegenüber dem in Westfalen herrschenden *o* des genitivus pluralis und schwachen Masculinums sich am reinsten erhalten hat. Hiermit fallen alle Schwierigkeiten; der ingävonische Stamm erhält wie die andren ein ziemlich abgerundetes Gebiet, in das nur die herminonischen Langobarden etwas vorspringen. Von den beiden großen Abteilungen des Stammes hält die friesisch-anglisch-jütische die Küste und wenigstens den nördlichen und westlichen Teil der Halbinsel besetzt, die sächsische das innere Land und vielleicht auch jetzt schon einen Teil von Nordalbingien, wo bald darauf Ptolemäus die Saxones zuerst nennt.

V. Quinta pars Peucini, Basternae contermini Dacis.[1]

Das Wenige, das wir von diesen beiden Völkern wissen, stempelt sie, wie schon die Namensform Basternae, zu Stammverwandten der Goten. Wenn Plinius sie als besondern Stamm aufführt, so rührt dies wohl davon her, daß er seine Kunde von ihnen von der Unterdonau her, durch griechische Vermittlung erhielt, während seine Kenntnis von den gotischen Völkern an Oder und Weichsel am Rhein und der Nordsee geschöpft war und daher der Zusammenhang von Goten und Bastarnern ihm entging.

[1] Siehe vorl. Band, S. 435

Bastarner wie Peukiner sind an Karpaten und Donaumündung zurückgebliebne, noch längere Zeit herumziehende deutsche Völker, die das spätere große Gotenreich vorbereiten, in dem sie verschollen sind.

VI. Die Hillevionen, unter welchem Gesamtnamen Plinius die germanischen Skandinavier aufführt, erwähne ich nur der Ordnung wegen und um nochmals zu konstatieren, daß alle alten Schriftsteller diesem Hauptstamm nur die Inseln (wozu auch Schweden und Norwegen gerechnet) anweisen, ihn von der cimbrischen Halbinsel ausschließend.

Somit hätten wir fünf germanische Hauptstämme mit fünf Hauptdialekten.

Der gotische, im Osten und Nordosten, hat im genitivus pluralis des Masculinums und Neutrums *ê*, das Femininum *ô* und *ê;* das schwache Masculinum hat *a*. Die Flexionsformen der Präsenskonjugation (des Indikativs) schließen sich, unter Berücksichtigung der Lautverschiebung, noch eng an die der urverwandten Sprachen, besonders des Griechischen und Lateinischen.

Der ingävonische, im Nordwesten, hat im genitivus pluralis *a*, für das schwache Masculinum ebenfalls *a;* im praesens indicativus alle drei Pluralpersonen auf *d* oder *dh* mit Ausstoßung aller Nasalen. Er teilt sich in die beiden Hauptzweige des Sächsischen und Friesischen, die im Angelsächsischen wieder zu einem verschmelzen. An den friesischen Zweig schließt sich

der skandinavische Stamm; genitivus pluralis auf *a*, schwaches Masculinum auf *i*, das aus *a* geschwächt ist, wie die ganze Deklination beweist. Im praesens indicativus ist das ursprüngliche *s* der II. Person singularis in *r* übergegangen, die I. Person pluralis bewahrt *m*, die II. *dh*, die übrigen Personen sind mehr oder weniger verstümmelt.

Diesen dreien gegenüber stehn die beiden südlichen Stämme: der iskävonische und herminonische, in späterer Ausdrucksweise der fränkische und hochdeutsche. Beiden ist gemein das schwache Masculinum auf *o;* höchstwahrscheinlich auch der genitivus pluralis auf *ô*, obwohl er im Fränkischen nicht belegt ist und in den ältesten westlichen (salischen) Denkmälern der accusativus pluralis auf *as* endigt. In der Präsenskonjugation stehn beide Dialekte, soweit wir dies fürs Fränkische belegen können, nahe zusammen und schließen sich, hierin dem Gotischen ähnlich, eng an die urverwandten Sprachen an. Beide Dialekte aber in einen zusammenzuwerfen verhindert uns die ganze Sprachgeschichte, von den sehr bedeutenden und altertümlichen Eigenheiten des ältesten Fränkisch an bis auf den großen Abstand der heutigen Mundarten beider; ebenso wie uns die ganze

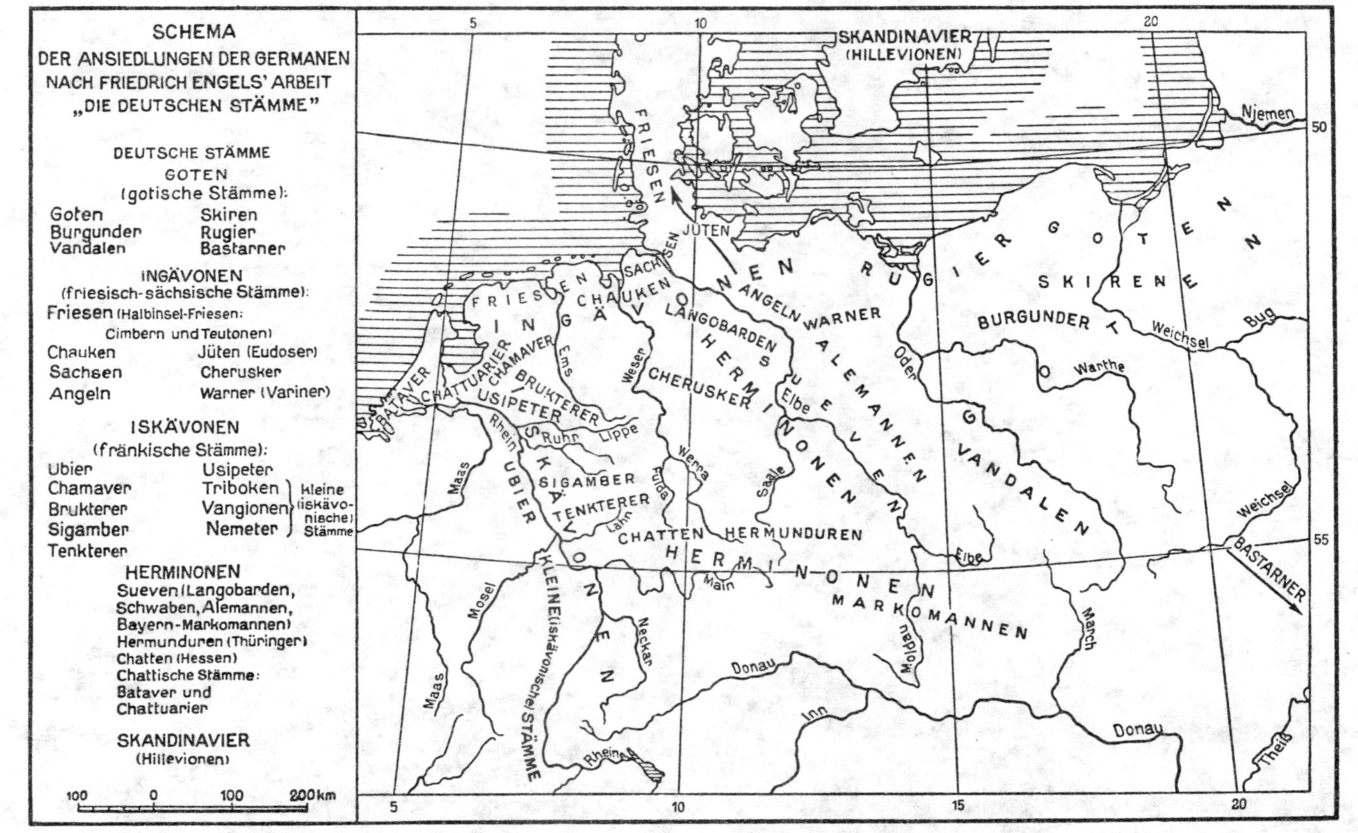
SCHEMA
DER ANSIEDLUNGEN DER GERMANEN
NACH FRIEDRICH ENGELS' ARBEIT
„DIE DEUTSCHEN STÄMME"
DEUTSCHE STÄMME
GOTEN
(gotische Stämme):
Goten
Burgunder
Vandalen
Skiren
Rugier
Bastarner
INGÄVONEN
(friesisch-sächsische Stämme):
Friesen (Halbinsel-Friesen:
Cimbern und Teutonen)
Chauken
Sachsen
Angeln
Jüten (Eudoser)
Cherusker
Warner (Variner)
ISKÄVONEN
(fränkische Stämme):
Ubier
Chamaver
Brukterer
Sigamber
Tenkterer
Usipeter
Triboken
Vangionen
Nemeter
kleine (iskävonische) Stämme
HERMINONEN
Sueven (Langobarden,
Schwaben, Alemannen,
Bayern-Markomannen)
Hermunduren (Thüringer)
Chatten (Hessen)
Chattische Stämme:
Bataver und
Chattuarier
SKANDINAVIER
(Hillevionen)
100
0
100
200 km
5
10
15
20
50
55
SKANDINAVIER
(HILLEVIONEN)
FRIESEN
JÜTEN
SACHSEN
FRIESEN
CHAUKEN
INGÄVONEN
ANGELN
WARNER
LANGOBARDEN
CHERUSKER
HERMINONEN
SUEVEN
ALEMANNEN
RUGIER
GOTEN
SKIREN
BURGUNDER
VANDALEN
BATAVER
CHATTUARIER
CHAMAVER
BRUKTERER
USIPETER
ISKÄVONEN
UBIER
SIGAMBER
TENKTERER
CHATTEN
HERMUNDUREN
MARKOMANNEN
KLEINE (iskävonische) STÄMME
BASTARNER
Njemen
Weichsel
Bug
Warthe
Oder
Elbe
Weser
Ems
Rhein
Ruhr
Lippe
Werra
Fulda
Saale
Lahn
Main
Neckar
Moldau
March
Donau
Inn
Theiß
Maas
Mosel

Geschichte der Völker selbst unmöglich macht, beide zu einem Hauptstamm zu werfen.

Wenn ich in dieser ganzen Untersuchung nur auf die Flexionsformen, nicht aber auf die Lautverhältnisse Rücksicht genommen, so erklärt sich das aus den bedeutenden Veränderungen, die in diesen – wenigstens in vielen Dialekten – zwischen dem ersten Jahrhundert und der Abfassungszeit unsrer ältesten Sprachquellen stattgefunden. In Deutschland brauche ich bloß an die zweite Lautverschiebung zu erinnern; in Skandinavien zeigen die Stabreime der ältesten Lieder, wie sehr die Sprache sich zwischen der Zeit ihrer Abfassung und der ihrer Niederschrift verändert hat. Was hier noch zu leisten ist, wird wohl von deutschen Sprachforschern von Fach noch geleistet werden, hier hätte es die Untersuchung nur unnötig verwickelt gemacht.

Geschrieben 1881/1882.
Nach der Handschrift.

Friedrich Engels

Fränkische Zeit[250]

Die Umwälzung der Grundbesitzverhältnisse unter Merowingern und Karolingern

Die Markverfassung blieb bis ans Ende des Mittelalters die Grundlage fast des gesamten Lebens der deutschen Nation. Nach anderthalbtausendjährigem Bestehn ging sie endlich allmählich zugrund auf rein ökonomischem Wege. Sie erlag vor den wirtschaftlichen Fortschritten, denen sie nicht länger entsprach. Wir werden ihren Verfall und schließlichen Untergang später zu untersuchen haben; wir werden finden, daß Reste von ihr noch heute fortbestehn.

Wenn sie aber so lange sich erhielt, so geschah dies auf Kosten ihrer politischen Bedeutung. Sie war jahrhundertelang die Form gewesen, in der die Freiheit der germanischen Stämme sich verkörpert hatte. Sie wurde jetzt die Grundlage tausendjähriger Volksknechtschaft. Wie war dies möglich?

Die älteste Genossenschaft, sahen wir, umfaßte das ganze Volk. Ihm gehörte ursprünglich alles in Besitz genommene Land. Später wurde die, unter sich näher verwandte, Gesamtheit der Bewohner eines Gaus Besitzer des von ihnen besiedelten Gebiets, und dem Volk als solchem blieb nur das Verfügungsrecht über die noch übrigen herrenlosen Striche. Die Gaubewohnerschaft trat wieder an die einzelnen Dorfgenossenschaften – ebenfalls aus näheren Geschlechtsverwandten gebildet – ihre Feld- und Waldmarken ab, wobei dann wieder das überschüssige Land dem Gau verblieb. Ebenso die Stammdörfer bei der Aussendung neuer, aus der alten Mark des Urdorfs mit Land ausgestatteter Dorfkolonien.

Der Blutsverband, auf dem hier wie überall die ganze Volksverfassung beruhte, kam mit der Vermehrung der Volkszahl und der Weiterentwicklung des Volks mehr und mehr in Vergessenheit.

Dies war der Fall zuerst mit Bezug auf die Gesamtheit des Volks. Die gemeinsame Abstammung wurde immer weniger als wirkliche Blutsverwandtschaft empfunden; die Erinnerung daran wurde immer schwächer, es blieb nur noch die gemeinsame Geschichte und Mundart. Dagegen erhielt sich das Bewußtsein des Blutsverbandes der Gaubewohner, wie natürlich, länger. Das Volk reduzierte sich damit auf eine mehr oder minder feste Konföderation von Gauen. In diesem Zustand scheinen die Deutschen zur Zeit der Völkerwanderung gewesen zu sein. Von den Alamannen erzählt dies Ammianus Marcellinus ausdrücklich; in den Volksrechten blickt es noch überall durch; bei den Sachsen bestand diese Entwicklungsstufe noch zur Zeit Karls des Großen, bei den Friesen bis zum Untergang der friesischen Freiheit.

Aber die Wanderung auf römischen Boden brach auch den Blutsverband des Gaues und mußte ihn brechen. Lag auch die Ansiedlung nach Stämmen und Geschlechtern in der Absicht, so war sie doch nicht durchzuführen. Die langen Züge hatten nicht nur Stämme und Geschlechter, sie hatten selbst ganze Völker durcheinandergeworfen. Nur mühsam ließ sich noch der Blutsverband der einzelnen Dorfgenossenschaften zusammenhalten; und diese waren damit die wirklichen politischen Einheiten geworden, aus denen das Volk sich zusammensetzte. Die neuen Gaue auf römischem Gebiet waren schon von vornherein mehr oder weniger willkürliche – oder durch vorgefundne Verhältnisse bedingte – Gerichtsbezirke oder wurden es doch sehr bald.

Damit war das Volk aufgelöst in einen Verband kleiner Dorfgenossenschaften, unter denen kein oder doch fast kein ökonomischer Zusammenhang bestand, da ja jede Mark sich selbst genügte, ihre eignen Bedürfnisse selbst produzierte und außerdem die Produkte der einzelnen benachbarten Marken fast genau dieselben waren. Austausch zwischen ihnen war also ziemlich unmöglich. Und eine solche Zusammensetzung des Volks aus lauter kleinen Genossenschaften, die zwar gleiche, aber ebendeshalb keine gemeinsamen ökonomischen Interessen haben, macht eine nicht aus ihnen hervorgegangene, ihnen fremd gegenüberstehende, sie mehr und mehr ausbeutende Staatsgewalt zur Bedingung der Fortexistenz der Nation.

Die Form dieser Staatsgewalt ist wieder bedingt durch die Form, in der sich die Genossenschaften zur Zeit befinden. Da, wo – wie bei den arischen Völkern Asiens und bei den Russen – sie entsteht zu einer Zeit, wo die Gemeinde den Acker noch für Gesamtrechnung bestellt oder doch den einzelnen Familien nur auf Zeit zuweist, wo also noch kein Privateigentum am Boden sich gebildet hat, tritt die Staatsgewalt als Despotismus auf. In den von den Deutschen eroberten römischen Ländern finden wir dagegen, wie wir sahen, die einzelnen Anteile an Acker und Wiese bereits als Allod, als freies, nur den gemeinen Markverpflichtungen unterworfenes Eigentum der Besitzer. Wir haben nun zu untersuchen, wie auf Grundlage dieses Allods eine Gesellschafts- und Staatsverfassung entstand, die – mit der gewöhnlichen Ironie der Geschichte – schließlich den Staat auflöste und in ihrer klassischen Form alles Allod vernichtete.

Mit dem Allod war nicht nur die Möglichkeit, sondern die Notwendigkeit gegeben, daß die ursprüngliche Gleichheit des Grundbesitzes sich in ihr Gegenteil verkehrte. Von dem Augenblick seiner Herstellung auf ehemals römischem Boden wurde das deutsche Allod, was das römische Grundeigentum, das neben ihm lag, schon lange gewesen war – Ware. Und es ist ein unerbittliches Gesetz aller auf Warenproduktion und Warenaustausch beruhenden Gesellschaften, daß in ihnen die Verteilung des Besitzes immer ungleicher, der Gegensatz von Reichtum und Armut immer größer, der Besitz immer mehr in wenigen Händen konzentriert wird; ein Gesetz, das in der modernen kapitalistischen Produktion zwar seine volle Entwicklung erhält, aber keineswegs erst in ihr überhaupt zur Wirkung kommt. Von dem Augenblick also, wo Allod, frei veräußerliches Grundeigentum, Grundeigentum als Ware entstand, von dem Augenblick war also die Entstehung des großen Grundeigentums nur eine Frage der Zeit.

In der Epoche aber, mit der wir uns beschäftigen, waren Ackerbau und Viehzucht die entscheidenden Produktionszweige. Der Grundbesitz und seine Produkte machten bei weitem den größten Teil des damaligen Reichtums aus. Was sonst von beweglichen Reichtümern existierte, folgte der Natur der Sache nach dem Grundbesitz, fand sich mehr und mehr in denselben Händen zusammen wie dieser. Industrie und Handel waren schon unter dem römischen Verfall heruntergebracht, die deutsche Invasion vernichtete sie fast vollständig. Was davon noch blieb, wurde meist von Unfreien und Fremden betrieben und blieb verachtete Beschäftigung. Die herrschende Klasse, die hier, bei aufkommender Ungleichheit des Besitzes, sich allmählich bildete, konnte nur eine Klasse großer Grundbesitzer sein, ihre politische Herrschaftsform die einer Aristokratie. Wenn wir also sehn werden, wie bei der Entstehung und Ausbildung dieser Klasse vielfach, ja scheinbar vorwiegend, politische Hebel, Gewalt und Betrug wirksam sind, so dürfen wir darüber nicht vergessen, daß diese politischen Hebel nur dienen zur Beförderung und Beschleunigung eines notwendigen ökonomischen Vorgangs. Wir werden freilich ebenso häufig sehn, wie diese politischen Hebel die ökonomische Entwicklung hemmen; dies geschieht oft genug und jedesmal da, wo die verschiednen Beteiligten sie in entgegengesetzten oder einander durchkreuzenden Richtungen ansetzen.

Wie entstand nun diese Klasse großer Grundbesitzer?

Fürs erste wissen wir, daß sich auch nach der fränkischen Eroberung in Gallien eine Menge römischer Großgrundbesitzer forterhielten, die ihre Güter meist durch freie oder hörige Hintersassen gegen Zins (Canon) bebauen ließen.

Dann aber haben wir gesehn, wie das Königtum durch die Eroberungskriege bei allen ausgezogenen Deutschen eine ständige Einrichtung und wirkliche Macht geworden, wie es das alte Volksland in königliche Domäne verwandelt und ebenso die römischen Staatsländereien seinem Besitz einverleibt hatte. Während der vielen Bürgerkriege, die aus den Teilungen des Reichs entsprangen, vermehrte sich dies Krongut noch fortwährend durch massenhafte Einziehungen der Güter sogenannter Rebellen. Aber so rasch es wuchs, so rasch wurde es verschleudert in Schenkungen an die Kirche wie an Privatleute, Franken und Romanen, Gefolgsleute (Antrustionen) oder sonstige Günstlinge des Königs. Als während und durch die Bürgerkriege sich bereits die Anfänge einer herrschenden Klasse von Großen und Mächtigen, Grundbesitzern, Beamten und Heerführern gebildet, wurde auch ihr Beistand von den Teilfürsten durch Landschenkungen erkauft. Daß dies alles in weitaus den meisten Fällen wirkliche Schenkungen, Übertragungen zu freiem, erblichem und veräußerlichem Eigentum waren, bis mit Karl Martell hierin eine Änderung eintrat, hat Roth unwiderleglich bewiesen*.

Als Karl das Staatsruder ergriff, war die Macht der Könige vollständig gebrochen, aber die der Hausmeier darum noch lange nicht an ihre Stelle gesetzt. Die unter den Merowingern auf Kosten der Krone geschaffene Klasse von Großen begünstigte auf jede Weise den Ruin der königlichen Gewalt, aber keineswegs, um sich den Hausmeiern, ihren Standesgenossen, zu unterwerfen. Im Gegenteil, ganz Gallien war in der Hand, wie Einhard sagt, dieser „Tyrannen, die überall die Herrschaft in Anspruch nahmen" (tyrannos per totam Galliam dominatum sibi vindicantes)[278]. Neben den weltlichen Großen geschah dies auch von den Bischöfen, die in vielen Gegenden sich die Herrschaft über umliegende Grafschaften und Herzogtümer angeeignet hatten und durch Immunität wie durch feste Organisation der Kirche geschützt wurden. Dem innern Zerfall des Reichs folgten Einfälle des äußern Feindes; die Sachsen drangen in das rheinische Franken, die Avaren nach Bayern, die Araber über die Pyrenäen nach Aquitanien. In solcher Lage konnte einfache Niederwerfung der inneren, Vertreibung der

---

* P. Roth, „Geschichte des Beneficialwesens", Erlangen 1850. Eins der besten Bücher der vormaurerschen Zeit, dem ich in diesem Kapitel manches entlehne.

äußern Feinde nicht auf die Dauer helfen; es mußte ein Weg gefunden werden, die gedemütigten Großen oder die von Karl an ihre Stelle gesetzten Nachfolger fester an die Krone zu binden. Und da ihre bisherige Macht auf dem Großgrundbesitz beruht hatte, war erste Bedingung hierzu eine totale Umwälzung der Grundbesitzverhältnisse. Diese Umwälzung ist das Hauptwerk der karolingischen Dynastie. Sie zeichnet sich wieder dadurch aus, daß das Mittel, gewählt, das Reich zu einigen, die Großen auf immer an die Krone zu binden und diese dadurch zu stärken, schließlich bewirkt die vollständigste Machtlosigkeit der Krone, die Unabhängigkeit der Großen und den Zerfall des Reichs.

Um zu verstehn, wie Karl dazu kam, dies Mittel zu wählen, müssen wir vorher die Besitzverhältnisse der Kirche zu jener Zeit untersuchen, die ohnehin als wesentliches Element der damaligen Agrarverhältnisse hier nicht zu übergehn sind.

Schon zur Römerzeit hatte die Kirche in Gallien nicht unbedeutenden Grundbesitz, dessen Erträge durch große Privilegien in Beziehung auf Steuern und andre Leistungen noch gesteigert wurden. Nach der Bekehrung der Franken zum Christentum jedoch brach erst die goldene Zeit für die gallische Kirche an. Die Könige wetteiferten unter sich, wer der Kirche die meisten Schenkungen an Land, Geld, Kleinodien, Kirchengerät etc. machen würde. Schon Chilperich pflegte (Gregor von Tours) zu sagen:

„Seht, wie arm unser Fiskus geworden, seht, wie alle unsere Reichtümer der Kirche überwiesen sind." [279]

Unter Guntram, dem Liebling und Knecht der Pfaffen, hatten die Schenkungen keine Grenzen mehr. So floß dann der eingezogne Grundbesitz freier Franken, die der Rebellion bezichtigt, großenteils in den Besitz der Kirche.

Wie die Könige, so das Volk. Kleine wie Große konnten der Kirche nicht genug schenken.

„Eine wunderbare Heilung von einem wirklichen oder vermeinten Übel, die Erfüllung eines sehnlichen Wunsches, z.B. die Geburt eines Sohnes, die Rettung aus einer Gefahr, trug der Kirche, deren Heiliger sich hülfreich gezeigt hatte, eine Schenkung ein. Es wurde für um so notwendiger erachtet, die Hand immer offenzuhalten, als bei Hohen und Niederen die Meinung verbreitet war, daß Schenkungen an die Kirche Vergebung der Sünden bewirkten." (Roth, S.250.)

Dazu kam die Immunität, die das Eigentum der Kirche vor Vergewaltigung schützte zu einer Zeit unaufhörlicher Bürgerkriege, Plünderungen, Konfiskationen. Mancher kleine Mann fand es angebracht, sein Eigentum der Kirche abzutreten, wenn ihm dessen Nießbrauch gegen mäßigen Zins verblieb.

Alles das indes genügte den frommen Pfaffen noch nicht. Durch Drohungen mit ewiger Höllenstrafe erpreßten sie förmlich immer ausgedehntere Schenkungen, so daß Karl der Große noch 811 im Aachener Kapitular [280] ihnen dies vorwirft und außerdem, daß sie die Leute

„zu Meineid und falschem Zeugnis verführen, um euren Reichtum (der Bischöfe und Äbte) zu mehren".

Ungesetzliche Schenkungen wurden erschlichen im Vertrauen darauf, daß die Kirche, außer ihrem privilegierten Gerichtsstand, noch Mittel genug besitze, der Justiz eine Nase zu drehn. Es verging im 6. und 7. Jahrhundert kaum ein gallisches Konzil, das nicht alle und jede Anfechtung von Schenkungen an die Kirche mit Kirchenbann bedrohte. Selbst formell ungültige Schenkungen sollten auf diesem Wege in gültige verwandelt, die Privatschulden einzelner Geistlichen vor Eintreibung geschützt werden.

„Wirklich verächtlich sind die Mittel, die wir anwenden sehn, um die Lust zu Schenkungen immer von neuem zu erwecken. Zogen die Schilderungen der himmlischen Seligkeiten und höllischen Qualen nicht mehr, so ließ man aus entfernten Gegenden Reliquien kommen, hielt Translationes und baute neue Kirchen; es war dies im 9. Jahrhundert ein förmlicher Geschäftszweig." (Roth, S. 254.) „Als die Abgesandten des Klosters St. Medard von Soissons in Rom mit großer Mühe den Körper des Heiligen Sebastian erbettelt und den des Gregorius dazu gestohlen hatten und beide nun in dem Kloster niedergelegt waren, liefen so viele Leute zu den neuen Heiligen, daß die Gegend wie mit Heuschrecken besät war und die Hülfesuchenden nicht einzeln, sondern in ganzen Herden geheilt wurden. Die Folge war, daß die Mönche das Geld in Scheffeln maßen, deren sie 85 zählten, und daß sich ihr Vorrat an Gold auf 900 Pfund belief." (S. 255.)

Betrug, Taschenspielerstücke, Erscheinungen Verstorbener, besonders Heiliger, dienten zur Erschwindelung von Reichtümern für die Kirche, endlich aber auch und hauptsächlich – Urkundenfälschung. Diese wurde – wir lassen wieder Roth sprechen –

„von vielen Geistlichen in großartigem Maßstab betrieben ... es begann dies Geschäft schon sehr früh ... In welcher Ausdehnung dies Gewerbe betrieben wurde, ergibt sich aus der großen Zahl gefälschter Dokumente, welche unsre Sammlungen enthalten. Unter den 360 merowingischen Diplomen bei Bréquigny sind ungefähr 130 entschieden falsch ... Das falsche Testament des Remigius wurde schon von Hinkmar von Reims dazu angewandt, seiner Kirche eine Reihe von Besitzungen zu verschaffen, von denen das echte nichts sagt, obwohl das letztere nie verloren war und Hinkmar die Unechtheit des ersteren recht gut kannte." Selbst Papst Johann VIII. suchte „den Besitz des Klosters St. Denis bei Paris durch eine ihm als falsch bekannte Urkunde zu erwerben". (Roth, S. 256 ff.)

So kann es uns nicht wundern, wenn der durch Schenkung, Erpressung, Erschleichung, Prellerei, Fälschung und andre Zuchthausindustrien zusammengeraffte Grundbesitz der Kirche in wenigen Jahrhunderten ganz kolossale Verhältnisse annahm. Das Kloster Saint-Germain-des-Prés, jetzt im Umfang von Paris, hatte zu Anfang des 9. Jahrhunderts einen Grundbesitz von 8000 Mansi oder Hufen, deren Flächeninhalt Guérard auf 429 987 Hektar mit einem Jahresertrag von 1 Mill. frs. = 800 000 Mark berechnet.[281] Legen wir denselben Durchschnitt von 54 Hektar Fläche und 125 frs. = 100 Mark Einkommen für die Hufe zugrunde, so hatten um dieselbe Zeit die Klöster St. Denis, Luxeuil, St. Martin von Tours jedes bei 15 000 Mansi einen Grundbesitz von 810 000 Hektar und ein Einkommen von $1^1/_2$ Mill. Mark. Und dies war *nach* der Konfiskation des Kirchenguts durch Pippin den Kleinen! Das gesamte Kirchengut in Gallien zu Ende des 7. Jahrhunderts schätzt Roth (S. 249) eher über, als unter ein Drittel der Gesamtfläche.

Diese ungeheuren Gütermassen wurden bebaut teils von unfreien, teils aber auch von freien Hintersassen der Kirche. Von den Unfreien waren die Sklaven (servi) ursprünglich ungemessenen Leistungen an ihre Herrn unterworfen, da sie keine Rechtspersonen waren; es scheint aber auch hier für ansässige Sklaven bald ein gewohnheitsmäßiges Maß von Abgaben und Diensten hergestellt. Die Leistungen der übrigen beiden unfreien Klassen, der Kolonen und Liten (über deren rechtlichen Unterschied zu jener Zeit keine Nachricht vorliegt), waren dagegen festgesetzt und bestanden in gewissen Hand- und Spanndiensten sowie in einem bestimmten Teil des Gutsertrags. Es waren dies Abhängigkeitsverhältnisse längst hergebrachter Art. Dagegen war es für Deutsche etwas Neues, daß freie Männer auf anderm als gemeinem oder ihrem eignen Boden saßen. Freilich fanden die Deutschen in Gallien und überhaupt im Gebiet des römischen Rechts oft genug freie Römer als Pächter; daß sie aber selbst nicht Pächter zu werden brauchten, sondern auf eignem Land sitzen konnten, dafür war bei der Landnahme gesorgt. Ehe also freie Franken Hintersassen irgend jemandes werden konnten, mußten sie ihr bei der Landnahme erhaltenes Allod auf irgendeine Weise verloren, mußte sich eine eigne Klasse landloser freier Franken gebildet haben.

Diese Klasse bildete sich durch die beginnende Konzentration des Grundbesitzes, durch dieselben Ursachen, aus denen diese hervorging: einerseits durch die Bürgerkriege und Konfiskationen, andrerseits durch die großenteils dem Drang der Zeitumstände, dem Verlangen nach Sicherheit geschuldeten Übertragungen von Land an die Kirche. Und die Kirche fand bald noch ein besonderes Mittel, solche Übertragungen zu befördern, indem sie dem Schenker nicht nur sein Gut zu Nießbrauch gegen Zins ließ, sondern ihm auch noch ein Stück Kirchengut dazu in Zins gab. Diese Schenkungen geschahen nämlich in doppelter Form. Entweder behielt der Schenker sich den Nießbrauch des Guts auf Lebenszeit vor, so daß es erst nach seinem Tode ins Eigentum der Kirche überging (donatio post obitum); in diesem Fall war es üblich und wurde später in den Kapitularien der Könige ausdrücklich festgesetzt, daß der Schenker von der Kirche das Doppelte des geschenkten Guts zu Zins verliehen erhalte. Oder die Schenkung wurde gleich wirksam (cessio a die praesente), und dann erhielt der Schenker das Dreifache an Kirchengut nebst seinem eignen Gut zu Zins vermittelst einer sog. Prekaria, eines von der Kirche ausgestellten Dokuments, das ihm diese Grundstücke, meist auf Lebenszeit, manchmal aber auch auf längere oder kürzere Zeit, übertrug. Die Klasse landloser Freien einmal geschaffen, traten auch manche von diesen in ein solches Verhältnis; die ihnen bewilligten Prekarien scheinen anfangs meist auf 5 Jahre ausgestellt gewesen zu sein, wurden aber auch hier bald lebenslänglich.

Es ist wohl nicht zu bezweifeln, daß schon zur Merowingerzeit sich auf den Gütern der weltlichen Großen ganz ähnliche Verhältnisse herausbildeten wie auf dem Kirchengut, daß also auch dort neben unfreien freie Hintersassen zu Zins angesiedelt waren. Sie müssen sogar unter Karl Martell schon sehr zahlreich gewesen sein, weil sonst die durch ihn begonnene, von seinem Sohn und Enkel vollendete Umwälzung der Grundbesitzverhältnisse wenigstens nach *einer* Seite hin unerklärlich blieb.

Diese Umwälzung beruht in ihrer Grundlage auf zwei neuen Einrichtungen. Erstens wurde, um die Großen des Reichs an die Krone zu fesseln, von nun an das Krongut ihnen in der Regel nicht mehr geschenkt, sondern nur noch lebenslänglich, als „beneficium", verliehen, und dies unter bestimmten, bei Strafe der Einziehung einzuhaltenden Bedingungen. Sie wurden auf diese Weise selbst Hintersassen der Krone. Und zweitens, um die Gestellung der freien Hintersassen der Großen zum Kriegsdienst zu sichern, wurde diesen ein Teil der Amtsbefugnisse des Gaugrafen über die auf ihren Gütern angesiedelten Freien übertragen, sie zu „Senioren" über diese ernannt. Von diesen beiden Änderungen haben wir hier vorläufig nur die erste zu betrachten.

Bei der Unterwerfung der rebellischen kleinen „Tyrannen" wird Karl – die Nachrichten fehlen – nach alter Sitte ihren Grundbesitz eingezogen, ihnen aber, soweit er sie nachher in Amt und Würden wieder einsetzte, denselben ganz oder teilweise als Benefizium neu verliehen haben. Mit dem

Kirchengut der widerspenstigen Bischöfe wagte er noch nicht so zu verfahren; er entsetzte sie und gab ihre Stellen an ihm ergebne Leute, von denen freilich mancher vom Geistlichen nichts als die Tonsur hatte (sola tonsura clericus). Diese neuen Bischöfe und Äbte fingen jetzt an, auf sein Geheiß große Striche des Kirchenguts an Laien zu Prekarien zu übertragen; das war schon früher nicht ohne Beispiel, geschah aber jetzt massenhaft. Sein Sohn Pippin ging bedeutend weiter. Die Kirche war verfallen, die Geistlichkeit verachtet, der Papst von den Langobarden bedrängt, allein auf die Hülfe Pippins angewiesen. Dieser half dem Papst, begünstigte die Ausdehnung seiner kirchlichen Herrschaft, hielt ihm den Steigbügel. Aber er machte sich bezahlt, indem er den weitaus größten Teil des Kirchenguts dem Krongut einverleibte und den Bischöfen und Klöstern nur das zu ihrem Unterhalt Nötige ließ. Diese erste Säkularisation auf großem Maßstab ließ sich die Kirche widerstandslos gefallen, die Synode von Lestines bestätigte sie, zwar mit beschränkender Klausel, die indes nie eingehalten wurde. Diese gewaltige Gütermasse stellte das erschöpfte Krongut wieder auf einen respektablen Fuß und diente großenteils zu weiteren Verleihungen, die tatsächlich bald die Form gewöhnlicher Benefizien annahmen.

Fügen wir hier ein, daß die Kirche sich recht bald von diesem Schlag zu erholen wußte. Kaum war die Auseinandersetzung mit Pippin erfolgt, so begannen die braven Männer Gottes die alten Praktiken wieder. Die Schenkungen regneten wieder von allen Seiten, die kleinen freien Bauern waren fortwährend in derselben schlimmen Lage zwischen Hammer und Amboß wie seit 200 Jahren; unter Karl dem Großen und seinen Nachfolgern ging es ihnen noch weit schlechter, und viele begaben sich mit Haus und Hof unter den Schutz des Krummstabs. Die Könige gaben bevorzugten Klöstern einen Teil des Raubs zurück, andern, besonders in Deutschland, schenkten sie enorme Striche Kronland; unter Ludwig dem Frommen schienen die gesegneten Zeiten Guntrams für die Kirche wiedergekehrt. Die Archive der Klöster sind besonders reich an Schenkungen aus dem neunten Jahrhundert.

Das Benefizium, diese neue Institution, die wir jetzt näher zu untersuchen haben, war noch nicht das spätere Lehen, wohl aber sein Keim. Es war von vornherein übertragen für die gemeinsame Lebenszeit sowohl des Verleihers wie des Empfängers. Starb der eine oder der andre, so fiel es dem Eigentümer oder dessen Erben wieder zu. Zur Erneuerung des bisherigen Verhältnisses mußte eine neue Übertragung an den Empfänger oder dessen Erben stattfinden. Das Benefizium war also, in der späteren Ausdrucksweise, dem Thronfall wie dem Heimfall unterworfen. Der Thronfall kam bald außer Anwendung; die großen Benefiziare wurden eben mächtiger als der König. Der Heimfall führte schon früh nicht selten die Weiterverleihung des Guts an den Erben des vorigen Benefiziars mit sich. Ein Gut Patriciacum (Percy) bei Autun, von Karl Martell dem Hildebrannus als Benefiz verliehen, blieb in der Familie von Vater auf Sohn durch vier Generationen, bis der König es 839 dem Bruder des vierten Benefiziars als volles Eigentum schenkt. Andre Beispiele sind seit Mitte des 8. Jahrhunderts nicht selten.

Das Benefizium konnte vom Verleiher eingezogen werden in allen Fällen, wo überhaupt Vermögenskonfiskation verwirkt war. Und diese Fälle gab es auch unter den Karolingern genug und übergenug. Die Aufstände in Alamannien unter Pippin dem Kleinen, die Verschwörung der Thüringer, die wiederholten Aufstände der Sachsen führten zu immer neuen Einziehungen, sei es von freiem Bauernland, sei es von Gütern und Benefizien der Großen. Dasselbe war der Fall, allen entgegenstehenden Vertragsbestimmungen zum Trotz, während der innern Kriege unter Ludwig dem Frommen und seinen Söhnen. Auch gewisse nichtpolitische Verbrechen zogen Konfiskationen nach sich.

Ferner konnten die Benefizien von der Krone eingezogen werden, wenn der Benefiziar seine allgemeinen Untertanenpflichten vernachlässigte, z.B. den Räuber aus der Immunität nicht ausliefert, seinen Harnisch nicht zum Feldzug bringt, königliche Briefe nicht respektiert etc.

Dann aber waren die Benefizien übertragen unter besonderen Bedingungen, deren Bruch die Einziehung nach sich zog, von der dann selbstredend das übrige Vermögen des Benefiziars nicht betroffen wurde. So z.B., wenn ehemalige Kirchengüter verliehen waren und der Benefiziar vernachlässigte, die darauf haftenden Abgaben an die Kirche (nonae et decimae) zu entrichten. So, wenn er das Gut verkommen ließ, in welchem Fall gewöhnlich erst ein einjähriger Warnungstermin gesetzt wurde, damit der Benefiziar sich durch Aufbesserung vor der sonst eintretenden Konfiskation schützen könne etc. Ferner konnte auch die Übertragung des Guts an bestimmte Dienstverrichtungen geknüpft sein und wurde es in der Tat mehr und mehr in dem Maß, als sich das Benefizium zum eigentlichen Lehen fortentwickelte. Aber ursprünglich war dies durchaus nicht nötig; am wenigsten, was Kriegsdienst betrifft; eine Menge Benefizien wurde an niedre Geistliche, an Mönche, an geistliche und weltliche Frauen verliehn.

Endlich ist keineswegs ausgeschlossen, daß die Krone anfangs auch Ländereien auf Widerruf oder auf bestimmte Zeit, also als Prekarien, verliehen habe. Einzelne Nachrichten und der Vorgang der Kirche machen es wahrscheinlich. Doch hörte dies jedenfalls bald auf, da die Verleihung auf Benefiziarbedingungen im 9. Jahrhundert die allgemeine wurde.

Die Kirche nämlich – und von den großen Grundbesitzern und Benefiziaren müssen wir dasselbe annehmen – die Kirche, die früher ihren freien Hintersassen Güter meist nur als Prekarien auf Zeit übertragen hatte, mußte dem von der Krone gegebnen Impuls folgen. Nicht nur fing sie an, auch Benefizien zu verleihen, diese Verleihungsweise wurde sogar so vorherrschend, daß die schon bestehenden Prekarien lebenslänglich werden, unmerklich die Natur des Benefiziums annehmen, bis im 9. Jahrhundert die erstere fast ganz in das letztere aufgeht. In der letzten Hälfte des 9. Jahrhunderts müssen die Benefiziare der Kirche und ebenso die der weltlichen Großen schon eine wichtige Stellung im Staat angenommen haben; manche davon müssen Leute von bedeutendem Besitz, Gründer des späteren niederen Adels gewesen sein. Sonst hätte sich Karl der Kahle wohl nicht so lebhaft derer angenommen, denen Hinkmar von Laon ihre Benefizien ohne Grund genommen hatte.

Wir sehn, das Benefizium hat schon manche Seiten, die sich im entwickelten Lehen wiederfinden. Beiden ist gemeinsam Thronfall wie Heimfall. Wie das Lehen ist das Benefizium nur unter bestimmten Bedingungen der Einziehung unterworfen. In der durch die Benefizien geschaffenen gesellschaftlichen Hierarchie, die von der Krone durch die großen Benefiziare – Vorgänger der Reichsfürsten – zu den mittleren Benefiziaren – dem späteren Adel – und von diesen zu freien und unfreien, weitaus größten Teils im Markverband lebenden Bauern hinabsteigt, sehn wir die Grundlage der späteren geschlossenen Feudalhierarchie. Wenn das spätere Lehnsgut unter allen Umständen ein Dienstgut ist und zum Kriegsdienst für den Lehnsherrn verpflichtet, so ist letzteres zwar beim Benefizium noch nicht der Fall und ersteres durchaus nicht notwendig. Aber die Tendenz des Benefiziums, Dienstgut zu werden, ist bereits unverkennbar vorhanden und erhält im 9. Jahrhundert mehr und mehr Spielraum; und in demselben Maß, wie sie sich frei entfaltet, entwickelt sich auch das Benefizium zum Lehen.

Bei dieser Entwicklung wirkt aber noch ein zweiter Hebel mit: die Veränderung, die Gau- und Heeresverfassung erst unter dem Einfluß des großen Grundeigentums erfuhr und später unter dem der großen Benefizien, in die das frühere große Grundeigentum sich mehr und mehr verwandelt hatte infolge der unaufhörlichen inneren Kriege und der damit verknüpften Konfiskationen und Wiederverleihungen.

Es ist begreiflich, daß in diesem Kapitel die Rede ist nur von dem Benefizium in seiner reinen, klassischen Gestalt, in der es allerdings nur eine verschwindende, nicht einmal überall gleichzeitig auftretende Form war. Aber solche historische Erscheinungsformen ökonomischer Verhältnisse versteht man nur, wenn man sie in dieser ihrer Reinheit erfaßt, und diese klassische Gestalt des Benefiziums aus all den wirren Anhängseln herausgeschält zu haben, ist eins der Hauptverdienste von Roth.

Gau- und Heerverfassung

Die soeben dargestellte Umwälzung im Stand des Grundbesitzes konnte nicht ohne Einfluß bleiben auf die alte Verfassung. Sie rief in dieser ebenso bedeutende Veränderungen hervor, und diese wirkten ihrerseits zurück auf die Grundbesitzverhältnisse. Wir lassen zunächst die Umbildung der allgemeinen Staatsverfassung beiseite und beschränken uns hier auf den Einfluß der neuen ökonomischen Lage auf die noch fortbestehenden Reste der alten Volksverfassung in Gau und Heer.

Unter den Merowingern schon finden wir Grafen und Herzöge häufig als Verwalter von Krongut. Erst im 9. Jahrhundert jedoch finden wir unzweifelhaft gewisse Krongüter mit dem Grafenamt derart verbunden, daß der zeitweilige Graf ihr Einkommen bezog. Das frühere Ehrenamt war in ein durch Fundierung besoldetes übergegangen. Daneben finden wir auch, was sich unter den damaligen Verhältnissen von selbst versteht, die Grafen im Besitz königlicher, ihnen persönlich überwiesener Benefizien. So wurde der Graf ein mächtiger Grundherr innerhalb seiner Grafschaft.

Zunächst ist klar, daß die Autorität des Grafen leiden mußte durch das Aufkommen großer Grundbesitzer unter und neben ihm; Leute, die unter den Merowingern und ersten Karolingern oft genug dem Befehle des Königs spotteten, mußten dem Gebot des Grafen noch weniger Respekt erweisen. Ihre freien Hintersassen, im Vertrauen auf den Schutz mächtiger Grundherren, vernachlässigten ebenso häufig, der Vorladung des Grafen vor Gericht nachzukommen oder seinem Aufgebot zum Heer. Es war dies grade eine der Ursachen, die die Einführung der Verleihung zu Benefizium statt zu Allod herbeiführte und die spätere allmähliche Umwandlung des meisten, ehemals freien großen Grundbesitzes in Benefizium.

Damit allein war die Herbeiziehung der auf den Gütern der Großen ansässigen Freien zu den Staatsleistungen noch nicht gesichert. Eine weitere Änderung mußte erfolgen. Der König sah sich genötigt, die Großgrundbesitzer für das Erscheinen ihrer freien Hintersassen zu Gericht, im Heer und bei sonstigen herkömmlichen Staatsdiensten verantwortlich zu machen, in derselben Art wie bisher der Graf für alle freien Einwohner seiner Grafschaft gehaftet hatte. Und dies konnte nur dadurch geschehn, daß der König den Großen einen Teil der gräflichen Amtsbefugnisse über ihre Hintersassen übertrug. Der Grundherr oder Benefiziar mußte seine Leute vor Gericht stellen; sie mußten also durch seine Vermittlung vorgeladen werden. Er mußte sie dem Heer zuführen; durch ihn mußte also ihr Aufgebot erfolgen; er mußte, um fortwährend für sie haften zu können, die Führung und das Recht der Kriegszucht über sie haben. Aber es war und blieb Königsdienst der Hintersassen; den Widerspenstigen strafte nicht der Gutsbesitzer, sondern der königliche Graf; dem königlichen Fiskus fiel die Strafe zu.

Auch diese Neuerung führt sich auf Karl Martell zurück. Wenigstens finden wir erst seit seiner Zeit die Sitte der großen kirchlichen Würdenträger, selbst ins Feld zu ziehn, die nach Roth nur daraus zu erklären ist, daß Karl die Bischöfe an der Spitze ihrer Hintersassen zum Heer stoßen ließ, um sich des Erscheinens der letzteren zu versichern. Unzweifelhaft geschah mit den weltlichen Großen und ihren Hintersassen dasselbe. Unter Karl dem Großen erscheint die neue Einrichtung schon fest gegründet und allgemein durchgeführt.

Hiermit war aber eine wesentliche Veränderung eingetreten auch in der politischen Stellung der freien Hintersassen. Sie, die früher ihrem Grundherrn rechtlich gleichstanden, wie sehr sie auch wirtschaftlich von ihm abhängen mochten, wurden jetzt auch rechtlich seine Untergebenen. Die ökonomische Unterwerfung erhielt politische Sanktion. Der Grundherr wird Senior, Seigneur, die Hintersassen werden seine homines; der „Herr" wird der Vorgesetzte des „Mannes". Die Rechtsgleichheit der Freien ist dahin, der unterste „Mann", dessen Vollfreiheit durch den Verlust des Erbguts schon starken Abbruch erlitten, rückt dem Unfreien wieder um eine Stufe näher. Um soviel mehr erhebt sich der neue „Herr" über das Niveau der alten Gemeinfreiheit. Die ökonomisch bereits hergestellte Grundlage der neuen Aristokratie wird vom Staat anerkannt, wird eins der regelrecht mitwirkenden Triebräder der Staatsmaschine.

Neben diesen aus freien Hintersassen bestehenden homines gab es aber noch eine andre Art. Dies waren die freiwillig in ein Dienst- oder Gefolgsverhältnis zu den Großen getretenen verarmten Freien. Die Merowinger hatten ihre Gefolgschaft in den Antrustionen, die Großen jener Zeit werden ebenfalls nicht ohne Gefolge geblieben sein. Unter den Karolingern werden die Gefolgsleute des Königs Vassi, Vasalli oder Gasindi genannt, Ausdrücke, die in den ältesten Volksrechten noch für einen Unfreien gebraucht werden, jetzt aber bereits die Bedeutung eines in der Regel freien Gefolgsmanns angenommen haben. Dieselben Bezeichnungen gelten für die Gefolgsleute der Großen, die jetzt ganz allgemein vorkommen und ein immer zahlreicheres und wichtigeres Element in Gesellschaft und Staat werden.

Wie die Großen zu solchen Gefolgsleuten kamen, zeigen die alten Vertragsformeln[282]. In einer solchen (Form[ulae] Sirmond[icae] 44) heißt es z.B.:

„Sintemal es männiglich bekannt, daß ich nichts habe, wovon ich mich nähren oder kleiden soll, so bitte ich von Eurer" (des Herrn) „Frömmigkeit, daß ich mich in Eure Schutzherrschaft" (mundoburdum – gleichsam Vormundschaft) „begeben und kommendieren möge, der Art, ... daß Ihr mir mit Nahrung und Kleidung auszuhelfen schuldig, je nachdem ich Euch dienen und solches verdienen werde; ich aber, solange ich lebe, Euch nach Art eines freien Mannes (ingenuili ordine) Dienst und Folge zu leisten schuldig sei; auch zu meinen Lebzeiten Eurer Gewalt und Schutzhoheit zu entziehen nicht die Macht, sondern mein Lebtag unter Eurer Gewalt und Schutz zu bleiben habe."

Diese Formel gibt vollständigen Aufschluß über die Entstehung und Natur des einfachen, aller fremden Beimischung entkleideten Gefolgsverhältnisses, und zwar um so mehr, weil sie den extremen Fall eines ganz heruntergekommnen armen Teufels darstellt. Der Eintritt in den Gefolgsverband des Seniors geschah infolge eines freien Übereinkommens beider Teile – frei im Sinn der römischen und modernen Jurisprudenz, oft genug ähnlich wie der Eintritt eines heutigen Arbeiters in den Dienst eines Fabrikanten. Der „Mann" kommendierte sich dem Herrn, und dieser nahm seine Kommendation an. Diese bestand im Handschlag und Eid der Treue. Das Übereinkommen war lebenslänglich und wurde nur durch den Tod eines von beiden Kontrahenten gelöst. Der Dienstmann war verpflichtet zu allen mit der Stellung eines Freien verträglichen Dienstleistungen, die ihm sein Herr auftragen mochte. Dafür wurde er von diesem unterhalten und je nach Ermessen belohnt. Eine Überweisung von Land war damit keineswegs notwendig verbunden und fand in der Tat auch durchaus nicht in allen Fällen statt.

Dies Verhältnis wurde unter den Karolingern, besonders seit Karl dem Großen, nicht nur toleriert, sondern direkt begünstigt und zuletzt, wie es scheint durch ein Kapitular von 847, allen Gemeinfreien zur Pflicht gemacht und staatlich geregelt. So durfte der Dienstmann das Verhältnis zu seinem Herrn nur dann einseitig lösen, wenn dieser ihn töten, mit einem Stock schlagen, seine Frau oder Tochter entehren oder sein Erbgut ihm nehmen wollte (Kapit[ular] von 813). Und zwar war der Dienstmann an den Herrn gebunden, sobald er von diesem den Wert eines Solidus erhalten hatte; woraus nochmals klar hervorgeht, wie wenig damals das Vasallitätsverhältnis an Landverleihung notwendig geknüpft war. Dieselben Bestimmungen wiederholt ein Kapitular von 816 mit dem Zusatz, der Dienstmann sei entbunden, wenn sein Herr ihn unrechtmäßig in den Unfreienstand bringen wolle oder ihm den versprochnen Schutz zwar leisten könne, aber nicht leiste.

Gegenüber dem Staat bekam nun der Gefolgsherr dieselben Rechte und Pflichten mit Bezug auf seine Gefolgsleute wie der Grundherr oder Benefiziar mit Bezug auf seine Hintersassen. Sie blieben dem König dienstpflichtig, nur schob sich auch hier zwischen den König und dessen Grafen der Gefolgsherr. Er stellte die Vasallen vor Gericht, er bot sie auf, führte sie im Krieg an und hielt die Manneszucht unter ihnen aufrecht, er haftete für sie und ihre vorschriftsmäßige Ausrüstung. Dadurch bekam aber der Gefolgsherr eine gewisse Strafgewalt über seine Untergebnen, und diese bildet den Ausgangspunkt der später sich entwickelnden Gerichtsbarkeit des Lehnsherrn über seine Vasallen.

In diesen weiteren beiden Einrichtungen, in der Ausbildung des Gefolgschaftswesens und in der Übertragung gräflicher, also staatlicher, Amtsgewalt an den Grundherrn, Kron-, Benefiziar- und Gefolgsherrn über seine nun bald sämtlich als Vassi, Vasalli, Homines zusammengefaßten Untergebnen – Hintersassen wie landlose Gefolgsleute –, in dieser staatlichen Bestätigung, Verstärkung der faktischen Macht des Herrn über die Vasallen, sehen wir den in den Benefizien gegebnen Keim des Lehnwesens sich schon bedeutend weiter entwickeln. Die Hierarchie der Stände, vom König abwärts durch die großen Benefiziare zu deren freien Hintersassen und endlich den Unfreien herab, wird anerkanntes, in amtlicher Eigenschaft mitwirkendes Element der Staatsordnung. Der Staat erkennt an, daß er ohne ihre Hülfe nicht bestehn kann. Wie diese Hülfe tatsächlich geleistet wurde, wird sich freilich zeigen.

Die Unterscheidung von Gefolgsleuten und Hintersassen ist nur wichtig für den Anfang, um den doppelten Ursprung der Abhängigkeit der Freien nachzuweisen. Sehr bald fließen beide Arten von Vasallen, wie im Namen so auch in der Tat, untrennbar zusammen. Die großen Benefiziare nahmen mehr und mehr den Brauch an, sich dem König zu kommendieren, neben seinen Benefiziaren also seine Vasallen zu werden. Die Könige fanden es in ihrem Interesse, sich den Treueid der Großen, Bischöfe, Äbte, Grafen und Vasallen persönlich ableisten zu lassen („Ann[ales] Bertin[iani]" 837[283] und öfter im 9. Jahrhundert), wobei dann der Unterschied zwischen dem allgemeinen Untertaneneid und dem besondern Vasalleneid sich bald verwischen mußte. So verwandeln sich nach und nach sämtliche Große in königliche Vasallen. Hiermit aber war die langsam vor sich gegangne Entwicklung der großen Grundbesitzer zu einem besondren Stand, zu einer Aristokratie, vom Staat anerkannt, der Staatsordnung eingefügt, einer ihrer amtlich wirkenden Hebel geworden.

Ebenso geht der Gefolgsmann des einzelnen Großgrundbesitzers allmählich auf in den Hintersassen. Abgesehn von der direkten Verpflegung am Herrenhofe, die doch nur für eine geringe Anzahl von Köpfen stattfinden konnte, blieb kein andres Mittel, sich Gefolgsleute zu sichern, als indem man sie auf Grund und Boden ansetzte, ihnen Land zu Benefizium übertrug. Ein zahlreiches streitbares Gefolge, Hauptbedingung der Existenz der Großen in jener Zeit ewiger Kämpfe, war also nur durch Landverleihung an die Vasallen zu erlangen. Daher verschwinden allmählich die landlosen Dienstleute des Herrenhofs vor der Masse der auf Herrenland angesessenen.

Je mehr aber dies neue Element in die alte Verfassung sich einschob, desto mehr mußte diese erschüttert werden. Die alte, unmittelbare Übung der Staatsgewalt durch König und Grafen machte mehr und mehr Platz einer mittelbaren; zwischen die Gemeinfreien und den Staat trat der Senior, dem jene in immer größerem Maß persönlich zur Treue verbunden waren. Das wirksamste Triebstück der Staatsmaschine, der Graf, mußte mehr und mehr in den Hintergrund treten und tat es auch wirklich. Karl der Große verfuhr hier, wie er überall zu verfahren pflegte. Zuerst begünstigte er, wie wir sahen, das Überhandnehmen des Vasallenverhältnisses, bis die unabhängigen kleinen Freien fast verschwanden; als dann die hierdurch herbeigeführte Schwächung seiner Macht zutage trat, versuchte er ihr durch staatliches Eingreifen wieder auf die Beine zu helfen. Das mochte in manchen Fällen unter einem so energischen und gefürchteten Herrscher gelingen; unter seinen schwachen Nachfolgern brach die Macht der mit seiner Hülfe geschaffnen Tatsachen sich unaufhaltsam Bahn.

Das beliebte Mittel Karls war die Aussendung königlicher Sendboten (missi dominici) mit außerordentlicher Machtvollkommenheit. Wo der gewöhnliche königliche Beamte, der Graf, der einreißenden Unordnung nicht steuern konnte, da sollte ein Spezialgesandter dies tun. (Dies historisch weiter zu begründen und entwickeln.)

Nun gab es aber noch ein andres Mittel, und dies bestand darin, den Grafen in eine solche Stellung zu versetzen, daß er auch an materiellen Machtmitteln den Großen seiner Grafschaft mindestens gleichstand. Dies war nur möglich, wenn der Graf ebenfalls in die Reihe der großen Grundbesitzer trat, was wieder auf zwei Wegen geschehen konnte. Gewisse Grundstücke konnten in den einzelnen Gauen dem Grafenamt als Dotation beigegeben werden, so daß der jeweilige Graf sie von Amts wegen verwaltete und ihre Einkünfte bezog. Hiervon finden sich viele Beispiele besonders in Urkunden, und zwar schon seit Ende des 8. Jahrhunderts; seit dem 9. ist dies Verhältnis ganz gewöhnlich. Solche Dotationen stammen selbstredend meist aus dem königlichen Fiskalgut, wie wir schon zur Merowingerzeit häufig Grafen und Herzöge als Verwalter der in ihrem Gebiet liegenden königlichen Fiskalgüter finden.

Merkwürdigerweise finden sich auch manche Beispiele (sogar ein Formular dafür), wo Bischöfe das Grafenamt aus dem Kirchengut dotieren, natürlich, bei der Unveräußerlichkeit des Kirchenguts, in irgendeiner Form des Benefiziums. Die Freigebigkeit der Kirche ist zu bekannt, um hierfür einen andern Grund zulässig zu halten als die bittere Not. Unter dem wachsenden Druck der benachbarten weltlichen Großen blieb der Kirche nur der Bund mit den Resten der Staatsgewalt.

Diese mit den Grafenstellen verknüpften Pertinenzen (res comitatus, pertinentiae comitatus), sind anfänglich noch scharf geschieden von den Benefizien, die dem jeweiligen Grafen persönlich übertragen waren. Auch diese wurden gewöhnlich reichlich erteilt, so daß, Dotation und Benefizien zusammengerechnet, die Grafenämter, ursprünglich Ehrenstellen, jetzt sehr einträgliche Posten und seit Ludwig dem Frommen ganz wie andre königliche Freigebigkeiten an Leute vergeben wurden, die man gewinnen oder deren man sich versichern wollte. So heißt es von Ludwig dem Stammler, daß er „quos potuit conciliavit [sibi], dans eis abbatias et comitatus ac villas“[1] („Ann[ales] Bertin[iani]“ 877). Die Benennung Honor, womit früher das Amt mit Beziehung auf die damit verbundenen Ehrenrechte bezeichnet worden, erhält im Lauf des 9. Jahrhunderts ganz dieselbe Bedeutung wie Benefizium. Und hiermit vollzog sich notwendig auch eine wesentliche Veränderung im Charakter des Grafenamts, die mit Recht von Roth (S. 408) hervorgehoben wird. Ursprünglich war das Seniorat, soweit es einen öffentlichen Charakter erhielt, dem Grafenamt nachgebildet, mit gräflichen Befugnissen ausgestattet. Jetzt – in der zweiten Hälfte des 9. Jahrhunderts – hatte das Seniorat so allgemein um sich gegriffen, daß es das Grafenamt zu überwuchern drohte und dieses sich nur in seiner Machtstellung halten konnte, indem es selbst mehr und mehr den Charakter eines Seniorats

---

[1] „sofort suchte, möglichst viele für sich zu gewinnen, indem er Abteien und Güter nach jedes Wunsch und Verlangen schenkte“

annahm. Die Grafen usurpierten mehr und mehr, und nicht erfolglos, die Stellung eines Seniors gegenüber ihren Gaubewohnern (pagenses), und zwar sowohl was deren private wie öffentliche Verhältnisse betraf. Ganz wie die übrigen „Herren" die ihnen benachbarten kleinen Leute, so suchten auch die Grafen die weniger bemittelten freien Gaubewohner mit Güte oder Gewalt dahin zu bringen, sich ihnen als Vasallen zu unterwerfen. Dies gelang um so leichter, als die bloße Tatsache, daß die Grafen ihre Amtsgewalt derart mißbrauchen konnten, der beste Beweis ist, wie wenig Schutz der noch übrige Rest der Gemeinfreien von der königlichen Macht und ihren Organen erwarten durfte. Von allen Seiten der Vergewaltigung preisgegeben, mußten die kleineren Freien froh sein, selbst gegen Abtretung ihres Allods und Wiedererlangung desselben zu bloßem Benefizium, irgendeinen Schutzherrn zu finden. Schon Kap[itular] 811 klagt Karl der Große, daß Bischöfe, Äbte, Grafen, Richter, Zentenare kleine Leute durch fortwährende Rechtsschikanen oder stets wiederholtes Aufgebot zum Heere so weit herunterbringen, bis sie jenen ihr Allod übertragen oder verkaufen, daß die Armen sich laut über den an ihrem Eigentum geschehenden Raub beklagen usw. Auf diese Weise war in Gallien bereits Ende des 9. Jahrhunderts der größte Teil des freien Eigentums in die Hände der Kirche, der Grafen und andrer Großen gekommen (Hincmar Rem[ensis] 869), und etwas später gab es in einigen Provinzen schon gar kein freies Grundeigentum kleiner Freier mehr. (Maurer, „Einl[eitung]", S. 212.) Sobald nun die Benefizien bei der wachsenden Macht der Benefiziare und der verfallenden der Krone allmählich erblich wurden, wurden es gewohnheitsmäßig die Grafenämter auch. Sahen wir in der Menge der königlichen Benefiziare die Ansätze zur Bildung des späteren Adels, so hier den Keim der Territorialhoheit der aus den Gaugrafen hervorgegangnen späteren Landesherrn.

Während so die gesellschaftliche und staatliche Ordnung vollständig anders wurde, blieb die alte Heerverfassung, gegründet auf Waffendienst – so Recht wie Pflicht – aller Freien, äußerlich dieselbe, nur daß, wo die neuen Abhängigkeitsverhältnisse bestanden, der Senior zwischen seine Vasallen und den Grafen sich einschob. Aber die Gemeinfreien waren von Jahr zu Jahr weniger imstand, die Last des Heerdienstes zu tragen. Diese bestand nicht nur im persönlichen Dienst; der Aufgebotene mußte sich auch selbst ausrüsten und während der ersten sechs Monate auf eigene Kosten verpflegen, bis endlich die unaufhörlichen Kriege Karls des Großen dem Faß den

Boden ausschlugen. Die Last wurde so unerträglich, daß, um ihr zu entgehn, die kleinen Freien massenweise vorzogen, nicht nur den Rest ihres Besitzes, sondern ihre eigne Person und die ihrer Nachkommen den Großen, besonders aber der Kirche zu übertragen. Dahin hatte Karl die freien kriegerischen Franken heruntergebracht, daß sie lieber Hörige und Leibeigne wurden, um nur nicht in den Krieg zu ziehn. Das war die Folge davon, daß Karl sich darauf versteifte, eine auf allgemeinen und gleichen Grundbesitz aller Freien gegründete Kriegsverfassung auch dann noch durchzuführen, und zwar bis auf die äußerste Spitze zu treiben, als der großen Menge der Freien der Grundbesitz ganz oder größtenteils abhanden gekommen war.

Die Tatsachen waren indes stärker als Karls Eigensinn und Ehrgeiz. Die alte Heerverfassung war nicht mehr zu halten. Das Heer auf Staatskosten auszurüsten und zu verpflegen, ging erst recht nicht in jener Zeit einer fast geld- und handelslosen Naturalwirtschaft. Karl war also genötigt, die Dienstpflicht so zu beschränken, daß Ausrüstung und Verpflegung des Mannes möglich blieb. Dies geschah im Aachener Kapitular 807, als die Kriege sich nur noch auf Grenzkämpfe beschränkten und der Bestand des Reichs im ganzen gesichert schien. Vor allem sollte jeder königliche Benefiziar ohne Unterschied sich stellen, dann, wer zwölf Hufen (mansi) besitzt, geharnischt, also auch wohl zu Pferd erscheinen (das Wort caballarius – Ritter, kommt in demselben Kapitular vor). Besitzer von drei bis fünf Hufen waren pflichtig. Von zwei Besitzern von je zwei Hufen, von dreien zu einer Hufe, von sechsen zu einer halben Hufe mußte jedesmal einer gestellt und von den andern ausgerüstet werden. Von ganz landlosen, aber Mobiliarvermögen im Werte von fünf Solidi besitzenden Freien sollte ebenfalls der sechste Mann ausrücken und eine Geldunterstützung von einem Solidus von jedem der andern fünf erhalten. Auch wird die Auszugspflicht der verschiednen Landesteile, die bei diesen benachbarten Kriegen voll eintritt, für entferntere Kriege je nach der Entfernung auf die Hälfte bis ein Sechstel der Mannschaft beschränkt.

Karl suchte hier offenbar die alte Verfassung der veränderten ökonomischen Lebenslage der Dienstpflichtigen anzupassen, zu retten, was noch zu retten war. Aber auch diese Konzession half nicht; schon bald darauf war er genötigt, im Cap[itulare] de exercitu promovendo[1] neue Befreiungen zu gestatten. Dies Kapitular, gewöhnlich früher als das Aachener datiert, ist seinem ganzen Inhalt nach unzweifelhaft mehrere Jahre später als dies. Es erhöht die Hufenzahl, von der je ein Mann zu stellen ist, von drei auf vier;

[1] Kapitular über das Aufgebot zum Heeresdienst

die Besitzer von halben Hufen und die Landlosen erscheinen als dienstfrei, und auch für Benefiziare ist die Stellungspflicht auf einen Mann für je vier Hufen beschränkt. Unter den Nachfolgern Karls scheint das Minimum der Hufenzahl, die einen Mann stellte, sogar auf fünf erhöht zu sein.

Merkwürdig ist, daß die Gestellung der geharnischten Zwölfhufner die größten Schwierigkeiten gefunden zu haben scheint. Wenigstens wird das Gebot, daß sie gepanzert zu erscheinen haben, unzählige Male in den Kapitularien wiederholt.

So verschwanden die Gemeinfreien immer mehr. Hatte ihre allmähliche Trennung von Grund und Boden einen Teil in die Vasallität der neuen großen Grundherren getrieben, so trieb die Furcht vor direktem Ruin durch den Heerdienst den andern Teil geradezu in die Leibeigenschaft. Wie rasch diese Ergebung in die Knechtschaft vor sich ging, dafür zeugt das Polyptichon (Grundbesitzregister) des Klosters Saint-Germain-des-Prés, das damals noch außerhalb Paris lag. Es ist vom Abt Irminon im Anfang des 9. Jahrhunderts zusammengestellt und weist unter den Hintersassen des Klosters auf: 2080 Familien von Kolonen, 35 von Liten, 220 von Sklaven (servi), dagegen nur *acht* freie Familien. Das Wort Colonus jener Zeit war aber in Gallien entschieden ein Unfreier. Die Heirat einer Freien mit einem Kolonen *oder* Sklaven unterwarf sie als geschändet (deturpatam) dem Herrn (Kap[itular] 817). Ludwig der Fromme befiehlt, daß „colonus vel servus" (eines Klosters zu Poitiers) „ad naturale servitium velit nolit redeat"[1].[284] Sie erhielten Hiebe (capitulare 853, 861, 864, 873) und wurden manchmal freigelassen (Guérard, „[Polyptyque de l'abbé] Irminon"). Und diese leibeignen Bauern waren nicht etwa Romanen, sondern nach Jakob Grimms eignem Zeugnis („Gesch[ichte] der d[eutschen] Spr[ache]", I), der die Namen untersuchte, „fast lauter fränkische, die einer geringen Anzahl romanischer weit überwogen".

Eine so gewaltige Zunahme der unfreien Bevölkerung verschob wiederum die Klassenverhältnisse der fränkischen Gesellschaft. Neben die sich damals rasch zu einem eignen Stand ausbildenden Großgrundbesitzer, neben ihre freien Vasallen trat nun eine den Rest der Gemeinfreien mehr und mehr aufsaugende Klasse von Unfreien. Aber diese Unfreien waren teils selbst noch frei gewesen, teils Kinder von Freien; die seit drei und mehr Generationen in erblicher Knechtschaft Lebenden waren weitaus die Minderzahl. Auch waren sie großenteils nicht von außen eingeschleppte,

[1] „ein Kolone oder Sklave, ob er wolle oder nicht, in seine natürliche Lage zurückkehren solle"

sächsische, wendische etc. Kriegsgefangne; im Gegenteil, die meisten waren einheimische Franken und Romanen. Mit solchen Leuten, wenn sie noch dazu die Masse der Bevölkerung auszumachen anfingen, war nicht so leicht umzugehn wie mit ererbten oder fremden Leibeignen. Die Knechtschaft war ihnen noch ungewohnt, die Hiebe, die selbst der Kolone erhielt (Kap[itular] 853, 861, 873), wurden noch als Schmach, nicht als selbstverständlich empfunden. Daher die vielen Verschwörungen und Aufstände der Unfreien und selbst der bäuerlichen Vasallen. Karl der Große schlug selbst einen Aufstand der Hintersassen des Bistums Reims gewaltsam nieder. Ludwig der Fromme spricht im K[apitular] 821 von Verschwörungen der Sklaven (servorum) in Flandern und Menapiscus (an der obern Lys). 848 und 866 mußten Aufstände der Dienstleute (homines) des Bistums Mainz unterdrückt werden. Die Gebote, solche Verschwörungen zu unterdrücken, wiederholen sich in den Kapitularien seit 779. Der Aufstand der Stellinga[285] in Sachsen muß ebenfalls hierher gehören. Offenbar eine Folge dieser drohenden Haltung der unfreien Massen war es, wenn seit Ende des 8. und Anfang des 9. Jahrhunderts die Leistungen der Unfreien, selbst der ansässigen Sklaven, mehr und mehr auf ein bestimmtes unüberschreitbares Maß gesetzt wurden und Karl der Große in seinen Kapitularien dies vorschreibt.

Das also war der Preis, um den Karl sein neurömisches Kaiserreich erkaufte: die Vernichtung des Standes der Gemeinfreien, die zur Zeit der Eroberung Galliens das ganze Frankenvolk umfaßt hatten; die Spaltung des Volks in große Grundbesitzer, Vasallen, Leibeigne. Aber mit den Gemeinfreien fiel die alte Heerverfassung, mit beiden fiel das Königtum. Karl hatte die einzige Grundlage seiner eignen Herrschaft vernichtet. Ihn hielt's noch aus; unter seinen Nachfolgern aber trat an den Tag, was in Wirklichkeit das Werk seiner Hände war.

Anmerkung: Der fränkische Dialekt[286]

Es ist diesem Dialekt sonderbar mitgespielt worden von den Sprachgelehrten. Hatte Grimm ihn in Französisch und Hochdeutsch untergehn lassen, so geben ihm Neuere eine Ausdehnung, die von Dünkirchen und Amsterdam bis an die Unstrut, Saale und Rezat, wo nicht gar bis an die Donau und durch Kolonisation ins Riesengebirge reicht. Während selbst ein Philolog wie Moritz Heyne aus einer in Werden angefertigten Handschrift des Heliand[287] eine altniederfränkische Sprache konstruiert, die fast reines, sehr gelind fränkisch angehauchtes Altsächsisch ist, schlägt Braune alle wirklich niederfränkischen Dialekte ohne weiteres hier zum Sächsischen, dort zum Niederländischen. Und endlich beschränkt Arnold den Eroberungsbezirk der Ripuarier auf das Gebiet nördlich der Wasserscheide von Ahr und Mosel und läßt alles südlich und südwestlich gelegene, zuerst von Alamannen, später ausschließlich von Chatten (die er auch zu den Franken schlägt) besetzt sein, also auch alamannisch-chattisch sprechen.

Reduzieren wir vorerst das fränkische Sprachgebiet auf seine wirklichen Grenzen. Thüringen, Hessen und Mainfranken haben absolut keinen andern Anspruch, dazugerechnet zu werden, als daß sie zur Karolingerzeit unter Francia mit einbegriffen wurden. Die Sprache, die östlich des Spessarts und Vogelsbergsund des Kahlen Asten gesprochen wird, ist alles, nur nicht Fränkisch. Hessen und Thüringen haben ihre eignen selbständigen Dialekte, wie sie von selbständigen Stämmen bewohnt werden; in Mainfranken ist ein Gemisch slawischer, thüringischer und hessischer Bevölkerung mit bayrischen und fränkischen Elementen durchsetzt worden und hat sich seinen aparten Dialekt ausgebildet. Nur wenn man den Grad, in welchem die hochdeutsche Lautverschiebung in die Dialekte eingedrungen, als Hauptunterscheidungsmittel anwendet, kann man diese drei Sprachzweige dem Fränkischen zuweisen. Es ist aber, so werden wir sehn, grade dies Verfahren, das all die Verwirrung in der Beurteilung fränkischer Sprache durch Nichtfranken verursacht.

Fangen wir mit den ältesten Denkmälern an, und stellen wir zuerst Moritz Heynes* sogenanntes Altniederfränkisch ins rechte Licht. Die in Werden gefertigte, jetzt in Oxford befindliche sog. Cottonsche Handschrift des Heliand soll altniederfränkisch sein, weil sie im Kloster Werden, noch auf fränkischem Boden, aber hart an der sächsischen Grenze, angefertigt worden. Die alte Stammesgrenze ist hier auch heute noch die Grenze zwischen Berg und Mark; von den dazwischenliegenden Abteien gehört Werden zu Franken, Essen zu Sachsen. Werden ist in allernächster Nähe, östlich und nördlich von unbestritten sächsischen Ortschaften begrenzt; in der Ebene zwischen Ruhr und Lippe dringt sächsische Sprache stellenweise fast bis an den Rhein. Der Umstand, daß ein sächsisches Werk in Werden abgeschrieben, und zwar offenbar von einem Franken, daß diesem Franken hie und da fränkische Wortformen in die Feder geflossen, reicht noch lange

* „Kleine altsächsische und altniederfränkische Grammatik" von Moritz Heyne, Paderborn 1873.

nicht hin, die Sprache der Abschrift für fränkisch zu erklären. Außer dem Cottonschen Heliand zieht Heyne als niederfränkisch in Betracht einige Werdener Fragmente, die denselben Charakter zeigen, und die Überbleibsel einer Psalmenübersetzung, die nach ihm in der Aachener Gegend entstanden ist, von Kern (Glossen in der Lex Salica) dagegen kurzerhand für niederländisch erklärt wird. In der Tat hat sie einerseits ganz niederländische Formen, daneben aber auch echt rheinfränkische und selbst Spuren hochdeutscher Lautverschiebung. Sie ist offenbar an der Grenze von Niederländisch und Rheinfränkisch, etwa zwischen Aachen und Maastricht entstanden. Ihre Sprache ist bedeutend jünger als die der beiden Heliand[handschriften].

Der Cottonsche Heliand allein reicht indes hin, um aus den wenigen darin vorkommenden fränkischen Formen einige Hauptunterschiede von Fränkisch und Sächsisch unzweifelhaft festzustellen.

I. Alle ingävonischen Mundarten endigen die drei Personen des Plurals praesens indicativus gleich, und zwar auf einen Dental mit vorhergehendem Vokal; altsächsisch auf *d*, angelsächsisch auf *dh*, altfriesisch auf *th* (das wohl auch für *dh* steht). So heißt im Altsächsischen *hebbiad* – wir haben, ihr habt, sie haben; ebenso heißen von *fallan*, *gawinnan* alle drei Personen gleichmäßig *fallad*, *winnad*. Es ist die dritte Person, die sich aller drei bemächtigt hat, aber, wohl zu merken, mit spezifisch ingävonischer, ebenfalls allen drei genannten Dialekten gemeinsamer Ausstoßung des *n* vor dem *d* oder *dh*. Von allen lebenden Dialekten hat sich diese Eigentümlichkeit nur der westfälische erhalten; dort heißt es noch jetzt *wi*, *ji*, *se hebbed* usw. Die übrigen sächsischen Mundarten ebenso wie das Westfriesische kennen sie nicht mehr; sie unterscheiden die drei Personen.

Die westrheinischen Psalmen haben wie das Mittelhochdeutsche für die I. Person pluralis *-m*, II. *-t*, III. *-nt*. Dagegen hat der Cottonsche Heliand neben den sächsischen einigemal Formen ganz andrer Art: *tholônd* – sie dulden, *gornônd* – ihr klagt, und als Imperativ *mârient* – verkündigt, *seggient* – sagt, wo das Sächsische *tholôd*, *gornôt*, *mâriad*, *seggiad* fordert. Diese Formen sind nicht nur fränkisch, sie sind sogar echt Werdener, bergischer Lokaldialekt bis heute. Im Bergischen machen wir ebenfalls alle drei Pluralpersonen des Präsens gleich, aber nicht sächsisch auf *d*, sondern fränkisch auf *nt*. Gegen märkisches *wi hebbed* heißt es da gleich an der Grenze *wi hant*, und analog dem obigen Imperativ *seggient* wird gesagt *seient ens* – sagt einmal. Braune und andre haben auf die einfache Wahrnehmung hin, daß hier im Bergischen die drei Personen gleich gemacht werden, das ganze bergische Gebirgsland kurzerhand für sächsisch erklärt. Die Regel ist allerdings aus

Sachsen herübergedrungen, leider aber wird sie fränkisch ausgeführt und beweist damit das Gegenteil dessen, was sie beweisen soll.

Die Ausstoßung des *n* vor Dentalen ist in den ingävonischen Dialekten nicht auf diesen Fall beschränkt; sie ist im Altfriesischen weniger, im Altsächsischen und Angelsächsischen dagegen ziemlich weit verbreitet: *mudh* – Mund, *kudh* – kund, *us* – uns, *odhar* – ein anderer. Der fränkische Abschreiber des Heliand in Werden schreibt statt *odhar* zweimal die fränkische Form *andar*. Die Werdener Heberegister wechseln mit den fränkischen Namensformen *Reinswind*, *Meginswind*, und den sächsischen *Reinswid* und *Meginswid*. In den linksrheinischen Psalmen heißt es dagegen überall *munt*, *kunt*, *uns*, nur einmal haben die (aus der verlorenen Handschrift dieser Psalmen ausgezogenen) sog. Lipsiusschen Glossen[288] *farkutha abominabiles* statt *farkuntha*. Die altsalischen Denkmäler haben ebenfalls das *n* überall bewahrt in den Namen *Gund*, *Segenand*, *Chlodosindis*, *Ansbertus* usw., was nicht in Betracht kommt. Die modernen fränkischen Dialekte haben das *n* überall (einzige Ausnahme im Bergischen die Form *os* – uns).

II. Die Sprachdenkmäler, aus denen gewöhnlich die sog. sächsische Grammatik konstruiert wird, gehören alle dem südwestlichen Westfalen an, Münster, Freckenhorst, Essen. Die Sprache dieser Denkmäler zeigt einige wesentliche Abweichungen nicht nur von den allgemein ingävonischen Formen, sondern auch von solchen, die uns in Eigennamen aus Engern und Ostfalen als echt altsächsisch erhalten sind; dagegen stimmen sie merkwürdig mit Fränkisch und Althochdeutsch. Der neueste Grammatiker des Dialekts, Cosijn, nennt ihn daher auch geradezu altwestsächsisch.

Da wir bei dieser Untersuchung fast nur auf Eigennamen in lateinischen Urkunden angewiesen sind, können die nachweisbaren Formenunterschiede des West- und Ostsächsischen nur wenig zahlreich sein; sie beschränken sich auf zwei, aber sehr entscheidende Fälle.

1. Angelsächsisch und Altfriesisch hat genitivus pluralis aller Deklinationen auf *a*. Altwestsächsisch, Altfränkisch und Althochdeutsch dagegen *ô*. Was ist nun die richtige altsächsische Form? Sollte dieser Dialekt hier in der Tat die ingävonische Regel verlassen?

Die Urkunden aus Engern und Ostfalen geben die Antwort. In *Stedieraburg*, *Horsadal*, *Winethahûsen*, *Edingahûsun*, *Magathaburg* und vielen andern Namen steht der erste Teil der Zusammensetzung im genitivus pluralis und hat *a*. Selbst in Westfalen ist das *a* noch nicht ganz verschwunden: Die Freckenhorster Rolle[289] hat einmal *Aningera-lô* und *Wernerâ-Holthûson*, und das *a* in *Osnabrück* ist eben auch ein alter genitivus pluralis.

2. Ebenso endigt das schwache Maskulinum im Fränkischen wie im

Althochdeutschen auf *o* gegen gotisch-ingävonisches *a*. Für das Altwestsächsische steht ebenfalls *o* als Regel fest; also wieder Abweichung vom ingävonischen Brauch. Dies gilt aber keineswegs für das Altsächsische überhaupt. Nicht einmal in Westfalen galt *o* ohne Ausnahme; die Freckenh[orster] Rolle hat schon neben *o* eine ganze Reihe von Namen auf *a* (*Sîboda, Uffa, Asica, Hassa, Wenda* usw.); Paderborner Denkmäler bei Wigand[290] ergeben fast immer *a*, nur ganz ausnahmsweise *o;* in ostfälischen Urkunden herrscht *a* fast ausschließlich; so daß schon Jakob Grimm („Gesch[ichte] der d[eutschen] Spr[ache]") zu dem Schluß kommt, es lasse sich nicht verkennen, daß *a* und *an* (in obliquen Kasus) die ursprünglich sächsische, allen Teilen des Volks gemeine Form war. Das Vordringen des *o* für *a* beschränkte sich auch nicht auf Westfalen. Im Anfang des 15. Jahrhunderts haben die ostfriesischen Mannesnamen der Chroniken etc. fast regelmäßig *o: Fokko, Occo, Enno, Smelo* usw., gegen früheres im Westfriesischen in Einzelfällen noch erhaltenes *a*.

Es darf also als feststehend angenommen werden, daß beide Abweichungen des Westsächsischen von der ingävonischen Regel nicht ursprünglich sächsisch, sondern durch fremden Einfluß veranlaßt sind. Dieser Einfluß erklärt sich sehr einfach durch die Tatsache, daß Westsachsen *früher fränkisches Gebiet war*. Erst nach Abzug der Hauptmasse der Franken rückten die Sachsen über Osning und Egge allmählich bis an die Linie, die noch heute Mark und Sauerland von Berg und Siegerland scheidet. Der Einfluß der zurückgebliebnen, mit den Sachsen jetzt verschmolzenen Franken zeigt sich in jenen beiden *o* statt *a;* er ist auch noch in den heutigen Dialekten unverkennbar.

III. Eine von der Ruhr bis an die Mosel reichende Eigentümlichkeit rheinfränkischer Sprache ist die Endung der I. [Person] praesens indicativus auf *-n*, die sich am besten erhalten in dem Fall[1], wo ein Vokal folgt: *dat don ek* – das tue ich, *ek han* – ich habe (bergisch). Diese Verbalform gilt für den ganzen Niederrhein und die Mosel, wenigstens bis an die lothringische Grenze: *don, han*. Dieselbe Eigentümlichkeit findet sich schon in den linksrheinischen Psalmen: *biddon* – ich bitte, *wirthon* – ich werde, wenn auch nicht konsequent. Der salischen Mundart fehlt dies *n;* es heißt dort schon im ältesten Dokument[292]: *ec forsacho, gelôbo*. Es fehlt ebenso dem Niederländischen. Das Altwestsächsische steht hier vom Fränkischen insofern ab, als es dies *n* nur in einer einzigen Konjugation kennt (der sog. zweiten schwachen): *skawôn* – ich schaue, *thionôn* – ich diene, usw. Dem Angel-

[1] Von Engels mit Bleistift am Rand vermerkt: Otfried[291]

sächsischen und Altfriesischen ist es ganz fremd. Wir dürfen also vermuten, daß auch dies *n* ein fränkischer Überrest im Altwestsächsischen ist.

Außer den uns in Urkunden etc. erhaltenen zahlreichen Eigennamen und den oft bis zur Unkenntlichkeit entstellten Glossen der Lex Salica haben wir fast gar keine Reste der salischen Mundart. Indes hat Kern („Die Glossen in der Lex Salica") eine bedeutende Anzahl dieser Entstellungen entfernt und den in manchen Fällen sichern, in andern höchst wahrscheinlichen Text hergestellt und nachgewiesen, daß er in einer Sprache geschrieben ist, die die direkte Vorfahrin des Mittel- und Neuniederländischen ist. Doch ist dies so rekonstruierte Material natürlich nicht für die Grammatik ohne weiteres verwendbar. Außerdem besitzen wir nur noch die kurze Abschwörungsformel, die dem Kapitular Karlmanns vom Jahre 743 angefügt und wahrscheinlich auf dem Konzil von Lestines, also in Belgien, verfaßt ist. Und hier stoßen wir gleich im Anfang auf zwei charakteristisch fränkische Worte: *ec forsacho* – ich entsage. *Ec* für ich ist heute noch weit verbreitet unter Franken. In Trier und Luxemburg *eich*, in Köln und Aachen *ech*, im Bergischen *êk*. Wenn das Schriftniederländische *ik* hat, so hört man doch oft genug im Volksmund, namentlich in Flandern, *ek*. Die altsalischen Namen *Segenandus, Segemundus, Segefredus* zeigen einstimmend *e* für *i*.

In *forsacho* steht *ch* für *g* zwischen Vokalen: Dies kommt auch sonst in den Denkmälern vor (*rachineburgius*) und ist noch heute ein Kennzeichen aller fränkischen Mundarten von der Pfalz bis an die Nordsee. Auf diese beiden Hauptkennzeichen des Fränkischen: *e* häufig für *i* und *ch* zwischen Vokalen für *g*, kommen wir bei den einzelnen Mundarten zurück.

Als Resultat der obigen Untersuchung, zu der man noch das von Grimm in der „Gesch[ichte] der d[eutschen] Spr[ache]" am Schluß des ersten Bandes über das Altfränkische Gesagte vergleichen kann, dürfen wir den Satz aufstellen, der übrigens jetzt schwerlich noch bestritten wird: daß das Fränkische schon im 6. und 7. Jahrhundert ein eigner, zwischen dem Hochdeutschen, also zunächst Alamannischen, und dem Ingävonischen, also zunächst Sächsischen und Friesischen, den Übergang bildender, damals noch ganz auf gotisch-niederdeutscher Verschiebungsstufe stehender Dialekt war. Ist dies aber zugegeben, so ist damit auch anerkannt, daß die Franken nicht ein durch äußere Umstände verbündeter Mischmasch verschiedner Stämme, sondern ein eigner deutscher Hauptstamm, die Iskävonen waren, die wohl zu verschiednen Zeiten fremde Bestandteile in sich aufnahmen, aber auch sie zu assimilieren die Kraft hatten. Und ebenfalls dürfen wir als erwiesen ansehn, daß jeder der beiden Hauptzweige des fränkischen Stammes schon früh eine besondre Mundart sprach, daß der Dialekt sich schied in

Salisch und Ripuarisch und daß manche trennenden Eigentümlichkeiten der alten Mundarten noch fortleben im heutigen Volksmund.

Gehen wir nun über zu diesen noch lebenden Mundarten.

I. Darüber besteht jetzt kein Zweifel mehr, daß das Salische fortlebt in den beiden niederländischen Mundarten, dem Flämischen und Holländischen, und zwar am reinsten in den seit dem 6. Jahrhundert schon fränkischen Gebieten. Seitdem nämlich die großen Sturmfluten im 12., 13. und 14. Jahrhundert fast ganz Seeland vernichtet, die Südersee, den Dollart und die Jade gebildet und dadurch mit dem geographischen auch den politischen Zusammenhang unter den Friesen gebrochen, erlagen die Reste der alten friesischen Freiheit dem Andrang der umliegenden Landesherrn und mit ihr fast überall auch die friesische Sprache. Im Westen wurde sie durch Niederländisch, im Osten und Norden durch Sächsisch und Dänisch eingeengt oder ganz verdrängt, in allen Fällen starke Spuren in der eindringenden Sprache zurücklassend. Das altfriesische Seeland und Holland wurden im 16. und 17. Jahrhundert Kern und Rückhalt des niederländischen Unabhängigkeitskampfs, wie sie schon der Sitz der Haupthandelsstädte des Landes waren. Hier also vorzugsweise bildete sich die neuniederländische Schriftsprache und nahm friesische Elemente, Worte und Wortformen auf, die von dem fränkischen Grundstock wohl zu unterscheiden sind. Andrerseits ist von Osten her sächsische Sprache auf ehedem friesisches und fränkisches Gebiet vorgedrungen. Die genauen Grenzen zu ziehn, muß der Detailforschung überlassen bleiben; rein salisch sind nur die flämisch sprechenden Teile von Belgien, Nordbrabant, Utrecht sowie Gelderland und Overijsel mit Ausnahme der östlichen, sächsischen Striche.

Zwischen der französischen Sprachgrenze an der Maas und der sächsischen nördlich vom Rhein stoßen Salier und Ripuarier zusammen. Auf die Scheidelinie, die auch hier im einzelnen erst festzustellen ist, kommen wir weiter unten zu sprechen. Beschäftigen wir uns zunächst mit den grammatischen Eigentümlichkeiten des Niederländischen.

Bei den Vokalen fällt zuerst auf, daß in echt fränkischer Weise *i* durch *e* ersetzt wird: *brengen* – bringen, *kreb* – Krippe, *hemel* – Himmel, *geweten* – Gewissen, *ben* – bin, *stem* – Stimme. Dies ist im Mittelniederländischen noch weit häufiger der Fall: *gewes* – gewiß, *es* – ist, *selber* – Silber, *blent* – blind, wo Neuniederländisch *gewis, is, zilver, blind*. Ebenso finde ich in der Nähe von Gent zwei Orte: *Destelbergen* und *Desteldonck*, wonach auch jetzt noch Distel dort *Destel* heißt. Das auf rein fränkischem Boden erwachsene

Mittelniederländische stimmt hier genau zum Ripuarischen, schon weniger das friesischem Einfluß ausgesetzte Schrift-Neuniederländische.

Ferner steht, abermals mit dem Ripuarischen stimmend, *o* statt *u* vor *m* oder *n* mit folgendem Konsonanten, doch nicht so konsequent wie Mittelniederländisch und Ripuarisch. Neben *konst, gonst, kond* steht neuniederländisch *kunst, gunst, kund;* dagegen stimmen in beiden: *mond* – Mund, *hond* – Hund, *jong* – jung, *ons* – uns.

Im Abstand vom Ripuarischen ist das lange *i (ij)* in der Aussprache zu *ei* geworden, was im Mittelniederländischen noch nicht der Fall gewesen zu sein scheint. Aber dies *ei* wird nicht wie hochdeutsches *ei* = *ai* gesprochen, sondern wie wirklich *e* + *i*, wenn auch nicht ganz so dünn wie z.B. *ej* bei Dänen und Slawen. Wenig abweichend davon lautet der nicht *ij*, sondern *ei* geschriebne Diphthong. Entsprechend steht für hochdeutsches *au: ou, ouw.*

Der Umlaut ist aus der Flexion verschwunden. In der Deklination haben Singular und Plural, in der Konjugation Indikativ und Konjunktiv denselben Wurzelvokal. Dagegen kommt Umlaut in der Wortbildung in doppelter Gestalt vor: 1. in der allen nachgotischen Dialekten gemeinsamen [Veränderung] des *a* durch *i* in *e;* 2. in einer dem Niederländischen eigentümlichen, erst später entwickelten Form. Das Mittelniederländische wie das Ripuarische kennt noch *hus* – Haus, *brun* – braun, *rum* – geräumig, *tun* – Zaun, pluralis *huse, brune.* Das Neuniederländische kennt nur noch die dem Mittelniederländischen und Ripuarischen fremden Formen *huis, bruin, ruim, tuin* (*ui* = hochdeutsches *eu*). Dagegen drängt sich *eu* für kurzes *o* (hochdeutsches *u*) bereits im Mittelniederländischen ein: *jeughet,* neben *joghet,* neuniederländisch *jeugd* – Jugend; *doghet* – Tugend, *dor* – Tür, *kor* – Wahl, woneben die Formen mit *eu* [oder *oe*]; neuniederländisch gilt nur noch *deugd, keur, deur.* Es stimmt dies ganz zu dem seit dem 12. Jahrhundert im Nordfranzösischen entwickelten *eu* für lateinisches betontes *o.* Auf einen dritten Fall macht Kern aufmerksam: Neuniederländisch ist *ei* Umlaut aus *ê* (*ee*). Alle diese drei Formen des Umlauts sind dem Ripuarischen wie den übrigen Dialekten unbekannt und ein besonderes Kennzeichen des Niederländischen.

Ald, alt, old, uld, ult verwandeln sich in *oud, out.* Dieser Übergang findet sich schon im Mittelniederländischen, wo indes noch *guldin, hulde, sculde* neben *goudin, houde, scoude* (sollte) vorkommen, so daß die Zeit ungefähr feststeht, wo er eingeführt wurde. Er ist ebenfalls dem Niederländischen eigentümlich, wenigstens gegenüber allen kontinentalen germanischen Mundarten; dagegen besteht er auch im englischen Dialekt von Lancashire: *gowd, howd, owd* für *gold, hold, old.*

Was die Konsonanten angeht, so kennt das Niederländische kein reines *g* (das gutturale italienische, französische oder englische *g*). Dieser Konsonant wird wie ein stark aspiriertes *gh* gesprochen, das sich in gewissen Lautverbindungen vom tief gutturalen (schweizerischen, neugriechischen oder russischen) *ch* nicht unterscheidet. Wir sahen, daß dieser Übergang von *g* in *ch* schon dem Altsalischen bekannt war. Er findet sich auch in einem Teil des Ripuarischen und der auf ehemals fränkischem Boden ausgebildeten sächsischen Dialekte, z. B. im Münsterland, wo sogar, wie auch im Bergischen, *j* im Anlaut, besonders von Fremdwörtern, unter Umständen wie *ch* lautet und man den *Choseph* und selbst das *Chahr* (Jahr) hören kann. Hätte M. Heyne hierauf Rücksicht genommen, so blieb ihm die Schwierigkeit der häufigen Verwechslung und gegenseitigen Alliteration von *j*, *g* und *ch* im Heliand so ziemlich erspart.

Im Anlaut bewahrt das Niederländische stellenweise *wr: wringen* – ringen, *wreed* – grausam, hart, *wreken* – rächen. Ein Rest davon bleibt auch im Ripuarischen.

Aus dem Friesischen ist genommen die Erweichung des Diminutivs *ken* in *tje, je: mannetje* – Männchen, *bietje* – Bienchen, *halsje* – Hälschen etc. Doch wird auch *k* bewahrt: *vrouken* – Frauchen, *hoeteken* – Hütchen. Besser bewahrt das Flämische, wenigstens in der Volkssprache, das *k;* das bekannte Männchen in Brüssel heißt *manneken-pis*. Aus dem Flämischen haben also die Franzosen ihr *mannequin*, die Engländer *manikin* entlehnt. Der Plural beider Endungen ist *vroukens, mannetjes*. Dies *s* werden wir im Ripuarischen wiederfinden.

Gemeinsam mit sächsischen und selbst skandinavischen Dialekten ist dem Niederländischen die Ausstoßung von *d* zwischen Vokalen, besonders zwischen zwei *e: leder* und *leer, weder* und *weer, neder* und *neer, vader* und *vaer, moeder* und *moer* – Mutter.

Die niederländische Deklination zeigt vollständige Vermischung starker und schwacher Formen, so daß, da der Pluralumlaut ebenfalls fehlt, die niederländischen Pluralbildungen nur in den seltensten Fällen selbst zu den ripuarischen oder sächsischen stimmen, und auch hier ein sehr greifbares Kennzeichen der Sprache vorliegt.

Gemeinsam ist dem Salischen und Ripuarischen mit sämtlichen ingävonischen Dialekten der Wegfall des Nominativzeichens in *er, der, wer:* niederländisch *hij, de* (Artikel) und *die* (Demonstrativpronomen), *wie*.

Auf die Konjugation einzugehn, würde zu weit führen. Das Gesagte wird genügen, um die heutige salische Sprache überall von den angrenzenden Mundarten unterscheiden zu lassen. Genauere Untersuchung der niederländischen Volksmundarten wird sicher noch manches Wichtige zutage fördern.

II. *Rheinfränkisch.* Mit diesem Ausdruck bezeichne ich sämtliche übrigen fränkischen Mundarten. Wenn ich hier dem Salischen nicht nach alter Art Ripuarisch entgegensetze, so hat das einen sehr guten Grund.

Schon Arnold hat darauf aufmerksam gemacht, daß die Ripuarier im eigentlichsten Sinn einen verhältnismäßig engen Bezirk eingenommen haben, dessen Südgrenze durch die beiden Orte Reifferscheid bei Adenau und bei Schleyden mehr oder weniger bezeichnet wird. Dies ist insofern richtig, als hiermit das *rein ripuarische* Gebiet auch sprachlich abgegrenzt wird gegen die von echten Ripuariern nach oder gleichzeitig mit andern deutschen Stämmen besetzten Gebiete. Da nun der Name Niederfränkisch bereits eine andre Bedeutung erhalten hat, die auch das Salische einschließt, so bleibt mir zur Bezeichnung der von der salischen Sprachgrenze bis zu dieser Linie sich ausbreitenden Gruppe eng verwandter Mundarten nur die Bezeichnung Ripuarisch – im engeren Sinn.

1. *Ripuarisch.* Die Scheidelinie dieser Gruppe von Mundarten gegen das Salische fällt keineswegs zusammen mit der holländisch-deutschen Grenze. Im Gegenteil gehört dem Salischen auf der rechten Rheinseite noch der größte Teil des Kreises Rees, wo in der Gegend von Wesel Salisch, Ripuarisch und Sächsisch zusammenstoßen. Auf dem linken Ufer sind salisch das Klevische und Geldrische, etwa bis zu einer Linie, die vom Rhein, zwischen Xanten und Wesel, südlich auf das Dorf Vluyn (westlich von Mörs) und von da südwestlich auf Venlo zu gezogen wird. Genauere Grenzbestimmung ist nur an Ort und Stelle möglich, da durch langjährige holländische Verwaltung nicht nur von Geldern, sondern auch der Grafschaft Mörs sich viele ripuarische Namen auf den Karten in salisch-niederländischer Form erhalten haben.

Von der Gegend von Venlo an aufwärts scheint der größte Teil des rechten Maasufers ripuarisch, so daß die politische Grenze hier nirgends salisches, sondern stets ripuarisches Gebiet durchschneidet und dies bis nahe an Maastricht sich erstreckt. Namen auf *heim* (nicht *hem*) und auf das spezifisch ripuarische *ich* kommen hier in großer Zahl auf holländischem Gebiete vor, weiter südlich schon die verschobenen auf *broich* (holländisch *broek*), z.B. *Dallenbroich* bei Roermond; ebenso auf *rade* (*Bingelrade* bei Sittard, dabei *Amstenrade*, *Hobbelrade* und 6 bis 7 andre); das zu Belgien gefallene Stückchen deutsches Gebiet rechts der Maas ist ganz ripuarisch (vgl. *Krützenberg*, 9 Kilometer von der Maas, mit *Kruisberg*, nördl. von Venlo). Ja, links der Maas, im belgischen sog. Limburg, finde ich *Kessenich* bei Maaseyk, *Stockheim* und *Reckheim* an der Maas, *Gellik* bei Maastricht als Beweis, daß hier keine rein salische Bevölkerung wohnt.

Gegen Sachsen geht die ripuarische Grenze aus der Gegend von Wesel südöstlich in zunehmender Entfernung vom Rhein, zwischen Mülheim an der Ruhr und Werden fränkischer- und Essen sächsischerseits hindurch an die Grenze von Berg und Mark, hier noch jetzt die Grenze von Rheinprovinz und Westfalen. Sie verläßt diese erst südlich von Olpe, wo sie östlich geht, das Siegerland als fränkisch vom sächsischen Sauerland trennend. Weiter östlich fängt bald hessische Mundart an.

Die oben erwähnte Südgrenze gegen die von mir als Mittelfränkisch bezeichnete Mundart stimmt ungefähr mit den Südgrenzen der alten Gaue Avalgau, Bonngau und Eiflia und geht von da westlich an das Wallonische, sich eher etwas nach Süden haltend. Das so umschriebene Gebiet umfaßt den alten großen Gau Ribuaria nebst Teilen der nördlich und westlich anstoßenden Gaue.

Wie schon gesagt, stimmt das Ripuarische in vielen Beziehungen zum Niederländischen, doch so, daß das Mittelniederländische ihm nähersteht als das Neuniederländische. Mit diesem, dem Neuniederländischen, stimmt die ripuarische Aussprache von *ei* = *e* + *i* und *ou* für *au*, der Übergang von *i* in *e*, der ripuarisch wie mittelniederländisch noch viel weiter geht als neuniederländisch: Die mittelniederländischen *gewes, es, blend, selver* (Silber) sind noch heute gut ripuarisch. Ebenso wandelt sich, und zwar konsequent *u* vor *m* oder *n* mit folgendem Konsonanten in *o: jong, lomp, domm, konst*. Ist dieser folgende Konsonant ein *d* oder *t*, so wandelt sich dies in einigen Mundarten in *g* oder *k;* z.B. *honk* – Hund, pluralis *höng*, wo die Erweichung zu *g* Nachwirkung des abgestoßenen Endvokals *e* ist.

Dagegen sind die Umlautsverhältnisse des Ripuarischen scharf geschieden von den niederländischen; sie stimmen im ganzen zu dem Hochdeutschen und in einzelnen Ausnahmen (z.B. *hanen* für Hähne) zum Sächsischen.

wr im Anlaut hat sich zu *fr* verhärtet, erhalten in *fringen* – Wasser aus einem Tuch etc. auswringen, und *frêd* (holländisch *wreed*) mit der Bedeutung abgehärtet.

Für *er, der, wer* steht *hê, dê, wê.*

Die Deklination steht in der Mitte zwischen hochdeutscher und sächsischer. Pluralbildungen auf *s* sind häufig, stimmen aber fast nie zu den niederländischen; dies *s* wird im Lokalhochdeutschen in richtiger Erinnerung der Sprachentwicklung zu *r*.

Das Diminutiv *ken, chen* wird nach *n* in *schen* verwandelt, *männschen;*

der Plural hat wie im Niederländischen *s* (*männsches*). Beide Formen werden wir bis nach Lothringen hinein verfolgen.

r vor *s*, *st*, *d*, *t*, *z* wird ausgestoßen, der vorhergehende Vokal bleibt in einigen Mundarten kurz, in andern wird er verlängert. So wird aus hart – *hatt* (bergisch), *haad* (kölnisch). Dabei wird durch oberdeutschen Einfluß *st* zu *scht:* Durst – *doascht* bergisch, *dôscht* kölnisch.

Ebenfalls ist durch hochdeutschen Einfluß anlautendes *sl*, *sw*, *st*, *sp* zu *schl* usw. geworden.

Wie dem Niederländischen, ist dem Ripuarischen reines *g* unbekannt. Ein Teil der an der salischen Grenze liegenden Mundarten, so wie die bergische, hat für an- und inlautendes *g* ebenfalls aspiriertes *gh*, doch weicher als das niederländische. Die übrigen haben *j*. Im Auslaut wird *g* überall wie *ch* gesprochen, doch nicht wie das harte niederländische, sondern das weiche rheinfränkische *ch*, das wie ein verhärtetes *j* lautet. Den wesentlich niederdeutschen Charakter des Ripuarischen bezeugen Ausdrücke wie *boven* für oben.

Die Mehrzahl der stummen Konsonanten steht überall auf der ersten Stufe der Lautverschiebung. Nur bei *t* und bei in- und auslautendem *k* und zuweilen *p* ist für die südlichen Mundarten hochdeutsche Verschiebung eingetreten; sie haben *lôsze* für *lôten* – lassen, *holz* statt *holt*, *rîch* statt *rîk* – reich, *êch* statt *ek* – ich, *pief* statt *pîpe* – Pfeife. Aber *et*, *dat*, *wat* und einige andre bleiben.

Es ist dies nicht einmal konsequent durchgeführtes Eindringen der hochdeutschen Verschiebung in drei Fällen, auf die sich die gewöhnliche Abgrenzung von Mittel- und Niederfränkisch gründet. Hierdurch aber wird eine durch bestimmte Lautverhältnisse, wie gezeigt, zusammengehörige Gruppe von Mundarten, die sich auch noch im Volksbewußtsein als zusammengehörig erkennt, willkürlich und nach einem hier ganz zufälligen Merkmal auseinandergerissen.

Ganz zufällig, sage ich. Die übrigen mitteldeutschen Dialekte, der hessische, thüringische, obersächsische etc., stehen, jeder für sich, auf einer im ganzen bestimmten Stufe hochdeutscher Verschiebung. Sie mögen an der niedersächsischen Grenze etwas weniger, an der oberdeutschen etwas mehr Verschiebung zeigen, aber das begründet höchstens Lokalunterschiede. Dagegen zeigt das Fränkische an Nordsee, Maas und Niederrhein gar keine, an der alamannischen Grenze fast ganz alamannische Verschiebung; dazwischen liegen mindestens drei Mittelstufen. Die Verschiebung ist also in das bereits unabhängig entwickelte Rheinfränkisch eingedrungen und hat es in mehrere Stücke zerrissen. Die letzte Spur dieser Verschiebung braucht durchaus nicht an der Grenze einer schon vorher bestehenden, besondren Gruppe von Mundarten zu verschwinden, sie kann mitten in einer solchen Gruppe absterben, und tut es in der Tat. Dagegen hört der wirklich mundartbildende Einfluß der Verschiebung, wie sich zeigen wird, allerdings an der Grenze zweier, schon früher verschiedener, mundartlicher Gruppen auf. Und ist nicht das *schl*, *schw* usw., das auslautende *scht* ebenfalls und noch weit später von dem Hochdeutschen zu uns gekommen? Dies aber – wenigstens das erstere – geht noch tief nach Westfalen hinein.

Die ripuarischen Mundarten bildeten eine feste Gruppe, lange ehe ein Teil von ihnen *t*, in- und auslautendes *k* und *p* verschieben lernte. Wie weit diese Änderung innerhalb der Gruppe vordringen konnte, war und bleibt für die Gruppe rein zufällig. Der Dialekt von Neuß ist mit dem von Krefeld und München-Gladbach bis auf Kleinigkeiten, die ein Fremder gar nicht hört, identisch. Trotzdem soll der eine mittel-, der andre niederfränkisch sein. Die Mundart des bergischen Industrielandes geht in unmerklichen Stufen in die der südwestlichen Rheinebene über. Dennoch sollen sie zwei grundverschiednen Gruppen angehören. Für jeden, der im Lande selbst zu Hause, ist es offenbar, daß hier die Stubengelehrsamkeit die ihr wenig oder gar nicht bekannten lebendigen Volksmundarten in das Prokrustesbett a priori konstruierter Kennzeichen zwängt.

Und wohin führt diese rein äußerliche Unterscheidung? Dazu, daß man die südripuarischen Mundarten zu einem sogenannten Mittelfränkisch zusammenwirft, mit andern Dialekten, von denen sie, wie wir sehn werden, viel weiter abstehn als von den sog. niederfränkischen. Und daß man andrerseits einen schmalen Streifen zurückbehält, mit dem man nichts anzufangen weiß, und sich endlich genötigt sieht, ein Stück für sächsisch, ein zweites für niederländisch zu erklären, was dem Tatbestand dieser Mundarten geradezu ins Gesicht schlägt.

Nehmen wir z. B. den bergischen Dialekt, den Braune kurzerhand sicher sächsisch nennt. Er bildet, wie wir sahen, alle drei Pluralpersonen praesens indicativus gleich, aber fränkisch in der uralten Form *nt*. Er hat regelmäßig *o* statt *u* vor *m* und *n* mit folgendem Konsonanten, was nach demselben Braune entschieden unsächsisch und spezifisch niederfränkisch ist. Er stimmt in allen oben angeführten ripuarischen Eigenschaften mit den übrigen ripuarischen Dialekten. Während er unmerklich von Dorf zu Dorf, von Bauernhof zu Bauernhof in die Mundart der Rheinebne übergeht, ist er an der westfälischen Grenze haarscharf vom sächsischen Dialekt geschieden. Vielleicht nirgendwo anders in ganz Deutschland findet sich eine gleich unvermittelt gezogene Sprachgrenze wie hier. Und welcher Abstand in der

Sprache! Der ganze Vokalismus ist wie umgewälzt; dem scharfen niederfränkischen *ei* steht das breiteste *ai* unvermittelt gegenüber, wie dem *ou* das *au;* von den vielen Diphthongen und Vokalnachschlägen stimmt nicht ein einziger; hier *sch* wie im übrigen Deutschland, dort *s* + *ch* wie in Holland; hier *wi hant,* dort *wi hebbed;* hier die pluralisch gebrauchten Dualformen *get* und *enk,* ihr und euch, dort nur *ji, i* und *jü, ü;* hier heißt der Sperling gemein-ripuarisch *Môsche,* dort gemein-westfälisch *Lüning.* Von andern, der bergischen Mundart spezifisch eignen Besonderheiten gar nicht zu reden, die hier an der Grenze ebenfalls plötzlich verschwinden.

Dem Fremden tritt die Eigenart eines Dialekts am nächsten, wenn der Betreffende nicht den Dialekt spricht, sondern das jenem verständliche Hochdeutsch, was ja bei uns Deutschen meist unter starkem Einfluß des Dialekts geschieht. Dann aber ist der angeblich sächsische Bewohner des bergischen Industriebezirks vom Bewohner der Rheinebne, der mittelfränkisch sein soll, für den Nichteingebornen absolut ununterscheidbar, außer an dem etwas härteren aspirierten *gh,* wo der andre *j* spricht. Der bergische Heckinghauser (aus Oberbarmen, links der Wupper) aber und der kaum einen Kilometer weiter östlich wohnende märkische Langerfelder stehen auch im Lokalhochdeutsch des alltäglichen Lebens weiter voneinander ab als der Heckinghauser und der Koblenzer, geschweige der Aachener oder Bonner.

Dem Rheinfranken selbst macht das Eindringen der Verschiebung von *t* und auslautendem *k* so wenig den Eindruck einer Sprachscheide, daß er, selbst auf ihm ganz bekanntem Gebiet, sich wird erst besinnen müssen, wo denn die Grenze zwischen *t* und *z, k* und *ch* liegt, und daß ihm beim Überschreiten dieser Grenze das eine fast so mundgerecht ist wie das andre. Dies wird noch erleichtert durch die vielen, in die Mundarten gedrungenen hochdeutschen Wörter mit verschobenen *sz, z, ch* und *f.* Ein schlagendes Beispiel bietet die alte bergische Gerichtsordnung aus dem 14. Jahrhundert (Lacomblet, Archiv, I, p. 79ff.). Hier finden sich *zo, uiss* (aus), *zween, bezahlen*; daneben in demselben Satz *setten, dat nutteste* (nützeste); ebenso *Dache, redelich* neben *reicket* (reicht); *upladen, upheven, hulper* (Helfer) neben *verkouffen.* In einem andern Absatz p. 85 steht abwechselnd sogar *zo* und *tho* – zu. Kurzum, die Mundarten des Gebirgs und der Ebne laufen fortwährend durcheinander, ohne daß es den Schreiber im geringsten stört. Wie immer ist diese letzte Welle, mit der die hochdeutsche Verschiebung fränkisches Gebiet überfließt, auch die schwächste und seichteste. Es ist sicher von Interesse, die Linie zu bezeichnen, bis wohin sie reicht. Aber eine Dialektgrenze kann diese Linie nicht sein; sie vermag nicht, eine selbständige

Gruppe alt und eng verwandter Mundarten voneinander zu reißen und den Vorwand zu bieten, kraft dessen man die gewaltsam getrennten Bruchstücke, im Widerspruch mit allen sprachlichen Tatsachen, entfernteren Gruppen zuweisen will.

2. *Mittelfränkisch.* Aus Vorstehendem geht selbstredend hervor, daß ich die Nordgrenze des Mittelfränkischen bedeutend südlicher setze, als gewöhnlich geschieht.

Aus der Tatsache, daß der linksrheinische mittelfränkische Landstrich zur Zeit Chlodwigs in alamannischem Besitz gewesen zu sein *scheint*, nimmt Arnold Veranlassung, die dortigen Ortsnamen auf Spuren alamannischer Ansiedlung zu untersuchen, und kommt zu dem Resultat, daß bis zur Linie Köln—Aachen sich eine vorfränkische, alamannische Bevölkerung nachweisen läßt; wobei selbstredend die Spuren, im Süden am zahlreichsten, gegen Norden immer seltner werden. Die Ortsnamen, sagt er, deuten auf ein zeitweiliges Vorrücken der Alamannen bis über die Gegend um Koblenz und Aachen hinaus wie auf einen längeren Besitz der Wetterau und der südlichen Gebiete im Nassauischen. Denn die Namen mit den echt alamannischen Endungen *-ach, -brunen, -felden, -hofen, -ingen, -schwand, -stetten, -wangen* und *-weiler*, die in rein fränkischem Gebiet nirgends vorkommen, finden sich vom Elsaß an über die ganze Pfalz, Rheinhessen und Rheinpreußen zerstreut, nur daß sie gegen Norden immer seltner werden und mehr und mehr den vorzugsweis fränkischen Namen auf *-bach, -berg, -dorf, -born, -feld, -hausen, -heim* und *-scheid* Platz machen („Deutsche Urzeit").

Untersuchen wir zunächst die angeblich alamannischen Namen des mittelfränkischen Landes. Die Endungen *-brunen, -stetten, -felden, -wangen* sind mir auf der Reymannschen Karte [293] (die ich, ein für allemal gesagt, hier gebrauche) hier nirgends vorgekommen. Die Endung *-schwand* kommt einmal vor: *Metzelschwander Hof* bei Winnweiler, und dann noch *Schwanden* nördl. von Landstuhl. Also beide Male in der oberfränkischen Pfalz, die uns hier noch nicht angeht. Auf *-ach* haben wir längs des Rheins *Kreuznach, Bacharach, Hirzenach* bei St. Goar, *Rübenach* bei Koblenz (*Ribiniacus* der Spruner-Menkeschen Gaukarte [294]), *Andernach* (*Antunnacum* der Römer), daneben *Wassenach.* Da nun am ganzen linken Rheinufer zur Römerzeit die romanisierte keltische Endung *-acum* allgemein vorkommt - *Tolbiacum* - *Zülpich, Juliacum* - *Jülich, Tiberiacum* - *Ziewerich* bei Bergheim, *Mederiacum* -, so könnte in den meisten dieser Fälle höchstens die Wahl der Form *-ach* statt *ich* - alamannischen Einfluß anzeigen. Nur das eine *Hirzenach* (= Hirschenbach) ist unbedingt deutsch, und dies hieß nach der Gaukarte früher *Hirzenowe* = Hirschenau, nicht Hirschenbach. Wie aber dann

Wallach erklären, das zwischen Büderich und Rheinberg hart an der salischen Grenze liegt? Das ist doch sicher nicht alamannisch.

Im Moselgebiet kommen auch einige *-ach* vor: *Irmenach* östlich Bernkastel, *Waldrach, Crettnach* bei Trier, *Mettlach* an der Saar. In Luxemburg *Echternach, Medernach, Kanach;* in Lothringen nur rechts der Mosel: *Montenach, Rodlach, Brettnach.* Selbst wenn wir zugeben wollten, daß alle diese Namen auf alamannische Ansiedlung deuten, so doch nur auf eine sehr dünngesäte, die noch dazu nicht über den südlichsten Teil des mittelfränkischen Landes hinausgeht.

Bleiben *-weiler, -hofen* und *-ingen,* die eingehendere Untersuchung fordern.

Die Endung *-weiler* ist zunächst nicht ohne weiteres alamannisch, sondern das provinzial-lateinische *villarium, villare,* und findet sich höchstens ganz ausnahmsweise außerhalb der alten Grenzen des Römerreichs. Nicht die Verdeutschung von *villare* zu *weiler* war Privileg der Alamannen, sondern nur die Vorliebe, mit der sie diese Endung auch für neue Ansiedlungen massenhaft anwandten. Soweit römische *villaria* vorkommen, waren auch die Franken genötigt, die Endung als *wilare,* später *weiler,* zu verdeutschen oder sie ganz fallenzulassen. Wahrscheinlich taten sie bald das eine, bald das andere, wie sie sicher auch hier und da neuen Ansiedlungen Namen auf *-weiler* gegeben haben werden, nur weit seltner als die Alamannen. Arnold kann nördlich von *Eschweiler* bei Aachen und *Ahrweiler* keine bedeutenden Orte auf *-weiler* finden. Aber die heutige Bedeutung der Orte tut nichts zur Sache, die Tatsache ist, daß auf dem linken Rheinufer die *-weiler* sich nahe bis an die salische Grenze nach Norden erstrecken (*Garzweiler* und *Holzweiler* sind keine fünf Meilen vom nächsten niederländisch sprechenden Ort des Geldrischen) – nördlich der Linie *Eschweiler* und *Ahrweiler* gibt es ihrer mindestens zwanzig. Am häufigsten sind sie begreiflicherweise in der Nähe der alten Römerstraße von Maastricht über Jülich nach Köln, zwei davon, *Walwiller* und *Nyswiller,* sogar auf holländischem Gebiet; sind das auch alamannische Ansiedlungen?

Weiter südlich kommen sie in der Eifel fast gar nicht vor, die Sektion Malmedy (Nr. 159 Reymann) hat nicht einen einzigen Fall. Auch in Luxemburg sind sie selten, ebenso an der unteren Mosel und bis auf den Kamm des Hunsrücks. Dagegen treten sie an der oberen Mosel zu beiden Seiten des Flusses häufig auf, nach Osten zu immer dichter werdend, und östlich von Saarlouis werden sie mehr und mehr herrschende Endung. Hier aber fängt auch schon oberfränkische Sprache an, und hier wird von niemandem bestritten, daß die Alamannen vor den Franken das Land besetzt hatten.

Für das mittelfränkische und ripuarische Gebiet beweisen also die *–weiler* ebensowenig wie die vielen *–villers* in Frankreich alamannische Ansiedlung.

Gehen wir über zu *–hofen*. Diese Endung ist erst recht nicht ausschließlich alamannisch. Sie kommt auf dem ganzen fränkischen Gebiet vor, mit Einschluß des später von Sachsen besetzten jetzigen Westfalens. Auf dem rechten Rheinufer nur ein paar Beispiele: *Wehofen* bei Ruhrort, *Mellinghofen* und *Eppinghofen* bei Duisburg, *Benninghofen* bei Mettmann, ein andres *Eppinghofen* bei Dinslaken, in Westfalen *Kellinghofen* bei Dorsten, *Westhofen* bei Castrop, *Wellinghofen, Wichlinghofen, Niederhofen,* zwei *Benninghofen, Berghofen, Westhofen, Wandhofen,* alle am Hellweg, usw. Bis in die Heidenzeit reicht *Ereshofen* an der Agger, *Martis villa,* und schon die Bezeichnung des Kriegsgottes als *Eru* zeigt, daß hier keine Alamannen denkbar sind, sie hießen sich *Tiuwâri*, nannten also den Gott nicht *Eru*, sondern *Tiu*, verschoben später *Ziu*.

Auf dem linken Rheinufer steht es noch schlimmer mit der alamannischen Abstammung des *–hofen*. Da ist wieder ein *Eppinghofen* südöstl. Xanten, also vielleicht schon salisch, und von da an südlich wimmelt das ganze ripuarische Gebiet von *–hofen*, neben *–hof* für Einzelhöfe. Gehen wir aber erst auf salisches Land, so wird's noch schlimmer. Die Maas wird an beiden Seiten, von der französischen Sprachgrenze an, von *–hofen* begleitet. Der Kürze halber wollen wir gleich aufs westliche Ufer gehn. Da finden wir in Holland und Belgien wenigstens sieben *Ophoven*, in Holland *Kinckhoven* usw.; für Belgien wollen wir zunächst die Sektion Löwen (Nr. 139 Reymann) nehmen. Hier gibt es *Ruykhoven, Schalkhoven, Bommershoven, Wintershoven, Mettecoven, Helshoven, Engelmanshoven* bei Tongern; *Zonhoven, Reekhoven, Konings-Hoven* bei Hasselt; weiter westlich *Bogenhoven, Schuerhoven, Nieuwenhoven, Gippershoven, Baulershoven* bei St. Truyen; am westlichsten *Gussenhoven* und *Droenhoven* östlich und nordöstlich Tirlemont (Thienen). Die Sektion Turnhout (Nr. 120) hat mindestens 33 *–hoven*, die meisten auf belgischem Gebiet. Weiter südwestlich gehen die *–hove* (das Dativ-*n* wird hier regelmäßig unterdrückt) der ganzen französischen Sprachgrenze entlang; von *Heerlinkhove* und *Nieuwenhove* bei *Ninove*, das selbst ein romanisiertes *–hove* ist – die Mittelglieder, ca. 10 gezählt, lasse ich weg –, bis *Ghyverinckhove* und *Pollinchove* bei Dixmuyden und *Volkerinckhove* bei St. Omer im französischen Flandern. Dreimal kommt *Nieuwenhove* vor, was beweist, daß die Endung noch im Volk lebendig ist. Daneben sehr zahlreiche Einzelhöfe auf *–hof*. Hiernach mag der angeblich ausschließlich alamannische Charakter des *–hofen* beurteilt werden.

Endlich zu *–ingen*. Die Bezeichnung gleicher Abstammung durch *–ing*, *–ung* ist allen germanischen Völkern gemein. Da die Niederlassung geschlechterweise geschah, spielt diese Endung auch überall eine bedeutende Rolle in den Ortsnamen. Bald wird sie im genitivus pluralis mit einer Lokalendung verknüpft: *Wolvarâdingahusun* bei Minden, *Snotingaham (Nottingham)* in England. Bald steht der Plural allein für die Ortsbezeichnung: *Flissinghe* (Vlissingen), *Phladirtinga* (Vlaardingen), *Crastlingi* im holländischen Friesland, *Grupilinga, Britlinga, Oilinga* in Altsachsen. Diese Namen sind heutzutage meist auf den Dativ reduziert und endigen auf *–ingen*, selten *–ing*. Die meisten Völker kennen und brauchen beide Verwendungsarten; die Alamannen, scheint es, vorwiegend die letztere, wenigstens jetzt. *Rümmingen* bei Lörrach hieß früher (764) *Romaninchova*, so daß die schwäbischen *–ingen* manchmal auch erst neueren Ursprungs sind (Mone, „Urzeit des badischen Landes", I, S. 213). Die schweizerischen *–kon* und *–kofen* sind fast alle aus *–inghofen* zusammengezogen: *Zollinchovon–Zollikofen, Smarinchowa–Schmerikon*, etc. Vgl. F. Beust, „Historischer Atlas des Kantons Zürich", wo sie sich zu Dutzenden auf der die Alamannenzeit repräsentierenden Karte 3 finden. Da diese aber auch bei Franken, Sachsen und Friesen vorkommen, so ist es sehr gewagt, aus dem Vorkommen von Ortsnamen auf *–ingen* sofort auf alamannische Ansiedlung zu schließen.

Die eben angeführten Namen beweisen, daß Namen auf *–ingas* (nominativus pluralis) und *–ingum*, *–ingon* (dativus pluralis) sowohl bei Friesen wie Sachsen von der Schelde bis zur Elbe nichts Ungewöhnliches waren. Auch heute noch sind die *–ingen* in ganz Niedersachsen keine Seltenheit. In Westfalen zu beiden Seiten der Ruhr, südlich der Linie Unna–Soest, finden sich allein mindestens zwölf *–ingen* neben *–ingsen* und *–inghausen*. Und so weit fränkisches Gebiet, so weit finden wir auch Namen auf *–ingen*.

Auf dem rechten Rheinufer finden wir zunächst in Holland *Wageningen* am Rhein und *Genderingen* an der Ijssel (wobei wir alle möglicherweise friesischen Namen ausschließen), im Bergischen *Huckingen, Ratingen, Ehingen* (dicht dahinter auf sächsischem Gebiet *Hattingen, Sodingen, Ummingen*), *Heisingen* bei Werden (das Grimm von der *Silva Caesia* des Tacitus herleitet, das also uralt wäre), *Solingen, Husingen, Leichlingen* (auf der Gaukarte *Leigelingon*, also an tausend Jahre alt), *Quettingen* und an der Sieg *Bödingen* und *Röcklingen*, zwei Namen auf *–ing* ungerechnet. *Hönningen* bei Rheinbrohl und *Ellingen* im Wiedschen stellen die Verbindung her mit der Gegend zwischen Rhein, Lahn und Dill, die gering gezählt 12 *–ingen* liefert. Weiter südlich zu gehn, hat keinen Zweck, da hier das Land anfängt, das unbestritten eine Periode alamannischer Besiedlung durchgemacht hat.

Links vom Rhein haben wir *Millingen* in Holland oberhalb Nijmegen, *Lüttingen* unterhalb Xanten, nochmals *Millingen* unterhalb Rheinberg, dann *Kippingen*, *Rödingen*. *Höningen*, *Worringen*, *Fühlingen*, alle nördlicher als Köln, *Wesselingen* und *Köttingen* bei Brühl. Von hier verfolgen die Namen auf *–ingen* zwei Richtungen. In der hohen Eifel sind sie selten; wir finden bei Malmedy an der französischen Sprachgrenze: *Büllingen*, *Hünningen*, *Mürringen*, *Iveldingen*, *Eibertingen* als Übergang zu den sehr zahlreichen *–ingen* in Luxemburg und an der preußischen und lothringischen Obermosel. Eine andre Verbindungslinie geht den Rhein und die Seitentäler (in der Ahrgegend 7 bis 8), schließlich das Moseltal entlang, ebenfalls nach der Gegend oberhalb Trier, wo die *–ingen* vorherrschen, aber zuerst durch die *–weiler* und dann die *–heim* von der großen Masse der alamannisch-schwäbischen *–ingen* abgetrennt werden. Wenn wir also nach Arnolds Forderung „alle Umstände im Zusammenhang erwägen", so werden wir zu dem Schluß kommen, daß die *–ingen* des oberen deutschen Moselgebiets fränkisch sind und nicht alamannisch.

Wie wenig wir hier alamannische Hülfe nötig haben, wird erst recht klar, sobald wir die *–ingen* von der französisch-ripuarischen Sprachgrenze bei Aachen aus auf salisches Gebiet verfolgen. Bei Maaseyk westlich der Maas liegt *Geystingen*, weiter westlich bei Brée *Gerdingen*. Dann finden wir, wenn wir wieder Sektion Nr. 139, Löwen, zur Hand nehmen: *Mopertingen*, *Vlytingen*, *Rixingen*, *Aerdelingen*, *Grimmersingen*, *Gravelingen*, *Ordange* (für Ordingen), *Bevingen*, *Hatingen*, *Buvingen*, *Hundelingen*, *Bovelingen*, *Curange*, *Raepertingen*, *Boswinningen*, *Wimmertingen* und andre in der Gegend von Tongern, St. Truyen und Hasselt. Die westlichsten, nicht weit von Löwen, sind *Willebringen*, *Redingen*, *Grinningen*. Hier scheint die Verbindung abzubrechen. Gehn wir aber auf das jetzt französisch redende, aber im 6. bis 9. Jahrhundert zwischen beiden Sprachen streitige Gebiet, so finden wir von der Maas an einen ganzen Gürtel französierter *–ange*, welche Form auch in Lothringen und Luxemburg dem *–ingen* entspricht, von Osten nach Westen gehend: *Ballenge*, *Roclenge*, *Ortrange*, *Lantremange*, *Roclange*, *Libertange*, *Noderange*, *Herdange*, *Oderinge*, *Odange*, *Gobertang*, *Wahenges;* etwas weiter westlich *Louvrenge* bei Wavre und *Revelinge* bei Waterloo stellen die Verbindung her mit *Huysinghen* und *Buisinghen*, den ersten Posten einer Gruppe von über 20 *–inghen*, die sich südwestlich von Brüssel von Hal bis Grammont die Sprachgrenze entlang verbreitet. Und endlich in französisch Flandern: *Gravelingen*, *Wulverdinghe* (also ganz das altsächsische *Wolvaradinges-hûsun*), *Leubringhen*, *Leulinghen*, *Bonninghen*, *Peuplingue*, *Hardinghen*, *Hermelinghen*, bei St. Omer und bis hinter Boulogne *Herbinghen*,

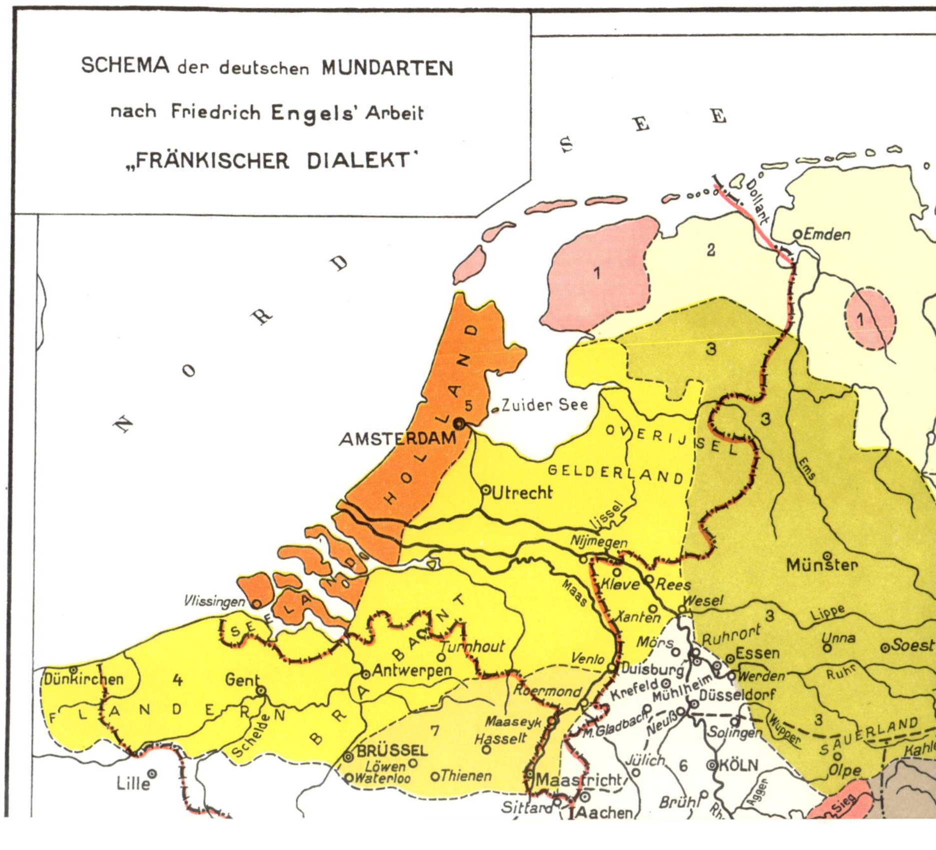
SCHEMA der deutschen MUNDARTEN
nach Friedrich Engels' Arbeit
„FRÄNKISCHER DIALEKT"
NORD SEE
Dollart
Emden
AMSTERDAM
Zuider See
HOLLAND
OVERIJSEL
GELDERLAND
Utrecht
Ijssel
Nijmegen
Münster
Ems
Kleve
Rees
Wesel
Xanten
Lippe
Maas
Vlissingen
SEELAND
BRABANT
Turnhout
Antwerpen
Dünkirchen
Gent
FLANDERN
Schelde
Venlo
Mörs
Ruhrort
Essen
Unna
Soest
Duisburg
Werden
Ruhr
Krefeld
Mühlheim
Düsseldorf
Roermond
Maaseyk
Hasselt
M.Gladbach
Neuß
Solingen
Wupper
SAUERLAND
Kahle
BRÜSSEL
Löwen
Waterloo
Thienen
Jülich
KÖLN
Olpe
Lille
Maastricht
Sittard
Aachen
Brühl
Agger
Sieg

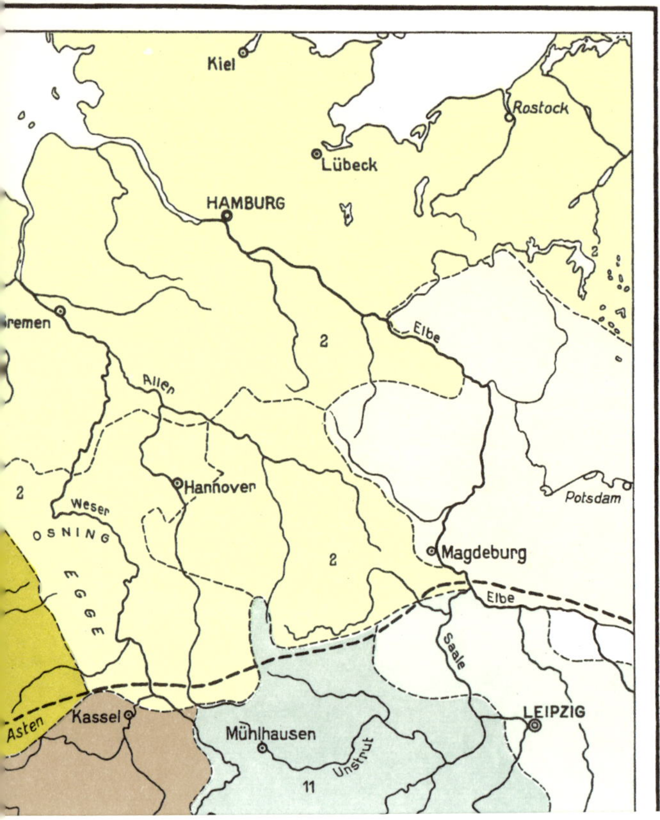

Kiel
Rostock
Lübeck
HAMBURG
2
remen
Elbe
2
Aller
2
Hannover
Potsdam
Weser
OSNING
EGGE
Magdeburg
2
Elbe
Saale
Asten
Kassel
LEIPZIG
Mühlhausen
Unstrut
11

Hocquinghen, *Velinghen*, *Lottinghen*, *Ardinghen*, alle scharf geschieden von den in derselben Gegend noch zahlreicheren Namen auf *–inghem* (*–ingheim*).

Die drei Endungen also, die Arnold für spezifisch alamannisch hält, erwiesen sich ebensosehr als fränkisch, und der Versuch, eine alamannische Ansiedlung *vor* der fränkischen auf mittelfränkischem Gebiet aus diesen Namen zu beweisen, muß als gescheitert gelten. Wobei die Möglichkeit eines nicht sehr starken alamannischen Elements im südöstlichen Teil dieses Gebiets immer zugegeben werden kann.

Von den Alamannen führt uns Arnold zu den Chatten. Diese sollen, mit Ausschluß der eigentlichen Ripuarier, das Gebiet südlich vom Gau Ribuaria, dasselbe also, das wir mittel- und oberfränkisch nennen, nach und neben den Alamannen besetzt haben. Auch dies wird aus den sich in dieser Gegend neben den alamannischen findenden hessischen Ortsnamen begründet:

„Die Übereinstimmung der Ortsnamen diesseits und jenseits des Rheins bis zur alamannischen Grenze ist so merkwürdig und auffallend, daß es ein wahres Wunder wäre, wenn sie zufällig sein sollte, wogegen sie überaus natürlich erscheint, sobald wir annehmen, daß die Einwanderer ihre heimischen Ortsnamen auch den neuen Sitzen beilegten, wie das in Amerika noch alle Tage geschieht.“

Gegen diesen Satz ist wenig zu sagen. Um so mehr gegen die Schlußfolgerung, daß die eigentlichen Ripuarier mit der Besiedlung des ganzen mittel- und oberfränkischen Landes nichts zu tun hatten, daß wir hier nur Alamannen und Chatten finden. Die meisten der von der Heimat nach Westen ausgezogenen Chatten scheinen sich von jeher (so schon die Bataver, Canninefaten und Chattuarier) den Iskävonen angeschlossen zu haben; wohin sollten sie sich auch wenden? In den ersten beiden Jahrhunderten unserer Zeitrechnung waren die Chatten nur im Rücken durch die Thüringer mit den übrigen Herminonen verknüpft; auf der einen Seite hatten sie ingävonische Cherusker, auf der andern Iskävonen und vor sich die Römer. Die herminonischen Stämme, die später vereint als Alamannen auftreten, kamen aus dem Innern Germaniens, waren von den Chatten seit Jahrhunderten durch Thüringer und andre Völker getrennt und ihnen viel fremder geworden als die iskävonischen Franken, mit denen mehrhundertjährige Waffenbrüderschaft sie verband. Die Beteiligung der Chatten an der Besetzung des fraglichen Landstrichs wird also nicht bezweifelt. Wohl aber der Ausschluß der Ripuarier davon. Dieser ist nur dann nachgewiesen, wenn hier keine spezifisch ripuarischen Namen vorkommen. Das Gegenteil findet statt.

Unter den von Arnold als spezifisch fränkisch angegebnen Endungen ist *–hausen* Franken, Sachsen, Hessen und Thüringern gemein; *–heim* heißt salisch *–ham*, *–bach* salisch und niederripuarisch *–beek;* von den andern ist nur *–scheid* wirklich charakteristisch. Es ist spezifisch ripuarisch, ebenso wie *–ich*, *–rath* oder *–rade* und *–siepen*. Beiden fränkischen Dialekten gemein sind ferner *–loo* (*loh*), *–donk* und *–bruch* oder *–broich* (salisch *–broek*).

–scheid kommt nur im Gebirge vor und in der Regel von Orten auf der Wasserscheide. Die Franken haben diese Endung im ganzen westfälischen Sauerland zurückgelassen bis an die hessische Grenze, wo sie nur noch als Bergnamen bis östlich Korbach vorkommt. An der Ruhr tritt dem altfränkischen *–scheid* die sächsisch gemachte Endung *–schede* gegenüber: *Melschede*, *Selschede*, *Meschede*, dicht dabei *Langscheid*, *Ramscheid*, *Bremscheid*. Im Bergischen häufig, findet es sich bis in den Westerwald, aber nicht südlicher, auf der rechten Rheinseite. Links vom Rhein dagegen fangen die *–scheid* begreiflicherweise erst in der Eifel an*; in Luxemburg sind ihrer mindestens 21, im Hochwald und Hunsrück sind sie häufig. Aber wie südlich der Lahn, so tritt ihnen auch hier an der Ost- und Südseite des Hunsrücks und Soonwalds die Form *–schied* zur Seite, welche eine hessische Adaptation scheint. Beide Formen nebeneinander ziehen sich südlich über die Nahe bis an die Vogesen, wo wir finden: *Bisterscheid* westlich vom Donnersberg, *Langenscheid* bei Kaiserslautern, ein Plateau *Breitscheid* südlich Hochspeyer, *Haspelscheid* bei Bitsch, den *Scheidwald* nördlich Lützelstein, endlich als südlichsten Posten *Walscheid* am Nordabhang des Donon, noch südlicher als das Dorf Hessen bei Saarburg, den äußersten chattischen Posten bei Arnold.

Spezifisch ripuarisch ist ferner *–ich*, aus derselben Wurzel gotisch *–ahva* – Wasser, wie *–ach;* beide verdeutschen auch das belgisch-römische *–acum*, wie *Tiberiacum* beweist, auf der Gaukarte *Civiraha*, heute *Zieuwerich*. Rechtsrheinisch ist es nicht sehr häufig; *Meiderich* und *Lirich* bei Ruhrort sind die nördlichsten, von da an ziehen sie sich den Rhein entlang bis *Biebrich*. Die linksrheinische Ebene, von *Büderich* gegenüber Wesel an, ist voll davon, durch die Eifel gehn sie bis in den Hochwald und Hunsrück, verschwinden aber im Soonwald und der Nahegegend, noch ehe *–scheid* und *–roth* aufhören. Im westlichen Teil unsres Gebiets dagegen gehn sie fort bis an die französische Sprachgrenze und darüber hinaus. Das Triersche, das eine Menge hat, übergehn wir; im holländischen Luxemburg zähle ich

* (Anm.) In der Ebene finde ich nur *Waterscheid*, östlich Hasselt im belgischen Limburg, wo wir schon oben starke ripuarische Mischung beobachteten.

zwölf, noch jenseits im belgischen *Törnich* und *Merzig* (Messancy – die Schreibart *–ig* ändert nichts, Etymologie und Aussprache sind dieselben), in Lothringen *Soetrich, Sentzich, Marspich, Daspich* westlich der Mosel; östlich von ihr *Kintzich, Penserich, Kemplich, Destrich,* zweimal *Kerprich, Hibrich, Helsprich.*

Die Endung *–rade, –rad,* linksrheinisch *–rath,* geht ebenfalls weit über die Grenzen ihrer altripuarischen Heimat hinaus. Sie erfüllt die ganze Eifel und das mittlere und niedere Moseltal sowie dessen Seitentäler. In derselben Gegend, wo *–scheid* sich mit *–schied* mischt, kommt auf beiden Rheinufern *–rod, –roth* neben *–rad* und *–rath* vor, ebenfalls hessischen Ursprungs, nur daß rechtsrheinisch, im Westerwald, die *–rod* weiter nördlich gehn. Im Hochwald hat der Nordabhang *–rath,* der Südabhang *–roth* als Regel.

Am wenigsten vorgedrungen ist *–siepen,* verschoben *–seifen.* Das Wort bedeutet ein kleines Bachtal mit steilem Gefälle und wird noch allgemein dafür gebraucht. Links vom Rhein reicht es nicht weit über die altripuarische Grenze, rechts findet es sich im Westerwald an der Nister und noch bei Langenschwalbach *(Langenseifen).*

Auf die anderen Endungen einzugehn würde zu weit führen. Jedenfalls aber dürfen wir die zahllosen *–heim,* die den Rhein von Bingen aufwärts bis weit ins alamannische Gebiet hinein begleiten und die sich überhaupt überall finden, wo Franken sich niedergelassen, für nicht chattisch, sondern ripuarisch erklären. Ihre Heimat ist nicht in Hessen, wo sie selten vorkommen und später eingedrungen scheinen, sondern im Salierland und der Rheinebene um Köln, wo sie neben den andern spezifisch ripuarischen Namen in fast gleicher Zahl vorkommen.

Das Resultat dieser Untersuchung ist also, daß die Ripuarier, weit entfernt davon, durch den Strom hessischer Einwanderung an Westerwald und Eifel festgehalten zu sein, im Gegenteil selbst das ganze mittelfränkische Gebiet überfluteten. Und zwar in der Richtung nach Südwesten, nach dem oberen Moselgebiet, stärker als nach Südosten, nach dem Taunus und dem Nahegebiet. Dies wird auch durch die Sprache bestätigt. Die südwestlichen Mundarten, bis nach Luxemburg und Westlothringen hinein, stehen dem Ripuarischen weit näher als die östlichen, besonders rechtsrheinischen. Jene können als eine mehr hochdeutsch verschobene Verlängerung des Ripuarischen gelten.

DasCharakteristische der mittelfränkischen Mundarten ist zunächst das Eindringen der hochdeutschen Verschiebung. Nicht der bloßen Verschiebung einiger Tenues zu Aspiraten, die sich auf verhältnismäßig wenige

Worte erstreckt und den Charakter der Mundart nicht berührt, sondern die beginnende Verschiebung der *Medien*, die die eigentümlich mittel- und oberdeutsche Vermischung von *b* und *p*, *g* und *k*, *d* und *t* herbeiführt. Erst wo die Unmöglichkeit sich zeigt, *b* und *p*, *d* und *t*, *g* und *k* im Anlaut scharf zu unterscheiden, also das, was die Franzosen ganz besonders unter accent allemand verstehen, erst da macht sich dem Niederdeutschen der große Riß fühlbar, den die zweite Lautverschiebung durch die deutsche Sprache gerissen hat. Und dieser Riß geht durch zwischen Sieg und Lahn, zwischen Ahr und Mosel. Danach hat das Mittelfränkische ein anlautendes *g*, das den nördlicheren Dialekten fehlt, in- und auslautend spricht es indes noch weiches *ch* für *g*. Ferner geht das *ei* und *ou* der nördlichen Dialekte in *ai* und *au* über.

Einige echt fränkische Besonderheiten: In allen salischen und ripuarischen Mundarten ist *Bach*, unverschoben *Beek*, weiblich. Dies gilt auch für wenigstens den größten, westlichen Teil des Mittelfränkischen. Wie die zahllosen andern gleichnamigen *Bäche* in Niederland und am Niederrhein, ist auch *die* luxemburgische *Glabach* (*Gladbach*, niederländisch *Glabeek*) weiblich. Dagegen werden Mädchennamen als Neutra behandelt: Man sagt nicht nur *das* Mädchen, *das* Mariechen, *das* Lisbethchen, sondern auch *das* Marie, *das* Lisbeth, von Barmen bis über Trier hinaus. Bei Forbach in Lothringen zeigt die ursprünglich von Franzosen aufgenommene Karte einen *Karninschesberg* (Kaninchenberg). Also dasselbe Diminutiv *–schen*, pluralis *–sches*, das wir oben als ripuarisch fanden.

Mit der Wasserscheide zwischen Mosel und Nahe und rechts des Rheins mit dem Hügelland südlich der Lahn fängt eine neue Gruppe von Mundarten an:

3. *Oberfränkisch*. Hier sind wir auf einem Landstrich, der unbestritten zuerst alamannisches Eroberungsgebiet war (abgesehn von der früheren Besetzung durch Vangionen usw., von deren Stammverwandtschaft und Sprache wir nichts wissen), und wo auch eine stärkere chattische Beimischung gern zugegeben werden kann. Aber auch hier weisen die Ortsnamen, wie wir nicht zu wiederholen brauchen, auf die Anwesenheit nicht unbedeutender ripuarischer Elemente hin, besonders in der Rheinebene. Noch mehr aber die Sprache selbst. Nehmen wir den südlichsten bestimmbaren Dialekt, der zugleich eine Literatur hat, den pfälzischen. Hier finden wir wieder die allgemein fränkische Unmöglichkeit, in- und auslautendes *g* anders denn als weiches *ch* auszusprechen.* Es heißt da: *Vöchel*, *Flechel*,

* Alle Zitate sind aus „Fröhlich Palz, Gott erhalt's! Gedichte in Pfälzer Mundart" von K. G. Nadler, Frankfurt a. M. 1851.

geleche (gelegen), *gsacht* – gesagt, *licht* – liegt etc. Ebenso das allgemein fränkische *w* statt *b* im Inlaut: *Bûwe* – Buben, *glâwe* – glauben (aber *i glâb*), *bleiwe, selwer* – selbst, *halwe* – halbe. Die Verschiebung ist lange nicht so vollkommen, wie sie aussieht, es findet sogar, bei Fremdwörtern namentlich, Rückverschiebung statt, d. h., der stumme Konsonant des Anlautes wird eine Stufe nicht vorwärts, sondern rückwärts verschoben: *t* wird *d*, *p* wird *b*, wie sich zeigen wird; *d* und *p* im Anlaut bleiben auf niederdeutscher Stufe: *dûn* – tun, *dag, danze, dür, dodt;* jedoch vor *r: trinke, trage; paff* – Pfaff, *peife, palz* – Pfalz, *parre* – Pfarrer. Da nun *d* und *p* für hochdeutsch *t* und *pf* stehn, so wird auch in Fremdwörtern anlautendes *t* zu *d*, anlautendes *p* aber zu *b* rückverschoben: *derke* – Türke, *dafel* – Tafel, *babeer* – Papier, *borzlan* – Porzellan, *bulwer* – Pulver. Dann duldet das Pfälzische, hierin nur mit dem Dänischen stimmend, keine Tenues zwischen Vokalen: *ebbes* – etwas, *labbe* – Lappen, *schlubbe* – schlupfen, *schobbe* – Schoppen, *Peder* – Peter, *dridde* – dritte, *rodhe* – raten. Nur *k* bildet eine Ausnahme: *brocke, backe.* Aber in Fremdwörtern *g: musigande* – Musikanten. Es ist dies ebenfalls ein Rest niederdeutscher Lautstufe, der sich vermittelst Rückverschiebung weiter ausgedehnt hat[1]; nur dadurch, daß *dridde, hadde* unverschoben blieb, konnte aus Peter *Peder* werden und so die entsprechenden hochdeutschen *t* gleiche unparteiische Behandlung erfahren. Ebenso bleibt in *halde* – halten, *alde* – alte usw. *d* auf niederdeutscher Stufe.

Trotz des, für Niederdeutsche, entschieden hochdeutschen Gesamteindrucks ist also die Pfälzer Mundart weit entfernt davon, die hochdeutsche Lautverschiebung auch nur so weit angenommen zu haben, wie unsre Schriftsprache sie bewahrt. Im Gegenteil, das Pfälzische protestiert vermittelst seiner Rückverschiebung gegen die hochdeutsche Stufe, die, von außen eingedrungen, bis heute sich als fremdes Element in der Mundart erweist.

Es ist hier der Ort, auf eine gewöhnlich verkannte Erscheinung einzugehn: auf die Verwechslung von *d* und *t*, *b* und *p*, selbst *g* und *k* bei denjenigen Deutschen, in deren Dialekt die Medien hochdeutsche Verschiebung erlitten haben. Diese Verwechslung findet nicht statt, solange jeder *seine Mundart* spricht. Im Gegenteil. Wir haben soeben gesehn, daß z. B. der Pfälzer hier sehr genau unterscheidet, so sehr, daß er sogar Fremdwörter rückwärts verschiebt, um sie den Anforderungen seines Dialekts anzupassen. Ausländisches anlautendes *t* wird ihm nur darum zu *d*, weil schriftdeutsches *t* seinem *d*, ausländisches *p* zu *b*, weil seinem *p* schriftdeutsches

[1] Von Engels mit Bleistift am Rand vermerkt: stimmt mit Otfried [291]

pf entspricht. Ebensowenig werden in andern oberdeutschen Mundarten die stummen Konsonanten durcheinandergeworfen, solange man die Mundart spricht. Jede derselben hat ihr eignes, genau durchgeführtes Verschiebungsgesetz. Anders wird es, sobald die Schriftsprache oder eine fremde Sprache gesprochen wird. Der Versuch, das jedesmalige mundartliche Verschiebungsgesetz auf diese anzuwenden – und dieser Versuch wird unwillkürlich gemacht –, kollidiert mit dem Versuch, die neue Sprache korrekt zu sprechen. Dabei verlieren dann die geschriebenen *b* und *p*, *d* und *t* alle feste Bedeutung, und so konnte es kommen, daß z.B. Börne in seinen Pariser Briefen sich darüber beklagt, die Franzosen könnten *b* und *p* nicht unterscheiden, weil sie hartnäckig meinten, sein Name, den er *Perne* aussprach, finge mit einem *p* an.

Doch zurück zur Pfälzer Mundart. Der Nachweis, daß ihr die hochdeutsche Verschiebung sozusagen von außen aufgedrängt und bis heute noch ein fremdes Element geblieben, dazu auch nicht einmal die Lautstufe der Schriftsprache erreicht (über die weit hinausgehend Alamannen und Bayern im ganzen diese oder jene althochdeutsche Stufe bewahren) – dieser Beweis allein reicht hin, den vorwiegend fränkischen Charakter des Pfälzischen festzustellen. Denn selbst in dem weit nördlicher liegenden Hessen ist die Verschiebung im ganzen weiter durchgeführt und damit der angeblich vorwiegend hessische Charakter des Pfälzischen auf ein bescheidenes Maß zurückgeführt. Um hart an der alamannischen Grenze, unter zurückgebliebnen Alamannen, der hochdeutschen Verschiebung solchen Widerstand zu leisten, dazu müssen neben den, selbst wesentlich hochdeutschen, Hessen mindestens ebenso zahlreiche Ripuarier am Platz gewesen sein. Und deren Anwesenheit wird ferner bewiesen – außer durch die Ortsnamen – durch zwei allgemein fränkische Eigenheiten: die Bewahrung des fränkischen *w* statt *b* im Inlaut und die Aussprache des *g* als *ch* im In- und Auslaut. Dazu kommen noch eine Menge einzelner Fälle von Übereinstimmung. Mit dem pfälzischen *Gundach* – „guten Tag" kommt man bis Dünkirchen und Amsterdam. Ebenso wie in der Pfalz „ein gewisser Mann" *ein sichrer Mann* heißt, so in ganz Niederland *een zekeren man. Handsching* für Handschuh stimmt zum ripuarischen *Händschen*. Sogar *g* für *j* in *Ghannisnacht* (Johannisnacht) ist ripuarisch und geht, wie wir sehen, bis ins Münsterland. Und das allen Franken, auch den Niederländern, gemeinsame *baten* (bessern, nützen von *bat* – besser) ist in der Pfalz gebräuchlich: *'s badd alles nix* – es hilft alles nichts – wo sogar das *t* nicht hochdeutsch zu *tz* verschoben, sondern pfälzisch zwischen Vokalen zu *d* erweicht ist.

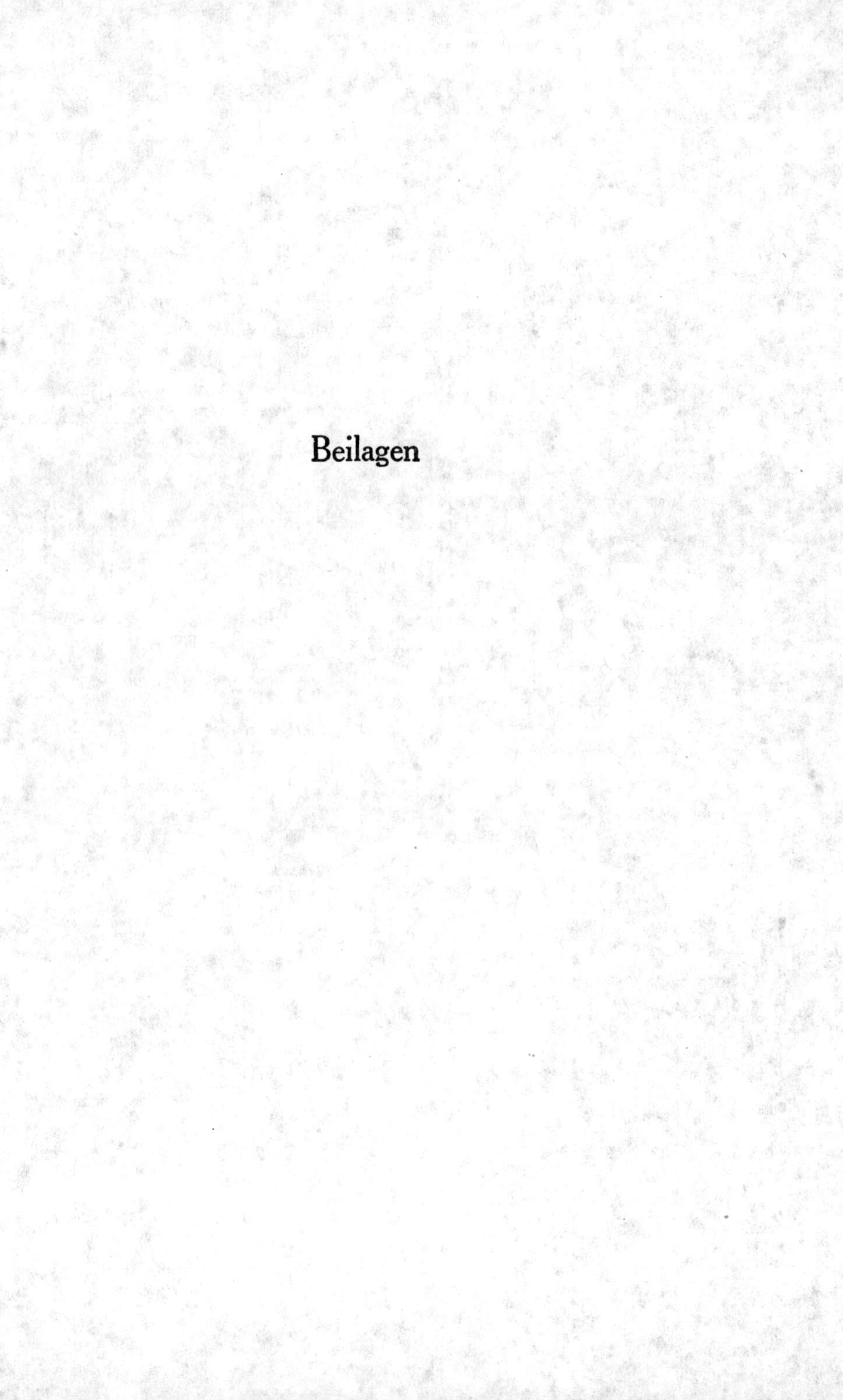

Beilagen

Friedrich Engels

[Vorwort zur „Kritik des Gothaer Programms“ von Karl Marx]

Das hier abgedruckte Manuskript – der Begleitbrief an Bracke sowohl wie die Kritik des Programmentwurfs[1] – wurde 1875 kurz vor dem Gothaer Einigungskongreß an Bracke zur Mitteilung an Geib, Auer, Bebel und Liebknecht und spätern Rücksendung an Marx abgesandt. Da der Haller Parteitag die Diskussion des Gothaer Programms auf die Tagesordnung der Partei gesetzt hat, würde ich glauben, eine Unterschlagung zu begehn, wenn ich dies wichtige – vielleicht das wichtigste – in diese Diskussion einschlagende Aktenstück der Öffentlichkeit noch länger vorenthielte.

Das Manuskript hat aber noch eine andere und weiter reichende Bedeutung. Zum ersten Mal wird hier die Stellung von Marx zu der von Lassalle seit dessen Eintritt in die Agitation eingeschlagnen Richtung klar und fest dargelegt, und zwar sowohl was die ökonomischen Prinzipien wie die Taktik Lassalles betrifft.

Die rücksichtslose Schärfe, mit der hier der Programmentwurf zergliedert, die Unerbittlichkeit, womit die gewonnenen Resultate ausgesprochen, die Blößen des Entwurfs aufgedeckt werden, alles das kann heute, nach fünfzehn Jahren, nicht mehr verletzen. Spezifische Lassalleaner existieren nur noch im Ausland als vereinzelte Ruinen, und das Gothaer Programm ist in Halle sogar von seinen Schöpfern als durchaus unzulänglich preisgegeben worden.

Trotzdem habe ich einige persönlich scharfe Ausdrücke und Urteile da, wo dies für die Sache gleichgiltig war, ausgelassen und durch Punkte ersetzt. Marx selbst würde dies tun, wenn er das Manuskript heute veröffentlichte. Die stellenweise heftige Sprache desselben war provoziert durch zwei Umstände: Erstens waren Marx und ich mit der deutschen Bewegung inniger verwachsen als mit irgendeiner andern; der in diesem Programmentwurf bekundete entschiedene Rückschritt mußte uns also besonders heftig erregen. Zweitens aber lagen wir damals, kaum zwei Jahre nach dem Haager Kongreß der Internationale, im heftigsten Kampf mit Bakunin und seinen Anarchisten, die uns für alles verantwortlich machten, was in

[1] Siehe vorl. Band, S. 11–32

Deutschland in der Arbeiterbewegung geschah; wir mußten also erwarten, daß man uns auch die geheime Vaterschaft dieses Programms zuschob. Diese Rücksichten fallen jetzt weg, und mit ihnen die Notwendigkeit der fraglichen Stellen.

Auch aus preßgesetzlichen Gründen sind einige Sätze nur durch Punkte angedeutet. Wo ich einen milderen Ausdruck wählen mußte, ist er in eckige Klammern gesetzt. Sonst ist der Abdruck wörtlich.

London, 6. Januar 1891

Fr. Engels

Nach: „Die Neue Zeit", Nr. 18,
9. Jahrgang, 1. Band, 1890–1891.

Friedrich Engels

Vorwort zur vierten Auflage (1891) [„Die Entwicklung des Sozialismus von der Utopie zur Wissenschaft"]

Meine Vermutung, daß der Inhalt dieser Schrift[1] unsern deutschen Arbeitern wenig Schwierigkeiten machen werde, hat sich bestätigt. Wenigstens sind seit März 1883, wo die erste Auflage erschien, drei Auflagen von im ganzen 10 000 Exemplaren abgesetzt worden, und das unter der Herrschaft des verblichnen Sozialistengesetzes – zugleich ein neues Beispiel davon, wie ohnmächtig Polizeiverbote sind gegenüber einer Bewegung wie die des modernen Proletariats.

Seit der ersten Auflage sind noch verschiedne Übersetzungen in fremde Sprachen erschienen: eine italienische von Pasquale Martignetti: „Il Socialismo Utopico e il Socialismo scientifico", Benevento 1883; eine russische: „Razvitie naucznago Socializma", Genf 1884; eine dänische: „Socialismens Udvikling fra Utopi til Videnskab", in „Socialistisk Bibliotek", I. Bind, Kjöbenhavn 1885; eine spanische: „Socialismo utópico y Socialismo cientifico", Madrid 1886; und eine holländische: „De Ontwikkeling van het Socialisme van Utopie tot Wetenschap", Haag 1886.

Die gegenwärtige Auflage hat verschiedne kleine Abänderungen erfahren; wichtigere Zusätze sind nur an zwei Stellen gemacht: im ersten Kapitel über Saint-Simon, der gegenüber Fourier und Owen doch etwas zu kurz kam, und gegen Ende des dritten über die inzwischen wichtig gewordne neue Produktionsform der „Trusts".

London, 12. Mai 1891

Friedrich Engels

---

[1] Siehe vorl. Band, S.177–228

Friedrich Engels

Einleitung [zur englischen Ausgabe (1892) „Die Entwicklung des Sozialismus von der Utopie zur Wissenschaft"] [295]

Die vorliegende kleine Schrift ist ursprünglich Teil eines größern Ganzen. Um 1875 verkündete Dr. E. Dühring, Privatdozent an der Berliner Universität, plötzlich und ziemlich geräuschvoll seine Bekehrung zum Sozialismus und bescherte dem deutschen Publikum nicht allein eine umständliche sozialistische Theorie, sondern auch einen kompletten praktischen Plan zur Reorganisation der Gesellschaft. Es war eine Selbstverständlichkeit, daß er über seine Vorgänger herfiel; vor allem beehrte er Marx damit, daß er die volle Schale seines Grimms über ihn ausgoß.

Dies geschah um die Zeit, als die beiden Sektionen der Sozialistischen Partei in Deutschland – Eisenacher und Lassalleaner – eben ihre Verschmelzung vollzogen hatten und damit nicht nur einen immensen Kraftzuwachs, sondern, was mehr war, die Fähigkeit zum Einsatz dieser ganzen Kraft gegen den gemeinsamen Feind erhielten. Die Sozialistische Partei in Deutschland war im Begriff, rasch zu einer Macht zu werden. Sie aber zu einer Macht zu machen, dazu war die erste Bedingung, daß die neugewonnene Einheit nicht gefährdet wurde. Dr. Dühring nun schickte sich offen an, um seine Person herum eine Sekte, den Kern einer künftigen separaten Partei zu bilden. So wurde es notwendig, den uns hingeworfnen Fehdehandschuh aufzunehmen und den Strauß auszufechten, ob uns das nun behagen mochte oder nicht.

Nun war dies, wenn auch kein allzu schwieriges, so doch augenscheinlich ein langwieriges Geschäft. Wie man wohl weiß, besitzen wir Deutsche eine erschreckend gewichtige Gründlichkeit, einen fundamentalen Tiefsinn oder eine tiefsinnige Fundamentalität, wie man es immer nennen mag. Sooft einer von uns etwas darlegt, was er als eine neue Doktrin ansieht, hat er es zunächst zu einem allumfassenden System auszuarbeiten. Er hat zu beweisen, daß sowohl die ersten Prinzipien der Logik als auch die Grundgesetze des Universums von aller Ewigkeit her zu keinem andern Zweck existiert haben als dazu, in letzter Instanz zu dieser neuentdeckten, allem die Krone aufsetzenden Theorie hinzuleiten. Und Dr. Dühring war in dieser Hinsicht ganz nach dem nationalen Standard. Nicht weniger als ein komplettes „System der Philosophie", der Geistes-, Moral-, Natur- und Geschichtsphilosophie; ein komplettes „System der politischen Ökonomie und des Sozialismus" und zum Schluß eine „Kritische Geschichte der politischen Ökonomie" – drei dicke Oktavbände, schwerfällig von außen und von innen, drei Armeekorps von Argumenten, ins Feld geführt gegen alle vorhergehenden Philosophen und Ökonomen im allgemeinen und gegen Marx im besondern – in der Tat, der Versuch einer kompletten „Umwälzung der Wissenschaft" – das war's, was ich aufs Korn nehmen sollte. Ich hatte alle nur möglichen Gegenstände zu behandeln; von den Begriffen der Zeit und des Raums bis zum Bimetallismus; von der Ewigkeit der Materie und der Bewegung bis zu der vergänglichen Natur der moralischen Ideen; von Darwins natürlicher Zuchtwahl bis zur Jugenderziehung in einer zukünftigen Gesellschaft. Immerhin gab mir die systematische Weitläufigkeit meines Opponenten Gelegenheit, in Opposition zu ihm und in einer zusammenhängenderen Form, als dies früher geschehn war, die von Marx und mir vertretnen Ansichten über diese große Mannigfaltigkeit von Gegenständen zu entwickeln. Und das war der Hauptgrund, der mich diese sonst undankbare Aufgabe in Angriff nehmen ließ.

Meine Antwort wurde zuerst veröffentlicht in einer Artikelreihe im Leipziger „Vorwärts", Zentralorgan der Sozialistischen Partei, und später als Buch: „Herrn Eugen Dührings Umwälzung der Wissenschaft", von dem 1886 in Zürich eine zweite Auflage erschien.

Auf Ersuchen meines Freundes Paul Lafargue, gegenwärtig Vertreter von Lille in der französischen Deputiertenkammer, richtete ich drei Kapitel dieses Buchs als Broschüre ein, die er übersetzte und 1880 unter dem Titel: „Socialisme utopique et socialisme scientifique" veröffentlichte. Nach diesem französischen Text wurden eine polnische und eine spanische Ausgabe veranstaltet. Im Jahre 1883 brachten unsre deutschen Freunde die Broschüre in der Originalsprache heraus. Seitdem sind auf Grund des deutschen Texts italienische, russische, dänische, holländische und rumänische Übersetzungen veröffentlicht worden. Zusammen mit der vorliegenden englischen Ausgabe ist diese kleine Schrift also in zehn Sprachen verbreitet. Ich wüßte nicht, daß irgendein andres sozialistisches Werk, nicht einmal unser „Kommunistisches Manifest" von 1848 oder Marx' „Kapital", so viele Male übersetzt worden wäre. In Deutschland hat es vier Auflagen von insgesamt etwa 20 000 Exemplaren erlebt.

Der Anhang, „Die Mark"[1], wurde in der Absicht geschrieben, in der deutschen Sozialistischen Partei einige grundlegende Kenntnisse über die Geschichte und die Entwicklung des Grundeigentums in Deutschland zu verbreiten. Das schien besonders notwendig zu einer Zeit, da sich der Einfluß dieser Partei bereits auf annähernd die gesamte städtische Arbeiter-

[1] Siehe vorl. Band, S. 315–330

schaft erstreckte und es galt, die Landarbeiter und die Bauern zu gewinnen. Dieser Anhang wurde in die Übersetzung einbezogen, da die ursprünglichen, allen germanischen Stämmen gemeinsamen Formen des Bodenbesitzes und die Geschichte ihres Verfalls in England noch weit weniger bekannt sind als in Deutschland. Ich habe den Originaltext unverändert gelassen, also nicht Bezug genommen auf die unlängst von Maxim Kowalewski aufgestellte Hypothese, derzufolge der Teilung des Acker- und Wiesenlandes unter die Mitglieder der Mark seine für gemeinsame Rechnung erfolgende Bestellung durch eine große patriarchalische Familiengemeinschaft vorausging, die mehrere Generationen umfaßte (wofür die noch heute bestehende südslawische Zadruga ein Beispiel ist), und die Teilung später erfolgte, als die Gemeinschaft so groß geworden war, daß sie für gemeinsamen Wirtschaftsbetrieb zu schwerfällig wurde. Kowalewski hat wahrscheinlich ganz recht, aber die Frage ist noch sub judice[1].

Die in diesem Buch verwendeten ökonomischen Ausdrücke stimmen, soweit sie neu sind, mit den in der englischen Ausgabe von Marx' „Kapital" benutzten überein. Wir bezeichnen als „Warenproduktion" diejenige ökonomische Phase, in welcher die Gegenstände nicht nur für den Gebrauch der Produzenten, sondern auch für Zwecke des Austausches produziert werden, d.h. *als Waren*, nicht als Gebrauchswerte. Diese Phase reicht von den ersten Anfängen der Produktion für den Austausch bis herab in unsre gegenwärtige Zeit; sie erlangt ihre volle Entwicklung erst unter der kapitalistischen Produktion, d.h. unter Bedingungen, wo der Kapitalist, der Eigentümer der Produktionsmittel, gegen Lohn Arbeiter beschäftigt, Leute, die aller Produktionsmittel, ihre eigne Arbeitskraft ausgenommen, beraubt sind, und den Überschuß des Verkaufspreises der Produkte über seine Auslagen einsteckt. Wir teilen die Geschichte der industriellen Produktion seit dem Mittelalter in drei Perioden ein: 1. Handwerk, kleine Handwerksmeister mit wenigen Gesellen und Lehrlingen, wobei jeder Arbeiter den vollständigen Artikel herstellt; 2. Manufaktur, wobei eine größre Anzahl Arbeiter, in einer großen Werkstätte gruppiert, den vollständigen Artikel nach dem Prinzip der Arbeitsteilung herstellt, indem jeder Arbeiter nur eine Teiloperation verrichtet, so daß das Produkt erst vollendet ist, nachdem es nacheinander durch die Hände aller gegangen ist; 3. moderne Industrie, wobei das Produkt durch die mittels Kraft angetriebene Maschinerie hergestellt wird und die Tätigkeit des Arbeiters sich darauf beschränkt, die Verrichtungen des Mechanismus zu überwachen und zu korrigieren.[2]

Ich weiß sehr gut, daß der Inhalt dieses Büchleins einen großen Teil des britischen Publikums vor den Kopf stoßen wird. Aber hätten wir Kontinentalen die geringste Rücksicht genommen auf die Vorurteile der briti-

---

[1] nicht entschieden – [2] nach diesem Absatz beginnt der von Engels übersetzte Teil der Einleitung, der in der „Neuen Zeit" veröffentlicht wurde

schen „Respektabilität", d.h. des britischen Philisteriums, so wären wir noch schlimmer dran als ohnehin der Fall ist. Diese Schrift vertritt das, was wir den „historischen Materialismus" nennen, und das Wort Materialismus ist für die Ohren der ungeheuren Mehrzahl britischer Leser ein schriller Mißton. „Agnostizismus" ginge noch an, aber Materialismus – rein unmöglich.

Und doch ist die Urheimat alles modernen Materialismus, vom siebzehnten Jahrhundert an, nirgendwo anders als in – England.

„Der Materialismus ist der eingeborne Sohn Großbritanniens. Schon sein Scholastiker Duns Scotus fragte sich, ‚ob die Materie nicht denken könne'.

Um dies Wunder zu bewerkstelligen, nahm er zu Gottes Allmacht seine Zuflucht, d.h., er zwang die Theologie selbst, den Materialismus zu predigen. Er war überdem Nominalist. Der Nominalismus findet sich als ein Hauptelement bei den englischen Materialisten, wie er überhaupt der erste Ausdruck des Materialismus ist.

Der wahre Stammvater des englischen Materialismus ist Baco. Die Naturwissenschaft gilt ihm als die wahre Wissenschaft und die sinnliche Physik als der vornehmste Teil der Naturwissenschaft. Anaxagoras mit seinen Homoiomerien und Demokrit mit seinen Atomen sind häufig seine Autoritäten. Nach seiner Lehre sind die Sinne untrüglich und die Quelle aller Kenntnisse. Die Wissenschaft ist Erfahrungswissenschaft und besteht darin, eine rationelle Methode auf das sinnlich Gegebne anzuwenden. Induktion, Analyse, Vergleichung, Beobachtung, Experimentieren sind die Hauptbedingungen einer rationellen Methode. Unter den der Materie eingebornen Eigenschaften ist die Bewegung die erste und vorzüglichste, nicht nur als mechanische und mathematische Bewegung, sondern mehr noch als Trieb, Lebensgeist, Spannkraft, als Qual – um den Ausdruck Jakob Böhmes zu gebrauchen* – der Materie. Die primitiven Formen der letztern sind lebendige, individualisierende, ihr inhärente, die spezifischen Unterschiede produzierende Wesenskräfte.

In Baco, als seinem ersten Schöpfer, birgt der Materialismus noch auf eine naive Weise die Keime einer allseitigen Entwicklung in sich. Die Materie lacht in poetisch-sinnlichem Glanze den ganzen Menschen an. Die aphoristische Doktrin selbst wimmelt dagegen noch von theologischen Inkonsequenzen.

* „Qual" ist ein philosophisches Wortspiel. Qual bedeutet wörtlich torture, einen Schmerz, der zu irgendeiner Tat antreibt; zugleich trägt der Mystiker Böhme in das deutsche Wort etwas von der Bedeutung des lateinischen qualitas[1] hinein; im Gegensatz zu einem Schmerz, der von außen zugefügt wird, war seine „Qual" das aktivierende Prinzip, das aus der spontanen Entwicklung des Dings – der Beziehung oder der Person, die dieser Qual ausgesetzt sind – entsteht und seinerseits fördernd auf die Entwicklung einwirkt. *[Fußnote von Engels zum englischen Text; fehlt in der „Neuen Zeit".]*

[1] Eigenschaft

In seiner Fortentwicklung wird der Materialismus einseitig. Hobbes ist der Systematiker des baconischen Materialismus. Die Sinnlichkeit verliert ihre Blume und wird zur abstrakten Sinnlichkeit des Geometers. Die physische Bewegung wird der mechanischen oder mathematischen geopfert; die Geometrie wird als die Hauptwissenschaft proklamiert. Der Materialismus wird menschenfeindlich. Um den menschenfeindlichen, fleischlosen Geist auf seinem eignen Gebiet überwinden zu können, muß der Materialismus selbst sein Fleisch abtöten und zum Asketen werden. Er tritt auf als ein Verstandeswesen, aber er entwickelt auch die rücksichtslose Konsequenz des Verstandes.

Wenn die Sinnlichkeit alle Kenntnisse den Menschen liefert, demonstriert Hobbes, von Baco ausgehend, so sind Anschauung, Gedanke, Vorstellung etc. nichts als Phantome der mehr oder minder von ihrer sinnlichen Form entkleideten Körperwelt. Die Wissenschaft kann diese Phantome nur benennen. Ein Name kann auf mehrere Phantome angewandt werden. Es kann sogar Namen von Namen geben. Es wäre aber ein Widerspruch, einerseits alle Ideen ihren Ursprung in der Sinnenwelt finden zu lassen und andrerseits zu behaupten, daß ein Wort mehr als ein Wort sei, daß es außer den vorgestellten, immer einzelnen Wesen noch allgemeine Wesen gebe. Eine unkörperliche Substanz ist vielmehr derselbe Widerspruch wie ein unkörperlicher Körper. Körper, Sein, Substanz ist eine und dieselbe reelle Idee. Man kann den Gedanken nicht von einer Materie trennen, die denkt. Sie ist das Subjekt aller Veränderungen. Das Wort unendlich ist sinnlos, wenn es nicht die Fähigkeit unseres Geistes bedeutet, ohne Ende hinzuzufügen. Weil nur das Materielle wahrnehmbar, wißbar ist, so weiß man nichts von Gottes Existenz. Nur meine eigne Existenz ist sicher. Jede menschliche Leidenschaft ist eine mechanische Bewegung, die endet oder anfängt. Die Objekte der Triebe sind das Gute. Der Mensch ist denselben Gesetzen unterworfen wie die Natur. Macht und Freiheit sind identisch.

Hobbes hatte den Baco systematisiert, aber sein Grundprinzip, den Ursprung der Kenntnisse und Ideen aus der Sinnenwelt, nicht näher begründet.

Locke begründet das Prinzip des Baco und Hobbes in seinem Versuch über den Ursprung des menschlichen Verstandes.

Wie Hobbes die theistischen Vorurteile des baconischen Materialismus vernichtete, so Collins, Dodwell, Coward, Hartley, Priestley etc. die letzte theologische Schranke des Lockeschen Sensualismus. Mehr als eine bequeme und nachlässige Weise, die Religion loszuwerden, ist der Deismus wenigstens für den Materialisten nicht."*

---

* *K. Marx und F. Engels*, „Die heilige Familie", Frankfurt a. M. 1845, p. 201–204. F. E.[1]

---

[1] Vgl. Band 2 unserer Ausgabe, S. 135/136

So sprach Karl Marx sich aus über den britischen Ursprung des modernen Materialismus. Und wenn heutzutage die Engländer sich nicht besonders erbaut fühlen durch die Anerkennung, die er ihren Vorfahren zollte, so kann uns das nur leid tun. Es bleibt trotzdem unleugbar, daß Baco, Hobbes und Locke die Väter waren jener glänzenden Schule französischer Materialisten, die, trotz aller von Deutschen und Engländern zu Land und zur See über Franzosen erfochtnen Siege, das achtzehnte Jahrhundert zu einem vorwiegend französischen Jahrhundert machten; und das lange vor jener den Jahrhundertschluß krönenden französischen Revolution, deren Resultate wir andern, in England wie in Deutschland, noch immer zu akklimatisieren bestrebt sind.

Es ist nun einmal nicht zu leugnen. Wenn um die Mitte unseres Jahrhunderts ein gebildeter Ausländer in England Wohnsitz nahm, so fiel ihm eins am meisten auf, und das war – wie er es auffassen mußte – die religiöse Bigotterie und Dummheit der englischen „respektablen" Mittelklasse. Wir waren damals alle Materialisten oder doch sehr weitgehende Freidenker; es erschien uns unbegreiflich, daß fast alle gebildeten Leute in England an allerlei unmögliche Wunder glaubten, und daß selbst Geologen wie Buckland und Mantell die Tatsachen ihrer Wissenschaft verdrehten, damit sie nur ja nicht zu sehr den Mythen der mosaischen Schöpfungsgeschichte ins Gesicht schlugen; unbegreiflich, daß, um Leute zu finden, die ihren Verstand in religiösen Dingen zu brauchen wagten, man gehn mußte zu den Ungebildeten, zu der „ungewaschenen Horde", wie es damals hieß, zu den Arbeitern, besonders den owenistischen Sozialisten.

Aber seitdem ist England „zivilisiert" worden. Die Ausstellung von 1851 läutete die Totenglocke der englischen insularen Ausschließlichkeit. England internationalisierte sich allmählich, in Essen und Trinken, in Sitten, in Vorstellungen; so sehr, daß ich mehr und mehr wünsche, gewisse englische Sitten fänden auf dem Kontinent dieselbe allgemeine Annahme wie andre kontinentale Gebräuche in England. Soviel ist sicher: Die Ausbreitung des (vor 1851 nur der Aristokratie bekannten) Salatöls war begleitet von einer fatalen Ausbreitung des kontinentalen Skeptizismus in religiösen Dingen; und dahin ist es gekommen, daß der Agnostizismus zwar noch nicht für ebenso fein gilt wie die englische Staatskirche, aber doch, was Respektabilität anlangt, fast auf derselben Stufe steht wie die Baptistensekte und jedenfalls einen höheren Rang einnimmt als die Heilsarmee. Und da kann ich mir nicht anders vorstellen, als daß für viele, die diesen Fortschritt des Unglaubens von Herzen bedauern und verfluchen, es tröstlich sein wird, zu erfahren, daß diese neugebacknen Ideen nicht ausländischen Ursprungs, nicht mit der Marke: Made in Germany, deutsches Fabrikat, versehen sind wie so viele andre Artikel alltäglichen Gebrauchs, daß sie im Gegenteil altenglischen Ursprungs sind, und daß ihre britischen Urheber vor zweihundert Jahren ein gut Stück weiter gingen als ihre Nachkommen heutigestags.

In der Tat, was ist Agnostizismus anders als verschämter Materialismus? Die Naturanschauung des Agnostikers ist durch und durch materialistisch. Die ganze natürliche Welt wird von Gesetzen beherrscht und schließt jederlei Einwirkung von außen absolut aus. Aber, setzt der Agnostiker vorsichtig hinzu, wir sind nicht imstande, die Existenz oder Nichtexistenz irgendeines höchsten Wesens jenseits der uns bekannten Welt zu beweisen. Dieser Vorbehalt mochte seinen Wert haben zur Zeit, als Laplace, auf Napoleons Frage, warum in der „Mécanique céleste" des großen Astronomen der Schöpfer nicht einmal erwähnt sei, die stolze Antwort gab: Je n'avais pas besoin de cette hypothèse.[1] Heute aber läßt unser Gedankenbild vom Weltall in seiner Entwicklung absolut keinen Raum weder für einen Schöpfer noch für einen Regierer; wollte man aber ein von der ganzen existierenden Welt ausgeschloßnes höchstes Wesen annehmen, so wäre das ein Widerspruch in sich selbst und obendrein, wie mir scheint, eine unprovozierte Verletzung der Gefühle religiöser Leute.

Ebenso gibt unser Agnostiker zu, daß all unser Wissen beruht auf den Mitteilungen, die wir durch unsre Sinne empfangen. Aber, setzt er hinzu, woher wissen wir, ob unsre Sinne uns richtige Abbilder der durch sie wahrgenommenen Dinge geben? Und weiters berichtet er uns: Wenn er von Dingen oder ihren Eigenschaften spricht, so meint er in Wirklichkeit nicht diese Dinge und ihre Eigenschaften selbst, von denen er nichts Gewisses wissen kann, sondern nur die Eindrücke, die sie auf seine Sinne gemacht haben. Das ist allerdings eine Auffassungsweise, der es schwierig scheint, auf dem Wege der bloßen Argumentation beizukommen. Aber ehe die Menschen argumentierten, handelten sie. „Im Anfang war die Tat." Und menschliche Tat hatte die Schwierigkeit schon gelöst, lange ehe menschliche Klugtuerei sie erfand. The proof of the pudding is in the eating.[2] In dem Augenblick, wo wir diese Dinge, je nach den Eigenschaften, die wir in ihnen wahrnehmen, zu unserm eignen Gebrauch anwenden, in demselben Augenblick unterwerfen wir unsre Sinneswahrnehmungen einer unfehlbaren Probe auf ihre Richtigkeit oder Unrichtigkeit. Waren diese Wahrnehmungen unrichtig, dann muß auch unser Urteil über die Verwendbarkeit eines solchen Dings unrichtig sein, und unser Versuch, es zu verwenden, muß fehlschlagen. Erreichen wir aber unsern Zweck, finden wir, daß das Ding unsrer Vorstellung von ihm entspricht, daß es das leistet, wozu wir es anwandten, dann ist dies positiver Beweis dafür, daß innerhalb dieser Grenzen unsre Wahrnehmungen von dem Ding und von seinen Eigenschaften mit der außer uns bestehenden Wirklichkeit stimmen. Finden wir dagegen, daß wir einen Fehlstoß gemacht, dann dauert es meistens auch nicht lange, ehe wir

[1] Ich bedurfte dieser Hypothese nicht. – [2] Man prüft den Pudding, indem man ihn ißt.

die Ursache davon entdecken; wir finden, daß die unserm Versuch zugrunde gelegte Wahrnehmung entweder selbst unvollständig und oberflächlich oder mit den Ergebnissen andrer Wahrnehmungen in einer durch die Sachlage nicht gerechtfertigten Weise verkettet worden war. Solange wir unsre Sinne richtig ausbilden und gebrauchen und unsre Handlungsweise innerhalb der durch regelrecht gemachte und verwertete Wahrnehmungen gesetzten Schranken halten, solange werden wir finden, daß die Erfolge unsrer Handlungen den Beweis liefern für die Übereinstimmung unsrer Wahrnehmungen mit der gegenständlichen Natur der wahrgenommenen Dinge. Nicht in einem einzigen Fall, soviel bis heute bekannt, sind wir zu dem Schluß gedrängt worden, daß unsre wissenschaftlich kontrollierten Sinneswahrnehmungen in unserm Gehirn Vorstellungen von der Außenwelt erzeugen, die ihrer Natur nach von der Wirklichkeit abweichen, oder daß zwischen der Außenwelt und unsren Sinneswahrnehmungen von ihr eine angeborne Unverträglichkeit besteht.

Aber dann kommt der neukantianische Agnostiker und sagt: Ja, wir können möglicherweise die Eigenschaften eines Dings richtig wahrnehmen, aber nicht durch irgendwelchen Sinnes- oder Denkprozeß das Ding selbst erfassen. Dies Ding an sich ist jenseits unsrer Kenntnis. Hierauf hat schon Hegel vor langer Zeit geantwortet: Wenn ihr alle Eigenschaften eines Dings kennt, so kennt ihr auch das Ding selbst; es bleibt dann nichts als die Tatsache, daß besagtes Ding außer uns existiert, und sobald eure Sinne euch diese Tatsache beigebracht haben, habt ihr den letzten Rest dieses Dings, Kants berühmtes unerkennbares Ding an sich, erfaßt. Heute können wir dem nur noch zufügen, daß zu Kants Zeit unsre Kenntnis der natürlichen Dinge fragmentarisch genug war, um hinter jedem noch ein besondres geheimnisvolles Ding an sich vermuten zu lassen. Aber seitdem sind diese unfaßbaren Dinge eines nach dem andern durch den Riesenfortschritt der Wissenschaft gefaßt, analysiert und, was mehr ist, reproduziert worden. Und was wir *machen* können, das können wir sicherlich nicht als unerkennbar bezeichnen. Für die Chemie der ersten Hälfte unsres Jahrhunderts waren die organischen Substanzen solche geheimnisvolle Dinge. Jetzt lernen wir sie eine nach der andern aus den chemischen Elementen und ohne Hilfe organischer Prozesse aufbauen. Die moderne Chemie erklärt: Sobald die chemische Konstitution einerlei welches Körpers bekannt ist, kann dieser Körper aus den Elementen zusammengesetzt werden. Nun sind wir noch weit entfernt von genauer Kenntnis der Konstitution der höchsten organischen Substanzen, der sogenannten Eiweißkörper; aber es liegt durchaus kein Grund vor, warum wir nicht, wenn auch erst nach Jahrhunderten, diese Kenntnis erlangen und mit ihrer Hilfe künstliches Eiweiß machen sollten. Kommen wir aber dahin, so haben wir auch gleichzeitig organisches Leben produziert, denn Leben, von seinen niedrigsten bis zu seinen höchsten Formen, ist nichts als die normale Daseinsweise der Eiweißkörper.

Hat unser Agnostiker aber diese formellen Vorbehalte einmal gemacht, so spricht und handelt er ganz als der hartgesottne Materialist, der er im Grunde ist. Er mag sagen: Soweit *wir* wissen, kann Materie und Bewegung, oder wie man jetzt sagt, Energie, weder geschaffen noch vernichtet werden, aber wir haben keinen Beweis dafür, daß beide nicht zu irgendeiner unbekannten Zeit erschaffen worden sind. Versucht ihr aber einmal, dies Zugeständnis in einem gegebnen Fall gegen ihn zu verwerten, so wird er euch schleunigst ab- und zur Ruhe verweisen. Gibt er die Möglichkeit des Spiritualismus in abstracto zu, so will er in concreto nichts von ihr wissen. Er wird euch sagen: Soviel wir wissen und wissen können, gibt es keinen Schöpfer oder Regierer des Weltalls; soweit wir in Betracht kommen, sind Materie und Energie ebenso unerschaffbar wie unzerstörbar; für uns ist das Denken eine Form der Energie, eine Funktion des Gehirns; alles, was *wir* wissen, läuft darauf hinaus, daß die materielle Welt von unveränderlichen Gesetzen beherrscht wird – usw. usw.; soweit er also ein *wissenschaftlicher* Mann ist, soweit er etwas *weiß*, soweit ist er Materialist; außerhalb seiner Wissenschaft, auf Gebieten, wo er nicht zu Hause ist, übersetzt er seine Unwissenheit ins Griechische und nennt sie Agnostizismus.

Jedenfalls scheint eines sicher: Selbst wenn ich ein Agnostiker wäre, könnte ich die in diesem Büchlein skizzierte Geschichtsauffassung nicht bezeichnen als „historischen Agnostizismus". Religiöse Leute würden mich auslachen, und die Agnostiker würden mich entrüstet fragen, ob ich sie verhöhnen will. Und so hoffe ich, daß auch die britische „Respektabilität", die man auf deutsch Philisterium heißt, nicht gar zu entsetzt sein wird, wenn ich im Englischen, wie in so vielen andern Sprachen, den Ausdruck: „historischer Materialismus" anwende zur Bezeichnung derjenigen Auffassung des Weltgeschichtsverlaufs, die die schließliche Ursache und die entscheidende Bewegungskraft aller wichtigen geschichtlichen Ereignisse sieht in der ökonomischen Entwicklung der Gesellschaft, in den Veränderungen der Produktions- und Austauschweise, in der daraus entspringenden Spaltung der Gesellschaft in verschiedne Klassen und in den Kämpfen dieser Klassen unter sich.

Man wird mir diese Nachsicht vielleicht um so eher angedeihen lassen, wenn ich nachweise, daß der historische Materialismus von Nutzen sein kann sogar für die Respektabilität des britischen Philisters. Ich habe auf die Tatsache hingewiesen, daß vor vierzig oder fünfzig Jahren jedem gebildeten Ausländer, der sich in England niederließ, das unangenehm gegenübertrat, was ihm erscheinen mußte als die religiöse Bigotterie und Verranntheit der englischen „respektablen" Mittelklasse. Ich werde jetzt nachweisen, daß die respektable englische Mittelklasse jener Zeit doch nicht ganz so dumm war wie sie dem intelligenten Ausländer erschien. Ihre religiösen Tendenzen lassen sich erklären.

Als Europa aus dem Mittelalter herauskam, war das emporkommende

Bürgertum der Städte sein revolutionäres Element. Die anerkannte Stellung, die es sich innerhalb der mittelalterlichen Feudalverfassung erobert hatte, war bereits zu eng geworden für seine Expansionskraft. Die freie Entwicklung des Bürgertums vertrug sich nicht mehr mit dem Feudalsystem, das Feudalsystem mußte fallen.

Das große internationale Zentrum des Feudalsystems aber war die römisch-katholische Kirche. Sie vereinigte das ganze feudalisierte Westeuropa, trotz aller innern Kriege, zu einem großen politischen Ganzen, das im Gegensatz stand sowohl zu der schismatisch-griechischen wie zur muhammedanischen Welt. Sie umgab die Feudalverfassung mit dem Heiligenschein göttlicher Weihe. Sie hatte ihre eigne Hierarchie nach feudalem Muster eingerichtet, und schließlich war sie der größte aller Feudalherrn, denn mindestens der dritte Teil alles katholischen Grundbesitzes gehörte ihr. Ehe der weltliche Feudalismus in jedem Land und im einzelnen angegriffen werden konnte, mußte diese seine zentrale, geheiligte Organisation zerstört werden.

Schritt für Schritt mit dem Emporkommen des Bürgertums entwickelte sich aber der gewaltige Aufschwung der Wissenschaft. Astronomie, Mechanik, Physik, Anatomie, Physiologie wurden wieder betrieben. Das Bürgertum gebrauchte zur Entwicklung seiner industriellen Produktion eine Wissenschaft, die die Eigenschaften der Naturkörper und die Betätigungsweisen der Naturkräfte untersuchte. Bisher aber war die Wissenschaft nur die demütige Magd der Kirche gewesen, der es nicht gestattet war, die durch den Glauben gesetzten Schranken zu überschreiten – kurz, sie war alles gewesen, nur keine Wissenschaft. Jetzt rebellierte die Wissenschaft gegen die Kirche; das Bürgertum brauchte die Wissenschaft und machte die Rebellion mit.

Ich habe hiermit nur zwei der Punkte berührt, bei denen das emporstrebende Bürgertum mit der bestehenden Kirche in Kollision kommen mußte; das wird aber genügen zum Beweis, erstens, daß die bei dem Kampf gegen die Machtstellung der katholischen Kirche am meisten beteiligte Klasse eben dies Bürgertum war; und zweitens, daß damals jeder Kampf gegen den Feudalismus eine religiöse Verkleidung annehmen, sich in erster Instanz richten mußte gegen die Kirche. Wurde aber der Schlachtruf angestimmt von den Universitäten und den Geschäftsleuten der Städte, so fand er unvermeidlich starken Widerhall bei den Massen des Landvolks, den Bauern, die überall mit ihren geistlichen und weltlichen Feudalherrn einen harten Kampf kämpften, und zwar um die Existenz selbst.

Der große Kampf des europäischen Bürgertums gegen den Feudalismus kulminierte in drei großen Entscheidungsschlachten.

Die erste war das, was wir die Reformation in Deutschland nennen. Dem Ruf Luthers zur Rebellion gegen die Kirche antworteten zwei politische Aufstände; zuerst der des niedern Adels unter Franz von Sickingen 1523, dann der große Bauernkrieg 1525. Beide wurden erdrückt, hauptsächlich infolge der Unentschlossenheit der meistbeteiligten Partei, der Städtebürger – eine Unentschlossenheit, deren Ursachen wir hier nicht untersuchen können. Von dem Augenblick an entartete der Kampf in einen Krakeel zwischen den Einzelfürsten und der kaiserlichen Zentralgewalt und hatte zur Folge, daß Deutschland für 200 Jahre aus der Reihe der politisch tätigen Nationen Europas gestrichen wurde. Die lutherische Reformation brachte es allerdings zu einer neuen Religion – und zwar zu einer solchen, wie die absolute Monarchie sie grade brauchte. Kaum hatten die nordostdeutschen Bauern das Luthertum angenommen, so wurden sie auch von freien Männern zu Leibeignen degradiert.

Aber wo Luther fehlschlug, da siegte Calvin. Sein Dogma war den kühnsten der damaligen Bürger angepaßt. Seine Gnadenwahl war der religiöse Ausdruck der Tatsache, daß in der Handelswelt der Konkurrenz Erfolg oder Bankrott nicht abhängt von der Tätigkeit oder dem Geschick des Einzelnen, sondern von Umständen, die von ihm unabhängig sind. „So liegt es nicht an jemandes Wollen oder Laufen, sondern am Erbarmen" überlegner, aber unbekannter ökonomischer Mächte. Und dies war ganz besonders wahr zu einer Zeit ökonomischer Umwälzung, wo alle alten Handelswege und Handelszentren durch neue verdrängt, wo Amerika und Indien der Welt eröffnet wurden und wo selbst die altehrwürdigsten ökonomischen Glaubensartikel – die Werte des Goldes und Silbers – ins Wanken und Krachen gerieten. Dazu war Calvins Kirchenverfassung durchweg demokratisch und republikanisch; wo aber das Reich Gottes republikanisiert war, konnten da die Reiche dieser Welt Königen, Bischöfen und Feudalherrn untertan bleiben? Wurde das deutsche Luthertum ein gefügiges Werkzeug in den Händen deutscher Kleinfürsten, so gründete der Calvinismus eine Republik in Holland und starke republikanische Parteien in England und namentlich in Schottland.

Im Calvinismus fand die zweite große Erhebung des Bürgertums ihre Kampftheorie fertig vor. Diese Erhebung fand statt in England. Das Bürgertum der Städte setzte sie in Gang, und die Mittelbauern (yeomanry) der Landdistrikte erkämpften den Sieg. Es ist sonderbar genug: In allen den drei großen bürgerlichen Revolutionen liefern die Bauern die Armee zum Schlagen, und die Bauern sind grade die Klasse, die nach erfochtnem Sieg durch die ökonomischen Folgen dieses Siegs am sichersten ruiniert wird. Hundert Jahre nach Cromwell war die yeomanry Englands so gut wie verschwunden. Jedenfalls aber war es nur durch die Einmischung dieser yeomanry und des plebejischen Elements der Städte, daß der Streit bis auf die letzte Entscheidung durchgekämpft wurde und Karl I. aufs Schafott kam. Damit selbst nur diejenigen Siegesfrüchte vom Bürgertum eingeheimst wurden, die damals erntereif waren, war es nötig, daß die Revolution bedeutend über das Ziel hinaus geführt wurde – ganz wie 1793 in Frankreich und 1848 in Deutschland. Es scheint dies in der Tat eins der Entwicklungsgesetze der bürgerlichen Gesellschaft zu sein.

Auf dies Übermaß revolutionärer Tätigkeit folgte die unvermeidliche Reaktion, die ihrerseits weit übers Ziel hinausschoß. Nach einer Reihe von Schwankungen wurde der neue Schwerpunkt endlich festgehalten und diente der weitern Entwicklung als Ausgangspunkt. Die großartige Periode der englischen Geschichte, die vom Philisterium als „die große Rebellion" bezeichnet wird, und die ihr folgenden Kämpfe erreichen ihren Abschluß in dem verhältnismäßig winzigen Ereignis von 1689, das die liberale Geschichtsschreibung „die ruhmreiche Revolution" nennt.

Der neue Ausgangspunkt war ein Kompromiß zwischen der aufkommenden Bourgeoisie und den ehemals feudalen Großgrundbesitzern. Diese, obwohl damals wie heute als die Aristokratie bezeichnet, waren schon längst auf dem Wege, das zu werden, was Louis-Philippe in Frankreich erst viel später wurde: die ersten Bourgeois der Nation. Zum Glück für England hatten sich die alten Feudalbarone in den Rosenkriegen gegenseitig totgeschlagen. Ihre Nachfolger, wenn auch meist Sprößlinge derselben alten Familien, kamen doch von so entfernten Seitenlinien, daß sie eine ganz neue Körperschaft ausmachten; ihre Gewohnheiten und Tendenzen waren weit mehr bürgerlich als feudal; sie kannten vollauf den Wert des Geldes und gingen sofort auf Erhöhung ihrer Bodenrenten aus, indem sie Hunderte kleiner Pächter durch Schafe verdrängten. Heinrich VIII. schuf massenweise neue Bourgeois-Landlords, indem er die Kirchengüter verschenkte und verschleuderte; dasselbe taten die bis Ende des siebenzehnten Jahrhunderts ununterbrochen fortgesetzten Konfiskationen von großen Gütern, die dann an ganze oder halbe Emporkömmlinge vergeben wurden. Daher hatte die englische „Aristokratie" seit Heinrich VII. nicht nur der Entwicklung der industriellen Produktion nicht entgegengewirkt, sondern umgekehrt aus ihr Nutzen zu ziehn gesucht. Und ebenso hatte sich jederzeit ein Teil der großen Grundbesitzer, aus ökonomischen oder politischen Beweggründen, bereit finden lassen zum Zusammenwirken mit den Führern der finanziellen und industriellen Bourgeoisie. So war also der Kompromiß von 1689 leicht zustande gekommen. Die politischen spolia opima[1] – Ämter, Sinekuren, große Gehälter – verblieben den großen Landadelsfamilien unter der Bedingung, daß sie die ökonomischen Interessen der finanziellen, fabrizierenden und handeltreibenden Mittelklasse genügend wahrnähmen. Und diese ökonomischen Interessen waren schon damals mächtig genug; sie bestimmten schließlich die allgemeine Politik der Nation. Über Einzelfragen mochte man sich zanken, aber die aristokratische Oligarchie wußte nur zu gut, wie untrennbar ihre eigne ökonomische Prosperität verkettet war mit der der industriellen und kommerziellen Bourgeoisie.

---

[1] besten Beutestücke

Von dieser Zeit an war die Bourgeoisie ein bescheidner, aber anerkannter Bestandteil der herrschenden Klassen Englands. Mit ihnen allen hatte sie gemein das Interesse an der Niederhaltung der großen arbeitenden Masse des Volks. Der Kaufmann oder Fabrikant selbst hatte gegenüber seinen Kommis, seinen Arbeitern, seinem Gesinde die Stellung des Brotherrn, oder wie man das noch vor kurzem in England nannte, des „natürlichen Vorgesetzten". Er mußte aus ihnen so viel und so gute Arbeit herausschlagen wie möglich; zu diesem Zweck hatte er sie zur entsprechenden Unterwürfigkeit zu erziehen. Er war selbst religiös; seine Religion hatte ihm die Fahne geliefert, worunter er König und Lords bekämpft hatte; nicht lange, so hatte er auch die Mittel entdeckt, die diese Religion ihm bot, um die Gemüter seiner natürlichen Untergebenen zu bearbeiten und sie gehorsam zu machen den Befehlen der Brotherrn, die Gottes unerforschlicher Ratschluß ihnen vorgesetzt. Kurz, der englische Bourgeois war jetzt mitbeteiligt bei der Niederhaltung der „niederen Stände", der großen produzierenden Volksmasse, und eins der dabei gebrauchten Mittel war der Einfluß der Religion.

Es kam aber noch ein andrer Umstand dazu, der die religiösen Neigungen der Bourgeoisie stärkte: das Aufkommen des Materialismus in England. Diese neue gottlose Lehre entsetzte nicht nur den frommen Mittelstand, sie kündigte sich obendrein noch an als eine Philosophie, die sich nur schicke für Gelehrte und gebildete Weltleute, im Gegensatz zur Religion, die gut genug sei für die ungebildete große Masse, mit Einschluß der Bourgeoisie. Mit Hobbes betrat sie die Bühne als Verteidigerin königlicher Allgewalt und rief die absolute Monarchie auf zur Niederhaltung jenes puer robustus sed malitiosus[1], des Volks. Und auch bei Hobbes' Nachfolgern, Bolingbroke, Shaftesbury etc. blieb die neue, deistische Form des Materialismus eine aristokratische, esoterische Lehre, und deshalb der Bourgeoisie verhaßt, nicht nur wegen ihrer religiösen Ketzerei, sondern auch wegen ihrer antibürgerlichen politischen Konnexionen. Demgemäß stellten auch, im Gegensatz zum Materialismus und Deismus der Aristokratie, grade die protestantischen Sekten, die die Fahne und die Mannschaft im Kampf gegen die Stuarts geliefert, ebenfalls die Hauptstreitkräfte der fortschrittlichen Mittelklasse und bilden noch heute den Rückgrat der „großen liberalen Partei".

Inzwischen verpflanzte sich der Materialismus von England nach Frankreich, wo er eine zweite materialistische Philosophenschule vorfand, die aus dem Cartesianismus hervorgegangen war und mit der er verschmolz. Auch in Frankreich blieb er anfangs eine ausschließlich aristokratische Doktrin. Bald aber trat sein revolutionärer Charakter an den Tag. Die französischen Materialisten beschränkten ihre Kritik nicht auf bloß religiöse Dinge; sie kritisierten jede wissenschaftliche Überlieferung, jede politische Institution

[1] kernigen, aber bösartigen Buben

ihrer Zeit; um die allgemeine Anwendbarkeit ihrer Theorie nachzuweisen, nahmen sie den kürzesten Weg: Sie wandten sie kühnlich an auf alle Gegenstände des Wissens in dem Riesenwerk, nach dem sie benannt wurden, in der „Encyclopédie“. So wurde denn der Materialismus in dieser oder jener Form – als erklärter Materialismus oder als Deismus – die Weltanschauung der gesamten gebildeten Jugend Frankreichs; und zwar in solchem Maß, daß während der großen Revolution die von englischen Royalisten in die Welt gesetzte Lehre den französischen Republikanern und Terroristen die theoretische Fahne lieferte und den Text für die „Erklärung der Menschenrechte“ abgab.

Die große französische Revolution war die dritte Erhebung der Bourgeoisie, aber die erste, die den religiösen Mantel gänzlich abgeworfen hatte und auf unverhüllt politischem Boden ausgekämpft wurde. Sie war aber auch die erste, die wirklich ausgekämpft wurde bis zur Vernichtung des einen Kombattanten, der Aristokratie, und zum vollständigen Sieg des andern, der Bourgeoisie. In England fanden die ununterbrochene Kontinuität der vorrevolutionären und nachrevolutionären Institutionen und der Kompromiß zwischen Großgrundbesitzern und Kapitalisten ihren Ausdruck in der Kontinuität der gerichtlichen Präzedenzfälle wie in der respektvollen Beibehaltung der feudalen Gesetzesformen. In Frankreich machte die Revolution einen vollständigen Bruch mit den Traditionen der Vergangenheit, fegte die letzten Spuren des Feudalismus weg und schuf im Code civil eine meisterhafte Anpassung, an modern kapitalistische Verhältnisse, des alten römischen Rechts – jenes fast vollkommenen Ausdrucks der juristischen Beziehungen, die aus der von Marx als „Warenproduktion“ bezeichneten ökonomischen Entwicklungsstufe entspringen; so meisterhaft, daß dies revolutionäre französische Gesetzbuch noch heute in allen andern Ländern – England nicht ausgenommen – als Muster dient bei Reformen des Eigentumsrechts. Vergessen wir aber darüber eines nicht. Wenn das englische Recht fortfährt, die ökonomischen Verhältnisse der kapitalistischen Gesellschaft auszudrücken in einer barbarischen Feudalsprache, die der auszudrückenden Sache ganz so entspricht wie die englische Orthographie der englischen Aussprache – vous écrivez Londres et vous prononcez Constantinople[1], sagte ein Franzose –, so ist dies selbe englische Recht auch das einzige, das unverfälscht aufrechterhalten und nach Amerika und den Kolonien verpflanzt hat den besten Teil jener persönlichen Freiheit, lokalen Selbstverwaltung und Sicherung vor allen fremden Eingriffen außer denen der Gerichte, kurz jener altgermanischen Freiheiten, die auf dem Kontinent unter der absoluten Monarchie verlorengegangen und bis jetzt nirgends vollständig wiedererobert sind.

Doch zurück zu unserm britischen Bourgeois. Die französische Revolu-

[1] ihr schreibt London und sprecht Konstantinopel

tion gab ihm eine herrliche Gelegenheit, mit Hilfe der kontinentalen Monarchien den französischen Seehandel zu ruinieren, französische Kolonien zu annexieren und die letzten französischen Ansprüche auf Nebenbuhlerschaft zur See zu unterdrücken. Das war der eine Grund, warum er sie bekämpfte. Ein zweiter war, daß die Methoden dieser Revolution ihm sehr wider die Haare gingen. Nicht nur ihr „verdammenswerter" Terrorismus, sondern schon ihr Versuch, die Bourgeoisherrschaft bis aufs äußerste durchzuführen. Was in aller Welt sollte der britische Bourgeois anfangen ohne seine Aristokratie, die ihm Manieren beibrachte (sie waren auch danach) und Moden für ihn erfand, die die Offiziere lieferte für die Armee, die Erhalterin der Ordnung zu Hause, und für die Flotte, die Eroberin neuer Kolonialbesitzungen und neuer Märkte? – Allerdings fand sich auch eine fortschrittliche Minorität der Bourgeoisie, Leute, deren Interessen bei dem Kompromiß nicht so gut wegkamen; diese Minorität, aus der geringeren Mittelklasse bestehend, sympathisierte mit der Revolution, aber sie war machtlos im Parlament.

Je mehr also der Materialismus das Credo der französischen Revolution wurde, desto fester hielt der gottesfürchtige englische Bourgeois an seiner Religion. Hatte nicht die Schreckenszeit in Paris bewiesen, was daraus entsteht, wenn dem Volk die Religion abhanden kommt? Je mehr der Materialismus sich von Frankreich über die Nachbarländer ausbreitete und durch verwandte theoretische Strömungen, namentlich durch die deutsche Philosophie, Verstärkung erhielt, je mehr in der Tat auf dem Kontinent Materialismus und Freidenkertum überhaupt die notwendige Qualifikation eines gebildeten Menschen wurde, desto zäher hielt die englische Mittelklasse an ihren mannigfachen religiösen Glaubensbekenntnissen. Sie mochten noch so sehr voneinander abweichen, entschieden religiöse, christliche Bekenntnisse waren sie alle.

Während die Revolution den politischen Triumph der Bourgeoisie in Frankreich sicherstellte, leiteten in England Watt, Arkwright, Cartwright und andere eine industrielle Revolution ein, die den Schwerpunkt der ökonomischen Macht vollständig verschob. Der Reichtum der Bourgeoisie wuchs jetzt unendlich schneller als der der Grundaristokratie. Innerhalb der Bourgeoisie selbst trat die Finanzaristokratie, die Bankiers etc., mehr und mehr in den Hintergrund vor den Fabrikanten. Der Kompromiß von 1689, selbst nach den allmählich erfolgten Abänderungen zugunsten der Bourgeoisie, entsprach nicht mehr der gegenseitigen Stellung der Beteiligten. Der Charakter dieser Beteiligten hatte sich ebenfalls geändert; die Bourgeoisie von 1830 war sehr verschieden von der des vorigen Jahrhunderts. Die der Aristokratie noch verbliebne und gegen die Ansprüche der neuen industriellen Bourgeoisie in Bewegung gesetzte politische Macht wurde unverträglich mit den neuen ökonomischen Interessen. Ein erneuter Kampf gegen die Aristokratie wurde nötig; er konnte nur endigen mit dem Sieg der neuen ökonomischen Macht. Unter dem Impuls der französischen Revolution von 1830 wurde zuerst trotz alles Widerstands die Reformakte durchgesetzt. Das gab der Bourgeoisie eine anerkannte und mächtige Stellung im Parlament. Dann kam die Abschaffung der Korngesetze, die ein für allemal die Vorherrschaft der Bourgeoisie und namentlich die ihres tätigsten Teils, der Fabrikanten, über die Grundaristokratie herstellte. Es war dies der größte Sieg der Bourgeoisie, aber auch der letzte, den sie in ihrem eignen ausschließlichen Interesse gewann. Alle ihre späteren Triumphe hatte sie zu teilen mit einer neuen, ihr anfangs verbündeten, nachher aber mit ihr rivalisierenden sozialen Macht.

Die industrielle Revolution hatte eine Klasse großer fabrizierender Kapitalisten geschaffen, aber auch eine weit zahlreichere Klasse fabrizierender Arbeiter. Diese Klasse wuchs fortwährend an Zahl, im Maß, wie die industrielle Revolution einen Produktionszweig nach dem andern ergriff. Mit ihrer Zahl aber wuchs auch ihre Macht, und diese Macht zeigte sich schon 1824, wo sie das widerhaarige Parlament zur Aufhebung der Gesetze gegen die Koalitionsfreiheit zwang. Während der Reformagitation machten die Arbeiter den radikalen Flügel der Reformpartei aus; als die Akte von 1832 sie vom Stimmrecht ausschloß, faßten sie ihre Forderungen in der Volks-Charte (people's charter) zusammen und konstituierten sich, im Gegensatz zur großen bürgerlichen Antikorngesetzpartei, als unabhängige Chartistenpartei. Es war dies *die erste Arbeiterpartei* unserer Zeit.

Dann kamen die kontinentalen Revolutionen vom Februar und März 1848, worin die Arbeiter eine so bedeutende Rolle spielten und wo sie, wenigstens in Paris, mit Forderungen auftraten, die entschieden unzulässig waren vom Standpunkt der kapitalistischen Gesellschaft. Und dann erfolgte die allgemeine Reaktion. Zuerst die Niederlage der Chartisten am 10. April 1848, dann die Zermalmung des Pariser Arbeiteraufstands vom Juni desselben Jahres, dann die Unfälle von 1849 in Italien, Ungarn, Süddeutschland, endlich der Sieg des Louis Bonaparte über Paris am 2. Dezember 1851. So war, wenigstens für einige Zeit, der Popanz der Arbeiterforderungen verscheucht, aber mit welchem Kostenaufwand! War also der britische Bourgeois schon früher überzeugt von der Notwendigkeit, das gemeine Volk in religiöser Stimmung zu erhalten, um wieviel dringender mußte er diese Notwendigkeit empfinden nach allen diesen Erfahrungen? Und ohne von dem Hohnlächeln seiner kontinentalen Genossen die geringste Notiz zu nehmen, fuhr er fort, Tausende und Zehntausende aufzuwenden, jahraus, jahrein, für die Evangelisierung der niederen Stände. Nicht zufrieden mit seiner eignen religiösen Maschinerie, wandte er sich an Bruder Jonathan, den dermaligen größten Organisator des religiösen Geschäfts, und importierte aus Amerika den Revivalismus, Moody und Sankey und so weiter; schließlich nahm er sogar den gefährlichen Beistand der Heilsarmee an, die die Propagandamittel des Urchristentums neu belebt, die an die Armen sich wendet als an die

Auserwählten, die den Kapitalismus in ihrer religiösen Weise bekämpft und so ein Element urchristlichen Klassenkampfs züchtet, das eines Tages den wohlhabenden Leuten, die heute das bare Geld dafür beischaffen, sehr fatal werden kann.

Es scheint ein Gesetz der historischen Entwicklung, daß die Bourgeoisie in keinem europäischen Land die politische Macht – wenigstens nicht für längere Zeit – in derselben ausschließlichen Weise erobern kann, wie die Feudalaristokratie sie während des Mittelalters sich bewahrte. Selbst in Frankreich, wo der Feudalismus so vollständig ausgerottet wurde, hat die Bourgeoisie, als Gesamtklasse, die Herrschaft nur während kurzer Zeiträume besessen. Unter Louis-Philippe, 1830–1848, herrschte nur ein kleiner Teil der Bourgeoisie, der bei weitem größere war durch den hohen Zensus vom Wahlrecht ausgeschlossen. Unter der zweiten Republik herrschte die ganze Bourgeoisie, aber nur drei Jahre; ihre Unfähigkeit bahnte den Weg für das zweite Kaisertum. Erst jetzt, unter der dritten Republik, hat die Bourgeoisie als Gesamtheit zwanzig Jahre hindurch das Steuer geführt, und dabei entwickelt sie schon jetzt erfreuliche Zeichen des Verfalls. Eine langjährige Herrschaft der Bourgeoisie war bis jetzt nur möglich in Ländern wie Amerika, wo der Feudalismus nie bestand und die Gesellschaft von vornherein von bürgerlicher Grundlage ausging. Und selbst in Frankreich und Amerika klopfen die Nachfolger der Bourgeoisie, die Arbeiter, schon laut an die Tür.

In England hat die Bourgeoisie nie ungeteilte Herrschaft geübt. Selbst der Sieg von 1832 ließ die Aristokratie in fast ausschließlichem Besitz aller hohen Regierungsämter. Die Unterwürfigkeit, womit die reiche Mittelklasse sich das gefallen ließ, blieb mir unerklärlich, bis eines Tages der große liberale Fabrikant Herr W.E. Forster in einer Rede die jungen Leute von Bradford anflehte, ihres eignen Fortkommens wegen doch ja Französisch zu lernen, und dabei erzählte, wie schafsmäßig er sich vorgekommen, als er, Staatsminister geworden, auf einmal in eine Gesellschaft versetzt wurde, wo Französisch mindestens so nötig war wie Englisch! Und in der Tat waren die damaligen englischen Bourgeois, im Durchschnitt, ganz ungebildete Emporkömmlinge, die wohl oder übel der Aristokratie alle jene höheren Regierungsposten überlassen mußten, wo andre Eigenschaften gefordert wurden als insulare Beschränktheit und insulare Aufgeblasenheit, gepfeffert durch Geschäftsschlauheit.* Selbst heute noch zeigen die endlosen Zeitungs-

---

* Und selbst in Geschäftssachen ist die Aufgeblasenheit des nationalen Chauvinismus ein gar kläglicher Ratgeber. Bis ganz kürzlich hielt es der gewöhnliche englische Fabrikant für erniedrigend für einen Engländer, eine andre als seine eigne Sprache zu sprechen, und war gewissermaßen stolz darauf, daß „arme Teufel" von Ausländern sich in England niederließen und ihm die Mühe abnahmen, seine Produkte im Ausland zu vertreiben. Er merkte nicht einmal, daß diese Ausländer, meist Deutsche, dadurch einen großen Teil des englischen auswärtigen Handels in ihre Hände bekamen – Einfuhr

debatten über „Middle-class-education"[1], daß die englische Mittelklasse sich noch immer nicht gut genug hält für die beste Erziehung und sich nach etwas Bescheidnerem umsieht. Es schien also auch nach Abschaffung der Korngesetze selbstverständlich, daß die Leute, die den Sieg erkämpft, die Cobdens, Brights, Forsters etc., von jeder Beteiligung an der offiziellen Regierung ausgeschlossen blieben, bis endlich, zwanzig Jahre später, eine neue Reformakte ihnen die Tür des Ministeriums öffnete. Ja, bis heute ist die englische Bourgeoisie so tief durchdrungen vom Gefühl ihrer eignen gesellschaftlichen Inferiorität, daß sie auf ihre eignen und des Volkes Kosten eine Zierkaste von Faulenzern unterhält, die die Nation bei allen Prunkgelegenheiten würdig repräsentieren muß, und daß sie selbst sich höchlichst geehrt fühlt, wenn ein beliebiger Bourgeois würdig befunden wird der Zulassung in diese, schließlich von der Bourgeoisie selbst fabrizierte, exklusive Körperschaft.

So hatte also die industrielle und kommerzielle Mittelklasse es noch nicht fertiggebracht, die Grundaristokratie vollständig von der politischen Macht zu vertreiben, als der neue Konkurrent, die Arbeiterklasse, auf der Bühne erschien. Die Reaktion nach der Chartistenbewegung und den kontinentalen Revolutionen, dazu die unerhörte Ausdehnung der englischen Industrie von 1848–1866 (die gewöhnlich allein dem Freihandel zugut geschrieben wird, die aber weit mehr der kolossalen Ausdehnung der Eisenbahnen, Ozeandampfer und Verkehrsmittel überhaupt geschuldet ist) hatte die Arbeiter wiederum in die Abhängigkeit von den Liberalen gebracht, bei denen sie, wie zur vorchartistischen Zeit, den radikalen Flügel bildeten. Allmählich aber wurden die Ansprüche der Arbeiter auf das Stimmrecht unwiderstehlich; während die Whigs, die Führer der Liberalen, noch angstmeierten, bewies Disraeli seine Überlegenheit; er nutzte den günstigen Moment für die Tories aus, indem er das Household-Stimmrecht (das jeden einschloß,

nicht minder als Ausfuhr – und daß der direkte Auslandshandel der Engländer sich allmählich auf die Kolonien, China, die Vereinigten Staaten und Südamerika beschränkte. Noch weniger merkte er, daß diese Deutschen handelten mit andern Deutschen im Ausland, die mit der Zeit ein vollständiges Netzwerk von Handelskolonien über die ganze Welt organisierten. Als aber vor etwa vierzig Jahren Deutschland im Ernst anfing, für die Ausfuhr zu fabrizieren, da fand es in diesen deutschen Handelskolonien ein Werkzeug vor, das ihm wunderbare Dienste leistete in seiner Verwandlung, in so kurzer Zeit, aus einem kornausführenden Land in ein Industrieland ersten Rangs. Da endlich, vor etwa zehn Jahren, überkam den englischen Fabrikanten die Angst, und er frug an bei seinen Gesandten und Konsuln, wie es käme, daß er seine Kunden nicht mehr beisammenhalten könne. Die einstimmige Antwort war: 1. ihr lernt nicht die Sprache eures Kunden, sondern verlangt, daß er die eurige spreche, und 2. ihr versucht nicht einmal, die Bedürfnisse, Gewohnheiten und Geschmäcke eures Kunden zu befriedigen, sondern verlangt, daß er eure englischen annehme.

[1] „bürgerliche Bildung"

der ein apartes Haus bewohnte) in den städtischen Wahlbezirken einführte und damit eine Änderung der Wahlbezirke verband. Dann folgte bald die geheime Abstimmung (the ballot); dann, 1884, die Ausdehnung des Household-Stimmrechts auf alle, auch die Grafschafts-Wahlbezirke, und eine neue Verteilung der Wahlkreise, die diese wenigstens einigermaßen ausglich. Durch alles dies wurde die Macht der Arbeiterklasse bei den Wahlen so sehr vermehrt, daß sie jetzt in 150 bis 200 Wahlkreisen die Mehrzahl der Wähler stellt. Aber keine bessere Schule des Respekts vor der Überlieferung als das parlamentarische System! Wenn die Mittelklasse mit Andacht und Ehrfurcht auf die Gruppe schaut, die Lord John Manners scherzweise „unsern alten Adel" nennt, so blickte damals die Masse der Arbeiter mit Respekt und Ehrerbietung auf die damals sogenannte „bessere Klasse", die Bourgeoisie. Und tatsächlich war der britische Arbeiter vor fünfzehn Jahren der Musterarbeiter, dessen respektvolle Rücksichtnahme auf die Stellung seines Arbeitgebers und dessen Selbstbezähmung und Demut bei Erhebung seiner eignen Ansprüche Balsam in die Wunden goß, die unsern deutschen Kathedersozialisten geschlagen waren durch die unheilbaren kommunistischen und revolutionären Tendenzen ihrer heimischen deutschen Arbeiter.

Jedoch die englischen Bourgeois waren gute Geschäftsleute und sahen weiter als die deutschen Professoren. Nur widerwillig hatten sie ihre Macht mit den Arbeitern geteilt. Während der Chartistenzeit hatten sie gelernt, wessen jener puer robustus sed malitiosus, das Volk, fähig ist. Seitdem war ihnen der größere Teil der Volks-Charte aufgenötigt und Landesgesetz geworden. Mehr als je galt es jetzt, das Volk im Zaum zu halten durch moralische Mittel; das erste und wichtigste moralische Mittel aber, womit man auf die Massen wirkt, blieb – die Religion. Daher stammen die Pfaffenmajoritäten in den Schulbehörden, daher die wachsende Selbstbesteurung der Bourgeoisie für alle möglichen Sorten frommer Demagogie, vom Ritualismus bis zur Heilsarmee.

Und jetzt kam der Triumph des britischen respektablen Philisteriums über die Freigeisterei und religiöse Indifferenz des kontinentalen Bourgeois. Die Arbeiter Frankreichs und Deutschlands waren rebellisch geworden. Sie waren total vom Sozialismus durchseucht, und dabei, aus sehr guten Gründen, keineswegs sehr versessen auf die Gesetzlichkeit der Mittel, sich die Herrschaft zu erobern. Der puer robustus war hier in der Tat täglich mehr malitiosus geworden. Was blieb dem französischen und deutschen Bourgois als letzte Hülfsquelle anders, als ihre Freigeisterei stillschweigend fallenzulassen, ganz wie ein kecker Bengel, wenn die Seekrankheit ihn mehr und mehr beschleicht, die brennende Zigarre verschwinden läßt, mit der er renommistisch an Bord stolziert war? Einer nach dem andern nahmen die Spötter ein äußerlich frommes Wesen an, sprachen mit Achtung von der Kirche, ihren Lehren und Gebräuchen, und machten selbst von den letzteren soviel mit, als nicht zu umgehn war. Französische Bourgeois wiesen am Freitag Fleisch zurück, und deutsche Bourgeois schwitzten in ihren Kirchenstühlen ganze endlose protestantische Predigten durch. Sie waren mit ihrem Materialismus ins Pech geraten. „Die Religion muß dem Volk erhalten werden" – das war das letzte und einzige Mittel zur Rettung der Gesellschaft vor totalem Untergang. Zum Unglück für sie selbst entdeckten sie dies erst, nachdem sie ihr Menschenmöglichstes getan, die Religion für immer zu ruinieren. Und da kam der Moment, wo der britische Bourgeois an der Reihe war zu höhnen und ihnen zuzurufen: Ihr Narren, das hätte ich euch schon vor zweihundert Jahren sagen können!

Jedennoch, fürchte ich, wird weder die religiöse Vernageltheit des britischen noch die post festum erfolgte Bekehrung des kontinentalen Bourgeois die ansteigende proletarische Flut eindämmen. Die Tradition ist eine große hemmende Kraft, sie ist die Trägheitskraft der Geschichte. Aber sie ist bloß passiv und muß deshalb unterliegen. Auch die Religion bildet auf die Dauer keine Schutzmauer der kapitalistischen Gesellschaft. Sind unsre juristischen, philosophischen und religiösen Vorstellungen die nähern oder entferntern Sprößlinge der in einer gegebnen Gesellschaft herrschenden ökonomischen Verhältnisse, so können diese Vorstellungen sich nicht auf die Dauer halten, nachdem die ökonomischen Verhältnisse sich gründlich geändert. Entweder müssen wir an übernatürliche Offenbarung glauben, oder zugeben, daß keine religiösen Predigten eine zusammenbrechende Gesellschaft zu stützen imstande sind.

Und in der Tat, auch in England haben die Arbeiter wieder angefangen sich zu bewegen. Unzweifelhaft sind sie gefesselt durch allerlei Traditionen. Bourgeoistraditionen – so der weitverbreitete Aberglaube, es seien nur zwei Parteien möglich, Konservative und Liberale, und die Arbeiterklasse müsse sich ihre Erlösung erarbeiten vermittelst der großen liberalen Partei. Arbeitertraditionen, ererbt aus der Zeit ihrer ersten tastenden Versuche selbständigen Handelns, – so die Ausschließung, bei zahlreichen alten Trades Unions, aller derjenigen Arbeiter, die keine regelmäßige Lehrzeit durchgemacht; was nichts andres heißt, als daß jede solche Union sich ihre eignen Strikebrecher züchtet. Aber trotz alledem und alledem bewegt sich die englische Arbeiterklasse vorwärts, wie selbst Herr Professor Brentano seinen kathedersozialistischen Brüdern mit Leidwesen zu berichten genötigt war. Sie bewegt sich, wie alles in England, mit langsamem, gemessenem Schritt, mit Zaudern hier, mit teilweis unfruchtbaren, tastenden Versuchen dort; sie bewegt sich stellenweise mit übervorsichtigem Mißtrauen gegen den *Namen* Sozialismus, während sie die *Sache* allmählich in sich aufnimmt; sie bewegt sich, und die Bewegung ergreift eine Schicht der Arbeiter nach der andern. Jetzt hat sie die ungelernten Arbeiter des Londoner Ostendes aus ihrem Todesschlaf emporgerüttelt, und wir alle haben gesehn, welchen prächtigen Anstoß diese neuen Kräfte ihr dafür zurückgegeben haben. Und wenn die Gangart der Bewegung nicht Schritt hält mit der Ungeduld dieser und jener, so mögen diese und jene nicht vergessen, daß es gerade die Arbeiterklasse ist, die die besten Seiten des englischen Nationalcharakters lebendig erhält, und daß jeder Schritt vorwärts, der in England einmal gewonnen ist, nie wieder verlorengeht. Waren die Söhne der alten Chartisten, aus vorhin erwähnten Gründen, nicht alles, was man erwarten konnte, so sieht es doch aus, als würden die Enkel der Großväter würdig sein.

Indes hängt der Sieg der europäischen Arbeiterklasse nicht von England allein ab. Er kann nur sichergestellt werden durch das Zusammenwirken von, mindestens, England, Frankreich und Deutschland. In den beiden letztern Ländern ist die Arbeiterbewegung der englischen ein gut Stück voraus. In Deutschland steht sie sogar innerhalb meßbarer Entfernung vom Triumph. Der Fortschritt, den sie dort seit fünfundzwanzig Jahren gemacht, ist ohnegleichen. Er bewegt sich voran mit stets wachsender Geschwindigkeit. Hat die deutsche Bourgeoisie bewiesen, welchen jammervollen Mangel sie leidet an politischer Fähigkeit, Disziplin, Mut, Energie, so hat die deutsche Arbeiterklasse gezeigt, daß sie alle diese Eigenschaften in reichlichem Maß besitzt. Vor fast vierhundert Jahren war Deutschland der Ausgangspunkt der ersten großen Erhebung der europäischen Mittelklasse; wie die Dinge heute liegen, sollte es unmöglich sein, daß Deutschland auch der Schauplatz sein wird für den ersten großen Sieg des europäischen Proletariats?

F. Engels

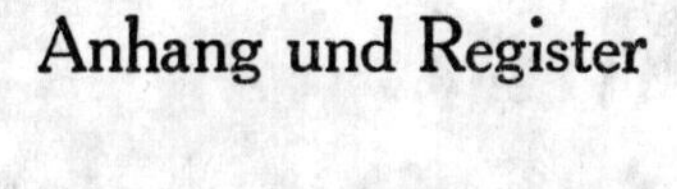

Anhang und Register

Anmerkungen

1 Engels' Brief an Bebel vom 18./28. März 1875 lehnt sich seinem Inhalt nach eng an die von Marx geschriebene „Kritik des Gothaer Programms" an und drückt den Standpunkt von Marx und Engels zu der für Mai 1875 geplanten Vereinigung der beiden deutschen Arbeiterparteien – der Eisenacher und der Lassalleaner – aus. Unmittelbarer Anlaß für diesen Brief war der am 7. März 1875 in den Zeitungen „Der Volksstaat" (Organ der Eisenacher) und „Neuer Social-Demokrat" (Organ der Lassalleaner) veröffentlichte Programmentwurf für die künftige vereinigte sozialdemokratische Arbeiterpartei Deutschlands. Dieser Entwurf, der eine ganze Reihe politisch falscher und unwissenschaftlicher Thesen und Konzessionen an den Lassalleanismus enthielt, wurde mit geringen Veränderungen auf dem Vereinigungsparteitag in Gotha (22.–27. Mai 1875) angenommen und später unter der Bezeichnung Gothaer Programm bekannt.

Marx und Engels begrüßten die Vereinigung der beiden Arbeiterparteien. Sie vertraten jedoch den Standpunkt, daß eine gesunde, dauerhafte Vereinigung nur auf prinzipieller Grundlage, ohne Konzessionen an den Lassalleanismus, erreicht werden kann. In dem Brief an Bebel, der für die Führung der Eisenacher bestimmt war, übt Engels daher auch in diesem Sinne Kritik an dem Entwurf des Gothaer Programms. Der Brief wurde erst 36 Jahre später von Bebel in seinem Werk „Aus meinem Leben", 2. Teil, Stuttgart 1911, S. 518–524, zum erstenmal veröffentlicht. 3

2 *Eisenacher Programm von 1869* (Programm und Statuten der Sozialdemokratischen Arbeiterpartei) – angenommen auf dem allgemeinen deutschen sozialdemokratischen Arbeiterkongreß, der vom 7. bis 9. August 1869 in Eisenach stattfand. Auf diesem Kongreß, an dem auch Vertreter verschiedener deutscher Arbeitervereine Österreichs und der Schweiz teilnahmen, wurde die Sozialdemokratische Arbeiterpartei gegründet. Damit besaß die deutsche Arbeiterklasse eine selbständige revolutionäre Partei, die sich auf die Prinzipien des wissenschaftlichen Sozialismus stützte. Diese Partei war in der Auseinandersetzung mit dem Opportunismus Lassalles unter entscheidendem Einfluß von Marx und Engels entstanden. Ihr Programm war vom Geist der Internationalen Arbeiterassoziation erfüllt. Führer und Mitglieder dieser Partei wurden auch Eisenacher genannt. 3 13

3 Die *Deutsche Volkspartei* entstand 1865; sie setzte sich aus den demokratischen Elementen der Kleinbourgeoisie, teilweise aus Vertretern der Bourgeoisie – besonders der süddeutschen Staaten – zusammen. Im Gegensatz zu den Nationalliberalen trat die Deutsche Volkspartei gegen die Hegemonie Preußens in Deutschland auf und bestand auf einem föderativen Großdeutschland, dem sowohl Preußen als auch Österreich angehören soll-

ten. Diese Partei, die eine antipreußische Politik betrieb und allgemein-demokratische Losungen verfocht, war zugleich Fürsprecherin der partikularistischen Bestrebungen einiger deutscher Staaten. Sie propagierte die Idee eines deutschen Bundesstaates und trat gleichzeitig gegen die Vereinigung Deutschlands in Form einer einheitlichen zentralisierten demokratischen Republik auf.

1866 schloß sich der Deutschen Volkspartei die Sächsische Volkspartei an, deren Kern aus Arbeitern bestand. Dieser linke Flügel der Volkspartei hatte seinem Wesen nach nichts mit der Volkspartei gemein, außer der antipreußischen Haltung; er strebte danach, mit vereinten Kräften die nationale Einigung des Landes auf demokratischem Wege zu erreichen. In der Folgezeit entwickelte sich dieser Flügel in sozialistischer Richtung. Der Hauptteil der Partei schloß sich nach seiner Trennung von den kleinbürgerlichen Demokraten im August 1869 der Sozialdemokratischen Arbeiterpartei (Eisenacher) an. 4 13

4 *„Der Volksstaat"* – Organ der Sozialdemokratischen Arbeiterpartei (Eisenacher); erschien vom 2. Oktober 1869 bis zum 29. September 1876 in Leipzig (anfangs zweimal, ab Juli 1873 dreimal wöchentlich). Die Zeitung spiegelte die Ansichten der revolutionären Richtung in der deutschen Arbeiterbewegung wider. Wegen ihrer mutigen, revolutionären Haltung war die Zeitung ständig den Verfolgungen durch Polizei und Regierung ausgesetzt. Die Zusammensetzung des Redaktionsstabes änderte sich durch die Verhaftung der Redakteure häufig, die allgemeine Leitung blieb jedoch in der Hand von Wilhelm Liebknecht. Großen Einfluß auf den Charakter der Zeitung hatte August Bebel, der Leiter des Verlags „Volksstaat".

Marx und Engels waren Mitarbeiter des „Volksstaats" seit seiner Gründung. Sie standen der Redaktion helfend zur Seite und trugen durch ihre Kritik dazu bei, daß die Zeitung konsequent ihre revolutionäre Linie beibehielt.

Ungeachtet einzelner Schwächen und Fehler war „Der Volksstaat" eine der besten Arbeiterzeitungen der siebziger Jahre. 4

5 *„Frankfurter Zeitung und Handelsblatt"* – Tageszeitung kleinbürgerlich-demokratischer Richtung; erschien von 1856 (ab 1866 unter diesem Titel) bis 1943 in Frankfurt a. M. 4

6 *die sieben politischen Forderungen* – Es sind folgende Punkte aus dem Entwurf des Gothaer Programms gemeint:

„Die deutsche Arbeiterpartei verlangt als freiheitliche Grundlage des Staates:

1. Allgemeines, gleiches, direktes und geheimes Wahlrecht aller Männer vom 21. Lebensjahre an für alle Wahlen in Staat und Gemeinde.

2. Direkte Gesetzgebung durch das Volk mit Vorschlags- und Verwerfungsrecht.

3. Allgemeine Wehrhaftigkeit. Volkswehr an Stelle der stehenden Heere. Entscheidung über Krieg und Frieden durch die Volksvertretung.

4. Abschaffung aller Ausnahmegesetze, namentlich der Preß-, Vereins- und Versammlungsgesetze.

5. Rechtsprechung durch das Volk. Unentgeltliche Rechtspflege.

Die deutsche Arbeiterpartei verlangt als geistige und sittliche Grundlage des Staates:

1. Allgemeine und gleiche Volkserziehung durch den Staat. Allgemeine Schulpflicht. Unentgeltlichen Unterricht.

2. Freiheit der Wissenschaft. Gewissensfreiheit." 4

7 *Friedens- und Freiheitsliga* – bürgerlich-pazifistische Organisation. Sie wurde 1867 in der Schweiz von kleinbürgerlichen und bürgerlichen Republikanern sowie Liberalen unter maßgeblicher Beteiligung von Victor Hugo, Guiseppe Garibaldi u.a. gegründet. 1867/68

nahm Bakunin an der Arbeit der Liga teil. Anfangs versuchte die Liga, unter dem Einfluß von Bakunin, die Internationale und die Arbeiterbewegung für ihre Zwecke auszunutzen. Die Erklärungen der Liga, daß es möglich sei, durch die Schaffung von „Vereinigten Staaten von Europa" mit Kriegen Schluß zu machen, riefen bei den Massen Illusionen hervor und lenkten das Proletariat vom Klassenkampf ab. 4 24

8 Ferdinand Lassalle, „Offnes Antwortschreiben an das Central-Comité zur Berufung eines Allgemeinen Deutschen Arbeitercongresses zu Leipzig"; erschien 1863 in Zürich. 5

9 Wilhelm Bracke, „Der Lassalle'sche Vorschlag", Braunschweig 1873. 5

10 Diese Schrift Bakunins erschien 1873 unter dem Titel „Gossudarstwennost i anarchija" anonym und ohne Ortsangabe in der Schweiz in russischer Sprache.

Die Haltlosigkeit der von Bakunin vorgebrachten Beschuldigungen wurde von Marx in einem Konspekt des Buches Bakunins bewiesen (siehe Band 18 unserer Ausgabe, S. 599–642). 7 13

11 *„Demokratisches Wochenblatt"* – eine Arbeiterzeitung, die von Januar 1868 bis September 1869 in Leipzig unter der Redaktion Wilhelm Liebknechts erschien. Ab Dezember 1868 wurde sie das Organ des kleinbürgerlich-demokratischen Verbandes der deutschen Arbeitervereine, an dessen Spitze August Bebel stand.

Anfangs befand sich die Zeitung in einem gewissen Maße unter dem kleinbürgerlichen Einfluß der Volkspartei. Aber dank der Bemühungen von Marx und Engels begann sie bald den Kampf gegen den Lassalleanismus zu führen, die Ideen der Internationale zu propagieren und deren wichtigste Dokumente zu veröffentlichen. Bei der Gründung der Sozialdemokratischen Arbeiterpartei spielte sie eine bedeutende Rolle. Auf dem Eisenacher Kongreß 1869 wurde sie zum Zentralorgan der Sozialdemokratischen Arbeiterpartei erklärt und in „Der Volksstaat" umbenannt (siehe Anm. 4). 7

12 Die *„Kritik des Gothaer Programms"* (von Marx „Randglossen zum Programm der deutschen Arbeiterpartei" genannt) ist einer der wichtigsten Beiträge zur Entwicklung der grundlegenden programmatischen Fragen des wissenschaftlichen Kommunismus. Die Schrift ist ein Musterbeispiel unversöhnlichen Kampfes gegen den Opportunismus. Genau wie Engels in seinem Brief an Bebel (siehe vorl. Band, S. 3–9), gibt Marx in seinen „Randglossen" eine prinzipielle, kritische Einschätzung des Programmentwurfs für die künftige vereinigte sozialdemokratische Arbeiterpartei Deutschlands.

Marx' Kritik am Programmentwurf wurde 1891 zum erstenmal von Engels veröffentlicht, und zwar trotz des Widerstands opportunistischer Mitglieder des Parteivorstandes. Die „Randglossen" sowie der Begleitbrief an Wilhelm Bracke erschienen in der Wochenschrift der deutschen Sozialdemokratie, „Die Neue Zeit" Nr. 18, 9. Jahrgang, 1. Band, Stuttgart 1890–1891, mit einem Vorwort von Friedrich Engels (siehe vorl. Band, S. 521/522).

Wie aus dem Brief von Engels an Kautsky vom 23. Februar 1891 hervorgeht, mußte sich Engels jedoch damit einverstanden erklären, einige besonders scharfe polemische Formulierungen abzuschwächen.

Der vorliegende Abdruck erfolgt nach der ursprünglichen Fassung von Marx. Das handschriftliche Original wurde im Herbst 1960 von Marx' Urenkel Marcel Charles Longuet dem Institut für Marxismus-Leninismus beim ZK der KPdSU als Geschenk überreicht. 11

13 Am Kopf des Briefes hat Marx folgende Bemerkung zugefügt: „*N[ota]bene. Das Manuskript muß in Ihre Hände zurückkehren*, damit es mir nötigenfalls zu Gebot steht." 13

[14] Die autorisierte französische Übersetzung des ersten Bandes des „Kapitals" wurde in Paris von 1872 bis 1875 in Fortsetzungen veröffentlicht. 14

[15] *„Kölner Kommunistenprozeß"* – Es handelt sich um Marx' Arbeit „Enthüllungen über den Kommunisten-Prozeß zu Köln" (siehe Band 8 unserer Ausgabe, S.405–470), die der „Volksstaat" in Leipzig 1874 in Fortsetzungen zum erstenmal in Deutschland veröffentlichte und die 1875 vom Verlag der Zeitung als Buch herausgegeben wurde. 14

[16] *internationales Statut* – die „Allgemeinen Statuten und Verwaltungs-Verordnungen der Internationalen Arbeiterassoziation", die 1866 auf dem Genfer Kongreß der Internationale angenommen wurden. Ende September und im Oktober 1871 bereiteten Marx und Engels eine Neuausgabe vor. Dabei wurden alle Bestimmungen, die ihre Gültigkeit verloren hatten, gestrichen und alle vorgenommenen Änderungen und Ergänzungen im Anhang begründet. Die authentische deutsche Ausgabe erschien 1871 in Leipzig (siehe Band 17 unserer Ausgabe, S.440–455). 17

[17] *Berliner Marat* – offenbar ironisierend für Wilhelm Hasselmann, der damals in Berlin Chefredakteur des Organs des lassalleanischen Allgemeinen Deutschen Arbeitervereins „Neuer Social-Demokrat" und neben Wilhelm Liebknecht Mitverfasser des Programmentwurfs war.

„Neuer Social-Demokrat" – Organ des lassalleanischen Allgemeinen Deutschen Arbeitervereins; erschien von 1871 bis 1876 dreimal wöchentlich in Berlin. Die Zeitung spiegelte die Politik der Lassalleaner wider: Anpassung an das Bismarcksche Regime, Liebäugeln mit den herrschenden Klassen Deutschlands sowie den Opportunismus und Nationalismus der lassalleanischen Führer. 23

[18] *Bismarcks „Norddeutsche"* – „Norddeutsche Allgemeine Zeitung" – Tageszeitung, die von 1861 bis 1918 in Berlin erschien; in den sechziger bis achtziger Jahren offizielles Organ der Regierung Bismarck.

Marx bezieht sich auf den Leitartikel, den die „Norddeutsche Allgemeine Zeitung" in der Nr.67 vom 20.März 1875 zum sozialdemokratischen Programmentwurf schrieb und in dem es zu Punkt 5 heißt: „Die sozialdemokratische Agitation ist in mancher Hinsicht behutsamer geworden: sie verleugnet die Internationale..." 24

[19] Friedrich Albert Lange, „Die Arbeiterfrage in ihrer Bedeutung für Gegenwart und Zukunft", Duisburg 1865. 25

[20] *„L'Atelier"* – französische Monatsschrift, die von 1840 bis 1850 in Paris erschien; Organ von Handwerkern und Arbeitern, die unter dem Einfluß der Ideen des christlichen Sozialismus standen. Die Zeitung wurde von Arbeitervertretern redigiert; ihren Redaktionsstab wählte man alle drei Monate neu. 27

[21] *Kulturkampf* – „...der Kampf, den Bismarck in den siebziger Jahren durch polizeiliche Verfolgungen des Katholizismus gegen die deutsche Partei der Katholiken, die ‚Zentrums'-partei, führte. Durch diesen Kampf hat Bismarck den streitbaren Klerikalismus der Katholiken nur *gestärkt*, hat er der Sache der wirklichen Kultur nur Abbruch getan, denn statt der politischen Scheidewände rückte er die religiösen Scheidewände in den Vordergrund und lenkte so die Aufmerksamkeit gewissser Schichten der Arbeiterklasse und der Demokratie von den dringenden Aufgaben des revolutionären und des Klassenkampfes auf einen ganz oberflächlichen und bürgerlich-verlogenen Antiklerikalismus ab." (W.I.Lenin, Werke, Band 15, S.405/406.) 31

[22] Dieser *Brief an den Generalrat der Internationalen Arbeiterassoziation in New York* wurde zum erstenmal veröffentlicht in „Briefe und Auszüge aus Briefen von Joh. Phil. Becker, Jos. Dietzgen, Friedrich Engels, Karl Marx u.A. an F.A.Sorge und Andere", Stuttgart 1906, S.145/146. 33

[23] *Zirkulare* – ein vertrauliches Zirkular des Generalrats der Internationalen Arbeiterassoziation vom 16. Mai 1875 über die Einberufung einer Konferenz in Philadelphia. Dieses Dokument sollte die Mitglieder der Internationale auf die bevorstehende offizielle Auflösung der IAA vorbereiten. 33

[24] *Arbeiterverein (deutsche Sektion)* – es handelt sich um den Deutschen Bildungsverein für Arbeiter in London, der Anfang 1865 der Internationalen Arbeiterassoziation als deutsche Sektion beigetreten war.

Der Deutsche Bildungsverein für Arbeiter in London wurde am 7. Februar 1840 von Karl Schapper, Joseph Moll, Heinrich Bauer und anderen Mitgliedern des Bundes der Gerechten gegründet. Nachdem der Bund der Kommunisten organisiert war, spielten im Arbeiterbildungsverein die Gemeinden des Bundes die führende Rolle. 1847 und 1849/50 nahmen Marx und Engels an der Tätigkeit des Vereins aktiven Anteil. Am 17. September 1850 traten sie und mehrere ihrer Mitkämpfer aus dem Verein aus, weil er im Kampf zwischen der von Marx und Engels geführten Mehrheit der Zentralbehörde des Bundes der Kommunisten und der sektiererischen, zu abenteuerlichen Taktiken neigenden Minderheit (Willich, Schapper) für die letztere Partei ergriff.

Ende der fünfziger Jahre begannen Marx und Engels erneut an der Tätigkeit des Bildungsvereins teilzunehmen. Der Verein bestand bis zu seiner Auflösung durch die englische Regierung im Jahre 1918. 33 59

[25] *Allianzisten* – Mitglieder bzw. Anhänger der anarchistischen Organisation Internationale Allianz der sozialistischen Demokratie, die 1868 von Bakunin und anderen in der Schweiz gegründet wurde. In ihrem Programm verkündete die Allianz vor allem die sog. Gleichmachung der Klassen und die Vernichtung jeglicher Staatsformen. Die Allianz verneinte den organisierten Kampf der Arbeiterklasse um die politische Herrschaft. Dieses kleinbürgerliche, anarchistische Programm fand in den industriell schwach entwickelten Gegenden Italiens, der Schweiz und einiger anderer Länder Anklang.

1868 und 1869 bat die Allianz den Generalrat um Aufnahme in die Internationale Arbeiterassoziation. 1869 stimmte der Generalrat unter der Bedingung zu, daß sich die Allianz als selbständige internationale Organisation auflöse. Jedoch hielten die Mitglieder der Allianz nach ihrer Aufnahme in die IAA ihre eigene internationale Organisation aufrecht und kämpften, geführt von Bakunin, gegen den Generalrat, mit dem Ziel, die Internationale Arbeiterassoziation zu beherrschen. Nach dem Fall der Pariser Kommune verstärkten die Anarchisten ihre Aktionen gegen den Generalrat. Bakunin und seine Anhänger wandten sich damals besonders scharf gegen die marxistische Staatstheorie, insbesondere gegen die Diktatur des Proletariats, gegen die Festigung der selbständigen politischen Arbeiterpartei und gegen die Prinzipien des demokratischen Zentralismus.

Im September 1872 beschloß der Haager Kongreß mit überwältigender Stimmenmehrheit den Ausschluß der Führer der Allianz, Bakunin und Guillaume, aus den Reihen der Internationalen Arbeiterassoziation. 33

[26] *„La Plebe"* – italienische Zeitung, die von 1868 bis 1875 in Lodi und ab 1875 bis 1883 in Mailand unter der Redaktion von Enrico Bignami herauskam; 1871 erschien sie dreimal wöchentlich. Anfangs Organ des linken Flügels der bürgerlich-demokratischen Republi-

kaner, war sie von 1871 bis 1873 ein Organ der Sektionen der Internationale und führte die Linie des Generalrats durch; „La Plebe“ spielte trotz gewisser Inkonsequenzen eine bedeutende Rolle im Kampfe gegen den Anarchismus. Engels gewährte der Zeitung große Hilfe durch seine Mitarbeit in den Jahren 1871–1873 und 1877–1879 sowie durch regelmäßigen Briefwechsel mit Bignami. „La Plebe“ hatte großen Anteil am Entstehen der ersten selbständigen Partei des italienischen Proletariats (siehe auch vorl. Band, S. 91–95). 34

[27] Engels hielt diese Rede am 22. Januar 1876 auf der internationalen Versammlung, die zu Ehren des Jahrestages des polnischen Aufstands von 1863 einberufen worden war. Auf der Versammlung waren einige Dutzend Menschen anwesend – Polen, Tschechen, Serben, Russen, Deutsche und Franzosen. Vorsitzender war der polnische Sozialist Walery Wróblewski, Mitglied der Internationalen Arbeiterassoziation. Engels hielt seine Rede in deutscher Sprache; einige Tage später sandte er Wróblewski die französische Übersetzung, wahrscheinlich zur Übersetzung ins Polnische. 35

[28] *„Neue Rheinische Zeitung. Organ der Demokratie“* – Tageszeitung, die unter der Redaktion von Karl Marx vom 1. Juni 1848 bis 19. Mai 1849 in Köln herausgegeben wurde. Zur Redaktion gehörten Friedrich Engels, Wilhelm Wolff, Georg Weerth, Ferdinand Wolff, Ernst Dronke, Ferdinand Freiligrath und Heinrich Bürgers.

Als Kampforgan des proletarischen Flügels der Demokratie wurde die „Neue Rheinische Zeitung“ zum Erzieher der Volksmassen im Kampf gegen die Konterrevolution. Die wegweisenden Leitartikel zu den wichtigsten Fragen der deutschen und europäischen Revolution wurden in der Regel von Marx und Engels verfaßt.

Die entschlossene und unversöhnliche Haltung der „Neuen Rheinischen Zeitung“, ihr kämpferischer Internationalismus, ihre politischen Enthüllungen riefen bereits in den ersten Monaten ihres Erscheinens eine Hetze von seiten der feudal-monarchistischen und bürgerlich-liberalen Presse sowie Verfolgungen durch die preußische Regierung hervor, die sich nach dem konterrevolutionären Umsturz in Preußen im November/Dezember 1848 noch verstärkten.

Ungeachtet aller Verfolgungen und polizeilichen Maßregelungen verteidigte die „Neue Rheinische Zeitung“ mutig die Interessen der revolutionären Demokratie und damit die Interessen des Proletariats. Im Mai 1849, als die Konterrevolution allgemein zum Angriff überging, erließ die preußische Regierung, nachdem sie Marx bereits die preußische Staatsbürgerschaft verweigert hatte, den Befehl, ihn aus Preußen auszuweisen. Seine Ausweisung und die Repressalien gegen die anderen Redakteure der „Neuen Rheinischen Zeitung“ zwangen die Redaktion, das Erscheinen des Blattes einzustellen. Die letzte Nummer der „Neuen Rheinischen Zeitung“ (Nr. 301 vom 19. Mai 1849) erschien in rotem Druck. In ihrem Abschiedsaufruf an die Arbeiter Kölns erklärten die Redakteure, „ihr letztes Wort wird überall und immer sein: *Emanzipation der arbeitenden Klasse!*“ Die „Neue Rheinische Zeitung“ war „das beste, unübertroffene Organ des revolutionären Proletariats“ (Lenin). 35

[29] Die Arbeit *„Preußischer Schnaps im deutschen Reichstag“* wurde von Engels im Februar 1876 geschrieben. Er entlarvt in diesem Artikel die Machenschaften des preußischen Junkertums. Die Veröffentlichung im „Volksstaat“ und als Sonderdruck rief rasende Wut bei der Regierung Bismarck hervor. Die Verbreitung der Werke von Engels in Deutschland wurde daraufhin verboten. 37

[30] *„Kölnische Zeitung"* – Tageszeitung, die von 1802 bis 1945 erschien; während der Revolution 1848/49 und der darauffolgenden Zeit der Reaktion verteidigte sie die feige, verräterische Politik der preußischen liberalen Bourgeoisie. Später war sie das Organ der rheinischen Großbourgeoisie und der Nationalliberalen Partei. In den siebziger Jahren wurde die Zeitung zum Sprachrohr Bismarcks. 37

[31] *Ereignisse von 1830* – die Julirevolution 1830 in Frankreich, unter deren Einfluß auch in Deutschland Aufstände – namentlich im Süden – ausbrachen. 41

[32] Nach der griechischen Mythologie wurden die Griechen während des Feldzugs nach Troja irrtümlich in eine Schlacht mit dem Heere ihres Verbündeten Telephos, des Sohnes von Herakles, verwickelt. Während der Schlacht verwundete Achilles den Telephos, und dieser konnte nur dadurch geheilt werden, daß seine Wunde mit Spänen bestreut wurde, die von der Lanze Achilles' abgeschabt worden waren. 45

[33] Nach der Überlieferung hat Correggio diese Worte vor Raffaels Gemälde „Die heilige Cäcilia" gesprochen. 45

[34] Die *Kreisordnung* für die Provinzen Preußen, Brandenburg, Pommern, Posen, Schlesien und Sachsen vom 13. Dezember 1872 diente als Grundlage für die Verwaltungsreform in Preußen.

Mit ihr wurden das vererbbare Recht der Polizeigewalt der Gutsbesitzer auf dem Lande abgeschafft und gewisse Elemente der lokalen Selbstverwaltung eingeführt, wie wählbare Gemeindevorsteher, Kreistage bei den Landräten, wählbar nach dem Ständesystem usw. Die Reform hatte die Festigung des Staatsapparats und die Stärkung der Zentralgewalt im Interesse des Junkertums zum Ziel. Die junkerlichen Gutsbesitzer behielten in den Kreisen und Provinzen praktisch ihre Macht, indem sie die meisten wählbaren Ämter persönlich innehatten oder durch ihre Beauftragten besetzen ließen. 46

[35] Auf Beschluß des Wiener Kongresses erhielt Preußen 1815 westlich der Elbe Teile von Westfalen, Gebiete am Rhein, die Herzogtümer Jülich und Berg, die Kurfürstentümer Köln und Trier und das Fürstentum Neuchâtel (Neuenburg) in der Schweiz. 46

[36] Aus Schillers Gedicht „Die Götter Griechenlands". 51

[37] Die Arbeit *„Wilhelm Wolff"* schrieb Engels von Juni bis November 1876 für die von Wilhelm Liebknecht redigierte Zeitschrift „Die Neue Welt". Die Aufsatzreihe enthält das knapp aber treffend skizzierte Lebensbild eines der angesehensten deutschen proletarischen Revolutionäre seiner Zeit, dessen Andenken Marx den ersten Band seines Hauptwerkes „Das Kapital" widmete. Schon Marx beabsichtigte, eine Biographie Wilhelm Wolffs zu schreiben (siehe die von ihm angefertigte Skizze, erstmalig in der Zeitschrift „Nowaja i nowejschaja istorija", Nr. 4, Moskau 1959, S. 105, veröffentlicht). Da Marx in jener Zeit nicht über alle notwendigen Angaben aus Wolffs Leben verfügte, kam er jedoch von seinem Vorhaben wieder ab.

In seiner Schrift „Wilhelm Wolff" kommentiert und zitiert Engels ausführlich eine Artikelserie über die Lage der schlesischen Bauern, die Wolff 1848/49 in der „Neuen Rheinischen Zeitung" veröffentlichte. Diese Artikel waren ein Teil der systematischen Propaganda für die Gewinnung der Bauernmassen Deutschlands.

Wilhelm Wolffs Artikel „Die schlesische Milliarde" erschienen 1886 in Hottingen-Zürich als Broschüre. Engels schrieb die Einleitung und verwendete dazu als ersten Teil seine vorliegende Schrift, in die er einige kleinere Ergänzungen einfügte (siehe Fußnoten im vorl. Band, S. 58 und 84) und die Zitate aus Wolffs Artikel sowie deren Kommentar durch einen kurzen Absatz ersetzte (siehe Fußnote im vorl. Band, S.63). Den zweiten Teil der Einleitung, den Abschnitt „Zur Geschichte der preußischen Bauern", schrieb Engels 1885. 53

38 Es handelt sich um die Schrift „Die deutsche Ideologie", an der Marx und Engels in den Jahren 1845/1846 arbeiteten (siehe Band 3 unserer Ausgabe). 55

39 Bei neuesten Nachforschungen wurde u.a. festgestellt, daß der Geburtsort Wilhelm Wolffs nicht Tarnau (Tarnów) bei Frankenstein (Zabkowice Ślaskie), sondern das Dorf Tarnau (Tarnawa) im Kreis Schweidnitz (Świdnica) ist, und ferner, daß Wilhelm Wolff am 30. Juli 1838 aus der Festungshaft entlassen wurde (vgl. vorl. Band, S.57). 55

40 *Demagogen* – so wurden in den Beschlüssen der Karlsbader Konferenz der Minister der deutschen Staaten vom August 1819 die Teilnehmer oppositioneller Bewegungen der deutschen Intelligenz genannt, die sich in den Jahren nach dem Wiener Kongreß gegen die reaktionäre Ordnung in den deutschen Staaten richteten. Die „Demagogen" organisierten politische Kundgebungen, auf denen sie die Vereinigung Deutschlands forderten. Der Kampf gegen die „Demagogen" wiederholte sich, als unter dem Einfluß der französischen Julirevolution (1830) in Europa die oppositionelle Bewegung wuchs. Als juristische Handhabe für die Demagogenverfolgungen dieser Zeit dienten die im Schlußprotokoll der Wiener Konferenzen (12. Juni 1834) dargelegten Grundsätze zum „Schutz des Rechtszustandes" in den deutschen Bundesstaaten. 56

41 *Bundestag* – Zentralorgan des Deutschen Bundes, das unter dem ständigen Vorsitz Österreichs in Frankfurt a. M. tagte und zu einem Bollwerk der deutschen Reaktion wurde. 56

42 Der von Engels erwähnte Brief Wilhelm Wolffs an Fritz Reuter vom 30. Dezember 1863 wurde zum erstenmal in der „Zeitschrift für Geschichtswissenschaft", Heft 6, Berlin 1957, S. 1244/1245, veröffentlicht. 56

43 In dem Brief an Fritz Reuter vom 30. Dezember 1863 hatte Wilhelm Wolff erwähnt, daß das Manuskript eines seiner Artikel, das in die Hände der preußischen Polizei gefallen war, zum Anlaß genommen wurde, gegen ihn einen Prozeß wegen Verletzung des Pressegesetzes einzuleiten. 58

44 *„Deutsche-Brüsseler-Zeitung"* – von deutschen politischen Emigranten in Brüssel gegründetes Blatt, erschien vom 3. Januar 1847 bis Februar 1848 zweimal wöchentlich. Ursprünglich wurde die Richtung dieser Zeitung durch ihren Herausgeber und Redakteur Adalbert von Bornstedt, einen kleinbürgerlichen Demokraten, bestimmt. Dieser versuchte, die verschiedenen Strömungen des radikalen und demokratischen Lagers miteinander zu versöhnen. Die Zeitung wurde jedoch durch den Einfluß von Marx und Engels und deren Mitkämpfer ab Sommer 1847 immer mehr zu einem Sprachrohr revolutionär-demokratischer und kommunistischer Ideen. Ab September 1847 waren Marx und Engels ständige Mitarbeiter der Zeitung und gewannen unmittelbaren Einfluß auf ihre Richtung, indem sie in den letzten Monaten des Jahres 1847 faktisch die Redaktionsleitung innehatten. Unter ihrem Einfluß wurde die Zeitung zum Organ der sich bildenden revolutionären Partei des Proletariats – des Bundes der Kommunisten. 59 98

45 Der *Deutsche Arbeiterverein* in Brüssel wurde von Marx und Engels Ende August 1847 mit dem Ziel gegründet, die in Belgien lebenden deutschen Arbeiter politisch aufzuklären und mit den Ideen des wissenschaftlichen Kommunismus bekannt zu machen. Unter der Leitung von Marx und Engels sowie deren Kampfgefährten entwickelte sich der Ver-

ein zu einem legalen Zentrum, um das sich die revolutionären proletarischen Kräfte in Belgien zusammenschlossen. Die fortschrittlichsten Mitglieder des Vereins traten der Brüsseler Gemeinde des Bundes der Kommunisten bei. Der Deutsche Arbeiterverein stellte jedoch bald nach der Februarrevolution 1848 in Frankreich, als die belgische Polizei die meisten seiner Mitglieder verhaftete und auswies, seine Tätigkeit ein. 59 97 181

[46] Die *Demokratische Gesellschaft in Köln* wurde im April 1848 gegründet. Ihr gehörten neben Kleinbürgern auch Arbeiter an. Marx und Engels traten in die Demokratische Gesellschaft ein, um Einfluß auf die Arbeiter zu gewinnen und die kleinbürgerlichen Demokraten zu entschlossenem Handeln zu drängen. Marx beteiligte sich an der Leitung der Gesellschaft. Marx, Engels und andere Redaktionsmitglieder der „Neuen Rheinischen Zeitung" erreichten auf den Versammlungen der Demokratischen Gesellschaft die Annahme von Beschlüssen, welche die verräterische Politik der preußischen Regierung entlarvten und die unentschlossene Haltung der Berliner und Frankfurter Versammlung verurteilten. Im April 1849, als Marx und seine Anhänger dazu übergingen, eine proletarische Partei zu schaffen, trennten sie sich auch organisatorisch von der kleinbürgerlichen Demokratie und traten aus der Demokratischen Gesellschaft aus. 60

[47] Der *Waffenstillstand von Malmö* wurde am 26. August 1848 zwischen Preußen und Dänemark auf sieben Monate geschlossen. Mit einer Volksbewegung in Schleswig und Holstein hatte der Krieg gegen Dänemark begonnen; er war ein Teil des revolutionären Kampfes deutscher Patrioten um die Einheit Deutschlands. Die Regierungen der deutschen Staaten – darunter vor allem Preußen – wurden unter dem Druck der Volksmassen gezwungen, an diesem Krieg teilzunehmen. In Wirklichkeit jedoch sabotierten die herrschenden Kreise Preußens die militärischen Operationen und gingen im August 1848 auf einen verräterischen Waffenstillstand ein.

Dadurch wurden die revolutionär-demokratischen Errungenschaften in Schleswig-Holstein zunichte gemacht und die dänische Herrschaft über beide Herzogtümer faktisch aufrechterhalten. Damit hatte sich Preußen über die Absicht des Deutschen Bundes, in dessen Namen der Krieg geführt worden war, hinweggesetzt. Dennoch stimmte die Frankfurter Nationalversammlung nach anfänglicher Weigerung am 16. September 1848 den Waffenstillstandsbedingungen zu. Am nächsten Tag protestierten 20 000 Demokraten auf der Pfingstweide bei Frankfurt a. M. gegen diesen Beschluß. In Frankfurt selbst kam es am 18. September zu Barrikadenkämpfen gegen preußische und österreichische Truppen.

Der Krieg zwischen Preußen und Dänemark wurde Ende März/Anfang April 1849 wieder aufgenommen und endete im Juli 1850 mit dem Sieg Dänemarks. Schleswig und Holstein blieben in dänischem Besitz. 61

[48] *Verfassungs-Vereinbarungs-Versammlung* nannten Marx und Engels die preußische Nationalversammlung, die im Mai 1848 in Berlin zur Ausarbeitung einer Verfassung „durch Vereinbarung mit der Krone" einberufen wurde. Mit Annahme dieser Formulierung verzichtete die preußische Nationalversammlung auf das Prinzip der Volkssouveränität. 61

[49] *Unter Hutmacher* – Straße in Köln. 62

[50] *„Preußischer Staats-Anzeiger"* – offizielles Organ der preußischen Regierung, das von Mai 1848 bis Juli 1851 in Berlin erschien. Von 1819 bis April 1848 war die Zeitung unter dem Titel „Allgemeine Preußische Staats-Zeitung" ein halbamtliches Organ der preußischen Regierung. 64

[51] *galizische Wutszenen* – der große Bauernaufstand im Februar und März 1846 in Galizien. 64

[52] *mediatisierte Standesherren* – ehemalige, selbständig regierende Landesherren, die noch zahlreiche Vorrechte besaßen, namentlich auf dem Gebiete der Gerichtsbarkeit, der Polizei und der Beamtenernennung. Sie bildeten zusammen mit den regierenden Fürsten den hohen Adel. 70

[53] *Heuler* – Spottname für die bürgerlichen Konstitutionellen, den sie von den republikanischen Demokraten während der Revolution 1848/49 in Deutschland erhielten. 71

[54] *Wühler* wurden 1848/49 in Deutschland die republikanischen Demokraten von den bürgerlichen Konstitutionellen genannt. 83

[55] Siehe „Papiers et correspondance de la famille impériale", veröffentlicht 1871. 86 100

[56] Aus Briefen von Marx, Engels und Frau Jenny Marx geht hervor, daß Wolff bereits im September 1853 nach Manchester übersiedelte. 87

[57] *Landwehr* – ursprünglich die allgemeine Landesbewaffnung, das Aufgebot aller Wehrfähigen zur Verteidigung; mit Einführung der stehenden Heere trat diese Bedeutung der Landwehr zurück; erst mit dem zunehmenden Bedarf an Streitkräften in den napoleonischen Kriegen griff man auf sie zurück. Die Landwehrordnung von 1815 teilte die Landwehr in zwei Aufgebote. Das erste umfaßte alle aus dem Heer entlassenen Männer vom 26. bis zum 32. Lebensjahr (die ausgedienten Reservisten) und diente neben dem stehenden Heer zur Bildung der Feldarmee; das zweite die Männer vom 32. bis zum 40. Lebensjahr als Festungsbesatzung. Nach den preußischen Gesetzen war die Einberufung der Landwehr nur im Falle eines Krieges möglich. 90

[58] Hier und weiter unten zitiert Engels einen Brief Bakunins an den spanischen Sozialisten Francisco Mora vom 5. April 1872; enthalten, zusammen mit anderen Dokumenten der Allianz, im 11. Abschnitt der Arbeit von Marx und Engels „L'Alliance de la Démocratie Socialiste et l'Association Internationale des Travailleurs", die in deutscher Übersetzung unter dem Titel „Ein Complot gegen die Internationale Arbeiter-Association", 1874 in Braunschweig erschienen ist (siehe Band 18 unserer Ausgabe, S. 469–471). An der Redaktion der Übersetzung war Engels beteiligt. 91

[59] Heinrich Heine, „Junge Leiden", Gedicht aus dem „Buch der Lieder". 92

[60] *„Bulletin de la Fédération Jurassienne de l'Association Internationale des Travailleurs"* – Organ der Schweizer Anarchisten, das in französischer Sprache von 1872 bis 1878 zuerst zweimal im Monat, ab Juli 1873 einmal wöchentlich unter der Redaktion von Guillaume in Sonvillier erschien. 93

[61] *„Rheinische Zeitung für Politik, Handel und Gewerbe"* – Tageszeitung, die vom 1. Januar 1842 bis zum 31. März 1843 in Köln erschien. Die Zeitung war von Vertretern der rheinischen Bourgeoisie gegründet worden, die dem preußischen Absolutismus gegenüber oppositionell eingestellt waren. Zur Mitarbeit wurden auch einige Junghegelianer herangezogen. Ab April 1842 wurde Karl Marx Mitarbeiter der „Rheinischen Zeitung" und ab Oktober des gleichen Jahres ihr Chefredakteur. Die Zeitung veröffentlichte auch Artikel von Friedrich Engels. Unter der Redaktion von Karl Marx begann die Zeitung einen immer ausgeprägteren revolutionär-demokratischen Charakter anzunehmen. Diese Richtung der „Rheinischen Zeitung", deren Popularität in Deutschland ständig wuchs, rief Besorgnis und Unzufriedenheit in Regierungskreisen und eine wütende Hetze der reaktionären Presse gegen sie hervor. Am 19. Januar 1843 erließ die preußische Regierung eine Verordnung, die die „Rheinische Zeitung" mit dem 1. April 1843 verbot und bis dahin eine besonders strenge Zensur über sie verhängte. 96

62 Die „*Deutsch-Französischen Jahrbücher*" wurden unter der Redaktion von Karl Marx und Arnold Ruge in deutscher Sprache in Paris herausgegeben. Es erschien nur die erste Doppellieferung im Februar 1844; sie enthielt Karl Marx' Schriften „Zur Judenfrage" und „Zur Kritik der Hegelschen Rechtsphilosophie. Einleitung", ferner Friedrich Engels' Arbeiten „Umrisse zu einer Kritik der Nationalökonomie" und „Die Lage Englands. ‚Past and Present' by Thomas Carlyle. London 1843" (siehe Band 1 unserer Ausgabe). Diese Arbeiten kennzeichnen den endgültigen Übergang von Marx und Engels zum Materialismus und Kommunismus. Die Hauptursache dafür, daß die Zeitschrift ihr Erscheinen einstellte, waren die prinzipiellen Meinungsverschiedenheiten zwischen Marx und dem bürgerlichen Radikalen Ruge. 97

63 Im Januar 1845 war von der französischen Regierung unter dem Druck der preußischen Regierung eine Verfügung über die Ausweisung von Karl Marx und anderen Mitarbeitern des „Vorwärts!" aus Frankreich erlassen worden. 97

64 „*Kreuz-Zeitung*" – „*Neue Preußische Zeitung*" – Tageszeitung, die im Juni 1848 in Berlin gegründet wurde; sie war das Organ der konterrevolutionären Hofkamarilla und des preußischen Junkertums. Diese Zeitung wurde „Kreuz-Zeitung" genannt, da sie in ihrem Titel ein Landwehrkreuz (Eisernes Kreuz) trug. 98

65 „*Neue Rheinische Zeitung. Politisch-ökonomische Revue*" – Zeitschrift, die von Marx und Engels im Dezember 1849 gegründet und bis November 1850 herausgegeben wurde. Die Zeitschrift war das theoretische und politische Organ des Bundes der Kommunisten, die Fortsetzung der von Marx und Engels während der Revolution 1848/49 in Köln herausgegebenen „Neuen Rheinischen Zeitung" (siehe Anm. 28). Insgesamt erschienen von März bis November 1850 sechs Hefte der Zeitschrift, davon als letztes das Doppelheft 5/6. Die Zeitschrift wurde in London redigiert und in Hamburg gedruckt. Auf dem Titelblatt war auch New York angegeben, weil Marx und Engels mit ihrer Verbreitung unter den deutschen Emigranten in Amerika rechneten. Der überwiegende Teil der Beiträge (Artikel, internationale Übersichten, Rezensionen) ist von Marx und Engels geschrieben, die auch ihre Anhänger Wilhelm Wolff, Weydemeyer und Eccarius zur Mitarbeit heranzogen. Von den Schriften der Begründer des Marxismus wurden u.a. in der Zeitschrift veröffentlicht: „Die Klassenkämpfe in Frankreich 1848 bis 1850" von Marx, „Die deutsche Reichsverfassungskampagne" und „Der deutsche Bauernkrieg" von Engels sowie mehrere andere Arbeiten (siehe Band 7 unserer Ausgabe). Wegen der polizeilichen Repressalien in Deutschland und des Fehlens finanzieller Mittel war die Zeitschrift gezwungen, ihr Erscheinen einzustellen. 99

66 „*New-York Daily Tribune*" – eine amerikanische Zeitung, die von 1841 bis 1924 erschien. Sie ist von dem bekannten amerikanischen Journalisten und Politiker Horace Greeley gegründet worden und war bis Mitte der fünfziger Jahre das Organ des linken Flügels der amerikanischen Whigs, danach das Organ der Republikanischen Partei. In den vierziger und fünfziger Jahren nahm die Zeitung eine fortschrittliche Haltung ein und trat gegen die Sklaverei auf. An der Zeitung arbeiteten mehrere bedeutende amerikanische Schriftsteller und Journalisten; einer ihrer Redakteure war seit Ende der vierziger Jahre der von den Ideen des utopischen Sozialismus beeinflußte Charles Dana. Marx' Mitarbeit an der Zeitung begann im August 1851 und währte bis März 1862; eine große Anzahl Artikel für die „New-York Daily Tribune" wurde auf Marx' Bitte von Engels geschrieben. Die Artikel von Marx und Engels in der „New-York Daily Tribune" behandeln wichtige Fragen der Arbeiterbewegung, der Innen- und Außenpolitik und der ökonomischen Ent-

wicklung der europäischen Länder, Fragen der kolonialen Expansion und der nationalen Befreiungsbewegung in den unterdrückten und abhängigen Ländern und andere mehr. In der Periode der in Europa wieder aufkommenden Reaktion benutzten Marx und Engels diese weitverbreitete fortschrittliche amerikanische Zeitung, um an Hand von Tatsachen die Gebrechen der kapitalistischen Gesellschaft anzuprangern, die dieser Gesellschaft innewohnenden unversöhnlichen Widersprüche aufzudecken sowie auf den beschränkten Charakter der bürgerlichen Demokratie hinzuweisen.

Im März 1862, während des Bürgerkrieges in den USA, hörte Marx' Mitarbeit an der Zeitung auf. Eine entscheidende Rolle beim Abbruch der Beziehungen zwischen der „New-York Daily Tribune" und Marx spielten die verstärkte Besetzung der Redaktion mit Anhängern eines Kompromisses mit den Sklavenhalterstaaten sowie die Aufgabe ihrer fortschrittlichen Positionen. 99

67 *„Das Volk"* – Wochenzeitung, die in deutscher Sprache vom 7. Mai bis zum 20. August 1859 in London erschien. Sie wurde als offizielles Organ des Deutschen Bildungsvereins für Arbeiter in London unter der Redaktion des deutschen Publizisten und kleinbürgerlichen Demokraten Elard Biscamp gegründet. Ab Nr. 2 arbeitete Marx inoffiziell an der Zeitung mit, gab ständig Ratschläge und Hilfe, redigierte Artikel, organisierte finanzielle Unterstützungsaktionen usw. In Nr. 6 vom 11. Juni 1859 gab die Redaktion der Zeitung offiziell die Mitarbeit von Marx, Engels, Freiligrath, Wilhelm Wolff und Heinrich Heise bekannt. Von diesem Zeitpunkt an war Marx faktisch Redakteur der Zeitung, die nunmehr zu einem Organ der proletarischen Revolutionäre wurde. Anfang Juli übernahm Marx die gesamte Leitung.

Im „Volk" erschienen von Marx das Vorwort zu seiner Schrift „Zur Kritik der Politischen Ökonomie" und eine Reihe anderer Artikel von Marx und Engels (siehe Band 13 unserer Ausgabe). Insgesamt erschienen 16 Nummern der Zeitung. Am 20. August 1859 stellte die Zeitung wegen Geldmangels ihr Erscheinen ein. 100

68 Die besonders tiefgreifende Wirtschaftskrise 1873 erfaßte Österreich, Deutschland, die USA, England, Frankreich, Holland, Belgien, Italien, Rußland und andere Länder. 104

69 Marx schrieb den Brief an die Redaktion der Zeitschrift „Otetschestwennyje Sapiski" bald nach Erscheinen des von dem Ideologen der Volkstümler N. K. Michailowski verfaßten Artikels „Karl Marx vor dem Tribunal des Herrn J. Shukowski" (veröffentlicht in Nr. 10 der „Otetschestwennyje Sapiski" vom Oktober 1877). Der Brief wurde von Marx nicht abgesandt. Engels fand ihn nach dem Tode von Marx unter dessen Papieren, fertigte Abschriften an und schickte eine davon, mit einem Begleitschreiben vom 6. März 1884, nach Genf an Vera Iwanowna Sassulitsch, die der Gruppe Befreiung der Arbeit angehörte.

Ins Russische übersetzt, wurde der Brief 1886 in Nr. 5 des „Westnik Narodnoi Woli" und im Oktober 1888 im „Juriditscheski Westnik" veröffentlicht. Eine deutsche Übersetzung erschien im „Sozialdemokrat" vom 3. Juni 1887 in Zürich.

Auszüge aus dem Brief wurden von Engels in seinem „Nachwort zu ‚Soziales aus Rußland'" (siehe Band 18 unserer Ausgabe, S. 663–674) in deutscher Übersetzung gebracht, die in der vorliegenden Fassung verwendet wurde.

„Otetschestwennyje Sapiski" – literarisch-politische Zeitschrift, erschien erstmalig 1820 in Petersburg; von 1839 an war sie eine der besten fortschrittlichsten Zeitschriften jener Zeit. Zur Redaktion gehörte u.a. W. G. Belinski; auch A. I. Herzen arbeitete daran mit. Nach dem Ausscheiden Belinskis aus der Redaktion (1846) begann die Bedeutung der

„Otetschestwennyje Sapiski" zu sinken. 1868 übernahmen N. A. Nekrassow und M. J. Saltykow-Schtschedrin die Redaktion; sie sammelten die revolutionäre demokratische Intelligenz um sich, und für die Zeitschrift begann eine neue Blütezeit. Nach dem Tode Nekrassows (1877) wurde sie zum Sprachrohr der Volkstümler.

Die „Otetschestwennyje Sapiski" waren unaufhörlichen Verfolgungen durch die Zensur ausgesetzt; im April 1884 wurden sie von der zaristischen Regierung verboten. 107

70 Karl Marx, „Le Capital", Paris 1875 (vgl. Band 23 unserer Ausgabe, S. 744). Die Unterschiede zwischen dem Text dieses Zitats und dem Wortlaut der angegebenen Stelle in Band 23 beruhen darauf, daß Marx nach der französischen Ausgabe zitiert, von der er sagt, „sie besitzt einen wissenschaftlichen Wert unabhängig vom Original". 108

71 Das mißglückte Attentat auf Bismarck wurde am 7. Mai 1866 in Berlin verübt. 113

72 *Krise in Frankreich* - Konflikt, der nach den Wahlen von 1876 zwischen den monarchistischen Kreisen und der republikanischen Mehrheit der Deputiertenkammer entstand. In diesem Konflikt siegte die Kammer, und in Frankreich festigte sich die parlamentarische Republik. 113

73 1877 nahm in den USA der Kampf der Arbeiterklasse gegen die Unternehmer breite Ausmaße an. Eines der größten Ereignisse dieses Kampfes war der Streik der Eisenbahner im Juli 1877, der durch eine zehnprozentige Lohnherabsetzung auf drei Haupteisenbahnlinien, die nach dem Westen führten - der Pennsylvania, der Baltimore-Ohio und der New-York Central-Railway - hervorgerufen worden war. Der Streik konnte nur durch blutigen Terror der Regierungstruppen und der National Guard (eine Art Miliz) unterdrückt werden. 114

74 Der Russisch-Türkische Krieg 1877/1878. 114

75 Vorliegenden Aufsatz schrieb Engels für die New-Yorker Wochenschrift „The Labor Standard", die von 1876 bis 1900 von Mac Donnel, einem in die USA emigrierten Funktionär der irischen Arbeiterbewegung, herausgegeben wurde. In deutscher Übersetzung erschien der Aufsatz in der Zeitschrift „Die Gesellschaft" (Jahrgang 8, 1931, Band 2). Für unsere Ausgabe ist die Übersetzung neu bearbeitet worden. 117

76 Hinweis auf die desorganisierende Tätigkeit der Anarchisten. 119

77 Bei einem Aufstand im Jahre 1877 ergriffen die Anarchisten Besitz von der kleinen Stadt Letino in der Provinz Benevent in Süditalien; der Aufstand wurde rasch von der Polizei unterdrückt. 123

78 Drei Londoner Schneider aus der Tooley-Street sollen an das Unterhaus eine Beschwerde gerichtet haben, die mit den Worten begann: „Wir, das Volk von England ...". 125

79 Hinweis auf die Neue Madrider Föderation, die am 8. Juli 1872 von den Redaktionsmitgliedern der Zeitung „La Emancipacion" gegründet worden war, nachdem die anarchistische Mehrheit sie aus der Madrider Föderation ausgeschlossen hatte. Den Anlaß für den Ausschluß boten die in der „Emancipacion" veröffentlichten Enthüllungen über die Tätigkeit einer geheimen Allianz in Spanien. An der Gründung und Tätigkeit der Neuen Madrider Föderation nahm Paul Lafargue großen Anteil. Die Neue Madrider Föderation bekämpfte mit Entschlossenheit die Ausdehnung des anarchistischen Einflusses in Spanien, propagierte die Ideen des wissenschaftlichen Sozialismus und kämpfte für die Schaffung einer selbständigen proletarischen Partei in Spanien. Zu den Mitarbeitern von

„La Emancipacion" gehörte auch Engels. Die Mitglieder der Neuen Madrider Föderation waren die Organisatoren der 1879 gegründeten Sozialistischen Arbeiterpartei Spaniens. 125

80 „*O Proteste*" – portugiesische sozialistische Wochenzeitung, 1875 in Lissabon gegründet. 125

81 Die Wochenschrift „Narodna Volja" erschien in Smederevo (Serbien) von Dezember 1875 bis Juni 1876. 128

82 Dieser Artikel wurde in deutscher Übersetzung u.a. in der „Berliner Freien Presse" vom 16. Juni 1878 und im „Vorwärts" vom 21. Juni 1878 veröffentlicht. Der „Vorwärts" weist in einer Notiz am 28. Juni 1878 darauf hin, daß die Übersetzung Fehler enthält.

Unsere Veröffentlichung richtet sich nach dem Text der „Daily News".

„*The Daily News*" – liberale Tageszeitung, Organ der Industriebourgeoisie; erschien von 1846 bis 1930 in London. 138

83 „*National-Zeitung*" – Tageszeitung, die von 1848 bis 1915 in Berlin erschien; in den fünfziger Jahren vertrat sie eine liberale Richtung; ab 1915 „8-Uhr-Abendblatt/Nationalzeitung". 138

84 „*Staats-Anzeiger*" – „Königlich Preußischer Staats-Anzeiger", offizielles Organ der preußischen Regierung; erschien unter diesem Titel von 1851 bis 1871 in Berlin. 138

85 „*Der Vorbote*" – Monatsschrift, offizielles Organ der deutschen Sektionen der Internationale in der Schweiz, das in deutscher Sprache von 1866 bis 1871 in Genf erschien. Verantwortlicher Redakteur war Johann Philipp Becker. Die Zeitschrift verfolgte im allgemeinen die Linie von Marx und vom Generalrat, veröffentlichte systematisch die Dokumente der Internationalen Arbeiterassoziation und informierte über die Tätigkeit der Sektionen der Internationale in den verschiedenen Ländern. 139

86 Das deutsche Panzerschiff „Großer Kurfürst" sank am 31. Mai 1878 im Ärmelkanal bei Folkestone infolge eines Zusammenstoßes mit dem Schiff „König Wilhelm". 139

87 Dieser Brief erschien, geringfügig gekürzt, in der „Frankfurter Zeitung und Handelsblatt" Nr. 180 vom 29. Juni 1878, in der „Vossischen Zeitung" Nr. 152 vom 2. Juli 1878 und im „Vorwärts" Nr. 78 vom 5. Juli 1878. 140

88 Der Artikel „*Herrn George Howells Geschichte der Internationalen Arbeiterassoziation*" wurde von Marx Anfang Juli 1878 geschrieben als Entgegnung auf den Aufsatz des Renegaten Howell über die Geschichte der Internationalen Arbeiterassoziation, welcher in der Zeitschrift „The Nineteenth Century" veröffentlicht worden war.

In seinem Aufsatz verbreitet Howell lügnerische Behauptungen über die Geschichte der Internationale und über die Rolle, die Marx in der Internationalen Arbeiterassoziation gespielt hatte. Die Redaktion des „Nineteenth Century" lehnte die Veröffentlichung von Marx' Artikel ab; er wurde in der Zeitschrift „The Secular Century" gedruckt. Diese Zeitschrift hatte atheistisch-republikanischen Charakter, ihr Redakteur, Harriet Law, war Mitglied der Internationale gewesen.

In deutscher Übersetzung wurde der Artikel in der „Neuen Zeit", Nr. 1, 20. Jahrgang, 1. Band, 1901/1902, S. 585–589 veröffentlicht. Für unsere Ausgabe ist die Übersetzung neu bearbeitet worden. 142

89 „*The Nineteenth Century*" – liberale Monatsschrift, erschien unter diesem Namen von 1877 bis 1900 in London. 142

90 Howell bezeichnet die Londoner Konferenz, die vom 25. bis 29. September 1865 stattfand, als Kongreß; an ihr nahmen die Mitglieder des Zentralrats und die Führer der einzelnen Sektionen teil.

Die Konferenz hörte den Bericht des Zentralrats, bestätigte seinen Finanzbericht und die Tagesordnung des bevorstehenden Kongresses. Diese Londoner Konferenz, deren Vorbereitung und Durchführung Marx leitete, spielte in der Periode des Entstehens und der organisatorischen Festigung der Internationale eine große Rolle. 142

91 Dieser Brief Martins wurde in „Le Siècle" vom 14. Oktober 1865 veröffentlicht.

„Le Siècle" – Tageszeitung, erschien von 1836 bis 1939 in Paris. In den vierziger Jahren des 19. Jahrhunderts brachte sie die Anschauungen jenes Teils des Kleinbürgertums zum Ausdruck, der sich auf die Forderungen gemäßigter Reformen beschränkte; in den fünfziger und sechziger Jahren Organ der gemäßigten Republikaner. 143

92 Neues Testament, Apostelgeschichte des Lukas, 17, 26. 144

93 Die Adresse an Abraham Lincoln schrieb Marx zwischen dem 22. und 29. November 1864. Den Beschluß, Lincoln zu seiner Wiederwahl zum Präsidenten zu beglückwünschen, hatte der Zentralrat (der spätere Generalrat) am 22. November gefaßt (siehe Band 16 unserer Ausgabe, S. 18–20).

Der von Marx verfaßte Text der Adresse an Lincoln wurde vom Zentralrat am 29. November 1864 einstimmig angenommen und dem Präsidenten Lincoln über den amerikanischen Botschafter in London, Adams, zugestellt. Am 28. Januar 1865 erfolgte im Namen Lincolns eine Antwort an den Zentralrat. Sie wurde auf der Sitzung des Rats am 31. Januar verlesen und in der „Times" vom 6. Februar 1865 veröffentlicht. Wie Marx in einem Brief an Wilhelm Liebknecht vom Februar 1865 bemerkte, war von allen Antworten Lincolns auf die ihm zugegangenen Glückwünsche der verschiedensten Organisationen nur die Antwort an die Internationale Arbeiterassoziation nicht einfach eine formale Empfangsbestätigung. 144

94 *„The Commonwealth"* – englische Wochenschrift, ein Organ des Zentral- bzw. Generalrats der Internationale, das von Februar 1866 bis Juli 1867 in London erschien. Marx gehörte der Redaktionskommission bis Juni 1866 an, von Februar bis April 1866 war Eccarius Redakteur. Die Zeitung veröffentlichte Berichte von den Sitzungen des Generalrats und Dokumente der Internationale. Durch die versöhnlerische Politik der tradeunionistischen Führer, die in die Leitung der Wochenschrift eintraten, änderte das Blatt während des Kampfes für die Wahlrechtsreform seine Richtung und wurde faktisch zu einem Organ der radikalen Bourgeoisie. 144

95 *Fenier-Unruhen* – Im Februar/März 1867 erlitt der von den Feniern seit langem vorbereitete bewaffnete Aufstand eine Niederlage, die isolierten Erhebungen in den einzelnen Grafschaften wurden unterdrückt, viele Führer verhaftet und vor Gericht gestellt.

Die Geheimorganisation der Fenier entstand Ende der fünfziger Jahre unter den irischen Emigranten in Amerika und später auch in Irland selbst. Die Fenier waren wegen ihrer Verschwörertaktik und infolge von Fehlern sektiererischen und bürgerlich-nationalistischen Charakters von den breiten Schichten des irischen Volkes isoliert. Marx und Engels wiesen des öfteren auf die schwachen Seiten der Fenierbewegung hin, würdigten aber auch ihren revolutionären Charakter und bemühten sich, den Feniern den Weg zum Massenkampf und zu gemeinsamen Aktionen mit der englischen Arbeiterklasse zu weisen. 145 331

96 *Krautjunkerversammlung* – verächtliche Bezeichnung für die im Februar 1871 in Bordeaux zusammengetretene Nationalversammlung, die in ihrer Mehrheit aus reaktionären Monarchisten, aus Gutsbesitzern, Beamten, Rentiers und Kaufleuten bestand, die in den ländlichen Wahlbezirken gewählt worden waren. Von 630 Deputierten der Versammlung waren etwa 430 Monarchisten.

Ende 1871 unternahm die Nationalversammlung eine Untersuchung der Ereignisse der Pariser Kommune, deren Ergebnis unter dem Titel „Enquête parlementaire sur l'insurrection du 18 mars 1871" veröffentlicht wurde. 145

97 Der „*Zirkularbrief*" von Marx und Engels vom 17./18. September 1879 trägt den Charakter eines internen Parteimaterials. Hiervon zeugen sein Inhalt und die Erklärungen von Marx und Engels zum Brief selbst. In dem Brief an Sorge vom 19. September 1879 nennt Marx dieses Dokument einen „Zirkularbrief", bestimmt „für Privatzirkulation unter den deutschen Parteiführern".

Den Entwurf dieses Briefes fertigte Engels Mitte September an. Am 17. September, nachdem Marx von einer Erholungsreise nach London zurückgekehrt war, unterzogen beide diesen Entwurf noch einmal einer gemeinsamen Beurteilung und formulierten den Brief endgültig.

Der „Zirkularbrief" wurde erstmalig in der Zeitschrift „Die Kommunistische Internationale", 12. Jg., 1. Halbjahr, Berlin 1931, S. 1012–1024, veröffentlicht. 150

98 „*Richtersches Jahrbuch*" – „Jahrbuch für Sozialwissenschaft und Sozialpolitik", Zeitschrift mit reformistischer Tendenz, die Karl Höchberg von 1879 bis 1881 (unter dem Pseudonym Dr. Ludwig Richter) in Zürich herausgab. 150

99 Das *neuzugründende Parteiorgan* – es handelt sich um den „Sozialdemokrat" (siehe auch Anm. 118), dessen Herausgabe damals vorbereitet wurde. 150

100 „*Die Laterne*" – deutsche sozialdemokratische satirische Wochenschrift; erschien von Dezember 1878 bis Juni 1879 in Brüssel unter der Redaktion von Karl Hirsch. Die Zeitschrift kritisierte opportunistische Tendenzen innerhalb der deutschen sozialdemokratischen Partei, die besonders zu Beginn des Sozialistengesetzes auftraten. 150

101 „*Freiheit*" – von Johann Most Anfang 1879 in London gegründete und vorwiegend von ihm redigierte deutsche Wochenzeitung anarchistischer Prägung. Die „Freiheit" erschien in London (1879–1882), in der Schweiz (1882) und in New York (1882–1908). Marx und Engels kritisierten Most und seine Zeitung wiederholt wegen anarchistischer Agitation. 155

102 „*Vorwärts*" – Zentralorgan der deutschen Sozialistischen Arbeiterpartei nach dem Gothaer Kongreß 1876; herausgegeben ab Oktober 1876 in Leipzig. Die Zeitung mußte im Oktober 1878 mit der Annahme des Sozialistengesetzes ihr Erscheinen einstellen. 158

103 Es handelt sich um den berüchtigten Drei-Sternchen-Artikel, der von Karl Höchberg, Eduard Bernstein und Karl August Schramm geschrieben und in der Zeitschrift „Jahrbuch für Sozialwissenschaft und Sozialpolitik", 1. Jg., 1. Hälfte, Zürich-Oberstrass 1879, S. 75–96, veröffentlicht wurde. 159

104 *18. März 1848* – Beginn und Höhepunkt der bürgerlich-demokratischen Revolution 1848/49. Als Antwort auf den Befehl des Kronprinzen Wilhelm, die Berliner Massenversammlungen und -demonstrationen mit Waffengewalt auseinanderzutreiben, kam es an diesem Tage zu Barrikadenkämpfen. 161

[105] *Krach von 1873* – Krise, mit der in Deutschland die Periode der sogenannten Gründerjahre endete.

„Gründer" nannte man deutsche Unternehmer der siebziger Jahre des vorigen Jahrhunderts, die mit Hilfe der nach dem Krieg 1870/71 von Frankreich erpreßten Kontributionen und durch gewaltige Spekulationen emporkamen. 162 169

[106] *Oktobergesetz* – Ausnahmegesetz gegen die sozialistische deutsche Arbeiterbewegung, das im Oktober 1878 vom Reichstag angenommen wurde und als Sozialistengesetz in die Geschichte der Arbeiterbewegung eingegangen ist. 163

[107] *„Die Zukunft"* – Zeitschrift mit reformistischer Tendenz; erschien von Oktober 1877 bis November 1878 in Berlin. Herausgeber der Zeitschrift war Karl Höchberg. Marx und Engels kritisierten die Zeitschrift scharf wegen der Versuche, die Partei auf den reformistischen Weg zu ziehen.

„Die Neue Gesellschaft" – reformistische Monatsschrift, die von Oktober 1877 bis März 1880 in Zürich von Dr. F. Wiede herausgegeben wurde. 164

[108] *„Der Sozialismus des Herrn Bismarck"* – diesen Artikel schrieb Engels Ende Februar 1880. Er wurde in der Zeitung „L'Égalité" in den Nummern 7 und 10 veröffentlicht; Engels stützte sich dabei auf Angaben, die in Rudolph Meyers Buch „Politische Gründer und die Corruption in Deutschland", Leipzig 1877, enthalten sind.

„L'Égalité" – französische sozialistische Wochenzeitung, 1877 von Jules Guesde gegründet; 1880–1883 Organ der französischen Arbeiterpartei in Paris. Die Zeitung erschien in sechs Serien. Die 1., 2. und 3. Serie wöchentlich (insgesamt 113 Nummern), die 4. und 5. Serie täglich (insgesamt 56 Nummern). Von der 6. Serie, die wöchentlich erscheinen sollte, kam nur eine Nummer 1886 heraus. Die einzelnen Serien unterschieden sich durch ihre Untertitel.

Außer „Der Sozialismus des Herrn Bismarck" von Engels wurden in der „Égalité" auch die „Einleitung zum Programm der französischen Arbeiterpartei" (siehe vorl. Band, S. 238) und „Über ‚Misère de la Philosophie'" (siehe vorl. Band, S. 229) von Marx veröffentlicht. 167

[109] *Crédit mobilier* (Société générale de crédit mobilier) – eine französische Aktienbank, die von den Brüdern Péreire gegründet und durch Dekret vom 18. November 1852 gesetzlich anerkannt wurde. Hauptziel des Crédit mobilier war die Kreditvermittlung und die Gründung von industriellen und anderen Unternehmen. Die Bank beteiligte sich in breitem Maße am Eisenbahnbau in Frankreich, Österreich, Ungarn, der Schweiz, Spanien und Rußland. Ihre größte Einnahmequelle war die Börsenspekulation mit Wertpapieren der von ihr gegründeten Aktiengesellschaften. Aus der Emission ihrer Aktien, die nur durch die in ihrem Besitz befindlichen Wertpapiere anderer Unternehmen garantiert wurden, erzielte die Bank Mittel, die sie wiederum zum Ankauf von Aktien verschiedenster Gesellschaften verwandte. Auf diese Weise wurde ein und derselbe Besitz zur Quelle eines fiktiven Kapitals von doppeltem Umfang: in Form von Aktien des betreffenden Unternehmens und in Form von Aktien des Crédit mobilier, der dieses Unternehmen finanzierte und seine Aktien aufkaufte. Die Bank war eng liiert mit der Regierung Napoleons III. und genoß deren Schutz. 1867 erfolgte der Bankrott der Bank, 1871 ihre Liquidation. Das wahre Wesen des Crédit mobilier enthüllte Marx in mehreren Artikeln, die in der „New-York Daily Tribune" erschienen (siehe Band 12 unserer Ausgabe, S. 20 bis 36, 202–209 und 289–292). 169

[110] Franz Reuleaux, „Briefe aus Philadelphia", Braunschweig 1877. 170

111 „Der Generalrat der Internationalen Arbeiterassoziation über den Krieg" (siehe Band 17 unserer Ausgabe, S. 1–8 und 271–279). 175

112 *„Die Entwicklung des Sozialismus von der Utopie zur Wissenschaft"* entstand aus drei Kapiteln des Werkes „Herrn Eugen Dühring's Umwälzung der Wissenschaft" („Anti-Dühring"), das Engels 1876–1878 geschrieben hatte.

Auf Bitten von Paul Lafargue arbeitete Engels 1880 drei Kapitel des „Anti-Dühring" (das 1. Kapitel der Einleitung und die Kapitel 1 und 2 des dritten Abschnitts) zu einer selbständigen populären Schrift um, die zuerst in der französischen sozialistischen Zeitschrift „La Revue socialiste" gedruckt und noch in demselben Jahr als Einzelschrift herausgegeben wurde. Die französische Ausgabe diente als Grundlage für die polnische und italienische Ausgabe. 1883 wurde die Schrift, von Engels selbst vorbereitet, in deutscher Sprache veröffentlicht (auf dem Titelblatt ist als Erscheinungsjahr 1882 angegeben). Diese Schrift wurde zu Lebzeiten Engels' in eine Reihe europäischer Sprachen übersetzt. Unter den Arbeitern fand sie weite Verbreitung und spielte eine wesentliche Rolle bei der Propaganda der marxistischen Ideen. Die letzte von Engels besorgte deutsche (vierte) Auflage wurde 1891 in Berlin veröffentlicht (siehe auch vorl. Band, S. 523). Die Schrift unterscheidet sich von den entsprechenden Kapiteln des „Anti-Dühring" durch die Anordnung des Materials, sie enthält Ergänzungen und einige Änderungen gegenüber dem Text des „Anti-Dühring".

Um den Zusammenhang mit dem Werk zu wahren, sind im vorliegenden Band – abweichend von der chronologischen Reihenfolge – die von Marx verfaßte Vorbemerkung zur französischen Ausgabe (siehe Anm. 113) und das 1882 von Engels geschriebene Vorwort zur ersten deutschen Auflage der Arbeit von Engels vorangestellt. 177

113 Die *Vorbemerkung zur französischen Ausgabe (1880)* von Friedrich Engels' „Die Entwicklung des Sozialismus von der Utopie zur Wissenschaft" wurde von Marx etwa am 4. oder 5. Mai 1880 geschrieben. In der Broschüre wurde die Vorbemerkung mit Lafargues Unterschrift veröffentlicht, der die französische Übersetzung der Arbeit von Engels vorbereitet hatte. In der vor kurzem aufgefundenen Handschrift befindet sich folgender Zusatz: „Lieber Lafargue, Beiliegend die Frucht meiner Konsultation (von gestern abend) mit Engels. Bringen Sie den Stil in Ordnung, aber lassen Sie den Inhalt unverändert Ganz der Ihre. Karl Marx."

Unserer Übersetzung liegt die Handschrift zugrunde. Größere Zusätze in der von Lafargue unterzeichneten Veröffentlichung erscheinen in Fußnoten; einige kleinere, dem besseren Verständnis dienende Änderungen wurden stillschweigend übernommen. 181

114 *„La Revue socialiste"* – Monatsschrift, von dem französischen kleinbürgerlichen Sozialisten und späteren Possibilisten Benoît Malon gegründet; ursprünglich republikanisch-sozialistisches, dann syndikalistisches und genossenschaftliches Organ; wurde 1880 in Lyon und von 1885 bis 1914 in Paris herausgegeben. 1880 arbeiteten Marx und Engels an der Zeitschrift mit. 181

115 Friedrich Engels, „Herrn Eugen Dühring's Umwälzung der Wissenschaft". Leipzig 1878 (siehe Band 20 unserer Ausgabe). 181

116 *„The Northern Star"* – englische Wochenzeitung, Hauptorgan der Chartisten; erschien von 1837 bis 1852, anfangs in Leeds und ab November 1844 in London. Begründer und Redakteur der Zeitung war Feargus Edward O'Connor; in den vierziger Jahren wurde sie von George Julian Harney redigiert. Engels war von September 1845 bis März 1848 Mitarbeiter dieser Zeitung.

„The New Moral World; and Gazette of the Rational Society" – eine 1834 von Robert Owen gegründete Wochenzeitung utopischer Sozialisten, die bis 1846 erschien; zunächst wurde sie in Leeds und ab 1. Oktober 1841 in London herausgegeben. Friedrich Engels war von November 1843 bis Mai 1845 Mitarbeiter der Zeitung. 181

117 Friedrich Engels schildert die Ereignisse in „Die deutsche Reichsverfassungskampagne" (siehe Band 7 unserer Ausgabe, S. 109–197). 182

118 *„Der Sozialdemokrat"* – Zentralorgan der deutschen Sozialdemokratie, erschien während des Sozialistengesetzes ab September 1879 bis September 1888 in Zürich und ab Oktober 1888 bis 27. September 1890 in London. Marx und Engels berichtigten Fehler der Zeitung und halfen dem Zentralorgan, die marxistische Linie durchzusetzen. Engels arbeitete selbst an der Zeitung mit. 186

119 *der Rousseausche Gesellschaftsvertrag* – nach der Theorie Jean-Jacques Rousseaus lebten die Menschen ursprünglich im Naturzustand, in dem alle gleich waren. Die Entstehung des Privateigentums und die Entwicklung ungleicher Besitzverhältnisse hätten den „Übergang der Menschen aus dem Zustand der Natur in den staatsbürgerlichen" bedingt und zur Bildung des Staates geführt, der auf einem Gesellschaftsvertrag beruhe. Die Fortentwicklung der politischen Ungleichheit führe jedoch zur Zerstörung dieses Gesellschaftsvertrages und zur Entstehung eines neuen Naturzustandes. Diesen zu beseitigen sei der Vernunftstaat berufen, der auf einem neuen Gesellschaftsvertrag beruhe.

Diese Theorie ist entwickelt in Rousseaus Werken „Discours sur l'origine et les fondemens de l'inégalité parmi les hommes", Amsterdam 1755 und „Du contrat social; ou, principes du droit politique", Amsterdam 1762. 190

120 *Levellers* – hier die *wahren Leveller* (Gleichmacher) oder *Digger* (die Grabenden), die in der englischen bürgerlichen Revolution des 17. Jahrhunderts den äußersten linken Flügel der Leveller bildeten und sich im Verlaufe der Revolution von ihnen absonderten. Die Digger, die die Interessen der ärmsten ländlichen und städtischen Schichten verfochten, vertraten den Standpunkt, daß das arbeitende Volk die Gemeindeländereien bewirtschaften solle, ohne Pacht zu zahlen. In einigen Dörfern besetzten sie aus eigener Machtvollkommenheit nichtbewirtschaftete Ländereien und gruben sie für die Saat um. Als sie von den Soldaten Cromwells auseinandergetrieben wurden, leisteten sie keinerlei Widerstand, da sie in diesem Kampfe nur friedliche Mittel anwenden wollten und auf die Kraft der Überzeugung vertrauten. 191

121 Gemeint sind vor allem die Werke der Vertreter des utopischen Kommunismus Thomas More (Morus) („De optimo rei publicae statu deque nova insula Utopia", herausgegeben 1516) und Thomas Campanella („Civitas solis", beigegeben der 1623 erschienenen „Philosophia epilogistica realis", als Einzelschrift herausgegeben 1643). 191

122 *Schreckenszeit* – die Periode der revolutionär-demokratischen Diktatur der Jakobiner (Juni 1793 bis Juli 1794), in der die Jakobiner als Antwort auf den konterrevolutionären Terror der Girondisten und Royalisten den revolutionären Terror anwandten.

Direktorium – oberstes Regierungsorgan in Frankreich, bestehend aus fünf Mitgliedern, von denen eines jährlich durch Neuwahl zu ersetzen war. Das Direktorium wurde gebildet auf der Grundlage der nach dem Sturz der Jakobinerdiktatur angenommenen Verfassung von 1795. Es bestand bis zum Staatsstreich Bonapartes (18. Brumaire 1799), führte ein Terrorregime gegen die demokratischen Kräfte und vertrat die Interessen der Großbourgeoisie. 192

123 Die *revolutionäre Devise* – „Freiheit! Gleichheit! Brüderlichkeit!" – Losung der Französischen Revolution. 193

124 *Saint-Simons Genfer Briefe* – „Lettres d'un habitant de Genève à ses contemporains", das erste Werk Saint-Simons, das 1802 in Genf geschrieben, 1803 anonym und ohne Hinweise auf Ort und Zeit der Herausgabe in Paris veröffentlicht wurde. Die Zeitangabe von Engels stammt aus Nicolas-Gustave Hubbards Buch „Saint-Simon, sa vie et ses travaux", Paris 1857, das Engels benutzte und in dem bei der Datierung einzelner Werke Saint-Simons Ungenauigkeiten enthalten sind.

Fouriers erstes großes Werk war die „Théorie des quatre mouvemens et des destinées générales ...", das in den ersten Jahren des 19. Jahrhunderts geschrieben und 1808 in Lyon anonym herausgegeben wurde. Auf dem Titelblatt ist als Ausgabeort Leipzig vermerkt.

New Lanark – Baumwollspinnerei in der Nähe der schottischen Stadt Lanark, die 1784 zusammen mit einer kleinen Siedlung gegründet worden war. 193

125 Diese Zitate sind dem zweiten Brief aus Saint-Simons „Lettres d'un habitant de Genève à ses contemporains" entnommen. In Hubbards Buch „Saint-Simon ..." befinden sich diese Stellen auf den Seiten 143 und 135. 195

126 Hinweis auf Brief acht aus Saint-Simons „Correspondance politique et philosophique. Lettres de H. Saint-Simon à un Américain", enthalten in einem Sammelband, der 1817 unter dem Titel „L'industrie, ou discussions politiques, morales et philosophiques, dans l'intérêt de tous les hommes livrés à des travaux utiles et indépendans", T. 2, in Paris erschienen war. Vgl. p. 83–87, ebenda. In Hubbards Buch „Saint-Simon ..." befindet sich die Darlegung dieser Auffassung Saint-Simons auf den Seiten 155–157. 195

127 Engels bezieht sich auf zwei von Saint-Simon und seinem Schüler Augustin Thierry (1795–1856) geschriebene Arbeiten „De la réorganisation de la société européenne ou de la nécessité et des moyens de rassembler les peuples de l'Europe en un seul corps politique, en conservant à chacun son indépendance nationale" (Paris 1814) und „Opinion sur les mesures à prendre contre la coalition de 1815" (Paris 1815). In Hubbards Buch „Saint-Simon ..." befindet sich ein Auszug aus der ersten Arbeit auf den Seiten 149–154, und der Inhalt beider Arbeiten wird auf den Seiten 68–76 dargelegt.

Einzug der Verbündeten – am 31. März 1814 zog das Heer der gegen Napoleon gerichteten Koalition (Rußland, Österreich, England, Preußen und andere Staaten) in Paris ein. Das Kaiserreich brach zusammen, Napoleon mußte abdanken und wurde gezwungen, auf die Insel Elba in die Verbannung zu gehen.

Hundert Tage – die Zeit der Herrschaft Napoleons I. zwischen dem 20. März 1815, an dem Napoleon von der Insel Elba kommend in Paris einzog, und dem 28. Juni 1815, an dem er nach der Niederlage bei Waterloo erneut abdanken mußte. 196

128 Bei *Waterloo* (Belle Alliance) in Belgien wurde Napoleon am 18. Juni 1815 von den englisch-holländischen Truppen unter Wellington und der preußischen Armee unter Blücher geschlagen. Die Schlacht war von entscheidender Bedeutung für den Feldzug von 1815 und führte zum endgültigen Sieg der antinapoleonischen (siebenten) Koalition (England, Rußland, Österreich, Preußen, Schweden, Spanien und andere Staaten) und zum Sturz Napoleons. 196

129 Diesen Gedanken entwickelte Fourier bereits in seiner „Théorie des quatre mouvements ...", und zwar in folgender These: „Die sozialen Fortschritte und Veränderungen

der Zeit gehen mit der fortschreitenden Emanzipation der Frauen einher, der Verfall der sozialen Ordnung führt dementsprechend zur Verminderung der Freiheit der Frauen." Und Fourier zog hieraus die Schlußfolgerung: „Die Erweiterung der Rechte der Frauen ist das Hauptprinzip aller sozialen Fortschritte." (Vgl. Charles Fourier, Œuvres complètes, T. 1, Paris 1841, p. 195/196.) 196

130 Vgl. Charles Fourier, „Théorie de l'unité universelle", vol. 1 und 4, in Œuvres complètes, T. 2, Paris 1843, p. 78/79 und T. 5, Paris 1841, p. 213/214.

Über den *„fehlerhaften Kreislauf"*, in dem sich die Zivilisation bewegt, siehe Charles Fourier, „Le nouveau monde industriel et sociétaire, ou invention du procédé d'industrie attrayante et naturelle distribuée en séries passionnées", in Œuvres complètes, T. 6, Paris 1845, p. 27–46, 390. Die erste Ausgabe dieser Schrift erschien 1829 in Paris. Vgl. auch Charles Fourier, Œuvres complètes, T. 1, Paris 1841, p. 202. 197

131 Charles Fourier, Œuvres complètes, T. 6, Paris 1845, p. 35. 197

132 Charles Fourier, Œuvres complètes, T. 1, Paris 1841, p. 50 et suiv. 197

133 Siehe Robert Owen, „Report of the proceedings at the several public meetings, held in Dublin. On the 18th March – 12th April – 19th April and 3rd May", Dublin 1823, p. 110 sqq. 199

134 Robert Owen entwickelte diesen Zukunftsplan in seinem Werk „The book of the new moral world, containing the rational system of society, founded on demonstrable facts, developing the constitution and laws of human nature and of society", London 1842–1844. 199

135 1812 schlug Owen auf einer Versammlung in Glasgow eine Reihe von Maßnahmen zur Erleichterung der Lage für alle in den Baumwollspinnereien arbeitenden Kinder und Erwachsenen vor. Der auf Initiative Owens im Juni 1815 eingebrachte entsprechende Gesetzentwurf wurde erst 1819, und zwar stark verstümmelt, vom Parlament als Gesetz angenommen.

Das Gesetz, welches nur für die Baumwollfabriken Geltung besaß, verbot u. a. die Arbeit von Kindern unter 9 Jahren (Owens Vorschlag sah das Verbot der Kinderarbeit für Kinder unter 10 Jahren vor) und beschränkte die Arbeitszeit für Personen unter 16 Jahren auf 12 Stunden. Nach Owen dagegen sollte die Arbeitszeit für alle Arbeiter $10^1/_2$ Stunden nicht überschreiten. 200

136 Im Oktober 1833 fand in London unter dem Vorsitz Owens ein Kongreß der Kooperativgesellschaften und der Gewerkschaften (Trade-Unions) statt, auf dem formal die *Grand national consolidated Trades' Union* gegründet wurde; Programm und Statut wurden im Februar 1834 angenommen. Nach der Idee Owens sollte dieser Verband die Lenkung der Produktion in seine Hände nehmen und auf friedlichem Wege eine völlige Umgestaltung der Gesellschaft verwirklichen. Dieser utopische Plan scheiterte jedoch. Der Verband begegnete starkem Widerstand seitens der bürgerlichen Gesellschaft und des Staates und löste sich im August 1834 auf. 200

137 *Arbeitsbasars* (Equitable Labour Exchange Bazaars – Basare für gerechten Austausch von Arbeitsprodukten) wurden in mehreren Städten Englands von Arbeiter-Kooperativgenossenschaften geschaffen; den ersten Arbeitsbasar gründete Owen im September 1832 in London, er bestand bis Mitte 1834. 200

138 Die *Proudhonsche Tauschbank* ins Leben zu rufen, versuchte Proudhon während der Revolution 1848/49. Am 31. Januar 1849 gründete er in Paris die Banque du peuple (Volks-

bank). Sie bestand etwa zwei Monate und das nur auf dem Papier. Die Bank „scheiterte schon, ehe sie ordentlich in Gang gekommen war" (Marx). 200

139 Denis Diderots Dialog „Le neveu de Rameau" wurde etwa 1762 geschrieben und später zweimal vom Autor umgearbeitet. Er wurde zuerst 1805 in Leipzig, von Goethe übersetzt, herausgegeben. Die erste französische Ausgabe erfolgte in dem 1823 in Paris erschienenen Buch „Œuvres inédites de Diderot", das jedoch als Erscheinungsjahr 1821 angibt. 202

140 *alexandrinische Periode* – die Zeit der Ptolemäer (323–30 v.u.Z.) und der römischen Herrschaft bis zum Einfall der Araber (30 v.u.Z. bis 640 u.Z.) in der ägyptischen Hafenstadt Alexandria, dem Zentrum des geistigen Lebens jener Zeit. In der alexandrinischen Periode gelangte eine Reihe von Wissenschaften, Mathematik (Euklid und Archimedes), Geographie, Astronomie, Anatomie, Physiologie u.a., zu großer Entfaltung. 203

141 Die Nebulartheorie Kants ist dargelegt in seiner 1755 in Königsberg und Leipzig anonym erschienenen Schrift „Allgemeine Naturgeschichte und Theorie des Himmels, oder Versuch von der Verfassung und dem mechanischen Ursprunge des ganzen Weltgebäudes, nach Newton'schen Grundsätzen abgehandelt".

Laplace entwickelte seine Hypothese über die Entstehung des Sonnensystems im letzten Kapitel seiner 1795/1796 erschienenen zweibändigen Schrift „Exposition du système du monde". In der letzten von Laplace besorgten Ausgabe dieser Schrift, die aber erst nach seinem Tode 1835 erschien, ist seine Hypothese in der Anmerkung 7 dargelegt. 205

142 *Handelskriege des 17. und 18. Jahrhunderts* – eine Reihe von Kriegen zwischen den größten europäischen Staaten um die Hegemonie im Handel mit Indien und Amerika und um die Eroberung von Kolonialmärkten. Ursprünglich waren die wichtigsten miteinander konkurrierenden Länder England und Holland (typische Handelskriege waren die englisch-holländischen Kriege 1652–1654, 1664–1667 und 1672–1674) und später England und Frankreich. England ging als Sieger aus allen diesen Kriegen hervor. Am Ende des 18. Jahrhunderts konzentrierte es in seinen Händen fast den gesamten Welthandel. 216

143 Siehe Charles Fourier, Œuvres complètes, T.6, Paris 1845, p.393/394. 219

144 *Seehandlung* – preußische Seehandlungsgesellschaft (offizielle Bezeichnung bis 1904 „General-Direktion der Seehandlungssozietät"). Sie wurde 1772 als Handelskreditgesellschaft gegründet und mit einer Reihe wichtiger staatlicher Privilegien ausgestattet. Die Gesellschaft stellte der Regierung große Darlehen zur Verfügung und spielte faktisch die Rolle ihres Bankiers und Maklers. 1820 wurde sie zum Geld- und Handelsinstitut des preußischen Staates erklärt und 1904 in die „Königliche Seehandlung (Preußische Staatsbank)" umgewandelt. 221

145 Der *„freie Volksstaat"* war „eine Programmforderung und landläufige Losung der deutschen Sozialdemokraten der siebziger Jahre" (Lenin). Siehe die Kritik dieser Losung im 4. Abschnitt von Marx' „Randglossen zum Programm der deutschen Arbeiterpartei" („Kritik des Gothaer Programms") und den Brief von Engels an Bebel vom 18./28. März 1875 (siehe vorl. Band, S.11–32 und 3–9). Siehe auch Lenins Schrift „Staat und Revolution", Kapitel I, 4 und Kapitel IV, 3 (Werke, 4. Ausgabe, Band 25, S.407–413 und 453–455). 224

146 Die hier veröffentlichten Zahlenangaben über die Gesamtsumme aller Reichtümer Großbritanniens und Irlands sind dem Vortrag von Robert Giffen über die Akkumulation des Kapitals im Vereinigten Königreich („Recent accumulations of capital in the United

Kingdom") entnommen, der am 15. Januar 1878 in der Statistical Society gehalten und im Londoner „Journal of the Statistical Society" März 1878 gedruckt wurde. 226

147 Die Note „Über ‚Misère de la philosophie'" erschien in der „Égalité" Nr. 12., 2. Serie, am 7. April 1880 als Einführung der Redaktion in das von der Zeitung veröffentlichte Werk „Misère de la philosophie".

Die Note wurde nach der Handschrift von Marx zum erstenmal in der Zeitschrift „Annali", Anno Primo, Mailand 1958, S. 204/205 veröffentlicht. 229

148 *„Journal des Économistes"* – liberale ökonomische Zeitschrift, von 1841 bis 1943 in Paris erschienen. 229

149 Marx schrieb den Artikel „Über P.-J. Proudhon" am 24. Januar 1865 anläßlich des Todes Proudhons auf Ersuchen Schweitzers, des Redakteurs des „Social-Demokrat". Er wurde in Nr. 16, 17 und 18 am 1., 3. und 5. Februar 1865 veröffentlicht (siehe Band 16 unserer Ausgabe, S. 25–32).

„Der Social-Demokrat" – Organ des lassalleanischen Allgemeinen Deutschen Arbeitervereins, das von 1864 bis 1871 erschien. Von 1864 bis 1865 wurde es unter der Redaktion Johann Baptist von Schweitzers herausgegeben. Ab Nr. 79 vom 1. Juli 1865 erschien die Zeitung unter dem Titel „Social-Demokrat".

Marx und Engels, die über kein anderes Publikationsorgan zur Einwirkung auf die deutsche Arbeiterbewegung verfügten, sagten ihre Mitarbeit am „Social-Demokrat" zu, da der programmatische Prospekt der Zeitung, den ihnen Schweitzer im November 1864 zusandte, keine Thesen Lassalles enthielt. Jedoch schon im Februar 1865 stellten sie wegen prinzipieller Meinungsverschiedenheiten mit Schweitzer ihre Mitarbeit ein (siehe Band 16 unserer Ausgabe, S. 86–89). 229

150 Den *„Fragebogen für Arbeiter"* verfaßte Marx in der ersten Aprilhälfte 1880 auf Bitte des Herausgebers der Zeitschrift „La Revue socialiste", Benoît Malon. Unter dem wachsenden Einfluß der sozialistischen und Arbeiterbewegung in Frankreich war Malon gezwungen, sich für den wissenschaftlichen Sozialismus zu erklären. Die Redaktion veröffentlichte den Fragebogen ohne Unterschrift in der „Revue socialiste" am 20. April 1880 und als Sonderdruck, der in ganz Frankreich verbreitet wurde. Der Fragebogen ist bisher aus dem Französischen nach der „Revue socialiste" ins Deutsche übersetzt worden. Die vorliegende Übersetzung erfolgte nach der Handschrift von Marx aus dem Englischen. Dem in der „Revue socialiste" veröffentlichten Fragebogen ging folgende Einleitung voraus:

„Keine Regierung (ob monarchistisch oder bürgerlich-republikanisch) hat es gewagt, ernsthafte Untersuchungen über die Lage der französischen Arbeiterklasse anzustellen. Wieviele Untersuchungen gibt es dagegen über Agrar-, Finanz-, Industrie-, Handels- und politische Krisen!

Die Infamie der kapitalistischen Ausbeutung, die durch die offizielle Untersuchung der englischen Regierung aufgedeckt wurde, die gesetzlichen Folgen dieser Enthüllungen (Beschränkung des gesetzlichen Arbeitstags auf zehn Stunden, Gesetze über Frauen- und Kinderarbeit etc.) haben die Furcht der französischen Bourgeoisie vor den Gefahren, die eine unparteiische und systematische Untersuchung mit sich bringen könnte, noch gesteigert.

In der Hoffnung, daß wir die republikanische Regierung veranlassen könnten, dem Beispiel der monarchistischen Regierung Englands zu folgen und eine umfassende Untersuchung über die Taten und Untaten der kapitalistischen Ausbeutung zu eröffnen, wollen wir mit den geringen Mitteln, über die wir verfügen, eine solche Untersuchung beginnen. Wir hoffen dabei auf die Unterstützung aller Arbeiter in Stadt und Land, die begreifen, daß nur sie allein in voller Sachkenntnis die Leiden schildern können, die sie erdulden; daß nur sie allein und keine von der Vorsehung bestimmten Erlöser energisch Abhilfe schaffen können gegen das soziale Elend, unter dem sie leiden; wir rechnen auch auf die Sozialisten aller Schulen, die, da sie eine soziale Reform anstreben, auch die *genaue zuverlässige* Kenntnis der Bedingungen wünschen müssen, unter welchen die Arbeiterklasse, die Klasse, der die Zukunft gehört, arbeitet und sich bewegt.

Diese *Hefte der Arbeit* sind der erste Schritt, den die sozialistische Demokratie tun muß, um die gesellschaftliche Erneuerung vorzubereiten.

Die hundert unten angeführten Fragen sind von höchster Wichtigkeit. – Die Antworten müssen die laufende Nummer der Frage enthalten. – Es ist nicht notwendig, alle Fragen zu beantworten, aber wir empfehlen, die Antworten so umfassend und ausführlich wie nur möglich abzufassen. – Der Name der antwortenden Arbeiterin bzw. des Arbeiters wird nicht veröffentlicht, wenn nicht ausdrückliches Einverständnis vorliegt, indessen muß jeder Antwortende seinen Namen und seine Adresse mitteilen, damit man nötigenfalls mit ihm in Verbindung treten kann.

Die Antworten sind an den Geschäftsführer der ‚Revue socialiste', *Herrn Lécluse, 28, rue Royale, in Saint-Cloud bei Paris* zu richten.

Die Antworten werden klassifiziert und werden die Grundlage bilden für besondere Monographien, die die ‚Revue socialiste' veröffentlichen und später in einem Band zusammenfassen wird." 230

151 Nachdem 1879 auf dem sozialistischen Kongreß in Marseille die französische Arbeiterpartei geschaffen worden war, beschloß eine Gruppe französischer Sozialisten mit Jules Guesde an der Spitze, sich über Paul Lafargue an Marx und Engels mit der Bitte zu wenden, ihnen einen Entwurf für das Programm der Arbeiterpartei ausarbeiten zu helfen. Marx und Engels erklärten, daß sie sich freuen würden, der französischen Arbeiterbewegung nützlich zu sein. Im Mai 1880 kam Guesde nach London, wo gemeinsam mit Marx, Engels und Lafargue das Programm der französischen Arbeiterpartei ausgearbeitet wurde. Das Programm bestand aus einem theoretischen und einem praktischen Teil (oder Minimalprogramm). Die theoretische Einleitung wurde Guesde von Marx diktiert. Was den übrigen Teil des Programms betrifft, so schrieb Engels darüber in seinem Brief an Bernstein vom 25. Oktober 1881: „Der übrige Inhalt des Programms wurde dann diskutiert, wir brachten einiges hinein und anderes heraus."

Das Programm wurde am 30. Juni 1880 in der „Égalité", am 10. Juli 1880 im „Prolétaire" und am 20. Juli 1880 in der „Revue socialiste" veröffentlicht.

Wir bringen hier den Text des Minimalprogramms nach der „Égalité":

A. Politisches Programm

1. Aufhebung aller Gesetze über die Presse, Versammlungen und Vereinigungen und insbesondere des Gesetzes gegen die Internationale Arbeiterassoziation. – Abschaffung des Arbeitsbuchs, dieser Registrierung der Arbeiterklasse, und aller Gesetze, die die mangelnde Gleichberechtigung des Arbeiters gegenüber dem Unternehmer zum Ausdruck bringen.

2. Abschaffung des Budgets für religiöse Zwecke, und „Rückgabe an die Nation der sogenannten unveräußerlichen beweglichen und unbeweglichen Güter, die religiösen

Körperschaften gehören" (Dekret der Kommune vom 2. April 1871), einschließlich aller Industrie- und Handels-Unternehmungen dieser Körperschaften.

3. Allgemeine Volksbewaffnung.

4. Der Kommune untersteht die Administration und die Polizei.

B. Ökonomisches Programm

1. Montagsruhe, d.h. Erlaß eines Gesetzes, das den Unternehmern untersagt, am Montag arbeiten zu lassen. – Gesetzliche Beschränkung des Arbeitstags für Erwachsene auf 8 Stunden. – Verbot der Arbeit von Kindern unter 14 Jahren in Privatwerkstätten und gesetzliche Beschränkung der Arbeitszeit für Vierzehn- bis Achtzehnjährige auf 6 Stunden täglich.

2. Gesetzlicher Mindestlohn, der in jedem Jahr nach den örtlichen Lebensmittelpreisen festzulegen ist.

3. Gleicher Lohn für die Arbeiter beiderlei Geschlechts.

4. Wissenschaftliche und technische Bildung für alle Kinder auf Kosten der Gesellschaft, die durch den Staat und die Gemeinden vertreten ist.

5. Beseitigung jeder Einmischung von Unternehmern in die Verwaltung der Arbeiterkassen für gegenseitige Hilfe, der Versicherungskassen etc., die zur ausschließlichen Verfügung den Arbeitern zurückzugeben sind.

6. Verantwortlichkeit der Unternehmer für Unfälle, die durch eine vom Unternehmer zu zahlende Kaution zu gewährleisten ist, deren Höhe im Verhältnis zur Zahl der bei ihm beschäftigten Arbeiter und den Gefahren des Betriebes zu berechnen ist.

7. Beteiligung der Arbeiter bei der Ausarbeitung besonderer Arbeitsreglements für die verschiedenen Werkstätten, Beseitigung des von den Unternehmern angemaßten Rechts, ihren Arbeitern Geldstrafen aufzuerlegen oder Abzüge vom Arbeitslohn vorzunehmen (Dekret der Kommune vom 27. April 1871).

8. Revision aller Kontrakte, durch die öffentliches Eigentum (Banken, Eisenbahnen, Bergwerke etc.) veräußert wurden, und die Überlassung der Nutzung aller Staatswerkstätten den in ihnen tätigen Arbeitern.

9. Abschaffung aller indirekten Steuern und Umwandlung aller direkten Steuern in eine progressive Steuer für Einkommen über 3000 Francs und für Erbschaften über 20 000 Francs. 238

[152] Dieser offene Brief wurde auf einem Meeting in Genf am 29. November 1880 verlesen, anläßlich des Gedenktages an den polnischen Aufstand von 1830. Das Meeting war von der Redaktion der polnischen Zeitung „Równość" einberufen worden. An ihm nahmen etwa 500 sozialistische Vertreter verschiedener Nationalitäten teil: Polen, Russen, Deutsche, Franzosen, Italiener und Schweizer. Das Meeting fand statt unter der Losung der internationalen Solidarität und der Einheit der Ziele und Aufgaben der Werktätigen aller Länder in ihrem Kampf gegen den Kapitalismus. 239

[153] Im Februar 1846 wurde in Polen ein Aufstand vorbereitet, der die nationale Befreiung des Landes zum Ziel hatte. Die Hauptinitiatoren waren polnische revolutionäre Demokraten (Dembowski u.a.). Infolge des Verrats des Adels und der Verhaftung der Führer des Aufstandes durch die preußische Polizei war jedoch der ganze Aufstand zersplittert, und es kam nur zu vereinzelten revolutionären Erhebungen. Allein in Krakau, das seit 1815 der gemeinsamen Kontrolle Österreichs, Rußlands und Preußens unterlag, gelang es den Aufständischen am 22. Februar, den Sieg davonzutragen und eine Nationalregierung zu schaffen, die ein Manifest über die Aufhebung der Feudallasten herausgab.

In dem von Dembowski in den Tagen des Krakauer Aufstandes formulierten Programm, das die Interessen der Bauernschaft und der unteren Schichten der städtischen Bevölkerung widerspiegelte, waren auch revolutionär-demokratische und utopisch-sozialistische Forderungen enthalten (Verteilung der Ländereien an die Landlosen, Verbesserung der Lage der Arbeiter von Grund auf durch Errichtung von National- oder „gesellschaftlichen" Werkstätten).

Der Aufstand in Krakau wurde Anfang März 1846 durch Truppen Österreichs, Preußens und Rußlands unterdrückt. Im November 1846 unterschrieben diese Staaten den Vertrag über die Einverleibung Krakaus in das österreichische Kaiserreich. 240

[154] 1847 fanden zwei Kongresse des Bundes der Kommunisten statt. Der zweite Kongreß, auf dem Marx und Engels den Auftrag erhielten, das „Manifest der Kommunistischen Partei" zu verfassen, fand vom 29. November bis 8. Dezember statt. 240

[155] Vera Sassulitsch hatte sich im Namen ihrer Genossen, die später in die Gruppe Befreiung der Arbeit eintraten, am 16. Februar 1881 mit einem Brief an Marx gewandt und ihn gebeten, seine Ansicht über die Perspektiven der historischen Entwicklung Rußlands und insbesondere über das Schicksal der russischen Dorfgemeinde zu äußern.

Vera Sassulitsch schrieb, daß das „Kapital" in Rußland große Popularität genießt, und daß es auch bei den Diskussionen der Revolutionäre über die Agrarfrage in Rußland und über die Dorfgemeinde eine Rolle spielt. In ihrem Brief heißt es weiter: „Sie wissen besser als jeder andere, wie außerordentlich dringend diese Frage in Rußland ist ... besonders für unsere" russische „sozialistische Partei ... In letzter Zeit hörten wir oft sagen, daß die Dorfgemeinde eine archaische Form ist, die die Geschichte ... zum Untergang verurteilt hat. Jene, die das prophezeien, nennen sich Ihre Schüler: ‚Marxisten' ... Sie verstehen also, Bürger, inwiefern uns Ihre Meinung zu dieser Frage interessiert und welchen großen Dienst Sie uns leisten würden, wenn Sie Ihre Ansichten über das mögliche Schicksal unserer Dorfgemeinde darlegten und über die Theorie der historischen Notwendigkeit, daß alle Länder der Welt alle Phasen der kapitalistischen Produktion durchlaufen."

Bei der Vorbereitung einer Antwort auf diesen Brief von Vera Sassulitsch fertigte Marx vier Entwürfe an, die in ihrer Gesamtheit einen tiefgründigen verallgemeinernden Abriß der russischen bäuerlichen Dorfgemeinde und der genossenschaftlichen Form der landwirtschaftlichen Produktion geben. Die Entwürfe des Briefes an Vera Sassulitsch (mit Ausnahme des letzten, des vierten, der textlich fast vollständig mit dem Brief übereinstimmt) werden im vorliegenden Band in dem Abschnitt „Aus dem handschriftlichen Nachlaß" (S. 384–406) veröffentlicht. 242 384

[156] *St. Petersburger Komitee* – das Exekutivkomitee der Geheimorganisation der Volkstümler, Narodnaja Wolja (Volkswille). Die Mitglieder waren utopische Sozialisten, die sich die Aufgabe gestellt hatten, mittels individuellen Terrors die zaristische Selbstherrschaft zu stürzen und politische Freiheiten zu erobern. 242

[157] Die beiden Zitate sind nach der französischen Ausgabe des „Kapitals" übersetzt, da sie vom Text der deutschen Ausgabe abweichen (vgl. Band 23 unserer Ausgabe, S. 742, 744 und 789/790). Über die Varianten im Text siehe auch Anm. 70. 242 384

[158] Auf dem Meeting, das am 21. März 1881 in London stattfand, waren Vertreter verschiedener Nationalitäten anwesend: russische, polnische, tschechische und serbische Sozialisten. Den Vorsitz führte der russische Revolutionär und Volkstümler Leo Hartmann. Auf dem Meeting wurde ein slawischer revolutionärer Klub gegründet. 244

159 Am 1. März 1881 wurde in Petersburg, gemäß dem Urteil des Exekutivkomitees der Narodnaja Wolja, Zar Alexander II. durch ein Attentat getötet. 244

160 Gemeint ist damit das Sozialistengesetz von 1878, das 1880 bis zum Herbst 1884 verlängert wurde. 244

161 Der Brief wurde mit den Unterschriften von Karl Marx und Friedrich Engels in der „Daily News" vom 1. April 1881 veröffentlicht. 246

162 Vorliegender Aufsatz ist der erste einer Serie, die Engels zwischen Mai und August 1881 für die Zeitung „The Labour Standard" schrieb. Während dieses Zeitraums wurde fast jede Woche einer dieser Aufsätze ohne Unterschrift als Leitartikel veröffentlicht. Angesichts der allgemeinen opportunistischen Tendenz des Blattes sah sich Engels gezwungen, seine Mitarbeit aufzugeben.

„The Labour Standard" – englische Wochenzeitung, Organ der Trade-Unions, erschien in London von 1881 bis 1885 unter der Redaktion von George Shipton. 247

163 Diese *Antikoalitionsgesetze* verboten die Gründung und Tätigkeit jeder Art Arbeiterorganisation. Sie wurden zwar 1824 durch Parlamentsakt aufgehoben, 1825 wurde jedoch ein neues Vereinsgesetz verabschiedet, das die Tätigkeit der Trade-Unions äußerst einschränkte. Darin wurde z. B. die Werbung für den Eintritt in die Trade-Unions und die Agitation zur Beteiligung an Streiks als „Nötigung" und „Anwendung von Gewalt" betrachtet und wie ein kriminelles Verbrechen streng bestraft. 247

164 *Kanzleigericht* (Court of Chancery) – eines der obersten Zivilgerichte Englands; bis zum Jahre 1873 unter dem Vorsitz des Lordkanzlers, seitdem eine Abteilung des Obersten Gerichts. 251

165 Es handelt sich hier um die Unzufriedenheit der Landlords, die in Irland im Besitz des Bodens waren und deren Willkür gegenüber den Pächtern die Regierung Gladstone in gewissem Maße einzuschränken versuchte, um so die irischen Bauern vom wachsenden revolutionären Kampf abzulenken.

Die irische Landbill beschränkte das Recht der Landlords, Pächter von deren Landanteilen zu vertreiben, wenn die Pacht rechtzeitig bezahlt worden war; die Höhe der Pachtsumme wurde auf 15 Jahre festgelegt.

Obwohl das Gesetz von 1881 den Landlords die Möglichkeit gab, den Boden vorteilhaft an die Regierung zu verkaufen, und die festgelegte Pachtsumme ungewöhnlich hoch blieb, wehrten sich die englischen Grundbesitzer gegen die Durchführung des Gesetzes, um ihre uneingeschränkte Herrschaft in Irland aufrechtzuerhalten. 256 278

166 *Fabrikgesetze* – Anlaß für die Annahme von Fabrikgesetzen in England war einerseits der ständige Kampf der englischen Arbeiterklasse um die Verbesserung ihrer Lage und andererseits die hohe Sterblichkeit sowie der schlechte Gesundheitszustand der Arbeiterbevölkerung. Die ersten Gesetze wurden Anfang des 19. Jahrhunderts zur Regelung der Arbeitszeit für Frauen, Kinder und Jugendliche in einigen Zweigen der englischen Textilindustrie geschaffen. In den vierziger und fünfziger Jahren wurden diese Gesetze auf die gesamte Textilindustrie ausgedehnt. Man erweiterte später die Gesetzgebung für weitere Industriezweige und ergänzte sie. Trotzdem bot sie genügend Lücken für die Fabrikanten, um die Gesetze zu umgehen. 257

167 Die *Volks-Charte* (people's charter) – ein Dokument, das die Forderungen der Chartisten enthielt; es wurde am 8. Mai 1838 als Gesetzentwurf, der ins Parlament eingebracht wer-

den sollte, veröffentlicht. Die Forderungen waren: 1. allgemeines Wahlrecht (für Männer über 21 Jahre), 2. jährliche Parlamentswahlen, 3. geheime Abstimmung, 4. Ausgleichung der Wahlkreise, 5. Abschaffung des Vermögenszensus für die Kandidaten zu den Parlamentswahlen, 6. Diäten für die Parlamentsmitglieder. Die Eingaben der Chartisten mit der Forderung, die Volks-Charte anzunehmen, wurden vom Parlament 1839 und 1842 abgelehnt. 258

168 Unter dem Druck der Massenbewegung der Arbeiter wurde 1867 die zweite Parlamentsreform in England durchgeführt. Der Generalrat der Internationalen Arbeiterassoziation nahm an dieser Bewegung aktiv teil. Nach dem neuen Gesetz wurde der Vermögenszensus herabgesetzt. In den ländlichen Wahlbezirken wurde das Wahlrecht auf die Pächter ausgedehnt, die mindestens 12 Pfd. St. jährlich Pacht bezahlten. In den Städten erhielten das Wahlrecht alle Hausbesitzer und -pächter sowie Wohnungsmieter, die nicht unter einem Jahr am selben Ort ansässig waren und nicht weniger als 10 Pfd. St. Miete zahlten. Durch die Reform von 1867 erhöhte sich die Zahl der Wähler in England bedeutend, das Wahlrecht erhielt auch ein großer Teil der gelernten Arbeiter. 259

169 *Manchesterschule* – ökonomische Lehrmeinung, die besonders von den englischen bürgerlichen Ideologen in der ersten Hälfte des 19. Jahrhunderts vertreten wurde. Die Vertreter des Freihandels, Anhänger dieser Richtung, bildeten die sog. Manchesterpartei, die Partei der englischen Industriebourgeoisie. Sie verteidigten die Freiheit des Handels, die Nichteinmischung des Staates in das wirtschaftliche Leben des Landes und die uneingeschränkte Ausbeutung der Arbeiterklasse. Manchester war das Zentrum der Agitation. An der Spitze der Bewegung standen die beiden Textilfabrikanten Cobden und Bright, die 1838 die Anti-Korngesetz-Liga (siehe Anm. 172) gründeten. In den vierziger und fünfziger Jahren waren die Anhänger des Freihandels eine besondere politische Gruppierung; sie bildeten den linken Flügel der Liberalen Partei in England. 261

170 Indien kam 1858 unter die unmittelbare Herrschaft der britischen Krone, nachdem die Ostindische Kompanie liquidiert worden war (siehe auch Band 12 unserer Ausgabe, S. 523–526). 262

171 Die *Korngesetze*, die 1815 in England erlassen wurden, setzten hohe Einfuhrzölle für Getreide fest und verboten die Einfuhr von Getreide, wenn der Inlandpreis für den Quarter (etwa 291 Liter) niedriger war als 80 Schilling. Die Korngesetze, die sich äußerst schwer auf die Lage der ärmsten Bevölkerungsschichten auswirkten, waren auch für die Industriebourgeoisie unvorteilhaft, weil sie die Arbeitskraft verteuerten, die Aufnahmefähigkeit des inneren Marktes verringerten und die Entwicklung des Außenhandels behinderten. Sie wurden 1846 nach einem langjährigen Kampf zwischen den Großgrundbesitzern und der Bourgeoisie aufgehoben. 262

172 *Anti-Korngesetz-Liga* (Anti-Corn-Law League) – eine freihändlerische Vereinigung, die 1838 von den Fabrikanten Cobden und Bright in Manchester gegründet wurde. Die Liga erhob die Forderung nach völliger Handelsfreiheit und kämpfte für die Abschaffung der Korngesetze mit dem Ziel, die Löhne der Arbeiter zu senken und die ökonomischen und politischen Positionen der Grundaristokratie zu schwächen. In ihrem Kampf gegen die Grundbesitzer versuchte die Liga, die Arbeitermassen auszunutzen. Aber gerade zu dieser Zeit schlugen die fortgeschrittensten Arbeiter Englands den Weg einer selbständigen politisch ausgeprägten Arbeiterbewegung (Chartismus) ein. Nach Abschaffung der Korngesetze im Jahre 1846 hörte die Liga auf zu existieren. 263

173 Dogberry – der Nachtwächter Holzapfel, ein eifriger, aber beschränkter Beamter; Gestalt aus Shakespeares „Viel Lärm um nichts". 269

174 Wortspiel: Landbill – Landbull; Bull hat hier die Bedeutung von Unsinn, Ungereimtheit. 278

175 Das Inkrafttreten der Landbill im August 1881 rief seitens der irischen Pächter Widerstand hervor. Forster, der Staatssekretär für Irland, ergriff daraufhin außerordentliche Maßnahmen; er setzte Truppen ein, um Pächter, die Pachtzahlungen verweigerten, auszusiedeln. 280

176 *Ausnahmegesetze* (coercion bills) wurden vom englischen Parlament im Laufe des 19. Jahrhunderts mehrere Male erlassen, um die revolutionäre und nationale Befreiungsbewegung in Irland zu unterdrücken. Kraft dieser Gesetze wurde auf dem Territorium Irlands der Belagerungszustand eingeführt und den englischen Behörden wurden außerordentliche Vollmachten eingeräumt. 281

177 John Dillon, ein irischer Politiker, Mitglied des englischen Parlaments, befand sich während dieser Zeit im Gefängnis. 281

178 *Irische Landliga* – eine Massenorganisation, die 1879 von dem kleinbürgerlichen Demokraten Michael Davitt gegründet wurde. Die Landliga vereinte in ihren Reihen breite Schichten der irischen Bauernschaft sowie der armen Stadtbevölkerung und genoß die Unterstützung der forschrittlichen Elemente der irischen Bourgeoisie. Sie widerspiegelte in ihren Agrarforderungen den elementaren Protest der irischen Volksmassen gegen die Herrschaft der Gutsherren und gegen die nationale Unterdrückung. Die Führer der Landliga nahmen jedoch eine inkonsequente, schwankende Haltung ein, die sich die bürgerlichen Nationalisten (Parnell u. a.) zunutze machten, um die Landliga in den Kampf für Home Rule zu führen, d. h. die beschränkte Selbstverwaltung Irlands im Rahmen des Britischen Reiches. 1881 wurde die Landliga zwar verboten, setzte aber trotzdem ihre Tätigkeit bis Ende der achtziger Jahre fort. 282

179 *Thomas Carlyle*, „Past and present" und „Latter-Day pamphlets", Nr. 1, „The present time". 284

180 Die Reform des Parlaments (Gesetz über die Wahlrechtsreform) wurde 1831 vom englischen Unterhaus beschlossen und am 7. Juni 1832 von König Wilhelm IV. bestätigt. Die Reform richtete sich gegen die politische Monopolstellung der Grund- und Finanzaristokratie, beseitigte die schlimmsten feudalen Überreste im englischen Wahlrecht und verschaffte den Vertretern der industriellen Bourgeoisie den Zutritt zum Parlament. Proletariat und Kleinbürgertum, die Hauptkräfte im Kampf für die Reform, wurden von der liberalen Bourgeoisie betrogen und erhielten kein Wahlrecht. 288

181 Bei den Reichstagswahlen vom 27. Oktober 1881 erhielten die Sozialdemokraten über 300 000 Stimmen. 292

182 Die *„Vorrede zur zweiten russischen Ausgabe des ‚Manifests der Kommunistischen Partei'"* verfaßten Marx und Engels auf Ersuchen Lawrows. Zwar war die Initiative zur Vorbereitung der zweiten russischen Ausgabe von Plechanow ausgegangen, aber auf Grund seiner engen Beziehungen zu Marx und Engels war es Lawrow, der sich an sie wandte. Am 23. Januar 1882 sandten ihm Marx und Engels den deutschen Text der Vorrede, die dann zum erstenmal am 5. Februar 1882 in russischer Sprache in der Zeitschrift „Narodnaja Wolja" veröffentlicht wurde. Eine besondere Ausgabe des „Manifests der Kommunisti-

schen Partei" (in der Übersetzung Plechanows) mit der Vorrede von Marx und Engels erschien 1882 in Genf in der Schriftenreihe der „Russkaja sozialno-rewoluzionnaja biblioteka".

„Der Sozialdemokrat" veröffentlichte in Nr. 16 vom 13. April 1882 dieses Vorwort in deutscher Fassung, und zwar als Rückübersetzung. Engels selbst übersetzte die Vorrede aus dem Russischen zurück und nahm sie in die Vorrede zur neuen deutschen Ausgabe des „Manifests der Kommunistischen Partei" (1890) auf. 295

[183] Das Datum ist ungenau; die erwähnte Ausgabe erschien 1869. 295

[184] *„Kolokol"* – russische revolutionär-demokratische Zeitung, die von 1857 bis 1865 in London, danach in Genf von A. I. Herzen und N. P. Ogarjow in russischer Sprache und 1868/69 in französischer Sprache mit russischen Beilagen herausgegeben wurde. 295

[185] *Gatschina* – Schloß im gleichnamigen Ort nahe Leningrad. Hier hielt sich – nach der Tötung des Zaren Alexander II. –, von Polizei und Militär bewacht, Alexander III. auf, aus Furcht vor etwaigen neuen terroristischen Aktionen des Exekutivkomitees der Geheimorganisation der Volkstümler Narodnaja Wolja (Volkswille). 296

[186] Den Artikel über *„Bruno Bauer und das Urchristentum"* schrieb Engels speziell für die Zeitung „Der Sozialdemokrat", die ihn am 4. und 11. Mai 1882 (Nr. 19 und Nr. 20) veröffentlichte.

Die in dem vorliegenden Aufsatz enthaltenen Gedanken wurden von Engels in seinen späteren Arbeiten „Das Buch der Offenbarung" (1883) und „Zur Geschichte des Urchristentums" (1894) weiterentwickelt. 297

[187] Engels benutzt auf Grund des wissenschaftlichen Sprachgebrauchs seiner Zeit den Ausdruck „Arier" für die Bezeichnung der Indoeuropäer oder „der Völker, deren Sprachen sich um die altertümlichste unter ihnen, um das Sanskrit, gruppieren" (siehe vorl. Band, S. 427). Seiner Herkunft nach war der Terminus „Arier" nur die Selbstbenennung der alten Inder und Iranier. Seit der Mitte des 19. Jahrhunderts wurde er jedoch von einigen Forschern auch als gleichbedeutend mit „Indoeuropäer" verwandt. Später versuchten Pseudowissenschaftler aus dem Begriff „Arier" eine rassische Einheit der indoeuropäischen Völker in deren Vergangenheit zu konstruieren; seine Auswüchse fand diese unwissenschaftliche Begriffsdeutung in der Rassenideologie des deutschen Faschismus. 297 427

[188] Die *Kritik des Neuen Testaments* ist in folgenden Büchern Bruno Bauers enthalten: „Kritik der evangelischen Geschichte des Johannes", Bremen 1840, „Kritik der evangelischen Geschichte der Synoptiker" Bd. 1 u. 2, Leipzig 1841, und im dritten Band dieses Werkes „Kritik der evangelischen Geschichte der Synoptiker und des Johannes", Braunschweig 1842. 297

[189] *„Der Apollogott"* – satirisches Gedicht von Heinrich Heine aus der Sammlung „Romanzero", in dem ein junger, leichtlebiger Sänger der Amsterdamer Synagoge als Apollo dargestellt wird. 299

[190] *Petronius* – Autor eines lateinischen Romans („Satirae ..."), der 20 Bücher umfaßte und den Sittenzerfall der Gesellschaft unter Nero widerspiegelte. Von diesem Roman existieren nur noch Fragmente, das größte davon ist die berühmte „Cena Trimalchionis", worin das üppige Gastmahl eines reich gewordenen Freigelassenen geschildert wird. 301

[191] *„The Whitehall Review"* – englische Wochenzeitschrift konservativer Richtung; erschien von 1876 bis 1929 in London. 306

[192] *Petroleur* – frz.: Petroleummordbrenner; auch verleumderische Bezeichnung für Teilnehmer des Aufstandes der Pariser Kommune, die angeblich Gebäude in Brand gesteckt haben sollen. 306

[193] „*New Yorker Volkszeitung*" – Tageszeitung der deutschen Sozialdemokraten in den USA; erschien in New York von 1878 bis 1932. 307

[194] Der Artikel „*Wie der Pindter flunkert*" wurde im „Sozialdemokrat" ohne Namensangabe des Autors veröffentlicht; ihm ging nur folgende Redaktionsmitteilung voraus: „Zum Thema: ‚Wie der Pindter flunkert' wird uns von einem unserer hervorragendsten deutschen Genossen geschrieben ...". 312

[195] *Vorgänge in Frankreich* – Durch die Wirtschaftskrise, von der 1882 auch Frankreich heimgesucht wurde, verschlechterte sich die Lage der französischen Arbeiterklasse rapide, und es kam zu Streikbewegungen. Besonders heftig war die Empörung unter den Bergarbeitern von Montceau-les-Mines, die sich gegen ihre Grubenbesitzer erhoben.

Über die Ereignisse in Montceau-les-Mines berichtete die „Norddeutsche Allgemeine Zeitung" im Oktober 1882 in einer Reihe Korrespondenzen in der von Engels gekennzeichneten Weise. 312

[196] Am 4. Juli 1882 organisierte die Polizei in Wien eine Provokation: Auf den Schuhmacher Merstallinger wurde ein Raubüberfall inszeniert, um gegen die österreichischen Sozialdemokraten einen Prozeß wegen Mordanschlags zur Auffüllung der „revolutionären Kassen" anstrengen zu können.

In der „Norddeutschen Allgemeinen Zeitung" Nr. 401 vom 29. August 1882 befindet sich eine Korrespondenz, die diesen Mordversuch mit der Sozialdemokratie in Zusammenhang bringt. 313

[197] „Norddeutsche Allgemeine Zeitung" Nr. 493 vom 21. Oktober 1882. 313

[198] „*Die Mark*" schrieb Engels von Mitte September bis Mitte Dezember 1882 als Anhang zur deutschen Ausgabe seiner Schrift „Die Entwicklung des Sozialismus von der Utopie zur Wissenschaft".

Für die Skizze benutzte Engels vor allem Materialien, die er im Zusammenhang mit seinen Studien über die Urgeschichte der Deutschen gesammelt hatte und die im vorl. Band in dem Abschnitt „Aus dem handschriftlichen Nachlaß" enthalten sind.

„Die Mark" wurde 1883 im „Sozialdemokrat" und als von Engels besonders bearbeitetes Bauernflugblatt mit dem Titel „Der deutsche Bauer. Was war er? Was ist er? Was könnte er sein?" veröffentlicht. Zusammen mit der Arbeit „Die Entwicklung des Sozialismus von der Utopie zur Wissenschaft" wurde „Die Mark" zu Lebzeiten von Engels in deutscher Sprache in vier Auflagen herausgegeben.

Der vorliegende Abdruck erfolgt nach der vierten deutschen, von Engels durchgesehenen Ausgabe der „Entwicklung des Sozialismus ..." von 1891. Im Jahre 1892 erschien „Die Mark", ebenfalls als Anhang zur „Entwicklung des Sozialismus..." in der englischen Übersetzung von Edward Aveling mit einem besonderen Vorwort von Engels (siehe vorl. Band, S. 524–544). 315

[199] Die Arbeiten von Georg Ludwig von Maurer (12 Bände) sind Studien über den Dorf-, Stadt- und Staatsaufbau des mittelalterlichen Deutschlands. Es sind dies: „Einleitung zur Geschichte der Mark-, Hof-, Dorf- und Stadt-Verfassung und der öffentlichen Gewalt", München 1854, „Geschichte der Markenverfassung in Deutschland", Erlangen 1856, „Geschichte der Fronhöfe, der Bauernhöfe und der Hofverfassung in Deutschland",

Bd. 1–4, Erlangen 1862 – 1863, „Geschichte der Dorfverfassung in Deutschland", Bd. 1 u. 2, Erlangen 1865 – 1866, „Geschichte der Städteverfassung in Deutschland", Bd. 1–4, Erlangen 1869–1871. 317

200 Siehe Caesar, „De bello Gallico", liber VI, cap. 22. 317

201 *„Kaiserrecht"* – die kaiserlichen, von der Zentralgewalt herausgegebenen Gesetze des mittelalterlichen Deutschen Reichs. Eine der vollständigsten Sammlungen dieser Gesetze ist „Das Keyserrecht nach der Handschrift von 1372", hrsg. von H. E. Endemann, Cassel 1846. Engels' Angaben stammen aus dem Abschnitt „Von rechte das die waelde hant". 318

202 *Volksrechte* – Aufzeichnungen des Gewohnheitsrechts der Germanenstämme (lat.: leges barbarorum), die im 5. bis 7. Jahrhundert auf dem Territorium des ehemaligen weströmischen Reiches und der ihm benachbarten Gebiete einzelne Königreiche oder Herzogtümer gegründet hatten. Diese Rechte wurden zwischen dem 5. und 9 Jahrhundert zusammengestellt; sie sind in die Sammlung mittelalterlicher Geschichtsquellen, die „Monumenta Germaniae historica", aufgenommen worden. 320

203 *ripuarisches Volksrecht* – Gewohnheitsrecht eines der altgermanischen Stämme, der ripuarischen Franken, die im 4. bis 5. Jahrhundert zwischen Rhein und Maas wohnten. Das ripuarische Volksrecht ist die Hauptquelle für das Studium der Gesellschaftsordnung der ripuarischen Franken. Mit dem Privatbesitz des bebauten Landes befassen sich § 82 (Absatz A) und § 84 (Absatz B) der „Lex Ribuaria et lex Francorum Chamavorum", Hannover 1883. 320

204 *Beerengesetzgebung* – „Gesetz, betreffend den Forstdiebstahl" vom 15. April 1878, das insbesondere das Sammeln von Kräutern, Beeren und Pilzen ohne besondere polizeiliche Genehmigung verbot. 322

205 *Schöffengerichte* wurden in einigen deutschen Staaten nach der Revolution von 1848 und in ganz Deutschland 1871 eingeführt. Sie bestanden aus dem beamteten Richter und zwei Beisitzern (Schöffen), die an der Urteilsfindung beteiligt waren, wobei sie zum Unterschied von den Schwurgerichtsbeisitzern nicht nur die Schuld feststellten, sondern auch das Strafmaß bestimmten; ihre Urteilsfindung war anfechtbar. 323

206 Das *westfränkische Reich* wurde nach dem Zerfall des Reichs Karls des Großen gebildet. Es stellte eine vorübergehende und unbeständige militärisch-administrative Einheit dar. 843 erfolgte die endgültige Teilung des Reichs zwischen den drei Enkeln Karls. Die westlichen Länder fielen Karl II., dem Kahlen, zu. Sie umfaßten den größeren Teil des Territoriums des heutigen Frankreichs und bildeten das westfränkische Reich. Die Länder östlich des Rheins (der Kern des künftigen Deutschlands) wurden Ludwig dem Deutschen übergeben. Den mittleren Landgürtel von der Nordsee bis Mittelitalien erhielt Lothar, der älteste Enkel Karls des Großen. 325

207 Der *Dreißigjährige Krieg* (1618–1648) war ein gesamteuropäischer Krieg, der mit einem Aufstand in Böhmen gegen das Joch der Habsburger Monarchie und den Vormarsch der katholischen Reaktion begann. Er verwandelte sich in einen Krieg zwischen dem feudalkatholischen Lager (dem Papst, den spanischen und österreichischen Habsburgern, den katholischen Fürsten in Deutschland) und den protestantischen Ländern (Böhmen, Dänemark, Schweden, dem bürgerlichen Holland und einer Reihe deutscher Staaten, die die Reformation übernommen hatten), die von den französischen Königen, den Rivalen der Habsburger, Unterstützung erhielten. Deutschland wurde zum Hauptschauplatz dieses Kampfes, zum Objekt der Ausplünderung und räuberischer Ansprüche der am Kriege

Beteiligten. Der Krieg, der in seinem ersten Stadium den Charakter des Widerstandes gegen die reaktionären Kräfte des feudal-absolutistischen Europas trug, führte, besonders seit 1635, zu einer Reihe von Invasionen der miteinander rivalisierenden ausländischen Eroberer in das deutsche Gebiet. Der Krieg endete 1648 mit dem Abschluß des Westfälischen Friedens, der die politische Zersplitterung Deutschlands verankerte. 328

208 *Code civil* – französisches Zivilgesetzbuch von 1804, das 1807 als Code Napoléon neu gefaßt wurde. Dieses bürgerliche Gesetzbuch wurde von Frankreich in den eroberten Gebieten West- und Südwestdeutschlands eingeführt. In der Rheinprovinz blieb es auch nach der Vereinigung mit Preußen gültig. Der Code Napoléon behielt im wesentlichen die Errungenschaften der Französischen Revolution bei und stand auf dem Boden der formalen bürgerlichen Gleichheit. 329

209 Die *Niederlage von Jena*, die Preußen am 14. Oktober 1806 erlitt und die die Kapitulation Preußens vor dem napoleonischen Frankreich nach sich zog, zeigte die ganze Morschheit der sozialen und politischen Ordnung der feudalen Hohenzollern-Monarchie. 329

210 *„La Justice“* – französische Tageszeitung; Organ der Partei der Radikalen; wurde von 1880 bis 1930 in Paris herausgegeben. In den Jahren 1880 bis 1897, als die Zeitung von ihrem Gründer Clemenceau geleitet wurde, war sie Organ der sog. äußersten Linken der Partei der Radikalen, die das Programm der demokratischen und sozialen Reformen verteidigte und die Interessen des Kleinbürgertums und der mittleren Bourgeoisie zum Ausdruck brachte. 331

211 *„La Marseillaise“* – französische Tageszeitung, Organ der linken Republikaner; erschien von Dezember 1869 bis September 1870 in Paris. Die Zeitung veröffentlichte Materialien über die Tätigkeit der Internationale und der Arbeiterbewegung.

Die Artikel von Jenny Marx zur irischen Frage wurden in der „Marseillaise“ Nr. 71, 79, 89, 91, 99, 113, 118 und 125 vom 1. März bis 24. April 1870 (8 Artikel) veröffentlicht (siehe Band 16 unserer Ausgabe, S. 577–601). 331

212 *Neukaledonien* – Insel in Melanesien (Stiller Ozean); zeichnet sich durch ein außerordentlich ungesundes Klima aus; seit 1853 französische Kolonie. In den Jahren 1863 bis 1896 war Neukaledonien Strafkolonie und ab 1871 insbesondere Verbannungsort für Pariser Kommunarden. 332

213 Der Entwurf zur Grabrede wurde von der Pariser Zeitung „La Justice“ am 20. März 1883 mit folgendem Zusatz veröffentlicht: „Was Marx in seinem privaten Leben, was er seiner Familie und seinen Freunden war, das vermag ich in diesem Augenblick mit Worten nicht auszudrücken. Aber das ist auch nicht nötig, da Sie es alle wissen, die Sie hier hergekommen sind, um von ihm Abschied zu nehmen.

Einen letzten Gruß, Marx! Dein Werk und Dein Name werden durch die Jahrhunderte fortleben.“ 334

214 *„Vorwärts!“* – deutsche Zeitung, die von Januar bis Dezember 1844 zweimal wöchentlich in Paris erschien. Marx und Engels arbeiteten an dieser Zeitung mit. Unter dem Einfluß von Marx, der ab Sommer 1844 an der Redaktion des „Vorwärts!“ beteiligt war, begann die Zeitung kommunistischen Charakter anzunehmen; sie übte u. a. scharfe Kritik an den reaktionären Zuständen in Preußen. Auf Forderung der preußischen Regierung verfügte das Ministerium Guizot im Januar 1845 die Ausweisung von Marx und einiger anderer Mitarbeiter der Zeitung aus Frankreich; der „Vorwärts!“ stellte daraufhin sein Erscheinen ein. 336

[215] Der „Sozialdemokrat" in Zürich veröffentlichte am 19. April 1883 in der Nr. 17 die Bitte Odessaer Studenten, am Grabe von Marx einen Kranz mit roter Schleife niederzulegen. Die Inschrift sollte lauten: „Karl Marx, dem Schöpfer des ‚Kapitals' und Gründer der Internationalen Arbeiterassoziation, von einer Gruppe Sozialisten der Odessaer Universität, seinen Schülern und Jüngern, gewidmet." 340

[216] Es handelt sich um den slawischen sozialistischen Studentenverein Slavia, der die in Zürich lebende Jugend slawischer Länder erfaßte. 341

[217] *Central Labor Union in New York* – eine Vereinigung der New-Yorker Gewerkschaften, die 1882 entstanden war und sich in den achtziger Jahren zu einer Massenorganisation der Arbeiter entwickelte. Sie vereinigte in ihren Reihen Arbeiter amerikanischer und ausländischer Herkunft, weißer und schwarzer Hautfarbe. An der Spitze der Vereinigung standen Sozialisten, die anerkannten, daß zur erfolgreichen Führung des proletarischen Klassenkampfes sowohl berufliche als auch politische Organisationen der Arbeiterklasse notwendig sind. 344

[218] Den Originalbrief an Van Patten vom 18. April 1883 hatte Engels in englischer Sprache geschrieben. 344

[219] Marx und Engels haben bereits in den Jahren 1845 und 1846, als sie an ihrem großen gemeinsamen Werk „Die deutsche Ideologie" arbeiteten, die Rolle des Staates als Machtinstrument der jeweils herrschenden Klasse aufgedeckt (siehe Band 3 unserer Ausgabe). 344

[220] Achille Loria, „La rendita fondiaria e la sua elisione naturale", Milano 1880. 346

[221] Achille Loria, „La teoria del valore negli economisti italiani", Bologna 1882. 346

[222] *„Nuova Antologia di scienze, lettere ed arti"* – italienische liberale Zeitschrift für Literatur, Kunst und Wissenschaft; erschien von 1866 bis 1877 in Florenz und ab 1878 bis 1943 in Rom. 346

[223] Die *„Bemerkung zu Seite 29 der ‚Histoire de la commune'"* hat Engels Anfang Februar 1877 geschrieben, nachdem er die „Histoire de la commune de 1871" des französischen republikanischen Journalisten und Teilnehmers an der Pariser Kommune, Lissagaray, gelesen hatte. In seinem Antwortbrief vom 9. Februar 1877 dankt der Autor Engels für dessen Schreiben, das eine „glänzende Bemerkung" über die militärischen Ereignisse enthielt.

Lissagaray schrieb dieses Buch nach dem Studium eines umfangreichen Tatsachenmaterials. Er entlarvte die antinationale Politik der herrschenden Klasse Frankreichs, legte die Geschichte der Pariser Kommune dar und wies auf die Rolle der Volksmassen bei ihrer Errichtung hin. Marx nannte dieses Buch „die erste authentische Geschichte der Kommune"; er bezeichnete es als ein für die proletarische Partei wichtiges und für den deutschen Leser interessantes Werk und trug in großem Maße dazu bei, daß das Werk in deutscher Sprache erschien. 351

[224] Die zwischen Bismarck und Bazaine im September/Oktober 1870 geführten Waffenstillstandsverhandlungen wurden am 24. Oktober ohne Ergebnis abgebrochen. Fast gleichzeitig wurden zwischen der Regierung der nationalen Verteidigung und Bismarck im Zusammenhang mit dem englischen Angebot einer Friedensvermittlung Verhandlungen vorbereitet, die zwischen Thiers und Bismarck vom 1. bis 6. November 1870 in Versailles stattfanden. Nachdem Bismarck Zeit gewonnen hatte, brach er die Verhandlungen ab.

Die Pariser Bevölkerung erfuhr am 30. Oktober von den Verhandlungen und war empört über den bevorstehenden Abschluß eines verräterischen Waffenstillstands, den die Regierung der nationalen Verteidigung als höchstes Wohl für Frankreich darstellte. Die Nachricht von den Verhandlungen und die Kapitulation der Festung Metz gaben den Anstoß zur revolutionären Erhebung der Pariser Arbeiter am 31. Oktober 1870. 351

225 *Männer des 4. September* – die sog. Regierung der nationalen Verteidigung. Marx sagt dazu: „Am 4. September 1870, als die Pariser Arbeiter die Republik proklamierten, der fast in demselben Augenblick ganz Frankreich ohne eine einzige Stimme des Widerspruchs zujubelte – da nahm eine Kabale stellenjagender Advokaten, mit Thiers als Staatsmann und Trochu als General, Besitz vom Hôtel de Ville" (siehe Band 17 unserer Ausgabe, S. 319). 351

226 „Militärische Gedanken und Betrachtungen über den deutsch-französischen Krieg der Jahre 1870 und 1871 vom Verfasser des ‚Krieges um Metz'" von H. von Hannecken; 1871 in Mainz anonym erschienen. 352

227 *Franktireurs* (francs-tireurs) – Freischärler, die in kleinen Trupps, aber auch in größeren Gruppen, den in Frankreich einfallenden Feinden heftigen Widerstand entgegensetzten. Erstmalig kämpften Franktireurs Ende des 18., Anfang des 19. Jahrhunderts gegen die eindringenden Truppen der antifranzösischen Koalitionen. 1867 bildeten sich Franktireurgesellschaften. Als 1870 der Deutsch-Französische Krieg ausbrach und deutsche Truppen in Frankreich einmarschierten, wurden die Franktireurs von der Regierung aufgerufen, sich zu bewaffnen und den Kampf gegen den Feind mit allen ihnen zur Verfügung stehenden Mitteln zu führen. Nach der Zerschlagung der regulären französischen Armee und ihrer Blockierung in den Festungen wuchs die Zahl der Franktireurs sprunghaft an. 352.

228 Franz von Erlach, „Aus dem französisch-deutschen Kriege 1870–1871. Beobachtungen und Betrachtungen eines Schweizer-Wehrmanns", Leipzig und Bern 1874. 353

229 *Wilhelm Blume*, „Die Operationen der deutschen Heere von der Schlacht bei Sedan bis zum Ende des Krieges", 2. unveränd. Aufl., Berlin 1872. 354

230 Die *Randglossen zu Adolph Wagners „Lehrbuch der politischen Ökonomie"* wurden von Marx in der zweiten Hälfte des Jahres 1879 bis November 1880 in London niedergeschrieben und sind in seinem Exzerptenheft aus den Jahren 1879–1881 enthalten. Die kritischen Bemerkungen von Marx beziehen sich auf Adolph Wagners Buch „Allgemeine oder theoretische Volkswirthschaftslehre. Erster Theil. Grundlegung", 2. verbesserte und vermehrte Ausgabe, Leipzig und Heidelberg 1879, das als Band 1 eines „Lehrbuches der politischen Ökonomie" erschien. Marx übt Kritik an Wagners Entstellung der im „Kapital" entwickelten Werttheorie und legt noch einmal die Grundthesen seiner ökonomischen Lehre dar. In Marx' Exzerptenheft geht den Bemerkungen ein Literaturverzeichnis von 54 Titeln voraus, das von ihm nach den bibliographischen Angaben in Wagners Buch zusammengestellt wurde. 355

231 Die Seitenzahl bezieht sich auf die zweite Ausgabe des ersten Bandes des „Kapitals", Hamburg 1872. 358 369 370 373 377

232 ‚*Quintessenz*' – Buch von Albert Schäffle, „Die Quintessenz des Socialismus", das 1875 anonym in Gotha erschien. 360

233 Die Seitenangabe bezieht sich auf Raus Buch „Grundsätze der Volkswirthschaftslehre"; bei Wagner befindet sich diese Stelle auf S. 46. 364

234 „Zeitschrift für die gesammte Staatswissenschaft" – liberale, politisch-ökonomische Rundschau, die mit Unterbrechungen von 1844 bis 1943 in Tübingen herausgegeben wurde. Rodbertus' Brief an Wagner erschien im Bd. 34 der Zeitschrift in Wagners Aufsatz „Einiges von und über Rodbertus-Jagetzow". 368

235 Die von Marx erwähnte Note befindet sich in seiner Arbeit „Zur Kritik der Politischen Ökonomie" (siehe Band 13 unserer Ausgabe, S. 16). 369

236 *Die französischen 5 Milliarden* – Nach dem Deutsch-Französischen Krieg 1870/71 mußte Frankreich gemäß dem Frankfurter Friedensvertrag vom 10. Mai 1871 an Deutschland eine Kontribution in Höhe von 5 Milliarden Francs zahlen. 381

237 *Peterspfennige* – eine jährliche Abgabe, die der Papst von allen Katholiken forderte (ursprünglich je einen Silberpfennig von jeder Familie am Feiertag des Petrus); bis heute eine wichtige Einnahmequelle der päpstlichen Kurie, aus der die reaktionäre katholische Propaganda finanziert wird. 383

238 *Kaudinisches Joch* – Bei den Kaudinischen Pässen, in der Nähe der Stadt Caudium (im alten Rom), brachten die Samniter im Jahre 321 v. u. Z. während des zweiten Samniterkrieges den römischen Legionen eine Niederlage bei und zwangen sie, durch das „Joch" zu gehen, was für ein besiegtes Heer als höchster Schimpf galt. Daher der Ausdruck „durch das Kaudinische Joch gehen", d. h. die schlimmste Erniedrigung erleiden. 389

239 Das Bestreben Katharinas II., eine Zunftordnung einzuführen, fand seinen Ausdruck in der am 21. April 1785 veröffentlichten Urkunde über die Rechte und Privilegien der Städte des Russischen Reiches, worin die besondere Stellung des Handwerks und eine ausführliche Zunftordnung festgelegt wurde. Die Eintragung in die Zünfte war für alle städtischen Handwerker obligatorisch, eine Ausübung nichtzünftigen Handwerks war verboten. 397

240 Marx verfaßte die „*Notizen zur Reform von 1861 und der damit verbundenen Entwicklung in Rußland*" Ende 1881 bis 1882. Er benutzte für seine Arbeit Angaben offizieller Publikationen und auch viele Werke russischer Autoren. Während Marx seine anderen Aufzeichnungen beim Studium russischer Quellen in seine Hefte geschrieben hatte, benutzte er für die Notizen zur Reform von 1861 einzelne Blätter. Diese versah er mit den Titeln der Arbeiten und Abschnitte und mit Ziffern und Buchstaben in Übereinstimmung mit dem Text. Neben Verweisen auf das in vielen Heften gesammelte Material finden sich hier schon systematisierte Faktenangaben mit Schlußfolgerungen über die Grundfragen der Reform von 1861 und der damit verbundenen Entwicklung in Rußland.

Die Notizen sind in deutscher, englischer und französischer Sprache abgefaßt. Die aus dem Englischen und Französischen übersetzten Textstellen werden in spitzen Klammern gebracht. Marx verwendet auch russische Termini, z. T. in lateinischer, z. T. in kyrillischer Schrift. 407

241 Hinweis auf die Heftseite mit Aufzeichnungen von Marx über Skaldins Buch „W sacholustij i w stolize". 407

242 Hinweis auf die Heftseite mit Aufzeichnungen von Marx über Haxthausens Buch „Die ländliche Verfassung Rußlands". 407 408

243 Verweis auf die Aufzeichnungen „Zur russischen Leibeignen-Emanzipation", die Marx auf Grund der „Pisma bes adressa" von Tschernyschewski verfaßt hatte. 407

[244] Obwohl sich Schuwalow und Paskewitsch für die persönliche Befreiung der Bauern aussprachen, wollten sie das ganze Land den Gutsbesitzern belassen und den Bauern nur das Recht auf Nutzung eines Bodenabschnitts gegen Arbeitsverpflichtung einräumen. 407

[245] Hinweis auf die Heftseite mit Aufzeichnungen von Marx über Golowatschows Buch „Desjat let reform, 1861–1871". 410

[246] Hinweis auf die Heftseite mit Aufzeichnungen von Marx über Skrebizkis Buch „Krestjanskoje delo w zarstwowanije imperatora Alexandra II", Bd. 1 und 4. 410

[247] Hinweis auf die Heftseite mit Aufzeichnungen von Marx über Jansons Buch „Opyt statistitscheskawo issledowanija o krestjanskich nadelach i plateshach" bzw. auf das Buch selbst. 410 416

[248] *Revisionsseelen* – die männliche Bevölkerung des fronherrlichen Rußlands, die der Kopf- oder „Seelen"steuer unterlag (hauptsächlich die Bauern und Städtebürger) und zu diesem Zweck in besonderen Zählungen (sog. Revisionen) registriert wurden. Solche „Revisionen" wurden in Rußland seit 1718 durchgeführt; 1858 erfolgte die letzte – die zehnte – „Revision". 414

[249] „Trudy komissii wyssotschaische utschreshdjonnoi dlja peresmotra sistemy podatej i sborow", Bd. 22, Teil 3, Abschnitt 1, S. 6–7. Die von Marx angeführten Zahlen sind errechnet worden. 415

[250] Die Manuskripte *„Zur Urgeschichte der Deutschen"* und *„Fränkische Zeit"* sind Resultate einer umfangreichen wissenschaftlichen Arbeit, die Engels in den Jahren 1881 bis 1882 leistete; ihr ging ein jahrelanges spezielles Studium der Geschichte Deutschlands und Europas voraus. Zu Engels' Lebzeiten kamen diese Schriften nicht zum Druck.

Nach einem ursprünglichen Plan beabsichtigte Engels, das Thema „Zur Urgeschichte der Deutschen" in zwei Teilen zu behandeln. Der erste Teil sollte vier Kapitel umfassen; der zweite war für „Noten" als Ergänzung zum ersten Teil vorgesehen. Im Verlaufe der Arbeit änderte Engels seinen Plan. So schrieb er z. B. am Ende des ersten Kapitels: „Es folgt ein Kapitel über Agrarverfassung und Kriegsverfassung". Dieses Kapitel ist jedoch im Manuskript „Zur Urgeschichte der Deutschen" nicht enthalten. Offensichtlich hat Engels dieses Material für die Schrift „Fränkische Zeit", zweites Kapitel („Gau- und Heerverfassung") benutzt. Vom zweiten Teil der Arbeit ist nur das zweite Kapitel vorhanden. Das dritte von Engels im Plan vorgesehene Kapitel („Fränkischer Dialekt") ist von ihm in das Manuskript „Fränkische Zeit" eingearbeitet worden.

Die Reihenfolge der einzelnen Kapitel sowie die Überschriften sind von der Redaktion nach Engels' ursprünglichem Plan festgelegt worden. 425 474

[251] Mitteilung Virchows auf der Sitzung der Berliner Gesellschaft für Anthropologie, Ethnologie und Urgeschichte am 21. Dezember 1878. Siehe „Verhandlungen der Berliner Gesellschaft für Anthropologie, Ethnologie und Urgeschichte", veröffentlicht in der „Zeitschrift für Ethnologie", Bd. 10, Berlin 1878. 427

[252] Mitteilung Schaaffhausens auf der VIII. allgemeinen Versammlung der deutschen anthropologischen Gesellschaft, die in Konstanz vom 24.–26. September 1877 stattfand. Siehe „Correspondenz-Blatt der deutschen Gesellschaft für Anthropologie, Ethnologie und Urgeschichte", Nr. 11, München 1877. 427

[253] *Pytheas' Reisebericht* entnahm Engels Joachim Lelewels Buch „Pythéas de Marseille et la géographie de son temps", Brüssel 1836. 429

[254] Plutarch(os), „Vitae parallelae", cap. 12 (Biographie des Aemilius Paullus). 429

[255] Auszüge aus den Werken des Dio Cassius und anderer von Engels erwähnter und zitierter Geschichtsschreiber sind enthalten in „Die Geschichtschreiber der deutschen Vorzeit". 430

[256] Dio Cassius, „Historiae Romanae", liber LV, cap. 10a. 430

[257] Caesar, „De bello Gallico", liber IV, cap. 1, liber VI, cap. 22. 432

[258] Strabo, „Geographicae", liber VII, cap. 1. 433

[259] Plinius Secundus, „Naturalis historia", liber IV, cap. 15. 435

[260] Dio Cassius, „Historiae Romanae", liber LIV, cap. 22. 438

[261] Dio Cassius, „Historiae Romanae", liber LV, cap. 6. 439

[262] Velleius Paterculus, „Historia Romana", liber II, cap. 97. 439

[263] Dio Cassius, „Historiae Romanae", liber LVI, cap. 18. 441

[264] Velleius Paterculus, „Historia Romana", liber II, cap. 118. 441

[265] Dio Cassius, „Historiae Romanae", liber LVI, cap. 18. 442

[266] Hier und weiter oben zitiert Engels aus Velleius Paterculus, „Historia Romana", liber II, cap. 118. 444

[267] Dio Cassius, „Historiae Romanae", liber LVI, cap. 19. 444

[268] Zitiert aus Tacitus, „Annales", liber I, cap. 61. 445

[269] Strabo, „Geographicae", liber IV, cap. 4. 446

[270] Strabo, „Geographicae", liber VII, cap. 1. 446

[271] *Treubruch Yorcks* – General Yorck von Wartenburg, der 1812 das preußische Hilfskorps der napoleonischen Armee in Rußland befehligte, schloß mit dem russischen Oberkommando am 30. Dezember 1812 die Konvention von Tauroggen, wodurch er sich verpflichtete, zwei Monate nicht an kriegerischen Aktionen gegen die russische Armee teilzunehmen.

Verrat der Sachsen bei Leipzig – Das gesamte sächsische Korps, das in der napoleonischen Armee gekämpft hatte, ging auf dem Höhepunkt der Völkerschlacht bei Leipzig (16.–19. Oktober 1813) auf die Seite der verbündeten Truppen Rußlands, Preußens, Österreichs und Schwedens über und richtete die Waffen gegen Napoleon. 446

[272] *Hallstätter Fund* – Gräberfelder, die 1846 in Oberösterreich, nahe der Stadt Hallstatt, entdeckt wurden und eine Kulturperiode (Hallstätter Zeit) repräsentieren, die ihre Blüte etwa von 1000 bis 500 v. u. Z. erreichte. 450

[273] Tacitus, „Annales", liber II, cap. 61. 451

[274] Tacitus, „Germania", cap. 23. 452

[275] *Geographie Germaniens* – enthalten in Ptolemäus, „Geographiae", 2. und 3. Buch. 461

[276] Prokop(ius), „De bello Gothico", liber IV, cap. 5. 464

[277] *Frankenreich* – Reich der Merowinger, später Karolinger (siehe auch Anm. 206). 466

[278] Einhardus, „Vita Karoli Magni", cap. 2. 477

[279] Zitiert aus Gregor Turonensis, „Historia Francorum", liber VI, cap. 46. 478

280 Kapitularien – königliche Verordnungen und Verfügungen aus der Periode des frühen Mittelalters (Karolingerzeit, 8. bis 9. Jahrhundert). Das *Aachener Kapitular* ist ein Beweis für die umfangreichen Konfiskationen von Bauernland durch geistliche und weltliche Feudalherren jener Zeit und eine wichtige historische Quelle. 479

281 Die von Engels genannten Angaben sind in einem im 9. Jahrhundert aufgestellten Verzeichnis über Landgüter, Bevölkerung und Einkünfte des Klosters Saint-Germain-des-Prés enthalten. Zum erstenmal wurde dieses Verzeichnis 1844 von dem französischen Historiker Guérard unter dem Titel „Polyptyque de l'abbé Irminon" in Paris veröffentlicht. 480

282 *Vertragsformeln* – Muster für die Abfassung von Urkunden über die verschiedensten Verträge, in denen sowohl die Eigentumsverhältnisse als auch die sozialen Verhältnisse juristisch formuliert wurden. Einige Sammlungen solcher Formeln sind erhalten geblieben. Sie geben uns eine Vorstellung von den sozial-ökonomischen Verhältnissen der fränkischen Zeit vom Ende des 6. bis Ende des 9. Jahrhunderts.

Die von Engels zitierte Formel ist in der Sammlung „Formulae Turonenses vulgo Sirmondicae dictae" (Nr. 43) enthalten. Engels entnahm sie offensichtlich aus Roth, „Geschichte des Beneficialwesens", S. 379, wo diese Formel unter der Nr. 44 angegeben wird. 487

283 *„Annales Bertiniani"* – eine Geschichtsquelle aus der Zeit der Karolinger. Die Chronik, die im Kloster St. Bertin gefunden wurde und danach ihre Bezeichnung erhielt, umfaßt die Zeit von 830 bis 882 und besteht aus drei Teilen, die von verschiedenen Verfassern, u. a. von Hinkmar von Reims (Hincmar Remensis), stammen. Die „Annales Bertiniani" sind in den „Monumenta Germaniae historica" enthalten. 488

284 Zitat enthalten in „Corpus iuris Germanici antiqui", Band 2, „Capitularia regum Francorum usque ad Ludovicum pium continens", Berlin 1824, herausgegeben von F. Walter. 493

285 *Stellinga* – Bund der Stellinger (Söhne des alten Rechts), den freie (Frilinge) und halbfreie (Liten) Sachsen bildeten und der 841–842 an der Spitze eines Aufstandes gegen den fränkischen und sächsischen Adel stand. Ziel des Aufstandes war, die alten vor der fränkischen Adelsherrschaft bestehenden Rechte und Sitten wiederherzustellen. Der Aufstand wurde grausam niedergeschlagen. 494

286 *„Der fränkische Dialekt"* besitzt eine völlig selbständige wissenschaftliche Bedeutung, obwohl Engels diese Untersuchung nur als „Anmerkung" kennzeichnet und sie auch im Planentwurf „Zur Urgeschichte der Deutschen" nur als „Note" vorsah.

Engels hat in diesem Kapitel den historischen Materialismus beispielhaft auf die Sprachwissenschaft angewendet.

„Der fränkische Dialekt" blieb unvollendet und wurde zu Engels' Lebzeiten nicht veröffentlicht. 494

287 *Heliand* – bedeutendes Denkmal altsächsischer Sprache und Literatur; stammt aus dem 9. Jahrhundert und stellt eine stark verkürzte germanisierte Nacherzählung des Evangeliums dar. Vermutlich wurde der „Hêliand" im Kloster Werden an der Ruhr verfaßt.

Zwei Handschriften blieben erhalten: die Münchener und die Cottonsche (nach dem englischen Altertümer-Sammler Cotton). 1830 wurde der „Hêliand" von dem Germanisten Schmeller veröffentlicht, der ihm auch den Titel gab. Der „Hêliand" ist in Heynes „Bibliothek der ältesten deutschen Litteratur-Denkmäler", Band 2, Paderborn 1866, enthalten. 494

[288] *Lipsiussche Glossen* – von dem niederländischen Philologen Justus Lipsius erklärte unverständliche Wörter in einer aus dem 9. Jahrhundert stammenden Niederschrift von Psalmen. Diese Glossen sind in Heynes „Kleinere altniederdeutsche Denkmäler" enthalten. 497

[289] *Freckenhorster Rolle* – Steuerverzeichnis des Klosters Freckenhorst (9. bis Anfang 11. Jahrhundert); enthalten in Heynes „Kleinere altniederdeutsche Denkmäler". 497

[290] *Paderborner Denkmäler* – Dokumente des lokalen Rechts aus dem 10.–11. Jahrhundert, die von dem Historiker Paul Wigand im „Archiv für Geschichte und Alterthumskunde Westphalens" (erschienen von 1826 bis 1838) und 1832 in „Die Provinzialrechte der Fürstentümer Paderborn und Corvei" herausgegeben wurden. 498

[291] *Otfried* – Mönch im Kloster Weißenburg/Elsaß (ab 825); Verfasser einer deutschen Nacherzählung des Evangeliums (geschrieben zwischen 863 und 870). Das „Evangelium" Otfrieds gehört zu den ersten Denkmälern der althochdeutschen Sprache und Literatur; sein Dialekt wird zu den südlichen rheinfränkischen gerechnet. 498 517

[292] *im ältesten Dokument* – in der Handschrift eines Taufgelöbnisses vom Ende des 8. oder Anfang des 9. Jahrhunderts; enthalten in Heynes „Kleinere altniederdeutsche Denkmäler". 498

[293] *Reymannsche Karte* – ein Kartenwerk, das zuerst von D. G. Reymann, dann von einer Reihe anderer Personen herausgegeben wurde; es ist in numerierte Sektionen aufgeteilt, die nach den Hauptorten benannt sind. 508

[294] *Gaukarte* – Die geographischen Angaben, auf die sich Engels im Zusammenhang mit den ehemaligen römischen Ortsbezeichnungen bezieht, sind dem „Hand-Atlas für die Geschichte des Mittelalters und der neueren Zeit" von Spruner-Menke (hauptsächlich der Karte 33 „Deutschlands Gaue II") entnommen. 508

[295] Die englische Ausgabe von Engels' Arbeit „Die Entwicklung des Sozialismus von der Utopie zur Wissenschaft", für die Engels die vorliegende Einleitung schrieb, erschien 1892 in London unter dem Titel „Socialism utopian and scientific" in der Übersetzung von Edward Aveling.

Ihrer Bedeutung wegen übersetzte Engels die Einleitung im Juni 1892 ins Deutsche. Sie wurde in der „Neuen Zeit" unter der Überschrift „Über historischen Materialismus" in Nr. 1 und 2, 11. Jahrgang, 1. Band, 1892–1893, veröffentlicht. Dabei ließ die Redaktion die ersten sieben Absätze weg, da sie – wie in einer redaktionellen Anmerkung festgestellt wird – Notizen enthielten, die dem deutschen Leser bekannt oder für ihn nicht von Interesse seien. Für den vorliegenden Band wurde die Übersetzung der ersten sieben Absätze neu überprüft und im weiteren der in der „Neuen Zeit" veröffentlichte Text wiedergegeben. 524

Literaturverzeichnis

einschließlich der von Marx und Engels erwähnten Schriften

Bei den von Marx und Engels zitierten Schriften werden, soweit sie sich feststellen ließen, die vermutlich von ihnen benutzten Ausgaben angegeben. In einigen Fällen, besonders bei allgemeinen Quellen- und Literaturhinweisen, wird keine bestimmte Ausgabe angeführt. Gesetze und Dokumente werden nur dann angeführt, wenn aus ihnen zitiert wurde. Einige Quellen konnten nicht ermittelt werden.

I. Werke und Aufsätze

genannter und anonymer Autoren

Address and provisional rules of the Working Men's International Association, established September 28, 1864, at a public meeting held at St. Martin's Hall, Long Acre, London. [London] 1864. 95 101 142

Allgemeine Statuten und Verwaltungs-Verordnungen der Internationalen Arbeiterassoziation. Amtl. deutsche Ausg., revidirt durch den Generalrath. Leipzig o. J. (siehe auch Anm. 16). 17 22 23

Ammianus Marcellinus: Rerum gestarum libri qui supersunt ex recensione Valesio Gronoviana ... Augustus Guil[elmus] Ernesti. Lipsiae 1773. 475

Annales Bertiniani. In: Monumenta Germaniae historica. Ed. Georgius Heinricus Pertz. Scriptorum t. 1. Hannoverae 1826. 488 490 491

Archiv für Geschichte und Alterthumskunde Westphalens. Hrsg. v. Paul Wigand. Bd. 5. H. 2. Lemgo 1831. 498

Archiv für die Geschichte des Niederrheins. Hrsg. v. Theod. Jos. Lacomblet. Abth. 1. Bd. 1. H. 1. Düsseldorf 1831. 507

Arnold, Wilhelm: Deutsche Urzeit. Gotha 1879. 495 503 508 509 512–514

[*Bakunin, Michail Alexandrowitsch:*] Государственность и анархія. Часть 1, o. O. 1873 (siehe auch Anm. 10). 7 13

Bauer, Bruno: Kritik der evangelischen Geschichte des Johannes. Bremen 1840. 297 298 300

– Kritik der evangelischen Geschichte der Synoptiker. Bd. 1–2. Leipzig 1841. 297 298 300

Dühring, Eugen: Cursus der National- und Socialökonomie einschließlich der Hauptpunkte der Finanzpolitik. 2. theilw. umgearb. Aufl. Leipzig 1876. 45 185 524/525

– Cursus der Philosophie als streng wissenschaftlicher Weltanschauung und Lebensgestaltung. Leipzig 1875. 185 524/525

– Kritische Geschichte der Nationalökonomie und des Socialismus. Berlin 1871. 185 524/525

Einhardus: Vita Karoli Magni. Ex monumentis Germaniae historicis reduci fecit Georgius Heinricus Pertz. Ed. altera. Hannoverae 1845. 477

Encyclopédie, ou dictionnaire raisonné des sciences, des arts et des métiers, par une société de gens de lettres. Nouvelle éd. T. 1–28. Genf 1777–1778. 537

Engel, Ernst: Das Zeitalter des Dampfes in technisch-statistischer Beleuchtung. 2. Aufl. Berlin 1881. 285

Engelhardt, Conrad: Denmark in the early iron age, illustrated by recent discoveries in the peat mosses of Slesvig. London 1866. 457

Engels, Friedrich: Die Bakunisten an der Arbeit. In: Der Volksstaat, Leipzig, vom 31. Oktober, 2. und 5. November 1873. 182

– Die Bakunisten an der Arbeit. Denkschrift über den letzten Aufstand in Spanien. [Leipzig] o. J. 182

– Der deutsche Bauernkrieg. In: Neue Rheinische Zeitung. Politisch-ökonomische Revue. H. 5/6. Mai bis Oktober. Hamburg 1850. 182

– Der deutsche Bauernkrieg. 2. mit Einl. vers. Abdr. Leipzig 1870. 182

– Der deutsche Bauernkrieg. 3. Abdr. Leipzig 1875. 182

– Die Entwicklung des Sozialismus von der Utopie zur Wissenschaft. Hottingen-Zürich 1882 (siehe auch Anm. 112). 523 525

– Die Entwicklung des Sozialismus von der Utopie zur Wissenschaft. 2. unveränd. Aufl. Hottingen-Zürich 1883. 523 525

– Die Entwicklung des Sozialismus von der Utopie zur Wissenschaft. 3. unveränd. Aufl. Hottingen-Zürich 1883. 523 525

– Die Entwicklung des Sozialismus von der Utopie zur Wissenschaft. 4. vervollst. Aufl. Berlin 1891. 523 525

– Herrn Eugen Dühring's Umwälzung der Philosophie. Herrn Eugen Dühring's Umwälzung der politischen Oekonomie. Herrn Eugen Dühring's Umwälzung des Sozialismus. In: Vorwärts, Leipzig, vom 3. Januar bis 7. Juli 1877. 185 525

– Herrn Eugen Dühring's Umwälzung der Wissenschaft. Philosophie. Politische Oekonomie. Sozialismus. Leipzig 1878. 181 185 186 525

– Herrn Eugen Dühring's Umwälzung der Wissenschaft. 2. Aufl. Zürich 1886. 525

– Die Lage der arbeitenden Klasse in England. Nach eigner Anschauung und authentischen Quellen. Leipzig 1845. 181 217

– De Ontwikkeling van het Socialisme van Utopie tot Wetenschap. Gravenhage 1886. 523 525

– Preußischer Schnaps im deutschen Reichstag. In: Der Volksstaat, Leipzig, vom 25. und 27. Februar und 1. März 1876. 182

Engels, Friedrich: Preußischer Schnaps im deutschen Reichstag. Separatabdr. aus dem „Volksstaat" 1876. 182

– Развитіе научнаго соціализма. Женева 1884. 523 525

– Socialism utopian and scientific. Translated by Edward Aveling ... With a special introduction by the author. London 1892. 524 525–527

– Socialism utopic şi socialism ştiinţific. Bucureşti 1891. 525

– Socialisme utopique et socialisme scientifique. Trad. française par Paul Lafargue. Paris 1880. 186 525

– Socialismens Udvikling fra Utopi til Videnskab. In: Socialistisk Bibliotek. Bd. 1. København 1885. 523 525

– Il socialismo utopico e il socialismo scientifico. Benevento 1883. 523 525

– Socialismo utópico y socialismo científico. Madrid 1886. 523 525

– Socyjalizm utopijny a naukowy. Genève 1882. 186 525

– [Soziales aus Rußland.] Flüchtlingsliteratur. V. In: Der Volksstaat, Leipzig, vom 16., 18. und 21. April 1875. 182

– Soziales aus Rußland. Leipzig 1875. 182

– Umrisse zu einer Kritik der Nationaloekonomie. In: Deutsch-Französische Jahrbücher. Lfg. 1 u. 2. Paris 1844. 181

– Zur Wohnungsfrage. In: Der Volksstaat vom 26. Juni 1872 bis 22. Februar 1873. 182

– Zur Wohnungsfrage. [H. 1.] Separatabdr. aus dem „Volksstaat". Leipzig 1872. 182

– Zur Wohnungsfrage. H. 2. Sonderabdr. aus dem „Volksstaat". Leipzig 1872. 182

– Zur Wohnungsfrage. H. 3. Sonderabdr. aus dem „Volksstaat". [Leipzig 1873]. 182

Engels, Friedrich, und Karl Marx: Die heilige Familie oder Kritik der kritischen Kritik. Gegen Bruno Bauer & Consorten. Frankfurt a. M. 1845. 97

Erlach, Franz von: Aus dem französisch-deutschen Kriege 1870–1871. Beobachtungen und Betrachtungen eines Schweizer-Wehrmanns. Leipzig und Bern 1874. 353

Ewald, Heinrich: Geschichte des Volkes Israel bis Christus. 2. Ausg. Bd. 4. Göttingen 1852. 299

Fallmerayer, Jakob Philipp: Geschichte der Halbinsel Morea während des Mittelalters. Th. 1. Stuttgart und Tübingen 1830. 302

Florus, L[ucius] Annaeus: Epitome rerum Romanarum ... Eine der studirenden Jugend zum besten deutlich und leicht verfaste Erklärung des Flori ... Durch Germanicum Sincerum. Gießen 1732. 438 439

Formulae Turonenses vulgo Sirmondicae dictae. In: Monumenta Germaniae historica. Ed. Georgius Heinricus Pertz. Legum sectio 5. Formulae. P. prior. Hannoverae 1882 (siehe auch Anm. 282). 487

[*Fourier, Charles:*] Théorie des quatre mouvemens et des destinées générales. Prospectus et annonce de la découverte. Leipzig 1808 (siehe auch Anm. 124). 193

Fourier, Ch[arles]: Théorie des quatre mouvements et des destinées générales. In: Œuvres complètes. T. 1. Paris 1841. 196 197

Fourier, Ch[arles]: Théorie de l'unité universelle. Vol. 1. Ebendort, T. 2. Paris 1843. 196

– Théorie de l'unité universelle. Vol. 4. Ebendort, T. 5. Paris 1841. 196

– Le nouveau monde industriel et sociétaire, ou invention du procédé d'industrie attrayante et naturelle distribuée en séries passionnées. Ebendort, T. 6. Paris 1845. 196 197 216 219

Die Geschichtschreiber der deutschen Vorzeit. Bd. 1. Hrsg. v. G. H. Pertz, J. Grimm u. a. Berlin 1849 (siehe auch Anm. 255). 430

Giffen, Robert: Recent accumulations of capital in the United Kingdom. In: Journal of the Statistical Society. March 1878. Vol. 16. P. 1. London 1878. 226

Goethe, Johann Wolfgang von: Das Göttliche. In: Vermischte Gedichte. 25

[*Golowatschow*] *Головачевъ, А[лексѣй] А[дріановичъ]:* Дѣсять лѣтъ реформъ. Санктпетербургъ 1872 (siehe auch Anm. 245). 410 411

Goltz, Th[eodor] v. d.: Die Lage der ländlichen Arbeiter im Deutschen Reich. Berlin 1875. 46

Gregor Turonensis: Historica Francorum. In: Monumenta Germaniae historica. Ed. Georgius Heinricus Pertz. Scriptorum rerum Merovingicarum t. 1. Hannoverae 1885. 478

Grimm, Jacob: Geschichte der deutschen Sprache. Bd. 1. Leipzig 1848. 436 463–469 493 494 498 499 511

Guérard, B[enjamin-Edme-Charles]: Polyptyque de l'abbé Irminon... T. 1–2. Paris 1844 (siehe auch Anm. 281). 480 493

[*Hannecken, H. von:*] Militärische Gedanken und Betrachtungen über den deutsch-französischen Krieg der Jahre 1870 und 1871 vom Verfasser des „Krieges um Metz". Mainz 1871. 352

Haxthausen, August von: Studien über die innern Zustände, das Volksleben und insbesondere die ländlichen Einrichtungen Rußlands. Th. 1–2. Hannover 1847. Th. 3. Berlin 1852. 107

– Die ländliche Verfassung Rußlands. Ihre Entwicklung und ihre Feststellung in der Gesetzgebung von 1861. Leipzig 1866 (siehe auch Anm. 242). 407–409

Hegel, Georg Wilhelm Friedrich: Vorlesungen über die Philosophie der Geschichte. In: Werke. Vollst. Ausg. durch einen Verein von Freunden des Verewigten. Bd. 9. 2. Aufl. Berlin 1840. 189 190 193 206 297

Heine, Heinrich: Buch der Lieder. 92

– Romanzero (siehe auch Anm. 189). 299

Hêliand. Mit ausführlichen Glossen. Hrsg. v. Moritz Heyne. In: Bibliothek der ältesten deutschen Litteratur-Denkmäler. Bd. 2. Kleinere (?) Altniederdeutsche Denkmäler. T. 1. Paderborn 1866 (siehe auch Anm. 287). 494 496 497 502

Heraklit: Fragmente. 202

Heyne, Moritz: Kleine altsächsische und altniederfränkische Grammatik. Paderborn 1873. 495

Hildebrand, Hans: Das heidnische Zeitalter in Schweden. Nach d. 2. schwed. Orig.-Ausg. übers. v. J. Mestorf. Hamburg 1873. 454

Hubbard, [Nicolas-] G[ustave]: Saint-Simon, sa vie et ses travaux. Paris 1857 (siehe auch Anm. 124–127). 193 195 196

Inauguraladresse siehe *Address and provisional rules of the Working Men's International Association ...*

[*Janson*] *Янсонъ, Ю*[*лій Эдуардовичъ*]*:* Опытъ статистическаго изслѣдованія о крестьянскихъ надѣлахъ и платежахъ. С.-Петербургъ 1877 (siehe auch Anm. 247). 411–413 416 418 419

Jhering, Rudolph von: Geist des römischen Rechts auf den verschiedenen Stufen seiner Entwicklung. 3. verb. Aufl. Th. 2. 1. Abt. Leipzig 1874. 378 380

Kant, Immanuel: Allgemeine Naturgeschichte und Theorie des Himmels, oder Versuch von der Verfassung und dem mechanischen Ursprunge des ganzen Weltgebäudes, nach Newton'schen Grundsätzen abgehandelt. In: Sämmtliche Werke. Th. 6. Schriften zur physischen Geographie. 3. Leipzig 1839 (siehe auch Anm. 141). 205

Kern, [*Johann*] *H*[*endrik*]*:* Die Glossen in der Lex Salica und die Sprache der salischen Franken. Haag 1869. 496 499 501

Das Keyserrecht nach der Handschrift von 1372. In Vergleichung mit anderen Handschr. u. mit erl. Anm. Hrsg. v. Hermann Ernst Endemann u. mit einer Vorrede vers. v. Bruno Hildebrand. Cassel 1846 (siehe auch Anm. 201). 318

Kleinere altniederdeutsche Denkmäler. Hrsg. v. Moritz Heyne. Paderborn 1867 (siehe auch Anm. 288, 289 und 292). 497 498

Kovalevsky, Maxime: Tableau des origines de l'évolution de la famille et de la propriété. Stockholm 1890. 526

Lange, Fr[*iedrich*] *A*[*lbert*]*:* Die Arbeiterfrage in ihrer Bedeutung für Gegenwart und Zukunft. Duisburg 1865. 25

Laplace, Pierre-Simon: Exposition du système du monde. T. 1–2. Paris, l'an IV de la République Française [1795/96] (siehe auch Anm. 141). 205

– Traité de mécanique céleste. T. 1–5. Paris [1798/99]–1823. 530

Lassalle, Ferdinand: Arbeiterlesebuch. Rede Lassalle's zu Frankfurt am Main am 17. und 19. Mai 1863. 5. Aufl. In: Broschüren. Berlin 1874. 5

– Offnes Antwortschreiben an das Central-Comité zur Berufung eines Allgemeinen Deutschen Arbeitercongresses zu Leipzig. Zürich 1863. 5

Lelewel, Joachim: Pythéas de Marseille et la géographie de son temps. Bruxelles 1836. 429

Lex Ribuaria et lex Francorum Chamavorum. Ed. Rudolphus Sohm. Hannoverae 1883 (siehe auch Anm. 203). 320

Lissagaray, [*Prosper-Olivier*]*:* Histoire de la commune de 1871. Bruxelles 1876 (siehe auch Anm. 223). 351

Loria, Achille: Karl Marx. Estratto dalla Nuova Antologia. Fascicolo 7. Roma 1883. 346

– La rendita fondiaria e la sua elisione naturale. Milano 1880. 346

– La teoria del valore negli economisti italiani. Bologna 1882. 346

Mably, [Gabriel-Bonnot] de: De la législation, ou principes des loix. Amsterdam 1776. 191

Maine, Henry [James] Sumner: Village-Communities in the East and West. London 1871. 386

Marx, Karl: Der 18te Brumaire des Louis Napoleon. In: Die Revolution. Eine Zeitschrift in zwanglosen Heften. H. 1. New-York 1852. 99

– Der Achtzehnte Brumaire des Louis Bonaparte. 2. Ausg. Hamburg 1869. 99

– Der Bürgerkrieg in Frankreich. Adresse des Generalraths der Internationalen Arbeiter-Assoziation an alle Mitglieder in Europa und den Vereinigten Staaten. Separatabdr. aus dem Volksstaat. Leipzig 1871. 101 145

– Capital: a critical analysis of capitalist production. Transl. from the 3rd German ed., by Samuel Moore and Edward Aveling and ed. by Frederick Engels. Vol. 1. London 1887. 526

– Le Capital. Trad. de M. J. Roy, entièrement rev. par l'auteur. Paris [1872–1875 in Lfgen. ersch.]. 14 108 242 243 384

– The civil war in France. Address of the General Council of the International Working-Men's Association. [London] 1871. 145

– Discours sur la question du libre échange, prononcé a l'Association Démocratique de Bruxelles. Bruxelles 1848. 97

– Enthüllungen über den Kommunisten-Prozeß zu Köln. Basel 1853. 99

– Enthüllungen über den Kommunisten-Prozeß zu Köln. Boston 1853. 99

– Enthüllungen über den Kommunisten-Prozeß zu Köln. In: Der Volksstaat, Leipzig, vom 28. Oktober bis 18. Dezember 1874. 14 99

– Enthüllungen über den Kommunisten-Prozeß zu Köln. Neuer Abdr. Leipzig 1875. 14 99

– Herr Vogt. London 1860. 100

– Das Kapital. Kritik der politischen Oekonomie. Bd. 1. Buch 1. Der Produktionsprocess des Kapitals. Hamburg 1867. 5 100 106 107 111 181 212 217 218 229 345 358 369 371 374 525

– Das Kapital. Kritik der politischen Oekonomie. Bd. 1. Buch 1. Der Produktionsprocess des Kapitals. 2. verb. Aufl. Hamburg 1872. 100 107 358 359 369 370 371 373 377

– Das Kapital. Kritik der politischen Oekonomie. Bd. 2. Buch 2. Der Cirkulationsprocess des Kapitals. Hamburg 1885. 100 102 106 343 347

– Zur Kritik der Politischen Oekonomie. Berlin 1859. 100 359 369

– Misère de la philosophie. Réponse à la philosophie de la misère de M. Proudhon. Paris, Bruxelles 1847. 7 97 229

Marx, Karl, und Friedrich Engels: Ein Complot gegen die Internationale Arbeiter-Association. Im Auftrage des Haager Congresses verfaßter Bericht über das Treiben Bakunin's und der Allianz der socialistischen Demokratie. Braunschweig 1874 (siehe auch Anm. 58). 91

– Manifest der Kommunistischen Partei. London 1848. 7 22 23 98 164 182 187 229 240 295 296 344 525

– Манифестъ коммунистической партіи. Женева 1882. 295

– Les prétendues scissions dans l'Internationale. Circulaire privée du Conseil Général de l'Association Internationale des Travailleurs. Genève 1872. 144

Maurer, Georg Ludwig von: Einleitung zur Geschichte der Mark-, Hof-, Dorf- und Stadt-Verfassung und der öffentlichen Gewalt. München 1854. 317 491

Maurer, Georg Ludwig von: Geschichte der Dorfverfassung in Deutschland. Bd. 1–2. Erlangen 1865–1866. 317

– Geschichte der Fronhöfe, der Bauernhöfe und der Hofverfassung in Deutschland. Bd. 1–4. Erlangen 1862–1863. 317

– Geschichte der Markenverfassung in Deutschland. Erlangen 1856. 317

– Geschichte der Städteverfassung in Deutschland. Bd. 1–4. Erlangen 1869–1871. 317

Mone, F[ranz] J[oseph]: Urgeschichte des badischen Landes bis zu Ende des siebenten Jahrhunderts. Bd. 1. Karlsruhe 1845. 511

Morelly: Code de la nature ... Paris 1841. 191

Morgan, Lewis H[enry]: Ancient society or researches in the lines of human progress from savagery, through barbarism to civilisation. London 1877. 386

Most, Johann: Kapital und Arbeit. Ein populärer Auszug aus „Das Kapital" von Karl Marx. Chemnitz [1873]. 345 346

Müllenhoff, Karl: Deutsche Altertumskunde. Bd. 1. Berlin 1870. 429

Nadler, Karl Gottfried: Fröhlich Palz, Gott erhalts! Gedichte in Pfälzer Mundart. Frankfurt a. M. 1851. 516

Orosius: Historiarum adversum paganos. Libri VII. Recensuit et commentario critico instruxit Carolus Zangemeister. Vindobona 1882. 438

Ovid[ius]: Tristia. 446

– Epistulae ex Ponto. 446

Owen, Robert: The book of the new moral world, containing the rational system of society, founded on demonstrable facts, developing the constitution and laws of human nature and of society. P. 1–7. London 1842–1844. 199

– Report of the proceedings at the several public meetings, held in Dublin. On the 18th March – 12th April – 19th April and 3rd May. Dublin 1823. 199

– The revolution in the mind and practice of the human race; or, the coming change from irrationality to rationality. London 1849. 198 199

Papiers et correspondance de la famille impériale. T. 2. Paris 1871. 86 100

Petronius: Satirae (siehe auch Anm. 190). 301

Plinius Secundus: Naturalis historia. 434–437 450 453 462–470

Plutarch: Vitae parallelae. 429

Programm der deutschen Arbeiterpartei. In: Protokoll des Vereinigungs-Congresses der Sozialdemokraten Deutschlands. Leipzig 1875. 521

Programm und Statuten der sozial-demokratischen Arbeiter-Partei. In: Demokratisches Wochenblatt, Leipzig, Nr. 33 vom 14. August 1869 (siehe auch Anm. 2). 3 5 8 13

Proklamation an das deutsche Volk. In: Stenographische Berichte über die Verhandlungen der deutschen constituirenden Nationalversammlung zu Frankfurt a. M. Bd. 9. Frankfurt a. M. 1849. 84–86

Prokopius: De bello Gothico. 464

Proudhon, P[ierre] J[oseph]: Système des contradictions économiques, ou philosophie de la misère. T.1–2. Paris 1846. 97 229

Ptolemaeus: Geographiae. 452 455 457 461–465 468 469

Rau, Karl Heinrich: Grundsätze der Volkswirthschaftslehre. 5. verm. u. verb. Ausg. Heidelberg 1847. 356 361 364 367

Reuleaux, F[ranz]: Briefe aus Philadelphia. Braunschweig 1877. 170

Reuter, Fritz: Ut mine Festungstid. 56

Reymann, Daniel Gottlob: Reymann's topographische Special-Karte von Deutschland, Schweiz, Ostfrankreich, Belgien, Niederlande und Polen. Glogau o. J. (siehe auch Anm. 293). 508 512

Rost, Valent[in] Christ[ian] Friedr[ich]: Deutsch-Griechisches Wörterbuch. 1. Abt. A–L. Göttingen 1829. 372

Roth, Paul: Geschichte des Beneficialwesens von der ältesten Zeit bis ins zehnte Jahrhundert. Erlangen 1850. 477–480 485–487 490

Rousseau, J[ean-] J[acques]: Du contrat social; ou, principes du droit politique. Amsterdam 1762 (siehe auch Anm. 119). 190 192

– Discours sur l'origine et les fondemens de l'inégalité parmi les hommes. Amsterdam 1755 (siehe auch Anm. 119). 190 202

[*Saint-Simon, Claude-Henri de:*] Lettres d'un habitant de Genève à ses contemporains. [Paris 1803] (siehe auch Anm. 124). 193–195

Saint-Simon, [Claude-Henri de]: L'industrie, ou discussions politiques, morales et philosophiques, dans l'intérêt de tous les hommes livrés à des travaux utiles et indépendans. T. 2. Paris 1817. 195

Saint-Simon, et Augustin Thierry: De la réorganisation de la société européenne ou de la nécessité et des moyens de rassembler les peuples de l'Europe en un seul corps politique, en conservant à chacun son indépendance nationale. Paris 1814 (siehe auch Anm. 127). 195 196

Schäffle, Albert Friedrich Eberhard: Bau und Leben des socialen Körpers. Tübingen 1878. 360 361 376 377

– Kapitalismus und Socialismus mit besonderer Rücksicht auf Geschäfts- und Vermögensformen. Tübingen 1870. 360

– (anonym) Die Quintessenz des Socialismus. Von einem Volkswirth. Gotha 1875. 360 361

– Die Quintessenz des Socialismus. 2. unveränd. Aufl. (3. Abdr.) Gotha 1877. 360 361

Schiller, Friedrich von: Die Götter Griechenlands. 51

Schneider, Jacob: Die alten Heer- und Handelswege der Germanen, Römer und Franken im deutschen Reiche. H. 2. Düsseldorf 1883. H. 3 u. 4. Leipzig 1884–1885. 449

Schulze, Ernst: Gothisches Glossar. Magdeburg 1847. 372

[*Sieber*] *Зиберъ, Н[иколай Ивановичъ]:* Теорія цѣнности и капитала Д. Рикардо въ связи съ позднѣйшими дополненіями и разъясненіями. Кіевъ 1871. 358

[*Skaldin*] *Скалдинъ:* Въ захолустьи и въ столицѣ. Санктпетербургъ 1870 (siehe auch Anm. 241). 407 409–413 416

[*Skrebizki*] *Скребицкій, Александръ:* Крестьянское дѣло въ царствованіе императора Александра II. Матеріалы для исторіи освобожденія крестьянъ. Т. 1–4. Боннъ на Рейнѣ 1862–1868 (siehe auch Anm. 246). 410 417

Spruner-Menke: Hand-Atlas für die Geschichte des Mittelalters und der neueren Zeit. 3. Aufl. Gotha 1874. 508 514

Strabo: Geographicae. 433 434 446 461

Strauss, David Friedrich: Das Leben Jesu. Kritisch bearbeitet. Bd. 1–2. Tübingen 1835–1836. 298

Suetonius: Opera. London 1824. 439

Tacitus: Annales. 445 451

– Germania. 319 431 434 436 442 447–449 452–454 456 457 462–465 467 468

Tooke, Thomas, and William Newmarch: A history of prices, and of the state of the circulation during the nine years 1848–1856. Vol. 1–2. Forming the 5th and 6th vols. of the „History of prices from 1792 to the present time". London 1857. 380

[*Trudy kommissii ...*] *Труды коммиссіи высочайше учрежденной для пересмотра системы податей и сборовъ.* Т. 22. Часть 3. Отдѣлъ 1. С.-Петербургъ 1873 (siehe auch Anm. 249). 415

[*Tschernyscheswki*] *Чернышевскій, Николай Гавриловичь:* Письма безъ адреса. In: Современникъ. Санктпетербургъ 1862 (siehe auch Anm. 243). 407

Velleius Paterculus: Historia Romana. 439–444 446 462

Wagner, Adolph: Lehrbuch der politischen Oekonomie. Allgemeine oder theoretische Volkswirthschaftslehre. 2. verb. u. verm. Ausg. Bd. 1. Th. 1. Grundlegung. Leipzig u. Heidelberg 1879 (siehe auch Anm. 230). 355–362 364–368 371 373 374 376–383

Waitz, Georg: Deutsche Verfassungsgeschichte. Bd. 1. Kiel 1844. 466

Wermuth/Stieber: Die Communisten-Verschwörungen des neunzehnten Jahrhunderts. Im amtl. Auftr. zur Benutzung der Polizei-Behörden der sämmtl. deutschen Bundesstaaten ... dargest. Th. 2. Berlin 1854. 58

Wiberg, Carl Fredrik: Bidrag till kännedomen om Grekers och Romares förbindelse med Norden och om de nordiska handelsvägarne. Gefle 1861. 450 451 453

– Der Einfluß der klassischen Völker auf den Norden durch den Handelsverkehr. Aus d. Schwed. v. J. Mestorf. Hamburg 1867. 450/451

Wilke, Christian Gottlob: Der Urevangelist oder exegetisch kritische Untersuchung über das Verwandtschaftsverhältniß der drei ersten Evangelien. Dresden und Leipzig 1838. 298

Wolff, Wilhelm: Die schlesische Milliarde. Abdr. aus der „Neuen Rheinischen Zeitung" März bis April 1849. Mit Einleitung von Friedrich Engels. Hottingen-Zürich 1886 (siehe auch Anm. 37). 63

Worsaae, J[ens] J[acob] A[smussen]: Die Vorgeschichte des Nordens nach gleichzeitigen Denkmälern. Ins Deutsche übertr. v. J. Mestorf. Hamburg 1878. 452

Zeuß, Kaspar: Die Deutschen und die Nachbarstämme. München 1837. 463–465 468

Ziemann, Adolf: Mittelhochdeutsches Wörterbuch zum Handgebrauch. Quedlinburg und Leipzig 1838. 372 373

II. Periodica

L'Atelier. Paris (siehe auch Anm. 20). 27

Bulletin de la Fédération Jurassienne de l'Association Internationale des Travailleurs. Sonvillier (siehe auch Anm. 60). 93 94

Christian Reader. 144

The Commonwealth. London (siehe auch Anm. 94). 144

Correspondenz-Blatt der deutschen Gesellschaft für Anthropologie, Ethnologie und Urgeschichte. München, November 1877. 427

The Daily News. London (siehe auch Anm. 82). 138 246 280 340
- vom 26. Juni 1871. 145
- vom 13. Juni 1878. 140 141
- vom 31. März 1881. 246

Demokratisches Wochenblatt. Leipzig (siehe auch Anm. 11). 7

Deutsche-Brüsseler-Zeitung (siehe auch Anm. 44). 59 98 181 336

Deutsch-Französische Jahrbücher. Hrsg. von Arnold Ruge und Karl Marx. Lfg. 1 und 2. Paris 1844 (siehe auch Anm. 62). 97 181

Frankfurter Zeitung und Handelsblatt (siehe auch Anm. 5). 4

Freiheit. London (siehe auch Anm. 101). 155 246 345
- vom 19. März 1881. 246

Hansard's Parliamentary Debates: Vol. 262. London 1881. 261

Jahrbuch für Sozialwissenschaft und Sozialpolitik. 1. Jg. 1. Hälfte. Zürich-Oberstrass 1879 (siehe auch Anm. 98 und 103). 150 159–163

Neue Rheinische Zeitung. Politisch-ökonomische Revue. H.1–6. London, Hamburg u. New York 1850 (siehe auch Anm.65). 99 182

The New Moral World; and Gazette of the Rational Society (siehe auch Anm.116). 181

New-York Daily Tribune (siehe auch Anm.66). 99 336

New Yorker Volkszeitung (siehe auch Anm.193). 307

The Nineteenth Century. A monthly review. London, Juli 1878 (siehe auch Anm.88 u. 89). 142–147

Norddeutsche Allgemeine Zeitung. Berlin (siehe auch Anm.18). 312–314

– vom 20. März 1875. 24

– vom 20. Juni 1878. 140

– vom 29. August 1882. 313

– Oktober 1882. 312

– vom 21. Oktober 1882. 313

The Northern Star, and National Trades' Journal. London (siehe auch Anm.116). 181

Nuova Antologia di scienze, lettere ed arti. Roma (siehe auch Anm.222). 346

Otetschestwennyje Sapiski (Отечественныя Записки). St.Petersburg (siehe auch Anm. 69). 107

La Plebe. Lodi u. Milano (siehe auch Anm.26). 34 93

– vom 21. Januar 1877. 94

– vom 26. Februar 1877. 94

Preußischer Staats-Anzeiger. Berlin (siehe auch Anm.50). 64

O Protesto. Lissabon (siehe auch Anm.80). 125

La Revue socialiste. Paris (siehe auch Anm.114). 181 186

Rheinische Zeitung für Politik, Handel und Gewerbe. Köln (siehe auch Anm.61). 96 291 293 336

Le Siècle. Paris, vom 14. Oktober 1865 (siehe auch Anm.91). 143

Der Social-Demokrat. Berlin (siehe auch Anm.149). 229

Der Sozialdemokrat. Zürich (siehe auch Anm.118). 186 313 314 335 341 347

– vom 19. April 1883. 340

Stenographischer Bericht über die Verhandlungen der deutschen constituirenden Nationalversammlung zu Frankfurt a.M. Bd.9. Frankfurt a.M. 1849. 84–86

Das Volk. London (siehe auch Anm.67). 100

Der Volksstaat. Leipzig (siehe auch Anm.4). 4 182

Karl Marx und Friedrich Engels
Daten aus ihrem Leben und ihrer Tätigkeit
(März 1875 bis Mai 1883)

1875

März 1875 bis 1876	Engels setzt die 1873 begonnene Arbeit an der „Dialektik der Natur" fort, einem Werk, in dem er sich das Ziel setzte, eine dialektisch-materialistische Verallgemeinerung der theoretischen Erkenntnisse der Naturwissenschaften zu geben und die idealistischen, metaphysischen und vulgär-materialistischen Anschauungen auf dem Gebiete der Naturwissenschaften der Kritik zu unterziehen. 1875 und 1876 schreibt er zwei Kapitel („Einleitung" und „Der Anteil der Arbeit an der Menschwerdung des Affen") sowie viele Bemerkungen und Fragmente.
18. bis 28. März	Im Zusammenhang mit der sich abzeichnenden Vereinigung der zwei Arbeiterorganisationen Deutschlands – der Sozialdemokratischen Arbeiterpartei (Eisenacher) und des Allgemeinen Deutschen Arbeitervereins (Lassalleaner) – schreibt Engels einen Brief an August Bebel, den Führer der Sozialdemokratischen Arbeiterpartei, worin er den kompromißlerischen Programmentwurf scharf kritisiert, und zwar alle in ihm enthaltenen lassalleanischen Dogmen, die opportunistischen Formulierungen über den Staat und die Abkehr vom Prinzip des proletarischen Internationalismus.
28. April	Marx schreibt das Nachwort zur autorisierten französischen Ausgabe des ersten Bandes des „Kapitals" und hebt hervor, daß diese Ausgabe einen selbständigen wissenschaftlichen Wert besitzt.
5. Mai	Marx schickt seine kritischen Randglossen zum Programmentwurf für die künftige vereinigte sozialdemokratische Arbeiterpartei Deutschlands („Kritik des Gothaer Programms") mit einem Brief an Wilhelm Bracke. Marx entwickelt in dieser Arbeit die Lehre von der Diktatur des Proletariats weiter, behandelt Probleme der Übergangsperiode vom Kapitalismus zum Kommunismus, gibt eine wissenschaftliche Begründung für die wichtigsten Gesetzmäßigkeiten der Entwicklung der kommunistischen Gesellschaft, begründet die historische Notwendigkeit zweier Phasen des Kommunismus – Sozialismus und Kommunismus – und versetzt damit dem Lassalleanismus einen empfindlichen Schlag.

8. Mai	Marx teilt dem russischen Revolutionär P.L. Lawrow seine Maßnahmen mit, um eine konspirative Adresse für den Briefwechsel mit Rußland zu sichern.
20. Mai bis August	Marx führt eine Vielzahl von Berechnungen durch, die den Unterschied zwischen der Mehrwert- und der Profitrate illustrieren. Diese Berechnungen wurden später dem 3. Kapitel des dritten Bandes des „Kapitals" – „Verhältnis der Profitrate zur Mehrwertsrate" – zugrunde gelegt.
Juni bis Dezember	Marx trifft sich häufig mit Lawrow und wechselt Briefe mit ihm.
Juni bis September	Marx und Engels erhalten von Sozialisten aus Frankreich, Belgien, Dänemark, Portugal und den USA Informationen über die Lage der Arbeiterbewegung in diesen Ländern.
18. Juni	Marx widmet den Experimenten des deutschen Chemikers und Physiologen Moritz Traube zur Schaffung einer künstlichen Zelle besondere Aufmerksamkeit; in einem Brief an Lawrow unterstreicht Marx, daß diese Experimente für die Erkenntnisse über die Entstehung des Lebens auf der Erde bedeutungsvoll sind.
21. Juni	Engels, der nach dem Haager Kongreß der Internationale in ständiger Verbindung mit dem Generalrat steht (dessen Sitz nach New York verlegt worden war), erhält vom Generalrat Exemplare eines vertraulichen Rundschreibens über die Einberufung einer Konferenz der Internationale nach Philadelphia, die zur Verbreitung in den Sektionen des europäischen Kontinents und Englands bestimmt sind.
Anfang August	Marx sieht gemeinsam mit Engels Johann Mosts Broschüre „Kapital und Arbeit" vor der zweiten Auflage durch.
Etwa 12. August	Marx fährt von London zur Kur nach Karlsbad.
Etwa 13./14. August	Marx unterbricht in Frankfurt a. M. kurz seine Reise nach Karlsbad, besucht die Redaktion der demokratischen „Frankfurter Zeitung und Handelsblatt" und führt ein langes Gespräch mit dem Redakteur Leopold Sonnemann.
13. August	Engels berichtet dem Generalrat der Internationalen Arbeiterassoziation über die von ihm getroffenen Maßnahmen zur Verbreitung des vertraulichen Rundschreibens zur Einberufung der Konferenz nach Philadelphia und schildert die Situation in den europäischen Sektionen der Internationale.
15. August bis 11. September	Marx weilt zur Kur in Karlsbad; er trifft sich oft mit dem russischen Soziologen und Historiker M. M. Kowalewski. Marx wird unter geheime Polizeiaufsicht gestellt.
Zweite Augusthälfte bis etwa 22. September	Engels erholt sich in Ramsgate.
11. September	Marx macht auf der Rückreise von Karlsbad nach London in Prag Station und trifft sich hier mit dem demokratischen deutschen Publizisten Max Oppenheim.

20. September	Marx kehrt nach London zurück.
Nach dem 20. September bis Oktober	Marx beschäftigt sich wieder intensiv mit der politischen Ökonomie; besonders viel Zeit widmet er dem Studium der Agrarverhältnisse in Rußland; er liest und konspektiert die 1875 in Berlin erschienenen Bücher von Vertretern der russischen liberalen Opposition – J.F. Samarin, A.I. Koscheljew, K.D. Kawelin.
Etwa 9. Oktober	Marx und Engels werden von dem Leiter der Mailänder Sektion der Internationalen Arbeiterassoziation, dem italienischen Sozialisten Bignami, brieflich gebeten, in der von ihm herausgegebenen „Biblioteca Socialista" einen Band mit ihren Werken zu veröffentlichen.
11. und 12. Oktober	Engels erklärt in Briefen an Bracke und Bebel, daß sowohl er als auch Marx das Gothaer Programm nach wie vor ablehnen, daß sie jedoch nicht öffentlich dagegen auftreten werden, da die Arbeiter das Programm kommunistisch auslegen und Marx und Engels damit rechnen, daß ein Erfolg der echten kommunistischen Propaganda unter den Arbeitern nicht ausbleiben wird.
15. Oktober	In einem Brief an Bebel hebt Engels hervor, daß es notwendig sei, die Ereignisse in Rußland aufmerksam zu verfolgen, da die Lage der Volksmassen, die Politik der russischen Regierung und der Stand der revolutionären Bewegung Grund zu der Annahme geben, daß Rußland das erste Land sein wird, in dem eine Revolution beginnt.
Zweite Oktoberhälfte bis 6. November	Engels fährt mit seiner Frau in Familienangelegenheiten nach Heidelberg; er unterbricht in Reinau seine Reise und trifft sich hier mit einem Bekannten, dem Chemiker Pauli; auf dem Rückweg weilt er noch in Bingen und Köln und kehrt über Ostende nach London zurück.
November bis Dezember	Marx studiert umfangreiches Quellenmaterial und Literatur über Agrochemie (er konspektiert z.B. ausführlich A.N. Engelhardts Arbeit „Chimitscheskije osnowy semledelija"), Physik und politische Ökonomie, speziell zu Agrarproblemen. Er liest das Buch „Deneshnyi rynok w Rossii ot 1700 do 1762 g." von I.I. Patlajewski, einen Artikel Engelhardts zu Fragen der russischen Landwirtschaft und die 4. Ausgabe des 1871 vom russischen Generalstab herausgegebenen militärstatistischen Sammelbandes, wobei er sich ausführliche Notizen macht.
12. November	Nachdem Engels auf Bitte von Lawrow dessen Artikel über Sozialismus und Kampf ums Dasein (gedruckt in der Zeitschrift „Wperjod!", 15. September 1875) gelesen hatte, gibt er in einem Brief an Lawrow sein Urteil über die Lehre Darwins ab, entlarvt die antiwissenschaftliche Haltung der bürgerlichen Darwinisten und kritisiert auch Lawrow selbst.
Ende November	Die letzte Lieferung der autorisierten französischen Ausgabe des ersten Bandes des „Kapitals" ist erschienen. Marx schickt sie in verschiedene Länder an hervorragende Persönlichkeiten der Arbeiterbewegung, an die Initiatoren und Übersetzer der russischen Ausgabe des „Kapitals", G.A. Lopatin und N.F. Danielson, und auch an Lawrow und Kowalewski.

Dezember 1875 bis Februar 1876 Marx studiert die ihm von Danielson aus Rußland übersandten 10 Bände über die Arbeiten der Steuerkommission und eine Zusammenfassung von Gutachten der Gouvernementsämter für Bauernangelegenheiten. Marx hält dieses Material für die Behandlung von Problemen des Grundeigentums, der Rente und überhaupt der Agrarbeziehungen für äußerst wichtig, und er nimmt sich vor, seine Notizen darüber bei der endgültigen Textbearbeitung des dritten Bandes des „Kapitals" zu verwenden.

17. Dezember Marx teilt Lawrow mit, daß er wegen des großen Umfanges der französischen Ausgabe des „Kapitals" das von ihm zusammengestellte Sachregister zu dieser Ausgabe nicht veröffentlichen konnte.

1876

22. Januar Engels hält eine Rede auf der Versammlung zum Jahrestag des polnischen Aufstandes von 1863. Die Rede wird am 15. Februar in der von Lawrow in London herausgegebenen Zeitung „Wperjod!" veröffentlicht.

Februar Engels schreibt den Aufsatz „Preußischer Schnaps im deutschen Reichstag", in dem er das preußische Junkertum als Stütze aller reaktionären Kräfte Deutschlands anprangert. Die Arbeit wird am 25. und 27. Februar und am 1. März im „Volksstaat" veröffentlicht und erscheint außerdem als Broschüre.

7. Februar Marx und Engels sprechen auf der Festversammlung zum 36. Jahrestag der Gründung des Deutschen Bildungsvereins für Arbeiter in London über die Geschichte des Vereins. Marx unterstreicht in seiner Rede, daß sich die ersten Organisationen des Proletariats – insbesondere der Bund der Kommunisten – vom Prinzip des Internationalismus leiten ließen.

Mitte Februar Bei der Beschäftigung mit Problemen des dritten Bandes des „Kapitals" schreibt Marx eine kleine Betrachtung über „Differentialrente und Rente als bloßer Zins des dem Boden einverleibten Kapitals"; diese Betrachtung wurde später von Engels in das 44. Kapitel des dritten Bandes des „Kapitals" eingearbeitet.

März bis Mai Marx studiert eine Reihe Werke von Schleiden, Ranke, Herrmann u.a. über Fragen der Physiologie.

Anfang April Marx erhält aus den USA einen Brief von Friedrich Adolf Sorge, Mitbegründer der Sozialistischen Arbeiterpartei der USA, in dem dieser über die Erfolge der Arbeiterbewegung berichtet und betont, daß es notwendig sei, das „Manifest der Kommunistischen Partei" unter den amerikanischen Arbeitern zu verbreiten. Sorge wendet sich zu diesem Zweck an Marx und Engels mit der Bitte, die in ihren Händen befindliche englische Übersetzung des „Manifests" von Hermann Meyer durchzusehen.

4. April Marx teilt in einem Brief an Sorge seine Absicht mit, für die Arbeit am „Kapital" Quellen über die Landwirtschaft, die Agrarbeziehungen und

	den Kredit in den USA zu studieren und bittet Sorge, ihm zu diesen Themen Buchkataloge zu schicken.
Mai bis Juni	Marx studiert Formen der Allmende und liest Arbeiten des Historikers Georg Ludwig Maurer.
Etwa 20. Mai bis Mitte Juni	Engels erholt sich in Ramsgate.
Etwa 24. Mai	Marx erhält aus Budapest einen Brief von Leo Frankel, einem der Führer der ungarischen Arbeiterbewegung und ehemaligem Mitglied der Pariser Kommune. In dem Brief sind einige Angaben über das Grundeigentum in Ungarn enthalten.
24. bis 26. Mai	Marx und Engels stellen in ihrem Briefwechsel fest, daß die kleinbürgerlichen, antimarxistischen Anschauungen Eugen Dührings, die unter einem Teil der Mitglieder der sozialdemokratischen Partei in Deutschland Verbreitung fanden, einen wachsenden Einfluß ausüben. Marx und Engels halten es für notwendig, mit einer Kritik an Dührings Anschauungen in der Presse aufzutreten.
28. Mai	Engels skizziert in einem Brief an Marx Plan und Inhalt seiner Schrift gegen Dühring.
Ende Mai bis Ende August	Engels unterbricht die Arbeit an der „Dialektik der Natur" und beginnt Material für seine Kritik an Dühring zu sammeln. Zu diesem Zweck beschäftigt er sich mit Dührings Büchern „Cursus der Philosophie", „Cursus der National- und Socialökonomie", „Kritische Geschichte der Nationalökonomie und des Socialismus".
Juni bis November	Engels schreibt einen Abriß über das Leben und die Tätigkeit Wilhelm Wolffs, des proletarischen Revolutionärs und Kampfgenossen von Marx und Engels. Wolffs Biographie erscheint vom 1. Juli bis 25. November als Artikelserie in der von Wilhelm Liebknecht redigierten sozialdemokratischen Zeitschrift „Die Neue Welt".
Mitte Juni bis etwa 30. Juni	Engels befindet sich zur Regelung von Familienangelegenheiten in Heidelberg.
18. bis 23. Juli	Marx besucht seine Frau, die sich zur Kur in Brighton aufhält.
24. Juli bis 1. September	Engels erholt sich in Ramsgate.
16. August bis 15. September	Marx weilt zur Kur in Karlsbad.
September 1876 bis Anfang Januar 1877	Engels schreibt den ersten Abschnitt des „Anti-Dühring" („Philosophie"). Der Abschnitt erscheint vom 3. Januar bis 11. Mai 1877 im „Vorwärts" als Artikelserie.
16. bis 22. September	Auf der Rückreise von Karlsbad nach London besucht Marx in Prag Max Oppenheim und in Lüttich das ehemalige aktive Mitglied der russischen Sektion der Internationalen Arbeiterassoziation N. I. Utin.

23. September 1876 bis August 1877	Marx wechselt Briefe mit Bracke, dem er vorschlägt, die Herausgabe einer deutschen Übersetzung von Lissagarays „Histoire de la commune" zu übernehmen. Da Marx die Verbreitung dieser Schrift für wichtig hält, übernimmt er es, die Übersetzung selbst zu überprüfen.
21. Oktober	Marx teilt Lawrow brieflich mit, daß bei einer Gruppe reaktionärer russischer Literaten die Absicht besteht, in London eine Zeitschrift zur Aufklärung der Engländer über die politische und soziale Bewegung in Rußland herauszugeben. Lawrow veröffentlicht Teile aus Marx' Brief am 1. November in der Zeitschrift „Wperjod!".
Anfang November	Marx schickt dem englischen Radikalen Collet Material über die Rußlandpolitik Gladstones zur Verwendung in der „Diplomatic Review".
20. November	In einem Brief an den proletarischen Revolutionär Johann Philipp Bekker erklärt Engels auch in Marx' Namen, daß die Anstrengungen aller aktiven Funktionäre der Internationale nicht auf die Wiederherstellung der alten internationalen Organisation, sondern auf die Gründung und Festigung von starken Arbeiterparteien in jedem Lande gerichtet werden sollten. Marx und Engels sehen ihre Hauptaufgabe während dieser Etappe darin, mit ihren wissenschaftlichen Arbeiten die proletarische Bewegung von der theoretischen Seite her zu stärken.
Dezember	Marx liest Schriften von Hanssen, Demelič, Utiešenovič über das Gemeineigentum, eine Arbeit von Cardenas über die Geschichte des Grundeigentums in Spanien und von Cremazy „Le droit français et lois hindou comparés".
Erste Dezemberhälfte	Marx trifft sich oft mit M. M. Kowalewski.
18. Dezember	Engels analysiert in einem Brief an seinen Bruder Hermann die Lage auf dem Balkan und kommt zu dem Schluß, daß ein russisch-türkischer Krieg unausbleiblich ist.
21. Dezember	Engels kritisiert in einem Brief an Johann Philipp Becker den Opportunismus der englischen Trade-Unions und die Haltung ihrer Führer, die sich bei der liberalen Bourgeoisie anbiedern; er informiert ihn außerdem über die Lage der Arbeiterbewegung in Belgien, Deutschland und Italien und über die Beschlüsse der im Juli stattgefundenen internationalen Konferenz in Philadelphia, auf der u. a. die formelle Auflösung der Internationalen Arbeiterassoziation beschlossen wurde.

1877

Januar bis Dezember	Marx setzt das Studium der ökonomischen und gesellschaftlichen Entwicklung Rußlands fort, insbesondere beschäftigt er sich mit den russischen Agrarverhältnissen, wie sie sich nach Abschaffung der Leibeigenschaft in Rußland entwickelten. Er liest u. a. A. I. Wassiltschikows „Semlewladenije i semledelije w Rossii i drugich jewropejskich gossudarstwach", Band 1 und 2, M. W. Nerutschews „Russkoje semlewladenije i

	semledelije“ und P.A.Sokolowskis „Otscherk istorii selskoj obschtschiny na sewere Rossii“.
9. Januar	Engels schickt an Liebknecht den letzten Teil seines ersten Abschnitts vom „Anti-Dühring“ zur Veröffentlichung im „Vorwärts“.
Februar bis Anfang März	Marx gibt dem englischen Journalisten Maltman Barry, einem ehemaligen Mitglied der Internationalen Arbeiterassoziation, Hinweise für Artikel zur Entlarvung der Außenpolitik Gladstones. Diese Artikel erscheinen Anfang März in einigen englischen konservativen Zeitungen.
Anfang Februar	Engels schreibt die „Bemerkung zu Seite 29 der ‚Histoire de la commune‘ (Der Waffenstillstand des Herrn Thiers vom 30. Oktober 1870)“ und schickt sie Lissagaray, dem Autor der genannten Arbeit.
13. Februar	Engels schreibt an Bignami einen Bericht über die Reichstagswahlen von 1877 und über die Erfolge der deutschen sozialdemokratischen Partei. Engels' Brief wird auf dem 2. Kongreß der Oberitalienischen Föderation (17. und 18. Februar in Mailand) verlesen und am 26. Februar in der sozialistischen Zeitung „La Plebe“ veröffentlicht.
Etwa vom 20. Februar bis etwa 14. März	Engels hält sich in Brighton bei seiner kranken Frau auf.
5. März	Marx, der für den „Anti-Dühring“ das 10. Kapitel des zweiten Abschnitts schreibt, in dem Dührings Anschauungen über die Geschichte der politischen Ökonomie einer Kritik unterzogen werden, schickt Engels den ersten Teil dieses Kapitels.
Zwischen 6. und 14. März	Engels schreibt auf Anregung von Marx den Artikel „Aus Italien“. Er beschäftigt sich in diesem Artikel mit den Erfolgen der sozialistischen Bewegung und begründet, daß es für die Bildung einer Arbeiterpartei notwendig ist, den Einfluß des Anarchismus zu überwinden. Der Beitrag wird am 16. März im „Vorwärts“ veröffentlicht.
16. März	Marx bittet Lawrow, eine Übersicht über gerichtliche und polizeiliche Verfolgungen in Rußland zusammenzustellen, da er dem irischen Mitglied des Unterhauses O'Clery entsprechendes Material für dessen Auftreten im Parlament geben will. Lawrow erfüllt Marx' Bitte.
Ende März	Marx beginnt wieder mit der Arbeit am zweiten Band des „Kapitals“.
Mai bis Dezember	Engels notiert sich Einzelheiten über Zusammensetzung und Standortverteilung der russischen Armee im russisch-türkischen Krieg.
Juni bis August	Engels schreibt den zweiten Abschnitt des „Anti-Dühring“. („Politische Ökonomie“), der vom 27. Juli bis 30. Dezember als Artikelserie im „Vorwärts“ (Beilage) veröffentlicht wird.
Juni bis Juli	Engels schreibt die Abhandlung „Taktik der Infanterie aus den materiellen Ursachen abgeleitet. 1700–1870“ (jetzt enthalten in den Materialien zum „Anti-Dühring“).
Mitte Juni	Auf Brackes Bitte schreibt Engels für den „Volks-Kalender“ eine Kurzbiographie von Karl Marx, die 1878 veröffentlicht wird.

Juli bis August	Marx liest Bücher des russischen Ökonomen und Statistikers I. I. Kaufman – „Teorija kolebanija zen", „K utscheniju o dengach i kredite", 1. Aufl. – und K. Knies' Werk „Das Geld. Darlegung der Grundlehren von dem Gelde".
4. Juli	Engels fährt für einige Tage nach Manchester.
11. Juli bis 28. August	Engels und seine kranke Frau erholen sich in Ramsgate.
Etwa 23. bis 29. Juli	Marx trifft sich häufig mit Karl Hirsch, der aus Paris gekommen ist, um ihn zu besuchen. Hirsch teilt Marx eine Reihe von Tatsachen über die wirtschaftliche und politische Entwicklung Frankreichs und über die Lage in der deutschen sozialdemokratischen Partei mit.
August 1877 bis April 1878	Engels schreibt den dritten Abschnitt des „Anti-Dühring" („Sozialismus"), der vom 5. Mai bis 7. Juli 1878 als Artikelserie im „Vorwärts" (Beilage) veröffentlicht wird.
8. August	Marx schickt Engels den zweiten Teil vom 10. Kapitel des zweiten Abschnitts des „Anti-Dühring". Marx fährt mit seiner kranken Frau und seiner Tochter Eleanor zur Kur nach Neuenahr.
5. September bis etwa 21. September	Engels und seine Frau weilen zur Erholung in Schottland.
Etwa 27. September	Marx kehrt nach London zurück. In einem Brief an Sorge berichtet er über sein Studium der Lage in Rußland nach russischen Originalquellen und erklärt, daß dieses Land sich an der Schwelle einer revolutionären Umwälzung befindet.
19. Oktober	Marx schickt Sorge das Manuskript des ersten Bandes des „Kapitals" zur Übersetzung ins Englische und gibt Hinweise für Veränderungen, die bei der amerikanischen Ausgabe am Text vorzunehmen wären. Diese Ausgabe kam nicht zustande.
19. und 23. Oktober	In Briefen an Sorge und Bracke schildert Marx die Lage in der deutschen sozialdemokratischen Partei, in der sich durch den Kompromiß mit den Lassalleanern und den Anhängern Dührings „nicht so sehr in der Masse als unter den Führern (höherklassigen ...) ein fauler Geist geltend" macht. Marx kritisiert besonders Höchberg, der sich in die Partei „eingekauft" hat, und dessen Zeitschrift „Die Zukunft", weil sie die wissenschaftlichen materialistischen Erkenntnisse durch Phrasen über „Gerechtigkeit, Freiheit und Gleichheit" ersetzen will. Marx kritisiert auch die Redaktion des „Vorwärts", da in den Spalten des Zentralorgans der Partei Leute zu Wort kommen, die Ignoranten der Theorie sind und mit dem Klassenkampf des Proletariats nichts gemeinsam haben.
November 1877 bis Juli 1878	Marx bereitet das erste Kapitel des zweiten Bandes des „Kapitals" für den Druck vor.
Etwa November	Marx schreibt einen Brief an die Redaktion der „Otetschestwennyje Sapiski" als Antwort auf den Artikel „Karl Marx vor dem Tribunal des Herrn Shukowski", den N. K. Michailowski, russischer Publizist, Literaturkritiker und einer der Ideologen der Volkstümler, geschrieben hatte.

In dem Brief bringt Marx seine Ansicht zum Ausdruck, daß für Rußland die Möglichkeit besteht, den kapitalistischen Entwicklungsweg zu vermeiden. Der Brief wurde jedoch nicht abgesandt; er erschien 1886 in Genf und 1888 in der legalen Presse Rußlands.

November bis Dezember Marx studiert Werke von Robert Owen.

10. November In einem Brief an Wilhelm Blos bringt Marx seinen und Engels' Widerwillen gegen den Personenkult zum Ausdruck.

1878

1878 bis 1882 Marx beschäftigt sich intensiv und systematisch mit Algebra; er studiert und konspektiert Abhandlungen von Lacroix, Maclaurin, Euler und Pots und schreibt eine Vielzahl von Notizen in speziell dafür angelegte Hefte. Er setzt die in den sechziger Jahren begonnenen mathematischen Forschungen fort; studiert und konspektiert u.a. Bücher von Sori, Boucharlat, Hind, Hall, Hemming und schreibt einen Abriß der Geschichte der Differentialrechnung.

Anfang 1878 Engels schreibt den Artikel „Die Naturforschung in der Geisterwelt", der später von ihm in die „Dialektik der Natur" aufgenommen wurde.

11. Januar Engels drückt in einem Brief an Johann Philipp Becker seine Befriedigung über die Bildung der Schweizer Arbeiterpartei aus, analysiert die Arbeiterbewegung Frankreichs und erörtert Fehler der deutschen sozialdemokratischen Arbeiterpartei.

12. Januar Engels analysiert in einem Brief an Bignami die Arbeiterbewegung Deutschlands, Frankreichs und der USA; besondere Aufmerksamkeit widmet er den Verhältnissen in Rußland, da in diesem Lande eine revolutionäre Situation heranreift. Teile dieses Briefes veröffentlicht Bignami am 22. Januar in „La Plebe".

4. und 11. Februar Marx schreibt Wilhelm Liebknecht zwei Briefe zur orientalischen Frage. Liebknecht veröffentlicht daraus Ausschnitte in der zweiten Auflage seiner Broschüre zur orientalischen Frage, die Anfang März erscheint.

Etwa 9. Februar Marx erhält von Hirsch aus Paris eine Information über die sozialistische Bewegung in Frankreich; Hirsch weist auf Schwierigkeiten bei der Herausgabe der „Égalité" hin und bittet Engels um Mitarbeit.

Mitte Februar bis Mitte März Engels schreibt die längere Abhandlung „Die europäischen Arbeiter im Jahre 1877", in der er den Stand der Arbeiterbewegung untersucht, die Niederlage der anarchistischen Dogmen, das Fiasko der anarchistischen Taktik und den Triumph der politischen Linie der Internationalen Arbeiterassoziation nachweist. Er zeigt ferner, daß die von der Internationale geschaffenen Grundlagen der Einheit und Solidarität des internationalen Proletariats im Kampf gegen seine Unterdrücker von den in verschiedenen Ländern entstandenen Parteien der Arbeiterklasse weiter gefestigt werden. Der Aufsatz erscheint als Artikelserie in der New-Yorker

	sozialistischen Zeitung „The Labor Standard" vom 3., 10., 17., 24. und 31. März.
Ende März bis Mai	Marx liest und konspektiert ausführlich I. I. Kaufmans Buch „Teorija i praktika bankowowo dela" und schreibt dazu zahlreiche Bemerkungen.
15. April bis 20. April	Marx und Engels treffen sich mit Wilhelm Liebknecht, der aus Deutschland gekommen ist.
Mai bis Anfang Juni	Engels schreibt die ursprüngliche Variante des Vorworts zur ersten gesonderten Ausgabe des „Anti-Dühring"; später nimmt Engels jedoch dieses Vorwort in seine Arbeit „Dialektik der Natur" auf („Alte Vorrede zum ‚[Anti-]Dühring'. Über die Dialektik").
21. Mai bis Ende Mai	Für seine Arbeit am „Kapital" konspektiert Marx statistische Quellen, die er aus den USA erhalten hat.
Ende Mai bis Juni	Marx setzt sein Studium der Agrochemie und Geologie verstärkt fort; er liest Arbeiten von Jukes, Johnstone, Koppe u. a. und macht sich daraus Auszüge.
11. Juni	Engels schreibt die endgültige Fassung des Vorworts zur ersten Buchausgabe des „Anti-Dühring".
12. und 27. Juni	Marx schreibt an die Redaktionen der „Daily News" und der „Frankfurter Zeitung" Erklärungen, die Lothar Bucher, einen Vertrauten Bismarcks, entlarven. Die Erklärungen erscheinen am 13. Juni in der „Daily News" und am 29. Juni in der „Frankfurter Zeitung".
Anfang Juli	Marx schreibt den Artikel „Herrn George Howells Geschichte der Internationalen Arbeiterassoziation"; er entlarvt darin die falschen Behauptungen Howells und hebt die große Idee der internationalen proletarischen Solidarität hervor, die von den überall entstehenden Parteien der Arbeiterklasse verwirklicht wird. Der Artikel erscheint am 4. August in der Zeitschrift „The Secular Chronicle".
Etwa 8. Juli	In Leipzig erscheint die erste Ausgabe von Engels' „Herrn Eugen Dührings Umwälzung der Wissenschaft "(„Anti-Dühring"). Im „Anti-Dühring" ist neben der Kritik an Dührings „Theorien" eine systematische Darlegung der drei Bestandteile des Marxismus enthalten – des dialektischen und historischen Materialismus, der marxistischen politischen Ökonomie und des wissenschaftlichen Kommunismus.
19. Juli	Marx erhält einen Brief von Sorge mit Informationen über die Tätigkeit der Sozialistischen Arbeiterpartei und der deutschen Sozialdemokraten in den USA; Sorge berichtet außerdem über den Stand der Arbeiterbewegung sowie über die allgemeine politische Lage im Lande.
August	Nach Beendigung des „Anti-Dühring" beabsichtigt Engels eine systematische Bearbeitung des Materials für die „Dialektik der Natur" und entwirft zu diesem Zweck einen Arbeitsplan.
4. bis 14. September	Marx weilt zur Kur in Malvern.
12. September	Engels' Lebensgefährtin Lizzy Burns stirbt.
Oktober bis November	Marx liest und exzerpiert für seine Arbeit am „Kapital" Bücher über die Geschichte der Banken und des Geldumlaufs von Pietro Rota,

A. Ciccone, Karl Dietrich Hüllmann, L. Cossa, Ch. A. Mann, A. Walker u. a; er schreibt dazu kritische Bemerkungen.

Ende Oktober Marx und Engels raten Wilhelm Liebknecht, in der Schweiz ein Parteiorgan zur illegalen Verbreitung in Deutschland herauszugeben, da durch das Sozialistengesetz die Herausgabe legaler Parteiorgane in Deutschland nicht möglich ist.

Erste Novemberhälfte Marx erhält von Kowalewski Informationen darüber, daß in der russischen Presse eine lebhafte Polemik über das „Kapital" geführt wird.

15. und 28. November Marx weist in Briefen an Danielson auf Änderungen am Text des ersten Bandes des „Kapitals" hin, die bei der Vorbereitung einer neuen russischen Ausgabe berücksichtigt werden müssen. Er lenkt Danielsons Aufmerksamkeit besonders auf die Entwicklung von Monopolen in den USA nach Beendigung des Bürgerkriegs und auf die Industriekrise in England.

Zweite Novemberhälfte bis Dezember Marx arbeitet am zweiten und dritten Band des „Kapitals"; er studiert Quellen zur Geschichte der Agrarbeziehungen, darunter Bücher von Georg Hanssen und Stefano Jacini sowie den Jahresbericht für 1870 der Kommission der Agrar-Hauptverwaltung der USA. Er liest Literatur über die Geschichte Frankreichs.

Etwa 26. November Engels erhält von Lopatin, der gerade von einer seiner illegalen Reisen nach Rußland zurückgekehrt ist, Informationen über die Lage in Rußland nach Beendigung des russisch-türkischen Krieges und über die Tätigkeit der Volkstümler.

Dezember 1878 bis Januar 1879 Marx studiert weiteres Material über Finanz- und Bankfragen und macht zahlreiche Auszüge und Bemerkungen. Er liest Bücher von O. Diest-Daber, G. L. Rey, Bonnet, Gassiot u. a.

Dezember Marx liest Arbeiten von O. Caspari und E. Du Bois-Reymond über Leibniz und Werke von Descartes über Physik und Mathematik.

1879

Januar bis Dezember Marx setzt seine politisch-ökonomischen Forschungen fort, und zwar besonders an Hand russischer und amerikanischer Quellen.

Ende Februar Marx sichtet die auf seinen Wunsch von Danielson zusammengestellten Informationen über die russische Finanzlage und Finanzpolitik der letzten 15 Jahre.

Nach dem 16. März Marx liest die russische wissenschaftliche und literarisch-politische Zeitschrift „Slowo" und schreibt einige Anmerkungen zu Kowalewskis Artikel über den Entwurf der bulgarischen Verfassung.

21. März Engels schreibt für „La Plebe" den Artikel „Das Ausnahmegesetz gegen die Sozialisten in Deutschland – Die Lage in Rußland", in dem er die italienischen Arbeiter über die Erfolge der Arbeiterbewegung in Deutschland und die heranreifende Revolution in Rußland informiert. Der Beitrag erscheint am 30. März.

Nicht später als April	Marx erhält aus Paris einen Brief von dem französischen Sozialisten Jules Guesde, der in dieser Zeit aktiv für die Bildung einer Arbeiterpartei in Frankreich kämpft. In diesem Brief solidarisiert sich Guesde mit den Anschauungen von Marx, informiert ihn über die französische Arbeiterbewegung und teilt seine Absicht mit, Marx zu besuchen.
April	Marx äußert in einem Brief an Kowalewski seine Ansicht über die Bedeutung der Physiokraten in der Geschichte der politischen Ökonomie (in Verbindung mit der Rezension des Buches „Krestjane i krestjanskij wopros wo Franzii w poslednej tschetwerti 18 weka" von N. I. Karejew).
10. April	Marx schildert in einem Brief an Danielson, warum sich die Herausgabe des zweiten Bandes des „Kapitals" verzögert; er charakterisiert die Ursachen und Folgen der Wirtschaftskrise in Europa und Amerika und schreibt über die Entwicklung der Eisenbahnen und deren Einfluß auf die Konzentration des Kapitals, auf das Wachstum des Außenhandels und die Lage der Volksmassen.
Juni bis Juli	Marx und Engels helfen maßgeblich, die Herausgabe eines zum illegalen Vertrieb in Deutschland bestimmten Zentralorgans der deutschen Sozialdemokratie vorzubereiten.
Mitte Juni bis September	Marx und Engels kritisieren in ihren Briefen an führende Persönlichkeiten der deutschen Arbeiterbewegung die anarchistische Position der von Johann Most geführten „Linken". Die „Linken" zogen völlig grundlos in der von Most redigierten „Freiheit" über die gesamte Tätigkeit der sozialdemokratischen Parteiführung her, besonders über die Ausnutzung des Parlaments als Tribüne.
Mitte Juni bis Anfang August	Marx und Engels lesen und exzerpieren das in Deutschland verbotene Buch des konservativen Publizisten Rudolph Meyer „Politische Gründer und die Corruption in Deutschland", das ihnen vom Autor zur Verfügung gestellt wurde. Die Auszüge und Notizen benutzt Engels später für seinen Artikel „Der Sozialismus des Herrn Bismarck".
17. Juni	Engels entwickelt in einem Brief an Bernstein seinen Standpunkt zur Tätigkeit der Trade-Unions, die jegliche Teilnahme am politischen Kampf ablehnen und nur für Erhöhung der Löhne und Verkürzung des Arbeitstages eintreten.
Zweite Hälfte 1879 bis November 1880	Marx schreibt kritische Bemerkungen über Adolph Wagners „Allgemeine oder theoretische Volkswirthschaftslehre", Bd. 1. Hierbei formuliert und vervollständigt Marx eine ganze Reihe von Grundsätzen seiner im „Kapital" entwickelten Werttheorie.
August	Marx erhält aus den USA von dem Leiter des Arbeitsbüros in Massachusetts Berichte über die Jahre 1874 bis 1879 und von Sorge statistische Unterlagen der Arbeitsbüros von Pennsylvanien, Ohio und Massachusetts.
Anfang August	Marx erhält von Danielson ausführliche, auf Semstwo-Statistiken beruhende Informationen über die Finanzlage und den Zustand der Landwirtschaft in Rußland.

4. August	Engels teilt in einem Brief an Bebel in seinem und Marx' Namen mit, daß sie nicht mehr gewillt sind, an dem geplanten Zentralorgan der Partei „Der Sozialdemokrat“ mitzuarbeiten, da ihnen bekannt wurde, daß für die Leitung dieser Zeitung die opportunistische Gruppe Höchberg-Schramm-Bernstein vorgesehen ist, die das Blatt in ein Sprachrohr für kleinbürgerliche Elemente innerhalb der Partei verwandeln würde.
Etwa 5. bis 27. August	Engels erholt sich in Eastbourne.
Etwa 8. August bis etwa 17. September	Marx weilt zur Kur und Erholung auf der Insel Jersey und in Ramsgate.
Etwa 14. August	Marx liest Carletons Buch „Traits and stories of the Irish peasantry“. Am 14. August gibt er in einem Brief an Engels eine Einschätzung über Buch und Autor.
Nicht vor September	Engels schreibt für seine „Dialektik der Natur“ das Kapitel „Dialektik“.
9. September	Engels informiert Marx brieflich über den Inhalt des von Höchberg herausgegebenen „Jahrbuchs für Sozialwissenschaft und Socialpolitik“, insbesondere über den von Höchberg, Bernstein und Schramm geschriebenen Drei-Sternchen-Artikel. In diesem Artikel wird offen erklärt, die deutsche Sozialdemokratie habe durch ihren proletarischen Klassenstandpunkt das Sozialistengesetz selbst heraufbeschworen; die sozialdemokratische Bewegung müsse leisetreten, dürfe nur Reformcharakter tragen, und die Führung dieser Bewegung gehöre in die Hände „gebildeter“ Leute. Engels schlägt vor, den Opportunisten eine sofortige Abfuhr zu erteilen.
10. September	In seiner Antwort auf diese Mitteilung von Engels unterstreicht Marx, daß man unverzüglich schroff und rücksichtslos gegen die Opportunisten auftreten muß.
17. September	Marx kehrt nach London zurück.
17./18. September	Engels schreibt den von Marx und ihm entworfenen Zirkularbrief an Bebel, Liebknecht, Bracke u.a., in dem sie die opportunistische Gruppe Höchberg-Bernstein-Schramm und die Schwankungen, die innerhalb der Partei nach Annahme des Sozialistengesetzes auftraten, scharf kritisieren und sich gegen das Versöhnlertum der Parteiführung wenden, die solche Elemente duldet. Marx und Engels verteidigen konsequent den Klassencharakter der proletarischen Partei und fordern, daß jeglicher Einfluß opportunistischer Elemente auf Partei und Parteiorgane energisch bekämpft wird. Die Kritik von Marx und Engels hilft den Führern der deutschen sozialdemokratischen Partei, ihre Haltung zu korrigieren und den Opportunisten eine Abfuhr zu erteilen.
19. September	Marx berichtet in einem Brief an Sorge sowohl über seine Stellung zu den Opportunisten in der deutschen sozialdemokratischen Partei – Höchberg, Bernstein, Schramm – und über den von ihm und Engels verfaßten „Zirkularbrief“ als auch über seine Haltung zur anarchistischen Agitation Johann Mosts.

Etwa Oktober 1879 bis Oktober 1880	Marx studiert Probleme der Bodenrente und der Agrarbeziehungen überhaupt, insbesondere Quellen und Literatur über die Obschtschina. Er liest M. M. Kowalewskis Buch „Obschtschinnoje semlewladenije, pritschiny, chod i posledstwija jewo rasloshenija", wobei er ausführliche Notizen über den Charakter der Obschtschina macht, über deren Rolle und sozialökonomische Bedeutung in den verschiedenen Perioden und bei den verschiedenen Völkern. Marx stellt chronologische Auszüge aus der Geschichte Indiens (von 664 bis 1858) zusammen. Besondere Aufmerksamkeit widmet er hierbei der Eroberung und Versklavung Indiens durch die Engländer. Das Tatsachenmaterial entnimmt Marx hauptsächlich R. Sewells Buch „Analytical history of India ..." und M. Elphinstones Werk über die Geschichte Indiens.
Mitte Oktober	Marx und Engels erhalten aus den USA von Theodor Friedrich Cuno Briefe mit der Bitte, auf die deutschen Sozialisten in Amerika einzuwirken, um sie von ihrer sektiererischen Haltung gegenüber der amerikanischen Arbeiterbewegung abzubringen.
14. und 24. November	Engels kritisiert im Briefwechsel mit Bebel das Auftreten sozialdemokratischer Abgeordneter im Reichstag, die den Klassencharakter der sozialdemokratischen Partei vertuschten und zu den Schutzzöllen keine konsequente Haltung einnahmen. In diesem Zusammenhang formuliert Engels das Grundprinzip, an das sich sozialdemokratische Abgeordnete in einem bürgerlichen Parlament halten müssen: Niemals für eine Maßnahme stimmen, die die Macht der Regierung über das Volk verstärkt. Er entwickelt dabei eine Reihe von Grundsätzen der proletarischen Partei.
Ende 1879 bis Anfang 1880	Marx liest die „Istoritscheskije monografii i issledowanija" von N. I. Kostomarow und macht daraus ausführliche Auszüge sowie Bemerkungen speziell zu dem Aufstand von Stepan Rasin.

1880

1880 bis 1881	Engels schreibt für die „Dialektik der Natur" drei Kapitel („Grundformen der Bewegung", „Maß der Bewegung – Arbeit" und „Flutreibung") sowie eine Reihe von Bemerkungen und Fragmenten.
Januar bis Dezember	Marx arbeitet am zweiten und dritten Band des „Kapitals", schreibt eine neue Variante des dritten Abschnittes des zweiten Bandes, liest und exzerpiert Arbeiten über politische Ökonomie, und zwar zu Fragen des Grundeigentums, der Rente, der Landwirtschaft und zu Finanzfragen.
Januar bis erste Hälfte März	Zur Propaganda der Ideen des wissenschaftlichen Kommunismus arbeitet Engels auf Bitte von Paul Lafargue drei Kapitel des „Anti-Dühring" (das erste Kapitel der Einleitung und das erste und zweite Kapitel des dritten Abschnitts) zu einer selbständigen Schrift um – „Die Entwicklung des Sozialismus von der Utopie zur Wissenschaft". Die Arbeit

wird zuerst in französischer Sprache veröffentlicht (übersetzt von Paul Lafargue), sie erscheint in Paris in der Zeitschrift „La Revue socialiste" als Fortsetzungsreihe am 20. März, 20. April und 5. Mai, und kommt wenig später als Broschüre unter dem Titel „Socialisme utopique et socialisme scientifique" heraus.

Ende Februar Engels schreibt für das Organ der französischen Arbeiterpartei „L'Égalité" den Artikel „Der Sozialismus des Herrn Bismarck", in dem er das wahre Wesen der „sozialen Maßnahmen" Bismarcks (Einführung der Zolltarife, Konzentration der Eisenbahnen in den Händen des Staates) entlarvt. Der Artikel erscheint am 3. und 24. März.

Ende März 1880 bis Anfang Juni 1881 Der russische Revolutionär Leo Hartmann, Mitglied der Narodnaja Wolja, besucht Marx häufig.

Ende März Marx schreibt einleitende Bemerkungen zur Veröffentlichung seines Werkes „Misère de la philosophie" in der „Égalité". Die Bemerkungen werden am 7. April als redaktionelle Einleitung veröffentlicht.

Erste Aprilhälfte Marx verfaßt auf Bitte französischer Sozialisten einen „Fragebogen für Arbeiter", der dazu bestimmt ist, die Lebens-, Arbeits- und Kampfbedingungen des französischen Proletariats festzustellen. Der Fragebogen wird am 20. April in der „Revue socialiste" veröffentlicht und auch als Sonderdruck in 25 000 Exemplaren in Frankreich verbreitet.

Anfang Mai In Engels' Wohnung findet eine Beratung mit Jules Guesde statt, der zur Erörterung des Programms der französischen Arbeiterpartei in London weilt. An der Beratung nehmen Marx, Engels, Guesde und Lafargue teil. Marx formuliert die theoretische Einleitung zum Programm. Das Programm, unter Mitwirkung von Marx und Engels ausgearbeitet, wird am 30. Juni in der „Égalité", am 10. Juli im „Prolétaire", am 20. Juli in der „Revue socialiste" veröffentlicht und im November auf dem Kongreß in Le Havre angenommen.

Etwa 4. bis 5. Mai Marx schreibt die Vorbemerkung zur französischen Ausgabe von Engels' Broschüre „Socialisme utopique et socialisme scientifique", die Ende Mai in Paris erscheint.

Nach dem 21. Mai Marx redigiert das Manuskript von Lafargues Manifest der französischen Arbeiterpartei.

27. Juni Marx unterstützt in einem Brief an Ferdinand Domela-Nieuwenhuis, Gründer der holländischen sozialdemokratischen Partei, dessen Absicht, vom ersten Band des „Kapitals" eine populäre Darstellung in holländischer Sprache zu veröffentlichen.

22. Juli und 5. August Engels verspricht M. K. Gorbunowa-Kablukowa, ihr bei der Suche nach Literatur über englische und amerikanische gewerbliche Schulen behilflich zu sein; er informiert sie außerdem über den Stand der Volksbildung in England, schreibt über die Hausindustrie in Westeuropa und Rußland und über die Zersetzung der Obschtschina und des Artels in Rußland.

August bis 13. September	Marx befindet sich mit seiner Familie in Ramsgate; er trifft sich mit dem amerikanischen Sozialisten John Swinton und unterhält sich mit ihm über die Lage in Rußland, Deutschland, Frankreich und England.
Mitte August bis 19. September	Engels erholt sich in Ramsgate und Bridlington Quay.
Etwa 24. August	Marx und Engels erhalten von dem russischen Statistiker und Ökonomen N. A. Kablukow dessen Arbeit „Otscherk chosjaistwa tschastnych semlewladelzew".
Etwa September bis November	Marx liest die in der russischen wissenschaftlich-politischen und literarischen Zeitschrift „Westnik Jewropy" erschienenen Erinnerungen des russischen liberalen Literaten Annenkow und schreibt dazu Randbemerkungen.
12. September	Marx rät Danielson – der ihn gebeten hatte, für eine russische Zeitschrift einen Artikel über die russische Wirtschaft nach der Reform von 1861 zu schreiben –, das statistische Material über die wirtschaftliche Entwicklung Rußlands selbst zu veröffentlichen und gestattet es, den Inhalt seiner an Danielson gerichteten Briefe dabei zu verwenden. In seinem Brief analysiert Marx außerdem die Besonderheiten der Wirtschaftskrise in England und weist darauf hin, daß sich die Lage der Farmer unter dem Einfluß der Wirtschaftskrise verschlechtert.
Ende September	Marx und Engels erörtern mit dem in London eingetroffenen Wilhelm Liebknecht einige Parteifragen, insbesondere bezüglich des „Sozialdemokrat", und werden von Liebknecht über organisatorische Veränderungen in der deutschen sozialdemokratischen Partei informiert, durch die eine Verbesserung der Parteiarbeit erreicht werden soll.
Oktober 1880 bis etwa Mai 1881	Marx trifft sich häufig mit dem englischen kleinbürgerlichen Publizisten Hyndman und gibt ihm Ratschläge für sein Auftreten in der Presse. (Hyndman hatte durch seine Artikel über die räuberischen Handlungen der englischen Kolonisatoren in Indien Marx' Aufmerksamkeit erregt.)
Oktober 1880 bis März 1881	Marx setzt die Arbeit am zweiten und dritten Band des „Kapitals" fort und studiert eine große Zahl offizieller Veröffentlichungen (Blaubücher) und viel Literatur über die wirtschaftliche Entwicklung der USA.
Etwa 3. Oktober	Marx erhält aus Paris einen Brief von Hirsch, der ihn über die bevorstehende Herausgabe der Zeitung „Émancipation" in Lyon informiert und über die Haltung der Possibilisten (Malons und seiner Anhänger) berichtet, die die Einheit der französischen Arbeiterpartei untergraben.
4. November	Marx wendet sich an John Swinton in New York mit der Bitte, in Amerika eine Geldsammlung zur Unterstützung der Opfer des Sozialistengesetzes in Deutschland zu organisieren.
5. November	Marx informiert Sorge über die Lage in der französischen und der deutschen Arbeiterpartei; er schreibt über die politische Notwendigkeit, der deutschen sozialdemokratischen Partei, die ihren Kampf unter den schweren Bedingungen des Sozialistengesetzes führt, finanzielle Unterstützung zu geben; er schildert ferner den Erfolg des „Kapitals" in

Rußland und gibt eine Charakteristik der Volkstümlerparteien – Narodnaja Wolja und Tschorny Peredel. Marx bittet Sorge um inhaltsreiches Material über die Wirtschaftslage Kaliforniens, da er den ungewöhnlich raschen Prozeß der kapitalistischen Zentralisation der Produktion in diesem Gebiet verfolgen will.

6. November Das Exekutivkomitee der Narodnaja Wolja wendet sich an Marx mit einem Brief, in dem sowohl die Bedeutung des „Kapitals" und anderer wissenschaftlicher Arbeiten von Marx als auch sein Interesse für die revolutionäre Bewegung in Rußland hoch eingeschätzt werden und an ihn die Bitte gerichtet wird, seinen Einfluß dafür zu verwenden, in der öffentlichen Meinung Europas und Amerikas Sympathien für die revolutionäre Bewegung in Rußland zu wecken. Marx wird ferner gebeten, Leo Hartmann in dieser Hinsicht zu unterstützen.

27. November Marx und Engels senden zusammen mit Lafargue und Leßner ein Begrüßungsschreiben an das am 29. November in Genf einberufene internationale Meeting zum 50. Jahrestag der polnischen Revolution von 1830, in dem sie den Wunsch ausdrücken, daß das polnische Volk in seinem Kampf um nationale Befreiung sich mit den Bestrebungen der russischen Brüder, der russischen Arbeiter vereinigen möge. Der Brief wird 1881 in polnischer Sprache in Genf veröffentlicht.

Anfang Dezember Marx wird zweimal von dem russischen Volkstümler N. A. Morosow besucht, der von Genf nach London kam, um mit Marx zusammenzutreffen. Morosow informiert Marx über den Kampf gegen die zaristische Selbstherrschaft, über die Ursachen der Spaltung der Partei Semlja i Wolja und bittet Marx im Auftrage der Partei Narodnaja Wolja, an den Publikationen der „Russkaja sozialno-rewoljuzionnaja biblioteka", die in Genf herausgegeben werden, mitzuwirken.

9. bis etwa 16. Dezember Bebel, Bernstein und später auch Singer kommen nach London, um mit Marx und Engels Parteiangelegenheiten zu erörtern und die richtige Linie des „Sozialdemokrat" zu beraten.

Ende 1880 Marx liest das Buch „Ubeshischtsche mon repos" von M. J. Saltykow-Schtschedrin, wobei er den Beziehungen zwischen Gutsbesitzern und Bauern sowie den Erscheinungen des Klassenkampfes im russischen Dorf besondere Aufmerksamkeit widmet.

1881

1881 bis 1882 Engels beschäftigt sich mit der Geschichte Deutschlands, sammelt Material und schreibt die Studien „Zur Urgeschichte der Deutschen" und „Die fränkische Zeit", die wichtige Beiträge zur wissenschaftlichen Darstellung der Geschichte des deutschen Volkes und anderer europäischer Völker sind. Diese Arbeiten kamen zu Engels' Lebzeiten nicht zur Veröffentlichung. Resultate dieses Spezialstudiums befinden sich sowohl in den Skizzen über die germanische Gens und die Bildung des Staates bei den Germanen in den entsprechenden Kapiteln der Schrift „Der Ursprung der Familie, des Privateigentums und des Staats" als auch in der „Mark", die Engels Ende 1882 schrieb.

Engels schreibt für die „Dialektik der Natur" weitere zwei Kapitel („Wärme" und „Elektrizität") sowie eine Reihe von Bemerkungen und Fragmenten.

Januar bis Juni — Marx studiert Sammelbände, Monographien und Untersuchungen über die sozialökonomische Entwicklung Rußlands nach 1861. Er liest Bücher von A. I. Skrebizki, A. A. Golowatschow, Skaldin, J. E. Janson, N. F. Danielson sowie andere Veröffentlichungen und macht sich dabei Notizen. Marx liest nochmals Tschernyschewskis „Pisma bes adressa" und stellt unter dem Titel „Zur russischen Leibeignen-Emanzipation" eine Übersicht über den Inhalt dieser Briefe zusammen.

Januar — Marx wird von russischen Ökonomen, den Professoren Sieber und Kablukow besucht.

Mitte Januar bis Februar — Marx, der von Nieuwenhuis „Kapitaal en Arbeid" (ein populärer Auszug aus dem ersten Band des „Kapitals") erhalten hat, vermerkt bestimmte Stellen, die bei einer zweiten Auflage geändert werden müßten.

Ungefähr am 18. Februar — Marx erhält einen Brief von Vera Iwanowna Sassulitsch, in dem sie ihn im Namen der russischen Sozialisten bittet, seine Ansichten über die Perspektive der sozialökonomischen Entwicklung Rußlands, speziell über das Schicksal der russischen Dorfgemeinde (Obschtschina), darzulegen.

19. Februar — In einem Brief an Danielson analysiert Marx am Beispiel Rußlands den Charakter der kapitalistischen Landwirtschaft (Stagnation und Periodizität der Ernten), den Zusammenhang zwischen Eisenbahnbau und Staatsschuldensystem in England und in den USA, die steigende Konzentration der kapitalistischen Produktion; er schreibt ferner über die Lage in Indien, über die ungeheure Ausbeutung des indischen Volkes und die Plünderung der Reichtümer Indiens durch die englischen herrschenden Klassen.

Ende Februar bis Anfang März — Auf Bitte von Vera Sassulitsch verallgemeinert Marx das von ihm studierte Material über die Obschtschina. Er entwirft vier Antwortbriefe, in denen wichtige Erkenntnisse über die kollektive Form der landwirtschaftlichen Produktion und über die Bedingungen ihrer Verwirklichung in Rußland enthalten sind.

März bis etwa April — Marx liest die Broschüren von P. F. Alissow („Alexandr II oswoboditel") und M. P. Dragomanow („Tiranoubijstwo w Rossii") und schreibt Notizen dazu.

8. März — Marx schickt einen Brief an Vera Sassulitsch, in dem er über die Bedeutung der von ihm ausgearbeiteten Theorie der kapitalistischen Entwicklung schreibt und die Möglichkeit erörtert, daß die Obschtschina unter bestimmten historischen Bedingungen zum Ausgangspunkt der sozialen Wiedergeburt Rußlands werden kann.

12. März Engels äußert in einem Brief an den Redakteur des „Sozialdemokrat" seine Befriedigung über die Linie des Zentralorgans der sozialdemokratischen Partei und gibt Hinweise, wie das der Redaktion zugehende Material ausgenutzt werden kann, um die Stimmung unter den Mitgliedern und Funktionären der Partei, die unter den Bedingungen der Illegalität arbeiten, zu heben.

21. März Marx und Engels schicken dem Slawischen Meeting, das in London zu Ehren des 10. Jahrestages der Pariser Kommune abgehalten wird, ein Grußschreiben.

April bis Mai Marx liest das Buch „Progress and poverty" von H. George und charakterisiert es in seinen Briefen an Swinton und Sorge als einen sozialistisch verbrämten Versuch, die Herrschaft der Kapitalisten zu retten.

Etwa 8. bis 11. April Marx verfolgt aufmerksam den Prozeß gegen A. J. Sheljabow, S. L. Perowskaja u.a., die das Attentat auf Alexander II. vorbereitet und durchgeführt hatten.

11. April Marx charakterisiert in einem Brief an seine Tochter Jenny Longuet die Organisatoren des Attentats auf Alexander II. als „einfache, sachliche, heroische" Menschen; er gibt ihr ferner für Charles Longuet Hinweise für einen Artikel in dem Organ der französischen Radikalen „La Justice" über das irische Landgesetz Gladstones. Marx charakterisiert hierbei die Politik Gladstones gegenüber Irland als eine Politik des Raubes und der Gewalt im Interesse der Landlords.

Mai 1881 bis Mitte Februar 1882 Marx beschäftigt sich intensiv mit dem Studium der Probleme der Urgemeinschaft, liest Morgans Buch „Ancient society" und schreibt einen sehr ausführlichen, mit vielen Bemerkungen und Schlußfolgerungen versehenen Konspekt; er liest, exzerpiert und kommentiert auch andere Werke zur Geschichte der Urgesellschaft, z.B. die von Maine, Sohm, Tylor u.a.

1./2. Mai Engels beginnt seine Mitarbeit am Wochenblatt der englischen Trade-Unions „The Labour Standard", das in London erscheint. Er schreibt den Artikel „Ein gerechter Tagelohn für ein gerechtes Tagewerk", der am 7. Mai veröffentlicht wird. Dieser Beitrag wie auch die folgenden Beiträge erschienen als Leitartikel, ohne Unterschrift des Autors.

15./16. Mai Engels schreibt den Artikel „Das Lohnsystem", veröffentlicht im „Labour Standard" am 21. Mai.

Etwa 20. Mai Engels schreibt den Artikel „Die Trade-Unions", in dem er die englischen Arbeiter aufruft, sich nicht auf bestimmte ökonomische Forderungen und Kämpfe zu beschränken, sondern die Kampftraditionen des Chartismus fortzusetzen, eine eigene politische Klassenorganisation zu schaffen und den Kampf um die Eroberung der politischen Herrschaft durch das Proletariat zu führen. Der Beitrag erscheint im „Labour Standard" am 28. Mai und 4. Juni.

Juni Marx studiert die Entwicklung der amerikanischen Großindustrie, liest u.a. Artikel aus der in Boston erscheinenden „Atlantic Monthly" über

	die Standard Oil Company und informiert sich über die amerikanische Seidenindustrie, über Kinderarbeit u.a.
Anfang Juni	Marx bricht sämtliche Beziehungen zu Hyndman ab, der sich als Schüler von Marx ausgegeben und sich ihm mit karrieristischen Absichten genähert hatte, um an die Spitze der erwachenden englischen Arbeiterbewegung zu gelangen. Unmittelbarer Anlaß für den Bruch war Hyndmans Broschüre „England for all", die als Programm der von Hyndman gegründeten Democratic Federation fungieren sollte und in der Hyndman Marx' „Kapital" plagiiert und den Marxismus grob entstellt hatte.
4. Juni	Marx erhält von dem schottischen Sozialisten Robert Banner einen Brief mit der Mitteilung über eine bevorstehende Konferenz der schottischen Sozialisten. Banner bittet Marx und Engels um Rat und Hilfe beim Aufbau einer sozialistischen Partei.
Zweite Junihälfte	Engels schreibt die Artikel „Der Handelsvertrag mit Frankreich", „Zwei vorbildliche Stadträte", „Amerikanische Lebensmittel und die Bodenfrage"; sie erscheinen im „Labour Standard" am 18. und 25. Juni sowie am 2. Juli.
Ende Juni bis etwa 20. Juli	Marx weilt mit seiner Frau in Eastbourne.
Anfang Juli	Engels schreibt den Artikel „Die Lohntheorie der Anti-Korngesetz-Liga", der am 9. Juli im „Labour Standard" veröffentlicht wird.
Mitte Juli	Engels schreibt die Artikel „Eine Arbeiterpartei" und „Bismarck und die deutsche Arbeiterpartei", in denen er das englische Proletariat aufruft, eine selbständige revolutionäre Massenpartei zu bilden und die Erfahrungen der deutschen Arbeiterklasse auszunutzen, die es trotz ständiger Verfolgungen durch Regierung und Polizei versteht, ihren Kampf erfolgreich fortzusetzen. Beide Artikel erscheinen im „Labour Standard" am 23. Juli.
26. Juli bis 16. August	Marx weilt mit seiner Frau bei der Tochter Jenny Longuet in Argenteuil.
28. Juli bis 22. August	Engels befindet sich in Bridlington Quay (Yorkshire).
Ende Juli bis erste Augusthälfte	Marx macht sich Notizen über Grundeigentum, Handwerk, Zünfte und Finanzen sowie über die Lage der französischen Bauern am Vorabend der Französischen Revolution; er liest und exzerpiert Fleurys Buch „Élections aux états généraux 1789".
Ende Juli	Engels schreibt den Artikel „Baumwolle und Eisen", der am 30. Juli im „Labour Standard" erscheint.
Etwa August bis September	Marx zeigt großes Interesse für die Geschichte, Lage und Entwicklung der Kolonialvölker; er macht zahlreiche mit Kommentaren versehene Auszüge aus G. Manis' „Java" und Phears' „The aryan villages in India and Ceylon".
1./2. August	Engels schreibt den Artikel „Notwendige und überflüssige Gesellschaftsklassen", in dem er den englischen Arbeitern erläutert, wie ausgezeichnet

	sie ohne die Klasse der Kapitalisten die Produktivkräfte des Landes leiten könnten. Der Beitrag erscheint im „Labour Standard" vom 6. August.
Zwischen 3. und 8. August	Marx weilt in Paris; er trifft sich mit Lawrow und Hirsch.
8. und 9. August	Marx erhält von Lissagaray und Jaclard, die ihn besuchen, Informationen über die politischen Ereignisse in Frankreich und über die Lage der Arbeiterpartei.
10. und 15. August	Engels erklärt in Briefen an George Shipton, den Redakteur des „Labour Standard", daß er seine Mitarbeit an der Zeitung wegen ihres opportunistischen Kurses einstellt.
17. August	Marx kehrt nach London zurück.
17./18. August	Engels studiert Marx' mathematische Manuskripte und schätzt in einem Brief an Marx die von diesem entdeckte Differentialmethode hoch ein.
Etwa Ende August bis September	Marx fertigt eine Liste von seinen russischen Büchern und Quellen an; es ist hauptsächlich Material über die sozialökonomische Entwicklung Rußlands nach 1861. Diese Liste trägt den Titel „Russisches in my bookshelf" („Russisches in meinem Bücherregal"). Er liest die Arbeit von E. R. Hook über das chinesische Imperium und macht sich dabei Notizen.
Etwa 13. Oktober bis erste Dezemberhälfte	Marx ist schwer krank.
Etwa 24. Oktober	Marx wird von dem Hamburger Verleger Meißner ersucht, die dritte Auflage des ersten Bandes des „Kapitals" vorzubereiten.
25. Oktober	Engels informiert Bernstein, den Redakteur des „Sozialdemokrat", ausführlich über seine und Marx' Haltung zur französischen Arbeiterbewegung, über das Treiben der Opportunisten mit Malon und Brousse an der Spitze und gibt eine klare Einschätzung der führenden Rolle von Marx in der internationalen proletarischen Bewegung.
30. November	Die deutschen Reichstagswahlen einschätzend, wertet Engels in einem Brief an Bernstein als sehr positiv, daß sich das Schwergewicht der Sozialdemokratie und der Arbeiterbewegung in die großen Industriestädte verlagert hat.
2. Dezember	Frau Jenny Marx stirbt nach langem schweren Leiden.
4. Dezember	Engels schreibt den Nekrolog „Jenny Marx, geb. v. Westphalen", der am 8. Dezember im „Sozialdemokrat" erscheint.
5. Dezember	Engels hält bei der Beisetzung von Jenny Marx die Grabrede, die am 11. Dezember in der „Égalité" veröffentlicht wird.
29. Dezember	Marx fährt zur Kur nach Ventnor auf der Insel Wight.
Etwa Ende 1881 bis Ende 1882	Marx beschäftigt sich mit dem Studium der Weltgeschichte. Er fertigt „Chronologische Auszüge" an, die eine kritische Übersicht über die Ereignisse der europäischen Geschichte (angefangen vom 1. Jahrhundert v. u. Z. bis zum 17. Jahrhundert) darstellen. Marx konzentriert sich dabei

vor allem auf die Entstehung moderner Nationalstaaten in der Zerfallsperiode des Feudalismus, auf die Entwicklung des Kapitalismus und den Kampf der Bourgeoisie um die politische Herrschaft. Das Tatsachenmaterial für diese chronologischen Auszüge bezieht Marx hauptsächlich aus Schlossers „Weltgeschichte" sowie aus den Büchern von Botta, Cobbett und aus Arbeiten über die Geschichte Rußlands von Karamsin, Kelly, Ségur u.a. Das Manuskript umfaßt 4 Hefte und entspricht einem Umfang von ungefähr 105 Druckbogen.

Ende 1881 bis 1882 Marx verfaßt die „Notizen zur Reform von 1861 und der damit verbundenen Entwicklung in Rußland" und beginnt damit, die Erkenntnisse aus dem studierten Material über Rußland zu systematisieren und zu verallgemeinern. Marx setzt außerdem sein Studium der Entwicklung des Kapitalismus in den USA fort.

1882

Januar bis Dezember Marx widmet der neuesten Literatur über die sozialökonomischen Verhältnisse in Rußland viel Aufmerksamkeit. Er liest Werke von W.I. Semewski, A. Issajew, G. Minejko und W.P. Woronzow.

16. Januar Marx kehrt nach London zurück.

21. Januar Marx und Engels schreiben die Vorrede zur russischen Übersetzung des „Manifests der Kommunistischen Partei", die von G.W. Plechanow besorgt wurde. Am 5. Februar erscheint diese Vorrede in russischer Übersetzung in der Zeitschrift „Narodnaja Wolja".

25. Januar Engels charakterisiert in einem Brief an Bernstein einige „Führer" der deutschen Arbeiterbewegung, enthüllt die Ursachen, die ihren Opportunismus hervorrufen, weist auf die Notwendigkeit des Kampfes gegen sie hin und hebt hervor, daß die Arbeitermassen immer die zuverlässigste Stütze der Partei sind.

Etwa 5. Februar Engels erhält aus den USA von dem deutschen Sozialisten Theodor Friedrich Cuno einen Brief, in dem dieser über die erfolgreiche Propaganda der Ideen von Marx und Engels unter den Mitgliedern der proletarischen Massenorganisation Ritter der Arbeit berichtet.

9. bis 16. Februar Marx, der sich auf Anraten der Ärzte zur Kur nach Algier begibt, weilt bei seiner ältesten Tochter in Argenteuil.

10. Februar Engels weist in einem Brief an Johann Philipp Becker darauf hin, daß – obwohl die Internationale Arbeiterassoziation ihre Tätigkeit eingestellt hat – die internationale Solidarität des Proletariats fortlebt dank der Beziehungen, die zwischen den Arbeiterparteien bestehen, und erklärt, daß die Zeit für eine Wiedergeburt der Internationale noch nicht herangereift ist.

Mitte Februar Marx trifft sich in Paris mit Guesde, Deville und Mesa und erörtert mit ihnen die Lage in der französischen Arbeiterpartei.

20. Februar bis 2. Mai	Marx befindet sich in Algier; sein Gesundheitszustand verschlechtert sich. Von einem Richter namens Fermé (unter Napoleon III. verbannt), mit dem sich Marx häufig trifft, erhält er Informationen über das System der kolonialen Unterdrückung der einheimischen Bevölkerung Algeriens.
10. April	Engels schickt die von ihm durchgesehene Korrektur der Vorrede zur russischen Ausgabe des „Manifests der Kommunistischen Partei" an Lawrow. Das „Manifest" erscheint Ende Mai in Genf in der Schriftenreihe der „Russkaja sozialno-rewoljuzionnaja biblioteka".
Zweite Aprilhälfte	Engels schreibt den Aufsatz „Bruno Bauer und das Urchristentum", in dem er die Entstehungsgeschichte und das Wesen der Religion, insbesondere des Christentums, wissenschaftlich behandelt. Die Arbeit wird am 4. und 11. Mai im „Sozialdemokrat" veröffentlicht.
2. Mai	Auf Anraten des Arztes fährt Marx von Algier über Marseille und Nizza nach Monte Carlo, wo er sich einen Monat aufhält.
3. Mai	Engels schreibt den Artikel „Über die Konzentration des Kapitals in den Vereinigten Staaten", der am 18. Mai im „Sozialdemokrat" veröffentlicht wird.
14. Mai	Engels trifft sich mit Paul Singer, der aus Deutschland gekommen ist; er erklärt ihm seinen und Marx' Standpunkt zu den Schutzzöllen, zur Verstaatlichung der Eisenbahnen und zu anderen ähnlichen „sozialen" Maßnahmen Bismarcks, die nur dazu dienen, den halbabsolutistischen bürgerlichen Staat zu stärken, und die mit dem Sozialismus nichts gemein haben.
Juni 1882 bis Januar 1883	Marx beschäftigt sich mit organischer und anorganischer Chemie.
Etwa 3. Juni	Engels erhält von Lawrow die neue russische Ausgabe des „Manifests der Kommunistischen Partei".
3. bis 5. Juni	Auf der Reise von Monte Carlo nach Argenteuil hält sich Marx drei Tage in Cannes auf.
6. Juni bis 22. August	Marx lebt bei seiner Tochter Jenny Longuet in Argenteuil und nimmt im benachbarten Enghien Schwefelbäder. Marx trifft sich häufig mit Lafargue.
20. Juni	Engels informiert Sorge über die Lage in der deutschen sozialdemokratischen Partei und gibt eine Charakteristik der opportunistischen Richtung in der Partei.
21. Juni	In einem Brief an Bebel sagt Engels seine und Marx' Unterstützung im Kampf gegen die rechten Elemente in der deutschen Sozialdemokratie zu und informiert ihn über die Spaltung, die in der französischen Arbeiterpartei vor sich gegangen ist.
25. Juli	Engels autorisiert in seinem und Marx' Namen den deutschen Sozialdemokraten Adolf Hepner in New York, ihre Werke im Stereotypdruck herauszugeben.

31. Juli	Engels dankt Lawrow für die Zusendung der russischen Ausgabe des „Manifests der Kommunistischen Partei".
2. August	Marx trifft sich bei Mesa in Paris mit Deville, Guesde und Lafargue.
11. August bis 8. September	Engels erholt sich am Strand von Great Yarmouth.
23. bis 27. August	Marx befindet sich mit seiner Tochter Laura Lafargue in Lausanne.
27. August bis 25. September	Marx weilt in Vevey.
September bis Oktober	Marx liest Engelhardts Buch „Is derewni, 11 pisem (1872–1882)" und schreibt dazu Notizen und Randbemerkungen.
Anfang September	Engels übersetzt ein englisches Gedicht ins Deutsche („Der Vikar von Bray") und schreibt dazu einen Kommentar, in dem er die politische Bedeutung dieses Gedichts für Deutschland hervorhebt. Gedicht und Kommentar erscheinen am 7. September im „Sozialdemokrat".
12. September	Engels formuliert in einem Brief an Kautsky seinen Standpunkt zur Kolonialfrage und erläutert die Politik, die das Proletariat nach Eroberung der politischen Macht gegenüber den Völkern der kolonialen und abhängigen Länder durchführen muß.
14. September	Engels beginnt mit der Vorbereitung der ersten deutschen Ausgabe seiner Schrift „Die Entwicklung des Sozialismus von der Utopie zur Wissenschaft". Er beschließt, dieser Ausgabe noch einen besonderen Anhang („Die Mark") beizufügen, um die sozialdemokratische Partei mit der Entstehungs- und Entwicklungsgeschichte des Grundeigentums in Deutschland bekannt zu machen und dadurch die Aufmerksamkeit der Partei auf die Notwendigkeit zu lenken, die Landarbeiter und Bauern zu gewinnen.
Zweite Septemberhälfte bis erste Dezemberhälfte	Engels liest in Verbindung mit seiner Arbeit an der „Mark" nochmals Bücher von Maurer („Einleitung zur Geschichte der Mark-, Hof-, Dorf- und Stadt-Verfassung und der öffentlichen Gewalt" und „Geschichte der Dorfverfassung in Deutschland"), fertigt mit Kommentaren versehene Auszüge an und vergleicht Maurers Angaben mit anderen Quellen.
21. September	Engels hat den Text der ersten deutschen Ausgabe der Schrift „Die Entwicklung des Sozialismus von der Utopie zur Wissenschaft" im wesentlichen fertiggestellt und schreibt ein Vorwort dazu. Die Arbeit wird noch 1882 gedruckt, erscheint aber erst Anfang 1883.
26. September	Marx weilt vor seiner Abreise aus der Schweiz einen Tag bei Johann Philipp Becker in Genf.
28. September bis Anfang Oktober	Auf dem Rückweg nach London verbringt Marx einige Tage in Argenteuil.
Oktober bis November	Marx studiert die Geschichte der Urgemeinschaft; er liest und exzerpiert dazu „The origin of civilisation and the primitive condition of man" von J. Lubbock. Ferner macht er sich mit der Finanzpolitik Englands in

	Ägypten vertraut, wobei er u.a. das Buch „Egyptian finance" von M.G. Mulhall liest und konspektiert.
20. Oktober	Engels informiert die Redaktion des „Sozialdemokrat" brieflich über die Lage in der französischen Arbeiterbewegung, über die Spaltung in der französischen Arbeiterpartei und zieht eine Reihe von Schlußfolgerungen für die Entwicklung der proletarischen Parteien unter den Bedingungen des Kapitalismus sowie aus dem Kampf zwischen revolutionärer und opportunistischer Richtung in den Arbeiterparteien.
28. Oktober	Engels charakterisiert in einem Brief an Bebel den rechten Flügel der deutschen sozialdemokratischen Partei, äußert seine Ansicht über den möglichen Verlauf der proletarischen Revolution und analysiert die Ereignisse innerhalb der französischen Arbeiterpartei.
30. Oktober 1882 bis 12. Januar 1883	Marx lebt in Ventnor und arbeitet an der Vorbereitung der dritten deutschen Ausgabe des ersten Bandes des „Kapitals".
30. Oktober bis 3. November	Engels veranlaßt die Redaktionen der Zentralorgane der deutschen sozialdemokratischen Partei und der französischen Arbeiterpartei zu einem regelmäßigen Zeitungsaustausch, damit jede von ihnen eine richtige Vorstellung von den Ereignissen bekommt, die sich in Deutschland und Frankreich, speziell in der Arbeiterbewegung, abspielen.
Ende Oktober	Engels schreibt den Artikel „Wie der Pindter flunkert", in dem er die Verleumdungskampagne der „Norddeutschen Allgemeinen Zeitung" (Organ Bismarcks) gegen die sozialdemokratische Partei brandmarkt; der Artikel erscheint am 2. November im „Sozialdemokrat".
November	Marx, der die Versuche von Marcel Deprez, Elektroenergie über große Entfernungen zu leiten, aufmerksam verfolgte, lenkt Engels' Aufmerksamkeit auf diese Experimente und fragt ihn nach seiner Meinung. Marx liest u.a. das Buch „Les principales applications de l'électricité" von L. Hospitalier.
4. November	Engels erklärt in einem Brief an die Redaktion des „Sozialdemokrat", daß er die von der Führung der deutschen sozialdemokratischen Partei vorgesehene Kampagne zur Änderung des Programms vor Aufhebung des Sozialistengesetzes für unzweckmäßig hält.
11. bis 23. November	Marx und Engels tauschen ihre Meinung aus über die Situation in der französischen Arbeiterpartei; sie kritisieren Guesde und Lafargue wegen der taktischen Fehler, die ihnen im Kampf gegen die Possibilisten unterlaufen sind.
23. November	Engels äußert in einem Brief an Marx die Absicht, seine Arbeit an der „Dialektik der Natur" bald abzuschließen. An diesem wichtigen theoretischen Werk arbeitete Engels, mit Unterbrechungen, ungefähr 10 Jahre, in deren Verlaufe er 10 Kapitel und ungefähr 170 Bemerkungen und Fragmente schrieb.
8. Dezember	Marx gibt durch Engels der Redaktion des „Sozialdemokrat" den Hinweis, Unterlagen über die Behandlung der Arbeiter in den staatlichen preußischen Bergwerken zu veröffentlichen, um damit den Wagener-Bismarckschen „Staatssozialismus" zu entlarven.

Erste Dezemberhälfte	Engels beendet seine Arbeit „Die Mark" und schickt sie an Marx zur Durchsicht.
17. Dezember	Marx liest Engels' Manuskript der „Mark" und schätzt die Arbeit in einem Antwortbrief hoch ein. „Die Mark" wird als Anhang zur deutschen Ausgabe von Engels' „Die Entwicklung des Sozialismus von der Utopie zur Wissenschaft" veröffentlicht. Im gleichen Jahr (1883) wird „Die Mark" im „Sozialdemokrat" (März–April) gedruckt und erscheint außerdem als von Engels selbst bearbeitetes Bauernflugblatt unter dem Titel „Der deutsche Bauer. – Was war er? Was ist er? Was könnte er sein?"

1883

12. Januar	Marx, der die Nachricht erhält, daß seine Tochter Jenny Longuet am 11. Januar verstorben ist, kehrt nach London zurück; sein Gesundheitszustand verschlechtert sich zusehends.
13. Januar	Engels schreibt den Nekrolog „Jenny Longuet, geb. Marx", der am 18. Januar im „Sozialdemokrat" veröffentlicht wird.
8. und 10. Februar	Engels erklärt in Briefen an Bernstein die Rolle der Börse bei der Zentralisation und Konzentration des Kapitals.
1. März	Engels hebt in einem Brief an die Redaktion des „Sozialdemokrat" die große Bedeutung der Elektroenergie für die weitere Entwicklung der Industrie und schließlich für die Beseitigung des Gegensatzes zwischen Stadt und Land hervor.
14. März (14.45 Uhr)	Karl Marx stirbt.
14. bis 15. März	Engels teilt führenden Vertretern der internationalen Arbeiterbewegung (Liebknecht, Becker, Sorge u. a.) den großen Verlust mit, den das internationale Proletariat durch den Tod von Marx erlitten hat.
17. März	Marx wird auf dem Friedhof Highgate in London beigesetzt. Engels hält die Grabrede, in der er die welthistorische Bedeutung des Werkes von Karl Marx würdigt und den großen proletarischen Revolutionär und Begründer des wissenschaftlichen Kommunismus ehrt.
Etwa 18. März	Engels schreibt den Artikel „Das Begräbnis von Karl Marx", der am 22. März im „Sozialdemokrat" erscheint.
April bis Mai	Engels unterbricht seine wissenschaftlichen Studien und beginnt mit der Bearbeitung des literarischen und handschriftlichen Nachlasses von Marx, sieht die Manuskripte vom zweiten und dritten Band des „Kapitals" durch und setzt Marx' Arbeit zur Vorbereitung der dritten Ausgabe des ersten Bandes des „Kapitals" fort.
28. April und 12. Mai	Engels schreibt den Artikel „Zum Tode von Karl Marx", in dem er über den letzten Lebensabschnitt von Marx und über die große Anteilnahme, die Marx' Tod in der ganzen Welt hervorgerufen hat, berichtet. Der Artikel wird am 3. und 17. Mai im „Sozialdemokrat" veröffentlicht.

Personenverzeichnis

Mitglied des Generalrats der IAA; Mitbegründer der französischen Arbeiterpartei, Schüler und Kampfgefährte von Marx und Engels. 181 186 241 331 332 339 525

Lamartine, Alphonse-Marie-Louis de (1790 bis 1869) französischer Dichter, Historiker und Politiker, in den vierziger Jahren gemäßigter Republikaner; 1848 Außenminister und eigentliches Haupt der provisorischen Regierung. 35 98 347

Lange, Friedrich Albert (1828–1875) bürgerlicher Philosoph, Neukantianer, Gegner des Materialismus und Sozialismus. 25 355

Lankester, Sir Edwin Ray (1847–1929) englischer Gelehrter, Biologe. 339

Lanskoj, Sergej Stepanowitsch (seit 1861) *Graf* (1787–1862) russischer Staatsmann, Innenminister (1855–1861); nahm an der Aufhebung der Leibeigenschaft von 1861 teil. 409

Laplace, Pierre-Simon, marquis de (1749 bis 1827) französischer Astronom, Mathematiker und Physiker; entwickelte unabhängig von Kant die Hypothese über das Entstehen des Sonnensystems aus einer gasähnlichen Nebelmasse und begründete sie mathematisch. 187 205 530

Lassalle, Ferdinand (1825–1864) „bis 1862 in der Praxis spezifisch preußischer Vulgärdemokrat mit stark bonapartistischen Neigungen" (Engels). Lassalle hatte wesentlichen Anteil daran, daß sich die deutschen Arbeiter vom Einfluß der liberalen Bourgeoisie lösten und daß der Allgemeine Deutsche Arbeiterverein 1863 gegründet wurde, (darin bestand sein historisches Verdienst). Er gab jedoch der Arbeiterklasse keine revolutionäre Orientierung und Zielsetzung; er paktierte mit Bismarck und den preußischen Junkern, unterstützte deren Politik der Einigung Deutschlands „von oben" und verbreittete die Ideologie des „königlich preußischen Regierungssozialismus", die Illusion vom friedlichen Hineinwachsen in den Sozialismus und legte damit den Grundstein des mit dem Begriff Lassalleanismus verbundenen Opportunismus. 5 8 14 17 18 22–26 138 159 160 186 229 521

Lawrow, Pjotr Lawrowitsch (1823–1900) russischer Soziologe und Publizist, einer der Ideologen der Volkstümler, eklektischer Philosoph, Mitglied der IAA, Teilnehmer der Pariser Kommune, Redakteur der Zeitschrift „Wperjod!" (1873–1876) und der Zeitung „Wperjod!" (1875/1876). 337 340 343

Lelewel, Joachim (1786–1861) polnischer Historiker und Revolutionär; Teilnehmer am polnischen Aufstand von 1830/31; einer der Führer des demokratischen Flügels in der polnischen Emigration. 240 429

Lemke, Gottlieb (etwa 1844–1885) Mitglied des Deutschen Bildungsvereins für Arbeiter in London. 335

Leo Africanus (Alhasan ibn Mohammed Alwazzân) (etwa 1492 bis etwa 1526) arabischer Gelehrter und Reisender; bereiste Nord- und Zentralafrika und Westasien; sein Hauptwerk, eine Beschreibung von Afrika, enthält wertvolles geographisches Material. 461

Leonhardt, Gerhard Adolf Wilhelm (1815 bis 1880) Jurist und reaktionärer Staatsmann, Justizminister von Hannover (1865/1866) und von Preußen (1867–1879). 323

Leopold I. (1790–1865) König von Belgien (1831–1865). 59

Lépine, Jules Sekretär der Pariser Genossenschaft der französischen Arbeiterpartei. 338

Leßner, Friedrich (1825–1910) Schneidergeselle; Mitglied des Bundes der Kommunisten; Teilnehmer der Revolution von 1848/49; Mitglied des Generalrats der IAA; Freund und Kampfgefährte von Marx und Engels. 33 241 339

Lichnowski, Felix Maria, Fürst von (1814 bis 1848) schlesischer Großgrundbesitzer, reaktionärer preußischer Offizier; 1848 Mitglied der Frankfurter Nationalver-

der deutschen Sozialdemokratie; seit 1887 Mitglied des Parteivorstands; Mitglied des Reichstags (1884–1911). 154

Sirmond, Jacques (1559–1651) französischer Geschichtsschreiber, Jesuit, Herausgeber von Dokumenten aus dem frühen Mittelalter. 487

Skaldin (Pseudonym von *Jelenew, Fjodor Pawlowitsch*) (1828–1902) russischer Schriftsteller und Publizist, Vertreter des bürgerlichen Liberalismus der sechziger Jahre; Verfasser von „W sacholustij i w stolize". 407 409–413 416

Skrebizki, Alexander Iljitsch (1827–1915) russischer liberaler Historiker; Verfasser der Arbeit „Krestjanskoje delo w zarstwowanije imperatora Alexandra II". 410

Slagg 1881 Abgeordneter des englischen Parlaments für Manchester. 261

Sloan, Samuel (1817–1907) amerikanischer Eisenbahnunternehmer, Millionär. 306

Smith, Adam (1723–1790) bedeutendster englischer Ökonom vor Ricardo; er verallgemeinerte die Erfahrungen der kapitalistischen Manufakturperiode und des beginnenden Fabriksystems und gab der klassischen bürgerlichen politischen Ökonomie ihre entwickelte Gestalt. 359

Sorge, Friedrich Adolf (1828–1906) Teilnehmer am badisch-pfälzischen Aufstand 1849; Mitglied der IAA, Organisator der amerikanischen Sektionen; 1872 Delegierter des Haager Kongresses; Mitglied des Generalrats in New York und dessen Generalsekretär (1872–1874); Freund und Kampfgefährte von Marx und Engels. 345

Spartacus (gefallen 71 v.u.Z.) römischer Gladiator, Führer des größten Sklavenaufstandes im Alten Rom in den Jahren 73–71 v.u.Z. 302

Speyer, Carl (geb. 1845) Tischler, in den sechziger Jahren Sekretär des Deutschen Bildungsvereins für Arbeiter in London, seit 1872 Mitglied des Generalrats der IAA in London und später in Amerika. 33

Spinoza, Baruch (Benedictus) de (1632–1677) holländischer materialistischer Philosoph, Atheist. 202

Spruner von Merz, Karl (1803–1892) Historiker und Kartograph, Herausgeber von Geschichtsatlanten, schrieb Arbeiten über die Geschichte Deutschlands. 508

Stanford, Leland (1824–1893) amerikanischer Politiker und Eisenbahnunternehmer, Millionär; Anhänger der Republikanischen Partei; Gouverneur von Kalifornien (1861–1863), Senator (1885–1893). 306

Stenzel, Gustav Adolf Harald (1792–1854) Historiker, 1848 Mitglied der Frankfurter Nationalversammlung. 83

Stieber, Wilhelm (1818–1882) Polizeirat, Chef der preußischen politischen Polizei (1850 bis 1860), einer der Organisatoren und Hauptzeuge des Kölner Kommunistenprozesses (1852); verfaßte gemeinsam mit Wermuth das Buch „Die Communisten-Verschwörungen des neunzehnten Jahrhunderts". 58

Strabo(n) (etwa 63 v.u.Z. bis etwa 20 u.Z.) griechischer Geograph und Geschichtsschreiber. 433 434 446 461

Strauß, David Friedrich (1808–1874) Philosoph und Publizist, Junghegelianer, Verfasser des Buches „Das Leben Jesu"; nach 1866 Nationalliberaler. 298

Strousberg, Bethel Henry (1823–1884) Eisenbahnunternehmer, machte 1873 Bankrott. 163

Stuart Königsdynastie, herrschte in Schottland (1371–1714) und in England (1603 bis 1649, 1660–1714). 536

Suetonius (Gajus Suetonius Tranquillus) (etwa 70 bis etwa 160) römischer Geschichtsschreiber; verfaßte Lebensbeschreibungen der ersten 12 römischen Kaiser (von Julius Cäsar bis zu Domitianus), die im wesentlichen Tatsachen aus dem Privatleben der Imperatoren enthalten. 439

Sybel, Heinrich von (1817–1895) Historiker und Politiker, Nationalliberaler, vertrat einen kleindeutschen Standpunkt; schrieb Arbeiten, die vom Geist des reaktionären Preußentums und Chauvinismus durchdrungen sind. 187

Verzeichnis literarischer, biblischer und mythologischer Namen

Geographische Namen

Erklärung der Fremdwörter, der fremdsprachigen und seltenen Ausdrücke

absorbieren aufsaugen, einsaugen; aufzehren
Abstentionist jemand, der hartnäckig jeder politischen Tätigkeit fernbleibt
Abstraktion Verallgemeinerung; Begriffsbildung
Absurdität Unsinnigkeit
ad zu
Adaptation Anpassung (biologisch); Anwendung
Adept ein in die geheimen Künste oder Wissenschaften Eingeweihter
Agnostiker Anhänger einer philosophischen Lehre, die die Erkennbarkeit der objektiven Welt abstreitet
Agonie Todeskampf
agrikol landwirtschaftlich
Aktuar Gerichtsangestellter
allegorisch sinnbildlich; gleichnishaft; bildhaft
Alliteration Gleichklang; Gleichheit der Anlaute mehrerer Wörter oder betonter Silben (Wind und Wetter, Bausch und Bogen, Mann und Maus usw.)
Allod freies Eigentum, Erbgut der alten Germanen
Amortisation Tilgung einer Schuld nach festgelegtem Plan; Abschreibung des allmählichen Verschleißes der Grundmittel in der Produktion
Anachronismus Zeitwidrigkeit; Verlegung einer Erscheinung usw. in einen falschen Zeitabschnitt
Analogie Gleichartigkeit; Entsprechung; Ähnlichkeit; Seitenstück
antizipieren vorwegnehmen
Antrustion unter den Merowingern der Gefolgsmann des Königs
Apanagebauer Bauer, der vor der Aufhebung der Leibeigenschaft zu den kaiserlichen Domänen gehörte
apart für sich, besonders
aphoristisch treffend und geistvoll; kurz
apostolisch von den Aposteln herrührend
a priori von vornherein
Äquivalent Gegenwert
archaisch vorgeschichtlich, altertümlich
Artel Genossenschaft
Aspirata Hauchlaut (th, f, ch)
aspiriert als Hauchlaut gesprochen
Assekuranz Versicherung
Assignaten Staatsanweisungen; Papiergeld der Französischen Revolution
assimilieren angleichen
Associé Teilhaber
assoziieren verbinden; zusammenschließen
Attestat Bescheinigung; schriftliches Zeugnis
Avis Gutachten; Anzeige

Banalität Nichtssagendes; Abgedroschenes
Bankrotteur jemand, der Bankrott macht, der wirtschaftlichen Zusammenbruch erleidet
Benefiziar Empfänger einer Wohltat
Benefizium Pfründe; Vorteil
Bigotterie Scheinheiligkeit
Bimetallismus Währungssystem, bei dem zwei Metalle (meist Gold und Silber) Währungsmetalle sind

Brakteat einseitig hohlgeprägte mittelalterliche Gold- oder Silberblechmünze
byzantinisch unterwürfig; kriecherisch

Calvinismus Lehre Calvins, des Mitbegründers der evangelisch-reformierten Kirche
Cartesianismus durch die Lehre des Descartes bestimmte philosophische Richtung (nach der latinisierten Form Cartesius, des Namens des französischen Philosophen und Mathematikers Descartes)
chaussieren zu einer Heer- oder Landstraße herrichten
Clan Stamm, Geschlecht, Sippe
Coup d'état Staatsstreich
Credo (Kredo) Glaube, Glaubensbekenntnis

debouchieren aus einem Engpaß herauskommen
Deduktion Ableitung des Besonderen, des Einzelfalles aus dem Allgemeinen
Defilee enger Weg, den man nur in schmaler Reihe passieren kann
Defraudation Betrug; Unterschlagung
Degradation Erniedrigung; Herabsetzung
Deismus religions-philosophische Richtung der Aufklärung, die einen Gott als Weltschöpfer anerkennt, ihm aber jede Einwirkung auf den Weltlauf abspricht
Dekurio Mitglied der römischen Gemeindevertretung in Städten mit römischem oder lateinischem Recht
Denar Zehner; kleine altrömische Silbermünze; mittelalterlicher Pfennig
Dental Zahnlaut (d, t)
denunzieren angeben
Depositen bei Banken hinterlegte Wertsachen und Wertpapiere; verzinslich angelegte Gelder
Detachierung Abordnen von Truppen für besondere Aufgaben
determiniert entschlossen; bestimmt
Diminutiv Verkleinerungsform eines Substantivs und eines Verbums (Haus – Häuschen, sausen – säuseln)
Ding Thing
Diphthong Doppellaut, Zwielaut (au, eu, ei, ai)
Diskontierung Ankauf von Wechseln und Gewährung eines Kredits bis zur Fälligkeit der Wechsel
disponibel verfügbar
Distribution Verteilung
Dithyrambe Loblied; begeisternde Würdigung
Domäne, Dominium Herrschaftsgebiet; Rittergut
Domizilierter Anssäsiger
Dotation Schenkung; Ausstattung, Heiratsgut
Dual Zweizahl; in verschiedenen Sprachen, namentlich im Griechischen, kommt außer Einzahl und Mehrzahl noch die Zweizahl vor; Beugungsform für zwei Personen oder zwei Dinge
Dualismus Zwiespältigkeit; Zweiheit

eklatant deutlich, offenkundig
Eklektizismus prinzipienloses, unschöpferisches Zusammentragen verschiedener Ansichten und Theorien
eliminieren ausscheiden, beseitigen
eminent hervorragend, außerordentlich
emittieren Wertpapiere u. ä. ausgeben
ennuyieren belästigen, langweilen
Enquete (amtliche) Untersuchung; Umfrage
Enzyklopädist hier im übertragenen Sinn: Mann mit umfassendem Wissen
epikureisch nach der Lehre des griechischen Philosophen Epikur
Epistel Apostelbrief des Neuen Testaments; (kunstvoller) längerer Brief
eskamotieren Taschenspielerkünste treiben; etwas unbemerkt auf die Seite bringen
esoterisch nur für Eingeweihte bestimmt; geheim
Etablissement hier: Anlage; Fabrik
Etymologie Wortforschung; Lehre von der Herkunft, Bildung und Bedeutung der Wörter
Evangelisierung Aufforderung, sich zum christlichen Glauben und Leben zu bekehren
Exekutor Vollstrecker

eximieren bevorrechten; von einer Pflicht ausnehmen
exorzieren böse Geister beschwören
Expektoration medizinisch: Auswurf
Exploitation Ausbeutung
exponiert gefährdet
Exportprämie Staatszuschuß für die Ausfuhr
Expropriation Enteignung
Exzeß Ausschreitung, Ausschweifung

Famulus Helfer eines Hochschuldozenten
Fetisch ein angeblich mit geheimer Kraft erfüllter und darum bei Naturvölkern religiös verehrter Gegenstand
figurieren erscheinen; auftreten
Fiktion Erdichtung; Annahme, Unterstellung
Finanzfaktotum rechte Hand (in Finanzsachen)
fingieren vortäuschen; erdichten, vorgeben
Fiskalgut Staatsgut
fiskalisch die Staatsfinanzen betreffend
fixieren festlegen
Flexion Beugung; Formänderung der Nomina und der Verben
fluktuieren hin und her strömen; schwanken
Folio Buchformat in Halbbogengröße
fraktionieren stufenweise umsieden
frondieren Widerspruch erheben; gegen die Regierung arbeiten
Fundierung Gründung
fusionieren verschmelzen, eng zusammenschließen

Galmei Bezeichnung für zwei verschiedene Zinkerze
Genesis Entstehungsgeschichte; Ursprung; in der Bibel das 1. Buch Mosis mit der Schöpfungsgeschichte
Gens Geschlecht; Familienverband bei Naturvölkern
gerieren sich benehmen, sich ausgeben als
Gradation Einteilung nach Graden; Steigerung
graduell stufenweise, abgestuft; nach und nach, allmählich
Guttapercha Pflanzensaft; Gummiharz
Gutturallaut Kehllaut (k,ch, g)

habilitieren die ordentliche Lehrberechtigung an Hochschulen erwerben
heterogen ungleichartig; innerlich uneinheitlich; entgegengesetzt
hierarchisch in streng gegliederter Rangordnung
Homo Mensch; hier im Sinne von Untertan
Homoiomerien nach Anaxagoras die unendlich vielen, unter sich gleichen Bestandteile der Materie
Honor Ehre; Ehrenstellung

immanent innewohnend; in etwas enthalten
immens unermeßlich; unendlich
Immobilien Grundbesitz, Liegenschaften
Impertinenz Ungehörigkeit, Frechheit
Induktion Schlußfolgerung vom Besonderen oder von Einzelfällen auf das Allgemeine oder Gesetzmäßige
Industrie-Billett von Behörden erteilte Gewerbegenehmigung
infam niederträchtig; ehrlos
Ingredienz Zutat, Bestandteil
inhärent innewohnend
Inkubationsperiode hier: Periode der Entwicklung und Ausbreitung der entsprechenden Sache
insinuieren einflüstern, einschmeicheln
insurgieren sich empören
Insurrektion Erhebung, bewaffneter Aufruhr
interimistisch einstweilig, vorübergehend, zeitweilig
Interruption Unterbrechung, Störung

Jurisdiktion Rechtsprechung; Gerichtsbarkeit

Kalamität Unglück; arge Verlegenheit
Kamarilla im Verborgenen arbeitende Hof- oder Günstlingspartei
Kanon hier: festgelegte jährliche Geldabgabe, Erbzins
Kantschu russische, eigentl. kirgisische Peitsche mit längerem Stiel als die Knute
Karbatsche aus Riemen geflochtene Peitsche
Kartell hier: Abkommen

Kataster amtliches Verzeichnis; Kopfsteuerliste
kirren jemanden zahm, zutraulich machen
kollidieren hier: sich überschneiden
Kolone Erbzinsbauer auf altröm. Latifundien
Kolumbarium Urnengewölbe; altrömisches Grabgewölbe mit vielen kleinen Nischen für Aschenkrüge
Kombattant Kämpfer; Angehöriger einer Kampftruppe
kommendieren empfehlen
Kommis Handlungsgehilfe; kaufmännischer Angestellter
Kommissionsavis Kommissionsbericht
Kommunikation Verkehr, Verbindung
kompensieren vergüten; ausgleichen
Kondukteur Begleiter; Aufseher
konfundieren verwirren; vermengen
Konkretum sinnlich wahrnehmbarer Gegenstand
Konnexion einflußreiche Verbindung; fördernde, vorteilhafte Bekanntschaft
Konskriptionsgebiet Gebiet, in dem die männliche Bevölkerung zum Kriegsdienst ausgehoben wird
konsolidieren hier: schwebende Schulden in langfristige umwandeln
konstitutiv grundlegend
kontinental festländisch
Kontrahent Vertragschließender
Konvertit hier: zu einer anderen Weltanschauung Übergetretener
Konzil Versammlung von geistl. Würdenträgern zur Regelung gesamtkirchlicher Anliegen
Kooperation Zusammenwirken, Zusammenarbeit
Kosmogonie Lehre von der Entstehung und Entwicklung des Weltalls
Kreosot ein Desinfektions- und Heilmittel
kretinhaft schwachsinnig; trottelhaft
Kristallographie Wissenschaft von den Kristallen
Krummstab eigentl. Hirtenstab; einer der Insignien eines Bischofs
Kupon Renten-, Zinsschein; Abschnitt
Kuratel Vormundschaft

Laudemium (Mz. *Laudemien*) Lehnsgeld an den Lehnsherrn, beim Verkauf eines Hofes an den Grundherrn zu entrichtende Gebühr
Latifundien Großgrundbesitz
Liktor römischer Gerichtsdiener
Liten Hörige
Logos Wort, Sinn, Rede; Vernunft

Machination Hinterlist, Anschlag
malträtieren mißhandeln
Media (Mz. *Medien*) stimmhafter Verschlußlaut (b,d,g)
Metamorphose Verwandlung, Umgestaltung
metaphysisch die Erscheinungen nur isoliert und als unveränderlich betrachten; übernatürlich, übersinnlich; undialektisch
Mikrokosmos verkleinertes Abbild des großen Weltganzen; Welt der Kleinlebewesen
modifizieren verändern, abwandeln; einschränken; auf das rechte Maß bringen
Modikum, Modi, Modus Verhältnis; Art und Weise; Maß
monotheistisch auf dem Glauben an einen einzigen Gott beruhend
Mule Spinnmaschine

Nasal Nasenlaut (m,n)
Nefas Unrecht
neolithisch der neueren Steinzeitperiode angehörig
nivellieren gleichmachen; ebnen
Nominalismus philosophische Richtung (im Mittelalter), nach der die allgemeinen Begriffe lediglich Produkte der Abstraktion, des Denkens, nicht wirkliche Dinge (Realien) sind
notabene merke wohl!, wohlgemerkt!, übrigens

Obligation Verbindlichkeit; auf ein privates (oder auch staatliches) Unternehmen lautendes Wertpapier mit fester Verzinsung
obligatorisch zwangsweise; verpflichtend, bindend
obliquer Kasus abhängiger Fall
oktroyieren aufdrängen

okzidentalisch den Okzident betreffend; abendländisch
Oligarchie Herrschaft einer privilegierten Minderheit

paläolithisch die ältere Steinzeit betreffend
Pampa Grassteppe Argentiniens
Panazee Allheil-, Wundermittel
Parenthese Einschaltung; Klammer
Paroli mit gleicher oder überlegener Kraft entgegnen
partial, partiell teilweise; nur einen Teil betreffend
Patriarchat Gesellschaftsordnung mit Vaterrecht
Patrimonialgerichtsbarkeit Gerichtsbarkeit eines Großgrundbesitzers
patrizisch dem altrömischen Adel angehörig
Patron Schutzherr
pauperieren kümmerlich wachsen; verkümmern
pauvre arm
Pertinenzen, Pertinenzien Zubehör; Nebensachen, die bei Veräußerung der Hauptsache als mit inbegriffen gelten
Petition Eingabe, Bittschrift
Phantom Schein-, Trugbild; Hirngespinst
Philanthrop Menschenfreund; bürgerlicher individueller Wohltäter
Philister Spießbürger, kleinlicher Mensch
philonisch philosophische Richtung, nach dem jüdisch-griechischen Philosophen Philon von Alexandrien benannt; versuchte die jüdische Religion mit der griechischen Philosophie des Platon und Pythagoras und mit dem Stoizismus zu verbinden
Physiologie Lehre von den Lebensvorgängen in den Organismen
Phytelephas macrocarpa Nüsse der Elfenbeinpalme
post festum hinterher
posthum, postum hier: später
potenzieren erhöhen; steigern
präjudiziell für eine spätere Entscheidung maßgebend, beachtenswert
Prätension, Prätention Anspruch, Anmaßung
Präzedenzfall vorangegangener Fall, der für die Beurteilung späterer gleicher oder ähnlicher Fälle von Bedeutung ist; Beispielfall, Musterfall
Preiskurant Preiszettel, Preisliste
Prekarium bittweise, widerruflich, unentgeltlich gewährte Benutzung einer Sache oder eines Rechts
profan unheilig, unkirchlich; alltäglich
Profession Beruf, Handwerk
Prokonsul gewesener Konsul; auch Vizekonsul, römischer Statthalter
Prolog Einleitung; Vorrede, Vorspiel
proportionell dem Proporz entsprechend; verhältnismäßig, in gleichem Verhältnis stehend
Proprätor Statthalter einer römischen Provinz
protegieren beschützen, begünstigen; durch Gunst befördern
Prototyp Urbild; Vorbild, Muster
pseudomorph anders sein als scheinen

querulieren beschweren, klagen
Quotient Teilzahl, Teilwert

räsonieren laut reden, übelwollend tadeln; nörgeln
Rationalismus Vernunftsstandpunkt
rationell vernünftig; ordnungs- und zweckmäßig
reduzieren einschränken; zurückführen
Reflexion Rückstrahlung; Vertiefung in einen Gedankengang; Selbstbeobachtung
Regeneration Wiederbildung, Erneuerung, Wiedergeburt
Regenerator Erneuerer, Wiederhersteller
Rekognoszierung Erkundung, Aufklärung; Erforschen
Rektifikation Trennung von Flüssigkeitsgemischen durch unterbrochene Destillation
Renegat Verleugner seiner politischen Überzeugung oder seines bisherigen Glaubens; Abtrünniger, Überläufer
Repression Abwehr; Unterdrückung
reprimieren unterdrücken; zurückdrängen
Reskript Verfügung, Erlaß; amtlicher schriftlicher Bescheid

Retorsionszölle als Gegenmaßnahme auferlegte Zölle
Revenue der vom Kapitalisten für persönliche Zwecke verwendete Teil des Mehrwertes; Einkommen, z. B. Staatseinkünfte
Revivalismus Wiedererweckung (des Glaubens); Seelenerweckung
Rezeption Aufnahme, Empfang; Übernahme insbesondere des römischen Rechts durch die mittelalterlichen Staaten Europas
Rimesse Sendung von Geld, Wechseln; in Zahlung gegebener Wechsel
Ritualismus katholisierende Richtung in der anglikanischen Kirche
Rustikale das den Bauern eines Dorfes gehörende Land

Säkularisation Einziehung geistlicher Besitzungen
saldieren Rechnung ausgleichen, abschließen
Sansculotten revolutionäre Proletarier oder Kleinbürger in der Französischen Revolution, die lange Hosen (Pantalons) statt der höfischen Kniehosen (Culottes) trugen
Sanskrit altindische Sprache
Schibboleth Losungswort, Erkennungszeichen
schismatisch auf eine Kirchenspaltung bezüglich
schockieren bei jemandem Anstoß erregen, ihn in sittliche Entrüstung versetzen
Scholastizismus Schulweisheit; mittelalterliche Abart der Philosophie
Seigneur ehemals in Frankreich Besitzer eines erblichen Territoriums
sekundieren beistehen, helfen, schützen
Semstwo feudalistisches örtliches Selbstverwaltungsorgan im zaristischen Rußland
Senior der Ältere, Ältester
Seniorat Ältestenwürde
Sensualismus philosophische Lehre, die als alleinige Erkenntnisquelle die Sinneswahrnehmungen ansieht
servil unterwürfig, kriecherisch, knechtisch
Sinekure müheloses, einträgliches Amt; Pfründe ohne Amtsgeschäfte
skandalisieren ärgern, Ärgernis geben
skandalös ärgerlich, anstößig; unerhört
Snobismus Vornehmtuerei; Eingebildetheit, Geckenhaftigkeit
solvent zahlungsfähig
Sophisma Trugschluß mit Täuschungsabsicht
Sophist Wortverdreher, Klügler
spedieren befördern, verfrachten, abfertigen
Spektroskop Gerät zum Beobachten und Ausmessen von (durch Lichtzerlegung entstandenen) Farbbildern
Spezies Grundrechnungsart
spintisieren grübeln
Spiritualismus idealistische Lehre, nach der das Materielle nur als Produkt oder Erscheinungsform des Geistigen angesehen wird
sporadisch vereinzelt vorkommend
Sporteln gerichtliche Nebengebühren, Schreibgelder
steeplechase Hindernisrennen
Stoiker Anhänger der Lehre und Lebenshaltung einer griechisch-römischen Philosophenschule (Stoa), für die eine auf Selbstbeherrschung gerichtete Lebensweise höchstes Ziel war
Subsidie Geldhilfe
Subsistenzmittel Mittel für den Lebensunterhalt
Subskription Vorausbestellung
substituieren austauschen; an die Stelle (von etwas anderem) setzen
subsumieren unterordnen, einordnen
Subvention Unterstützung (besonders aus öffentlichen Mitteln), Beihilfe
Surpluspopulation Übervölkerung
Synode die aus Geistlichen und Laien bestehende, gewählte Kirchenvertretung

Tautologie Doppelbezeichnung (z. B. alter Greis)
temporär zeitweilig, vorübergehend
tendieren nach etwas streben, auf etwas zielen, zu etwas hinneigen
Tenuis (Mz. *Tenues*) stimmloser Verschlußlaut (p, t, k)

tertiär braunkohlenzeitlich; auf einen Zeitabschnitt der erdgeschichtlichen Neuzeit bezüglich
Theismus Glaube an einen außerweltlichen persönlichen Gott, als Schöpfer, Erhalter und Lenker der Welt
Tonsur kahlgeschorene Stelle auf dem Scheitel der katholischen Geistlichen
Trade-Union Gewerkschaft
transitorisch vorübergehend, kurzfristig
transzendent übersinnlich; Bewußtsein und Erfahrung überschreitend; jenseitig, übernatürlich
Treber Rückstände beim Keltern und Bierbrauen
Trias Dreiheit, Dreizahl, Dreiherrschaft
tribulieren quälen, drängen
Tribut Zwangsabgabe; schuldige Hochachtung
Trivialität abgedroschene Redensart, Plattheit, Alltäglichkeit

Ukas Erlaß
Urbarium Grundbuch, Dorfbuch
usurpieren sich etwas gewaltsam aneignen

Vandalismus fälschlich für: Zerstörungswut (nach dem germanischen Volksstamm, dem eine geschichtlich nicht belegte Zerstörungssucht zugeschrieben wird)
Vasall Lehnsmann, Gefolgsmann
Vision Erscheinung; Traumbild, Trugbild
Vitriolöl rauchende Schwefelsäure, konzentrierte Schwefelsäure mit Überschuß an gelöstem Schwefeltrioxyd
Volte betrügerischer Kunstgriff beim Kartenmischen
votieren abstimmen (bei Wahlen usw.); beschließen
Votum Gutachten, Urteil; Stimme (bei einer Abstimmung)
vulgarisieren eine Lehre unwissenschaftlich und ungenau darstellen; verflachen, verbreiten, ausbreiten
vulgo gemeinhin, gewöhnlich

Zehnt mittelalterliche Steuern; Kirchensteuer (in Naturalien)
Zentenare hundertjähriger Bestand; hier: Jahrhunderte lang
zernieren eine Festung durch Truppen einschließen, abschließen

Verzeichnis der Gewichte, Maße und Münzen

Gewichte

1 Pfund (pound, lb.)	453,592	g
1 Pud	16,38	kg
1 Quarter	12,700	kg

Maße

Längenmaße

1 Stadium (altgriechisches Längenmaß)	etwa 192	m
1 Meile (altrömisches Längenmaß)	etwa 1472,5	m
1 Meile (englische Statutmeile)	1609	m
1 Meile (deutsche Meile bis 1872)	7420	m
1 Werst (ehemal. russisches Wegemaß)	1066,78	m

Flächenmaße

1 Desjatine (ehem. russisches Flächenmaß)	1,92	ha
1 Hufe (altes deutsches Flächenmaß)	20–40	Morgen
1 Morgen (preußischer Morgen)	25,532	a
1 Quadratfuß	929	cm^2
1 Quadratmeile (deutsche Quadratmeile)	5,063	km^2

Hohlmaße

1 Ohm	etwa 150	l
1 Oxhoft	etwa 200–240	l
1 Quart	1,15	l
1 Scheffel	etwa 54,9	l
1 Tschetwert (ehem. russisches Maß)	209,91	l
1 Quarter (englisches Hohlmaß)	etwa 291	l

*Münzen**

1 Dollar (dollar) = 100 Cents		4,20	Mk
1 Frank (franc, fr.) = 100 Centimes		0,80	Mk
1 Guinea (englische Goldmünze)		21,45	Mk
1 Pfund Sterling (Pfd. St., £) = 20 Schilling		20,43	Mk
1 Schilling (shilling, sh.) = 12 Pence		1,02	Mk
1 Penny (penny, pence, d.) = 4 Farthing		8,51	Mk
1 Rubel (Rbl.) = 100 Kopeken		2,16	Mk
1 Taler (alte deutsche Silbermünze) =		3	Mk
1 Groschen (spätmittelalterliche Münze)	etwa	12	Pf.

Erklärung der Abkürzungen

C. (Capitel)	= Kapitel	N. (Note, nota)	= Anmerkung
cf. (confer)	= vergleiche	P. (pars)	= Teil
ed. (edition, edidit)	= Ausgabe, herausgegeben	p., pp. (pagina, paginas)	= Seite, Seiten
éd. (édition)	= Ausgabe	seq. (sequentes)	= folgende, die folgenden Seiten
ib. (ibidem)	= ebenda		
id. (idem.)	= derselbe, dasselbe	sub	= unter, unten
l.c. (loco citato)	= am angeführten Ort, ebenda	T. (Tomus)	= Band
		Vol. (Volumen)	= Band

* Die Umrechnung in Mark und Pfennig bezieht sich auf das Jahr 1871 (1 Mark = 1/2790 kg Feingold).

Inhalt

Beilagen

Anhang und Register

Illustrationen